· 완벽한 자율학습서 ·

자율학습시 비상구 완자로 53

세계사

Structure

01 | 핵심 내용 파악하기

이 단원에서 꼭 알아야 하는 핵심 개념을 확인하고, 친절하게 설명된 내용 정리로 세계사 교과 내용을 이해할 수 있습니다.

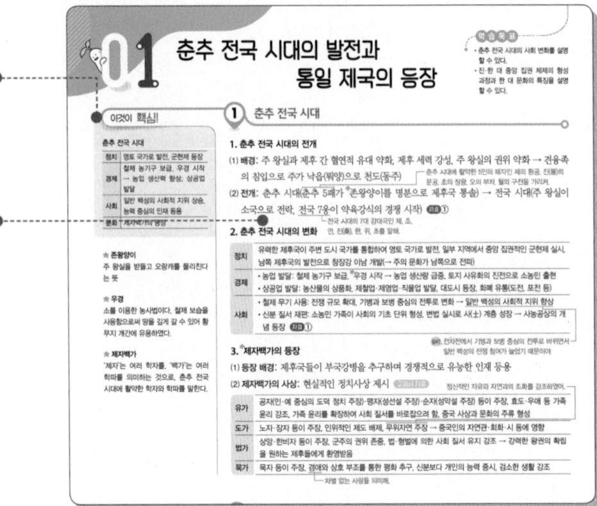

이 단원에서 학습해야 할 핵심 개념을 한눈에 파악할 수 있습니다

교과서에서 다루는 내용을 명확하게 정리하고, 어려운 개념이나 용어, 사례 등에는 친절한 설명을 덧붙였습니다.

03 | 다양한 유형의 내신 문제 풀기

학교 시험에 자주 출제되는 유형의 문제들을 단계별로 풀어 보면서 실력을 향상시킬 수 있습니다. 또한 시험에서 비중이 높아진 서술형 문제도 자신있게 대비할 수 있습니다.

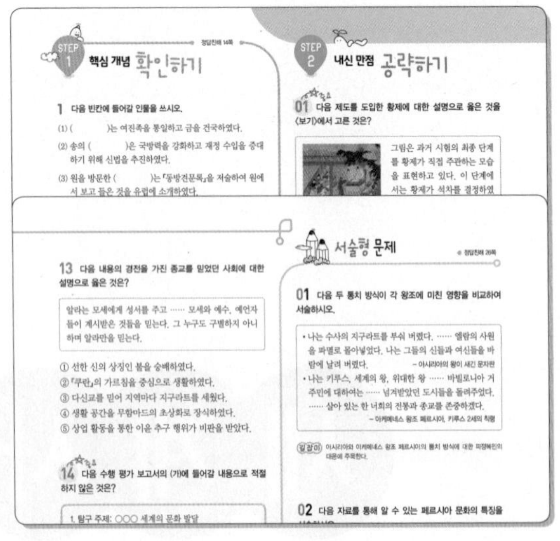

04 | 수능 문제로 1등급 정복하기

사고력과 변별력을 요구하는 수능 유형의 문제를 풀면서 실력을 향상시키고 난이도 있는 시험 문제에도 자신감을 얻을 수 있습니다.

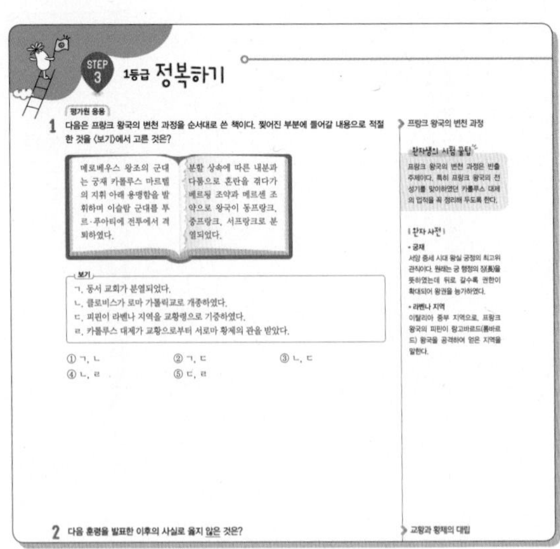

02 | 빈출 자료 파악하기

교과서에서 강조하는 빈출·핵심 자료는 포인트를 확실하게 짚어 주는 자료 설명으로 구성하였습니다.

한눈에 보이는 정리 비법, 간단한 문제로 확인하는 개념, 함께 알아 두어야 할 자료 등을 선생님이 강의하듯 꼼꼼하게 정리하였습니다.

학교 시험은 물론 수능에도 출제될 가능성이 높은 중요 자료를 질문과 답변 형식으로 철저하게 분석하였습니다.

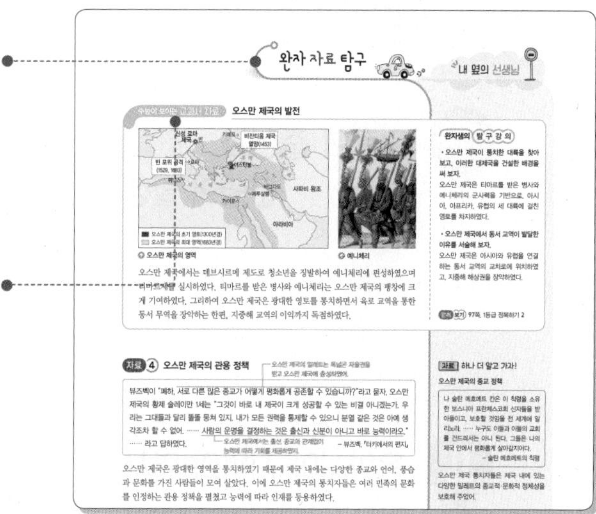

05 | 통합형 문제로 마무리하기

대단원의 핵심 내용을 한눈에 정리하고, 통합형 문제까지 풀어보면서 대단원 학습을 최종 점검할 수 있습니다.

06 | 주제별 논술형 문제

교과 내용에서 강조하는 논술 주제들을 별도 구성하고, 논술 포인트, 자료 분석 등을 통해 입체적인 논술 답안을 제공하였습니다.

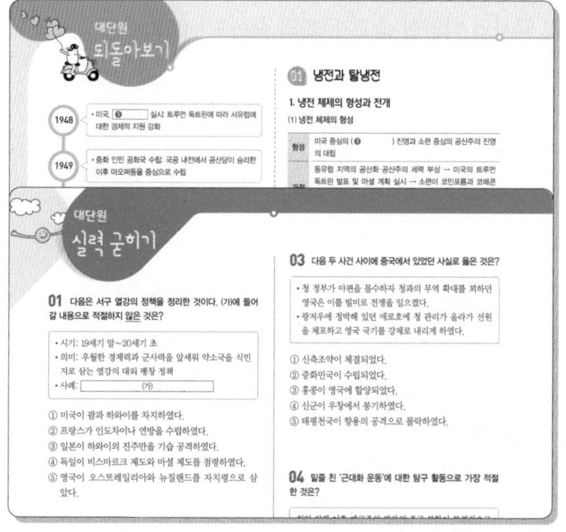

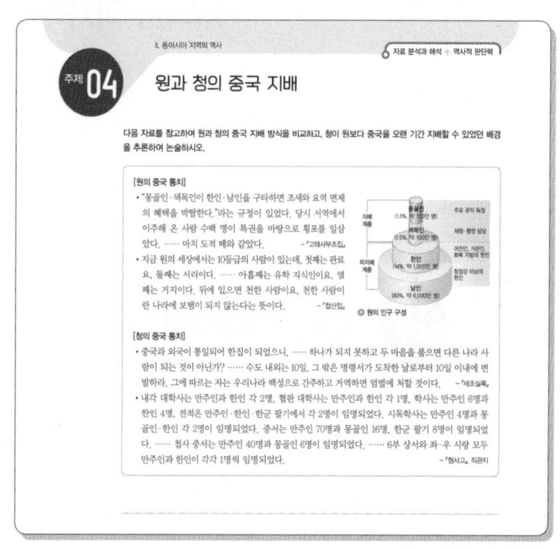

Contents

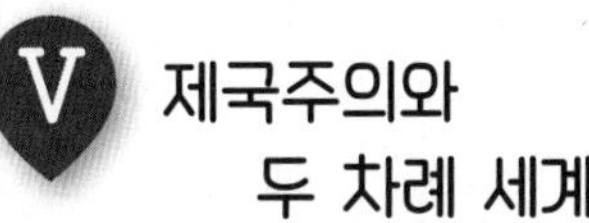

V 제국주의와 두 차례 세계 대전

VI 현대 세계의 변화

완자와 내 교과서 비교하기

단원	소단원	완자	비상교육	금성	미래엔	천재교육
Ⅰ 인류의 출현과 문명의 발생	01 세계사 학습과 선사 문화	10~15	10~20	12~18	10~18	12~22
	02 문명의 발생	16~23	21~29	20~26	20~26	24~32
Ⅱ 동아시아 지역의 역사	01 춘추 전국 시대의 발전과 통일 제국의 등장	30~39	34~39	34~39	32~36	38~41
	02 위진 남북조 시대와 수·당 제국의 발전	40~49	40~48	40~46	37~44	42~46
	03 동아시아 세계의 발전	50~59	49~59	48~56	46~54	48~56
	04 동아시아 세계의 변동	60~71	60~70	58~68	56~64	58~68
Ⅲ 서아시아·인도 지역의 역사	01 고대 서아시아 제국과 이슬람 세계의 형성	80~89	76~82	76~85	70~77	76~89
	02 이슬람 세계의 팽창	90~97	80, 83~85	82, 86~88	78~80	90~95
	03 인도의 역사와 다양한 종교·문화의 출현	98~111	88~99	90~96	82~90	96~109

인류의 출현과 문명의 발생

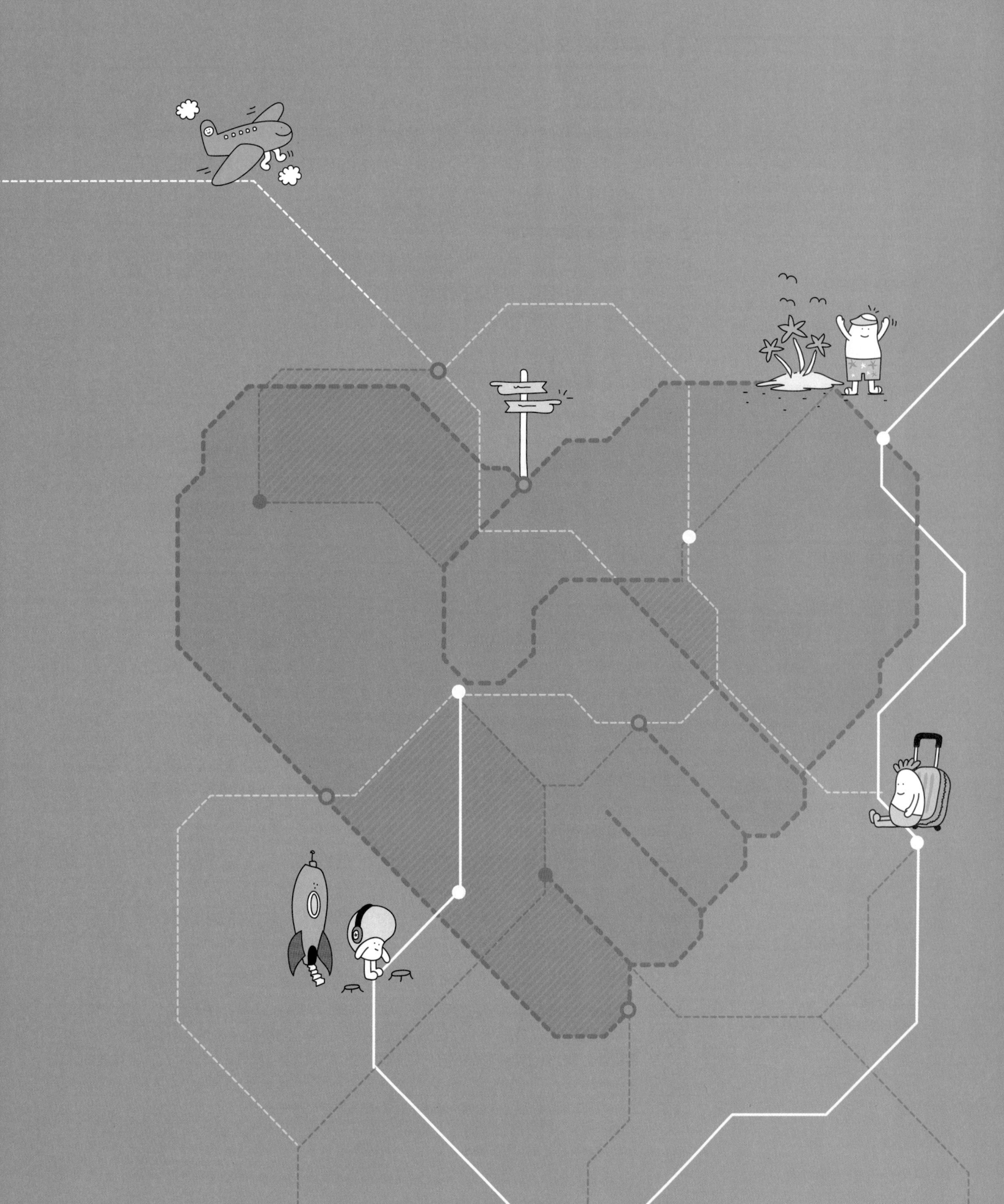

01 세계사 학습과 선사 문화

학습 목표
- 세계사의 의미와 세계사를 공부하는 목적을 알 수 있다.
- 인류의 출현 과정을 정리하고, 구석기 시대와 신석기 시대의 특징을 비교할 수 있다.

이것이 핵심!

세계사 학습

의미	인류의 발전 과정 탐구
탐구 방법	사료 수집 → 사료 비판 → 새로운 해석이나 결론 도출
필요성	인간에 대한 이해 제공, 역사적 사고력 향상, 현재의 위상 파악과 미래의 진로 모색 등

★ **자민족 중심주의**
자기 민족의 문화가 우월하다고 보는 관점이다. 중국이 세계의 중심이라는 중화주의, 동양인이 서양인보다 열등하다고 믿는 오리엔탈리즘, 유럽인만 문명을 형성하였다는 유럽 중심주의가 대표적이다.

1 세계사의 의미와 세계사 학습의 필요성

1. 세계사와 세계화

(1) **세계사의 의미**: 지구에서 활동한 인류 전체에 대한 종합적인 이야기

(2) **세계화 시대의 세계사**: 교통·통신 발달로 지역 간 교류가 확대되어 상호 의존성 증대, 갈등과 대립 심화 → 세계사의 역할 강조

세계화: 개인과 사회 집단이 갈수록 하나의 세계 안에서 삶을 만들어 가는 과정을 말해.

2. 세계사 탐구와 세계사 학습

(1) **세계사 탐구**

① 의미: 기록, 유물이나 유적 등을 통해 인간의 과거를 복원·재구성함

② 방법: 사료 수집 → 사료 비판 → 새로운 해석이나 결론 도출

왜? 사료에는 기록하는 사람의 주관적 입장이 포함되기 때문에 사료의 오류와 왜곡을 배제하기 위해 사료를 철저히 분석하고 당시 상황에 비추어 파악하여야 해.

③ 시각: *자민족 중심주의 지양, 다문화적·다중심적인 시각 필요

자민족 중심주의의 시각은 상호 교류를 통한 발전을 무시하고 국가 간에 갈등과 대립을 심화시켜.

(2) **세계사 학습의 의미와 필요성**

의미	인류가 현재에 이르는 발전 과정 탐구
필요성	인간에 대한 이해 제공, 역사적 사고력·통찰력 향상, 문화 상대주의적 관점 습득, 우리의 정체성 발견, 현재의 위상과 미래의 진로 모색 자료①

역사적 사고력·통찰력 향상: 오늘날 세계에서 일어나는 갈등을 역사적 맥락에서 파악하여 그 해결 방안을 모색할 수 있어.

문화 상대주의적 관점 습득: 문화의 다양성을 이해하고 다른 문화를 존중하는 태도를 기를 수 있어.

이것이 핵심!

선사 시대의 전개

구석기 시대	인류 출현	• 오스트랄로피테쿠스: 최초의 인류 • 호모 에렉투스: 불과 언어 사용 • 호모 네안데르탈렌시스: 시체 매장 • 호모 사피엔스: 현생 인류의 조상
	생활 모습	뗀석기 사용, 채집과 수렵, 이동 생활, 동굴 벽화 제작
신석기 시대		간석기 사용, 농경·목축 시작, 정착 생활, 씨족 사회 형성

★ **애니미즘**
물과 수목 등에 정령이 깃들었다고 믿는 신앙

★ **토테미즘**
특정 동물과 식물을 숭배하는 신앙

2 인류의 출현과 선사 문화

1. 인류의 출현

인류	출현 시기	특징
오스트랄로피테쿠스	약 400만 년 전	최초의 인류, 두 발로 서서 걸음(직립 보행), 간단한 도구 사용
호모 에렉투스	약 180만 년 전	불과 언어 사용, 완전한 직립 보행
호모 네안데르탈렌시스	약 40만 년 전	주로 유럽과 지중해 일대에서 등장, 신체 구조와 뇌 용량이 현생 인류와 비슷, 시체 매장 풍습(사후 세계의 관념 존재)
호모 사피엔스	약 20만 년 전	현생 인류의 조상(유럽의 크로마뇽인, 중국의 상동인 등), 인종과 같은 신체 형질상의 특징을 갖춤, 동굴 벽화 등의 예술품 제작

직립 보행: 인류의 직립 보행은 뇌 무게를 지탱해 주고 두 손을 자유롭게 하여 도구를 사용할 수 있게 하였어.

호모 사피엔스: 아프리카에서 등장하여 세계 각지로 퍼져 나갔어.

시체 매장 풍습: 시체가 매장된 유적에서 유골과 함께 꽃가루가 다량으로 발견되었어. 이를 통해 사후 세계의 관념이 있었음을 짐작할 수 있지.

2. 구석기 시대와 신석기 시대

(1) **구석기 시대**: 인류의 출현부터 약 1만 년 전까지 자료②

도구	뗀석기 사용(주먹도끼, 찍개, 자르개 등)
생활	수렵과 채집으로 식량 획득, 이동 생활(동굴, 바위 그늘, 숲속 등에 거주), 불과 언어 사용
예술 활동	주술적 성격의 예술품 제작(알타미라와 라스코 동굴 벽화, 빌렌도르프의 비너스 등)

(2) **신석기 시대**: 약 1만 년 전 빙하기가 끝난 후 시작 교과서 자료

도구	간석기(돌낫, 돌괭이, 갈돌과 갈판 등), 토기, 뼈도구 사용
생활	신석기 혁명: 농경과 목축 시작 → 생산력 증대, 인구 증가, 정착 생활(움집에 거주), 의복 제작
사회	촌락 형성, 혈연 중심의 씨족 사회 형성 → 신석기 시대 후기에 일부 지역에서 사유 재산 형성, 계급 분화, 부족 형성
신앙	원시적 종교 의식 등장(영혼 숭배, *애니미즘, *토테미즘, 거석 숭배 등)

의복 제작: 뼈바늘과 베틀을 활용하였어.

씨족 사회: 농경과 목축에 종사하면서 생산물을 공평하게 나누었어.

꼭! 농경과 목축 시작: 인류가 식량을 자연 그대로 얻는 단계에서 '생산'하는 단계로 발전하였어.

거석 숭배: 영국에 있는 스톤헨지가 대표적이야.

완자 자료 탐구

내 옆의 선생님

자료 1 세계사 학습의 필요성

다른 나라의 역사를 이해해야 자국의 역사를 제대로 이해할 수 있다고 말하고 있어.

• 역사란 서로 연관된 전체이므로, 만일 네가 다른 나라에서 일어난 일들을 알지 못하면 어느 나라의 역사도 이해하지 못할 것이다. 나는 네가 한두 나라에 국한되는 답답한 역사를 배우지 말고 전 세계의 역사를 연구하라고 권하고 싶다. – 네루, 『세계사 편력 1』

• 세계사 공부의 목표는 역사적 렌즈를 통해 지구적 상황들을 이해하는 것이다. 그리고 자신의 것만이 아니라 몇몇 중요한 문화적 전통들에도 똑같이 관심을 두는 것이다. – 피터 N. 스턴스

세계사 학습을 통해 오늘날 여러 사건의 배경을 파악할 수 있다는 주장이야.

세계사 학습은 다른 나라의 역사는 물론 자국의 역사를 제대로 이해하는 데 도움이 되며, 우리의 위상을 파악하고 진로를 모색하는 데 유용하다. 세계사 학습을 통해 오늘날 여러 지역에서 일어나는 사건이나 갈등을 역사적 맥락에서 파악하고, 문제 해결을 위한 역사적 사고력과 세계사적 안목도 기를 수 있다. 그리고 문화의 다양성을 이해하며 다른 문화를 존중하는 태도를 함양할 수 있다.

문제로 확인할까?

세계사 학습의 목적으로 옳은 것을 <보기>에서 고른 것은?

보기
ㄱ. 유럽 중심주의적인 태도를 함양할 수 있다.
ㄴ. 우리나라의 역사를 이해하는 데 도움이 된다.
ㄷ. 역사적 사고력과 세계사적 안목을 기를 수 있다.
ㄹ. 자국 문화만 우월하게 여기는 관점을 지닐 수 있다.

① ㄱ, ㄴ ② ㄱ, ㄷ ③ ㄴ, ㄷ ④ ㄴ, ㄹ ⑤ ㄷ, ㄹ

답 ③

자료 2 구석기 시대의 생활 모습

구석기인들은 주거지인 동굴 벽에 매머드, 들소와 같은 짐승 그림을 그렸어.

주먹도끼

매머드의 뼈로 만든 막집

알타미라의 동굴 벽화

구석기 시대 사람들은 주먹도끼와 같은 뗀석기를 이용하여 사냥을 하거나 열매를 채집하면서 이동 생활을 하였다. 이들은 동굴이나 막집, 바위 그늘, 숲속 등에서 생활하였으며, 사냥의 성공을 기원하는 동굴 벽화를 남기기도 하였다.

자료 하나 더 알고 가자!

빌렌도르프의 비너스

오스트리아에서 발견된 구석기 시대 유물이야. 다산과 풍요를 기원하여 여성을 풍만하게 표현한 것으로 추정돼.

수능이 보이는 교과서 자료 신석기 시대의 생활 모습

농경이 그려진 벽화야.

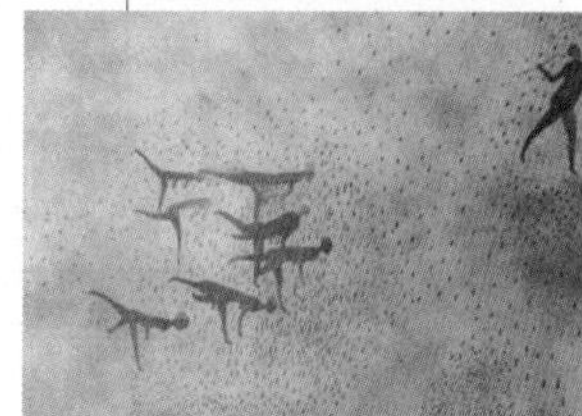

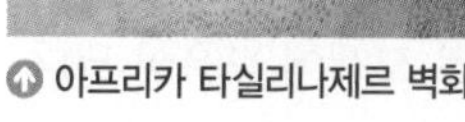

아프리카 타실리나제르 벽화

돌칼

움집

신석기 시대에는 농경과 목축이 시작되어 인류의 생활 모습이 크게 바뀌었는데, 이를 가리켜 신석기 혁명이라고 한다. 신석기 시대 사람들은 돌칼, 돌낫 등의 간석기를 이용해 농사를 짓고 생산물을 토기에 보관하였으며, 움집 등에 거주하였다.

완자샘의 탐구 강의

• 구석기 시대에 비해 달라진 신석기 시대의 생활 모습을 써 보자.

신석기 시대에 농경과 목축이 시작되면서 사람들은 농경에 유리한 평야 지역에 정착하여 움집 등을 짓고 모여 살았다. 생산한 곡식을 보관하기 위해 토기를 제작하였고 옷을 만들어 입었다. 자연 현상이 중시되어 애니미즘과 같은 원시 신앙이 나타나기도 하였다.

함께 보기 15쪽, 1등급 정복하기 2

STEP 1 **핵심 개념 확인하기**

정답친해 02쪽

1 다음에서 설명하는 개념을 쓰시오.

> 교통과 통신의 발달로 정치, 경제, 문화 등 다양한 분야에서 국가 간 교류가 증대하였다. 이에 따라 개인과 사회 집단이 갈수록 하나의 세계 안에서 삶을 공유하는 현상이다.

2 다음에서 설명하는 인류를 쓰시오.

(1) 종교적인 감정을 지니고 시체를 매장하였다. ( )

(2) 약 180만 년 전에 출현하여 불과 언어를 사용하고 완전한 직립 보행을 하였다. ( )

3 다음 설명이 맞으면 ○표, 틀리면 ×표를 하시오.

(1) 세계사 학습을 통해 역사적 사고력을 기를 수 있다. ( )

(2) 신석기 시대 사람들은 촌락을 이루고 살면서 씨족 사회를 형성하였다. ( )

(3) 호모 에렉투스는 최초의 인류로 직립 보행을 하고 도구를 사용하였다. ( )

4 다음 괄호 안의 내용 중 알맞은 말에 ○표를 하시오.

(1) 신석기 시대에는 (농경, 사냥)이 시작되어 생산력이 증대되었다.

(2) 현생 인류의 조상인 (호모 사피엔스, 호모 에렉투스)는 크로마뇽인, 상동인이 대표적이다.

(3) (구석기, 신석기) 시대 사람들은 대체로 일정한 거주지 없이 동굴이나 막집, 바위 그늘에서 생활하였다.

5 신석기 시대의 특징을 〈보기〉에서 골라 기호를 쓰시오.

> **보기**
> ㄱ. 주먹도끼를 사용한 사냥
> ㄴ. 곡식을 저장할 토기 제작
> ㄷ. 먹이를 찾아 이동하며 무리 생활
> ㄹ. 애니미즘과 토테미즘 신앙의 존재

STEP 2 **내신 만점 공략하기**

01 다음 역사 시각에 대한 설명으로 옳은 것을 〈보기〉에서 고른 것은?

> • 일부 중국인들은 중국이 문화적으로 앞선 세계의 중심이라 생각하고 주변 민족을 모두 오랑캐로 파악하였다.
> • 일부 유럽인들은 유럽인만 역사를 가진 문명을 형성하였고 그 외의 민족은 역사가 없는 미개한 문명으로 파악하였다.

> **보기**
> ㄱ. 국가나 민족 간 갈등을 유발할 수 있다.
> ㄴ. 모든 나라와 민족 간의 상호 의존적 측면을 배제하고 있다.
> ㄷ. 역사에 대한 다문화적이고 다중심적인 시각을 유지하고 있다.
> ㄹ. 각 지역의 기록과 유물을 객관적으로 분석하는 태도로 이어진다.

① ㄱ, ㄴ ② ㄱ, ㄷ ③ ㄴ, ㄷ
④ ㄴ, ㄹ ⑤ ㄷ, ㄹ

02 다음 신문 기사를 읽고 세계사 학습의 목적을 추론한 것으로 가장 적절한 것은?

> 미국은 매해 이탈리아의 탐험가 콜럼버스가 아메리카 신대륙을 발견한 날을 기념한다. 그러나 콜럼버스가 아메리카 대륙을 '발견'하기 이전에 이미 이 지역에 원주민이 살았고, 콜럼버스가 원주민 학살을 자행했다는 인식이 겹쳐져 '콜럼버스의 날'을 '원주민의 날'로 대체하는 지방 자치 단체가 늘고 있다. 한편에서는 이탈리아계 이민자들을 중심으로 콜럼버스의 업적을 인정해 콜럼버스의 날을 기념해야 한다고 주장하고 있다. - ○○ 뉴스

① 국수주의적 태도를 함양할 수 있다.
② 우리나라의 위상 파악과 진로 모색에 도움이 된다.
③ 자연환경을 극복하는 인간의 모습을 본받을 수 있다.
④ 지역 간 교류로 문화를 공유한 모습을 이해할 수 있다.
⑤ 오늘날 일어나는 갈등의 연원을 이해하고 그 해결 방안을 찾아볼 수 있다.

03 다음 내용에 해당하는 인류의 특징으로 옳은 것은?

- 출현 시기: 약 40만 년 전
- 활동 지역: 주로 유럽과 지중해 일대
- 신체 특징: 신체 구조와 뇌 용량이 현생 인류와 비슷

① 최초의 인류이다.
② 시체를 매장하였다.
③ 불을 처음 사용하였다.
④ 알타미라 동굴에 벽화를 남겼다.
⑤ 크로마뇽인과 상동인 등이 해당한다.

중요

04 지도와 같이 퍼져 나간 인류의 생활 모습에 대한 대화 내용으로 적절한 것은?

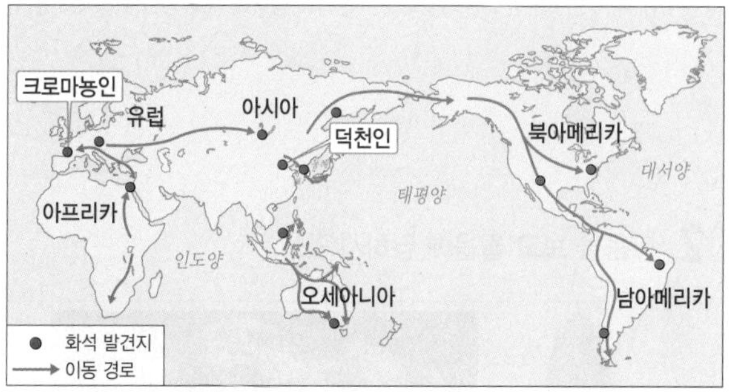

① 갑: 왕의 주도로 대규모 신전을 세웠어.
② 을: 처음 두 발로 서서 걷기 시작하였어.
③ 병: 혈연 중심의 씨족 사회를 형성하였지.
④ 정: 농사로 생산물을 얻어 토기에 저장하였어.
⑤ 무: 사냥의 성공을 기원하며 동굴 벽화를 남겼어.

05 다음 유물이 제작된 시기에 볼 수 있었던 모습으로 적절하지 않은 것은?

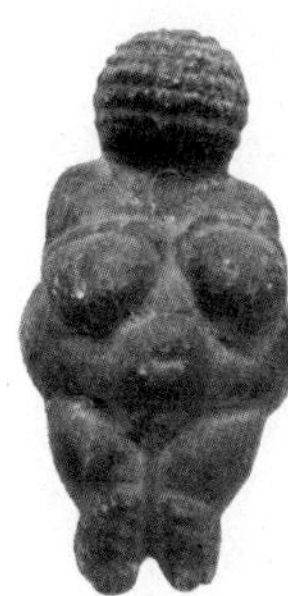

① 시체를 매장하는 무리
② 화살을 던져 사냥을 하는 사람들
③ 식물의 열매와 뿌리를 채집하는 사람
④ 뼈바늘과 베틀을 활용해 옷을 만드는 여자
⑤ 돌을 깨뜨려서 주먹도끼와 찍개를 만드는 남자

06 (가)에 들어갈 내용으로 적절한 것은?

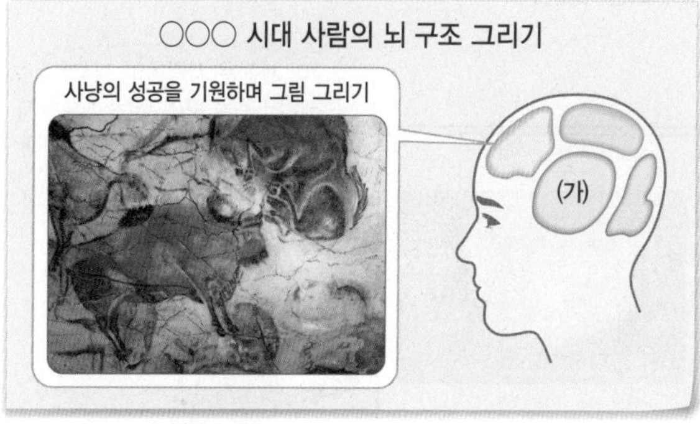

① 돌괭이로 농사짓기
② 나무로 막집 세우기
③ 뼈바늘로 옷 만들기
④ 진흙으로 토기 만들기
⑤ 갈돌로 간석기 제작하기

중요

07 다음은 선사 시대의 주거지를 비교한 것이다. (가), (나) 시대에 대한 설명으로 옳지 않은 것은?

(가) 프랑스 지역에서 사용한 나무로 만든 막집
(나) 우크라이나와 루마니아 지역에서 사용한 움집

① (가) – 주로 뗀석기를 사용하였다.
② (가) – 수렵과 채집으로 식량을 얻었다.
③ (나) – 토기에 음식을 저장하였다.
④ (나) – 애니미즘, 토테미즘과 같은 원시적 종교 의식이 등장하였다.
⑤ (가), (나) – 강한 씨족이 약한 씨족을 통합하여 부족이 성립하였다.

08 선생님의 질문에 대한 학생의 답변으로 적절한 것을 〈보기〉에서 고른 것은?

이 사진은 사람들이 거석을 숭배하였음을 보여 주는 스톤헨지 유적이에요. 이 유적을 남긴 시대 사람들은 어떻게 살았을까요?

보기

ㄱ. 먹을거리를 찾아 이동 생활을 하였어요.
ㄴ. 태양과 물 등에 정령이 있다고 믿었어요.
ㄷ. 뼈로 도구를 만들어 옷이나 그물을 만드는 데 활용하였어요.
ㄹ. 매머드의 뼈, 나무 등으로 막집을 만들어 임시 거처로 사용하였어요.

① ㄱ, ㄴ ② ㄱ, ㄷ ③ ㄴ, ㄷ
④ ㄴ, ㄹ ⑤ ㄷ, ㄹ

중요

09 밑줄 친 '이 시대'의 생활 모습으로 옳은 것은?

> 구석기인은 수렵, 채집의 생업 경제에만 의존하여 살았다. 그런데 빙하기가 끝나자마자 환경을 대하는 인간의 태도가 변화하였다. …… 이 시대에 들어와 생업 경제를 변화시킨 최초의 혁명은 인간이 자기 스스로 식량 공급을 통제할 수 있는 길을 열어 주었다. - 고든 차일드

① 시체를 매장하는 풍습이 생겨났다.
② 간석기와 토기를 만들어 사용하였다.
③ 청동제 무기를 사용하여 정복 활동을 벌였다.
④ 짐승을 사냥하는 데 주로 주먹도끼를 사용하였다.
⑤ 이동 생활을 하며 주로 동굴, 숲속 등에 거주하였다.

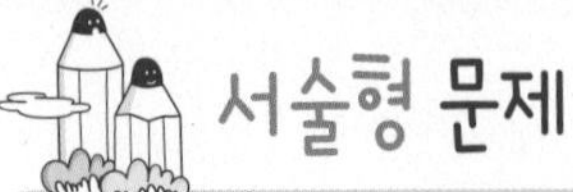

서술형 문제

● 정답친해 03쪽

01 다음을 읽고 물음에 답하시오.

> 역사가의 주관이 들어간 주관적 역사관이 특정 민족과 문명을 중심에 둘 경우 ㉠ 유럽인만 역사를 가진 문명을 형성하였고 그 외의 민족은 역사가 없는 미개한 문명으로 파악하는 시각, ㉡ 중국이 문화적으로 앞선 세계의 중심이라고 믿고 주변 민족을 오랑캐로 파악하는 시각 등으로 나타나기도 한다.

(1) ㉠, ㉡에 해당하는 역사 시각을 각각 쓰시오.

(2) ㉠, ㉡과 같은 시각이 가져올 부정적인 영향과 이를 극복하기 위한 세계사 탐구의 자세를 서술하시오.

길잡이 자기 민족의 문화만 우월하다는 생각의 영향과 극복 방안을 생각해 본다.

02 다음을 보고 물음에 답하시오.

(가) ⊙ 주먹도끼 ⊙ 매머드의 뼈로 만든 막집
(나) ⊙ 돌칼 ⊙ 움집

(1) (가), (나)의 유물과 유적이 만들어진 시대를 각각 쓰시오.

(2) (가), (나)를 토대로 각 시대의 생활 모습을 비교하여 서술하시오.

길잡이 각 도구의 용도와 거주지 차이를 식생활과 연관 지어 서술한다.

정답친해 03쪽

STEP 3 1등급 정복하기

교육청 응용

1 밑줄 친 '이 시대'에 대한 대화 내용으로 적절한 것은?

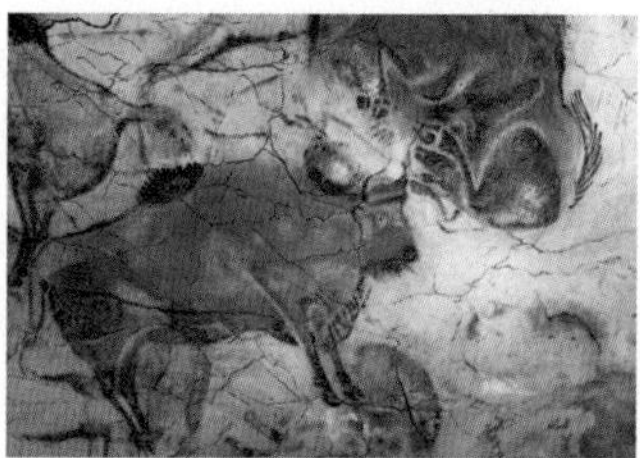

이 유물과 유적은 이 시대에 만들어졌다. 빌렌도르프의 비너스는 다산과 풍요를 기원하여 제작된 것으로 추정되며, 알타미라 동굴 벽화는 사냥의 성공을 비는 주술적 의미를 담고 있다고 알려져 있다.

① 갑: 농경과 목축을 시작하였어.
② 을: 뗀석기로 수렵과 채집을 하였지.
③ 병: 토기를 만들어 곡물을 저장하였어.
④ 정: 뼈바늘을 이용하여 옷을 지어 입었지.
⑤ 무: 수목 등에 정령이 깃들어 있다는 신앙을 믿었어.

> 선사 시대의 생활 모습

완자쌤의 시험 꿀팁

유물과 유적을 통해 구석기와 신석기 시대임을 파악하는 문제는 시험에 자주 출제된다. 구석기 시대와 신석기 시대의 특징을 비교하여 정리해 둘 필요가 있다.

완자 사전

- **주술(呪術)**
불행이나 재해를 막으려고 주문을 외거나 술법을 부리는 일

2 (가)에 들어갈 내용으로 가장 적절한 것은?

수행 평가 보고서

1. 탐구 주제: ○○○ 혁명의 발생
2. 조사 자료

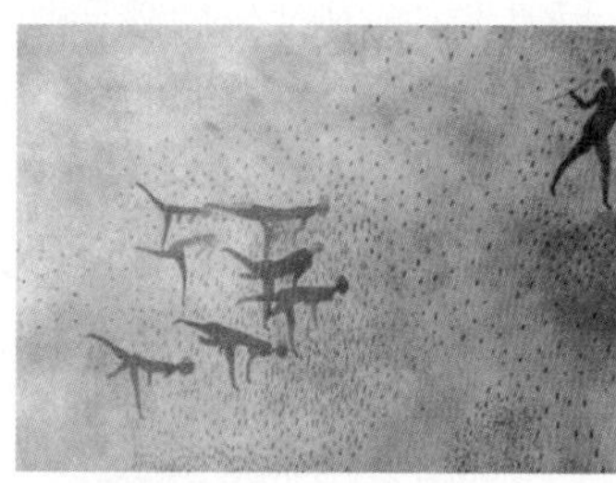
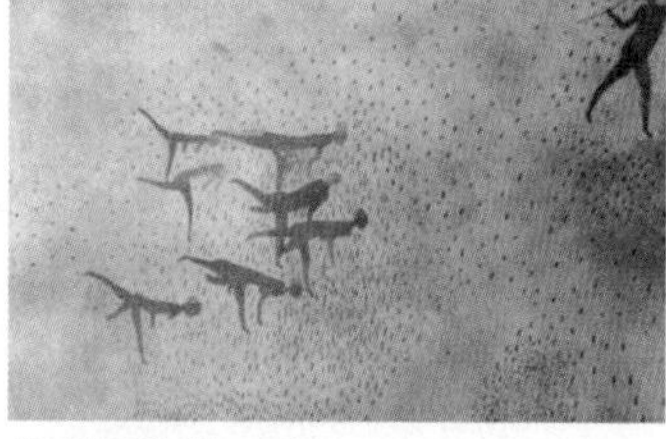

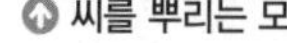
씨를 뿌리는 모습

소를 가축으로 기르는 모습

3. 탐구 결과
– (가)
– 사람들은 여러 곳으로 이동하는 대신 한곳에 정착하여 생활하였다.

① 언어로 의사소통을 하는 것이 가능해졌다.
② 빙하기의 시작으로 생활 모습이 급변하였다.
③ 스스로 식량을 생산하는 단계로 발전하였다.
④ 인구가 급격히 감소하여 노동력이 부족해졌다.
⑤ 직립 보행이 가능해져 도구를 제작하기 시작하였다.

> 선사 문화의 발전

완자 사전

- **정착(定着)**
일정한 곳에 자리를 잡아 붙박이로 있거나 머물러 삶
- **빙하기**
기후가 한랭하여 중위도 지역까지 빙하가 존재하였던 시기

02 문명의 발생

학습목표
- 문명 발생의 배경과 조건을 정리할 수 있다.
- 4대 문명의 특징을 비교하여 설명할 수 있다.

이것이 핵심!

문명의 발생

따뜻한 기후, 큰 강 유역, 청동기와 문자 사용, 계급 발생, 도시와 국가 성립

↓

4대 문명의 탄생

메소포타미아, 이집트, 인도, 중국에서 발생

1 문명의 시작

1. 문명 발생의 조건

(1) **지리적 특징**: 따뜻한 기후, 농경에 유리한 큰 강 유역

(2) **성립 요건**: 사유 재산의 개념 형성, 청동기 사용, 계급 발생, 문자 사용(→ 역사 시대로 진입), 도시와 국가 성립

- 지배 계급이 신에게 제사를 지내고 조세를 징수한 내용 등을 기록하기 위해 문자를 발명하였어.
- 꼭! 청동제 무기 사용으로 정복 활동이 활발해져 계급 분화가 촉진되었어.

2. 4대 문명의 발생: 메소포타미아 문명(티그리스강, 유프라테스강 유역), 이집트 문명(나일강 유역), 인도 문명(인더스강, 갠지스강 유역), 중국 문명(황허강 유역) 발생 자료 ①

이것이 핵심!

메소포타미아 문명과 이집트 문명

메소포타미아 문명	이집트 문명
• 왕의 신권 정치 • 현세적 다신교 • 쐐기 문자 사용 • 태음력과 60진법 사용	• 파라오(왕)의 신권 정치 • 내세적 신앙 • 상형 문자 사용 • 태양력과 10진법 사용

★ **신권 정치(신정 정치)**
통치자가 신 또는 신의 대리자로 간주되어 절대적 권력으로 인민을 지배하는 정치 형태

★ **지구라트**
도시마다 세워져 수호신을 섬긴 신전이다. 수메르인들은 점토질 벽돌로 높은 기단을 쌓고 꼭대기에 직사각형의 신전을 만들었다.

★ **쐐기 문자**

쐐기 문자가 새겨진 점토판
메소포타미아인은 끝이 뾰족한 갈대나 금속으로 점토판에 글자를 새겼는데, 그 모양이 쐐기와 닮아 쐐기 문자라고 불린다.

2 메소포타미아 문명과 이집트 문명

1. 메소포타미아 문명

(1) **성립과 변천**

성립	기원전 3500년경 수메르인이 티그리스강과 유프라테스강 사이의 메소포타미아 지역에 도시 국가 건설(우르, 라가시 등)
변천	• 배경: 개방적 지형 → 잦은 이민족의 침입을 받음 • 전개: 아카드인이 수메르인의 국가 정복 → 아무르인이 바빌로니아 왕국 수립(함무라비왕 때 전성기 이룩, 지방관 파견, 도로와 운하 건설, 함무라비 법전 편찬) 자료 ②

- 아카드인과 아무르인이 수메르인의 문화를 계승하여 발전시켰어.

(2) **특징** 교과서 자료

정치, 사회	*신권 정치 실시, 지배층(신관, 관리, 군인)과 피지배층(평민, 노예)으로 구분
경제	농업 발달, 수레 사용으로 교역 발달(→ 상인, 수공업자 등장)
종교	다신교 신봉(*지구라트 건축), 현세를 중시하는 종교관 발달(「길가메시 서사시」에 드러남)
문화	점성술 발달, *쐐기 문자 사용, 태음력과 60진법 사용

- 왕에게 부역과 공납을 바쳤어.
- 왜? 잦은 홍수와 외부의 침입에 시달렸기 때문에 현실의 행복을 중시하였어.

2. 이집트 문명

(1) **성립**: 나일강의 주기적 범람으로 땅이 비옥하여 여러 도시 국가 형성 → 기원전 3000년경 통일 왕국 등장(폐쇄적 지형 → 고왕국·중왕국·신왕국으로 이어지는 통일 왕국 유지)

- 농경에 필요한 치수와 관개를 위해 강력한 공동체가 필요해지면서 통일 왕국이 성립되었어.

(2) **특징** 교과서 자료

정치, 사회	파라오의 신권 정치, 지배층(제사장, 관료)과 피지배층(백성)으로 구분
종교	다신교 신봉, 내세적 종교관 발달(영혼 불멸 사상, 사후 세계 신봉 → 미라 제작, 「사자의 서」 기록, 피라미드 건축)
문화	천문학·측량술·기하학 발달, 상형 문자 사용, 파피루스 제작, 태양력과 10진법 사용, 의학 발달

- 파라오는 태양신 '라'의 아들이자 살아 있는 신으로 군림하였어.
- 대부분 예속 농민으로, 공납을 바치거나 대규모 토목 공사에 동원되었어.
- 왜? 오랫동안 통일 국가를 유지하여 사회가 안정되었기 때문에 인간의 생사가 반복된다는 영혼 불멸 사상을 믿었던 거야.

3. 지중해 연안의 국가들

히타이트	철제 무기와 전차를 이용한 정복 활동 전개, 철기 문화를 서아시아에 전파
페니키아	• 지중해와 흑해 무역 주도, 카르타고를 비롯한 많은 식민 도시 건설 • 표음 문자 사용 → 그리스에 전파되어 알파벳의 기원이 됨
헤브라이	• 이스라엘 왕국 건국(기원전 11세기 말): 솔로몬왕 때 전성기, 이후 이스라엘과 유대로 분열 • 유대교 창시: 유일신 신봉, 크리스트교와 이슬람교에 영향을 줌

- 이스라엘은 아시리아에, 유대는 신바빌로니아에 각각 멸망하였어.

완자 자료 탐구

내 옆의 선생님

자료 1 4대 문명의 발생

인도 지역의 인더스강 유역에서 인더스 문명이 발생하였고, 아리아인의 이동으로 갠지스강 유역에서도 문명이 발달하였어.

고대 문명은 큰 강 유역에서 탄생하였다. 이들 지역에서 관개 농업이 이루어졌고, 농경의 발달로 잉여 생산물이 발생하여 사유 재산의 개념이 생겼다. 또한 청동제 무기의 사용으로 정복 전쟁이 활발해져 계급 분화가 촉진되고 도시와 국가가 성립하였다. 도시 국가에서는 조세 징수와 제사 기록 등에 문자가 사용되었다.

문제로 확인할까?

1. 지도에 표시된 고대 문명의 공통점으로 옳지 않은 것은?
① 문자가 만들어졌다.
② 청동기가 사용되었다.
③ 농경과 목축이 시작되었다.
④ 도시와 국가가 성립되었다.
⑤ 큰 강 유역에서 시작되었다.

2. 이집트의 ( ) 유역에서 이집트 문명이 발생하였다.

답 1. ③ 2. 나일강

자료 2 바빌로니아 왕국의 사회 모습

196조와 205조를 보면 가해자의 신분에 따라 형벌의 정도가 달랐음을 알 수 있어.

제40조	사들여 보유하고 있는 농지, 과수원 또는 가옥은 매각할 수 있다. — 사유 재산 존재
제128조	아내를 맞이하면서 계약서를 작성하지 않으면 혼인은 무효가 된다.
제196조	자유인의 눈을 멀게 하면 그의 눈도 멀게 한다. — 계급 존재, 보복주의
제205조	노예가 자유인의 뺨을 때리면 그 귀를 자른다.

– 함무라비 법전

바빌로니아 왕국의 함무라비왕은 비석에 법전의 내용을 쐐기 문자로 새겨 왕국 곳곳에 세우게 하였다. 이 법전에는 형법, 재산법, 가족법 등 총 282개의 법률 조항이 담겨 있어 바빌로니아의 사회 모습을 짐작하게 한다. 형법에는 보복적 성격이 반영되었으나 혈족 간의 집단 보복 등은 인정하지 않았으며, 형벌은 가해자의 신분과 범죄 정황에 따라 다르게 적용되었다.

자료 하나 더 알고 가자!

바빌로니아 왕국의 영역

바빌로니아 왕국의 함무라비왕은 메소포타미아 전역을 통일하고 정복지에 총독을 파견하여 전성기를 이룩하였어.

수능이 보이는 교과서 자료 메소포타미아와 이집트 문명의 내세관 차이

- 길가메시여, 당신은 생명을 찾지 못할 것입니다. 신들이 인간을 만들 때 인간에게 죽음도 함께 붙여 주었습니다. …… 좋은 음식으로 배를 채우십시오. 밤낮으로 춤추며 즐기십시오. …… 왜냐하면 이 또한 인간의 운명이니까요. – 「길가메시 서사시」
  (현세의 행복을 추구하고 있어.)
- 본 재판관(오시리스)은 …… 너의 마음과 깃털을 나란히 저울에 매달겠노라. 왜냐하면 마음이야말로 인간의 존재와 삶을 규정하는 가장 중요한 것이기 때문이다. 저울질은 죽은 사람의 의사인 아누비스가, 그 결과는 신들의 서기관인 토트가 기록하도록 하라. – 「사자의 서」
  (사후 세계에서의 절차를 담고 있는 죽은 사람을 위한 안내서야.)

메소포타미아 지역은 개방적 지형으로 잦은 외부의 침입을 겪으면서 내세보다 현세의 문제를 중시하였다. 반면, 이집트 지역은 폐쇄적 지형으로 오랫동안 통일 왕국을 유지하는 안정 속에서 사후 세계에 관심을 두고 영혼 불멸 사상을 믿었다. 그리하여 시신을 미라로 만들고 사후 세계의 안내서인 「사자의 서」를 무덤 속에 넣었으며, 지배 계급의 무덤으로 피라미드를 만들었다.

완자샘의 탐구 강의

- 메소포타미아인과 이집트인의 내세관을 비교해 보자.
메소포타미아인은 사후 세계보다 현세에서의 행복을 기원하는 경향이 강하였다. 이집트인은 사후 세계와 영혼 불멸 사상을 믿는 등 내세를 중시하였다.

- 메소포타미아인과 이집트인의 내세관이 차이나는 이유를 써 보자.
메소포타미아 지역은 잦은 홍수와 외침으로 사회가 혼란한 반면, 이집트 지역은 통일 왕국을 오래 유지하였다.

함께 보기 23쪽, 1등급 정복하기 1

02 문명의 발생

이것이 핵심!

인도 문명의 특징

인더스 문명
계획도시 건설, 교역 활발, 상형 문자 사용
↓
아리아인의 이동
철제 농기구 사용, 카스트제와 브라만교 성립

★ 인장

인도 문명 지역에서 발견된 인장에는 동물 등의 문양과 상형 문자가 새겨져 있는데, 문자는 아직 해독되지 않았다.

3 인도 문명

1. 인더스 문명

성립	기원전 2500년경 인더스강 상류 펀자브 지방에서 성립 — 드라비다인이 세운 것으로 추정돼.
특징	• 계획도시 건설(하라파, 모헨조다로 등): 바둑판 모양의 도로 정비, 배수 시설·공중목욕탕·광장·창고 등 설치, *인장 발견 (건물은 대개 벽돌로 지어졌어.) • 경제: 밀과 보리 등 재배, 가축 사육, 선박과 수레를 이용하여 메소포타미아 지역과 교역 • 문화: 청동기 사용, 채도 제작, 상형 문자 사용, 정교한 예술품과 장신구 제작
쇠퇴	기원전 1800년경부터 홍수, 수로 변경, 기후 변화 등으로 쇠퇴

꼭! 인도 지역에서 제작된 금·은 세공품과 도자기 등은 주변 지역과 메소포타미아 지역에 유통되었어.

2. 아리아인의 이동 자료 ③

(1) **이동 경로**: 중앙아시아에서 유목 생활 → 기원전 1500년경 인더스강 유역에 남하하여 펀자브 지방에 정착 → 기원전 1000년경 갠지스강 유역으로 진출, 도시 형성

(2) **아리아인의 생활 모습**

① 경제: 철제 농기구와 관개 사업으로 농업 생산력 증대

② 사회: 가부장적 사회 구성, 소를 신성하게 여김, 카스트(바르나)제 형성(선주민 지배를 목적으로 계급 구분)

③ 신앙: 브라만교 성립(다양한 신 숭배, 『베다』를 경전으로 사용)

예) 인드라, 아그니, 마루트 등

브라만 계급이 자신들의 특권 유지를 위해 자연 현상을 신격화하고 복잡한 종교 의식을 발전시키는 과정에서 성립하였어.

이것이 핵심!

중국 문명의 발전

신석기 문화
양사오 문화, 룽산 문화 발달
↓
청동기 문화
• 하: 기록상 왕조 • 상: 신권 정치 실시, 갑골문 사용 • 주: 봉건제 실시, 천명사상과 덕치주의 표방

★ **순장**
지배 계급에 속하는 사람이 죽으면 많은 사람을 함께 묻는 풍습

★ **천명사상**
하늘이 천하를 지배할 능력과 덕을 갖춘 인물을 선택하여 권력을 맡긴다는 사상

★ **덕치주의**
통치자가 덕으로 백성을 감화하여 다스리는 것을 정치의 핵심으로 삼는 사상

4 중국 문명

1. 신석기 문화

(1) **형성**: 기원전 8000 ~ 기원전 6000년경 황허강, 랴오허강, 창장강 유역에서 형성

(2) **발달**: 초기에 양사오 문화(채도 제작), 후기에 룽산 문화(흑도 제작) 발달

2. 청동기 문화

하(夏)는 중국 전설상의 왕조야. 얼리터우 유적이 발견되면서 실존이 주장되었으나 아직 논란의 여지가 남아 있어.

(1) **하 왕조**: 기원전 2500년경 황허강 중류에서 청동기를 기반으로 출현, 기록상 왕조

(2) **상 왕조**

성립	기원전 1600년경 황허강 중류 지역에서 출현, 읍(邑)들의 연합으로 성립 → 은허를 중심으로 황허강 일대 통치
특징	• 신권 정치 실시: 국가의 중요한 일은 점을 쳐서 결정, 점복의 내용을 갑골문으로 기록(오늘날 한자의 원형이 됨) 자료 ④ • 사회: 지배층(귀족)과 피지배층(평민, 노예)으로 구분 (대개 농민으로 국가에 공물과 요역의 의무를 졌어.) • 경제: 농업과 목축 발전, 청동으로 무기와 제사용 도구 제작, 돌과 나무로 농기구 제작, 저수지 축조 • 문화: 역법 제작(태음력 사용), *순장 풍습 존재

(3) **주 왕조**

꼭! 제후는 지급받은 토지에서 사실상 왕과 같은 통치권을 행사하였어. 그 대신 제후는 왕에게 조공을 바치고 외적이 침입하였을 때 군사를 동원하여 왕실을 지켜야 했어.

성립	기원전 11세기경 상을 정복하고 호경에 도읍을 정함(황허강 유역 지배) → 창장강 하류까지 영토 확대
통치	• 봉건제 실시: 왕은 도읍과 직할지만 통치, 나머지 지역은 일족과 공신들을 제후로 임명하여 통치하게 함, 종법제를 바탕으로 운영 자료 ⑤ • 정치사상: *천명사상, *덕치주의로 통치(→ 이후 중국 통치에 큰 영향을 줌) • 토지 제도: 정전제 실시(토지를 9등분, 가운데 땅을 공동으로 경작하게 하고 수확물을 조세로 수취)
쇠퇴	지방 제후의 세력 강화, 주 왕실의 약화 → 이민족의 침입으로 낙읍 천도(동주 시대 개막, 기원전 8세기)

주 왕실은 때때로 감관이라는 관리를 제후국에 파견하여 제후들을 보조하거나 감시하였어.

완자 자료 탐구

내 옆의 선생님

자료 3 아리아인의 이동과 카스트제의 성립

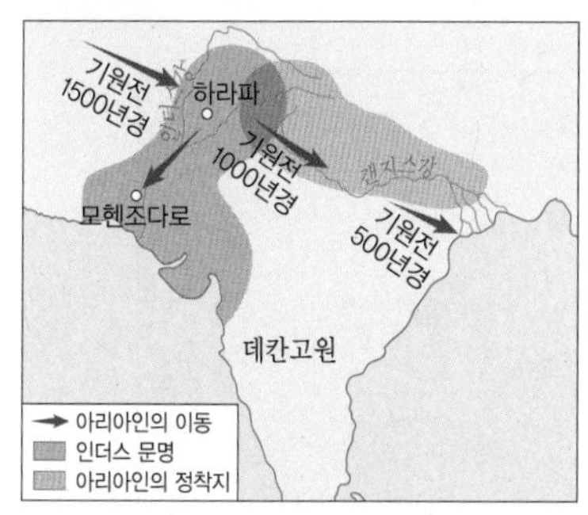

인더스 문명과 아리아인의 진출

아리아인	브라만(사제) (제사 의식 담당)
	크샤트리아(왕족·무사) (정치·군사 업무 담당)
	바이샤(평민) (농업·수공업·상업에 종사, 납세의 의무)
선주민	수드라(주로 노예) 각종 노역에 종사

브라만교의 경전인 『베다』에는 브라만, 크샤트리아, 바이샤, 수드라의 네 신분이 설명되어 있는데, 아리아인들은 이를 근거로 카스트제를 합리화하였어.

카스트제의 신분 구조

아리아인은 인도 지역에 진출한 후 원주민을 지배하기 위해 신분 제도인 카스트제를 만들었다. 이 제도에서는 혈통으로 결정된 신분에 따라 개인의 사회적 지위와 직업이 정해지고 세습되었다. 브라만 계급은 자신들의 특권을 유지하고자 브라만교를 성립시켰다.

자료 4 상의 신권 정치

- 점을 치는 사람(정인)이 "올해 왕이 오천의 병사를 모아 토방을 정벌하고자 하는데 신의 가호를 받을 수 있겠습니까?"라고 물었다. ─ 전쟁에 대해 묻고 있어.
- 상의 왕이 친히 점을 쳤다. 왕이 "올해 상에 풍년이 들겠습니까?"라고 물으니 복조를 본 후에 길하다고 여겼다. 동서남북의 땅에 풍년이 드니 길하다. ─ 농사의 수확과 관련해서 친 점이야.

상에서는 나라에 중요한 일이 있을 때 점을 쳐서 결정하는 신권 정치를 실시하였다. 상 왕조 사람들은 왕이 신과 소통할 수 있는 능력이 있다고 생각하였고, 왕은 나라의 일을 처리할 때 정인이라 불린 점술사의 도움을 받아 점을 치고 신의 뜻을 해석하였다. 그 내용은 전쟁, 날씨, 한 해 농사의 수확, 사냥 등 다양하였다. 점술가가 점친 내용과 결과를 기록하는 데는 갑골문이 쓰였다.

자료 5 주의 봉건제

적장자가 아버지의 작위를 세습하였고, 적장자 외의 자식은 한 등급 아래의 작위를 받았어.

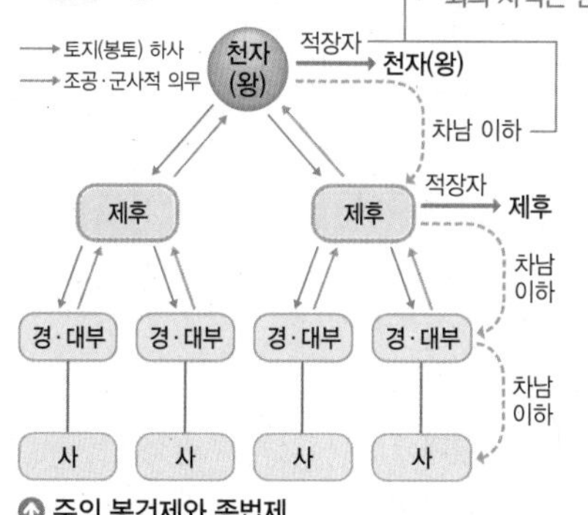

주의 봉건제와 종법제

주는 넓어진 영토를 효과적으로 다스리기 위해 봉건제를 실시하였다. '봉건'이란 '토지를 나누어 주어(분봉) 제후국을 세운다(건국)'라는 의미로, 왕이 제후에게 토지와 백성에 대한 통치를 맡기는 대신 제후는 왕에게 조공을 바치고 군사적 의무를 지게 한 제도이다. 주 왕은 주로 형제나 친척을 제후로 임명하여 혈연관계를 기반으로 하였다. 주의 봉건제는 적장자 상속을 원칙으로 하는 종법제에 바탕을 두고 운영되었다.

정리 비법을 알려줄게!

아리아인의 이동과 사회 변화

아리아인의 이동	
기원전 1500년경 인더스강 유역으로 남하 → 기원전 1000년경 갠지스강 유역으로 진출	

↓

경제	철제 농기구 사용, 관개 사업 추진 → 농업 생산력 증대
사회	• 가부장 중심 사회 형성 • 소를 신성하게 여김 • 카스트제 실시 → 개인의 사회적 지위와 생활 방식까지 규제
신앙	『베다』를 경전으로 하는 브라만교 성립

자료 하나 더 알고 가자!

갑골문

갑골문은 상 왕조에서 점친 내용과 결과를 거북의 배딱지(갑)나 소의 어깨뼈(골)에 기록한 거야. 이 문자는 오늘날 한자의 기원이 되었지.

문제로 확인할까?

주에서 실시된 봉건제의 특징으로 옳은 것을 <보기>에서 고른 것은?

보기
ㄱ. 혈연관계를 기반으로 하였다.
ㄴ. 제후는 왕에게 조공을 바쳤다.
ㄷ. 차남 상속을 원칙으로 하였다.
ㄹ. 제후들이 모든 영토를 다스렸다.

① ㄱ, ㄴ ② ㄱ, ㄷ ③ ㄴ, ㄷ
④ ㄴ, ㄹ ⑤ ㄷ, ㄹ

① 답

STEP 1 핵심 개념 확인하기

정답친해 04쪽

1 4대 문명의 특징을 〈보기〉에서 골라 기호를 쓰시오.

보기	
ㄱ. 문자의 발명	ㄴ. 봉건제의 시행
ㄷ. 도시와 국가의 형성	ㄹ. 철제 농기구의 사용

2 다음 설명이 맞으면 ○표, 틀리면 ×표를 하시오.

(1) 주 왕조는 정복지의 주민들을 다스리기 위해 카스트제를 만들었다. (　　)

(2) 바빌로니아 왕국의 함무라비왕은 영토를 확장하고 법전을 편찬하는 등 전성기를 이룩하였다. (　　)

3 다음에서 설명하는 고대 문명을 쓰시오.

(1) 왕은 태양신 '라'의 아들로 간주되어 '파라오'라고 불렸다. (　　　)

(2) 수메르인들은 각 도시에서 믿는 수호신을 모시기 위해 신전을 지었다. (　　　)

(3) 나라의 중요한 일이 있을 때 점을 쳐서 결정하고, 그 내용과 결과를 갑골문으로 기록하였다. (　　　)

4 다음 괄호 안의 내용 중 알맞은 말에 ○표를 하시오.

(1) 이집트 지역에서는 (내세, 현세)를 중시하는 종교관이 발달하였다.

(2) 이스라엘 왕국을 건설한 (페니키아인, 헤브라이인)은 유일신 신앙인 유대교를 믿었다.

(3) (인도 문명, 메소포타미아 문명)에서는 하라파, 모헨조다로와 같은 계획도시가 건설되었다.

5 다음에서 설명하는 제도를 쓰시오.

> 중국의 주 왕실이 넓어진 영토를 효과적으로 다스리기 위해 실시한 제도이다. 이 제도에 따라 왕은 도읍과 직할지만 직접 다스리고, 나머지 지역은 왕실의 친족과 공신을 제후로 삼아 이들에게 나누어 다스리게 하였다.

STEP 2 내신 만점 공략하기

01 지도에 표시된 문명의 공통점에 대한 탐구 활동으로 적절한 것을 〈보기〉에서 고른 것은?

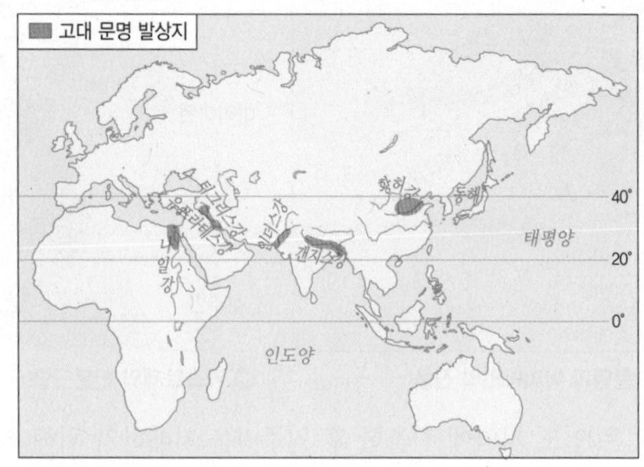

보기
ㄱ. 도시의 발생 배경을 파악한다.
ㄴ. 문자 사용의 효과를 분석한다.
ㄷ. 철기 이용에 따른 생산력의 변화를 알아본다.
ㄹ. 자연 현상을 노래한 『베다』의 기능을 찾아본다.

① ㄱ, ㄴ　② ㄱ, ㄷ　③ ㄴ, ㄷ　④ ㄴ, ㄹ　⑤ ㄷ, ㄹ

02 중요 (가) 문명에 대한 설명으로 옳은 것은?

↑ (가) 문명의 유적

① 미라를 제작하였다.
② 봉건제를 시행하였다.
③ 브라만교를 성립시켰다.
④ 쐐기 문자로 기록을 남겼다.
⑤ 하라파 등의 도시를 건설하였다.

03 다음 자료에 대한 설명으로 옳은 것은?

> 제40조 사들여 보유하고 있는 농지, 과수원 또는 가옥은 매각할 수 있다.
> 제196조 자유인의 눈을 멀게 하면 그의 눈도 멀게 한다.
> 제205조 노예가 자유인의 뺨을 때리면 그 귀를 자른다.

① 갑골문으로 기록되었다.
② 브라만교의 경전으로 사용되었다.
③ 무덤에 미라와 함께 넣은 유물이다.
④ 파라오의 강력한 권력을 상징하였다.
⑤ 형벌은 신분에 따라 차등적으로 적용되었다.

04 다음과 같은 모습이 나타난 문명의 문화유산으로 옳은 것은?

> 사람들은 정치적 안정 속에서 사후 세계에 관심을 두고, 인간의 생사가 반복된다는 영혼 불멸 사상을 지녔다. 그리하여 사람들은 죽은 자의 영혼이 자신의 육체를 쉽게 찾을 수 있도록 살아 있을 때의 얼굴 모양대로 마스크를 만들어 미라에 씌워 놓았다.

①

갑골문

②

함무라비 법전비

③
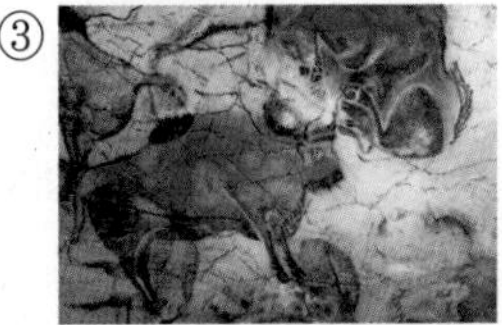
알타미라 동굴 벽화

④

우르의 깃발

⑤

사자의 서

05 (중요) 밑줄 친 '이 문명'에서 볼 수 있었던 모습으로 적절한 것은?

> <u>이 문명</u>에서는 나일강이 주기적으로 범람하여 강 주변 지역의 땅이 기름졌다. 사람들은 물이 줄어들면 기름진 땅에 씨를 뿌려 농사를 지었다.

① 종교 의식을 주관하는 브라만
② 쐐기 문자로 기록을 남기는 서기
③ 대형 건축물 제작을 명령하는 파라오
④ 봉건제에 따라 제후를 임명하는 군주
⑤ 새로운 정착지를 차지하게 된 아리아인

06 다음 유물을 남긴 문명에 대해 발표한 내용으로 적절한 것은?

① 갑: 함무라비 법전을 편찬하였어요.
② 을: 메소포타미아 지역과 교류하였어요.
③ 병: 지구라트를 세워 수호신을 섬겼어요.
④ 정: 미라를 만들면서 의학이 발달하였어요.
⑤ 무: 천명사상을 토대로 군주에게 절대권을 주었어요.

07 (중요) (가) 민족이 지도와 같이 이동하면서 인도 사회에 나타난 모습으로 옳지 <u>않은</u> 것은?

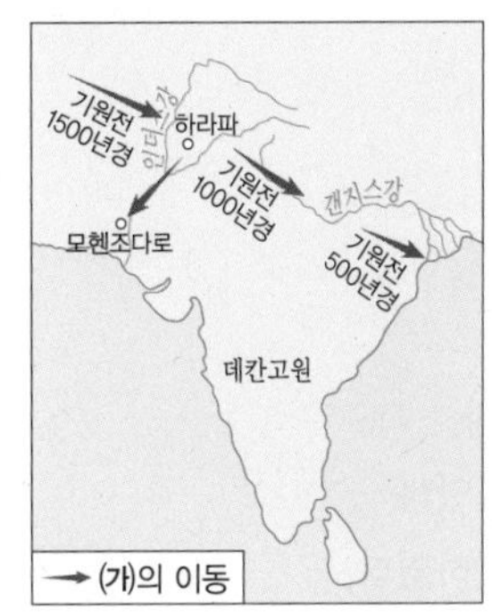

① 브라만교가 성립되었다.
② 카스트제가 등장하였다.
③ 가부장적인 사회가 구성되었다.
④ 하라파의 도시 문명이 나타났다.
⑤ 철제 농기구가 사용되면서 농업 생산력이 늘어났다.

08 다음 유물을 활용한 보고서 주제로 가장 적절한 것은?

① 쐐기 문자의 용도
② 브라만교의 성립 배경
③ 상에서 실시된 신권 정치의 특징
④ 태음력과 60진법이 탄생한 배경
⑤ 메소포타미아 지역과 인도 지방의 교역 활동

09 (가) 왕조에 대한 설명으로 옳지 않은 것은?

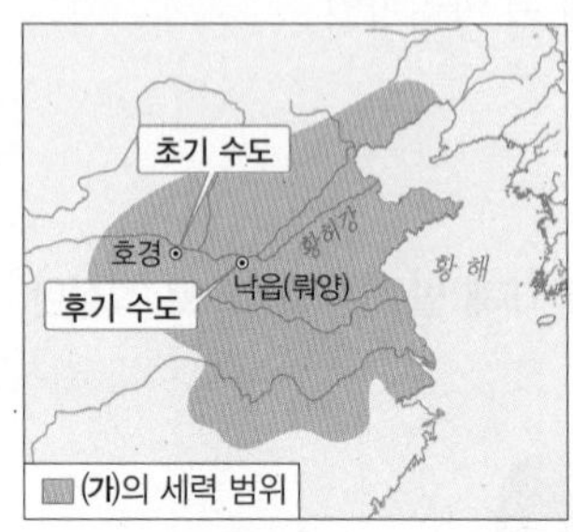

① 상을 정복하였다.
② 정전제를 실시하였다.
③ 천명사상으로 왕권을 강화하였다.
④ 카스트제로 사회생활을 제한하였다.
⑤ 이상적인 정치사상으로 덕치주의를 내세웠다.

중요

10 다음 통치 방식에 대한 설명으로 옳은 것은?

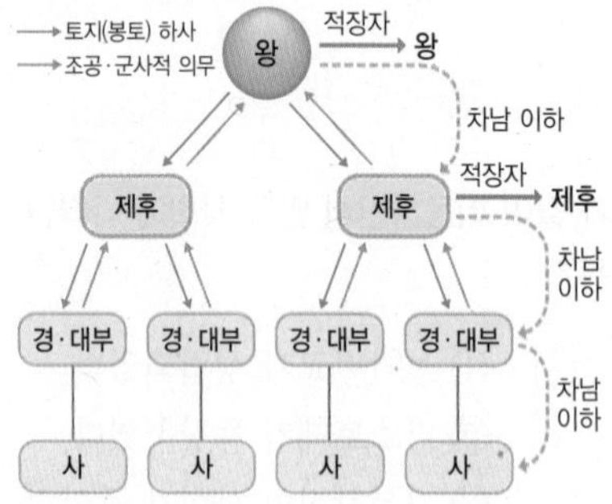

① 『베다』를 근거로 성립되었다.
② 함무라비 법전에 명시되었다.
③ 종법제를 바탕으로 운영되었다.
④ 왕은 영토를 직접 다스리지 않았다.
⑤ 쌍무적 계약 관계를 기반으로 하였다.

서술형 문제

● 정답친해 05쪽

01 지도를 보고 물음에 답하시오.

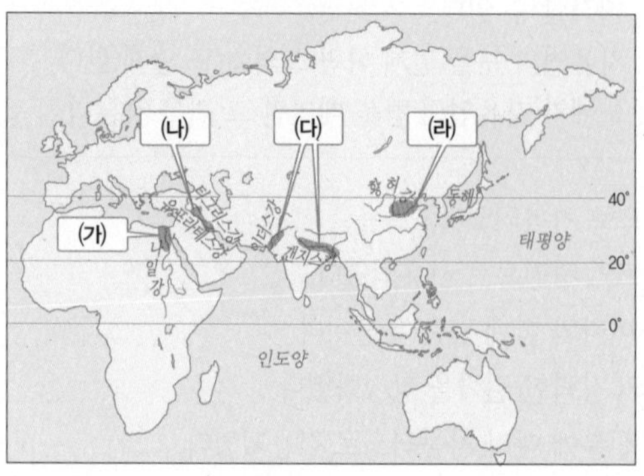

(1) (가)~(라) 지역에서 발생한 고대 문명을 각각 쓰시오.

(2) (가)~(라) 지역에서 발생한 고대 문명의 공통점을 세 가지 서술하시오.

길잡이 문명 발생의 지리적 요건, 청동기 사용에 따른 변화를 중심으로 서술한다.

02 다음 자료를 참고하여 이집트 문명에서 형성된 내세관의 특징을 그 배경과 함께 서술하시오.

> 본 재판관(오시리스)은 …… 너의 마음과 깃털을 나란히 저울에 매달겠노라. 왜냐하면 마음이야말로 인간의 존재와 삶을 규정하는 가장 중요한 것이기 때문이다. 저울질은 죽은 사람의 의사인 아누비스가, 그 결과는 신들의 서기관인 토트가 기록하도록 하라. – 「사자의 서」

길잡이 「사자의 서」가 죽은 사람을 위해 제작된 것임에 주목한다.

03 다음 자료를 통해 알 수 있는 상 왕조의 정치적 특징을 서술하시오.

> • 정인이 "왕이 오천의 병사를 모아 토방을 정벌하고자 하는데 신의 가호를 받을 수 있겠습니까?"라고 물었다.
> • 상의 왕이 친히 점을 쳤다. 왕이 "올해 상에 풍년이 들겠습니까?"라고 물으니 복조를 본 후에 길하다고 여겼다.

길잡이 왕이 나라의 일에 대해 점을 치는 것의 의미를 생각해 본다.

정답친해 06쪽

STEP 3 1등급 정복하기

1 (가)에 들어갈 내용으로 적절한 것은?

> 고대 문명의 특징

수행 평가 보고서

1. 탐구 주제: ○○○○○○ 문명의 특징
2. 수집 자료

> 수메르의 왕 길가메시는 친구의 죽음으로 충격을 받고 영생을 주는 샘을 찾아가다가, 어떤 여인에게 다음과 같은 말을 들었다. "길가메시여, 당신은 생명을 찾지 못할 것입니다. 신들이 인간을 만들 때 인간에게 죽음도 함께 붙여 주었습니다. …… 좋은 음식으로 배를 채우십시오. 밤낮으로 춤추며 즐기십시오. 잔치를 벌이고 기뻐하십시오. …… 왜냐하면 이 또한 인간의 운명이니까요."
>
> -「길가메시 서사시」

3. 탐구 결과: (가) .

① 파라오가 절대 권력을 지녔다.
② 현세적인 종교관이 형성되었다.
③ 다른 지역과 활발하게 교역하였다.
④ 유일신을 믿는 신앙이 성립되었다.
⑤ 통일 왕국을 오랫동안 유지하였다.

완자샘의 시험 꿀팁

고대 문명에서 메소포타미아와 이집트 문명은 자주 출제되는 주제이다. 자료에 해당하는 문명을 파악하고 그 특징을 찾는 문제가 빈번하게 출제되므로, 각 문명의 대표적인 자료와 특징을 비교해서 정리해야 한다.

평가원 응용

2 밑줄 친 '이 왕조'에 대한 설명으로 옳은 것을 〈보기〉에서 고른 것은?

> 중국 고대 왕조의 변천

> <u>이 왕조</u>를 세운 무왕이 말하였다. "지금 상나라 주왕은 여인의 말만 듣고 스스로 하늘과 인연을 끊어 버렸다. 윤리를 어지럽히고 부모와 형제를 멀리하며 선조들의 음악 대신 음란하고 방탕한 음악을 즐기고, 간사한 자들을 등용하여 바른 소리를 하는 사람들을 괴롭히고 있다. 이에 나는 오직 하늘의 뜻을 받들어 그를 멸할 것이다." -「사기」

보기

ㄱ. 봉건제를 실시하였다.
ㄴ. 천명사상과 덕치주의를 내세웠다.
ㄷ. 하라파와 모헨조다로를 건설하였다.
ㄹ. 다신교를 믿어 지구라트를 건축하였다.

① ㄱ, ㄴ ② ㄱ, ㄷ ③ ㄴ, ㄷ
④ ㄴ, ㄹ ⑤ ㄷ, ㄹ

완자 사전

- **주왕**
상의 마지막 왕이다. 주색을 일삼고 포학한 정치를 하여 인심을 잃어 살해되었다고 「사기」에 기록되었다.
- **다신교**
많은 신의 존재를 인정하고 믿는 종교 형태의 하나

기원전

약 400만 년	• 오스트랄로피테쿠스 출현: 최초의 인류, 직립 보행
약 180만 년	• ❶ ( ) 출현: 불과 언어 사용, 완전한 직립 보행
약 40만 년	• 호모 네안데르탈렌시스 등장: 시체 매장 풍습 존재
약 20만 년	• ❷ ( ) 등장: 현생 인류의 조상, 동굴 벽화 제작
약 1만 년	• 신석기 시대 시작: 농경과 목축 시작, 정착 생활, 촌락 형성
3500년경	• 메소포타미아 문명 발생: 티그리스강과 유프라테스강 유역, 신권 정치, 현세적 다신교, 쐐기 문자 사용
3000년경	• ❸ ( ) 문명 등장: 나일강 유역, 파라오의 신권 정치, 내세적 종교관, 상형 문자 사용
2500년경	• 인도 문명 등장: 인더스강 유역, 신권 정치, 도시 국가 건설(모헨조다로, 하라파 등), 교역 활발, 상형 문자 사용 • 중국 문명 출현: ❹ ( ) 중류 황토 지대에 초기 국가의 모습 등장
1600년경	• ❺ ( ) 왕조 성립: 신권 정치, 갑골문 사용
1100년경	• 주 왕조 성립: ❻ ( ) 실시(도읍과 직할지 외의 영토를 제후가 통치), 천명사상과 덕치주의 표방
1000년경	• ❼ ( )이 갠지스강 유역으로 진출: 철제 농기구 사용, 카스트제 성립, 브라만교 성립
8세기	• 주 왕조, 수도를 낙읍으로 이전(동주 시대)

01 세계사 학습과 선사 문화

1. 세계사의 의미와 세계사 학습의 필요성

(1) (❽   )의 의미: 지구에서 활동한 인류 전체에 대한 종합적인 이야기

(2) **세계화 시대의 세계사**: 지역 간 교류 증대로 상호 의존성 증대, 갈등과 대립 심화 → 세계사의 역할 강조

(3) **세계사 탐구**

의미	사료를 통해 인간의 과거를 복원·재구성함
방법	사료 수집 → 사료 비판 → 새로운 해석이나 결론 도출
시각	자민족 중심주의 지양, 다문화적·다중심적 시각 필요

(4) **세계사 학습의 의미와 필요성**

의미	인류가 현재에 이르는 발전 과정 탐구
필요성	인간에 대한 이해 제공, 역사적 사고력·통찰력 향상, 문화 상대주의적 관점 습득, 우리의 정체성 발견, 현재의 위상과 미래의 진로 모색

2. 인류의 출현과 선사 문화

(1) **인류의 출현**

오스트랄로피테쿠스	약 400만 년 전 출현, 최초의 인류, 직립 보행
호모 에렉투스	약 180만 년 전 출현, 불과 언어 사용
(❾)	약 40만 년 전 출현, 시체 매장 풍습
호모 사피엔스	약 20만 년 전 출현, 현생 인류의 조상, 신체 형질상의 특징을 갖춤, 동굴 벽화 제작

(2) **구석기 시대**

도구	뗀석기 사용
생활	수렵과 채집 생활, 이동 생활(동굴, 바위 그늘, 숲속에 거주), 불과 언어 사용
예술 활동	주술적 성격의 예술품 제작(빌렌도르프의 비너스 등)

(3) **신석기 시대**

도구	간석기와 토기 사용
생활	신석기 혁명: (❿)과 목축 시작 → 생산력 증대, 인구 증가, 정착 생활, 움집 등에 거주, 의복 제작
사회	촌락 형성, 혈연 중심의 씨족 사회 형성 → 신석기 시대 후기에 일부 지역에서 사유 재산 형성, 계급 분화, 부족 형성
신앙	원시적 종교 의식 등장(영혼 숭배, 애니미즘, 거석 숭배 등)

02 문명의 발생

1. 문명의 시작

문명 발생의 조건
• 지리적 특징: 따뜻한 기후, 농경에 유리한 (⑪   ) 유역 • 성립 요건: 청동기 사용, 계급 발생, 문자 사용, 도시와 국가 성립

4대 문명의 탄생
메소포타미아, 이집트, 인도, 중국에서 문명 발생

2. 메소포타미아 문명과 이집트 문명

(1) 메소포타미아 문명

성립	기원전 3500년경 수메르인이 티그리스강과 유프라테스강 사이 메소포타미아 지역에 도시 국가 건설(우르, 라가시 등)
변천	• 아카드인이 수메르인의 국가 정복 • 아무르인이 (⑫) 수립(함무라비왕 때 전성기 이룩)
특징	• 지형: 개방적 → 다른 민족과 활발한 교섭, 잦은 외침 • 정치: 신권 정치 실시 • 경제: 농업 발달, 수레 사용으로 교역 발달 • 종교: 다신교 신봉, 현세를 중시하는 종교관 발달 • 문화: 지구라트 건축, 쐐기 문자·태음력·60진법 사용

(2) 이집트 문명

성립	(⑬)의 정기적인 범람으로 형성된 비옥한 땅에서 문명 발달 → 기원전 3000년경 통일 왕국 수립
특징	• 지형: 폐쇄적 → 외침이 적어 오랫동안 통일 왕국 유지 • 정치: 파라오의 신권 정치 실시 • 종교: 다신교 신봉, (⑭) 종교관 발달(→ 시신을 미라로 제작, 「사자의 서」 기록, 피라미드 건축) • 문화: 의학·기하학·천문학 발달, 태양력·10진법·상형 문자 사용, 파피루스로 종이 제작

(3) 지중해 연안의 국가들

히타이트	철제 무기와 전차를 이용하여 정복 활동 전개, 철기 문화를 서아시아에 전파
페니키아	카르타고를 비롯한 식민 도시 건설, 표음 문자 사용(→ 그리스에 전파되어 알파벳의 기원이 됨)
헤브라이	• 이스라엘 왕국 건국: 솔로몬왕 때 전성기, 이후 이스라엘과 유대로 분열 • (⑮) 창시: 유일신 신봉, 크리스트교와 이슬람교에 영향을 줌

3. 인도 문명

(1) 인더스 문명

성립	기원전 2500년경 인더스강 상류 펀자브 지방에서 성립
특징	• (⑯) 건설(하라파와 모헨조다로 등): 도로 정비, 배수 시설·공중목욕탕·광장·창고 등 설치, 인장 발견 • 경제: 밀과 보리 재배, 가축 사육, 선박과 수레를 이용하여 메소포타미아 지역과 교역 • 문화: 청동기 사용, 채도 제작, 상형 문자 사용, 정교한 예술품과 장신구 제작
쇠퇴	기원전 1800년경부터 홍수, 수로 변경, 기후 변화로 쇠퇴

(2) 아리아인의 이동

이동 경로	중앙아시아에서 유목 생활 → 기원전 1500년경 인더스강 유역으로 남하 → 기원전 1000년경 갠지스강 유역으로 진출
생활 모습	• 경제: 철제 농기구와 관개 사업으로 농업 생산력 증대 • 사회: 가부장적 사회 구성, 카스트(바르나)제 형성 • 종교: (⑰) 성립(『베다』를 경전으로 사용)

4. 중국 문명

(1) **신석기 문화**: 기원전 8000 ~ 기원전 6000년경 황허강, 랴오허강, 창장강 유역에서 형성 → 초기에 (⑱   ) 문화(채도 제작), 후기에 룽산 문화(흑도 제작) 발달

(2) 상 왕조

성립	기원전 1600년경 황허강 중류 지역에서 출현, 은허를 중심으로 황허강 일대 통치
특징	• 신권 정치 실시: 국가의 중요한 일은 점을 쳐서 결정, 점복의 내용을 (⑲)으로 기록(한자의 원형) • 경제: 농업과 목축 발전, 청동으로 무기와 제사용 도구 제작, 돌과 나무로 농기구 제작, 저수지 축조 • 문화: 역법 제작(태음력 사용), 순장 풍습 존재

(3) 주 왕조

성립	기원전 11세기경 상을 정복하고 호경에 도읍을 정함 → 창장강 하류까지 영토 확대
정치	• 봉건제 실시: 왕은 도읍과 직할지 통치, 나머지 지역은 일족과 공신들을 (⑳)로 임명하여 통치하게 함, 종법제를 바탕으로 운영 • 정치사상: 천명사상, 덕치주의로 통치 • 토지 제도: 정전제 실시
쇠퇴	지방 제후의 세력 강화, 주 왕실의 세력 약화 → 이민족의 침입으로 낙읍 천도(동주 시대 개막)

●정답● ① 호모 에렉투스 ② 호모 사피엔스 ③ 이집트 ④ 황허강 ⑤ 상 ⑥ [illegible] ⑦ [illegible] ⑧ [illegible] ⑨ 호모 네안데르탈렌시스 ⑩ 농경 ⑪ 큰 강
⑫ 바빌로니아 왕국 ⑬ 나일강 ⑭ 내세적 ⑮ 유대교 ⑯ 계획도시 ⑰ 브라만교 ⑱ 양사오 ⑲ 갑골문 ⑳ 제후

대단원 실력 굳히기

01 다음을 통해 알 수 있는 세계사 학습의 필요성을 〈보기〉에서 고른 것은?

> 독일과 프랑스는 19 ~ 20세기 중반까지 여러 차례 전쟁을 치르면서 오랫동안 적대 관계를 유지하였다. 그러나 두 나라는 20세기 중반 우호 조약을 맺어 화해의 길에 들어섰고, 2006년에는 두 나라의 역사 이해와 화해를 위해서 공동 교과서를 출간하였다. 이 교과서의 편찬 위원인 에티엔 프랑수아는 자신의 회고록에서 "각자 어두운 역사를 스스로 드러낼 수 있는 용기가 있어야 공동 역사 교과서 작업이 가능하다."라고 하였다.

보기
ㄱ. 자연에 적응하는 방법을 습득할 수 있다.
ㄴ. 현재의 문제를 해결하는 데 도움을 얻을 수 있다.
ㄷ. 자국의 우수성을 인식하여 국수주의적 자세를 기를 수 있다.
ㄹ. 다른 지역의 문화를 이해하고 존중하는 태도를 함양할 수 있다.

① ㄱ, ㄴ ② ㄱ, ㄷ ③ ㄴ, ㄷ
④ ㄴ, ㄹ ⑤ ㄷ, ㄹ

02 (가), (나) 인류에 대한 설명으로 옳은 것은?

① (가) – 불을 처음 사용하였다.
② (가) – 동굴 벽에 짐승의 그림을 그렸다.
③ (나) – 농경을 시작하였다.
④ (나) – 시체를 매장하고 주변에 꽃을 놓았다.
⑤ (가), (나) – 간석기와 토기를 이용하였다.

03 다음 유적을 남긴 시대에 대한 탐구 활동으로 적절한 것은?

나무로 만든 막집

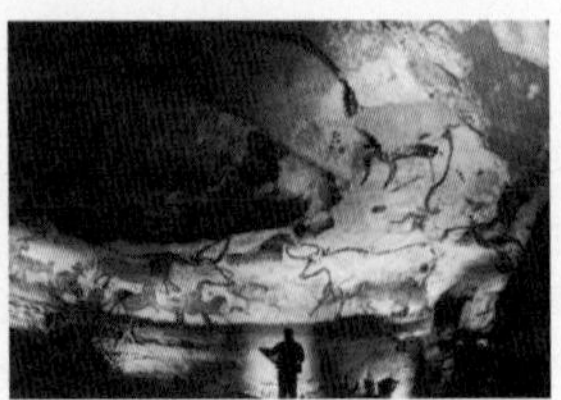
라스코 동굴 벽화

① 브라만의 지위와 역할을 검토한다.
② 미라 제작이 갖는 의미를 살펴본다.
③ 농경의 시작이 갖는 의의를 분석한다.
④ 뗀석기의 용도와 사용 방법을 파악한다.
⑤ 국가의 중대사를 문자로 기록한 자료를 찾아본다.

04 밑줄 친 '이 시대'에 볼 수 있었던 모습으로 적절한 것은?

문화재 카드

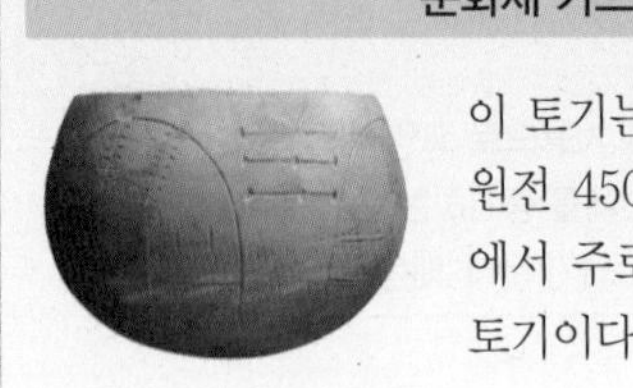

이 토기는 기원전 5500 ~ 기원전 4500년경에 유럽 지역에서 주로 발견된 <u>이 시대</u>의 토기이다.

① 뼈바늘로 옷을 만드는 여자
② 지구라트 건립에 동원된 백성
③ 제후에게 봉토를 하사하는 왕
④ 파피루스에 상형 문자를 적는 관리
⑤ 청동제 무기로 전쟁을 벌이는 사람들

05 다음은 어느 고대 문명에 대해 정리한 것이다. (가)에 들어갈 내용으로 적절하지 <u>않은</u> 것은?

- 지형: 폐쇄적 → 오랫동안 통일 왕국 유지
- 왕국의 변천: 고왕국 → 중왕국 → 신왕국
- 문화: (가)

① 유대교 성립 ② 피라미드 건립
③ 상형 문자 사용 ④ 내세적 종교관 형성
⑤ 천문학과 기하학 발달

06 (가), (나)와 관련된 문명을 비교한 것으로 옳지 않은 것은?

(가) 본 재판관(오시리스)은 …… 너의 마음과 깃털을 나란히 저울에 매달겠노라. …… 저울질은 죽은 사람의 의사인 아누비스가, 그 결과는 신들의 서기관인 토트가 기록하도록 하라. –「사자의 서」

(나) 길가메시여, 당신은 생명을 찾지 못할 것입니다. 신들이 인간을 만들 때 인간에게 죽음도 함께 붙여 주었습니다. …… 좋은 음식으로 배를 채우십시오. 밤낮으로 춤추며 즐기십시오. …… 왜냐하면 이 또한 인간의 운명이니까요. –「길가메시 서사시」

① (가), (나)에서는 신권 정치가 실시되었다.
② (가)에서는 10진법이 사용되었고, (나)에서는 60진법이 사용되었다.
③ (가)에서는 쐐기 문자가 사용되었고, (나)에서는 상형 문자가 사용되었다.
④ (가)는 오랫동안 통일 왕국이 유지되었고, (나)는 왕조가 자주 교체되었다.
⑤ (가)에서는 내세를 중시하였고, (나)에서는 현세를 중시하는 종교관이 발달하였다.

07 ㉠, ㉡ 지역에서 발생한 문명에 대한 공통적인 탐구 주제로 적절한 것은?

- ㉠ 거대한 반원 모양의 지역은 현재 이름이 없지만 '비옥한 초승달 지대'라 불러도 좋을 것이다. …… 서아시아의 역사는 '비옥한 초승달 지대'를 차지하기 위한 오랜 투쟁으로 묘사될 수 있다.
- 영국인 마셜에 의해 발굴된 ㉡ 이 지역의 유적은 파키스탄에 위치하며 기본적으로 벽돌로 세워진 계획도시였다. 하수도 시설을 두었고 인장, 손도끼, 각종 장신구, 동물 조각 등이 출토되었다.

① 봉건제 운영 방식
② 해상 무역의 규모
③ 카스트제의 성립 배경
④ 쐐기 문자와 점토판의 용도
⑤ 함무라비 법전의 적용 대상

08 다음 보고서에서 다루는 종교에 대한 설명으로 옳은 것은?

역사 탐구 보고서

1. 탐구 주제: ○○○○의 성립과 발전
2. 자료 수집
   – 아리아인이 인도에 이주하여 농경 문화에 적응해 나가면서 자연 현상을 신성하게 여김
   – 주요 신과 의미

아그니(Agni)	인드라(Indra)	마루트(Marut)
불의 신, 종교 의식에서 정화 기능 담당	신들의 왕, 비와 천둥 주관	바람 또는 폭풍우의 신

3. 탐구 결과: 자연 현상을 신격화하여 여러 신을 숭배함

① 『베다』를 경전으로 하였다.
② 헤브라이 왕국에서 받아들였다.
③ 도시마다 지구라트를 세워 신을 섬겼다.
④ 파라오의 권위를 높이는 역할을 하였다.
⑤ 크리스트교와 이슬람교에 영향을 주었다.

09 (가), (나) 왕조에 대한 설명으로 옳은 것을 〈보기〉에서 고른 것은?

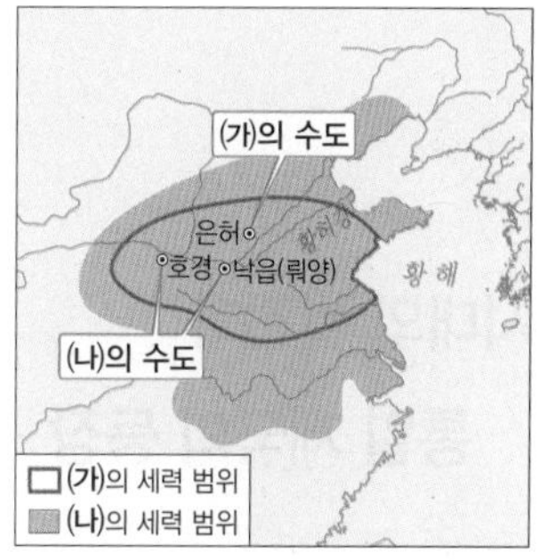

보기

ㄱ. (가) – 청동으로 무기와 제기를 제작하였다.
ㄴ. (가) – 혈연관계를 바탕으로 한 봉건제를 시행하였다.
ㄷ. (나) – 천명사상과 덕치주의로 통치하였다.
ㄹ. (나) – 왕을 태양신 '라'의 아들이자 살아 있는 신으로 여겼다.

① ㄱ, ㄴ ② ㄱ, ㄷ ③ ㄴ, ㄷ ④ ㄴ, ㄹ ⑤ ㄷ, ㄹ

동아시아 지역의 역사

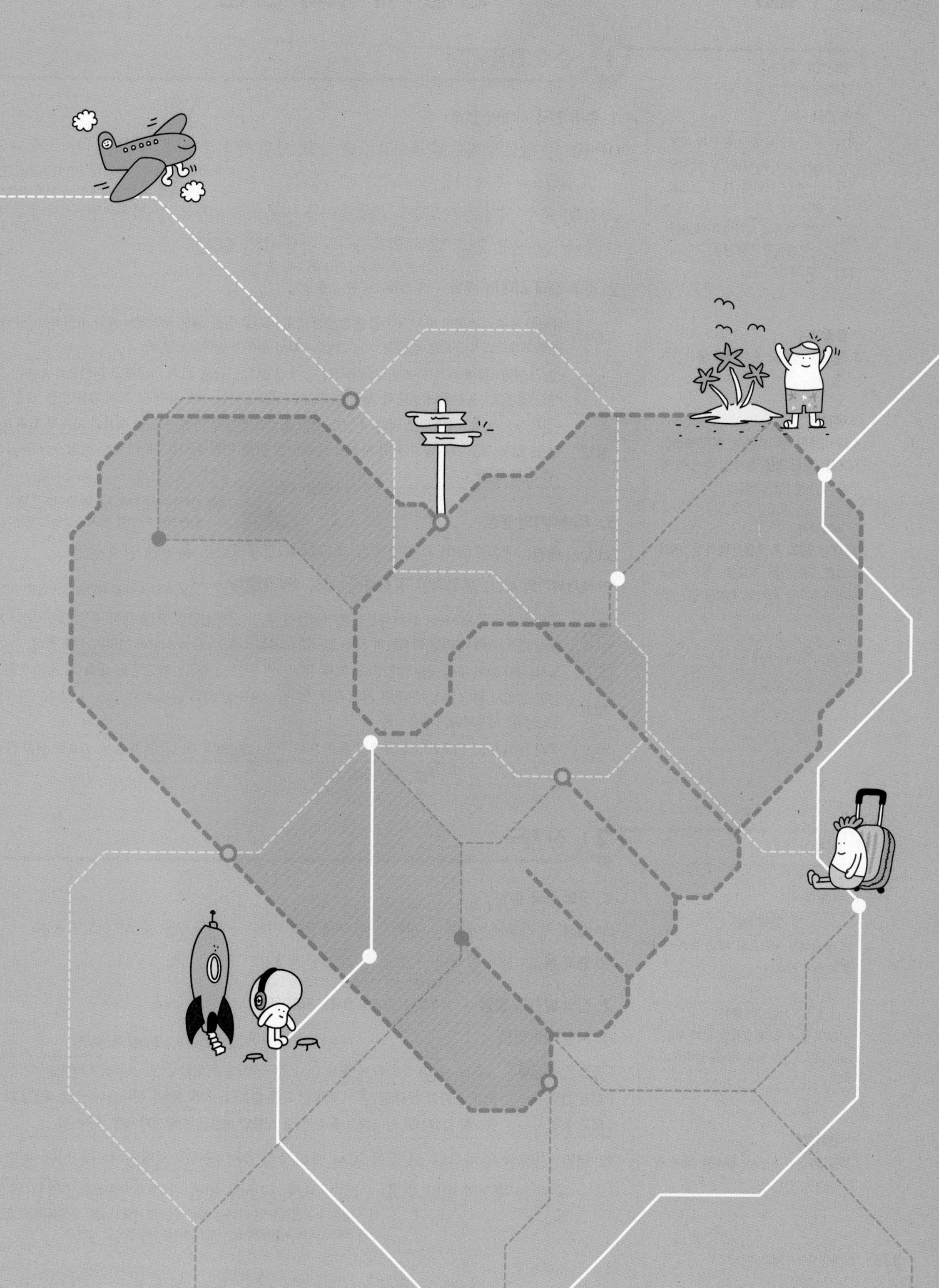

01 춘추 전국 시대의 발전과 통일 제국의 등장

학습목표
- 춘추 전국 시대의 사회 변화를 설명할 수 있다.
- 진·한 대 중앙 집권 체제의 형성 과정과 한 대 문화의 특징을 설명할 수 있다.

1 춘추 전국 시대

이것이 핵심!

춘추 전국 시대

정치	영토 국가로 발전, 군현제 등장
경제	철제 농기구 보급, 우경 시작 → 농업 생산력 향상, 상공업 발달
사회	일반 백성의 사회적 지위 상승, 능력 중심의 인재 등용
문화	제자백가의 등장

★ 존왕양이
주 왕실을 받들고 오랑캐를 물리친다는 뜻

★ 우경
소를 이용한 농사법이다. 철제 보습을 사용함으로써 땅을 깊게 갈 수 있어 황무지 개간에 유용하였다.

★ 제자백가
'제자'는 여러 학자를, '백가'는 여러 학파를 의미하는 것으로, 춘추 전국 시대에 활약한 학자와 학파를 말한다.

1. 춘추 전국 시대의 전개

(1) **배경**: 주 왕실과 제후 간 혈연적 유대 약화, 제후 세력 강성, 주 왕실의 권위 약화 → 견융족의 침입으로 주가 낙읍(뤄양)으로 천도(동주)

(2) **전개**: 춘추 시대(춘추 5패가 *존왕양이를 명분으로 제후국 통솔) → 전국 시대(주 왕실이 소국으로 전락, 전국 7웅이 약육강식의 경쟁 시작) 자료 ①

└ 춘추 시대에 활약한 5인의 패자인 제의 환공, 진(晉)의 문공, 초의 장왕, 오의 부차, 월의 구천을 가리켜.

└ 전국 시대의 7대 강대국인 제, 초, 연, 진(秦), 한, 위, 조를 말해.

2. 춘추 전국 시대의 변화

정치	유력한 제후국이 주변 도시 국가를 통합하여 영토 국가로 발전, 일부 지역에서 중앙 집권적인 군현제 실시, 남쪽 제후국의 발전으로 창장강 이남 개발(→ 주의 문화가 남쪽으로 전파)
경제	• 농업 발달: 철제 농기구 보급, *우경 시작 → 농업 생산량 급증, 토지 사유화의 진전으로 소농민 출현 • 상공업 발달: 농산물의 상품화, 제철업·제염업·직물업 발달, 대도시 등장, 화폐 유통(도전, 포전 등)
사회	• 철제 무기 사용: 전쟁 규모 확대, 기병과 보병 중심의 전투로 변화 → 일반 백성의 사회적 지위 향상 • 신분 질서 재편: 소농민 가족이 사회의 기초 단위 형성, 변법 실시로 사(士) 계층 성장 → 사농공상의 개념 등장 자료 ①

왜? 전차전에서 기병과 보병 중심의 전투로 바뀌면서 일반 백성의 전쟁 참여가 늘었기 때문이야.

3. *제자백가의 등장

(1) **등장 배경**: 제후국들이 부국강병을 추구하며 경쟁적으로 유능한 인재 등용

(2) **제자백가의 사상**: 현실적인 정치사상 제시 교과서 자료

유가	공자(인·예 중심의 도덕 정치 주장)·맹자(성선설 주장)·순자(성악설 주장) 등이 주장, 효도·우애 등 가족 윤리 강조, 가족 윤리를 확장하여 사회 질서를 바로잡으려 함, 중국 사상과 문화의 주류 형성
도가	노자·장자 등이 주장, 인위적인 제도 배제, 무위자연 주장 → 중국인의 자연관·회화·시 등에 영향
법가	상앙·한비자 등이 주장, 군주의 권위 존중, 법·형벌에 의한 사회 질서 유지 강조 → 강력한 왕권의 확립을 원하는 제후들에게 환영받음
묵가	묵자 등이 주장, 겸애와 상호 부조를 통한 평화 추구, 신분보다 개인의 능력 중시, 검소한 생활 강조

└ 정신적인 자유와 자연과의 조화를 강조하였어.

└ 차별 없는 사랑을 의미해.

2 진 제국

이것이 핵심!

진의 발전

중국 통일
법가 사상을 바탕으로 체제 정비 → 전국 시대 통일
↓
시황제의 통치
군현제 실시, 화폐·도량형·문자 통일, 분서갱유 단행, 흉노 토벌, 만리장성 축조

★ 분서갱유
'책을 불태우고(분서) 선비를 묻어 죽인다(갱유)'라는 뜻

1. 진의 중국 통일

(1) **배경**: 법가 사상에 따른 개혁으로 부국강병 이룩 → 전국 7웅 중 하나로 발돋움

(2) **중국 통일**: 진이 중국을 최초로 통일(기원전 221)

└ 진(秦)은 전국 7웅의 나머지 여섯 나라를 차례로 무너뜨리고 중국을 통일하였어.

2. 진의 발전과 멸망

(1) **시황제의 정책**

꼭! 전국을 36개의 군으로 나누어 관리를 파견하였어.

중앙 집권 강화	스스로 시황제라 칭함, 군현제 실시, 전국적으로 도로망 건설 → 황제 지배 체제 확립
통일 정책	화폐·도량형·문자 통일(→ 지역 간 교류 활성화), 사상 통일(*분서갱유 단행) 자료 ②
대외 정책	흉노를 토벌하고 만리장성 축조, 광둥 지방과 베트남 북부까지 영토 확장

(2) **멸망**: 가혹한 통치, 대규모 토목 공사(만리장성, 아방궁, 진 시황릉 등 축조)에 농민을 강제로 동원 → 백성의 반발 초래 → 진승·오광의 난 등 농민 반란이 일어나 멸망(기원전 206)

└ 진 시황릉에 딸린 병마용 갱에는 실제 사람 크기와 비슷한 토용들이 약 8,000개 만들어져 있어서 시황제의 절대적인 권력을 상징적으로 보여 줘.

완자 자료 탐구

내 옆의 선생님

자료 1 춘추 전국 시대와 변법 실시

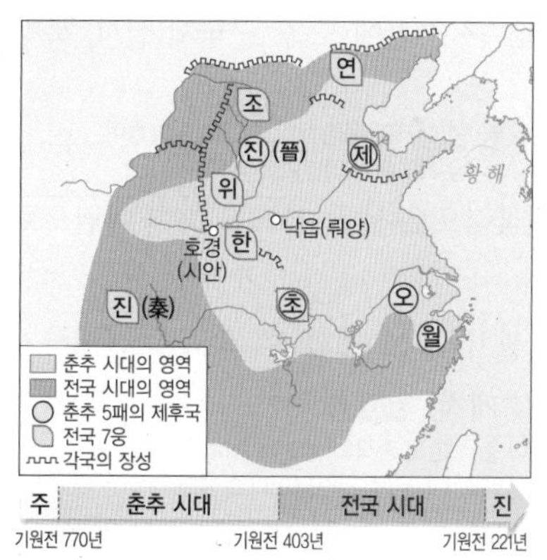

춘추 전국 시대의 전개

춘추 시대에는 춘추 5패가 '주 왕실을 받들고 오랑캐를 물리친다(존왕양이)'라는 명분으로 각축을 벌였다. 이후 전국 시대에는 전국 7웅이 약소 제후국들을 병합하면서 약육강식의 경쟁이 벌어졌다. 각국이 경쟁하는 가운데 제후국의 군주들은 군주권을 강화하고 부국강병을 추진하는 구체적인 방법으로 변법을 실시하였다. 진(秦)에 등용된 상앙은 군현제를 실시하고 조세 제도를 확립하는 등의 변법을 실시하여 진이 중국을 통일하는 기반을 마련하였다.

문제로 확인할까?

1. 춘추 전국 시대에 대한 설명으로 옳지 않은 것은?

① 변법이 실시되었다.
② 영토 국가가 등장하였다.
③ 철제 농기구가 도입되었다.
④ 전국적으로 군현제가 실시되었다.
⑤ 일반 백성의 사회적 지위가 올라갔다.

2. (　　　　)에는 춘추 5패가 존왕양이를 명분으로 제후국을 통솔하였다.

답 1. ④ 2. 춘추 시대

수능이 보이는 교과서 자료 제자백가의 사상

유가는 백성을 덕으로 다스릴 것을 주장하였어.

- 힘으로써 남을 복종하게 하면 …… 마음으로부터 복종하는 것이 아니다. 덕(德)으로써 남을 복종하게 하면 마음으로부터 기뻐하며 진정으로 복종하게 된다. – 유가 –「맹자」
- 명철한 군주는 뭇 신하가 법(法)을 벗어날 궁리를 못 하게 하고, 법의 적용에 온정을 기대하지 못하게 하며, 모든 행동은 법에 따르지 않는 것이 없게 한다. – 법가 –「한비자」
- 언제나 백성을 순진하게 두고 욕심을 버리게 하여 꾀가 있는 자들이 감히 행하지 못하게 하라. 무위(無爲)로 행하면 다스려지지 않는 것이 없다. – 도가 –「노자」
- 만약 사람들이 서로 사랑하도록 한다면, 나라와 나라는 공격할 일이 없고 도둑이나 상해도 없어지며 군신, 부자 모두가 자비심과 공경심이 깊어질 것이다. – 묵가 –「묵자」

겸애

춘추 전국 시대에 제후국은 국적이나 신분과 관계없이 유능한 인재를 관료로 임용하였다. 특히 지식과 학문을 갖춘 사(士) 계층을 관료로 많이 등용하였다. 이 과정에서 다양한 사상가와 학파가 등장하여 부국강병을 위한 정치사상을 제시하였다.

완자샘의 탐구 강의

• 제자백가의 등장 배경을 써 보자.
춘추 전국 시대에 제후국이 국적이나 신분에 관계없이 유능한 인재를 관료로 등용하면서 제자백가가 등장하였다.

• 자료에 나타난 각 학파의 특징을 정리해 보자.

유가	백성을 덕으로 다스릴 것을 강조
법가	엄격한 법에 의한 통치를 주장
도가	인위적 제도 배격, 무위 강조
묵가	겸애 주장, 평화 강조

함께 보기 38쪽, 1등급 정복하기 2

자료 2 진의 통일 정책

문자 통일

진에서 사용한 청동 화폐로 반량이라는 글자가 새겨져 있어.

화폐 통일

곡식의 양을 측정하는 '되'야.

도량형 통일

시황제는 중국을 통일한 후 강력한 통일 정책을 추진하였다. 문자를 전서체로 통일하였고 화폐로 반량전을 사용하게 하였으며 도량형과 수레바퀴의 폭도 통일하였다. 이는 통일된 기준을 적용하여 지역 간 교류를 활발하게 하고 경제적 통일을 이루기 위해서였다.

자료 하나 더 알고 가자!

시황제의 사상 통일

> 일반 백성이 가지고 있는 서적 가운데 의학, 점복, 농업, 임업에 관계되는 것을 제외하고 모두 불태웠다. …… 국가의 명령을 거역하고, 황제를 비판하거나 국법을 어긴 460여 명을 수도 셴양에 산 채로 묻어 죽였다. –「사기」

진의 시황제는 사상을 통일하고 황제에 반대하는 세력을 억누르기 위하여 분서갱유를 단행하였어.

춘추 전국 시대의 발전과 통일 제국의 등장

3 한 제국

1. 한의 성립과 발전

(1) **한의 성립**: 유방(고조)이 건국, 중국 재통일(기원전 202) → 장안에 도읍, 군국제 실시, 북방의 흉노에게 물자를 제공하고 평화 유지 자료③

(2) **무제의 통치**

꼭! 한 무제가 동중서의 건의를 받아들여 유교를 통치 이념으로 채택하였어.

① 중앙 집권 체제 확립: 제후 세력 제압 후 군현제를 전국적으로 시행, 유교를 통치 이념으로 채택(유교의 관학화) 자료③

② 대외 정책: 남월(남비엣)·고조선을 정복하고 군현 설치, 흉노 제압 후 흉노를 견제하기 위해 장건을 대월지에 파견하여 동맹 시도(→ 비단길 개척) 자료④

이 길을 통해 중국의 비단이 로마에까지 전해졌기 때문에 '비단길'이라고 불러.

③ 통제 경제 정책

목적	흉노와의 전쟁 등 잦은 대외 원정으로 인한 재정 부족 문제 해결
내용	소금과 철의 전매제 실시, *균수법·*평준법 실시(물가 안정 정책), 국가에서 오수전 주조, 개인의 화폐 주조 금지, 억상책 실시(대상인에게 무거운 세금 부과)

(3) **전한의 멸망**: 무제 사후 외척과 환관의 권력 다툼으로 쇠퇴 → 외척 왕망에게 멸망

(4) **신의 성립과 멸망**: 왕망이 건국(8), 토지 국유화·노비 매매 금지 등 추진 → 호족들의 반발로 멸망

주의 제도를 이상으로 삼아 추진한 개혁이야.

(5) **후한의 성립과 발전**

신 성립 이전의 한 왕조를 전한이라 하고, 유수가 한을 재건한 시기부터를 후한이라고 해.

① 성립: 유수(광무제)가 호족의 지원을 받아 뤄양을 도읍으로 하여 한 재건(후한, 25)

② 발전: 전한의 제도 부활, 농민의 부담을 줄여 주는 조세 정책 실시, 유교 장려

③ 멸망: 외척과 환관의 정치 개입으로 중앙 통치력 약화, 호족의 토지 겸병 등으로 농민 반란 발생 → *황건적의 난을 계기로 멸망(220), 위·촉·오의 삼국으로 분열

2. 한 대의 경제

(1) **농업 발달**: 철제 농기구 보급 확대, 농업 기술 발달 → 농업 생산력 증대, 토지의 사유화 진전

(2) **상공업 발달**: 서역과의 교역 활발, 장안·뤄양 등이 상업 도시로 번성, 화폐 유통

3. 한 대의 사회

(1) **호족의 성장**: 대토지와 노비를 소유하고 지역 사회에서 권력 행사, *향거리선제를 통해 관료로 진출하여 중앙 정치 주도

농민의 몰락을 방지하고 대상인이 된 호족을 견제하기 위해 시행하였어.

(2) **정부의 호족 견제**: 개인의 토지 소유를 제한하는 법령 공포, 중농 억상책 시행 → 호족들의 반발로 실패

4. 한 대의 문화

(1) **발전**

신화시대부터 한 무제 때까지의 역사를 서술하였어.

진 시황제의 분서갱유로 없어진 유교 경전을 복원하는 과정에서 발달하였어.

유교	유가 사상이 유교로 발전, 무제가 통치 이념화(→ 태학 설립, 오경박사 설치), *훈고학 발달 자료⑤
불교	후한 초 비단길을 통해 서역으로부터 전래
신선 사상	후한 말 도가 사상과 결합하여 태평도, 오두미도 등으로 발전
역사서	사마천의 『사기』(전한), 반고의 『한서』(후한) 등 *기전체 역사서 등장 → 중국 정사 서술의 모범이 됨
과학 기술	후한 대 채윤이 제지술 개량 → 학문과 사상의 발전에 기여

(2) **의의**: 춘추 전국 시대 이래의 문화가 종합됨 → 중국 전통문화의 기틀 마련

꼭! 채윤이 개량한 제지술은 8세기에 비단길을 통해 이슬람 세계에 전파되었어.

한자, 한족과 같이 중국을 지칭하는 '한'이라는 글자는 모두 한에서 유래한 거야.

이것이 핵심!

한의 발전

정치	• 고조: 군국제 실시 • 무제: 군현제 실시, 유교의 관학화, 흉노·남월·고조선 정복, 통제 경제 정책 시행
경제	농업 생산력 증가, 상공업 발달, 화폐 유통
사회	호족 성장(대토지 소유, 향거리 선제를 통해 관료로 진출)
문화	유학 발달(훈고학), 기전체 역사서 편찬(『사기』, 『한서』), 제지술 개량

★ 균수법
특정 물자가 풍부한 지역에서 그 물자를 세금으로 걷고, 이를 부족한 지역에 팔아 지역 간의 물자 유통을 원활하게 한 정책

★ 평준법
각지에서 특정한 물자가 쌀 때 사들여 비쌀 때 방출함으로써 물가를 안정시키려 한 정책

★ 황건적의 난(184)
후한 말 장각이 태평도라는 종교를 세워 일으킨 농민 반란이다. 머리에 누런 수건을 써 황건적이라 불렸다.

★ 향거리선제
지방관과 지방의 유력자가 관내의 인재를 중앙에 추천하여 관료로 선발하는 제도이다. 후대로 갈수록 호족들이 천거를 독점하여 호족 세력이 권력을 장악해 갔다.

★ 훈고학
유교 경전을 문자와 어구를 풀이하고 주석을 다는 방식으로 연구하는 학문

★ 기전체
주제별로 구성한 역사 서술 방식의 하나이다. 본기, 세가, 지, 표, 열전 등으로 구성되었으며, 동아시아 역사 서술의 모범이 되었다.

완자 자료 탐구

내 옆의 선생님

자료 3 군국제와 군현제

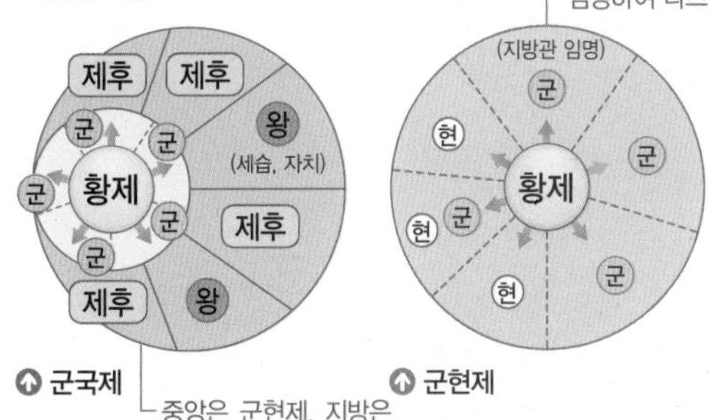

⊙ 군국제 ⊙ 군현제

중앙은 군현제, 지방은 봉건제로 통치하였어.

전국을 군현으로 편성하고 지방관을 임명하여 다스렸어.

한을 세운 유방(고조)은 군현제와 봉건제를 절충한 형태의 군국제를 시행하였다. 이후 점차 황제가 제후 세력을 제압하여 한 무제에 이르러 군현제가 전국적으로 시행되었다. 이로써 황제 중심의 중앙 집권 체제가 강화되었다.

정리 비법을 알려줄게!

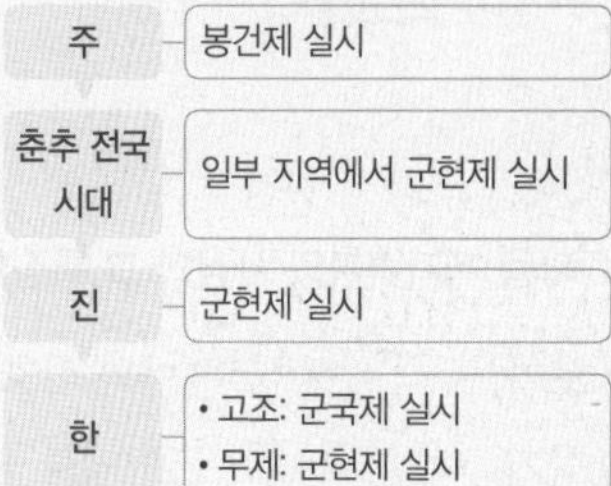

중국 지방 통치 체제의 변화

주	봉건제 실시
춘추 전국 시대	일부 지역에서 군현제 실시
진	군현제 실시
한	• 고조: 군국제 실시 • 무제: 군현제 실시

자료 4 무제의 대외 정책

흉노는 무제의 공격으로 세력이 약화하였고, 431년에 내분으로 멸망하였어.

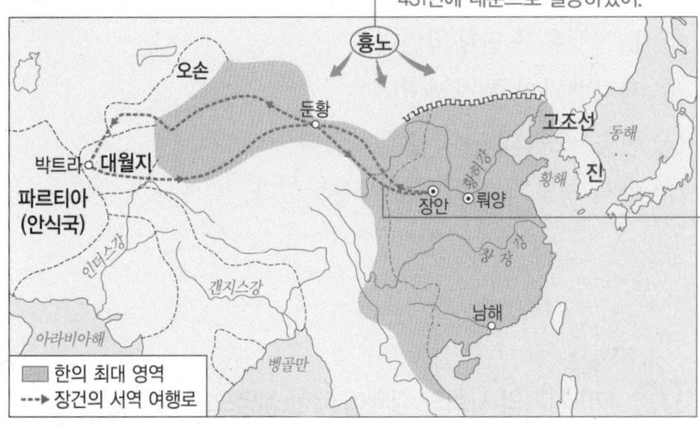

⊙ 한의 영역과 장건의 이동 경로

대월지와 동맹을 맺으려던 장건의 임무는 실패하였어. 하지만 그가 다녀온 경로를 통해 비단길이 개척되어 중국과 서역이 교역하게 되었지.

한의 무제는 북쪽으로는 흉노를 공격하였고, 서쪽으로는 흉노를 정벌하기 위한 동맹군을 찾아 장건을 대월지에 파견하였다. 그리고 동쪽으로 고조선, 남쪽으로 남월(남비엣)을 정복하고 군을 설치하여 영토를 확장하였다.

자료 하나 더 알고 가자!

무제의 대외 정책이 한에 미친 영향

> 흉노는 우리 나라의 신하로서 따르지 않고, 때때로 변경을 황폐하게 하고 있습니다. …… 돌아가신 선제(무제)는 변경의 백성이 오랫동안 흉노의 침략에 고통스러워하는 것을 불쌍히 여겨, …… 방위력의 증강에 전력하였습니다. 그러나 그 결과 재정이 어려워져 소금, 철, 술의 전매 및 수출입 금지법을 시행하게 되었습니다. – 『염철론』

이 자료에는 무제의 재정 정책이 나타나 있어. 무제는 잦은 대외 원정으로 재정이 부족해지자 통제 경제 정책을 시행하였어. 그중 소금과 철을 국가에서 전매하도록 한 정책은 국가의 재정 확충에 기여하였지.

자료 5 유교의 통치 이념화

동중서는 황제의 권력이 하늘에서 비롯되었다고 주장하였어.

> 무제의 책문에 대해서 동중서는 다음과 같이 응답하였다. "하늘이 어떤 이를 치켜세워 제왕으로 만들 때는 인력으로 하지 못하는 현상이 반드시 저절로 나타나는데, 바로 천명을 받았다는 징표입니다. …… 제왕이 방탕하고 나태하면 나라는 쇠하고 백성을 통솔하여 다스리지 못하며 …… 재앙이 발생합니다. …… 제왕은 하늘의 뜻을 받들어 정치를 행해야 합니다. 따라서 덕과 교화의 힘을 빌려 다스릴 뿐 형벌의 힘을 빌려 다스리지는 않습니다." – 『한서』

덕으로 나라를 다스려야 한다고 건의하였어.

무제는 유교를 통치 이념으로 채택하고 유교를 이용하여 황제의 권위를 강화하였다. 주변국과의 관계에서는 유교의 화이사상을 적용하여 중국을 황제국, 주변국을 제후국으로 설정하고 이를 바탕으로 하는 책봉 및 조공 관계를 성립시켰다. 한편, 무제는 유교를 보급하기 위하여 수도에 교육 기관인 태학을 설립하고 오경박사를 두었다.

문제로 확인할까?

1. 한 대 유교에 대한 설명으로 옳지 않은 것은?
① 분서갱유로 탄압받았다.
② 태학을 통해 보급되었다.
③ 통치 이념으로 채택되었다.
④ 황제권 강화에 이용되었다.
⑤ 훈고학 중심으로 발달하였다.

2. 한의 ( )는 덕으로 나라를 다스려야 한다는 동중서의 건의를 받아들여 유교를 통치 이념으로 삼았다.

답 1. ① 2. 무제

STEP 1 핵심 개념 확인하기

정답친해 08쪽

1 기원전 8세기 견융족의 침입을 받아 주가 수도를 호경에서 낙읍으로 옮긴 이후부터 진이 중국을 통일하기 전까지의 시기를 (　　　　)라고 한다.

2 다음 제자백가의 사상과 그 특징을 옳게 연결하시오.

(1) 도가 • 　　• ㉠ 겸애와 상호 부조를 통한 평화 추구
(2) 묵가 • 　　• ㉡ 인과 예를 중심으로 한 도덕 정치 주장
(3) 법가 • 　　• ㉢ 법과 형벌에 따른 사회 질서 유지 강조
(4) 유가 • 　　• ㉣ 무위자연을 주장하며 정신적인 자유와 자연과의 조화 강조

3 진 시황제의 정책을 〈보기〉에서 골라 기호를 쓰시오.

보기
ㄱ. 군국제 시행
ㄴ. 만리장성 축조
ㄷ. 전국에 도로망 건설
ㄹ. 화폐, 도량형, 문자 통일

4 다음 설명이 맞으면 ○표, 틀리면 ×표를 하시오.

(1) 한 무제는 동중서의 건의로 유교를 통치 이념으로 채택하였다. (　　)
(2) 춘추 시대에는 제후국이 각기 왕을 칭하며 약육강식의 경쟁을 벌였다. (　　)
(3) 진은 전국 시대의 나머지 여섯 나라를 정복하고 중국을 최초로 통일하였다. (　　)
(4) 후한은 진승·오광의 난을 계기로 각지에서 농민 봉기가 일어나 멸망하였다. (　　)

5 ㉠, ㉡에 들어갈 내용을 각각 쓰시오.

한 무제는 흉노 정벌을 위하여 동맹국을 얻고자 (㉠　　　　)을 대월지에 파견하였다. 이는 성과를 거두지 못하였지만 동서 교통로인 (㉡　　　　)이 개척되는 계기가 되었다.

STEP 2 내신 만점 공략하기

01 지도의 형세가 나타난 시대에 있었던 사실로 옳은 것은?

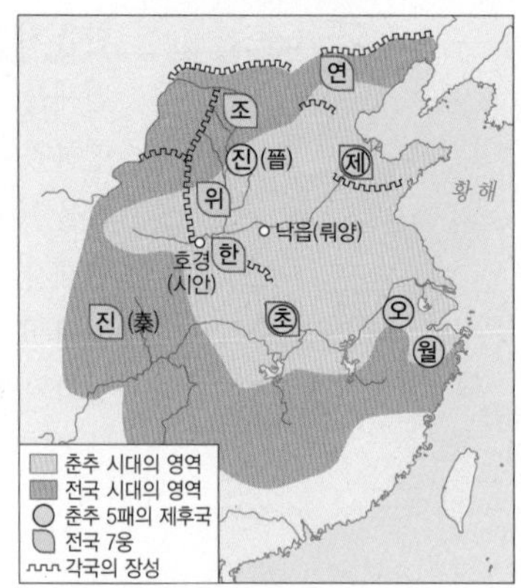

① 군국제가 실시되었다.
② 분서갱유가 단행되었다.
③ 제자백가가 등장하였다.
④ 진승·오광의 난이 발생하였다.
⑤ 황제 칭호가 처음으로 사용되었다.

중요

02 (가) 시기의 사회와 경제에 대한 설명으로 옳지 않은 것은?

세계 화폐의 역사 – 중국 편

(가) 시기에는 상공업이 발달하여 각 나라에서 화폐를 주조하였기 때문에 도전, 포전 등 여러 종류의 화폐가 유통되었다.

① 철제 농기구와 무기가 사용되었다.
② 일반 백성의 사회적 지위가 상승하였다.
③ 대토지와 노비를 소유한 호족이 등장하였다.
④ 우경이 시작되어 농업 생산력이 증가하였다.
⑤ 지식과 학문을 갖춘 사(士) 계층이 성장하였다.

03 다음 시대에 대한 탐구 주제로 적절한 것은?

> 주가 수도를 호경에서 낙읍으로 옮긴 이후부터 진이 중국을 통일하기 전까지의 시대를 말한다.

① 영토 국가의 등장 배경
② 황건적의 난과 그 영향
③ 분서갱유를 단행한 목적
④ 향거리선제와 호족 성장의 관계
⑤ 갑골문으로 보는 신권 정치의 특징

04 다음 자료에 나타난 사상에 대한 설명으로 옳은 것은?

> 언제나 백성을 순진하게 두고 욕심을 버리게 하여 꾀가 있는 자들이 감히 행하지 못하게 하라. 무위(無爲)로 행하면 다스려지지 않는 것이 없다. －『노자』

① 맹자와 순자가 계승하여 발전시켰다.
② 인과 예 중심의 도덕 정치를 주장하였다.
③ 중국인의 자연관과 회화, 시 등에 영향을 주었다.
④ 신분보다 개인의 능력을 중시할 것을 주장하였다.
⑤ 강력한 왕권의 확립을 원하는 제후들에게 환영받았다.

중요 05 다음은 가상 토론회의 개요이다. ㉠~㉣의 대표 사상가가 이야기할 내용으로 옳은 것을 〈보기〉에서 고른 것은?

> • 토론 주제
>   – 1부: 현실 문제를 해결하기 위한 방안
>   – 2부: 부국강병을 위한 정치사상
> • 토론 참여자
>   – ㉠ 유가, ㉡ 도가, ㉢ 법가, ㉣ 묵가의 대표 사상가

보기

ㄱ. ㉠ – 차별 없는 사랑이 중요합니다.
ㄴ. ㉡ – 가족 윤리를 바르게 해야 합니다.
ㄷ. ㉢ – 법과 형벌로 사회 질서를 유지해야 합니다.
ㄹ. ㉣ – 검소한 생활을 해야 합니다.

① ㄱ, ㄴ ② ㄱ, ㄷ ③ ㄴ, ㄷ
④ ㄴ, ㄹ ⑤ ㄷ, ㄹ

06 (가)에 들어갈 내용으로 적절한 것은?

> 변방의 작은 나라였던 진(秦)은 ((가)) 하여 전국 7웅 중 최강국으로 성장하였다. 이후 진은 여섯 제후국을 차례로 무너뜨리고 중국을 통일하였다.

① 군국제를 도입
② 유교를 통치 이념화
③ 전국에 도로망을 건설
④ 소금과 철의 전매를 실시
⑤ 법가 사상에 따른 개혁에 성공

중요 07 밑줄 친 '황제'의 업적으로 옳은 것은?

> 일반 백성들이 가지고 있는 서적 가운데 의학, 점복, 농업, 임업에 관계되는 것을 제외하고 모두 불태웠다. …… 국가의 명령을 거역하고, 황제를 비판하거나 국법을 어긴 460여 명을 수도 셴양에 산 채로 묻어 죽였다. －『사기』

① 봉건제를 실시하였다.
② 토지를 국유화하였다.
③ 남월과 고조선을 정복하였다.
④ 화폐, 문자, 도량형을 통일하였다.
⑤ 통치 이념으로 유교를 채택하였다.

08 다음 유적을 남긴 왕조 시기에 있었던 사실로 옳은 것은?

> • 명칭: 병마용 갱
> • 위치: 중국 산시성
> • 특징: 황제의 무덤에 딸린 유적, 실제 사람 크기와 유사한 토용들이 발견됨

① 견융족이 침입하였다.
② 진승·오광의 난이 일어났다.
③ 오수전이 전국에 유통되었다.
④ 동서 교통로인 비단길이 개척되었다.
⑤ 기전체 역사서가 처음으로 편찬되었다.

09 다음은 중국의 지방 통치 체제를 나타낸 것이다. (가), (나)에 대한 대화 내용으로 적절한 것을 〈보기〉에서 고른 것은?

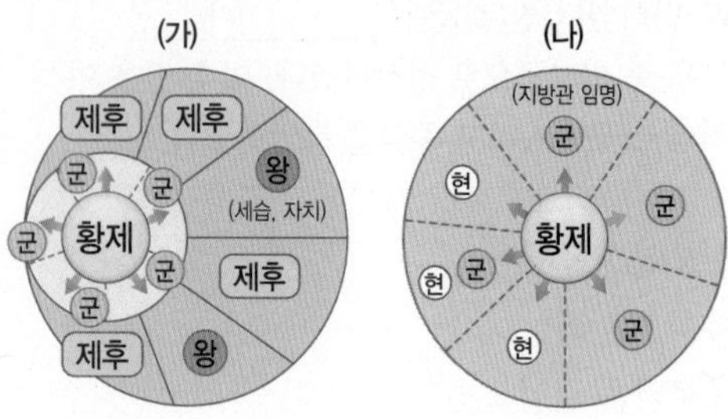

보기
ㄱ. 갑: (가)는 한 무제 때 실시되었어.
ㄴ. 을: (가)는 봉건제와 군현제가 절충된 형태야.
ㄷ. 병: (나)는 종법제에 바탕을 두고 운영되었어.
ㄹ. 정: (나)는 강력한 황제 지배 체제가 확립되는 데 기여하였어.

① ㄱ, ㄴ ② ㄱ, ㄷ ③ ㄴ, ㄷ
④ ㄴ, ㄹ ⑤ ㄷ, ㄹ

중요
10 (가)에 들어갈 내용으로 적절한 것은?

▶ 지식 Q&A
고대 중국 왕조의 두 황제, 진 시황제와 한 무제의 공통점을 알려 주세요.
▶ 답변하기
└ 흉노와 전쟁하였습니다.
└ 중앙 집권 정책을 추진하였습니다.
└ (가)

① 군현제를 실시하였습니다.
② 균수법과 평준법을 시행하였습니다.
③ 인재를 등용하여 변법을 추진하였습니다.
④ 법가 사상을 통치 이념으로 채택하였습니다.
⑤ 사상 통일을 위하여 분서갱유를 단행하였습니다.

11 다음 두 사건 사이에 중국에서 있었던 사실로 옳은 것은?

- 유방(고조)이 한을 세우고 중국을 재통일하였다.
- 외척 왕망이 신을 세우고 주의 제도를 이상으로 삼아 각종 제도의 개혁을 추진하였다.

① 철제 무기가 도입되었다.
② 황건적의 난이 일어났다.
③ 장건이 대월지에 파견되었다.
④ 화폐가 반량전으로 통일되었다.
⑤ 광둥 지방과 베트남 북부까지 영토가 확장되었다.

중요
12 다음 건의문을 받아들여 한에서 추진한 정책으로 옳은 것은?

신 동중서가 아룁니다. 하늘이 어떤 이를 제왕으로 만들 때는 인력으로 하지 못하는 현상이 반드시 저절로 나타나는데, 바로 천명을 받았다는 징표입니다. …… 제왕은 하늘의 뜻을 받들어 정치를 행해야 합니다. 따라서 덕과 교화의 힘을 빌려 다스릴 뿐 형벌의 힘을 빌려 다스리지는 않습니다.

① 문자를 전서체로 통일하였다.
② 고조선을 공격하여 멸망시켰다.
③ 상앙을 등용하여 변법을 추진하였다.
④ 태학을 설립하고 오경박사를 두었다.
⑤ 중앙은 군현제, 지방은 봉건제로 통치하였다.

13 밑줄 친 '세력'에 대한 설명으로 옳은 것은?

한 대에는 철제 농기구의 보급이 확대되고 농업 생산력이 크게 늘어나면서 토지의 사유화가 진전되었다. 이에 따라 대토지를 소유한 세력이 등장하였다.

① 황건적의 난을 주도하였다.
② 왕망이 추진한 개혁을 지지하였다.
③ 제후로 임명되어 지위를 세습하였다.
④ 대규모 토목 공사에 강제로 동원되었다.
⑤ 향거리선제를 통해 중앙 관료로 진출하였다.

14 다음 책이 저술된 시기의 사회 모습으로 옳은 것은?

> 사마천이 저술한 이 책은 본기, 표, 세가, 지, 열전으로 구성되었다. 이 책에서 처음으로 채택한 본기와 열전을 중심으로 서술하는 기전체 방식은 이후 중국 정사 서술의 모범이 되었다.

① 도전, 포전 등 다양한 화폐가 사용되었다.
② 제자백가가 현실적인 정치사상을 제시하였다.
③ 혈연관계를 바탕으로 한 봉건제가 실시되었다.
④ 제후국들이 존왕양이를 명분으로 각축을 벌였다.
⑤ 호족을 견제하기 위한 중농 억상책이 시행되었다.

[15~16] 지도를 보고 물음에 답하시오.

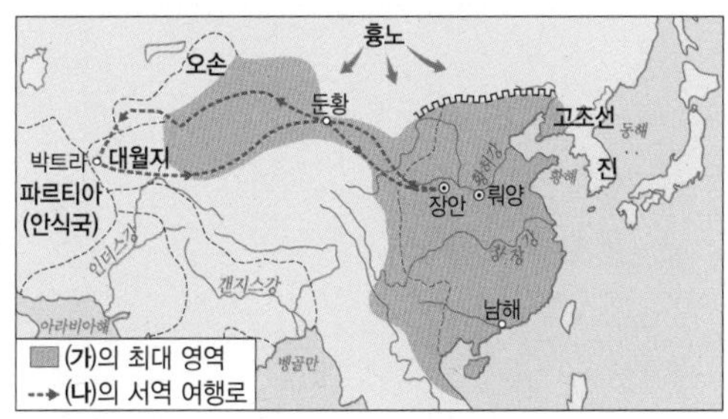

15 중요 (가) 왕조의 문화에 대한 설명으로 옳지 않은 것은?

① 수도에 태학이 설치되었다.
② 법가 이외의 사상이 탄압받았다.
③ 오두미도, 태평도가 유행하였다.
④ 서역으로부터 불교가 전래되었다.
⑤ 경전을 정리하고 연구하는 훈고학이 발달하였다.

16 (나) 인물의 활동이 미친 영향으로 옳은 것은?

① 비단길이 개척되었다.
② 제지술이 개량되었다.
③ 전국 시대가 통일되었다.
④ 철제 농기구가 처음으로 도입되었다.
⑤ 흉노를 정벌할 동맹군을 얻게 되었다.

서술형 문제

● 정답친해 10쪽

01 다음을 읽고 물음에 답하시오.

> 만약 사람들이 서로 사랑하도록 한다면, 나라와 나라는 공격할 일이 없고 도둑이나 상해도 없어지며 군신, 부자 모두가 자비심과 공경심이 깊어질 것이다.

(1) 윗글에 해당하는 사상을 쓰시오.

(2) 위 사상의 특징을 두 가지 서술하시오.

길잡이 '사람들 간의 사랑'을 강조한 사상의 특징을 추론해 본다.

02 진 시황제가 밑줄 친 정책을 시행한 목적에 대해 서술하시오.

> 새로운 시대를 열었다. 법도가 바르게 정비되고 만물의 질서가 바로잡히니, 정치가 제대로 이루어지고 부자간이 화목해졌다. …… 농업은 장려되고 말업은 억제되니 백성이 부유해졌다. 온 천하가 한 마음 한뜻이 되었다. 도량형기가 통일되고 문자도 통일되었다. …… 황제의 공덕은 오제(五帝)보다 뛰어나고 그 은혜는 소와 말까지 미친다.
> – 낭야대 각석

길잡이 도량형과 문자의 통일이 지역 간 교류에 미친 영향을 생각해 본다.

03 다음을 읽고 물음에 답하시오.

균수법	특정 물자가 풍부한 지역에서 그 물자를 세금으로 걷어 부족한 지역에 판매
평준법	각지에서 특정한 물자가 쌀 때 사들여 비쌀 때 방출
화폐 관리	개인의 화폐 주조 금지

(1) 위 정책을 실시한 황제를 쓰시오.

(2) 위 정책을 실시하게 된 배경을 서술하시오.

길잡이 황제의 대외 정책이 제국의 경제에 미친 영향을 중심으로 서술한다.

STEP 3 1등급 정복하기

1 선생님의 질문에 대한 학생의 답변으로 옳은 것은?

철제 보습
우경하는 모습

이 시기에는 중국에 철기가 도입되어 철제 농기구가 만들어지고 우경이 시작되었습니다. 이외에 또 어떤 변화가 일어났을까요?

① 황제 지배 체제가 수립되었어요.
② 유교가 통치 이념으로 채택되었어요.
③ 부국강병을 위한 변법이 시행되었지요.
④ 토지를 국유화하는 개혁이 추진되었어요.
⑤ 대토지를 가진 호족이 지역 사회를 지배하였어요.

> 철기의 보급과 사회 변화

완자 사전

• **보습**
쟁기, 가래 등 농기구의 술바닥에 끼우는 넓적한 삽 모양의 쇳조각이다. 농기구에 따라 모양이 조금씩 다르다.

평가원 응용

2 (가), (나) 사상에 대한 설명으로 옳은 것을 〈보기〉에서 고른 것은?

(가) 명철한 군주는 뭇 신하가 법(法)을 벗어날 궁리를 못 하게 하고, 법의 적용에 온정을 기대하지 못하게 하며, 모든 행동은 법에 따르지 않는 것이 없게 한다.
(나) 힘으로써 남을 복종하게 하면 힘이 부족해서 복종하는 것이지 마음으로부터 복종하는 것이 아니다. 덕(德)으로써 남을 복종하게 하면 마음으로부터 기뻐하며 진정으로 복종하게 된다.

보기

ㄱ. (가)는 인위적 제도를 배격할 것을 주장하였다.
ㄴ. 동중서는 (나)를 정치 이념으로 발전시켰다.
ㄷ. (가)와 (나)는 분서갱유로 탄압받았다.
ㄹ. (가)는 진 대, (나)는 한 대에 통치 이념으로 채택되었다.

① ㄱ, ㄴ ② ㄱ, ㄷ ③ ㄴ, ㄷ
④ ㄴ, ㄹ ⑤ ㄷ, ㄹ

> 제자백가의 사상

완자샘의 시험 꿀팁

유가, 법가, 도가, 묵가 등 대표적인 제자백가 사상의 특징과 대표 인물을 정리해 두어야 한다. 특히 유가와 법가를 비교하는 문제가 출제될 가능성이 높다.

3 다음 신문에서 다루는 왕조 시기에 볼 수 있었던 모습으로 적절한 것은?

세계사 신문

화폐가 하나로 통일되다

통일 이후 지역 간 교류가 활발해지면서 다양한 화폐를 통일할 필요성이 생겼다. 이에 정부는 앞면에 '半兩(반량)'이라는 글자가 새겨진 청동 화폐인 반량전을 제작하여 전국에 유통시켰다.

〈인터뷰〉 만리장성 축조 인부와의 대담

흉노를 토벌한 후 유목 민족의 침입을 막기 위해 만리장성 축조를 시작한 지 여러 해가 지났다. 만리장성 축조에 징발된 농민들은 생업도 포기한 채 장성 건설에 몰두하고 있다. 기자가 이들을 만나 속마음을 들어 보았다.

[5면에 계속]

① 사마천이 편찬한『사기』를 읽는 학자
② 전서체로 친구에게 편지를 쓰는 청년
③ 제자들에게 유학을 가르치는 오경박사
④ 쌀 다섯 말을 내고 오두미도에 입교하는 농민
⑤ 호경에서 낙읍으로의 천도를 준비하는 왕실 관리

> 고대 중국 왕조

완자 사전

- **오경박사(五經博士)**
유학의 다섯 가지 경서인『시경』,『서경』,『주역』,『예기』,『춘추』에 능통한 학자에게 주던 칭호
- **오두미도(五斗米道)**
질병의 치료를 중심으로 하는 교단이다. 병을 고치는 대가로 쌀 다섯 말을 받았으므로 신도는 매년 쌀 다섯 말을 바쳐야 하였다.

4 밑줄 친 '황제'의 업적에 대한 탐구 활동으로 옳은 것은?

돈과 곡식을 담당하는 관리는 소금과 철을 담당하는 관리의 말을 빌려 "산과 바다는 천지의 보고로서 모두 황실 재정을 담당하는 관청에 속하는 것이 마땅합니다. …… 사적으로 동전을 주조하거나 소금을 만들거나 하는 자는 벌로 왼발에 쇠로 된 족쇄를 채우고 기물을 몰수하는 것이 좋겠습니다."라고 <u>황제</u>에게 아뢰어 청하였다. -『사기』

① 군국제를 실시한 이유를 파악한다.
② 토지 국유화 정책의 영향을 찾아본다.
③ 균수법과 평준법을 시행한 배경을 알아본다.
④ 국가 중대사를 점을 쳐서 결정한 효과를 분석한다.
⑤ 제후에게 영토를 지급한 후 얻은 대가를 살펴본다.

> 통제 경제 정책의 실시

완자 사전

- **제후(諸侯)**
일정한 영토를 가지고 그 영내의 백성을 지배하는 권력을 가지던 사람

02 위진 남북조 시대와 수·당 제국의 발전

학습목표
- 위진 남북조 시대의 사회적·문화적 변화를 설명할 수 있다.
- 수·당 제국의 발전과 동아시아 문화권의 형성 과정을 파악할 수 있다.

1 위진 남북조 시대

이것이 핵심!

남북조의 특징

북조	북위 효문제의 개혁(한화 정책 실시, 균전제 실시), 국가 주도로 불교 융성
남조	강남 개발, 귀족 문화 발달, 청담 사상 유행

★ 위진 남북조 시대의 전개

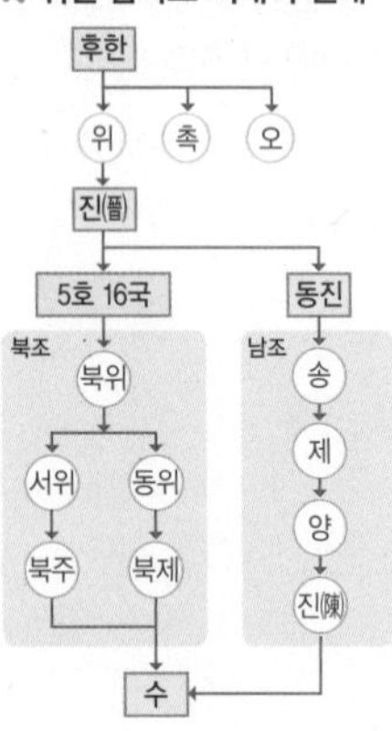

1. *위진 남북조 시대의 전개

(1) **위진 시대**: 후한 멸망 후 삼국 시대 전개 → 진(晉)이 중국 통일 → 진이 황실 내분으로 혼란 → 북방 민족의 침입(5호 16국 시대) → 진의 강남 이주, 건강을 도읍으로 하여 동진 건국

흉노, 선비, 갈, 저, 강의 다섯 유목 민족이 만리장성 이남으로 이주하여 16개의 나라를 세웠어.

(2) **남북조 시대**

꼭! 뤄양으로 천도한 후 선비족의 복장과 언어를 금지하고 한족 성씨 사용과 한족과의 결혼을 장려하였어.

북조	선비족이 세운 북위가 화북 통일(439) → 효문제의 한화 정책 실시(→ 호한 융합 촉진)·균전제 실시(자영농 육성) → 귀족들의 반발, 효문제 사후 선비족의 반란 → 북위 분열
남조	• 정치: 토착민과 이주민의 대립, 문벌 정치의 폐단으로 동진 멸망 → 송·제·양·진 순서로 왕조 교체 • 경제: 강남에 이주한 한족이 창장강 유역 개발, 벼농사 보급 → 강남의 경제력 향상, 인구 증가

일정 연령의 농민에게 토지를 나누어 주고, 만 70세에 이르면 반납하게 한 제도야. 균전제는 수·당에도 계승되었어.

2. 위진 남북조 시대의 사회와 문화

(1) **문벌 귀족 사회의 형성**: 9품중정제 실시 → 호족이 고위 관직 세습, 문벌 귀족으로 성장 자료①

(2) **위진 남북조 시대의 문화** 자료②

남조 시기에 정치에 등을 돌리고 속세를 떠나 시사를 비평하고 허무주의를 표방하였던 일곱 명의 선비를 말해.

청담 사상	남조에서 유행, 노장사상 유행, 세속을 떠나 인물 평론과 철학적 논의 등을 나눔, 죽림칠현 등장
불교	북조에서 왕실과 귀족의 보호로 융성(윈강, 룽먼 등지에 대규모 석굴 사원 조성), 남조의 양 무제가 불교 지원, 동진의 승려 법현이 인도 순례, 서역의 승려 구마라습이 불경 번역
도교	태평도·오두미도에 민간 신앙과 도가 사상 결합 → 종교로 발전(북위의 구겸지가 교단으로 체계화)
예술	귀족의 취미 생활과 정신세계 반영, 도연명의 「귀거래사」, 고개지의 「여사잠도」 유명

귀족의 생활상이 잘 나타나 있어.

2 수·당 제국

이것이 핵심!

수·당 제국의 발전

수	• 문제: 과거제 실시, 균전제·부병제·조용조 정비 • 양제: 대운하 완성
당	• 발전: 영토 확장, 율령 체제 확립, 국제적 문화 발달 • 쇠퇴: 안사의 난 전후 율령 체제 동요, 균전제 붕괴

★ 수의 대운하

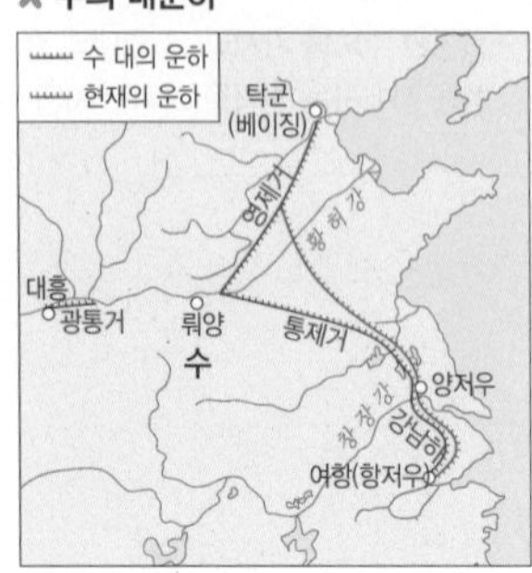

1. 수의 건국과 발전

수의 율령, 균전제, 부병제, 조용조는 당에 계승되었어.

성립	북주의 외척인 양견(문제)이 수 건국(581) → 남북조 통일(589)
발전	• 문제: 율령 반포, 균전제·조용조·부병제 정비(→ 국가 재정 안정, 군사력 증강), 9품중정제 폐지, 과거제 시행(→ 문벌 귀족 견제, 중앙 집권 도모) • 양제: 남과 북을 연결하는 *대운하 완성(→ 남북 간 경제 통합 촉진), 돌궐·안남 제압, 고구려 원정
멸망	대규모 토목 사업 추진, 고구려 원정 실패 → 각지에서 일어난 반란으로 멸망(618)

VS 9품중정제와 달리 시험을 통해 관리를 선발한 제도야.

2. 당의 세계 제국 건설

(1) **당의 건국과 발전**

국경 지역을 지키기 위해 설치한 군정 사령관이야. 이들은 안사의 난 이후 주둔 지역의 군사, 재정, 행정을 장악하였어.

성립	이연(고조)이 장안을 도읍으로 당 건국(618)
발전	태종(율령 체제 정비, 동돌궐 복속, '정관의 치세') → 고종(서돌궐·백제·고구려를 멸망시킴, 베트남 복속 → 최대 영토 확보) → 현종(절도사 설치, 제도 정비, '개원의 치세')
멸망	돌궐·위구르 등 이민족의 위협, 장원 증가, 안사의 난(755~763) 이후 절도사의 독자적 세력 강화, 중앙 정부의 통제력 약화 → 황소의 난(875)으로 급격히 쇠퇴 → 절도사 주전충에게 멸망(907)

절도사 안녹산과 그 부하인 사사명이 일으켰어.

(2) **당의 통치 제도**: 율령 체제로 국가 운영 → 동아시아 각국에 영향을 줌 자료③

정치	중앙을 3성 6부·지방을 주현제로 통치, 정복지에 기미 정책 실시
균전 체제	균전제·조용조·부병제 실시 → 안사의 난 전후 균전제 붕괴, 양세법·모병제 실시

직접 지배하기 어려운 주변 민족을 간접 지배하던 정책이야. 당은 복속 지역에 도호부를 설치하여 책임자를 파견하는 동시에 정복 지역의 왕을 지방관으로 임명하여 자치를 맡겼어.

완자 자료 탐구

내 옆의 선생님

자료 1 9품중정제의 실시

9품중정제가 실시되면서 유력 호족이 높은 등급을 독점하는 문제점이 나타났어.

> 지금 중정관을 두어 9품을 정하고 있는데, 등급의 높고 낮음이 그의 뜻에 달려 있어, 임금의 권세와 은혜를 제멋대로 가지고 놀며 천자의 권한을 빼앗고 있습니다. …… 이런 까닭에 상품(上品)에는 천한 가문이 없으며, 하품(下品)에는 권세 있는 가문이 없다고 합니다. -『진서』

9품중정제는 각 지방에 파견된 중정관이 관할 지역의 여론을 토대로 인재를 9품으로 나누어 중앙에 추천하는 제도이다. 이 제도는 지방에 숨어 있는 유능한 인재를 선발하려는 취지에서 실시되었다. 그러나 당시 이미 호족 세력이 지방의 여론을 좌우하고 있었기 때문에 호족의 자제가 상품(上品)에 추천되어 고위 관직을 독점하게 되었다. 이들 유력 호족은 문벌 귀족으로 성장하여 대토지를 소유하고 막강한 권력을 누렸다.

문제로 확인할까?

위진 남북조 시대에 실시된 9품중정제의 영향으로 옳은 것은?

① 균전제가 붕괴되었다.
② 문벌 귀족 사회가 형성되었다.
③ 황제 독재 체제가 강화되었다.
④ 대토지를 소유한 지방 세력가인 호족이 등장하였다.
⑤ 관리 등용 과정에서 가문보다 능력을 우선하게 되었다.

② 답

자료 2 남북조 시대의 문화

죽림칠현의 모습

원강 석굴의 불상

북위에서 조성된 윈강 석굴 제20 굴의 대불은 북위 태조의 모습을 본떠 만들었다고 전해져.

남북조 시대에 남조와 북조에서는 각기 다른 특색의 문화가 발전하였다. 남조에서는 귀족 중심의 자유분방한 문화가 발달하였고, 혼란스러운 정치 상황을 반영하듯 노장사상과 청담 사상이 유행하였다. 북조에서는 한족의 문화에 유목민의 소박하고 강건한 기풍이 더해졌다. 화이 여부를 차별하지 않는 불교는 북조 왕실의 환영을 받아 윈강 석굴과 룽먼 석굴 등 대규모 석굴 사원이 조성되었다.

자료 하나 더 알고 가자!

도연명의 「귀거래사」

> 돌아가련다.
> 세상 사람과 교류를 끊고 세상과 나는 서로 잊고 말지니
> 다시 한 번 관리가 되어도 거기 무슨 구할 것이 있으리오.
> 친척과 정겨운 이야기를 나누며 기뻐하고 거문고와 책을 즐기며 시름을 지우련다.

남조의 시인 도연명은 벼슬을 그만두며 「귀거래사」라는 한시를 남겼어. 이 시에는 당시 지식인의 현실 도피적인 경향이 잘 드러나 있지.

자료 3 당의 통치 제도

중서성은 정책 입안, 문하성은 정책 심의, 상서성은 행정 집행을 맡았어.

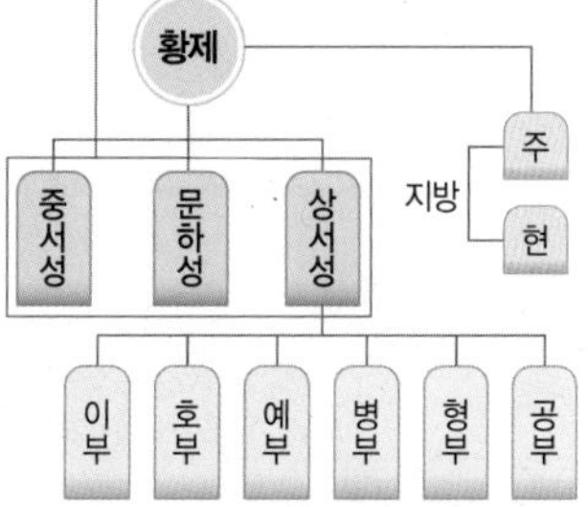

당의 국가 행정 조직

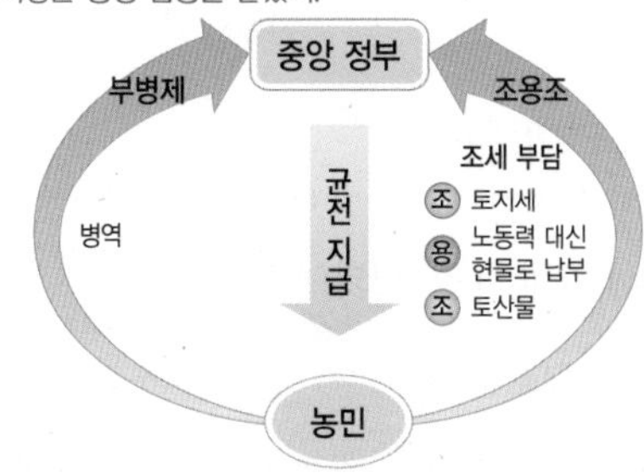

당의 토지·조세·군사 제도

당은 중앙에 3성 6부의 통치 조직을 두었으며, 지방에 주·현을 편성하고 관리를 파견하여 다스렸다. 백성에게는 균전제로 토지를 분배하여 자영농을 육성하였고, 균전의 대가로 조용조와 부병제의 의무를 부과함으로써 국가 재정을 확보하고 군사력을 키웠다.

정리 비법을 알려줄게!

당 대 농민 지배 체제의 변화

균전제	농민에게 균전(토지) 지급
조용조	균전을 받은 농민에게 조, 용, 조의 세금 부과
부병제	균전을 받은 농민에게 병역 의무 부여

↓

안사의 난 전후 균전제 붕괴

↓

양세법	자산에 따른 차등 과세, 잡다한 세금을 호세와 지세로 정리하여 여름과 가을에 징수
모병제	지원자를 받아 군대 구성

02 위진 남북조 시대와 수·당 제국의 발전

★ 사신의 왕래

예빈도

「예빈도」에는 당을 방문한 외국 사신의 모습이 그려져 있어 당의 활발한 대외 교류를 알 수 있다.

3. 당 대의 사회·경제·문화

사회	귀족 중심의 사회 형성(과거 시험의 최종 선발 과정에서 문벌 중시, 과거와 음서를 통해 관직·특권 독점)
경제	• 화북 지방에서 2년 3작 시행(→ 생산력 향상), 일종의 약속 어음인 비전 사용, 상인 조합인 행(行) 출현 • 동서 교통로를 통한 국제 무역 활발, 시박사를 설치하여 무역 관리 → 수도 장안이 국제 도시로 발전(각국의 상인, 유학생, *사신의 왕래)
문화	• 특징: 귀족적·개방적·국제적 성격 교과서 자료 • 유학: 공영달이 훈고학을 집대성한 『오경정의』 편찬(과거 시험의 수험서 역할 → 사상의 획일화 초래) • 예술: 시 유행(이백, 두보가 유명), 서예 발달(구양순, 안진경이 유명), 당삼채 유행 • 종교: 불교 발전(현장·의정 등이 인도를 순례하고 경전을 가져옴, 선종·정토종 등 새로운 종파 유행), 왕실의 보호로 도교 융성, 조로아스터교·이슬람교·경교(네스토리우스교) 등 외래 종교 유행

꼭! 남북조 시대 이래 발전한 호한 융합의 문화를 집대성하고 서역의 문화를 수용하여 문화를 발전시켰어.

대진 경교 유행 중국비에는 당 대에 경교가 전파되어 유행하게 된 정황이 기록되어 있어.

이것이 핵심!

일본 고대 국가의 발전

야마토 정권	쇼토쿠 태자의 개혁, 다이카 개신 등 중앙 집권 체제 정비
나라 시대	당 문물 적극 수용, 사찰 건립, 역사서 편찬
헤이안 시대	율령 체제 동요, 견당사 폐지, 국풍 문화 발달, 무사 등장

★ 일본 고대 국가의 발전

3 한반도와 일본의 고대 국가

1. 한반도의 발전

삼국 시대	고구려·백제·신라가 중앙 집권 국가로 발전, 율령·불교 등 문물 수용, 일본에 문화 전파
남북국 시대	통일 신라와 발해가 당과 대립하면서도 당 문화를 수용하며 발전, 일본과 교류

2. *일본 고대 국가의 발전

(1) **야마토 정권**: 4세기경 통일 국가 형성

아스카를 중심으로 발달해서 아스카 문화라고 해. 쇼토쿠 태자가 창건한 호류사가 대표적인 문화재야.

① 쇼토쿠 태자의 개혁: 중앙 집권 강화, 불교 진흥 → 아스카를 중심으로 불교문화 융성

② 다이카 개신(645): 견당사를 통해 중국 문물 수용 → 당의 율령 체제를 모방한 국왕 중심의 중앙 집권 체제 확립 → 7세기 말 '일본' 국호와 '천황' 칭호 사용

(2) **나라 시대(710~794)**: 헤이조쿄(나라) 천도로 성립

꼭! 당의 장안성을 모방하여 건설된 도시야.

① 율령 체제 확립: 전국을 국·군으로 구획, 농민들에게 관료제를 통해 조세 수취

② 문화 발전: 견당사·견신라사를 통해 선진 문물 수용, 도다이사 건립 등 불교문화 융성, 『고사기』와 『일본서기』 등 역사서 편찬, 고전 시가를 정리한 『만엽집』 편찬

(3) **헤이안 시대(794~1185)**: 헤이안쿄 천도로 성립

성립	율령 체제 동요, 왕실과 귀족의 대립 → 헤이안쿄로 천도(불교 세력의 정치 개입 차단 및 정치 혁신 도모)
발전	귀족과 호족이 대규모 장원 소유, 무사 계층 등장, 9세기 말 견당사 폐지 후 국풍 문화 발달 자료 4

귀족과 호족들은 자신들의 토지를 지키기 위해 무사를 고용하였어. 무사들은 이후 점차 하나의 세력을 형성하게 돼.

이것이 핵심!

동아시아 문화권의 형성

배경	당의 제도와 문화가 동아시아 각국에 전파
공통 요소	율령 체제, 유교, 불교, 한자

★ 빈공과

외국인들이 응시하는 당의 과거 시험

4 동아시아 문화권의 형성

1. 형성 배경: 신라, 발해, 일본 등이 당과의 교류를 통해 당의 제도·문화 수용

꼭! 당의 제도와 문화를 수용하여 각국의 실정에 맞게 개편하여 운용하였어.

2. 동아시아 문화권의 공통 요소 자료 5

예 발해의 3성 6부제, 일본의 2관 8성제

율령 체제	당 대에 확립되어 주변 국가에 전파 → 동아시아 각국의 중앙 관제 정비에 영향
유교	한 대에 통치 이념화된 후 한반도와 일본에 영향을 줌 → 공자 사당 설립, 학교에서 유교 경전 교육, 각 나라의 지식인들이 당의 *빈공과에 응시
불교	중국화한 불교가 한반도와 일본에 전래 → 왕실의 보호를 받으며 국가 신앙으로 발전
한자	동아시아 지역의 공용 문자로 사용됨, 한반도의 이두·일본의 가나 형성에 영향을 줌

유교는 동아시아의 정치 이념이자 사회 규범으로 기능하였어.

불교는 위진 남북조 시대 이후 경전 번역이 활발해지면서 점차 중국화하였어.

한자의 음과 뜻을 빌려 우리말로 적은 표기법

완자 자료 탐구

내 옆의 선생님

수능이 보이는 교과서 자료 당 문화의 특징

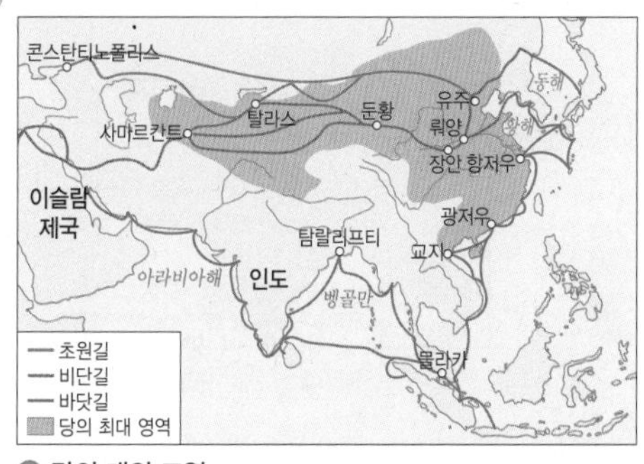

당의 대외 교역

당삼채는 주로 녹색, 황색, 백색의 세 가지 색을 사용한 당의 도자기를 말해. 이 당삼채에는 낙타, 서역인, 서역 악기 등이 표현되어 있어.

당삼채

당은 동서 교통로를 장악하여 주변의 여러 민족과 직접 접촉하고 서역과도 활발히 교류하였다. 이에 당에서는 서역의 영향을 받은 도자기인 당삼채가 만들어졌고, 수도 장안에는 조로아스터교, 이슬람교, 경교 등 다양한 외래 종교의 사원이 건립되었다. 또한 장안에는 각국 사신과 유학생들이 모여들어 이들을 통해 이국적인 문화와 풍속이 퍼졌다. 이러한 사실들은 당 문화의 개방적이고 국제적인 성격을 보여 준다.

완자샘의 탐구 강의

• 자료를 통해 알 수 있는 당 문화의 특징을 써 보자.
당에서는 여러 나라의 문화가 융합된 개방적이고 국제적인 성격의 문화가 발전하였다.

• 당의 문화가 위와 같은 특징을 갖게 된 배경을 서술해 보자.
당은 적극적인 대외 정책으로 동서 교통로를 확보하여 주변의 여러 민족과 직접 접촉하였고, 서역과도 활발히 교류하였다. 또한 외래문화에 개방적이어서 이국적인 문화와 풍속이 퍼질 수 있었다.

함께 보기 49쪽, 1등급 정복하기 3

자료 4 일본의 국풍 문화

몸에 비해 크게 만들고 몸을 단단히 조이며 여러 겹의 속옷을 겹쳐 입도록 한 것이 특징이야.

국풍화된 관복

일본에서는 9세기 말부터 견당사 파견이 중지되면서 당의 문화를 일본 고유의 풍토와 관습에 조화시키려는 국풍 문화가 발달하였다. 그리하여 한자를 변형한 일본의 고유 문자 가나가 만들어졌고, 일본 고유의 시 '와카'가 발달하였으며 가나로 쓴 장편 소설『겐지 이야기』가 편찬되었다. 또한 건물을 'ㄷ' 자로 배치하는 일본 고유의 주택 건축 양식인 침전 양식(신덴즈쿠리)이 발달하였으며, 관복 등에서 일본 고유의 색채가 나타났다.

문제로 확인할까?

헤이안 시대에 발달한 국풍 문화의 사례로 옳지 않은 것은?

① 와카가 만들어졌다.
② 도다이사가 건립되었다.
③ 가나 문자가 형성되었다.
④ 침전 양식이 발달하였다.
⑤『겐지 이야기』가 편찬되었다.

② 답

자료 5 동아시아 문화권의 형성

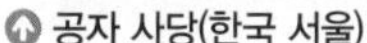
공자 사당(한국 서울)

도다이사 대불(일본 나라)

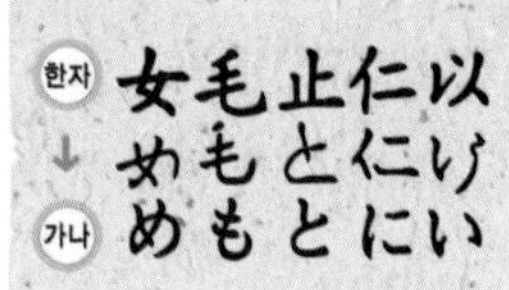

가나 문자의 형성 과정

당의 문화는 동아시아 여러 나라에 영향을 주었다. 동아시아의 여러 나라에서는 유교의 영향으로 공자의 사당이 건립되었고, 중국을 거쳐 불교가 전래되어 불상이 제작되었다. 그리고 당의 율령 체제를 받아들여 중앙 관제를 정비하였다. 한자는 동아시아의 공용 언어로 사용되었고, 이를 바탕으로 한반도와 일본에서 고유의 문자가 제작되기도 하였다.

정리 비법을 알려줄게!

동아시아 문화권의 형성

배경
• 한 대부터 형성되기 시작한 동아시아의 공통된 문화가 당 대에 완성 • 당의 제도와 문화 등이 동아시아 각국으로 전파
↓
동아시아 문화권의 형성
• 율령 체제, 유교, 불교, 한자 공유 • 당의 제도와 문화를 수용하여 각국의 실정에 맞게 개편하여 운용

STEP 1 핵심 개념 확인하기

정답친해 11쪽

1 다음에서 설명하는 사상이나 종교를 쓰시오.

(1) 태평도, 오두미도에 민간 신앙과 도가 사상이 결합하여 발전한 종교이다. (　　　)

(2) 남조에서 유행한 사상으로, 세속으로부터 벗어나 인물과 철학을 논하였다. (　　　)

2 다음 괄호 안의 내용 중 알맞은 말에 ○표를 하시오.

(1) 수 문제는 시험으로 관리를 선발하는 (과거제, 9품중정제)를 처음으로 시행하였다.

(2) 당 대에는 (안사의 난, 황소의 난) 전후 중앙 정부가 약화되었고, 균전제가 붕괴되었다.

(3) (당, 수)은/는 대규모 토목 공사와 무리한 대외 원정을 계기로 각지에서 반란이 일어나 멸망하였다.

3 ㉠, ㉡에 들어갈 내용을 각각 쓰시오.

> 당은 (㉠　　　)를 실시하여 성인 남자에게 일정한 토지를 나누어 주었고, 그 대가로 (㉡　　　)의 세금을 지불하고 군역을 맡게 하였다.

4 다음에서 설명하는 시대를 〈보기〉에서 골라 기호를 쓰시오.

> **보기**
> ㄱ. 나라 시대　　ㄴ. 야마토 정권　　ㄷ. 헤이안 시대

(1) 쇼토쿠 태자가 중앙 집권 체제를 강화하고 불교를 진흥하였다. (　　)

(2) 수도를 헤이조쿄로 정하고 당의 장안성을 본뜬 도시를 조성하였다. (　　)

(3) 당 문화의 토대 위에 일본 고유의 풍토와 관습을 조화시키려는 국풍 문화가 발달하였다. (　　)

5 당의 제도와 문화가 동아시아 여러 나라에 전파된 결과 동아시아에서는 (　　　　), 유교, 불교, 한자를 공통 요소로 하는 문화권이 형성되었다.

STEP 2 내신 만점 공략하기

01 다음은 후한 이후의 왕조 변화를 나타낸 것이다. (가)~(다)에 대한 설명으로 옳은 것은?

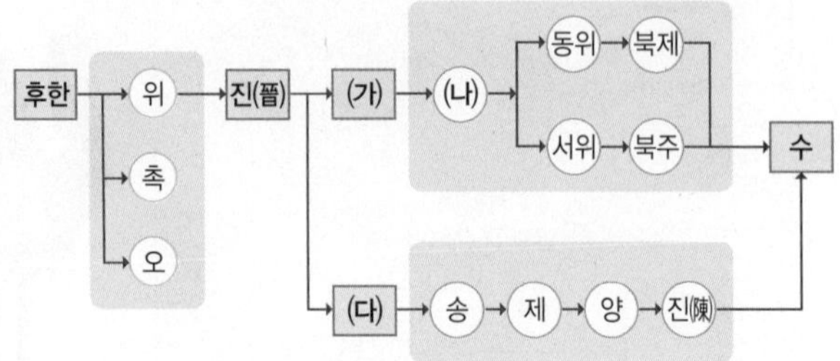

① (가) – 호한 융합 정책을 실시하였다.
② (가) – 흉노, 선비, 갈, 저, 강의 유목 민족이 건국하였다.
③ (나) – 문벌 정치의 폐단 등으로 멸망하였다.
④ (나) – 황소의 난이 일어나 급격히 쇠퇴하였다.
⑤ (다) – 대운하 건설을 통해 국력을 신장하였다.

02 다음 연극 대본에서 밑줄 친 '황제'에 대한 설명으로 옳은 것은?

> 장면 #1. 뤄양의 한 음식점
> • 귀족1: 우리 선조들이 북위가 화북 지방을 통일하는 데 얼마나 큰 공을 세웠는가?
> • 귀족2: (한숨을 내쉬고 대사) 말로 다 할 수 없지. 그런데 지금은 <u>황제</u>께서 선비족의 복장도 언어도 금지하고 있으니 통탄할 따름이네.
> • 귀족1: 어디 그뿐인가? 선비족인 우리에게 한족의 성을 사용하라니……. 선비족의 전통을 부정당하는 느낌이 든다네.

① 군국제를 도입하였다.
② 균전제를 실시하였다.
③ 유교를 통치 이념으로 채택하였다.
④ 토지를 국유화하고 노비 매매를 금지하였다.
⑤ 대규모 군사를 동원하여 고구려를 침략하였다.

중요
03 다음 제도가 실시된 이후의 사회 모습으로 옳은 것은?

> 각 지역으로 파견된 중정관이 출신 지역의 인물을 덕과 명망에 따라 9등급으로 평가하여 중앙에 추천하면 국가가 이를 바탕으로 인재를 선발하였다.

① 문벌 귀족 사회가 형성되었다.
② 유교 경전의 해석이 획일화되었다.
③ 법가 이외의 학문과 사상이 탄압받았다.
④ 지방의 유력 세력인 호족이 등장하였다.
⑤ 현실 문제를 해결하기 위해 제자백가가 등장하였다.

04 다음 인물들이 활동한 시기에 있었던 사실로 옳은 것은?

죽림칠현의 모습

> 죽림칠현은 혼란스러운 사회에 염증을 느끼고 속세를 떠난 일곱 명의 선비이다. 이들은 인물 평론과 철학적 논의를 나누었다.

① 분서갱유가 단행되었다.
② 현장·의정이 인도를 순례하였다.
③ 노장사상과 청담 사상이 유행하였다.
④ 경교를 비롯한 외래 종교가 전래되었다.
⑤ 외국인을 대상으로 하는 빈공과가 시행되었다.

05 ㉠, ㉡을 뒷받침하는 사례로 적절한 것은?

> 남북조 시대에 남조와 북조에서는 각기 다른 특색의 문화가 발달하였다. ㉠ 남조에서는 귀족 중심의 화려하고 자유분방한 문화가 발달하였고, ㉡ 북조에서는 유목 민족의 문화와 한족의 문화가 융합된 문화가 발달하였다.

① ㉠ – 고개지의 「여사잠도」가 유명하였다.
② ㉠ – 윈강·룽먼 석굴 사원이 조성되었다.
③ ㉡ – 공영달이 『오경정의』를 편찬하였다.
④ ㉡ – 이국적 특색의 당삼채가 유행하였다.
⑤ ㉡ – 도연명의 한시 「귀거래사」가 유명하였다.

06 밑줄 친 '그'에 대한 설명으로 옳은 것은?

> 북주의 외척이었던 그는 나라를 세우고 한 멸망 이후 약 400년 동안 분열되었던 중국을 다시 통일하였다.

① 과거제를 도입하였다.
② 장건을 대월지에 파견하였다.
③ 한족과의 결혼을 장려하였다.
④ 변방 지역에 절도사를 설치하였다.
⑤ 화북과 강남을 연결하는 대운하를 완성하였다.

중요
07 다음 토목 공사가 수에 미친 영향으로 가장 적절한 것은?

> 대업 원년(605)에 황허 남쪽의 여러 군에서 남녀 백만여 명을 징발하여 통제거를 건설하게 하였다. …… 대업 4년(608)에 다시 황허 북쪽의 여러 군에서 남녀 백만여 명의 백성을 징발하여 영제거를 건설하게 하였다. –『수서』

① 선비족이 반란을 일으켰다.
② 절도사의 세력이 강화되었다.
③ 창장강 유역에 벼농사가 보급되었다.
④ 화북과 강남의 물자 교류가 원활해졌다.
⑤ 한족 문화와 북방 민족의 문화가 융합되었다.

08 다음은 어느 다큐멘터리의 제작 의도이다. 이 다큐멘터리에서 다루는 왕조에 대한 설명으로 옳지 않은 것은?

> '정관의 치세'를 이룬 태종 이세민, 대외 원정에서 활약한 고종, 각종 제도를 정비하여 '개원의 치세'를 이룬 현종 등 왕조의 전성기를 이룬 황제들의 일대기를 조명하여 왕조의 발전 과정을 살펴보고자 한다.

① 호족이 고위 관직을 독점하였다.
② 화북 지방에서 2년 3작이 시행되었다.
③ 조로아스터교와 이슬람교의 사원이 건립되었다.
④ 중앙에 3성 6부를 두고 지방에 주, 현을 편성하였다.
⑤ 농민에게 토지를 분배하고 부병제의 의무를 부과하였다.

09 다음에서 설명하는 사건의 영향으로 옳은 것은?

동북 방면의 절도사 안녹산이 일으킨 반란으로, 반란군은 수도 장안까지 점령하였다. 안녹산 사후 그의 부하인 사사명이 반란을 이어갔지만 반란은 결국 실패하였다.

① 진승·오광의 난이 일어났다.
② 소금과 철의 전매제가 시행되었다.
③ 절도사들이 독자적인 세력을 확대하였다.
④ 자영농 육성을 위해 균전제가 처음 실시되었다.
⑤ 군현제와 봉건제를 절충한 군국제가 도입되었다.

중요
10 (가)에 대한 설명으로 옳은 것을 〈보기〉에서 고른 것은?

당 중기에는 중앙 정부의 통치력이 약화되고 귀족들이 장원을 확대하여 농민들이 소작농으로 전락하였다. 이에 정부는 재정난을 해결하기 위해 조세 제도를 개편하여 (가) 을/를 실시하였다.

보기
ㄱ. 균전제를 기반으로 실시되었다.
ㄴ. 자산에 따라 세금을 징수하였다.
ㄷ. 세금을 조용조로 정리하여 부과하였다.
ㄹ. 세금을 여름과 가을에 납부하도록 하였다.

① ㄱ, ㄴ ② ㄱ, ㄷ ③ ㄴ, ㄷ
④ ㄴ, ㄹ ⑤ ㄷ, ㄹ

11 다음 자료를 활용한 보고서 주제로 가장 적절한 것은?

• 「예빈도」에 그려진 사신들의 국적 분석 결과
• 당 대에 세워진 대진 경교 유행 중국비에 기록된 내용

① 불교의 중국 전파
② 국풍 문화의 유행
③ 견당사를 통한 교류
④ 동아시아 문화권의 형성
⑤ 당 문화의 개방성과 국제성

12 다음 학습 목표를 달성한 학생들의 대화 내용으로 적절한 것은?

• 학습 목표: 당 대 문화계 인물과 그 인물의 업적을 연계하여 파악할 수 있다.

① 갑: 채윤이 제지술을 개량하였어.
② 을: 사마천이 『사기』를 저술하였어.
③ 병: 구마라습이 불경을 한자로 번역하였어.
④ 정: 구겸지가 도교를 교단으로 체계화하였지.
⑤ 무: 이백, 두보 등이 시인으로 명성을 떨쳤어.

중요
13 (가) 왕조에서 볼 수 있었던 모습으로 적절하지 않은 것은?

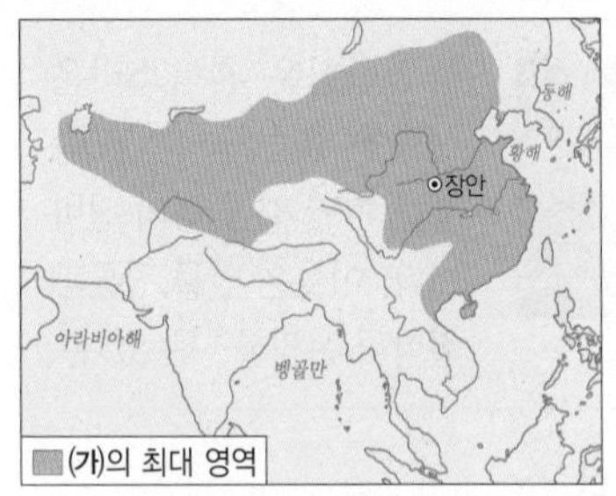

① 경교 사원에서 기도하는 신도
② 지방 인재를 추천하는 중정관
③ 비전으로 물건 값을 지불하는 상인
④ 빈공과에 응시하러 온 신라 유학생
⑤ 무역 활동을 감독하는 시박사의 관리

14 다음에서 설명하는 인물이 활동할 당시 일본의 상황으로 옳은 것은?

6세기 말 아마토 정권의 실권을 잡고 중국과 한반도의 선진 문물을 받아들여 중앙 집권 체제를 확립하였다.

① 『일본서기』가 편찬되었다.
② 관복에 일본 고유의 특색이 반영되었다.
③ 한자를 변형한 가나 문자가 만들어졌다.
④ 당의 장안성을 모방한 도시가 건설되었다.
⑤ 아스카 지방을 중심으로 불교문화가 발달하였다.

15 다음 책이 출간된 시대에 대한 설명으로 옳은 것은?

> **이달의 신간**
>
> 
> 미리 보는 한 장면
>
> • 도서명: 『겐지 이야기』
> • 특징: 가나 문자로 쓴 장편 소설
> • 소개 글
> "황태자 겐지를 통해 본 궁정 귀족 사회 이야기!"

① 헤이조쿄를 수도로 삼았다.
② '일본'이라는 국호를 사용하기 시작하였다.
③ 고전 시가를 정리한 『만엽집』이 편찬되었다.
④ 귀족과 호족들이 장원을 지키기 위해 무사를 고용하였다.
⑤ 다이카 개신으로 국왕 중심의 중앙 집권 체제가 정비되었다.

16 (가)에 들어갈 내용으로 적절하지 않은 것은?

> **탐구 활동 보고서**
>
> • 주제: ○○○○ 문화권의 형성
> • 탐구 활동: (가)
> • 탐구 결과
> – 중국의 제도와 문화가 동아시아에 전파되어 동아시아 국가들이 공통의 문화 요소를 공유하게 되었다.
> – 동아시아 국가들은 중국의 제도와 문화를 각국의 실정에 맞게 개편하여 운용하였다.

① 불교의 전파 경로를 지도에 표시해 본다.
② 이두와 가나 문자의 형성 과정을 찾아본다.
③ 청담 사상이 지식인들에게 미친 영향을 파악한다.
④ 발해와 일본에서 정비된 관제의 공통점을 분석한다.
⑤ 동아시아 여러 국가에 공자 사당이 건립된 이유를 조사한다.

서술형 문제

● 정답친해 13쪽

01 다음 자료에서 비판하는 관리 등용 제도를 쓰고, 밑줄 친 부분과 관련된 이 제도의 문제점을 서술하시오.

> 지금 중정관을 두어 9품을 정하고 있는데, 등급의 높고 낮음이 그의 뜻에 달려 있어, 임금의 권세와 은혜를 제멋대로 가지고 놀며 천자의 권한을 빼앗고 있습니다. …… 이런 까닭에 <u>상품(上品)에는 천한 가문이 없으며, 하품(下品)에는 권세 있는 가문이 없다고 합니다.</u> -『진서』

길잡이 제시된 관리 등용 제도가 어떤 세력에게 유리하였을지 생각해 본다.

02 다음은 당 대 통치 제도를 나타낸 도표이다. (가), (나)에 들어갈 내용을 각각 쓰고, 당이 (가), (나)를 어떻게 운영하였는지 서술하시오.

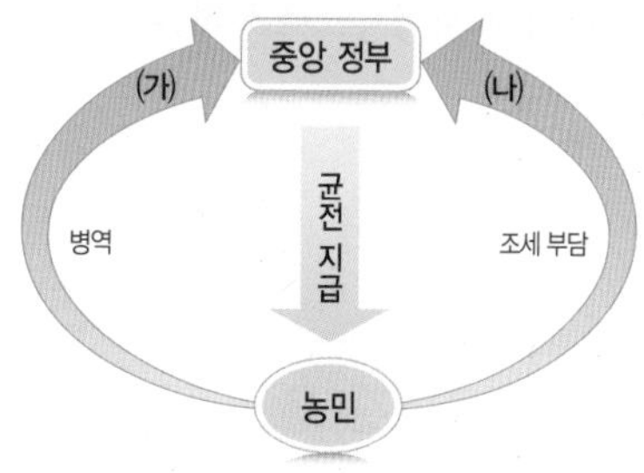

길잡이 군사 제도, 세금 제도에서 농민에게 부과된 의무를 중심으로 서술한다.

03 다음을 읽고 물음에 답하시오.

> 
>
> 이 그림은 (가) 의 관복을 보여 준다. (가) 부터 관복에 일본 고유의 특색이 반영되었는데, 몸에 비해 크게 만들고 여러 겹의 속옷을 겹쳐 입도록 한 것이 특징이다.

(1) (가)에 들어갈 시대를 쓰시오.

(2) 윗글을 기반으로 (가) 시대의 문화적 특징을 서술하시오.

길잡이 관복에 일본 고유의 특색이 반영되었음에 주목한다.

STEP 3 1등급 정복하기

1 다음 석굴 사원이 조성된 시대에 중국에서 볼 수 있었던 모습으로 적절한 것은?

세계 역사 탐방 | 중국 편

원강 석굴 사원 제20 굴

이 석굴 사원은 왕실과 귀족의 지원으로 불교가 융성할 당시에 조성되었다. 제20 굴의 불상은 높이가 14미터에 이르며, 황제의 모습을 본떠서 만들었다고 전한다.

① 대운하 건설에 징발된 농민
② 한족의 언어를 공부하는 선비족 관리
③ 조로아스터교 사원에서 예배하는 신도
④ 월급을 받기 위해 군대에 자원하는 농민
⑤ 『오경정의』를 들고 과거 시험장으로 향하는 귀족

> 불교의 융성

완자 사전

- **조로아스터교**
선의 신 아후라 마즈다가 악의 신인 아리만을 물리친다고 믿어 선한 신의 상징인 불을 숭배한 종교

2 다음 조세 제도가 도입된 배경으로 가장 적절한 것은?

> 양염은 폐단을 걱정하여 황제에게 아뢰어 법을 만들어 조세 제도를 하나로 통일하였다. …… 빈부에 따라 징수액에 차이를 둔다. 자기 땅에 거주하지 않고 행상을 하는 자는 자신이 머무르고 있는 주현의 세금으로 판매액의 30분의 1을 내게 한다. 거주자의 세금은 여름, 가을에 징수한다.
> – 『신당서』

① 귀족 소유의 장원이 증가하였다.
② 화북 지방에서 2년 3작이 시행되었다.
③ 율령 체제에 따라 행정 조직이 정비되었다.
④ 화북과 강남을 연결하는 대운하가 완성되었다.
⑤ 농민에게 토지를 나누어 주는 균전제가 실시되었다.

> 당의 조세 제도 변화

완자 사전

- **율령(律令)**
율(형법), 영(행정법 등 일반 제도에 대한 규정), 격(율령의 보충 규정), 식(시행 세칙)의 형식으로 구성된 법률

정답친해 13쪽

수능 응용

3 (가)에 들어갈 내용으로 옳은 것을 <보기>에서 고른 것은?

이 유물은 녹색, 황색, 백색의 세 가지 색의 유약을 사용하여 만든 도자기야.

도자기에는 낙타, 서역 상인 등이 표현되어 있지. 이 유물을 만든 왕조에서는 (가)

보기
ㄱ. 수도에 경교, 이슬람교 등 외래 종교 사원이 세워졌어.
ㄴ. 도가 사상이 민간 신앙과 결합하여 도교가 등장하였어.
ㄷ. 현장, 의정 등이 인도에서 경전을 들여와 불교가 발전하였어.
ㄹ. 지식인들 사이에서 혼란스러운 현실에서 벗어나려는 청담 사상이 유행하였지.

① ㄱ, ㄴ ② ㄱ, ㄷ ③ ㄴ, ㄷ
④ ㄴ, ㄹ ⑤ ㄷ, ㄹ

> 국제적 성격의 문화

완자샘의 시험 꿀팁
당 문화에 대한 문제는 시험에 자주 출제된다. 대표적인 문화유산을 알아 두고, 문화계 대표 인물과 업적을 정리해 두어야 한다.

4 (가) 시대에 대한 설명으로 옳은 것은?

POST CARD

○○야, 안녕? 오늘은 일본의 수도였던 도시를 여행하고 있어. 이곳은 당의 장안성을 모방하여 건설된 도시였다고 해. (가) 의 대표적인 문화유산인 도다이사도 둘러보았어. 옆에

붙인 사진이 도다이사에 있는 대불을 찍은 건데, 크기가 16미터나 되어서 사진에 담기 매우 힘들었어. 너도 언젠가 이곳에 방문하여 대불의 크기를 느껴보면 좋겠어. 그럼 다음 주에 한국에서 만나자!

① 국풍 문화가 발달하였다.
② 다이카 개신이 단행되었다.
③ 고유 문자인 가나가 만들어졌다.
④ 쇼토쿠 태자가 불교를 후원하였다.
⑤ 『고사기』와 『일본서기』가 편찬되었다.

> 일본 고대 국가의 발전

완자 사전

• 다이카 개신
당의 율령 체제를 모방하여 실시한 정치 개혁으로 중앙 집권 체제를 추구하였다.

• 가나
일본어를 적는 데 쓰이는 음절 문자로, 한자를 빌려 그 일부를 생략하여 만든 가타카나와 한자의 초서체를 따서 만든 히라가나가 있다.

03 동아시아 세계의 발전

학습목표
- 송의 발전 과정과 정복 왕조의 중국 통치 방식을 파악할 수 있다.
- 가마쿠라 막부의 특징을 설명할 수 있다.

이것이 핵심!

• 송의 발전

정치	문치주의 채택, 황제 독재 체제 강화, 왕안석의 신법 실시
사회	사대부 계층 성장
경제	농업 생산력 증대, 상공업 발달, 원거리 해상 무역 발달
문화	성리학 발전, 서민 문화 발달, 과학 기술 발전

• 북방 민족의 대두

요	야율아보기가 건국, 이중 지배 체제 채택(북면관제·남면관제 실시), 거란 문자 사용
서하	탕구트족이 건국, 서하 문자 제정
금	아구다가 건국, 이중 지배 체제 채택(맹안 모극제·주현제 실시), 여진 문자 제정

★ **세폐**
중국 한족 왕조가 북방 민족 국가와의 화친을 유지하기 위해 매년 보낸 은, 비단 등의 물자

★ **남송의 성립**

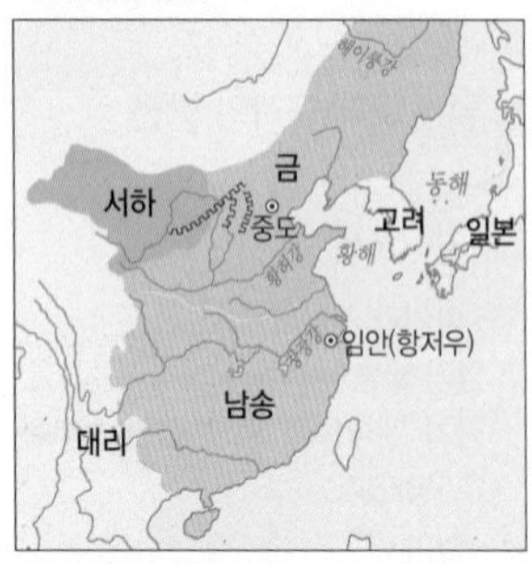

▲ 남송과 금의 영역

★ **지주 전호제**
지주(형세호)들이 소작인에게 토지를 빌려주어 경작하게 하는 방식이다. 전호(소작농)들은 토지를 빌린 대가로 수확의 약 절반을 지주에게 바쳤다.

★ **성리학**
주희가 집대성한 유학의 새 경향으로 경전 해석 중심의 훈고학에서 벗어나 인간 심성과 우주의 원리를 탐구하였다.

1 송과 북방 민족

1. 송의 건국과 문치주의

(1) **송의 성립**: 당 멸망 후 절도사 세력의 난립(5대 10국 시대) → 조광윤(태조)이 송 건국(960)

5대는 화북 지방에 차례로 성립한 5개 왕조이고, 10국은 주로 남중국에 세워진 지방 정권을 말해.

(2) **태조의 정치**: 문치주의 채택(절도사의 권한 회수, 문관 우대), 황제 독재 체제 강화(중앙군인 금군을 강화하여 황제에 직속, 재상권 축소, 과거제에 전시 도입) 자료 ①

(3) **왕안석의 신법**

송이 문치주의 정책을 채택하여 국방력이 약화된 틈을 타 북방 민족 국가인 요, 서하 등이 송을 압박하였어.

배경	북방 민족의 압박으로 국방비 지출 및 *세폐 증가, 관리 수 증가로 국가 재정 악화
내용	국가 재정 수입 확대(청묘법, 시역법, 모역법, 균수법), 군사력 강화(보갑법, 보마법) 추진
결과	일시적으로 재정 개선 → 보수파(구법당) 관료와 지주·대상인의 반발로 실패, 구법당과 신법당의 당쟁 격화

(4) ***남송의 성립과 멸망**: 12세기 초 금의 침입으로 화북 지역 상실, 임안(항저우)으로 천도(남송 건국) → 금의 남하 저지, 강남 개발(경제 번영) → 몽골의 침략으로 멸망(1279)

2. 송 대의 사회·경제·문화

VS 사대부는 세습 특권에 의존하던 귀족과 달리 과거를 통해 등용되었어.

참파 벼는 가뭄에 강하고 단기간에 성장 가능하여 1년에 두 번 수확할 수 있었어.

사회		학교·서원 증가, 과거제 완성 → 학자 관료층인 사대부가 지배층으로 성장(지주층으로서 전호 지배)
경제	농업	농지 확대, 용골차 보급, 시비법·모내기법 널리 보급, 참파 벼 도입 → 농업 생산력 발달 → 창장강 하류 지역이 최대 곡창 지대로 성장, 강남의 경제력이 화북 능가, *지주 전호제 확대(전호 수 증가), 인구 1억 명 돌파
	상공업	• 수공업: 석탄 사용 보편화로 제철·자기·견직업 등 발달, 수공업자 조합 '작' 결성 • 상업: 전국적인 규모의 시장권 형성, 장거리 무역상과 중개 상인 증가, 각지에 상업 도시 성장, 상인 조합 '행' 결성, 동전 주조량 증가, 동전이 부족해지자 교자·회자 등 지폐 유통
	국제 교역	조선술 발달, 나침반 발명, 북방 민족의 강성으로 육로 무역 쇠퇴 → 해상 무역 발전, 취안저우·광저우 등이 국제 무역 항구로 번영(시박사를 설치하여 무역 관리)
문화		• 사대부 중심 문화: 사대부의 유학 연구 심화로 *성리학 발전(주희가 성리학 집대성, 대의명분과 화이론 중시), 북방 민족의 침입이 민족의식을 자극하여 역사서 편찬 활발(사마광의 『자치통감』 등) • 서민 문화 발전: 상업 발달과 도시 성장을 배경으로 서민 의식 성장 → 와자, 구란 등 서민 오락 시설 발달, 잡극 유행, 구어체로 된 통속 문학, 구어체 노래 가사인 사(詞) 유행 자료 ② • 과학 기술 발달: 활판 인쇄술, 화약 무기, 나침반 발명 → 이슬람 세계를 거쳐 유럽에 전파

연대순으로 역사를 기록하는 편년체 역사서의 모범이 되었어.

3. 북방 민족의 대두

(1) **요(거란)**: 최초의 정복 왕조

중국 대륙의 일부 또는 전부를 정복한 북방 민족에 의한 왕조를 일컬어.

5대의 후진이 후당을 멸망시킬 때 받은 군사 원조의 대가로 거란에 넘겨준 땅이야.

성립	야율아보기가 거란족을 통일하고 건국(916), 발해를 멸망시킴(926), 연운 16주 차지, 국호를 '요'로 개칭
발전	송과 전연의 맹약 체결(송이 거란에 세폐 지급), 이중 지배 체제 실시(유목민은 북면관제, 한족은 남면관제로 통치), 거란 문자 사용, 『거란국사』와 『(거란)대장경』 편찬 교과서 자료

(2) **서하(탕구트)**: 탕구트족이 건국(1038), 동서 교통로를 장악하여 송과 대립, 서하 문자 제정

서하는 송과 평화 조약을 체결하여 송에 신하의 예를 취하는 대신 송으로부터 세폐를 지급받았어.

(3) **금(여진)**

성립	아구다가 여진족 통일, 금 건국(1115)
발전	• 영토 확장: 송과 연합하여 요를 멸망시킨 후 송의 수도 카이펑 함락(정강의 변), 송과 평화 조약 체결(금의 평화 보장, 송이 금에 세폐 지급) → 수도를 중도(베이징)로 옮기고 화북 지역 지배 • 통치: 이중 지배 체제 실시(유목민은 맹안 모극제, 한족은 주현제로 통치), 여진 문자 제정 교과서 자료
멸망	남송과 연합한 몽골의 공격으로 멸망(1234)

완자 자료 탐구

내 옆의 선생님

자료 1 송 대 과거제의 변화

전시는 황제가 참관한 가운데 궁궐에서 치러졌어. 이를 통해 시험에 부정이 개입하는 것을 방지함과 동시에 황제권을 강화하였지.

당 대에는 과거 합격자가 관직을 받으려면 이부에서 주관하는 면접시험을 거쳐야 했다. 이 단계에서는 주로 귀족 가문의 자제가 좋은 성적을 받았다. 이후 송 태조는 황제권을 강화하기 위해 과거제에 전시를 도입하였다. 전시는 황제가 직접 주관하였고, 이 결과에 따라 관직이 주어졌다. 황제가 직접 결정한 전시의 성적이 추후 관직 승진에 절대적인 영향을 끼치게 되자 과거 합격자들은 황제를 스승으로 여기며 충성심을 가졌다.

황제가 주관하는 전시 광경(명 대 그림)

자료 하나 더 알고 가자!

송 대 관료의 변화

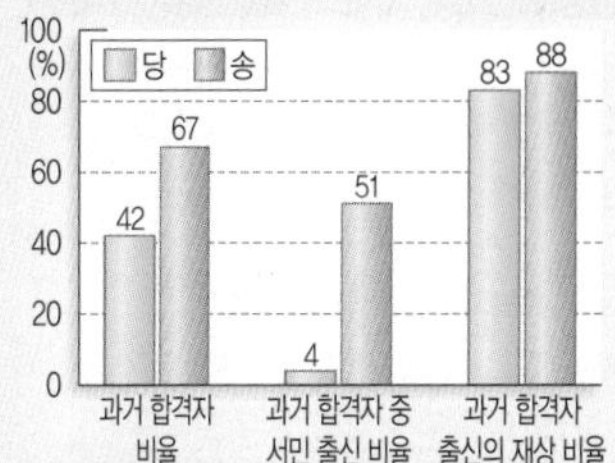

열전에 등재된 인물의 출신 비율

송 대에 서민 출신 과거 합격자의 비율이 급등한 것으로 보아 가문보다 능력이 중시되었음을 알 수 있어.

자료 2 송 대 도시의 성장과 서민 문화의 발달

장택단의 「청명상하도」

당 대와 달리 송 대에는 거래 구역이나 야간 영업에 대한 제한이 사라져 시장과 건물이 자유롭게 들어설 수 있었어.

송 대에는 상업이 크게 발달하고 상거래 중심지로서 도시가 발달하였다. 북송의 수도였던 카이펑은 인구가 100만 명 이상이었으며, 도시민들의 상거래가 활발하게 이루어졌다. 북송의 그림 「청명상하도」에는 이와 같은 카이펑의 발전된 모습이 잘 나타나 있다. 이러한 상공업의 발달과 도시 성장을 배경으로 서민 문화도 발달하여 도시 곳곳에 서민을 위한 오락 시설이 만들어졌다.

정리 비법을 알려줄게!

서민 문화의 발달

배경
• 경제 발달로 서민들의 생활 수준 향상 • 도시 생활에 대한 규제 완화
↓
도시 중심의 서민 문화 발달
• 와자 등 서민 오락 시설 발달 • 잡극과 공연 대본 유행 • 구어체로 된 통속 문학 발달 • 구어체 노래 가사인 사(詞) 유행

수능이 보이는 교과서 자료 북방 민족의 통치 정책

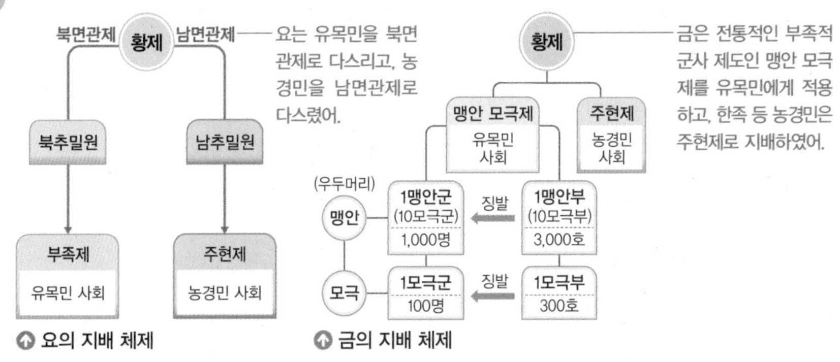

요의 지배 체제

금의 지배 체제

요와 금은 정복지를 효과적으로 다스리기 위해 유목민은 고유의 부족제로 다스리고, 정복지 농경민에 대해서는 중국의 통치 방식인 주현제로 다스리는 이중 지배 체제를 실시하였다. 한편, 요, 서하, 금은 부족 고유의 문자를 만들어 고유문화를 지키려고 노력하였다. 그러나 점차 중국 문화에 동화되어 북방 민족의 강건한 기풍은 약해졌다.

완자샘의 탐구 강의

• 요와 금이 유목민과 농경민을 지배한 방식을 써 보자.

요는 유목민을 북면관제로, 농경민을 남면관제로 다스렸다. 금은 유목민을 맹안 모극제로, 농경민을 주현제로 지배하였다.

• 북방 민족이 이중 지배 체제를 채택한 이유를 서술해 보자.

정복 지역을 효과적으로 다스리고, 부족 고유의 풍속과 정체성을 유지하기 위해서였다.

함께 보기 59쪽, 1등급 정복하기 3

03 동아시아 세계의 발전

이것이 핵심!

몽골 제국의 발전

몽골 제국의 팽창
칭기즈 칸의 부족 통일 → 정복 전쟁으로 유라시아 대륙을 아우르는 대제국 건설 → 쿠빌라이가 원 건국, 중국 전역 지배
↓
유라시아 교역망의 형성
동서 교통로 확보, 역참 설치, 해상 무역 발전, 이슬람 상인의 활약 등으로 동서 교역망 통합 → 동서 문화 교류 활발

★ **천호제**
유목민을 천호, 백호, 십호 단위의 군사 조직으로 편성하고, 천호장, 백호장, 십호장을 임명한 제도이다.

★ **라마교**
티베트의 토속 종교와 대승 불교가 혼합되어 만들어진 불교의 일파이다. '라마'는 지식과 덕망이 높은 승려를 뜻한다.

2 몽골 제국과 동서 교류

1. 몽골 제국의 발전

울루스는 국가를 가리켜. 여러 울루스는 점차 독자적인 영토와 세력을 인정받아 몽골 제국은 울루스들의 느슨한 연합으로 바뀌어 갔어.

(1) **성립**: 테무친이 몽골족을 통일하고 칭기즈 칸에 추대됨(1206) → *천호제와 친위대 조직, 서하와 금을 공격하고 중앙아시아 정복 → 칭기즈 칸 사후 여러 울루스로 분열

(2) **발전**: 우구데이 칸이 금을 멸망시키고 카라코룸 천도, 이후 칸들이 러시아와 유럽 일부 지역 및 바그다드까지 영역 확대 → 유라시아 대륙을 아우르는 대제국 건설

(3) **원의 중국 통치**: 쿠빌라이가 대도(베이징)에 천도하여 원 건국(1271) → 남송과 대리를 멸망시키고 유목 민족 최초로 중국 전역 지배(1279)

원 대에 지주 전호제는 더욱 발전하여 지방에서 사대부의 지주로서의 지위는 그대로 유지되었어.

정치	중국의 관료제와 주현제 등 활용, 몽골 제일주의 채택(몽골인이 고위직 독점, 색목인 우대), 공문서에 파스파 문자(몽골 문자) 사용, 과거제 폐지(→ 원 말에 부활)로 사대부의 사회적 지위 약화 자료③
경제	목화 재배가 전국으로 확대(→ 면직업 발달), 왕정의 『농서』 편찬, 활발한 동서 교역, 지폐인 교초 통용
문화	*라마교(티베트 불교) 유행, 서민 문화 발전(『서상기』, 『비파기』, 『두아원』 등 원곡 유행)

(4) **원의 쇠퇴**: 쿠빌라이 사후 황위 계승 분쟁 발생, 지배층의 사치, 교초 남발로 물가 폭등 → 홍건적의 난 발발(백련교도 중심) → 명을 세운 주원장에 의해 북쪽으로 밀려남(1368)

2. 유라시아 교역망의 형성 자료④

초원길, 비단길, 바닷길이 연결된 거대한 교역망이 완성되었어.

(1) **동서 교역망의 통합**: 몽골 제국의 대제국 건설로 동서 교통로 확보, 제국 전역에 역참 설치(→ 체계적인 물자 수송, 신속한 공문서 전달), 해상 무역 발전(항구 도시 번영, 시박사 확대 설치, 대운하 정비), 이슬람 상인의 활약(원거리 무역 주도)

강남의 쌀을 화북으로 운반하기 위해 대도에서 항저우까지 수로를 연결하였어.

(2) **동서 문화 교류**: 여러 민족의 종교와 문화에 관대하여 다양한 문화 공존

인적 교류	카르피니, 마르코 폴로(『동방견문록』 저술), 이븐 바투타(『여행기』 저술), 랍반 사우마 등 왕래
문화 교류	이슬람의 천문학·수학·대포 제작 기술 등이 중국에 전래, 곽수경이 이슬람 역법을 참고해 수시력 제작, 중국의 화약 무기·나침반·인쇄술이 이슬람 세계를 통해 서양에 전파

훌라구 울루스의 사절단으로, 유럽 여러 나라의 국왕, 교황 등을 만나고 돌아왔어.

이것이 핵심!

가마쿠라 막부의 발전

정치	일본 특유의 봉건제 시행, 원의 침입 이후 막부 쇠퇴
경제	이모작 보급 등 농업 발달, 화폐 경제 발달
문화	선종과 성리학 도입, 정토종의 유행으로 불교 대중화

★ **신국 사상**
일본은 신의 가호를 받는 나라라는 사상이다. 이 사상은 원의 일본 침공 시 태풍이 불어와 몽골군이 큰 피해를 입고 일본 원정에 실패하자 형성되었다.

3 고려와 일본

1. 고려의 발전

(1) **건국**: 왕건이 고려 건국, 신라와 후백제를 통합하여 한반도 재통일(936)

(2) **발전**: 문벌 귀족 사회 형성 → 무신 정권 수립 → 원의 간섭 → 공민왕의 개혁 노력

(3) **문화**: 상감청자, 금속 활자, 팔만대장경 등 제작

2. 일본 무사 정권의 성립

(1) **무사의 성장**: 귀족·호족이 재산 보호를 위해 무사 고용 → 무사가 독자적인 세력으로 성장

(2) **가마쿠라 막부**

송과의 활발한 사무역으로 송의 동전이 대량으로 유입되어 화폐 경제 발달이 촉진되었어.

성립	12세기 후반 미나모토노 요리토모가 실권을 장악하고 수립 → 일본 최초의 무가 정권 형성
발전	• 정치: 봉건제 시행(막부의 쇼군이 정치의 실권 행사), 천황은 점차 상징적인 존재로 변화 자료⑤ • 경제: 경작지 확대, 일부 지역에 이모작 보급, 화폐 경제 발달, 정기 시장 개설, 상인 동업 조합 조직 • 문화: 선종과 성리학 도입, 새로운 불교 종파 성립(정토종 유행 → 불교의 대중화)
쇠퇴	13세기 후반 두 차례에 걸친 원의 침입을 막아 냄 → *신국 사상 형성, 막부 쇠퇴

꼭! 원과 싸우는 과정에서 경제적 피해를 입은 무사들이 막부에 반발하였고, 이 과정에서 봉건 질서가 동요하여 가마쿠라 막부가 쇠퇴하였어.

누구든 염불만 외우면 구제받을 수 있다고 하였어.

내 옆의 선생님

자료 3 원의 민족 차별 정책

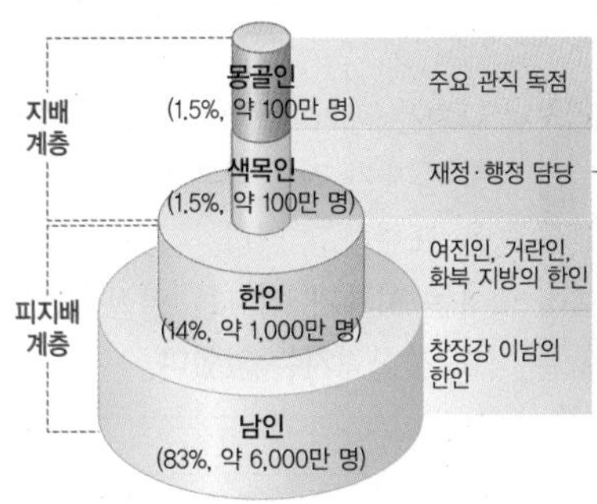

원의 인구 구성

색목인은 중앙아시아, 서아시아, 유럽, 티베트 등지에서 온 외국 사람들을 의미해.

원 대에 몽골인과 색목인은 지배층을 형성하였다. 몽골인은 정치와 군사를 담당하는 최상층을 차지하였고, 색목인은 상업과 회계에 밝아 재정 업무를 주로 담당하였다. 한족, 거란족, 여진족으로 구성된 한인과 남송 출신의 한족인 남인은 피지배층을 형성하였다. 특히 남인은 심한 차별을 받아 고위 관직에 올라갈 수 없었고 세금 부담도 가장 컸다. 과거 합격 정원도 각 민족에 따라 할당되어 한인과 남인에게 매우 불리하였다.

문제로 확인할까?

원의 중국 통치 정책에 대한 설명으로 옳지 않은 것은?

① 몽골인이 주요 관직을 독점하였다.
② 한인과 남인은 피지배층을 이루었다.
③ 민족 차별 정책으로 민족 간 갈등이 일어났다.
④ 관리 선발 방식은 화북의 한인에게 가장 불리하였다.
⑤ 색목인은 상업과 재정 능력을 인정받아 우대되었다.

④ 답

자료 4 유라시아 교역망의 형성

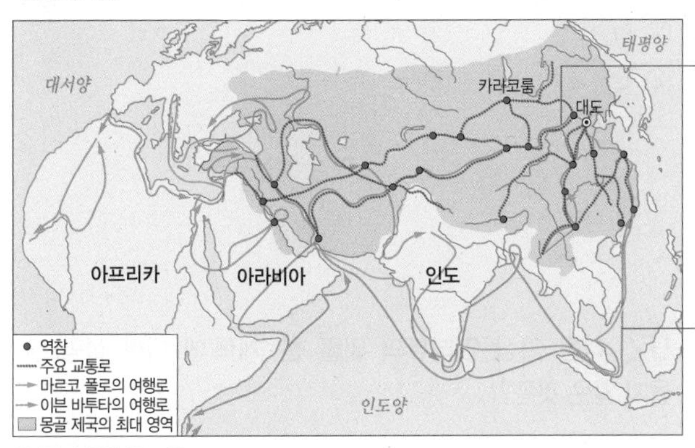

동서 문화의 교류

베네치아 상인 출신인 마르코 폴로는 원의 수도에서 17년간 머물렀어. 귀국한 후에는 『동방견문록』을 저술하여 유럽에 원을 소개하였어.

모로코 출신의 이븐 바투타는 원 말에 원을 방문하였어. 그가 남긴 『여행기』에 당시 원의 모습이 나타나 있지.

몽골은 유라시아 지역을 거의 통합하여 동서 교통로를 안정적으로 확보하였다. 그리고 제국 곳곳에 역참을 설치하여 중앙과 지방을 연결하였다. 이를 토대로 유라시아 교역망이 형성되어 동서 문화 교류가 활발해졌고, 마르코 폴로, 이븐 바투타 등이 중국을 방문하였다.

자료 하나 더 알고 가자!

역참의 운영

> 여행자에게 중국은 가장 안전하고 좋은 고장이다. …… 전국의 모든 역참에는 숙소가 있는데, 관리자가 서기와 함께 와서 투숙객의 이름을 등록하고 확인 도장을 찍은 다음 숙소 문을 잠근다. 관리자는 기병과 보병을 데리고 늘 머물러 있다. 전국의 모든 역참이 이렇게 하고 있다. – 이븐 바투타, 『여행기』

역참은 원래 관리와 군대가 원활하게 왕래하도록 건설되었지만 제국이 안정되면서 상인과 선교사, 학자들도 이용하게 되었어. 이븐 바투타가 저술한 『여행기』에는 역참이 어떻게 운영되었는지 서술되어 있지.

자료 5 일본의 봉건제

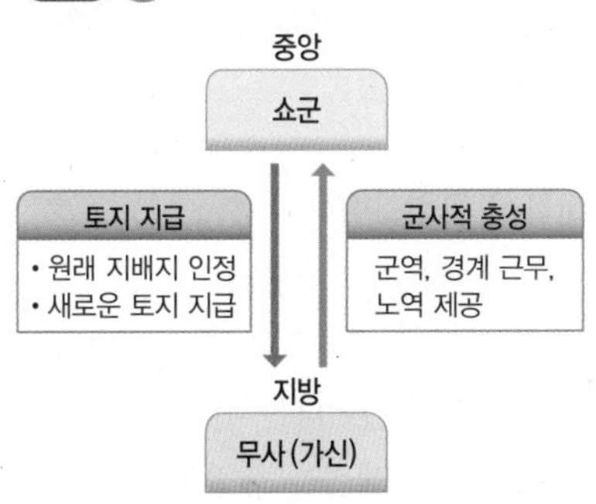

가마쿠라 막부의 쇼군과 가신의 관계

일본의 막부에서는 쇼군이 실질적인 지배권을 행사하고, 천황은 형식적인 지위만 유지하는 일본 특유의 봉건제가 시행되었다. 가마쿠라 막부의 쇼군과 가신은 토지에 대한 권리를 매개로 주종 관계를 맺었다. 쇼군은 가신의 토지 지배권을 보장하고 군사적 충성을 약속받았다. 가신인 무사들은 지급받은 토지 중 직영지를 예속 농민에게 농사짓게 하였으며, 그 밖의 경작지는 일반 농민에게 빌려주고 그 대가를 받았다.

정리 비법을 알려줄게!

봉건 질서의 동요

13세기 두 차례에 걸친 원의 침입

↓

무사의 불만 심화
• 장기간의 항전으로 무사들의 경제적 부담 증가
• 전쟁에 동원된 무사에 대한 보상 부재

↓

무사의 몰락, 막부 쇠퇴

STEP 1 핵심 개념 확인하기

정답친해 14쪽

1 다음 빈칸에 들어갈 인물을 쓰시오.

(1) (　　　　)는 여진족을 통일하고 금을 건국하였다.

(2) 송의 (　　　　)은 국방력을 강화하고 재정 수입을 증대하기 위해 신법을 추진하였다.

(3) 원을 방문한 (　　　　)는 『동방견문록』을 저술하여 원에서 보고 들은 것을 유럽에 소개하였다.

(4) 12세기에 실권을 장악한 (　　　　)가 가마쿠라 막부를 수립하여 일본 최초의 무가 정권이 성립하였다.

2 다음 설명에 해당하는 왕조를 〈보기〉에서 골라 기호를 쓰시오.

보기
ㄱ. 금　　ㄴ. 송　　ㄷ. 요　　ㄹ. 원

(1) 백련교도 중심의 홍건적의 난이 일어났다. (　　)

(2) 야율아보기가 부족을 통일하고 건국하였다. (　　)

(3) 유목민을 맹안 모극제, 농경민을 주현제로 통치하였다. (　　)

(4) 인간 심성과 우주의 원리를 탐구하는 성리학이 등장하였다. (　　)

3 다음 괄호 안의 내용 중 알맞은 말에 ○표를 하시오.

(1) 원 대에는 상업이 활발하여 지폐인 (교자, 교초)가 널리 통용되었다.

(2) 쿠빌라이는 수도를 (대도, 임안)(으)로 옮기고 국호를 원으로 정하였다.

(3) 원 대에 (한인, 색목인)은 상업과 회계에 밝아 주로 재정 업무를 담당하였다.

4 다음 빈칸에 들어갈 제도를 쓰시오.

> 가마쿠라 막부 성립 이후 쇼군이 막부의 최고 지배자로서 군림하고 무사 계급을 다스리는 일본 특유의 (　　　　)가 시행되었다.

STEP 2 내신 만점 공략하기

01 중요 다음 제도를 도입한 황제에 대한 설명으로 옳은 것을 〈보기〉에서 고른 것은?

그림은 과거 시험의 최종 단계를 황제가 직접 주관하는 모습을 표현하고 있다. 이 단계에서는 황제가 석차를 결정하였고, 불합격자는 없었다.

보기
ㄱ. 재상권을 확대하였다.
ㄴ. 문치주의 정책을 채택하였다.
ㄷ. 변방에 절도사를 설치하였다.
ㄹ. 중앙군인 금군을 강화하였다.

① ㄱ, ㄴ　② ㄱ, ㄷ　③ ㄴ, ㄷ
④ ㄴ, ㄹ　⑤ ㄷ, ㄹ

02 다음 가상 인터뷰의 밑줄 친 '개혁'에 대한 설명으로 옳지 않은 것은?

> [인터뷰] 개혁의 주역을 만나다
> 문 안녕하십니까? 이번에 추진하는 <u>개혁</u>에서 가장 중점에 두고 있는 부분은 무엇인가요?
> 답 국가 재정을 튼튼하게 하고, 군사력을 강화하는 것입니다.
> 문 <u>개혁</u> 내용 중 두 가지만 소개해 주시겠어요?
> 답 농민에게 저렴한 이자로 영농 자금을 빌려주는 청묘법, 군사력 강화를 위하여 민병을 양성하는 보갑법 등을 시행하려고 합니다.

① 보수파 관료가 반대하여 실패하였다.
② 중소 상인과 소농민을 보호하려고 하였다.
③ 흉노 정벌로 인한 재정 악화를 배경으로 추진되었다.
④ 신법당과 구법당 간의 당쟁이 일어나는 원인이 되었다.
⑤ 문치주의 정책으로 나타난 문제점을 해결하기 위하여 추진되었다.

03 다음에서 설명하는 사건의 결과로 옳은 것은?

12세기 초 금이 송에 침입하여 수도 카이펑을 함락하고 송의 황제를 포로로 끌고 갔다.

① 5호가 화북을 침입하였다.
② 송이 임안으로 천도하였다.
③ 5대 10국 시대가 시작되었다.
④ 왕안석이 신법을 실시하였다.
⑤ 아구다가 여진족을 통일하였다.

04 밑줄 친 '학자 관료층'에 대한 설명으로 옳은 것은?

송 대에는 학교와 서원의 수가 증가하고 과거제가 강화되어 <u>학자 관료층</u>이 성장하였다. 이들은 유학적 소양을 갖추었고, 황제에게 충성을 바치면서 천하를 함께 다스린다는 자부심과 책임감을 지녔다.

① 고위 관직을 대대로 세습하였다.
② 동업 조합인 행·작을 결성하였다.
③ 지주층으로서 전호를 지배하였다.
④ 훈고학을 사상적 기반으로 삼았다.
⑤ 안사의 난을 계기로 독자적인 세력을 확대하였다.

중요

05 다음은 역사 신문 제작 계획서이다. (가)에 들어갈 내용으로 적절하지 <u>않은</u> 것은?

- 주제: 송의 경제 발전
- 제작 방향: 송 왕조 시기의 농업, 상공업, 대외 무역 발달 모습이 잘 드러나도록 한다.
- 주요 기사 제목: (가)

① 인터뷰 – 동전 주조 전문가를 만나다
② 칼럼 – 교초 남발 문제, 어떻게 해결할 것인가?
③ 사설 – 나침반이 해상 무역의 발전에 미친 영향
④ 광고 – 참파 벼를 심어서 1년에 두 번 수확하세요!
⑤ 집중 취재 – 강남의 생산력이 화북을 능가한 배경은?

06 다음 그림에 묘사된 시대를 배경으로 영상물을 제작할 때 등장할 수 있는 장면으로 가장 적절한 것은?

화가 장택단이 수도 카이펑과 인근 지역의 청명절 모습을 그린 「청명상하도」에는 카이펑의 발전상과 서민들의 일상생활이 묘사되어 있다.

① 통행증을 확인하는 역참 관리인
② 라마교 사원 건립에 동원된 백성
③ 마르코 폴로 일행을 안내하는 관리
④ 와자에서 잡극 공연을 관람하는 관객
⑤ 홍건적의 난이 일어나자 피난길에 오르는 농민

07 다음 내용에 따라 학생들이 제출할 발표 주제로 옳은 것은?

1학기 세계사 수행 평가 주제는 '송 대의 문화'입니다. 발표할 자유 주제를 선정한 후 제출해 주시기 바랍니다.

① 훈고학의 등장 배경
② 『자치통감』과 편년체
③ 죽림칠현과 청담 사상
④ 「여사잠도」와 귀족 문화
⑤ 당삼채에 반영된 서역의 문화

08 다음 내용에 해당하는 왕조에 대한 설명으로 옳은 것은?

- 성립: 야율아보기가 부족을 통일하고 건국
- 통치: 북면관제·남면관제 실시
- 문화: 고유 문자 제작, 『대장경』 편찬

① 연운 16주를 획득하였다.
② 공문서에 파스파 문자를 사용하였다.
③ 임안을 수도로 정하고 왕조를 재건하였다.
④ 유목 민족 최초로 중국 전역을 지배하였다.
⑤ 남송과 연합한 몽골의 침략을 받아 멸망하였다.

중요
09 (가), (나) 국가에 대한 설명으로 옳은 것은?

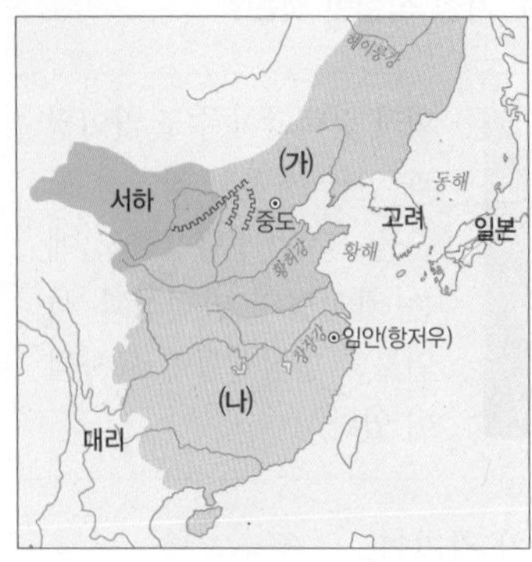

① (가) – 발해를 멸망시켰다.
② (가) – 한화 정책을 추진하였다.
③ (나) – 정강의 변을 일으켰다.
④ (나) – 맹안 모극제를 실시하였다.
⑤ (가), (나) – 몽골의 침입을 받아 멸망하였다.

10 다음에서 설명하는 인물의 업적으로 옳은 것은?

'최고의 쇠로 만든 인간'이라는 의미의 이름을 가진 이 사람은 부족을 통일하고 칭기즈 칸으로 추대되었습니다.

① 5대 10국을 통일하였다.
② 남송과 대리를 멸망시켰다.
③ 사회·군사 조직인 천호제를 만들었다.
④ 수도를 대도로 옮기고 원을 건국하였다.
⑤ 화북과 강남 지방을 연결하는 대운하를 완성하였다.

중요
11 밑줄 친 '이곳'에 해당하는 왕조에 대한 설명으로 옳지 않은 것은?

> 여행자에게 이곳은 가장 안전하고 좋은 고장이다. …… 전국의 모든 역참에는 숙소가 있는데, 관리자가 서기와 함께 와서 투숙객의 이름을 등록하고 확인 도장을 찍은 다음 숙소 문을 잠근다. 관리자는 기병과 보병을 데리고 늘 머물러 있다. 전국의 모든 역참이 이렇게 하고 있다.
>
> – 이븐 바투타, 『여행기』

① 일본 원정을 단행하였다.
② 민족 차별 정책을 실시하였다.
③ 홍건적의 난을 계기로 쇠퇴하였다.
④ 과거제에 전시를 처음으로 도입하였다.
⑤ 대도에서 항저우까지 수로를 연결하였다.

12 다음은 원 대 인구 구성을 나타낸 도표이다. (가)에 대한 설명으로 옳은 것은?

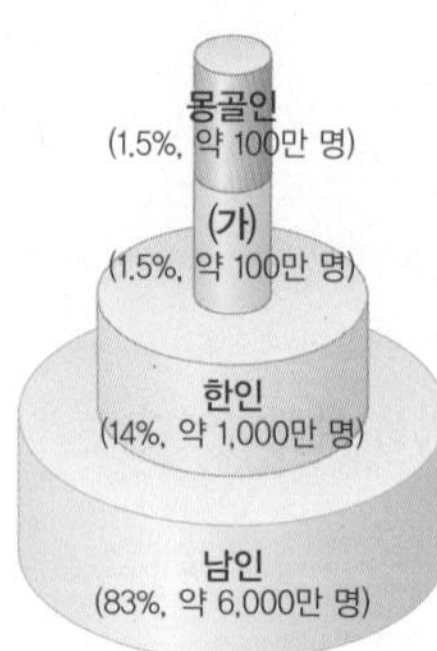

① 세금 부담이 가장 컸다.
② 여진족, 거란족을 포함하였다.
③ 대의명분과 화이론을 중시하였다.
④ 주로 재정과 행정 업무를 담당하였다.
⑤ 과거와 음서를 통해 관직을 독점하였다.

중요
13 다음 내용을 뒷받침하는 사례로 적절한 것은?

> 몽골 제국은 유라시아 대륙의 대부분을 통합하여 동서 교통로를 안정적으로 확보하였다. 그 결과 몽골 제국에서는 동서 문화 교류가 활발하게 이루어졌다.

① 윈강·룽먼 석굴이 조성되었다.
② 대진 경교 유행 중국비가 세워졌다.
③ 서역의 영향을 받은 당삼채가 유행하였다.
④ 승려 현장이 인도의 불교 경전을 들여왔다.
⑤ 이슬람 역법을 참고한 수시력이 제작되었다.

14 (가) 왕조의 문화에 대한 설명으로 옳은 것을 〈보기〉에서 고른 것은?

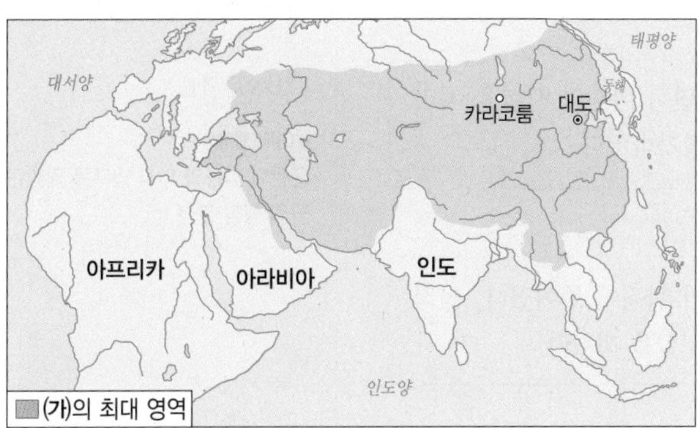

보기

ㄱ. 주희가 성리학을 집대성하였다.
ㄴ. 티베트 불교인 라마교가 유행하였다.
ㄷ. 『서상기』, 『비파기』 등 희곡이 유행하였다.
ㄹ. 화약 무기, 활판 인쇄술, 나침반이 발명되었다.

① ㄱ, ㄴ ② ㄱ, ㄷ ③ ㄴ, ㄷ
④ ㄴ, ㄹ ⑤ ㄷ, ㄹ

15 다음은 어느 막부에 대한 발표 주제이다. (가)에 들어갈 내용으로 옳은 것은?

- 1모둠: 미나모토노 요리토모의 막부 수립 과정
- 2모둠: 원의 침입이 막부에 미친 영향
- 3모둠: 정토종의 유행과 불교 대중화
- 4모둠: 송과의 사무역이 화폐 경제의 발달에 미친 영향
- 5모둠: (가)

① 다이카 개신의 내용
② 국풍 문화와 가나 문자
③ 아스카 문화의 대표 문화유산
④ 쇼군과 가신의 주종 관계 형성
⑤ 헤이조쿄에 건설된 도시의 특징

서술형 문제

● 정답친해 16쪽

01 다음은 당·송 대 열전에 등재된 인물의 출신을 나타낸 그래프이다. 이를 통해 추론할 수 있는 송 대 사회의 모습을 서술하시오.

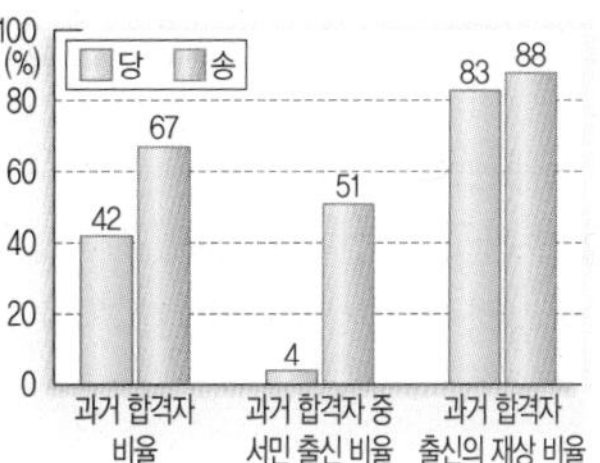

길잡이 서민 출신 과거 합격자의 비율이 급등한 이유를 추론해 본다.

02 밑줄 친 부분에 해당하는 사례를 두 가지 서술하시오.

독일의 사학자 비트포겔은 중국을 정복한 북방 민족이 수립한 중국적 성격의 왕조를 '정복 왕조'라고 규정하였다. 정복 왕조로 발전한 요, 금은 정복 지역을 효과적으로 다스리면서도 중국 문화에 동화되지 않고 부족 고유의 정체성을 유지하기 위해 노력하였다.

길잡이 요, 금의 지배 체제와 문화적 특징을 고려하여 서술한다.

03 다음 그림에 묘사된 사건이 일본 사회에 미친 사상적, 정치적 영향을 서술하시오.

몽고습래회사

이 그림은 일본군이 원의 군대에 저항하는 모습을 그린 것이다. 원은 일본에 두 차례 침략하였으나 모두 실패하였다.

길잡이 원의 일본 침입이 실패한 이유와 장기간의 전투가 무사 계급에 미친 영향을 생각해 본다.

STEP 3 1등급 정복하기

1 다음과 같이 과거제가 바뀌면서 나타난 변화로 옳은 것은?

> 과거제의 변화

당 대에는 과거 합격자가 관직을 받으려면 이부에서 시행하는 면접 위주의 시험을 치러야 하였다. 면접에서는 외모·말솜씨·글씨·판단력을 기준으로 평가하였다.

송 대에는 황제가 직접 주관하는 전시를 치렀고, 그 결과에 따라 관직이 주어졌다. 성적도 황제가 최종적으로 결정하여 전시 결과는 이후 승진에 많은 영향을 끼쳤다.

① 재상의 인사권이 강화되었다.
② 사대부가 사회의 지배층을 형성하였다.
③ 고위 관직을 대대로 세습하는 가문이 증가하였다.
④ 공영달의『오경정의』가 수험서 역할을 하게 되었다.
⑤ 지방의 인재를 추천하는 중정관의 역할이 강화되었다.

완자 사전
- **이부(吏部)**
문관의 임용과 인사 업무를 맡았던 당의 행정 관청

2 다음 대화가 이루어진 시기의 사회 모습으로 옳지 <u>않은</u> 것은?

> 농업의 발달

이보게. 관리들이 보급하고 있는 참파 벼 종자에 대해 들었나? 가뭄에 매우 강한 종자라는군.
듣던 중 반가운 소식이구먼. 강남 지방의 쌀 생산량이 더욱 늘어나겠어.

① 목화 재배가 전국으로 확대되었다.
② 활판 인쇄술을 이용하여 서적을 제작하였다.
③ 지주 전호제가 확대되어 전호 수가 증가하였다.
④ 구어체 문학, 구어체 노래 가사인 사(詞) 등이 유행하였다.
⑤ 인간 심성과 우주 만물의 원리를 탐구하는 학문이 등장하였다.

완자 사전
- **전호(佃戶)**
지주의 땅을 빌려서 농사를 지은 후에 소작료를 치르던 농민

평가원 응용

3 (가), (나) 통치 체제를 갖춘 왕조에 대한 설명으로 옳은 것은?

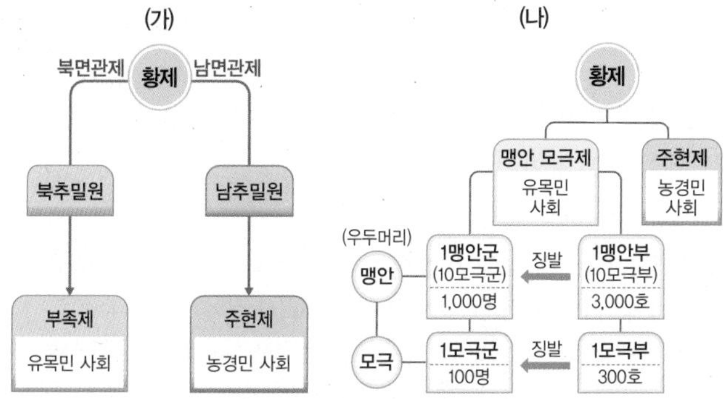

① (가) – 송과 전연의 맹약을 체결하고 세폐를 지급받았다.
② (가) – 부족 고유의 문자인 여진 문자를 만들어 사용하였다.
③ (나) – 색목인을 우대하고 한족을 차별하였다.
④ (나) – 동전 부족 현상이 계속되자 교자, 회자 등 지폐를 만들었다.
⑤ (가), (나) – 호한 융합 촉진을 위하여 적극적인 한화 정책을 실시하였다.

> 정복 왕조의 통치

완자샘의 시험 꿀팁

정복 왕조에 대한 문제는 각 정복 왕조의 통치 내용을 비교하는 형식으로 자주 출제된다. 정복 왕조인 요, 금, 원, 청의 한족 통치 방식을 구분하여 정리해 두어야 한다.

4 (가)에 들어갈 내용으로 적절한 것을 〈보기〉에서 고른 것은?

탐구 활동 계획서

■ 탐구 주제
– ○ 왕조의 동서 문화 교류

■ 탐구 활동
– 역참 이용 대상의 변화를 파악한다.
– 다양한 종교와 문화에 대한 관용 정책의 사례를 찾아본다.
– (가)

보기

ㄱ. 장건이 서역에 파견된 배경을 알아본다.
ㄴ. 제지술이 이슬람 세계로 전파된 계기를 확인한다.
ㄷ. 마르코 폴로가 저술한 『동방견문록』의 내용을 살펴본다.
ㄹ. 화약 무기, 나침반, 인쇄술이 서양에 전해진 경로를 조사한다.

① ㄱ, ㄴ　② ㄱ, ㄷ　③ ㄴ, ㄷ
④ ㄴ, ㄹ　⑤ ㄷ, ㄹ

> 동서 교류의 발달

완자 사전

• **동방견문록**
이탈리아의 여행가 마르코 폴로가 동방을 여행한 체험담을 기록한 여행기로, 동양에 대한 유럽인들의 관심을 불러일으켰다.

04 동아시아 세계의 변동

학습목표

- 명·청의 건국과 통치 체제의 특징을 설명할 수 있다.
- 조선과 일본 막부 정권의 발전 과정을 파악할 수 있다.

이것이 핵심!

명·청 제국의 발전

명
• 홍무제: 육유 반포, 황제권 강화 정책 실시, 이갑제 실시 • 영락제: 베이징 천도, 내각 대학사 설치, 정화의 항해 추진

청
• 성장: 태종이 국호를 '청'으로 변경, 순치제가 베이징으로 천도 • 발전: 강희제, 옹정제, 건륭제 시기에 전성기 이룩, 다민족 대제국 건설 • 한족 통치 방식: 강경책과 회유책 병행

★ **이갑제**
관리의 수탈을 줄이고자 농민이 직접 조세 징수와 치안 유지를 담당하도록 한 제도이다. 인접한 110호를 1리로 편성하고 부유한 10호는 이장호, 나머지 100호는 갑수호로 하여 10갑으로 나누었다. 각 이장호와 갑수호는 10년 교대로 이와 갑의 조세 징수와 치안 유지, 수리 시설 정비 등을 담당하였다.

★ **팔기제**
누르하치가 조직한 군사·행정 조직이다. 팔기는 황·백·홍·남색의 4기와 그것에 테두리를 두른 4기를 더하여 8기이며, 이후에 몽골족과 한족도 팔기에 편성되었다.

★ **삼번의 난**
청의 중국 정복을 도와 번왕에 오른 오삼계를 비롯한 한족 무장 세 명이 번 폐지에 대항하여 일으킨 반란

★ **네르친스크 조약**
시베리아 네르친스크에서 청과 러시아가 국경 문제와 무역 질서에 관해 체결한 조약

★ **만한 병용제**
주요 관직에 만주족과 한족을 함께 임명한 제도

1 명·청 제국

1. 명의 건국과 발전

(1) **건국**: 원 말 주원장(홍무제)이 반원 세력 규합 → 난징에서 명 건국(1368), 몽골 축출

(2) **홍무제(태조)의 정책**: 한족 문화 회복 표방 ─ 효도, 웃어른 공경, 마을 사람들과의 화목, 자손 교육, 자신의 본분에 충실할 것, 죄 짓지 말 것 등 여섯 조항의 유교 지침이야.

유교 부흥	학교 건립, 과거제 정비, 육유 반포, 성리학의 통치 이념화
제도 정비	토지 대장(어린도책)과 조세 겸 호적 대장(부역황책)을 정비하여 조세·요역 징수, *이갑제 실시
황제권 강화	중서성과 재상제(승상) 폐지, 중앙 정부(6부) 직접 통솔, 행정·군사·감찰 기구 분리
대외 정책	북방에 자식들을 배치하여 몽골 방어, 동남 연안 지방에 해금 정책 실시(조공 무역만 허용)

(3) **영락제(성조)의 통치** ─ 영락제는 재상제 폐지를 보완하기 위해 비서 기관인 내각을 두었어. 내각의 우두머리인 내각 대학사는 실질적인 재상 역할을 하였지.

황제권 강화	자금성 건설, 베이징 천도, 대운하 정비, 내각 대학사 설치
대외 정책	• 영토 확장: 몽골 공격, 왜구 토벌, 베트남 점령 • 정화의 항해 추진: 7차례 항해 → 명의 국력 과시, 조공 체제 확대 자료 ①

(4) **장거정의 개혁** ─ 왜? 영락제의 정변이 성공하는 데 환관이 중요한 역할을 하면서 환관들의 정치 개입이 늘어났어.

① 배경: 명 중기 이후 환관의 정치 개입으로 정치 혼란, 몽골족과 왜구의 침략을 막기 위한 만리장성 보수 등으로 재정 악화, 이갑제 붕괴 ─ 북쪽의 오랑캐와 남쪽의 왜구라는 뜻에서 '북로남왜'라고 해.

② 내용: 전국적인 토지 조사 실시, 일조편법을 전국으로 확대 시행

(5) **쇠퇴**: 환관의 횡포와 당파 싸움 심화, 임진왜란 참전 등으로 막대한 재정 지출, 여진족의 성장에 따른 방위 비용 증가, 잦은 기상 이변 → 정부의 무리한 세금 징수 → 농민 봉기

(6) **멸망**: 이자성의 농민군이 베이징 점령(명 멸망, 1644)

2. 청의 건국과 발전

(1) **성립**: 누르하치(태조)가 *팔기제를 바탕으로 여진족(만주족)을 통합한 후 후금 건국(1616) → 홍타이지(태종)가 몽골을 정복한 후 국호를 '청'으로 변경(1636), 조선 침략(병자호란) → 순치제가 베이징으로 천도하여 중국 대륙 장악(1644)

(2) **발전**: 강희제, 옹정제, 건륭제 시기에 전성기 이룩

강희제	*삼번의 난 진압, 타이완의 반청 세력 제압, 러시아와 *네르친스크 조약을 체결(1689)하여 국경 확정, 외몽골과 티베트 복속
옹정제	군기처 설치·비밀 상주문 제도 도입(→ 황제가 모든 정보와 결정권 장악), 지정은제의 전국적 실시 ─ 지방관이 직접 황제에게 상주문을 전달하는 비밀 정보 수집 방식
건륭제	몽골·신장·티베트에 대한 통치권 확보, 최대 영토 확보(오늘날 중국 영토의 윤곽 형성)

(3) **다민족 융합 정책**: 다민족 대제국 건설 → 이민족 포용 정책 실시(번부와 소수 민족에 대하여 간접 지배 방식 채택, 한자·몽골어·티베트어 등을 공용어로 사용) 자료 ②

(4) **청의 한족 통치** 교과서 자료 ─ 한족 지식인의 반청 사상을 억압하기 위하여 특정한 문자나 용어, 어구, 문구 사용을 구실로 사상을 탄압한 사건

강경책	변발과 호복 강요, 문자의 옥으로 사상 통제(반만주족 논조의 서적을 금서로 지정)
회유책	유교 문화 존중, 과거제 시행, *만한 병용제 실시, 신사층의 특권 인정, 한족 학자들을 동원하여 대규모 편찬 사업 추진 잠깐 청 왕조를 비방하는 내용은 없는지 점검하기 위한 목적도 있었다는 걸 알아 둬.

(5) **쇠퇴**: 건륭제 치세 직후 백련교의 난(1796 ~ 1804) 발생 → 만주족의 지배력 약화, 재정 악화, 팔기군 쇠퇴

완자 자료 탐구

내 옆의 선생님

자료 1 정화의 항해

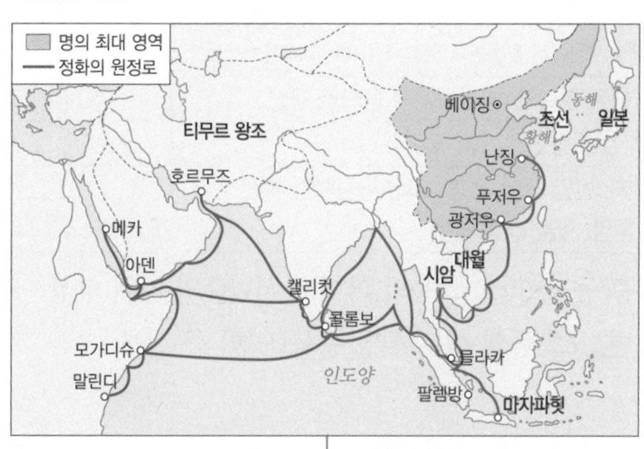

⊙ 명의 영역과 정화의 원정로

정화의 함대는 인도양을 넘어 아프리카까지 항해하였어.

명의 영락제는 명의 국력을 과시하고 조공 체제를 확대하기 위하여 환관 정화에게 항해 명령을 내렸다. 그리하여 정화는 1405년부터 7차에 걸쳐 항해에 나섰다. 정화의 항해 결과 명은 여러 나라와 새롭게 조공·책봉 관계를 맺어 동남아시아에서 아프리카에 이르는 명 중심의 국제 질서를 확립하게 되었다.

문제로 확인할까?

1. (   )는 명의 국력을 과시하고 조공 체제를 확대하기 위하여 정화에게 항해를 명령하였다.

2. 정화의 원정이 미친 영향으로 옳은 것은?
① 비단길이 개척되었다.
② 명의 조공 체제가 확대되었다.
③ 일조편법이 전국으로 확대 시행되었다.
④ 영토가 확장되어 오늘날 중국 영토의 윤곽이 형성되었다.
⑤ 러시아와 네르친스크 조약을 체결하여 국경을 확정하였다.

답 1. 영락제 2. ②

자료 2 청의 다민족 대제국 건설

⊙ 청 대의 영토

건륭제 통치 시기에 티베트와 신장, 몽골 등 주변 지역을 정복하여 청은 만주족과 몽골족 외에 다수의 한족과 다양한 소수 민족을 포함하는 다민족의 대제국을 건설하였다. 청은 직할지에서는 군현제를 통해 한족을 직접 지배하였고, 몽골, 티베트 등의 번부와 소수 민족에 대해서는 토착 지배자를 이용하는 간접 지배 방식을 채택하였다. 이러한 다민족 지배 속에서 청은 만주족의 정체성을 지키며 지배의 우위를 지키기 위한 노력을 지속하였다.

자료 하나 더 알고 가자!

청의 이민족 포용 정책

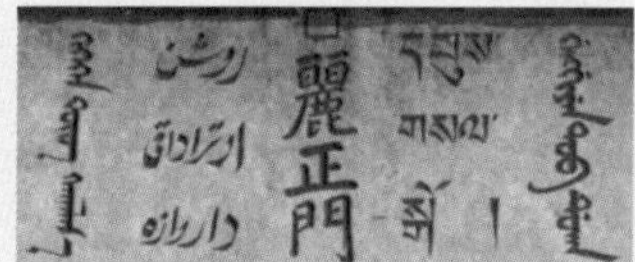

⊙ 피서산장 정문의 편액

청 황제들의 별장이었던 피서산장 정문의 편액에는 몽골어, 위구르어, 한자, 티베트어, 만주어가 쓰여 있어. 청은 고유 문자인 만주 문자를 제정하는 한편 한자·몽골어·티베트어 등을 공용어로 사용하였지.

수능이 보이는 교과서 자료 청의 한족 통치

- 중국과 외국이 통일되어 한집이 되었으니, …… 하나가 되지 못하고 두 마음을 품으면 다른 나라 사람이 되는 것이 아닌가? 지금부터 수도 내외는 10일, 그 밖은 명령서가 도착한 날로부터 10일 이내에 변발하라. 그에 따르는 자는 우리나라 백성으로 간주하고 거역하면 엄벌에 처할 것이다. — 청은 한족에게 변발을 강요하였어. – 『세조실록』
- 내각 대학사는 만주인과 한인 각 2명, 협판 대학사는 만주인과 한인 각 1명, 학사는 만주인 6명과 한인 4명, 전적은 만주인·한인·한군 팔기에서 각 2명이 임명되었다. 시독학사는 만주인 4명과 몽골인·한인 각 2명이 임명되었다. 중서는 만주인 70명과 몽골인 16명, 한군 팔기 8명이 임명되었다. — 청은 주요 관직에 만주족과 한족을 같이 임명하였어. – 『청사고』, 직관지

소수의 만주족이 세운 청은 다수인 한족을 다스리기 위해 강경책과 회유책을 적절히 사용하였다. 청은 만주족의 풍속인 변발과 호복을 강요하고, 문자의 옥으로 한족의 사상을 억압하였다. 한편, 유교 문화를 존중하고 과거제를 실시하였으며 만한 병용제를 시행하여 한족의 협조를 얻어 냈다.

완자샘의 탐구 강의

- 청의 한족 통치 방식을 정리해 보자.

강경책	변발과 호복 강요, 문자의 옥으로 사상 통제
회유책	유교 문화 존중, 과거제 실시, 만한 병용제 시행

- 청이 한족에게 강경책과 회유책을 병행한 목적을 서술해 보자.

소수의 만주족이 세운 청은 다수의 한족을 효과적으로 지배하기 위해 강압책과 회유책을 병행하였다.

함께 보기 70쪽, 1등급 정복하기 2

04 동아시아 세계의 변동

2 명·청 시대의 사회, 경제, 문화

1. 명·청 시대의 사회

(1) **신사층의 성장**

과거 응시 자격자가 증가하면서 과거에서의 경쟁이 심화되자 많은 신사들이 관직 진출을 포기하고 지역 사회에서 활동하며 영향력을 확대하였어.

형성	학교 제도와 과거제의 결합으로 형성, 전·현직 관료와 학위 소지자 등으로 구성
특권	가벼운 형벌에 대한 면책, 요역 면제, 조세 감면 등
활동	• 지방 행정 질서 유지: 세금 징수, 치안 유지, 빈민 구제, 민중 교화, 공공사업 추진 • 개인적 이익 추구: 대토지 소유, 고리대 운영, 세금 납부 대행

(2) **서민 운동**: 경제 발전으로 부유한 서민층 등장, 학교 교육의 확대로 서민층의 지위 향상 → 소작료 납부 거부 운동(항조), *직용의 변, 노복들의 신분 해방 운동(노변) 등 전개

2. 명·청 시대의 경제

(1) **농업, 수공업, 상업 발달** 자료③

감자, 고구마, 옥수수, 땅콩 등 아메리카 대륙의 작물이 도입되었어.

농업	• 농업 생산 발전: 수리 시설 개발, 농지 개간, 외래 작물 도입, 차·담배·사탕수수 등 상품 작물 재배 확산 → 농업 생산량 증대, 인구 증가 • 벼농사 지역 확대: 명 대에 창장강 중류 지방, 청 대에 창장강 상류의 쓰촨 지역까지 쌀 생산 확대
수공업	창장강 하류 지방을 중심으로 도자기 생산, 면직업·견직업 발달
상업	• 장거리 교역 발달: 수공업과 농업의 중심지 분화로 지역 간 상품 거래 활발 → 쑤저우·항저우 등 대도시 출현, 중소 도시와 정기 시장 성장 • 대상인 집단의 성장: 전국적으로 상품을 유통하는 산시 상인·신안 상인 등 성장, 소금 전매 등으로 부 축적, 각지에 회관(동향 조직)·공소(동업 조합) 등을 세워 이익 도모

(2) **대외 교류와 은 경제의 수립**

① 대외 교류

명	초기에 해금 정책 시행(조선과의 조공 무역, 일본과의 *감합 무역만 허용) → 해외 무역이 활발해지자 해금 완화 └ 사적인 해상 무역, 어업 등을 제한한 정책이야.
청	초기에 해금 정책 시행 → 타이완의 반청 세력 진압 후 몇 개의 항구를 개항하고 해외 무역 허용 → 18세기 중엽 서양 상인에게는 광저우 한 곳만 개방하고 무역 통제(*공행 무역 실시)

② 은 경제의 수립: 16세기 이후 서양 상인의 본격적인 중국 진출로 교역망 확대 → 중국에 일본과 아메리카의 은 대량 유입 → 은을 바탕으로 한 경제 체제 형성(은을 화폐로 사용, 은으로 세금을 내는 방식 확대) → 명 대에 *일조편법, 청 대에 *지정은제 시행 자료④

3. 명 대의 문화

(1) **학문**

영락제는 『사서대전』, 『오경대전』, 『영락대전』 등을 편찬하여 학교 교육과 과거 시험에 활용하였어.

성리학	홍무제가 통치 이념으로 성리학 채택, 영락제가 유교 경전 편찬
*양명학	왕수인이 제창, 형식화된 성리학 비판, 심즉리와 지행합일 강조, 인간 평등 주장
실학	상공업 발달과 예수회 선교사의 영향으로 발전 → 실용과 국가의 경영에 관심을 기울일 것을 주장, 『천공개물』, 『본초강목』, 『농정전서』 등 편찬

(2) **서민 문화의 발달**: 도시와 농촌에서 연극 유행, 구어체 소설 유행(『삼국지연의』, 『수호전』, 『서유기』, 『금병매』 등)

(3) **서양 문물의 유입**: 선교사들이 포교의 수단으로 천문·역법·지리학 등 서양 학문 활용 → 마테오 리치가 『천주실의』 저술, 『기하원본』 번역, 「곤여만국전도」 제작(→ 중국인의 세계관 확대에 기여) 자료⑤

└ 크리스트교로 개종한 명의 학자 서광계와 함께 번역하였어.

이것이 핵심!

명·청 시대의 사회, 경제, 문화

사회	신사층의 성장, 서민 운동 전개		
경제	• 농업: 벼농사 지역 확대, 외래 작물 보급, 상품 작물 재배 • 수공업: 창장강 하류를 중심으로 발전 • 상업: 장거리 교역 발달, 대상인 집단 성장		
문화	명	성리학, 양명학, 실학 발달	서민 문화의 발달, 서양 문물의 유입
	청	고증학, 공양학 발달	

★ **직용의 변**
방직업의 중심지였던 쑤저우에서 직물 노동자들이 일으킨 운동이다. 직물 노동자들은 환관과 징세 청부업자들의 과도한 세금 요구에 반발하여 생존권 보장을 요구하였다.

★ **감합 무역**
명과 무로마치 막부 사이에 이루어진 조공 무역으로, 명은 무역 허가 증명서인 감합부를 지참한 배만 공식 무역선으로 인정하고 교역을 허용하였다.

★ **공행**
청 대 광저우에서 서양인과 무역할 수 있도록 허가를 받은 상인 조합이다. 이러한 상인 집단이 13개라서 13행이라고도 불렸다. 영국은 부진한 대중국 무역을 개선하기 위해 매카트니 사절단을 파견하여 공행 무역 폐지를 요구하였으나 건륭제는 이를 거절하였다.

★ **일조편법**
여러 항목의 세금을 토지세와 인두세로 단순화하여 은으로 납부하도록 한 제도

★ **지정은제**
인두세를 토지세에 포함시켜 은으로 납부하도록 한 제도

★ **양명학**
'마음이 곧 하늘이 부여한 이치'라는 심즉리를 주장하였고, 지행합일을 내세워 경전의 이해보다 실천을 강조하였다.

내 옆의 선생님

자료 3 명·청 시대의 경제 발전

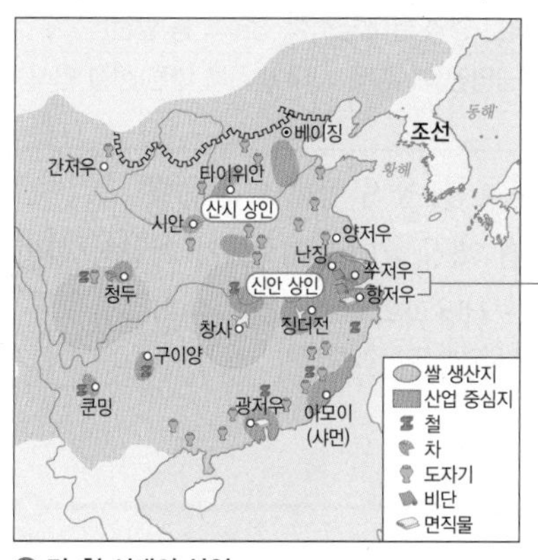

명·청 시대의 산업

쑤저우, 항저우 같은 도시들은 비단, 면직물 등을 생산하고 판매하면서 번영하였어.

송·원 대에 곡창 지대였던 창장강 하류 지방은 명·청 시대에 면직업과 견직업 중심지로 탈바꿈하였다. 이에 부족해진 식량을 창장강 중·상류 지방에서 가져오면서 이들 지역이 새로운 곡창 지대로 개발되었다. 명 대에는 창장강 중류 지방이 쌀의 최대 생산지가 되었으며, 청 대에는 쌀 생산의 중심지가 창장강 상류의 쓰촨 지역까지 확대되었다. 또한 각지에서 목화와 차, 사탕수수와 같은 상품 작물이 재배되어 국내 교역이 크게 발달하였고, 고구마, 감자 등 외래 작물이 도입되어 농업 생산량이 증대되었다.

자료 4 명·청 시대의 조세 제도

여러 항목의 세금을 토지세와 인두세로 통합하여 은으로 내게 하였어.

- 각 현(縣)의 토지세와 요역을 모두 합치고, 각 호의 토지와 성년 남자의 수에 따라 토지세와 요역을 할당하여 관청에 납부하도록 한다. …… 각종 잡다한 부담은 모두 합쳐 한 가지 조목(一條)으로 하여, 토지의 넓이에 따라 은으로 징수하여 관청에 바치도록 한다. – 『명사』, 식화지
- 천하가 평정된 지 오래되어 호구가 날로 번창하니 인정(人丁)을 헤아려 정세를 부과하기 어렵다. 인정은 늘더라도 토지는 늘지 않으니 현재의 세역 장부에 등재된 인정 수를 늘리거나 줄이지 말고 영구히 고정하라. 그리고 지금 이후 태어나는 인정으로부터 꼭 정세를 거둘 필요가 없다. – 『성조실록』

강희제는 1712년 이후 늘어나는 성년 남성에 대해 인두세를 거두지 않겠다고 선언하였어. 이를 계기로 지정은제가 시행되었지.

16세기 이후 아메리카와 일본에서 많은 양의 은이 생산되었다. 유럽 상인들은 이러한 은으로 중국의 차, 비단, 도자기 등을 구입하여 중국에 은이 대량으로 유입되었다. 이에 중국에서는 은을 바탕으로 한 경제 체제가 형성되어 은으로 세금을 내는 방식이 도입되었다.

자료 5 서양 문물의 전래

곤여만국전도

서양에서 간행한 세계 지도와 달리 중국을 지도 가운데에 배치한 것이 특징이야.

천공개물

명 말에 편찬된 과학 기술 서적이야. 중국의 전통 산업 기술을 그림과 함께 기술하였지.

16세기 이후 중국에 들어온 선교사들이 포교의 수단으로 서양 학문을 활용하면서 중국에 서학이 본격적으로 유입되기 시작하였다. 예수회 선교사 마테오 리치는 「곤여만국전도」를 제작하여 중국인을 포함한 동아시아인의 세계관을 넓혀 주었다. 중국의 학자들은 선교사들과 교류하면서 식물학, 농학, 지리학 등 실용적인 학문을 발전시켰다.

정리 비법을 알려줄게!

농업 중심지의 변화

송·원
창장강 하류 지방
↓
명·청
창장강 중·상류 지방

문제로 확인할까?

명·청 시대에는 창장강 (   )를 중심으로 면직업과 견직업 등 수공업이 발달하였다.

답 하류

자료 하나 더 알고 가자!

지정은제의 도입과 인구 증가

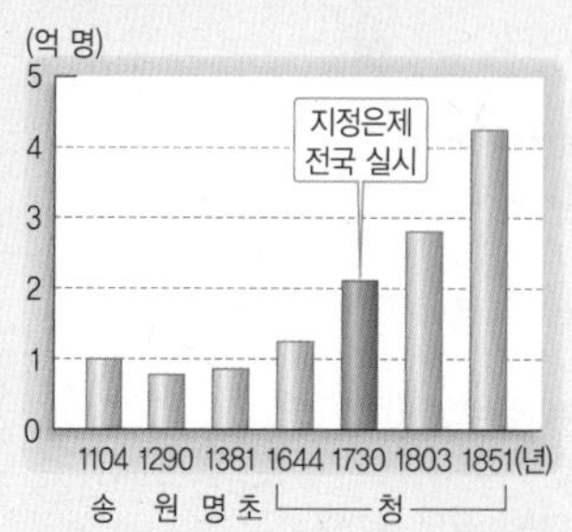

지정은제의 시행으로 인두세가 폐지되어 백성이 인정(人丁) 수를 속일 이유가 없어졌어. 그 결과 인구가 증가하고 호구 파악이 용이해졌지.

문제로 확인할까?

1. 마테오 리치에 대한 설명으로 옳은 것을 <보기>에서 고른 것은?

보기
ㄱ. 『천공개물』을 편찬하였다.
ㄴ. 『천주실의』를 저술하였다.
ㄷ. 『동방견문록』을 저술하였다.
ㄹ. 「곤여만국전도」를 제작하였다.

① ㄱ, ㄴ ② ㄱ, ㄷ ③ ㄴ, ㄷ
④ ㄴ, ㄹ ⑤ ㄷ, ㄹ

2. 명 대에는 서양 학문의 영향을 받아 실용을 중시하는 (   )이 발달하였다.

답 1. ④ 2. 실학

04 동아시아 세계의 변동

★ **경극**
춤, 연극, 노랫가락 같은 대사가 어우러진 공연으로 청 대에 베이징을 중심으로 발전하였다.

★ **전례 문제**
예수회 선교사들은 조상에 대한 제사를 비롯한 중국의 전통문화를 존중하였다. 그러나 18세기에 들어온 일부 선교사들이 조상 숭배를 우상 숭배라고 비판하자 전례 논쟁이 일어났다.

4. 청 대의 문화

(1) **학문**

꼭! 건륭제 때 약 8만 권에 이르는 서적을 경(經), 사(史), 자(子), 집(集)의 4부로 분류하여 편찬한 책이야.

고증학	한·당의 훈고학 계승, 사상 통제에 따라 현실 정치를 멀리하고 경전을 실증적으로 연구, 『사고전서』, 『강희자전』 등 대규모 편찬 사업이 고증학 발전 촉진 → 학문 영역 확대(금석학·갑골학 등 발전)
공양학	19세기에 유행, 고증학의 형식화 비판, 『춘추』를 해설한 『공양전』에 주목, 시대 변화에 따른 현실 인식 및 개혁 강조

(2) **서민 문화의 발달**: *경극이 대중오락으로 자리 잡음, 『홍루몽』 등 구어체 소설 유행

(3) **서양 문물의 유입**: 아담 샬·페르비스트가 중국의 역법 개정, 카스틸리오네가 서양식 화법 전파 → *전례 문제 발생으로 크리스트교 전면 금지(→ 서양과의 문화 교류 중단)
└ 궁정에 봉사하는 선교사 외에는 모두 추방하였어.

이것이 핵심!

일본의 발전

무로마치 막부	다이묘 성장, 명과의 감합 무역 실시
에도 막부	막번 체제 성립, 산킨코타이 실시, 조닌 문화 발달, 난학 성립

★ **남북조 시대**
요시노의 천황을 중심으로 한 남조와 교토의 천황을 중심으로 한 북조가 대립하던 약 60년 동안의 시기

★ **슈인장(주인장)**
에도 막부가 해외로 나가는 상인들에게 발부한 무역 허가증

★ **조카마치**
다이묘의 성곽 아래에 형성된 도시로, 전국 시대 이후부터 발전하였다. 병농 분리 정책으로 무사가 생산 활동을 하지 않고 조카마치에 거주하자, 상공업자인 조닌 역시 조카마치의 요충지에 모여 살게 되었다.

★ **우키요에**
목판에 새겨 찍어 낸 풍속화이다. 모네, 고흐 등 인상파 화가에게 영향을 주었다.

3 조선과 일본의 발전

1. 조선의 발전

(1) **건국**: 이성계가 신진 사대부의 지원을 받아 건국, 성리학을 통치 이념으로 채택

(2) **발전**

전기	관료 중심의 중앙 집권 체제 확립, 훈민정음 창제 등 민족 문화 발전
후기	임진왜란과 병자호란 이후 수취 제도 개혁, 상품 화폐 경제 발달, 서민의 지위 향상으로 서민 문화 발달

2. 일본의 발전

(1) **무로마치 막부(1336~1573)**

성립	아시카가 다카우지가 교토에 개창 → 아시카가 요시미쓰가 *남북조 시대 통일, 전국적인 지배권 확립
발전	• 정치: 슈고(지방관)가 다이묘(지방 영주)로 성장, 막부는 유력한 다이묘와 연합하여 권력 행사 • 경제: 명과의 감합 무역으로 경제 안정, 이모작 확산, 동업 조합 결성, 화폐 유통, 원거리 상업 발달 (상공업자 조합인 자[座]의 종류와 숫자가 늘어났어.) • 문화: 일본의 대표적 전통문화인 다도와 꽃꽂이 발달
쇠퇴	15세기 후반 쇼군의 후계자를 둘러싼 분쟁(오닌의 난)으로 막부 쇠퇴

(2) **전국 시대**: 무로마치 막부의 세력 약화 → 약 100년간 다이묘들의 패권 쟁탈전 전개

(3) **에도 막부(1603~1868)**: 도요토미 히데요시의 전국 시대 통일 → 조선 침략(임진왜란, 실패) → 도요토미 히데요시 사후 도쿠가와 이에야스가 에도 막부 개창(1603)

임진왜란 중 일본이 조선으로부터 약탈해 간 활자·그림·서적, 포로로 잡아간 성리학자와 도자기 기술자 등은 에도 막부의 문화 발전에 큰 영향을 주었어.

정치	• 막번 체제 수립: 쇼군이 중앙과 지방의 직할지 통치, 다이묘에게 번(영지)을 주고 지배권 인정 → 중앙 집권적인 봉건 체제 구축 (꼭! 막부는 천황과 귀족을 정치에서 배제하여 중앙 집권을 강화하였어.) • 막부의 다이묘 통제: 엄격한 법규(「무가제법도」) 마련, 산킨코타이 실시 자료 6 • 엄격한 신분제 실시: 무사 계급이 농민과 상공업자를 지배하는 사회 형성	
경제	농업	개간 사업으로 경지 확대, 농기구와 시비법 개량 → 농업 생산력 증대, 상품 작물 재배
	상공업	상업 도시 번성, 전국의 도로망 정비(3도 발달, 5가도 개설), 동업 조합(가부나카마) 조직
	대외 교류 자료 7	• 초기: 일본인의 활발한 해외 진출을 배경으로 *슈인장(주인장) 무역 실시 • 쇄국 정책 강화: 크리스트교 금지, 사무역 통제, 나가사키를 통한 교역만 허용(→ 네덜란드인을 통해 난학 수용) (네덜란드인을 통해 배운 서양의 의학, 천문학, 조선술 등의 학문)
사회	• 무사: 일부 상층 무사 이외에는 봉급을 받는 지위로 전락, 병농분리 정책으로 *조카마치에 거주 • 도시 상공업자(조닌): 상공업 발달에 힘입어 중산층으로 성장, 조카마치에 거주하며 무사에게 물자 제공	
문화	• 조닌 문화 발달: 가부키, *우키요에 등 조닌이 향유하는 서민 문화 발전 자료 8 • 외래문화 수용: 조선의 통신사를 통해 선진 문물 수용, 『해체신서』 출간 등 난학 융성 • 국학 운동 전개(18세기 후반): 고대 일본 정신으로 돌아갈 것을 주장 → 19세기 존왕양이 운동에 영향	

완자 자료 탐구

내 옆의 선생님

자료 6 산킨코타이의 실시

산킨코타이 행렬의 규모는 다이묘의 세력 크기에 따라 달랐으나, 대체로 수백 명에 이르렀어.

산킨코타이에 따라 에도로 향하는 다이묘의 행렬

에도 막부는 다이묘를 통제하기 위해 산킨코타이를 실시하였다. 이에 따라 다이묘들은 격년 주기로 자신의 영지와 에도에 번갈아 머물러야 했고, 그의 가족은 인질로서 에도에 머물렀다. 이 과정에서 비용이 많이 들었기 때문에 산킨코타이는 다이묘들에게 경제적인 부담이 되었다. 한편, 산킨코타이가 시행되자 에도를 중심으로 한 교통망이 발달하였고, 전국적인 문물 교류가 활성화되어 상업이 발달하였다.

자료 7 에도 막부의 대외 교류

나가사키 앞의 바다를 매립하여 만든 부채 모양의 인공 섬이야. 1641년 네덜란드인을 여기에 이주시킨 이후부터 이곳이 서양과 무역할 수 있는 유일한 창구가 되었지.

데지마

16세기경부터 서양 상인이 일본에 진출하여 일본인의 해외 진출이 활발해졌다. 이에 에도 막부는 교역의 공신력을 높이고 통제를 강화하기 위해 해외로 나가는 선박에 무역 허가증인 슈인장(주인장)을 주어 무역을 진흥시켰다. 그러나 서양 상인들과 함께 선교사들이 들어와 크리스트교를 전파하자 에도 막부는 통치의 기초를 다지기 위하여 크리스트교를 금지하고 사무역을 통제하는 등 쇄국 정책을 강화하였다. 다만, 예외적으로 나가사키를 개방하여 네덜란드 상인과 중국 상인과의 교역은 허용하였다.

자료 8 조닌의 성장과 조닌 문화의 발달

에도 막부 시대의 가부키 극장

에도 막부 시대에는 상공업이 발전하여 각지에 도시가 발달하였다. 이에 따라 대도시를 중심으로 경제력을 갖춘 상인·수공업자 등(조닌층)이 성장하여 조닌 문화가 발전하였다. 통속적인 주제의 문학 작품과 가부키라는 연극이 등장하여 인기를 끌었으며, 대도시에는 가부키를 공연하는 전용 극장이 들어섰다. 그림에서는 일상생활이나 풍경 등을 묘사한 우키요에가 발달하였다.

자료 하나 더 알고 가자!

에도 막부의 다이묘 통제 정책

> 제2조 다이묘와 소묘[小名]는 자신의 영지와 에도에 교대로 거주하도록 정한바, 매년 여름 4월에 참근(參勤)해야 한다.
> 제3조 새로 성곽을 쌓는 것을 엄히 금지한다.
> 제17조 500석 이상의 배 건조를 금지한다.
> –「무가제법도」

「무가제법도」는 에도 막부가 다이묘를 포함한 무사들을 통제하기 위해 제정한 엄격한 법령이야. 제2조에는 산킨코타이 실시에 대한 내용이 있지. 막부는 다이묘가 법령을 지키지 않으면 다이묘의 영지를 몰수하거나 삭감하였어.

정리 비법을 알려줄게!

막부의 대외 교류 변화

가마쿠라 막부
송·원과의 사무역

↓

무로마치 막부
명과의 감합 무역

↓

에도 막부
• 초기: 슈인장(주인장) 무역 • 1630년대 중반 이후: 쇄국 정책을 채택하여 사무역 통제, 나가사키만 개방

문제로 확인할까?

조닌 문화에 대한 설명으로 옳은 것은?

① 무로마치 막부에서 발달하였다.
② 가부키와 우키요에가 대표적이다.
③ 조선의 통신사를 통해 수용하였다.
④ 고대 일본의 정신으로 돌아갈 것을 주장하였다.
⑤ 19세기에 일어난 존왕양이 운동에 영향을 주었다.

② 답

STEP 1 핵심 개념 확인하기

정답친해 17쪽

1 다음에서 설명하는 명·청의 황제를 쓰시오.

(1) 자금성을 건설하고 수도를 베이징으로 옮겼다. (　　　　)

(2) 삼번의 난을 진압하고 타이완의 반청 세력을 제압하였다. (　　　　)

(3) 몽골, 신장, 위구르 등을 정복하여 청 왕조의 최대 영토를 확보하였다. (　　　　)

2 ㉠, ㉡에 들어갈 조세 제도를 각각 쓰시오.

> 명 말에는 여러 항목의 세금을 토지세와 인두세로 통합하여 은으로 내게 하는 (㉠　　　　)이 시행되었다. 이후 청에서는 인두세를 따로 거두지 않고 토지세에 합쳐 은으로 한꺼번에 징수하는 (㉡　　　　)가 시행되었다.

3 다음 빈칸에 들어갈 계층을 쓰시오.

(1) 에도 막부 시대에는 상공업이 발전하여 대도시를 중심으로 경제력을 갖춘 (　　　　)이 성장하였다.

(2) 명·청 시대에는 학교 제도와 과거제의 결합을 통해 형성된 (　　　　)이/가 향촌 사회의 지배층을 이루었다.

4 다음에서 설명하는 학문을 〈보기〉에서 골라 기호를 쓰시오.

> 보기
> ㄱ. 실학　　ㄴ. 고증학　　ㄷ. 공양학　　ㄹ. 양명학

(1) 현실에 대한 인식과 개혁을 강조하였다. (　　)

(2) 심즉리를 주장하고 지행합일을 강조하였다. (　　)

(3) 현실 정치를 멀리하고 경전을 실증적으로 연구하였다. (　　)

(4) 실용과 국가의 경영에 관심을 기울일 것을 주장하였다. (　　)

5 에도 막부는 다이묘를 통제하기 위해 다이묘들이 격년 주기로 자신의 영지와 에도에 번갈아 머무르도록 한 (　　　　)를 실시하였다.

STEP 2 내신 만점 공략하기

01 다음 가상 포고문의 ㉠, ㉡에 해당하는 정책으로 옳지 않은 것은?

> 드디어 한족의 왕조를 되찾았다. 나는 앞으로 오랜 이민족 지배의 잔재와 홍건적이 일으킨 난의 피해를 극복할 것이다. 또한 ㉠ 한족의 문화인 유교를 부흥할 것이며, ㉡ 통치 제도를 정비하겠다.

① ㉠ – 육유 반포
② ㉠ – 성리학을 통치 이념으로 채택
③ ㉡ – 이갑제 실시
④ ㉡ – 내각 대학사 설치
⑤ ㉡ – 부역황책과 어린도책 정비

02 밑줄 친 '황제'에 대한 설명으로 옳은 것은?

> 황제는 대내적으로 수도를 베이징으로 옮기고, 화북과 강남을 연결하는 대운하를 정비하였다. 대외적으로는 몽골을 수차례 공격하였고, 베트남을 점령하였다.

① 비밀 상주문 제도를 도입하였다.
② 왕안석을 등용하여 개혁을 추진하였다.
③ 중서성을 폐지하고 6부를 직접 통솔하였다.
④ 러시아 황제와 네르친스크 조약을 체결하였다.
⑤ 환관 정화에게 대규모 항해를 추진하게 하였다.

03 다음 개혁이 실시된 배경으로 옳은 것은?

> 내각 대학사 장거정은 조세 수입원을 확보하기 위해 전국적인 토지 조사를 실시하였고, 일조편법을 전국으로 확대 시행하였다.

① 황소의 난이 발생하였다.
② 교초가 남발되어 물가가 폭등하였다.
③ 몽골족과 왜구가 지속적으로 침입하였다.
④ 임진왜란 참전으로 재정 부담이 증가하였다.
⑤ 요, 서하 등의 침입으로 국방비 지출이 늘어났다.

중요

04 다음 명령을 발표한 왕조에 대한 설명으로 옳은 것은?

> 지금부터 수도 내외는 10일, 그 밖은 명령서가 도착한 날로부터 10일 이내에 변발하라. 그에 따르는 자는 우리나라 백성으로 간주하고 거역하면 엄벌에 처할 것이다.
> -『세조실록』

① 색목인을 우대하였다.
② 천호제를 조직하였다.
③ 만한 병용제를 실시하였다.
④ 이자성의 난으로 멸망하였다.
⑤ 분서갱유로 사상을 탄압하였다.

05 다음 업적을 가진 황제에 대한 탐구 활동으로 적절한 것은?

> • 오삼계 등이 일으킨 삼번의 난을 진압하였다.
> • 타이완의 반청 세력을 진압하여 나라를 안정시켰다.

① 군기처를 설치한 이유를 조사한다.
② 네르친스크 조약의 내용을 분석한다.
③ 국호를 청으로 바꾼 이유를 알아본다.
④ 청의 최대 영토를 확보한 과정을 정리한다.
⑤ 비밀 상주문 제도를 도입한 효과를 파악한다.

06 밑줄 친 '이들'에 대한 설명으로 옳은 것은?

> 이들은 학위를 소지하여 관직에 나아갈 수 있는 자격을 얻은 사람들로, 명 대부터 지배층을 형성하였다. 이들은 민중 교화, 빈민 구제 등의 활동을 전개하며 향촌 사회에서 영향력을 확대하는 한편, 대토지를 소유하고 고리대를 경영하는 등 개인적인 이익을 추구하였다.

① 직용의 변을 일으켰다.
② 고위 관직을 세습하였다.
③ 요역 면제의 특권을 누렸다.
④ 공소·회관 등을 세워 이익을 도모하였다.
⑤ 향거리선제를 통해 중앙 관료로 진출하였다.

중요

07 지도와 같은 산업이 발달한 시기의 경제 상황으로 옳지 않은 것은?

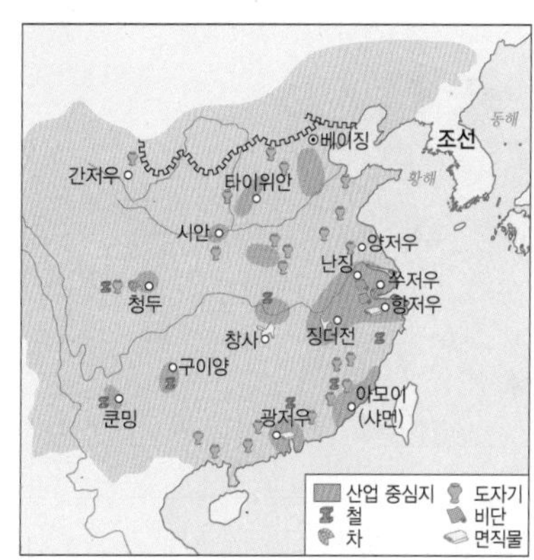

① 산시 상인, 신안 상인 등이 성장하였다.
② 옥수수, 고구마 등 외래 작물이 전래되었다.
③ 창장강 하류 지방에서 수공업이 발달하였다.
④ 상인들이 행, 작 등의 동업 조합을 결성하였다.
⑤ 차, 담배, 사탕수수 등 상품 작물이 재배되었다.

08 (가)에 들어갈 내용으로 가장 적절한 것은?

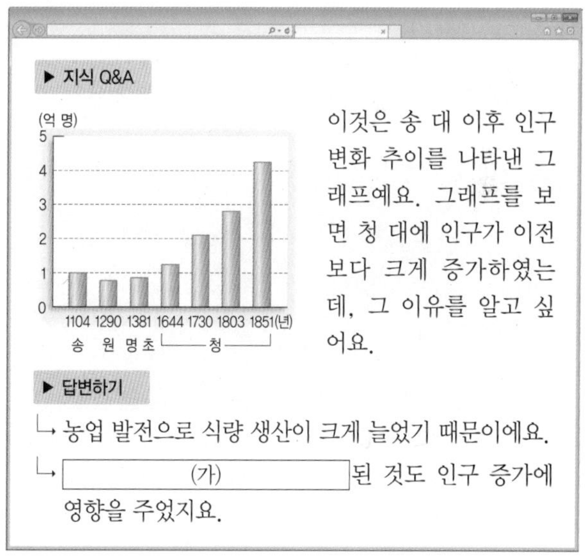

① 장거정의 개혁이 실시
② 지정은제 시행으로 인두세가 폐지
③ 자영농 육성을 위한 균전제가 시행
④ 여러 항목의 세금이 토지세와 인두세로 통합
⑤ 자산에 따라 세금을 부과하는 양세법이 실시

중요
09 지도의 영역을 차지한 왕조의 대외 교류에 대한 설명으로 옳은 것을 〈보기〉에서 고른 것은?

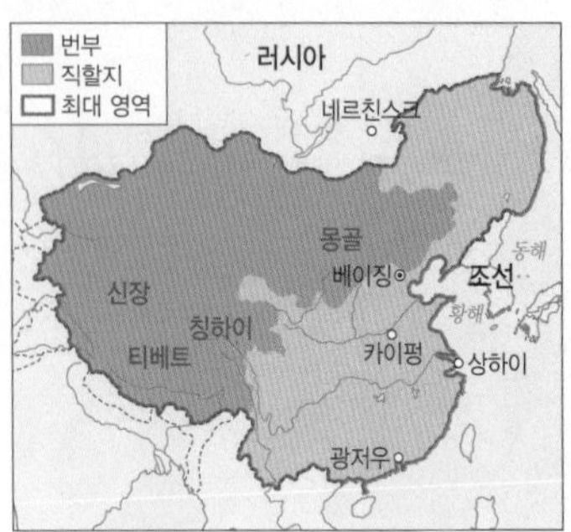

보기
ㄱ. 일본과 감합 무역을 실시하였다.
ㄴ. 광저우에서 공행 무역을 전개하였다.
ㄷ. 정화의 항해를 계기로 조공 체제가 확대되었다.
ㄹ. 전례 문제 발생 이후 크리스트교 포교를 금지하였다.

① ㄱ, ㄴ ② ㄱ, ㄷ ③ ㄴ, ㄷ
④ ㄴ, ㄹ ⑤ ㄷ, ㄹ

10 다음 지도를 제작한 인물의 활동으로 옳은 것은?

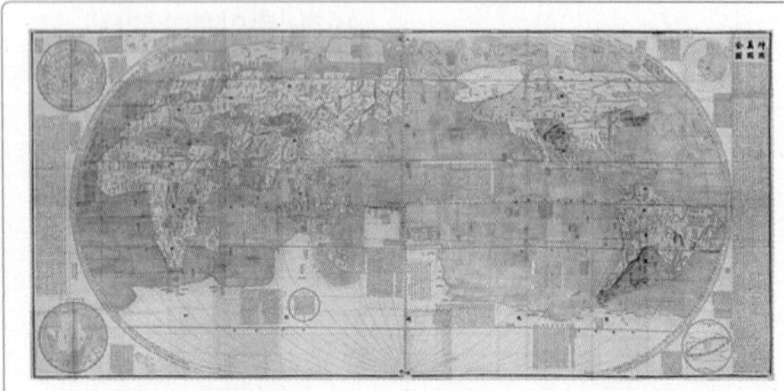

이 지도는 명 대에 중국에 들어온 예수회 선교사가 제작한 세계 지도이다. 서양에서 간행한 세계 지도와 달리 중국을 지도 가운데에 배치한 것이 특징이다.

①『해체신서』를 번역하여 출간하였다.
②『기하원본』을 번역하여 서양 학문을 소개하였다.
③ 이슬람의 역법을 참고하여 수시력을 제작하였다.
④ 형식화된 성리학을 비판하며 양명학을 제창하였다.
⑤『동방견문록』을 저술하여 서양에 중국을 소개하였다.

11 다음 내용에 해당하는 학문에 대한 설명으로 옳은 것은?

청 대에는 한과 당의 훈고학 전통을 계승한 학문이 발달하였다. 청에서 『사고전서』 간행 등 대규모 편찬 사업을 전개한 것도 이 학문의 발달에 영향을 주었다.

① 지행합일설을 주장하였다.
② 대의명분과 화이론을 중시하였다.
③ 인간 심성과 우주의 원리를 탐구하였다.
④ 현실 문제에 관심을 두고 개혁을 지향하였다.
⑤ 문헌에 근거하여 실증적으로 학문을 연구하였다.

12 밑줄 친 '이 왕조'에서 볼 수 있었던 모습으로 적절하지 <u>않은</u> 것은?

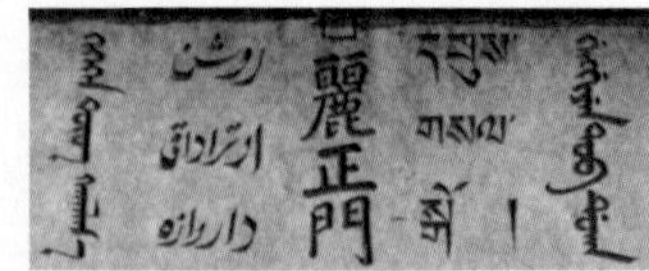

피서산장 정문의 편액

황제들의 여름 별장이었던 피서산장 정문의 편액에는 몽골어, 위구르어, 한자, 티베트어, 만주어가 쓰여 있다. 이를 통해 <u>이 왕조</u>가 다민족 제국을 형성하였음을 확인할 수 있다.

① 경극을 관람하는 관객
②『홍루몽』을 판매하는 상인
③ 전장에 나서는 팔기군 병사
④ 문자의 옥으로 벌을 받는 작가
⑤ 육유의 내용을 발표하는 황실 관리

13 다음 내용을 뒷받침하는 사례로 옳은 것은?

명·청 시대에는 상공업의 발전으로 서민의 지위가 향상되었다. 이에 서민들이 향유하는 서민 문화가 발달하였다.

① 서민 오락 시설 와자의 형성
② 구어체 노래 가사인 사(詞)의 등장
③ 이국적 특색을 지닌 당삼채의 유행
④『수호지』,『서유기』 등 출판문화의 발달
⑤ 연대순으로 역사를 기록한『자치통감』의 편찬

14 다음은 일본사 신문을 만들기 위해 일어난 순서대로 기사 제목을 정리한 것이다. (가)에 들어갈 제목으로 적절한 것은?

> • 아시카가 다카우지, 교토에 막부를 개창하다
> • (가)
> • 쇼군의 후계자 다툼 끝에 오닌의 난이 발생하다

① 원의 침입을 막아 내다
② 막부가 감합 무역을 실시한 까닭은?
③ 쇼토쿠 태자가 중앙 집권 체제를 확립하다
④ 도요토미 히데요시의 조선 침략, 그 결과는?
⑤ 막부의 다이묘 통제책, 산킨코타이 집중 분석

15 다음 문화가 발달한 시기에 대한 보고서 주제로 적절하지 않은 것은?

> **초대장**
>
> 
>
> 에도 문화의 꽃, 가부키 공연에 초대합니다.
> • 장소: 에도 가부키 극장
> • 일시: ○○월 ○○일

① 막번 체제의 실시　② 조닌 계층의 성장
③ 가부나카마의 활동　④ 가나 문자의 제작 과정
⑤ 네덜란드인을 통한 난학의 수용

중요
16 다음은 어느 역사 영화의 제작 의도이다. 이 영화에 들어갈 장면으로 적절한 것은?

> 도쿠가와 이에야스가 개창한 막부의 사회 모습을 그대로 재현하여 당시 사람들의 생활을 입체적으로 조명하고자 한다.

① 다이카 개신을 선포하는 장면
② 헤이조쿄로의 천도를 준비하는 장면
③ 호국 사찰인 도다이사를 건립하는 장면
④ 데지마에서 일본인과 네덜란드인이 교역하는 장면
⑤ 임진왜란 중 조선의 서적을 일본으로 약탈해 오는 장면

서술형 문제

● 정답친해 20쪽

01 다음 항해를 명령한 황제를 쓰고, 이 항해를 추진한 목적을 두 가지 서술하시오.

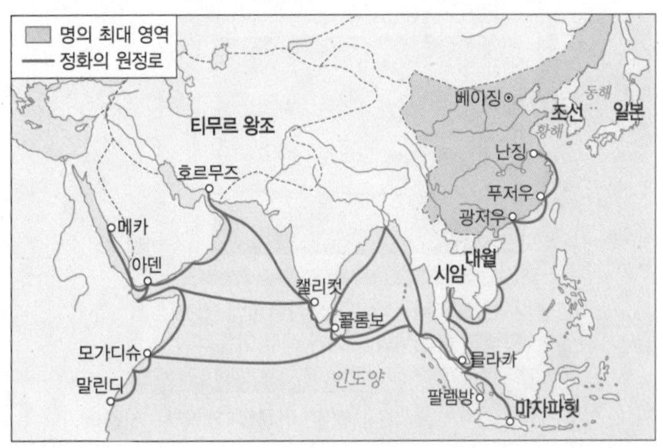

길잡이 항해의 결과로 여러 나라와 맺은 대외 관계를 고려하여 서술한다.

02 다음 선언을 계기로 시행된 조세 제도의 명칭과 그 내용을 서술하시오.

> 천하가 평정된 지 오래되어 호구가 날로 번창하니 인정(人丁)을 헤아려 정세를 부과하기 어렵다. 인정은 늘더라도 토지는 늘지 않으니 현재의 세역 장부에 등재된 인정 수를 늘리거나 줄이지 말고 영구히 고정하라. 그리고 지금 이후 태어나는 인정으로부터 꼭 정세를 거둘 필요가 없다.
> –「성조실록」

길잡이 인정에 부과된 세금의 변화에 주목하여 서술한다.

03 다음 제도를 실시한 목적과 이 제도가 막부의 경제에 미친 영향을 서술하시오.

> 제2조 다이묘와 소묘[小名]는 자신의 영지와 에도에 교대로 거주하도록 정한바, 매년 여름 4월에 참근(參勤)해야 한다.
> –「무가제법도」

길잡이 다이묘의 왕래가 다이묘 세력과 막부의 경제에 미친 영향을 생각해 본다.

STEP 3 1등급 정복하기

1 (가)에 들어갈 내용으로 옳은 것은?

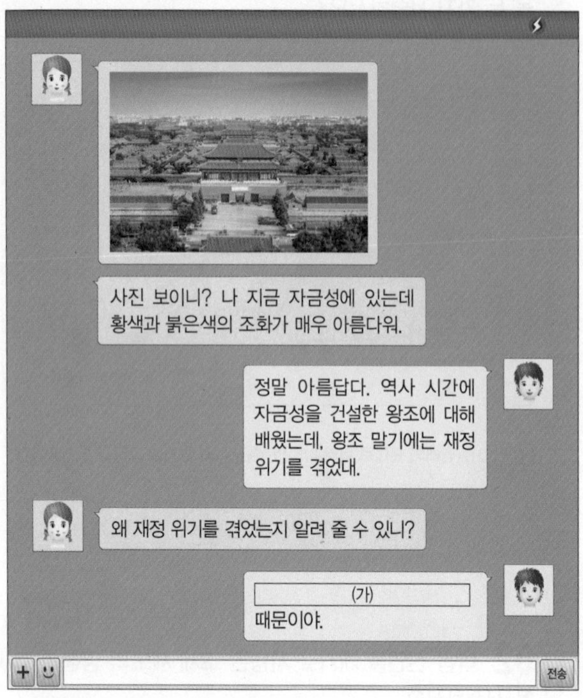

사진 보이니? 나 지금 자금성에 있는데 황색과 붉은색의 조화가 매우 아름다워.
정말 아름답다. 역사 시간에 자금성을 건설한 왕조에 대해 배웠는데, 왕조 말기에는 재정 위기를 겪었대.
왜 재정 위기를 겪었는지 알려 줄 수 있니?
(가) 때문이야.
전송

① 교초의 남발로 물가가 폭등하였기
② 백련교도 중심의 홍건적의 난이 일어났기
③ 아방궁 건설 등 대규모 토목 공사를 추진하였기
④ 북방 민족과의 평화를 유지하기 위해 세폐를 제공하였기
⑤ 임진왜란 참전, 여진족과의 전쟁으로 재정 지출이 증가하였기

> 왕조의 쇠퇴

완자 사전

- **백련교(白蓮敎)** 불교에서 기원한 중국의 민간 종교
- **세폐(歲幣)** 중국 한족 왕조가 북방 민족 국가와의 화친을 유지하기 위해 매년 보낸 은, 비단 등의 물자

평가원 응용

2 다음 제도를 시행한 왕조에 대한 탐구 활동으로 적절한 것은?

> 내각 대학사는 만주인과 한인 각 2명, 협판 대학사는 만주인과 한인 각 1명, 학사는 만주인 6명과 한인 4명, 전적은 만주인·한인·한군 팔기에서 각 2명이 임명되었다. 시독학사는 만주인 4명과 몽골인·한인 각 2명이 임명되었다. 중서는 만주인 70명과 몽골인 16명, 한군 팔기 8명이 임명되었다.

① 장거정의 개혁 내용을 살펴본다.
② 이갑제를 실시한 이유를 찾아본다.
③ 정화의 항해를 추진한 배경을 알아본다.
④ 대규모 편찬 사업으로 출간된 도서를 검색한다.
⑤ 북면관제·남면관제를 시행한 이유를 조사한다.

> 정복 왕조의 한족 통치

완자샘의 시험 꿀팁

청의 한족 통치 정책은 시험에 자주 출제되는 주제이다. 한족 통치 정책을 강경책과 회유책으로 나누어 정리하고, 원의 한족 통치 방식과도 비교해 두어야 한다.

3 다음 가상 일기가 쓰인 시기의 사회 모습으로 적절한 것은?

> ○○월 ○○일
> 고향을 떠나 쑤저우, 양저우 등의 도시에서 장사를 하다가 드디어 베이징에 도착하였다. 이곳에는 같은 고향 사람들이 세운 회관이 있어서 숙박에는 문제가 없다. 베이징에 와서 푸른 눈의 외국인을 여러 명 보았다. 대부분 종교를 전파하러 온 선교사들이라고 한다. 어서 집으로 돌아가 내가 보고 느낀 베이징의 모습을 가족들에게 알려 주고 싶다.

① 상인들의 동업 조합인 행이 출현하였다.
② 새로운 벼 품종인 참파 벼가 도입되었다.
③ 감자, 옥수수 등 새로운 작물이 재배되었다.
④ 동전 외에 교자, 회자 등 지폐가 사용되었다.
⑤ 창장강 하류가 쌀 생산 중심지로 발전하였다.

> 상업의 발달

완자 사전

• **회관(會館)**
동향(같은 고향) 출신의 사람들이 만든 상업 활동 시설로, 친목과 상부상조를 도모하기 위해 설립하였다.

4 다음 그림에 나타난 제도를 실시한 막부에 대한 설명으로 옳은 것을 〈보기〉에서 고른 것은?

• **그림 설명**: 에도로 향하는 다이묘의 행렬이다. 행렬의 규모는 다이묘의 세력 크기에 따라 달랐으나 대체로 수백 명에 이르렀다.

보기

ㄱ. 감합 무역을 실시하여 경제가 안정되었다.
ㄴ. 가부키와 우키요에 등 조닌 문화가 발달하였다.
ㄷ. 중앙 집권적 봉건 체제인 막번 체제가 성립되었다.
ㄹ. 쇼군의 후계자를 둘러싼 오닌의 난이 발생하여 쇠퇴하였다.

① ㄱ, ㄴ ② ㄱ, ㄷ ③ ㄴ, ㄷ
④ ㄴ, ㄹ ⑤ ㄷ, ㄹ

> 막부의 다이묘 통제

완자 사전

• **가부키**
노래와 춤, 기예가 어우러진 전통 연극

대단원 되돌아보기

- 기원전 770 • 춘추 시대 시작: 춘추 5패 등장, 존왕양이를 명분으로 다툼
- 기원전 403 • ❶ [ ] 시작: 전국 7웅이 약육강식의 경쟁 시작
- 기원전 221 • 진, 중국 통일: 법가 사상을 바탕으로 통일
- 439 • 선비족이 세운 ❷ [ ]가 화북 통일
- 645 • 일본, ❸ [ ]: 당의 율령 체제 모방, 국왕 중심의 중앙 집권 체제 확립
- 755 • 안사의 난 시작: 동북 방면의 절도사 안녹산이 그의 부하 사사명과 난을 일으킴
- 960 • 송 건국: 절도사 출신의 조광윤이 건국, 이후 문치주의 정책 실시
- 1206 • 테무친이 몽골족을 통일하고 ❹ [ ]에 추대됨
- 1271 • ❺ [ ]가 대도를 수도로 원 건국
- 1405 • 정화의 항해 시작: 명의 국력을 과시하고 조공 질서의 확대를 꾀하려는 영락제의 명령에 따라 단행
- 1603 • 에도 막부 성립: ❻ [ ]가 에도에 개창
- 1636 • 청 성립: 태종이 국호를 '청'으로 변경
- 1689 • ❼ [ ] 체결: 청의 강희제와 러시아의 표트르 대제가 체결, 청과 러시아의 국경 확정

01 춘추 전국 시대의 발전과 통일 제국의 등장

1. 춘추 전국 시대

정치	도시 국가에서 영토 국가로 발전, 일부 지역에서 군현제 등장
경제	• 농업: 철제 농기구 보급, 우경 시작 → 생산력 향상 • 상공업: 농산물의 상품화, 대도시 등장, 화폐 사용
사회	전쟁 방식의 변화로 일반 백성의 사회적 지위 상승, 능력 중심의 인재 등용(→ 사 계층 성장), 사농공상의 개념 등장
사상	• 유가: 인·예를 바탕으로 한 도덕 정치 주장 • 도가: 인위적인 제도 배격, 무위자연 주장 • 법가: 법·형벌에 의한 사회 질서 유지 강조 • (❽): 겸애 주장, 검소한 생활 강조, 평화 주장

2. 진 제국

(1) **중국 통일:** 법가 사상을 토대로 중국을 최초로 통일

(2) **(❾)의 정책:** 군현제 실시, 전국적으로 도로망 건설, 화폐·문자·도량형 통일, 분서갱유 단행, 흉노 토벌

(3) **멸망:** 가혹한 통치, 대규모 토목 공사 → 농민 반란으로 멸망

3. 한 제국

정치	무제 때 전성기(군현제를 전국적으로 실시, 유교를 통치 이념으로 채택, 흉노·남월·고조선 정복, 통제 경제 정책 실시)
경제	• 농업: 철제 농기구 보급 확대, 토지의 사유화 진전 • 상공업: 서역과의 교역 활발, 도시 번성, 화폐 유통
사회	대토지를 소유한 호족 성장(향거리선제를 통해 관료로 진출)
문화	훈고학 발달, 신선 사상 유행, 후한 초 불교 전래, 기전체 역사서 등장(사마천의 『사기』, 반고의 『한서』), 채윤의 (❿) 개량

02 위진 남북조 시대와 수·당 제국의 발전

1. 위진 남북조 시대

(1) **전개:** 위·촉·오의 삼국 시대 → 진(晉)의 통일 → 5호 16국 시대 → 남북조 시대

(2) **남북조 시대**

북조	북위의 (⓫)가 한화 정책 실시, 불교 융성
남조	강남 지방 개발, 청담 사상 유행, 화려한 귀족 문화 발달

(3) **문벌 귀족 사회의 형성:** 9품중정제 실시(추천제) → 호족이 문벌 귀족으로 성장(대토지 소유, 중앙 관직 독점)

2. 수·당 제국

수	• 문제: 율령 반포, 균전제·부병제·조용조 정비, 과거제 시행 • 양제: 대운하 완성, 고구려 원정 실패 → 수 멸망
당	• 정치: 율령 체제로 국가 운영 → 안사의 난 전후 균전제 붕괴 • 문화: 귀족적·개방적·국제적 문화 발달

3. 한반도와 일본의 고대 국가

한반도	삼국 시대·남북국 시대 발전, 중앙 집권 국가 형성
일본	야마토 정권(아스카 문화 발달, 다이카 개신) → 나라 시대(불교 문화 융성) → 헤이안 시대(국풍 문화 발달)

4. 동아시아 문화권의 형성: 당의 제도와 문물이 동아시아 각국에 전파 → 율령, 유교, (⑫   ), 한자 문화 공유

03 동아시아 세계의 발전

1. 송과 북방 민족

송	• 정치: 태조의 문치주의 채택 → 황제권 강화·군사력 약화 → 북방 민족의 공격 → 왕안석의 신법 실시 → 금의 침입, 남송 성립 • 사회: 학자 관료층인 (⑬) 성장 • 경제: 농업 생산력 증대, 상공업 및 원거리 무역 발달 • 문화: 성리학 발전, 서민 문화 발달, 화약 무기·나침반·인쇄술 발명 등 과학 기술 발전, 편년체 사서 등장(『자치통감』)
북방 민족	• 요: 송과 전연의 맹약 체결, 북면관제·남면관제 실시 • 서하: 탕구트족이 건국, 송으로부터 세폐 징수 • (⑭): 정강의 변 단행, 맹안 모극제·주현제 실시

2. 몽골 제국과 동서 교류

몽골 제국의 발전
몽골의 팽창(부족 통일 이후 대제국 건설) → 쿠빌라이가 원 건국(몽골 제일주의 채택, 교초 사용, 서민 문화 발달, 라마교 유행)

동서 교역망의 통합, 동서 간 인적·물적 교류 활발

3. 고려와 일본

고려	한반도 재통일, 금속 활자·팔만대장경 제작 등 문화 발전
가마쿠라 막부	일본 최초의 무가 정권, 일본 특유의 봉건제 사회 형성, 원의 침입을 계기로 점차 쇠퇴

04 동아시아 세계의 변동

1. 명·청 제국

(1) 명의 건국과 발전: 주원장(홍무제)이 난징에서 건국

홍무제	육유 반포, 과거제와 학교 제도 정비, 재상제 폐지, 부역황책·어린도책을 정비하여 조세·요역 징수, 이갑제 실시
영락제	베이징 천도, 정화의 항해 추진, 내각 대학사 설치

(2) 청의 발전과 중국 통치

성립	누르하치가 후금 건국 → 태종이 국호를 '청'으로 변경
발전	강희제, 옹정제, 건륭제 때 전성기 → 다민족 대제국 건설
한족 통치	• 강경책: 변발과 호복 강요, (⑮)으로 사상 탄압 • 회유책: 유교 문화 존중, 과거제 실시, 만한 병용제 실시, 대규모 편찬 사업 실시

2. 명·청 시대의 사회, 경제, 문화

사회	(⑯) 성장(지방 행정 질서 유지), 서민 운동 전개
경제	농업 생산량 증대, 경제 중심지 분화(창장강 하류에서 수공업 발전, 창장강 중·상류에서 농업 발전), 장거리 교역 발달, 대상인 집단 성장(공소·회관 설립)
대외 교류	• 명: 해금 정책, 조공 무역 실시 → 점차 자유 무역 허용 • 청: 해금 정책 → 타이완의 반청 세력 제압 후 해외 무역 허용 → 18세기 중엽 공행 무역 실시
문화	• 명: 성리학의 관학화, 양명학과 실학 발달, 서민 문화 발달, (⑰)가 서양 문물 전래(「곤여만국전도」 제작) • 청: 고증학 발달, 서민 문화 발달, 아담 샬 등이 서양 문물 전래, 전례 문제 발생(→ 선교사의 포교와 체류 금지)

3. 조선과 일본의 발전

조선		• 건국: 이성계가 건국, 통치 이념으로 성리학 채택 • 전기: 관료 중심의 중앙 집권 체제 확립, 민족 문화 발달 • 후기: 양난 이후 수취 제도 개혁, 상품 화폐 경제 발달, 서민의 지위 향상, 서민 문화 발달
일본	무로마치 막부	아시카가 다카우지가 개창, 명과의 감합 무역으로 경제 안정, 쇼군의 후계자 분쟁으로 쇠퇴(→ 전국 시대)
	에도 막부	• 정치: 도쿠가와 이에야스가 개창, 막번 체제 성립, 엄격한 법규와 (⑱)로 다이묘 통제 • 경제: 농업 생산량 증가, 상공업 발전 • 대외 교류: 슈인장(주인장) 무역 → 쇄국 정책 • 사회: 무사, 농민, 상공업자로 신분 구분 • 문화: 조닌 문화 발달, 난학 성립, 국학 운동 전개

●정답● ① 전국 시대 ② 북위 ③ 다이카 개신 ④ 칭기즈 칸 ⑤ 쿠빌라이(세조) ⑥ 도쿠가와 이에야스 ⑦ 네르친스크 조약 ⑧ 묵가 ⑨ 시황제 ⑩ 제지술 ⑪ 효문제 ⑫ 불교 ⑬ 사대부 ⑭ 금 ⑮ 문자의 옥 ⑯ 신사(층) ⑰ 마테오 리치 ⑱ 산킨코타이

01 다음은 중국의 어느 시대에 대한 필기 내용이다. (가)에 들어갈 내용으로 옳은 것은?

> • 정치: 영토 국가로 발전, 군현제 등장
> • 경제: 철제 농기구 보급, 우경 도입, 상공업 발달
> • 사회: (가)

① 대토지를 소유한 호족의 등장
② 중정관의 추천으로 인재 등용
③ 학위를 소지한 신사층의 성장
④ 유능한 인재를 등용하여 변법 실시
⑤ 직용의 변·노변 등 서민 운동의 전개

02 다음 사상에 대한 탐구 활동으로 적절한 것은?

> 명철한 군주는 뭇 신하가 법(法)을 벗어날 궁리를 못 하게 하고, 법의 적용에 온정을 기대하지 못하게 하며, 모든 행동은 법에 따르지 않는 것이 없게 한다. –「한비자」

① 무위자연의 뜻을 검색한다.
② 시황제의 통치 이념을 파악한다.
③ 겸애를 강조한 배경을 찾아본다.
④ 동중서가 주장한 정치사상을 알아본다.
⑤ 죽림칠현의 활동에 영향을 준 사상을 조사한다.

03 밑줄 친 '왕'의 업적으로 옳은 것은?

> 신하들이 왕에게 '태황(泰皇)'의 칭호를 올리자 왕은 "태황에서 '태' 자는 떼고 '황' 자를 취하고, 옛날에 사용하였던 '제'라는 칭호를 합쳐 '황제(皇帝)'라고 하라."라고 하였다.

① 과거제 시행　② 군국제 실시
③ 대운하 완성　④ 도량형 통일
⑤ 균수법과 평준법 시행

04 (가) 왕조에 대한 대화 내용으로 적절한 것은?

> 유네스코 세계 유산
>
> 
>
> • 명칭: 만리장성
> • 등재 연도: 1987년
> • 등재 기준: 고대 중국 문명의 탁월한 증거
>
> 중국 역대 왕조들이 북방 민족의 침입을 막기 위해 세운 방어용 성벽이다. (가) 시기에 건설되기 시작하여 명 대에 현재의 모습을 갖추었다. 만리장성은 역사적·건축학적으로 탁월한 유적이다.

① 갑: 반량전이라는 화폐를 사용하였어.
② 을: 3성 6부의 통치 조직을 정비하였어.
③ 병: 북방에서 5호가 침입하여 어려움을 겪었지.
④ 정: 기전체 방식의 역사서가 처음으로 편찬되었어.
⑤ 무: 비단길을 통해 서역으로부터 불교가 전래되었지.

05 다음 정책을 시행한 왕조에 대한 설명으로 옳은 것은?

> 흉노는 우리나라의 신하로서 따르지 않고, 때때로 변경을 황폐하게 하고 있습니다. …… 돌아가신 선제는 변경의 백성이 오랫동안 흉노의 침략에 고통스러워하는 것을 불쌍히 여겨, …… 방위력의 증강에 전력했습니다. 그러나 그 결과 재정이 어려워져 소금, 철, 술의 전매 및 수출입 금지법을 시행하게 되었습니다. –「염철론」

① 중국을 최초로 통일하였다.
② 군현제가 전국적으로 실시되었다.
③ 교자·회자 등의 지폐가 유통되었다.
④ 황소의 난을 계기로 급격히 쇠퇴하였다.
⑤ 왕안석이 부국강병을 위한 개혁을 추진하였다.

06 다음 시가 저술된 시기에 볼 수 있었던 모습으로 적절한 것은?

> 돌아가련다. / 세상 사람과 교류를 끊고 세상과 나는 서로 잊고 말지니 / 다시 한 번 관리가 되어도 거기 무슨 구할 것이 있으리오. / 친척과 정겨운 이야기를 나누며 기뻐하고 거문고와 책을 즐기며 시름을 지우련다.
>
> – 도연명, 「귀거래사」

① 선교 활동을 하는 예수회 선교사
② 수시력으로 날짜를 확인하는 관리
③ 『자치통감』으로 역사를 공부하는 학생
④ 인재 추천을 위해 여론을 듣고 있는 중정관
⑤ 황제가 주관하는 전시를 보러 가는 과거 응시생

07 다음 수행 평가 과제에 따라 학생들이 제출한 신문 기사의 제목으로 적절하지 <u>않은</u> 것은?

> • 수행 평가 과제: 가상 역사 신문 만들기
> • 목적: 중국 분열 시기의 사회 모습 이해
> • 내용: 후한 멸망 이후 수가 중국을 재통일할 때까지 중국의 사회 모습을 신문 기사로 작성한다.

① 기획 – 도교, 종교로 발전하다
② 논설 – 호족의 고위 관직 세습을 비판한다
③ 대담 – 속세를 떠난 죽림칠현과의 백문백답
④ 분석 – 효문제의 한화 정책, 그 효과를 논하다
⑤ 시선 집중 – 절도사 안녹산이 반란을 일으킨 배경은?

08 지도의 운하를 건설한 왕조의 멸망 원인으로 옳은 것은?

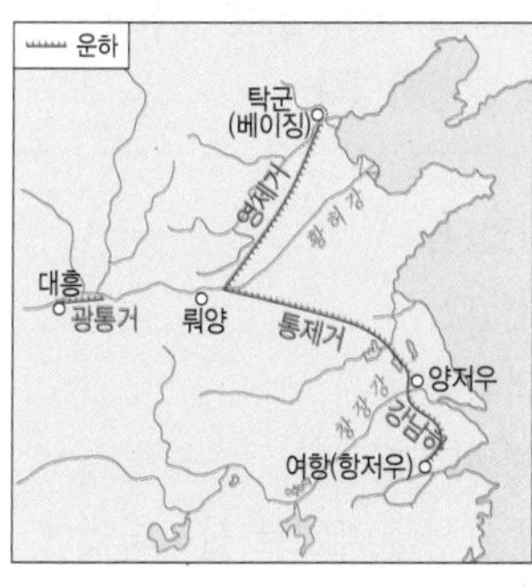

① 고구려 원정 실패
② 백련교의 난 발생
③ 진승·오광의 난 발생
④ 쿠빌라이가 이끄는 몽골군의 침입
⑤ 이자성이 이끄는 농민군의 베이징 점령

09 다음 가상 일기에서 밑줄 친 '이 나라'에 대한 설명으로 옳은 것은?

> ○○월 ○○일
> 3년 동안 준비해 온 과거 시험이 이제 얼마 남지 않았다. 최근 공영달 선생님이 훈고학을 집대성하여 편찬한 『오경정의』를 보니 아직도 알아 갈 내용이 많다는 생각이 든다. 과거 시험까지 남은 시간 동안 공부에 정진하여 꼭 <u>이 나라</u>의 관료가 되고 싶다.

① 중국 최초의 정복 왕조이다.
② 몽골족과 왜구의 침략을 받았다.
③ 부역황책과 어린도책을 정비하였다.
④ 국가에서 오수전을 주조하여 발행하였다.
⑤ 자산에 따라 세금을 부과하는 양세법을 실시하였다.

10 (가) 왕조의 문화에 대한 설명으로 옳은 것을 〈보기〉에서 고른 것은?

> **답사 안내 – (가) 왕조의 흔적을 찾아서**
>
> 
> ▲ 장안을 방문한 외국 사신들
>
> 이번에 답사할 도시는 중국 시안(옛 지명 장안)입니다. (가) 왕조 시기에 이곳에는 각국 사신과 유학생들이 모여 들었고, 이들을 통해 이국적인 문화와 풍속이 퍼져 국제적인 문화가 발달하였습니다. 이번 답사에서는 당시에 건립된 경교, 조로아스터교 사원의 흔적도 찾아볼 예정입니다. 답사에 참여하실 분은 연락 주세요.

보기

ㄱ. 윈강 석굴 사원이 조성되었다.
ㄴ. 이백과 두보 등의 시인이 활동하였다.
ㄷ. 구어체 소설인 『서유기』가 간행되었다.
ㄹ. 현장이 인도에서 불교 경전을 들여왔다.

① ㄱ, ㄴ ② ㄱ, ㄷ ③ ㄴ, ㄷ
④ ㄴ, ㄹ ⑤ ㄷ, ㄹ

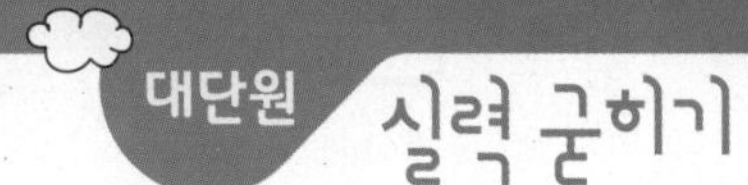

11 다음 대화의 주제로 가장 적절한 것은?

9세기 말 일본에서는 견당사 파견을 중지하였어. 그 대신 외래 문물을 일본의 풍토에 맞게 소화하려는 문화가 발달하였지.

맞아. 그래서 일본의 고유 문자인 '가나'도 만들어지고, 주택과 관복에도 일본 고유의 특색이 반영되었대.

① 조닌 문화의 발달
② 견당사와 다이카 개신
③ 나라 시대의 일본 문화
④ 동아시아 문화권의 형성
⑤ 헤이안 시대 문화의 특징

12 다음 신문에서 다루는 왕조에 대한 설명으로 옳은 것은?

세계사 신문

새로운 유학이 등장하다

유학의 새 바람이 분다. 경전 해석에 몰두하던 훈고학에서 벗어나 인간 심성과 우주의 원리를 탐구하는 학문이 등장하였다. 새로운 유학이 사회에 어떤 영향을 미칠지 이목이 집중되고 있다.

〈현장 취재〉 잡극의 인기

와자 안의 공연장에서는 연일 잡극이 공연된다. 기자가 활기 넘치는 그 현장을 방문하여 취재하였다.

[3면에 계속]

① 9품중정제를 실시하였다.
② 사대부 계층이 성장하였다.
③ 장거정이 개혁을 단행하였다.
④ 일본과 감합 무역을 실시하였다.
⑤ 상인들이 회관과 공소를 설립하였다.

13 (가), (나)에 해당하는 나라에 대한 설명으로 옳은 것은?

(가) 야율아보기가 건국하였으며 발해를 멸망시키고 화북의 연운 16주를 획득하였다.
(나) 아구다가 건국한 나라로, 송의 수도 카이펑을 함락한 후 황제를 포로로 잡아 돌아갔다.

① (가) – 파스파 문자를 사용하였다.
② (가) – 몽골의 침입을 받아 멸망하였다.
③ (나) – 송과 전연의 맹약을 체결하였다.
④ (나) – 한족에게 변발과 호복을 강요하였다.
⑤ (가), (나) – 이중 지배 체제를 실시하였다.

14 (가) 왕조에 대한 보고서 주제로 적절하지 <u>않은</u> 것은?

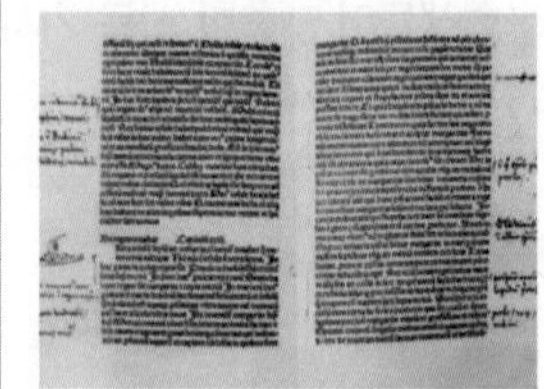
동방견문록

(가) 시기에 중국에 방문한 마르코 폴로는 칸의 환대 속에 중국을 여행하였다. 그가 저술한 『동방견문록』에는 (가) 시기 중국의 모습이 잘 나타나 있다.

① 동서 교류와 역참
② 라마교의 융성 배경
③ 『서상기』와 서민 문화
④ 몽골 제일주의의 근거
⑤ 황건적의 난과 왕조의 멸망

15 다음과 같은 통치 방식에 대한 설명으로 옳은 것은?

인접한 110호를 1리로 편성하여, 부유한 10호는 이장호, 나머지 100호는 갑수호로 하여 10갑으로 나누었다. 각 이장호와 갑수호는 10년 교대로 이와 갑의 조세 징수와 치안 유지, 수리 시설 정비 등을 담당하였다.

① 균전제를 기반으로 실시되었다.
② 장거정의 개혁으로 도입되었다.
③ 안사의 난을 전후하여 붕괴되었다.
④ 관리의 수탈을 줄이기 위해 시행되었다.
⑤ 남북을 연결하는 대운하의 완성을 계기로 실시되었다.

16 다음 원정을 추진한 황제에 대한 설명으로 옳은 것은?

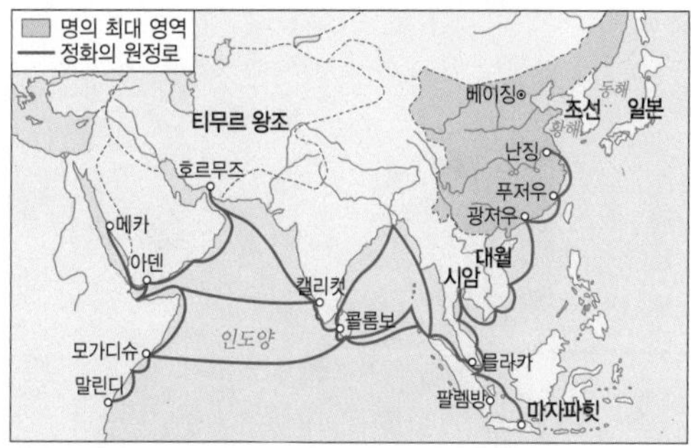

① 내각 대학사를 설치하였다.
② 문치주의 정책을 채택하였다.
③ 변방에 절도사를 설치하였다.
④ 비밀 상주문 제도를 실시하였다.
⑤ 육유를 만들어 백성에게 보급하였다.

17 ㉠, ㉡을 뒷받침하는 내용으로 옳지 않은 것은?

소수의 만주족이 세운 청은 다수인 한족을 효과적으로 지배하기 위해 ㉠ 강경책과 ㉡ 회유책을 적절히 사용하였다.

① ㉠ – 북면관제·남면관제 시행
② ㉠ – 문자의 옥으로 사상 통제
③ ㉡ – 과거제 실시
④ ㉡ – 만한 병용제 실시
⑤ ㉡ – 대규모 편찬 사업 추진

18 다음 조세 제도를 시행한 배경으로 옳은 것은?

각 현(縣)의 토지세와 요역을 모두 합치고, 각 호의 토지와 성년 남자의 수에 따라 토지세와 요역을 할당하여 관청에 납부하도록 한다. …… 각종 잡다한 부담은 모두 합쳐 한 가지 조목(一條)으로 하여, 토지의 넓이에 따라 은으로 징수하여 관청에 바치도록 한다. –『명사』, 식화지

① 백련교의 난이 발생하였다.
② 중국에 은이 대량으로 유입되었다.
③ 광저우에서 공행 무역이 실시되었다.
④ 교초가 남발되어 물가가 상승하였다.
⑤ 장원이 증가하여 균전제가 붕괴되었다.

19 다음 상황이 나타난 배경으로 가장 적절한 것은?

18세기 초 청의 황제는 궁정에 봉사하는 선교사를 제외한 모든 선교사를 추방하고 크리스트교 포교를 전면 금지한다는 명령을 내렸다.

① 삼번의 난 발생
② 전례 문제 발생
③『천주실의』 보급
④ 성리학의 관학화
⑤ 네르친스크 조약 체결

[20~21] 다음을 읽고 물음에 답하시오.

▶ 지식 Q&A

(가) 막부의 대외 교류에 대해 보고서를 써야 하는데, 어떤 용어를 검색하여 조사해야 할지 알려 주세요.

▶ 답변하기

↳ 나가사키의 인공 섬, '데지마'를 검색해 보세요.
↳ 대외 교류를 통해 난학이 발달하였으니 '난학'을 검색해 봐도 좋을 것 같네요.

20 (가) 막부에 대한 설명으로 옳은 것은?

① 막번 체제를 수립하였다.
② 아스카 문화를 발전시켰다.
③ 원의 침입으로 쇠퇴하였다.
④ 일본 최초의 무가 정권이다.
⑤ 아시카가 다카우지가 개창하였다.

21 학생이 작성할 보고서에 포함될 내용으로 적절한 것을 〈보기〉에서 고른 것은?

보기

ㄱ. 견당사 파견을 중지하였다.
ㄴ. 조공 무역인 감합 무역을 실시하였다.
ㄷ. 상인들에게 무역 허가증인 슈인장을 주었다.
ㄹ. 네덜란드인으로부터 서양의 학문을 받아들였다.

① ㄱ, ㄴ ② ㄱ, ㄷ ③ ㄴ, ㄷ
④ ㄴ, ㄹ ⑤ ㄷ, ㄹ

서아시아·인도 지역의 역사

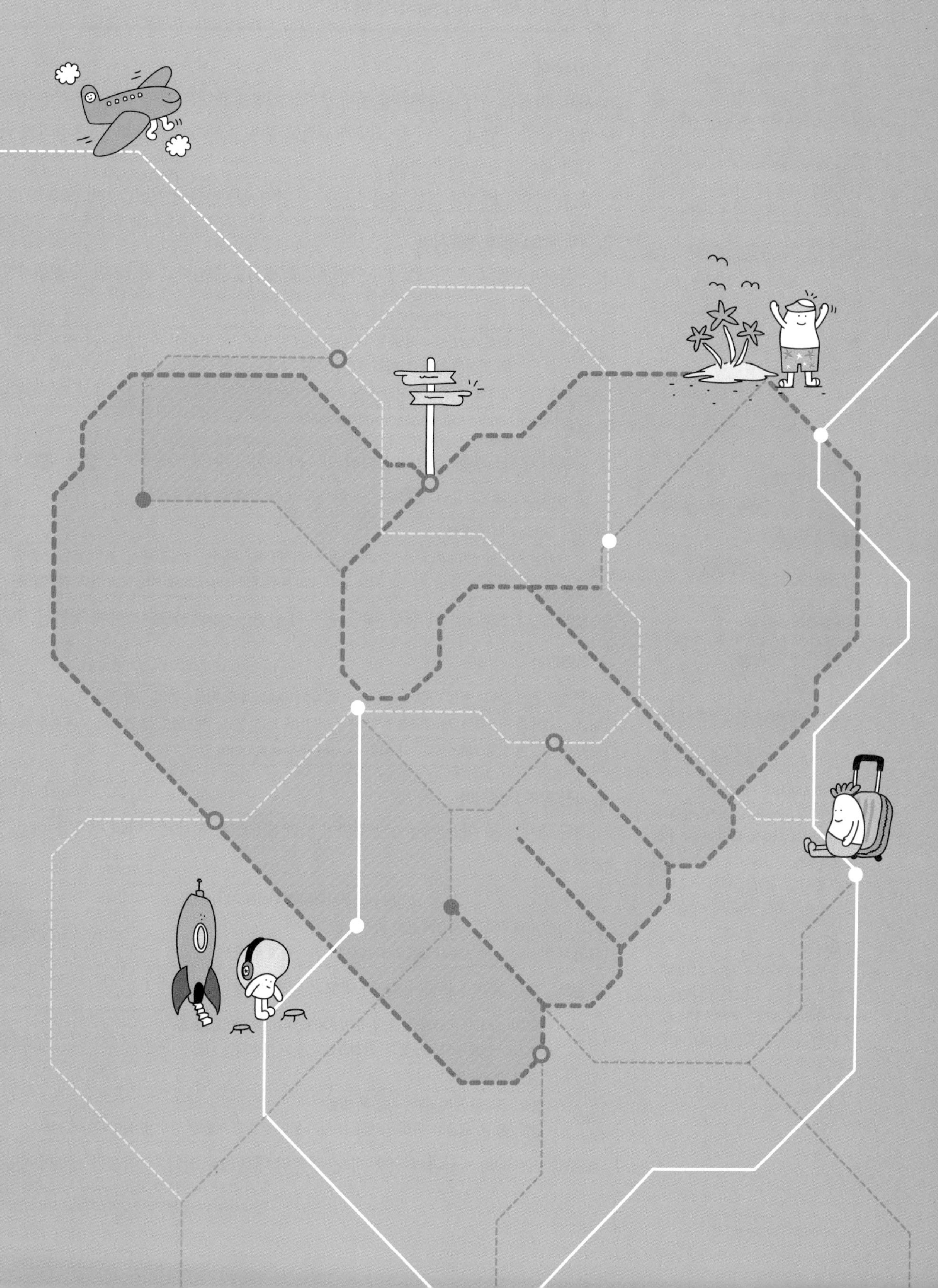

01 고대 서아시아 제국과 이슬람 세계의 형성

학습목표
- 고대 서아시아 세계의 발전 과정과 페르시아 문화의 특징을 설명할 수 있다.
- 이슬람 세계의 발전과 이슬람 문화의 특징을 정리할 수 있다.

1 고대 서아시아 제국의 형성

1. 아시리아

(1) **서아시아 통일**: 기원전 7세기경 철제 무기와 기병을 토대로 서아시아 상당 부분 통일

(2) **발전**: 중앙 집권적 통치(군용 도로와 교역로 정비, 정복지에 총독 파견), 지구라트 건설, 학문 발전 촉진(왕립 도서관 건립)
└ 전국을 주(州)로 나누고 총독을 파견하여 직접 통치하였어.

(3) **멸망**: 피지배 민족에 대한 강압적 통치 → 각지에서 반란이 일어나 멸망(기원전 612)
└ 피정복민을 강제 이주시키고 무거운 세금을 부과하였지.

2. 아케메네스 왕조 페르시아

(1) *서아시아 재통일: 키루스 2세가 아케메네스 왕조를 수립하고 서아시아 재통일(기원전 525)

(2) 발전 교과서 자료
└ 이집트와 지중해 연안에서 인더스강에 이르는 대제국을 건설하였어.

다리우스 1세	영토 확장, 속주에 총독 파견, 감찰관('왕의 눈', '왕의 귀')을 파견하여 총독 감독, 도로(*'왕의 길')와 역참제 정비, 화폐와 도량형 제도 정비 → 중앙 집권 체제 강화, 전성기 이룩
관용 정책	피지배 민족에게 공납을 징수하고 그들의 전통과 신앙 존중, 페니키아인의 무역 활동 보호

VS 피지배 민족을 강압적으로 통치한 아시리아는 일찍 멸망하였지만 페르시아는 관용 정책에 힘입어 약 200년간 통일과 번영을 누렸어.

(3) 문화

① 국제적 문화: 관용 정책으로 여러 민족의 문화 포용(페르세폴리스 건설) 자료①

② 조로아스터교의 성립 자료②
└ 꼭! 다리우스 1세의 후원을 받아 널리 퍼졌어.

창시	조로아스터가 창시
특징	세상을 선의 신(아후라 마즈다)과 악의 신(아리만)이 싸우는 장소로 인식, 불과 유일신 숭배, 선악의 대결·최후의 심판·부활·천국과 지옥 등의 교리가 유대교·크리스트교·이슬람교 등에 영향을 줌

(4) **멸망**: 그리스·페르시아 전쟁 패배, 총독의 반란 → 알렉산드로스에게 정복됨(기원전 330)

3. 파르티아

건국	기원전 3세기 중엽 이란계 민족이 수립, 아케메네스 왕조 페르시아의 전통 계승
발전	대제국 건설로 동서 교역로 장악 → 중국(한)과 로마, 인도(쿠샨 왕조)를 연결하는 중계 무역으로 번영
멸망	로마와 여러 차례 전쟁으로 쇠퇴 → 사산 왕조 페르시아에 멸망(226)

└ 페르시아어와 페르시아 문자를 사용하였어.
└ 기원전 2세기경 메소포타미아에서 인더스강에 이르는 영토를 차지하고 전성기를 맞았어.

4. 사산 왕조 페르시아

(1) **성립**: 3세기 초 이란 계통의 농경민이 아케메네스 왕조 페르시아의 부흥을 내걸고 건국

(2) **발전**

영토 확장	인더스강에서 메소포타미아에 이르는 제국 건설
중앙 집권 체제 강화	지방에 총독 파견
대외 교류	동서 교통의 요충지 차지 → 중계 무역으로 번영

(3) **문화**: 주변 지역의 문화 융합 → 국제적 문화 발달

종교	• 조로아스터교: 국교로 삼음, 경전인 『아베스타』 집대성 자료② • 마니교: 조로아스터교, 불교, 크리스트교 등이 융합되어 성립
언어	다양한 언어와 문자 사용
예술	• 발달: 건축과 공예, 염색 기술 등 발달 • 영향: 금·은 세공품, 유리 공예품, 도자기 등이 유럽과 이슬람 세계 및 동아시아에 전파

(4) **멸망**: 비잔티움 제국과의 전쟁 지속, 왕실의 내분으로 쇠퇴 → 이슬람 세력에 멸망(651)

마니교는 현세를 부정하는 금욕주의와 정신주의적 성향이 강해 당시 세속화가 진행되던 조로아스터교와 대립하였어.

이것이 핵심!

고대 서아시아 세계

아시리아
서아시아 최초 통일, 철제 무기 사용
↓
아케메네스 왕조 페르시아
서아시아 재통일, 중앙 집권 정책 실시, 관용 정책 시행, 조로아스터교 성립
↓
파르티아
아케메네스 왕조 페르시아의 전통 계승, 중계 무역으로 번영
↓
사산 왕조 페르시아
페르시아의 부흥 표방, 중앙 집권 체제 확립, 중계 무역 성행, 조로아스터교 국교화, 건축과 공예 발달

★ **서아시아 재통일**

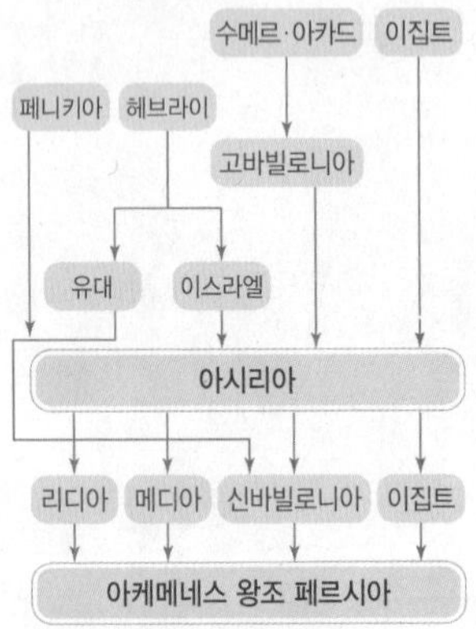

⊙ 고대 서아시아 세계의 변천
기원전 7세기경 아시리아가 서아시아 세계의 상당 부분을 통일하였으나 아시리아 멸망 후 서아시아는 다시 분열되었다. 이를 기원전 6세기 중엽 아케메네스 왕조 페르시아가 통일하였다.

★ **왕의 길**
다리우스 1세가 수사에서 사르디스까지 건설한 도로이다. 일정한 거리마다 말을 바꾸어 탈 수 있는 역참이 있어 통치에 필요한 왕의 명령이 지방까지 빠르게 전달되었다.

완자 자료 탐구

내 옆의 선생님

수능이 보이는 교과서 자료 아케메네스 왕조 페르시아의 정책

조로아스터교에서는 영토 확장을 신의 이름으로 정당화하였어.

- 나는 키루스, 세계의 왕, 위대한 왕, 정정당당한 왕 …… 바빌로니아 거주민에 대하여는 …… 넘겨받았던 도시들을 돌려주었다. …… 아후라 마즈다의 뜻에 따라 말하니 살아 있는 한 너희의 전통과 종교를 존중하겠다. (피지배 민족에 대해 관용 정책을 펼쳤어.) – 키루스 2세의 칙령
- 나, 다리우스왕은 위대한 왕, …… 제국을 나에게 주신 아후라 마즈다의 높으신 뜻에 따라 나는 나에게 속한 이 나라들, 즉 페르시아, 엘람, 바빌로니아, 이집트, 아라비아 …… 인더스강가, 이 모든 지역을 지배하는 왕이다. – 다리우스 1세의 전승 기념문 비문
- 수도인 수사에서 사르디스까지 2,600km에 이르는 포장도로로서, 보통 사람은 90일이나 걸리는 그 길을 급사(急使)는 9일 만에 달렸다. ('왕의 길'을 가리켜.) – 헤로도토스, 『역사』

아케메네스 왕조 페르시아의 왕들은 피지배 민족에게 관용 정책을 펼쳤다. 다리우스 1세 때는 '왕의 길'을 건설하고 감찰관을 파견하는 등 중앙 집권 체제를 강화하였다. 이러한 정책들에 힘입어 아케메네스 왕조 페르시아는 약 200년 동안 번영을 누렸다.

완자샘의 탐구 강의

• 아케메네스 왕조 페르시아가 피정복민을 통치한 방식을 정리해 보자.
아케메네스 왕조 페르시아는 피정복민의 문화와 종교, 언어를 존중하는 관용 정책을 펼쳤다.

• 아케메네스 왕조 페르시아가 넓은 영토를 다스릴 수 있었던 이유를 써 보자.
아케메네스 왕조 페르시아는 관용 정책으로 국내 정치를 안정시켰고, '왕의 길' 건설 등으로 제국 통치의 효율성을 높였다.

함께 보기 88쪽, 1등급 정복하기 1

자료 1 페르시아의 국제적 문화

아시리아 양식으로 돋을새김한 인면수신상이야.

페르세폴리스의 만국의 문

페르세폴리스 전경

돌기둥은 그리스식이야. 그리스식 돌기둥으로 알현장의 넓은 공간을 떠받치는 공법은 이집트에서 유래하였어.

아케메네스 왕조 페르시아에서는 피정복민들의 문화와 종교, 언어를 존중하면서 여러 민족의 기술과 문화를 흡수하여 국제적인 성격을 띤 문화를 이룩하였다. 특히, 건축과 공예 기술이 발전하였는데, 페르세폴리스의 유적과 유물이 대표적이다.

자료 하나 더 알고 가자!

페르시아 문화의 전파

사산 왕조 페르시아의 유리잔

신라에서 출토된 유리잔

사산 왕조 페르시아의 은그릇, 유리그릇, 견직물, 도자기의 제작 기술과 양식은 비단길을 통해 중앙아시아를 거쳐 중국에 영향을 주었어. 그 일부가 삼국 시대와 통일 신라 시대에 한반도까지 전해졌지.

자료 2 조로아스터교의 성립과 발전

다리우스 1세가 새긴 베히스툰(비시툰) 부조

페르시아 사람들은 조로아스터교를 널리 믿었다. 조로아스터교에서는 세상을 빛과 선의 신 아후라 마즈다와 어둠과 악의 신 아리만이 싸우는 것으로 보았다. 페르시아인들은 선한 신의 승리를 믿었기 때문에 그의 상징인 불을 신성하게 여기고 유일신을 숭배하였다. 조로아스터교는 다리우스 1세의 후원을 받아 널리 퍼졌으며, 사산 왕조 페르시아 때는 국교가 되었다.

문제로 확인할까?

조로아스터교에 대한 설명으로 옳은 것은?
① 여러 신을 숭배하였다.
② 다리우스 1세의 후원을 받았다.
③ 이슬람교의 영향을 받아 등장하였다.
④ 아케메네스 왕조 페르시아의 국교가 되었다.
⑤ 페르시아의 영토 확장을 비판하는 근거가 되었다.

② 답

고대 서아시아 제국과 이슬람 세계의 형성

이것이 핵심!

이슬람 세계의 성립과 발전

이슬람교의 성립과 확산
- 성립: 무함마드가 이슬람교 창시
- 교리: 알라 숭배, 인간 평등 주장
- 확산: 메디나에서 교세 확장

↓

이슬람 제국의 성립과 확대
- 정통 칼리프 시대: 칼리프 선출
- 우마이야 왕조: 우마이야 가문이 칼리프 세습, 아랍인 우대
- 아바스 왕조: 모든 이슬람교도의 평등 강조 → 범이슬람 제국으로 발전
- 후우마이야 왕조: 지중해 무역 장악
- 파티마 왕조: 이집트 정복

✱ 칼리프
이슬람 공동체의 종교 지도자이자 정치적 지배자

✱ 수니파와 시아파
수니파는 제4대 칼리프 알리의 후손이 아니어도 후계자가 될 수 있다고 보았으나, 시아파는 알리와 그의 후손만을 정통으로 보았다.

2 이슬람 세계의 형성

1. 이슬람교의 성립과 확산 자료③

배경	사산 왕조 페르시아와 비잔티움 제국의 대립 → 새로운 교통로 개척(→ 메카, 메디나 번성) → 빈부 격차 심화, 종교에 따른 부족 간 대립 심화
성립	7세기경 무함마드가 알라를 유일신으로 섬기는 이슬람교 정립
특징	우상 숭배 배격, 신 앞의 인간 평등 강조 → 민중의 지지 획득, 보수 귀족의 박해
전파	무함마드가 박해를 피해 메디나로 피신(헤지라, 622) → 메카 장악(630), 아라비아반도 대부분 통일

왜? 소수의 귀족들이 부를 축적하였기 때문이야. (빈부 격차)

메디나에서 교세를 확장한 후 메카를 장악하였어.

2. 이슬람 제국의 성립과 확대 자료④

4대 칼리프 알리가 암살된 후 시리아 총독 무아위야가 칼리프가 되었어. 그가 우마이야 가문에서 칼리프를 세습하도록 하였지.

정통 칼리프 시대 (632~661)	• 성립: 무함마드 사후 ✱칼리프 선출 • 영토 확장: 시리아와 이집트, 사산 왕조 페르시아 정복 → 대제국 건설
우마이야 왕조 (661~750)	• 성립: 우마이야 가문이 칼리프 세습(→ 이슬람교가 ✱수니파와 시아파로 분리) • 영토 확장: 다마스쿠스에 도읍, 인더스강에서 이베리아반도까지 진출 • 통치 방식: 아랍인 우대, 비아랍인 이슬람교도(무슬림) 차별 → 비아랍인의 불만 초래
아바스 왕조 (750~1258)	• 성립: 아바스 가문이 비아랍인 불만 세력과 시아파의 도움을 받아 건국 • 세력 확대: 수도 바그다드 건설, 당과의 탈라스 전투에서 승리하여 동서 교역로 장악 • 통치 방식: 모든 이슬람교도의 평등 표방(아랍인의 특권과 비아랍인에 대한 차별 폐지 → 인종과 종교를 초월한 범이슬람 제국으로 발전) • 멸망: 지방 총독들의 독립, 이민족의 침입으로 쇠퇴 → 몽골의 침입으로 멸망
후우마이야 왕조 (756~1031)	• 성립: 우마이야 왕조의 일파가 이베리아반도의 코르도바를 수도로 건국 • 발전: 지중해 무역을 장악하여 번영, 학문과 문예 장려, 칼리프 칭호 사용
파티마 왕조 (909~1171)	• 성립: 10세기 초 시아파가 북아프리카에 건국 • 발전: 이집트 정복, 수도 카이로 건설, 칼리프 칭호 사용

코르도바가 이베리아반도 최대의 경제적·문화적 중심지로 성장하였어.

꼭! 비아랍인을 군인과 관료로 등용하고 세금 제도에서 차별을 없앴어.

이것이 핵심!

이슬람 세계의 사회와 문화

사회	『쿠란』이 일상생활 지배
경제	동서 교역 활발 → 대도시 발달
문화	동서 문화 융합, 이슬람 문화권 형성(이슬람교, 아랍어 중심)

✱ 지즈야
이슬람 세력의 통치를 받는 비이슬람교도에게 부과된 인두세

✱ 대상 무역
낙타, 말 등에 짐을 싣고 무리를 지어 먼 곳을 다니는 상인인 대상을 통하여 이루어지는 무역

✱ 아라베스크
덩굴무늬나 기하학적 무늬 등을 배열한 장식 무늬

3 이슬람 세계의 사회와 문화

1. 이슬람 세계의 사회와 경제

사회	• 『쿠란』의 가르침을 중심으로 생활(5행 실천 중시, 돼지고기 금지, 구제 활동 강조, 하루 5번 예배 등) • 이슬람교에서 평등 강조, 피정복민에게 ✱지즈야를 징수하고 그들의 종교 인정, 이슬람교로 개종하면 일부 세금 면제 → 이슬람 세력이 빠르게 성장
경제	상업 행위에 대한 이슬람교의 긍정적 인식, 국가에서 자유로운 상업 활동 보장, 유럽과 아시아를 잇는 통로에 위치한 지리적 이점 보유 → 동서 교역 활발(✱대상 무역 전개, 바닷길 교역 주도) → 바그다드 등 대도시 발달, 이슬람 세계 확대

이슬람교에서는 종족이나 계급에 따른 차별이 없었고, 종교적인 계급을 두지 않았어.

2. 이슬람 세계의 문화 자료⑤

왜? 아랍어로 된 『쿠란』을 다른 언어로 번역하는 것이 금지되었기 때문이야.

(1) **특징**: 동서 문화 융합, 이슬람교와 아랍어를 공통 요소로 하는 이슬람 문화권 형성

(2) **발전**

『쿠란』의 내용을 연구하고 일상생활에 적용하는 과정에서 발달하였어.

무함마드의 전기를 만들면서 역사학이 발달하였고, 상업 활동과 성지 순례 덕분에 지리학이 발달하였지.

학문	신학과 법학, 역사학(이븐 할둔의 『역사 서설』 저술), 지리학(이븐 바투타의 『여행기』 저술) 발달
문학	설화 문학 발달(여러 지역의 설화를 모은 『아라비안나이트(천일야화)』가 대표적)
건축	모스크 건립(둥근 지붕과 아치, 뾰족한 탑), ✱아라베스크 발달, 학교와 병원 등 건축
자연 과학	• 발달: 천문학(지구 구형설 설명, 태양력 제작), 화학(알칼리와 산의 구별법, 승화 작용 발견), 수학(아라비아 숫자, 삼각법 완성), 물리학(광학 연구, 비중 측정), 의학(이븐시나의 『의학전범』 저술) 등 • 영향: 인도, 동남아시아, 중국, 유럽에 전파(중세 유럽 문화와 르네상스에 영향을 줌)

이슬람 세계에서는 화학, 수학 등이 발달하였어. 그래서 알코올, 알칼리, 대수 등 오늘날 용어 중에 아랍어에 기원을 둔 것이 많아.

완자 자료 탐구

내 옆의 선생님

자료 3 이슬람교의 특징

이슬람교가 유대교와 크리스트교의 영향을 받았음을 짐작할 수 있어.

• 알라는 모세에게 성서를 주고 …… 마리아의 아들 예수에게 권능을 내려 성령으로 그를 보호하였다. …… 모세와 예수, 예언자들이 계시받은 것들을 믿는다. 그 누구도 구별하지 아니하며 알라만을 믿는다. — 이슬람교에서는 알라를 유일신으로 섬기고 우상 숭배를 배격하였지. －『쿠란』

• 인간은 동일한 것이 아니라 평등하게 창조되는 것이다. 인간은 그 선행과 의로움에 따라 우열이 결정된다. — 이슬람교는 인간 평등을 주장하여 빈부 격차로 고통받던 민중의 지지를 받았어. －『쿠란』

메카의 상인이었던 무함마드는 이슬람교를 정립하였다. 그는 모든 사람은 신 앞에서 평등하다고 주장하며 혈연, 인종, 신분을 초월한 보편적인 종교 사상을 전파하여 민중의 지지를 얻었다. 이렇게 성립된 이슬람교는 공동체를 우선시하고 평등한 사회를 지향하였다.

자료 4 이슬람 제국의 성장

세 왕조에서 모두 칼리프 칭호를 사용하여 이슬람 세계에 세 명의 칼리프가 병존하였어.

▲ 이슬람 제국의 영토 확장

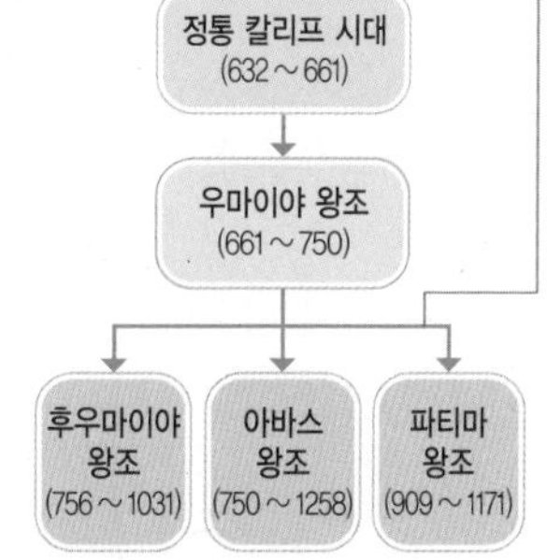

▲ 이슬람 제국의 변천

정통 칼리프 시대에 이슬람 세력은 시리아와 이집트를 정복하고 사산 왕조 페르시아를 멸망시켜 영토를 확장하였다. 우마이야 왕조는 아시아, 아프리카, 유럽의 세 대륙에 걸친 대제국을 건설하고 아랍인 우대 정책을 실시하였다. 이후 아바스 왕조는 아랍인과 비아랍인의 융합을 꾀하였으며, 동서 교역로를 장악하여 경제적 번영을 누렸다.

자료 5 이슬람 세계의 문화

이슬람교는 사람과 동물을 그리거나 조각하는 것을 우상 숭배로 여겨 금지하였기 때문에 모스크 벽면은 주로 아라베스크로 장식되었어.

▲ 바위의 돔 사원(모스크)

▲ 천문 관측소의 모습

▲ 팔을 수술하는 의학자 이븐시나

이슬람 세력은 이슬람교를 바탕으로 다채로운 문화를 발전시켰다. 건축에서는 둥근 지붕(돔)과 뾰족한 탑(첨탑)을 특징으로 하는 모스크 양식이 유행하였다. 페르시아와 인도의 영향을 받아 자연 과학도 크게 발달하였다. 천체 관측 기구를 사용하여 경도와 위도, 자오선의 길이 등을 측정하였으며 예방 의학과 외과 수술이 성행하였다.

자료 하나 더 알고 가자!

이슬람교도의 의무, 5행

신앙 고백	"알라 외에 신이 없고 무함마드는 신의 사도이다."라고 고백한다.
예배	하루에 다섯 번 메카를 향해 예배한다.
금식	라마단 기간 동안 단식한다.
희사	인도주의적 자선으로 수입의 일정액을 공동체에 바친다.
성지 순례	여건이 허락하면 평생에 한 번 이상 성지인 메카를 순례한다.

이슬람교도는 『쿠란』과 『하디스』에 근거해 다섯 가지 의무를 실천하여야 했어.

정리 비법을 알려줄게!

이슬람 세계의 성립과 확대

정통 칼리프 시대	
칼리프 선출, 대제국 건설	
↓	
우마이야 왕조	
칼리프 세습, 다마스쿠스에 도읍, 영토 확장, 아랍인 우대 정책 실시	
↓	
아바스 왕조	수도 바그다드 건설, 탈라스 전투 승리, 동서 교역로 장악, 범이슬람 제국 건설
후우마이야 왕조	이베리아반도의 코르도바를 수도로 건국, 지중해 무역 장악
파티마 왕조	이집트 정복, 카이로 천도

문제로 확인할까?

이슬람 세계의 문화에 대한 설명으로 옳지 않은 것은?

① 모스크 양식이 발달하였다.
② 의학이 발달하여 외과 수술이 성행하였다.
③ 이슬람교 사원은 무함마드의 초상화로 장식되었다.
④ 이슬람교와 아랍어를 공통 요소로 하여 발달하였다.
⑤ 천체 관측 기구가 제작되어 경도와 위도 측정에 활용되었다.

③ 답

STEP 1 핵심 개념 확인하기

정답친해 24쪽

1 다음에서 설명하는 국가를 〈보기〉에서 골라 기호를 쓰시오.

보기
ㄱ. 아시리아　　ㄴ. 파르티아
ㄷ. 사산 왕조 페르시아　　ㄹ. 아케메네스 왕조 페르시아

(1) 다리우스 1세 때 전성기를 이룩하였다. (　　)
(2) 철제 무기와 기병을 토대로 기원전 7세기경에 서아시아의 상당 부분을 통일하였다. (　　)
(3) 조로아스터교를 국교로 삼았고 동서 교통의 요충지를 차지하여 중계 무역으로 번영하였다. (　　)
(4) 기원전 3세기 중엽 이란계 민족이 수립하여 중국과 로마, 인도를 연결하는 중계 무역으로 번영하였다. (　　)

2 다음에서 설명하는 종교를 쓰시오.

(1) 무함마드가 창시하였으며, 알라를 유일신으로 섬기고 신 앞에서 인간이 평등함을 주장하였다. (　　　　)
(2) 아후라 마즈다를 최고의 신으로 여겨 숭배하였으며 이후 유대교, 크리스트교 등에 영향을 주었다. (　　　　)

3 다음 이슬람 제국에 해당하는 내용을 옳게 연결하시오.

(1) 아바스 왕조 •　　• ㉠ 탈라스 전투 승리
(2) 우마이야 왕조 •　　• ㉡ 칼리프 선출제 시행
(3) 정통 칼리프 시대 •　　• ㉢ 아랍인 우대 정책 실시

4 이슬람교도는 경전인 (　　　　)의 가르침을 중심으로 생활하여 메카를 향한 예배, 라마단 기간의 단식, 돼지고기 금지 등을 실천하였다.

5 다음 설명이 맞으면 ○표, 틀리면 ×표를 하시오.

(1) 모스크의 벽면은 아라베스크나 『쿠란』 구절 등으로 장식되었다. (　　)
(2) 이슬람 상인들의 활발한 활동으로 바그다드와 같은 대도시가 발달하였다. (　　)
(3) 후우마이야 왕조와 파티마 왕조는 아바스 왕조에서 선출된 칼리프의 지배를 받았다. (　　)

STEP 2 내신 만점 공략하기

01 (가) 왕조에 대한 설명으로 옳은 것은?

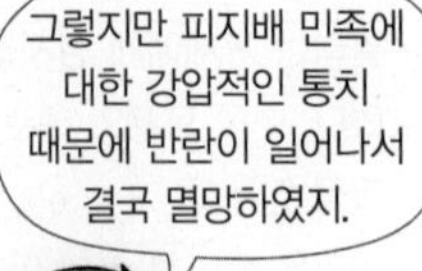

(가) 왕조는 철제 무기로 무장한 기병을 바탕으로 기원전 7세기경에 서아시아 대부분을 통일하였어.
그렇지만 피지배 민족에 대한 강압적인 통치 때문에 반란이 일어나서 결국 멸망하였지.

① 정복지에 총독을 파견하였다.
② 함무라비 법전을 편찬하였다.
③ 아케메네스 왕조 페르시아의 전통을 계승하였다.
④ 칼리프를 선출하여 종교적·정치적 지배자로 삼았다.
⑤ 속주에 '왕의 귀', '왕의 눈'이라고 불리는 감찰관을 파견하였다.

02 (중요) 지도의 영역을 차지한 왕조에 대한 탐구 활동으로 적절한 것은?

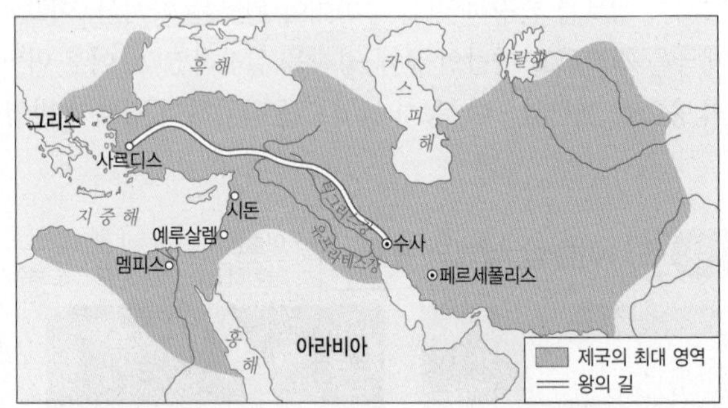

① 이슬람 세력에 의한 멸망 과정을 정리한다.
② 조로아스터교가 널리 퍼진 이유를 알아본다.
③ 탈라스 전투의 승리가 제국에 준 이익을 파악한다.
④ 피지배 민족에게 강압적인 정책을 실시한 목적을 검색한다.
⑤ 비잔티움 제국과의 계속된 대립이 왕조의 쇠퇴에 미친 영향을 조사한다.

03 다음 유적을 건설한 왕조에 대한 설명으로 옳지 않은 것은?

만국의 문

전경

이 유적은 다리우스 1세 때 건설하기 시작한 페르세폴리스 왕궁 유적이다. 이 유적에서는 당시에 여러 민족의 다양한 문화를 받아들여 국제적 문화를 이룩한 모습을 엿볼 수 있다.

① '왕의 길'이라고 불리는 도로를 조성하였다.
② 기원전 4세기에 알렉산드로스에게 멸망하였다.
③ 그리스·페르시아 전쟁에서 승리하여 번영하였다.
④ '왕의 눈', '왕의 귀'라고 불린 감찰관을 속주에 파견하였다.
⑤ 정복한 민족의 전통과 신앙을 존중하는 관용 정책을 실시하였다.

04 다음에서 설명하는 왕조에 대한 역사 신문을 만들 때 기사 제목으로 적절한 것은?

3세기 초 이란계 민족이 아케메네스 왕조 페르시아의 부흥을 내걸고 건국하였다. 이 왕조는 제국의 확대와 더불어 동서 교역로의 중간에 위치한 지리적 이점으로 활발한 무역을 전개하였다. 또한 이 왕조의 유리 공예품은 서아시아 지역은 물론 동아시아 지역까지 전파되었다.

① 아바스 가문, 바그다드를 수도로 결정
② 다리우스 1세, 아시리아와는 다른 정책 내세워
③ 메디나로 갔던 무함마드, 결국 메카를 장악하다
④ 비잔티움 제국과의 계속된 전쟁, 왕조를 뒤흔들다
⑤ 시아파, 우마이야 가문의 칼리프 세습을 강력하게 비판하다

05 (중요) 밑줄 친 '이 종교'에 대한 설명으로 옳은 것을 〈보기〉에서 고른 것은?

• 명칭: 베히스툰(비시툰) 부조
• 요약 설명: 다리우스 1세가 이 종교의 신인 아후라 마즈다의 축복을 받으며 반란군의 우두머리를 밟고 선 모습이 묘사되어 있다.

보기
ㄱ. 『베다』를 경전으로 삼았다.
ㄴ. 카스트제가 형성되는 기반이 되었다.
ㄷ. 유대교와 크리스트교의 교리에 영향을 주었다.
ㄹ. 아케메네스 왕조 페르시아에서 왕의 후원을 받아 널리 퍼졌다.

① ㄱ, ㄴ　② ㄱ, ㄷ　③ ㄴ, ㄷ
④ ㄴ, ㄹ　⑤ ㄷ, ㄹ

06 지도와 같은 교역로의 변화가 미친 영향으로 가장 적절한 것은?

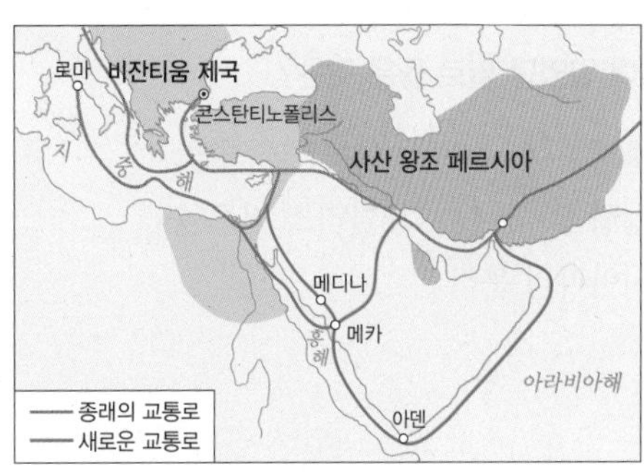

① 파르티아가 건국되었다.
② 메카와 메디나가 쇠퇴하였다.
③ 아라비아 사회에서 빈부 격차가 심화되었다.
④ 불교와 크리스트교 등이 융합되어 마니교가 창시되었다.
⑤ 비잔티움 제국과 사산 왕조 페르시아 사이의 대립이 격화되었다.

07 밑줄 친 '이 종교'에 대한 설명으로 옳지 않은 것은? (중요)

이곳은 이 종교의 성지인 카바 신전이다. 이 종교를 믿는 사람들은 메카 순례의 의무가 있어 해당 기간에 이곳에 오면 순례자들이 신전을 도는 모습을 볼 수 있다.

① 무함마드가 정립하였다.
② 우상 숭배를 배격하였다.
③ 신 앞에서 인간이 평등하다고 보았다.
④ 유대교와 크리스트교에 영향을 주었다.
⑤ 종교상 의무인 5행의 실천을 중시하였다.

[08~09] 지도를 보고 물음에 답하시오.

08 (가) 시대에 있었던 일로 옳은 것은?

① 칼리프 선출
② '왕의 길' 건설
③ 이슬람교 성립
④ 탈라스 전투 승리
⑤ 수니파와 시아파의 분리

09 (나) 왕조에 대한 설명으로 옳은 것은?

① 시아파가 건국하였다.
② 파티마 왕조에 멸망하였다.
③ 아랍인을 우대하는 정책을 펼쳤다.
④ 다리우스 1세 때 전성기를 이룩하였다.
⑤ 페르세폴리스를 새로운 수도로 건설하였다.

10 다음 사건이 일어난 시기를 연표에서 고른 것은?

시리아의 총독 무아위야는 스스로를 칼리프로 선언하고 우마이야 가문에서 칼리프 자리를 세습하도록 하였다. 그러자 이슬람교는 수니파와 시아파로 나뉘어 대립하였다.

622		630		632		661		750		756
	(가)		(나)		(다)		(라)		(마)	
헤지라		무함마드의 메카 장악		정통 칼리프 선출		4대 칼리프 알리 사망		아바스 왕조 성립		후우마이야 왕조 성립

① (가) ② (나) ③ (다) ④ (라) ⑤ (마)

11 다음은 어느 왕조에 대한 발표 주제이다. (가)에 들어갈 내용으로 적절한 것은? (중요)

- 1모둠: 탈라스 전투의 승리로 비단길을 장악하다.
- 2모둠: 수도 바그다드가 세계 교역의 중심지가 되다.
- 3모둠: (가)

① 헤지라가 단행되다.
② 아랍인과 비아랍인의 차별을 없애다.
③ 이슬람교가 시아파와 수니파로 분리되다.
④ 페르세폴리스에 피정복지의 문화 양식을 들여오다.
⑤ 사산 왕조 페르시아를 정복하고 대제국을 건설하다.

12 밑줄 친 '이 왕조'에서 있었던 사실로 옳은 것은?

- 아바스 가문이 아랍인 우대 정책에 불만을 품은 사람들과 시아파의 도움을 받아 이 왕조를 세웠다.
- 이 왕조는 13세기 중엽 몽골 제국의 훌라구에게 멸망하였다.

① 바그다드를 수도로 건설하였다.
② 그리스·페르시아 전쟁이 일어났다.
③ 우마이야 가문이 칼리프를 세습하였다.
④ 조로아스터가 조로아스터교를 창시하였다.
⑤ 무함마드가 아라비아반도 대부분을 통일하였다.

13 다음 내용의 경전을 가진 종교를 믿었던 사회에 대한 설명으로 옳은 것은?

> 알라는 모세에게 성서를 주고 …… 모세와 예수, 예언자들이 계시받은 것들을 믿는다. 그 누구도 구별하지 아니하며 알라만을 믿는다.

① 선한 신의 상징인 불을 숭배하였다.
② 『쿠란』의 가르침을 중심으로 생활하였다.
③ 다신교를 믿어 지역마다 지구라트를 세웠다.
④ 생활 공간을 무함마드의 초상화로 장식하였다.
⑤ 상업 활동을 통한 이윤 추구 행위가 비판을 받았다.

중요

14 다음 수행 평가 보고서의 (가)에 들어갈 내용으로 적절하지 않은 것은?

> 1. 탐구 주제: ○○○ 세계의 문화 발달
> 2. 자료 분석: (가)
> 3. 탐구 결과: 동서 문화를 융합한 문화 발달, 이슬람교와 아랍어를 공통 요소로 하는 문화권 형성

① 『쿠란』의 연구 과정에서 신학 발달
② 이슬람 사원을 장식하는 데 아라베스크 사용
③ 여러 지역의 설화를 모은 『아라비안나이트』 유행
④ 외래에서 전해진 여러 종교가 융합된 마니교 성립
⑤ 둥근 지붕과 뾰족한 탑을 특징으로 하는 모스크 건립

15 다음은 어느 보고서의 머리말이다. 이 보고서에 들어갈 내용으로 적절하지 않은 것은?

> 이슬람 사회에서는 다양한 학문이 발달하였다. 이 보고서에서는 이슬람 사회의 문화적 성과를 알아보고, 이러한 성과가 유럽 세계에 기여한 바를 살펴보고자 한다.

① 화약, 나침반, 제지법이 발명되었다.
② 알칼리와 산의 구별법을 발견하였다.
③ 예방 의학과 외과 분야가 발달하였다.
④ 지구 구형설을 증명하고 태양력을 제작하였다.
⑤ 영(0)을 포함한 아라비아 숫자 체계를 완성하였다.

서술형 문제

● 정답친해 26쪽

01 다음 두 통치 방식이 각 왕조에 미친 영향을 비교하여 서술하시오.

> • 나는 수사의 지구라트를 부숴 버렸다. …… 엘람의 사원을 파멸로 몰아넣었다. 나는 그들의 신들과 여신들을 바람에 날려 버렸다. – 아시리아의 왕이 새긴 문자판
> • 나는 키루스, 세계의 왕, 위대한 왕 …… 바빌로니아 거주민에 대하여는 …… 넘겨받았던 도시들을 돌려주었다. …… 살아 있는 한 너희의 전통과 종교를 존중하겠다. – 아케메네스 왕조 페르시아, 키루스 2세의 칙령

길잡이 아시리아와 아케메네스 왕조 페르시아의 통치 방식에 대한 피정복민의 대응에 주목한다.

02 다음 자료를 통해 알 수 있는 페르시아 문화의 특징을 서술하시오.

▲ 그리스와 이집트 양식이 혼합된 페르세폴리스

▲ 페르시아의 은제 물병

▲ 신라의 유리 물병

길잡이 페르시아 문화의 대내적·대외적 특징을 모두 생각해 본다.

03 다음을 통해 알 수 있는 이슬람 사회의 특징을 서술하시오.

> 『쿠란』에는 이슬람교도가 지켜야 할 의무인 5행이 명시되어 있다. 5행은 신앙 고백, 예배, 라마단 기간의 단식, 희사, 성지 순례를 실천해야 한다는 것이다. 또한 『쿠란』에는 식생활과 관련된 구절이 있는데, 이에 따라 이슬람교도가 먹을 수 있는 음식과 먹을 수 없는 음식이 나뉜다.

길잡이 『쿠란』에 규정된 내용이 일상생활과 관련된 것임을 고려하여 서술한다.

STEP 3 1등급 정복하기

1 다음 자료에 해당하는 왕조에서 볼 수 있었던 모습으로 적절한 것을 〈보기〉에서 고른 것은?

> • 수도인 수사에서 사르디스까지 2,600km에 이르는 포장도로로서, 보통 사람은 90일이나 걸리는 그 길을 급사(急使)는 9일 만에 달렸다. – 헤로도토스, 『역사』
>
> • 나, 다리우스왕은 위대한 왕, …… 제국을 나에게 주신 아후라 마즈다의 높으신 뜻에 따라 나는 나에게 속한 이 나라들, 즉 페르시아, 엘람, 바빌로니아, 이집트, 아라비아 …… 인더스 강가, 이 모든 지역을 지배하는 왕이다. 왕이 말하노라. 나에게 속한 이 나라들은 아후라 마즈다의 높으신 뜻에 따라 나를 왕으로 섬겼고 나에게 공물을 바쳤다. – 다리우스 1세의 전승 기념문 비문

보기

ㄱ. 중국에 가서 감합을 제시하는 상인
ㄴ. 속주에 파견되어 총독을 감독하는 감찰관
ㄷ. 무함마드를 따라 메디나로 피신하는 이슬람교도
ㄹ. 피지배 민족의 전통을 존중하겠다고 선언하는 왕

① ㄱ, ㄴ　② ㄱ, ㄷ　③ ㄴ, ㄷ
④ ㄴ, ㄹ　⑤ ㄷ, ㄹ

> 고대 서아시아 세계의 발전

완자 사전

• **급사(急使)**
급한 용무로 보내는 사람

• **헤로도토스**
고대 그리스의 역사가이다. 그리스·페르시아 전쟁을 중심으로 동방 여러 나라의 역사와 전설 및 그리스 여러 도시의 역사를 서술한 『역사』를 저술하였으며, '역사의 아버지'로 불린다.

• **속주(屬州)**
어느 나라에 속하여 있는 주

2 (가) 왕조에 대한 설명으로 옳은 것은?

신라 고분에서 출토된 유리잔, (가) 의 것과 유사해

(가) 의 유리잔

신라에서 출토된 유리잔

지난 해 신라의 고분에서 발견되었던 유리잔이 (가) (으)로부터 영향을 받았다는 결론에 이르렀다. 3세기 초 페르시아의 부흥을 꾀하며 세워진 (가) 은/는 유리그릇과 도자기 제작 기술이 발달하였던 것으로 알려져 있다. 이러한 기술은 (가) 에서 중계 무역이 발달함에 따라 서아시아 세계는 물론 중국, 우리나라를 비롯한 동아시아까지 전파되었는데, 이번에 출토된 유리잔이 그 사실을 뒷받침하게 되었다.

① 알렉산드로스에게 멸망하였다.
② 조로아스터교를 국교로 삼았다.
③ 아바스 가문이 시아파의 도움을 받아 건국하였다.
④ 코르도바를 수도로 삼고 칼리프 칭호를 사용하였다.
⑤ 속주에 '왕의 눈', '왕의 귀'라 불리는 감찰관을 파견하였다.

> 고대 서아시아 세계의 문화

완자 사전

• **알렉산드로스**
기원전 4세기경 그리스, 페르시아, 인도에 이르는 대제국을 건설한 마케도니아의 왕이다. 그는 정복지에 다수의 도시를 건설하여 동서 교역과 경제 발전에 기여하였고, 그리스 문화와 오리엔트 문화를 융합한 헬레니즘 문화를 이룩하였다.

3 다음은 이슬람 세계에서 있었던 일을 순서대로 적은 책이다. 찢어진 부분에 들어갈 내용으로 적절한 것은?

무함마드는 메카를 지배하던 보수적인 귀족 세력으로부터 박해를 받고 이슬람교의 신자들과 함께 메디나로 피신하였다.	칼리프 선출을 둘러싼 갈등으로 혼란한 상황에서 제4대 칼리프인 알리가 살해되자, 시리아 총독 무아위야가 칼리프가 되었다.

① 이슬람 세력이 이베리아반도까지 진출하였다.
② 시아파가 북아프리카에 파티마 왕조를 세웠다.
③ 이슬람 세력이 사산 왕조 페르시아를 정복하였다.
④ 바그다드를 수도로 하는 범이슬람 제국이 성립되었다.
⑤ 이슬람 세계에서 비아랍인과 아랍인의 차별이 국가 정책으로 철폐되었다.

> 이슬람 세계의 변천

완자 사전

• **알리**
이슬람 교단의 제4대 칼리프이다. 제3대 칼리프를 죽이고 칼리프가 되었으나, 반대파와의 불화로 살해되었다.

• **아랍인**
아랍어를 사용하는 여러 민족을 통틀어 이르는 말이다. 중동과 북아프리카에 분포하고 대부분이 이슬람교도이다.

평가원 응용

4 밑줄 친 '이 왕조'에 대한 설명으로 옳지 않은 것은?

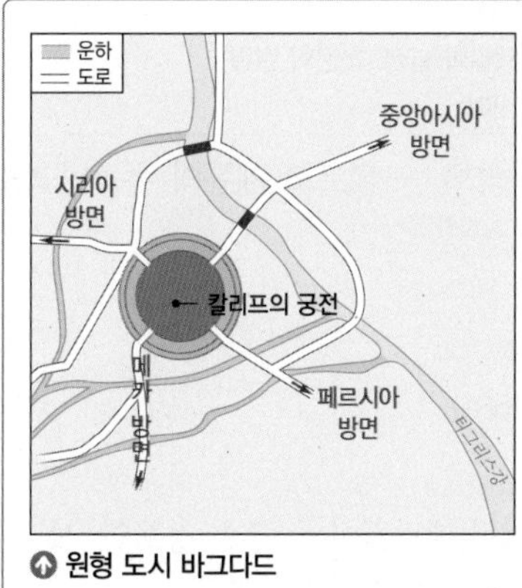

원형 도시 바그다드

바그다드는 이 왕조의 제2대 칼리프인 만수르가 건설한 수도이다. 중심부가 원형의 성벽으로 둘러싸여 있어 '원형 도시'라고도 불렸다. '원형 도시' 중앙에는 칼리프의 궁전이 있었고 성 안에는 왕족의 집, 모스크, 관청 등이 있었다. 그뿐만 아니라 당시 세계 최고 수준의 도서관도 세워졌다. 성벽에는 네 개의 문이 있었는데, 이 문에 연결된 도로를 통해 세계 각지의 물자가 바그다드로 몰려들었다. 이로써 바그다드는 국제 교역의 중심지로 성장할 수 있었다.

① 몽골의 침입으로 멸망하였다.
② 탈라스에서 당의 군대를 격파하였다.
③ 아랍인과 비아랍인의 융합을 꾀하였다.
④ 동서 문화의 요소들이 융합된 문화가 발전하였다.
⑤ 이슬람교가 시아파와 수니파로 분리되는 계기를 제공하였다.

> 이슬람 제국의 발전

완자샘의 시험 꿀팁

이슬람 제국에서는 아바스 왕조와 관련된 자료를 제시하고 그 왕조에 대해 묻는 문제가 자주 출제된다. 아바스 왕조의 수도, 주요 정책 및 학문 발달 등을 중심으로 정리해 두도록 한다.

02 이슬람 세계의 팽창

학습목표
- 셀주크 튀르크, 티무르 왕조, 사파비 왕조의 발전 과정을 설명할 수 있다.
- 오스만 제국의 통치 방식과 문화 발달 내용을 정리할 수 있다.

이것이 핵심!

이슬람 세계의 다원화

셀주크 튀르크	이슬람교로 개종하고 세력 확대, 바그다드에 입성 → 술탄의 칭호 획득
티무르 왕조	몽골 제국 재건 표방, 동서 무역 독점(→ 사마르칸트 번영)
사파비 왕조	페르시아인의 민족의식 부흥 노력, 아바스 1세 때 전성기 이룩

★ **부와이 왕조**
이란 남서부와 이라크 지역에 세워진 이슬람 왕조로, 바그다드를 점령하고 사실상 아바스 왕조의 칼리프를 무력하게 만들었다.

★ **술탄**
칼리프의 동의를 받아 지배 지역의 정치적·군사적 실권을 위임받은 자로, 이슬람 세계의 정치적 지배자를 가리킨다.

★ **십자군 전쟁**
유럽의 크리스트교 세계가 예루살렘을 회복하기 위해 이슬람 세력과 벌인 전쟁으로, 11세기 말부터 13세기 후반까지 8차례의 전쟁이 이어졌다.

★ **앙카라 전투**
15세기 초 오늘날 튀르키예의 앙카라 근처에서 오스만 제국의 군대와 티무르 왕조의 군대 간에 벌어진 전투이다. 이 전투에서 티무르 왕조의 군대가 승리하였다.

1 이슬람 세계의 다원화

1. 셀주크 튀르크

(1) **성립**: 중앙아시아 일대에서 유목 생활을 하던 튀르크인이 서아시아로 이주(초기 용병으로 활동) → 10세기 중반 카스피해 부근에서 셀주크 튀르크 발흥(이슬람교로 개종 후 이슬람 세계의 주요 세력으로 성장)

(초기 용병으로 활동: 아바스 왕조의 친위대와 이슬람 지방 정권의 군대에서 활약하였어.)

(2) **세력 확대** 자료 ①

① 정치적 실권 장악: *부와이 왕조 정복, 바그다드에 입성(1055) → 아바스 왕조의 칼리프로부터 *술탄의 칭호 획득, 정치적 실권을 위임받음

(꼭! 셀주크 튀르크가 이슬람 세계의 실질적인 지배자가 된 거야.)

② 영토 확장: 서아시아와 중앙아시아를 아우르는 대제국 건설

(3) **문화 발달**: 상업과 학문 장려 → 이슬람 문화의 황금시대 이룩

(4) **쇠퇴**: 예루살렘을 비롯한 소아시아 지역에 진출하며 비잔티움 제국 압박 → *십자군 전쟁 전개, 왕위 계승을 둘러싼 내분으로 쇠퇴

(5) **멸망**: 13세기 몽골의 침입으로 멸망

2. 티무르 왕조

(1) **성립**: 티무르가 몽골 제국의 재건을 내걸고 수립(1370), 사마르칸트에 도읍

(티무르: 칭기즈 칸의 후예임을 자처하였어.)
(사마르칸트: 티무르는 칭기즈 칸의 침략으로 한때 폐허가 되었던 사마르칸트를 수도로 삼고 재건하였어.)

(2) **영토 확장**: 아프간과 이란 방면으로 진출, 델리 술탄 왕조 침공, *앙카라 전투에서 오스만 제국 제압 → 중앙아시아에서 서아시아에 이르는 대제국 건설 자료 ②

(3) **경제와 문화**

경제	유럽과 이슬람 세계 및 중국을 잇는 교통의 중심지에 위치 → 동서 무역을 독점하며 번영, 수도 사마르칸트는 중앙아시아의 중심 도시로 발전
문화	• 특징: 복합 문화 발달(이슬람, 페르시아, 튀르크, 중국 문화 혼합) • 발달: 페르시아어와 튀르크어로 쓰인 문학 작품 등장, 세밀화 발전, 천문학 발달 • 영향: 이슬람 세계에 영향을 주어 동서 문화의 융합에 기여

(4) **멸망**: 티무르가 사망한 후 후계자 분쟁으로 국력 약화 → 튀르크 계통의 우즈베크인에게 멸망(16세기 초)

(티무르가 사망한 후: 티무르는 명을 정복하러 가던 도중에 병으로 사망하였어.)

3. 사파비 왕조

(1) **성립**: 이스마일 1세가 이란 지역을 중심으로 수립(1501)

(2) **발전** 자료 ③

① 이스마일 1세: 페르시아인의 민족의식 부흥에 노력(페르시아의 군주 칭호인 '샤' 사용), 시아파 이슬람교를 국교로 채택

(시아파 이슬람교를 국교로 채택: 이로 인해 사파비 왕조는 주변의 무굴 제국이나 수니파인 오스만 제국 등과 대립하였어.)

② 아바스 1세(전성기, 16세기 말)

세력 확대	이스파한 천도, 군사력 강화, 바그다드 수복
경제 부흥 정책	도로·다리·상인의 숙소 등 건설, 중상주의 정책 추진(비단 산업을 국영 산업으로 전환)

(3) **멸망**: 17세기 말 이후 왕실 내부의 갈등과 혼란, 부족들의 반란, 아프간족의 침입으로 쇠퇴하다가 멸망(1736)

(왜? 비단 산업이 수익을 많이 남겼기 때문에 국가 재정 확보를 위해 국영 산업으로 전환한 거야.)

완자 자료 탐구

내 옆의 선생님

자료 1 셀주크 튀르크의 발전

셀주크 튀르크의 영역

셀주크 튀르크가 부와이 왕조를 무너뜨리고 아바스 왕조의 바그다드에 입성해서 칼리프를 보호하자, 칼리프는 셀주크 튀르크의 왕에게 술탄 칭호와 정치적 실권을 위임하였어.

셀주크 튀르크는 영토를 확장하여 지중해에서 파미르고원에 이르는 대제국을 건설하였다. 그러나 영토 확장 과정에서 비잔티움 제국과 마찰을 빚어 십자군 전쟁을 벌이기도 하였다.

자료 2 티무르 왕조의 발전

티무르 왕조의 영역

티무르는 이슬람 세계의 수호자로서 전쟁을 수행한다는 명분과 몽골 제국의 재건이라는 목표를 내세워 유라시아 세계를 통합하려고 하였어.

티무르는 중앙아시아의 여러 유목 집단을 통합하여 티무르 왕조를 세우고, 정복 활동을 벌여 인도의 서북부에서 지중해 연안까지 이어지는 대제국을 건설하였다. 티무르 왕조의 수도 사마르칸트는 인도, 페르시아, 중국을 잇는 동서 교역로에 있어서 중계 무역으로 번영하였다.

자료 3 사파비 왕조의 발전

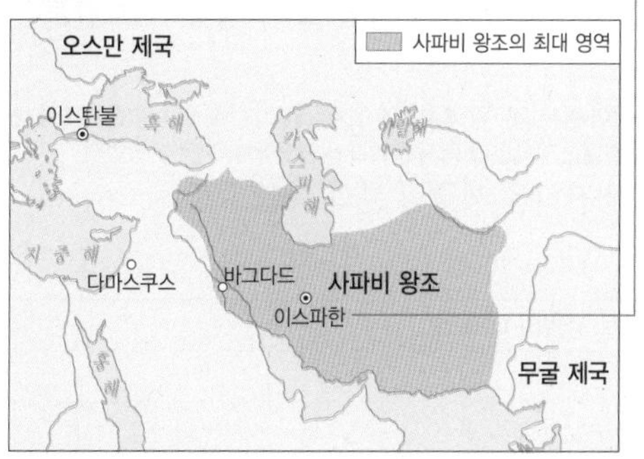

사파비 왕조의 영역

사파비 왕조가 유럽 각국과 통상 관계를 맺으면서 이스파한에 영국과 네덜란드의 상관이 설치되었어. 이를 통해 양탄자와 비단이 유럽으로 팔려 나갔지.

16세기 초에 이스마일 1세는 페르시아의 부활을 표방하며 사파비 왕조를 세웠다. 그리고 시아파 이슬람교를 국교로 정하여 주변의 무굴 제국이나 수니파인 오스만 제국 등과 대립하였다. 16세기 말에는 아바스 1세가 이스파한으로 수도를 옮겼다. 그리고 군사력을 강화하여 오스만 제국에 빼앗긴 바그다드를 되찾아 영토를 넓혀 전성기를 맞이하였다.

문제로 확인할까?

셀주크 튀르크에 대한 설명으로 옳은 것을 〈보기〉에서 고른 것은?

보기
ㄱ. 앙카라 전투에서 오스만 제국을 제압하였다.
ㄴ. 아바스 왕조의 칼리프로부터 술탄의 칭호를 받았다.
ㄷ. 서아시아와 중앙아시아에 이르는 대제국을 건설하였다.
ㄹ. 사마르칸트를 수도로 삼고 이슬람 세계의 문화 중심지로 만들었다.

① ㄱ, ㄴ ② ㄱ, ㄷ ③ ㄴ, ㄷ
④ ㄴ, ㄹ ⑤ ㄷ, ㄹ

답 ③

자료 하나 더 알고 가자!

사마르칸트

사마르칸트에 있는 티무르의 무덤

티무르는 사마르칸트를 티무르 왕조의 수도로 삼고 각지에서 데려온 장인, 예술가들에게 사마르칸트를 꾸미게 하였어. 그리고 이곳에 여러 학자들을 데려왔지. 그 결과 사마르칸트는 이슬람 세계의 문화 중심지가 되었어.

정리 비법을 알려줄게!

이스마일 1세와 아바스 1세의 업적

이스마일 1세	• 사파비 왕조 건국 • 페르시아인의 민족의식 부흥에 노력 • 시아파 이슬람교를 국교로 채택
아바스 1세	• 전성기 이룩 • 이스파한으로 천도 • 군사력 강화 → 바그다드 수복

02 이슬람 세계의 팽창

2 오스만 제국

1. 오스만 제국의 성립과 발전 교과서 자료

(1) **성립**: 튀르크 계통의 오스만족이 아나톨리아 지역에서 오스만 제국 수립(1299)

(2) **성장**

① 세력 확대: 14세기 후반 헝가리가 이끄는 크리스트교 연합군 격파 → 불가리아 점령, 세르비아 동맹군 격파, 발칸반도 대부분 지배, 술탄의 칭호 사용

② 위기 극복: 15세기 초 티무르에게 앙카라 전투에서 패배하였으나 곧 체제 정비

(3) **발전**

① 메흐메트(메메트) 2세: 비잔티움 제국 정복 → 콘스탄티노폴리스를 이스탄불로 개칭하여 수도로 삼음(1453), 도시 복원 사업 실시, 법령 제정(조세 제도 정비)

② 셀림 1세: 이집트의 *맘루크 왕조 정복 → 아시아·아프리카·유럽의 세 대륙에 걸친 대제국 건설, 메카와 메디나의 보호권 장악 → 술탄이 칼리프 칭호도 계승

└ 오스만 제국이 이슬람 세계의 최고 지배자로 군림하게 되었어.

③ 술레이만 1세(전성기)

영토 확장	헝가리 정복, 오스트리아의 빈 공격, 유럽의 연합 함대 격파 → 지중해·홍해·아라비아 연안까지 세력 확대 → 육로 교역을 통한 동서 무역 장악, 지중해 해상권 장악
체제 정비	법전을 편찬하여 정부 조직과 행정 제도 정비 └ 오스만 제국은 지중해 교역의 이익을 독점하며 번영하였어.
문화 발달	건축, 그림, 문학 등 예술 분야 후원 → 오스만 문화 발전에 기여

(4) **통치 방식**

잠깐! 이들은 오스만 제국의 팽창에 기여하였지만, 17세기 이후에는 술탄직 계승에 간섭하고 이스탄불에서 분쟁을 일으키는 등 사회 혼란의 원인이 되었음도 알아 둬.

① 통치 체제: 술탄이 중앙 집권적 통치 기구로 대부분 지역을 직접 지배, 술탄의 직할지에서 토지 조사 실시, *티마르제 시행, *데브시르메 제도 실시(관료와 *예니체리 충당)

② 이민족에 대한 통치: 관용 정책(다양한 민족의 언어, 종교, 전통 인정) 자료 4

내용	• 종교 정책: 제국 내 이교도들에게 이슬람교를 강제하지 않음, 지즈야(인두세)만 납부하면 종교 공동체(*밀레트)의 자치 허용 • 인재 등용: 출신·종교와 관계없이 능력에 따라 인재 등용
영향	오스만 제국에서 다양한 민족과 종교 공존, 제국의 안정화에 기여

(5) **쇠퇴**: 신항로 개척 이후 지중해의 중요성 감소, 17세기 말 제2차 빈 포위 실패로 헝가리 상실, 18세기 유럽 열강의 진출, 관료와 군인들의 부패 → 점차 쇠퇴

꼭! 관용 정책은 오스만 사회의 다양한 종교, 신분, 민족 출신들이 오스만 제국의 통치 체제로 빠르게 통합되는 데 기여하였어.

2. 오스만 제국의 경제와 문화

(1) **경제**: 동서 교역의 요충지에 위치하여 국제 무역 발달(동아시아, 인도, 아라비아 각지에서 오스만 제국으로 상인과 물자 유입) → 오스만 제국 곳곳에 상업 도시 형성, 이스탄불은 유라시아 교역망의 중심지로 번성

(2) **문화** 자료 5

왜? 오스만 제국이 동서 교역의 교차로에 위치하였고, 다른 민족과 종교에 대해 관용 정책을 펼쳤기 때문에 동서 문화가 융합되어 발전할 수 있었지.

① 특징: 이슬람 문화 바탕, 튀르크·페르시아·비잔티움 제국의 문화 융합

② 발전

건축	비잔티움 양식을 도입한 모스크 건축(술탄 아흐메트 사원이 대표적)
문학	페르시아의 전통 계승(궁정 문학 유행)
학문	천문학, 수학, 지리학 등 실용적인 학문 발달
미술	아라베스크 발달, 『쿠란』의 기록과 장식에 서예 활용, 세밀화 유행

이것이 핵심!

오스만 제국의 발전

성립	튀르크 계통의 오스만족이 건국
영토 확장	비잔티움 제국·맘루크 왕조·헝가리 정복, 빈 공격 → 아시아, 아프리카, 유럽의 세 대륙에 걸친 대제국 건설
통치 방식	• 통치 체제: 티마르제·데브시르메 제도 실시, 예니체리 육성 • 관용 정책: 다양한 민족의 언어, 종교, 전통 인정
경제	국제 교역 활발 → 상업 도시 형성, 이스탄불 번성
문화	이슬람 문화에 튀르크·페르시아·비잔티움 제국의 문화 융합

★ 맘루크 왕조(1250~1517)
이집트와 시리아 일대를 통치하던 이슬람 제국으로, 맘루크(노예 병사)들이 지배하였다.

★ 티마르제
술탄이 직할지를 제외한 지역을 다스리는 관료나 군인들에게 토지에 대한 징세권(티마르)을 주고, 그 대가로 말과 무기를 갖추어 전쟁에 참여하도록 한 제도

★ 데브시르메 제도
오스만 제국이 정복지의 크리스트교도 중 우수한 인재를 뽑는 제도로, 주로 발칸반도의 청소년이 징발되었다. 이 제도로 뽑힌 소년들은 예니체리의 부대원이 되거나 관료로 충당되었다.

★ 예니체리
술탄의 친위 부대이다. 총으로 무장한 예니체리 보병과 포병대는 오스만 제국 군대의 중심 세력이었다.

★ 밀레트
같은 종교 구성원들로 이루어진 종교·정치 공동체이다. 오스만 제국은 각 밀레트에 종교적 자유와 함께 교육, 언어, 관습, 재판 등에 폭넓은 자율권을 부여하였다.

완자 자료 탐구

내 옆의 선생님

수능이 보이는 교과서 자료 | 오스만 제국의 발전

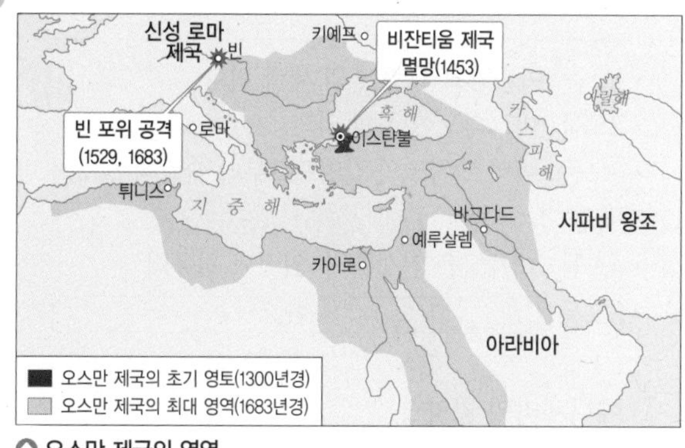

오스만 제국의 영역

예니체리

오스만 제국에서는 데브시르메 제도로 청소년을 징발하여 예니체리에 편성하였으며 티마르제를 실시하였다. 티마르를 받은 병사와 예니체리는 오스만 제국의 팽창에 크게 기여하였다. 그리하여 오스만 제국은 광대한 영토를 통치하면서 육로 교역을 통한 동서 무역을 장악하는 한편, 지중해 교역의 이익까지 독점하였다.

완자샘의 탐 구 강 의

• 오스만 제국이 통치한 대륙을 찾아보고, 이러한 대제국을 건설한 배경을 써 보자.

오스만 제국은 티마르를 받은 병사와 예니체리의 군사력을 기반으로, 아시아, 아프리카, 유럽의 세 대륙에 걸친 영토를 차지하였다.

• 오스만 제국에서 동서 교역이 발달한 이유를 서술해 보자.

오스만 제국은 아시아와 유럽을 연결하는 동서 교역의 교차로에 위치하였고, 지중해 해상권을 장악하였다.

함께 보기 97쪽, 1등급 정복하기 2

자료 4 오스만 제국의 관용 정책

오스만 제국의 밀레트는 폭넓은 자율권을 받고 오스만 제국에 충성하였어.

> 뷰즈벡이 "폐하, 서로 다른 많은 종교가 어떻게 평화롭게 공존할 수 있습니까?"라고 묻자, 오스만 제국의 황제 술레이만 1세는 "그것이 바로 내 제국이 크게 성공할 수 있는 비결 아니겠는가. 우리는 그대들과 달리 똘똘 뭉쳐 있지. 내가 모든 권력을 통제할 수 있으니 분열 같은 것은 아예 생각조차 할 수 없어. …… 사람의 운명을 결정하는 것은 출신과 신분이 아니고 바로 능력이라오." …… 라고 답하였다.
>
> – 뷰즈벡, 『터키에서의 편지』

오스만 제국에서는 출신, 종교와 관계없이 능력에 따라 기회를 제공하였지.

오스만 제국은 광대한 영역을 통치하였기 때문에 제국 내에는 다양한 종교와 언어, 풍습과 문화를 가진 사람들이 모여 살았다. 이에 오스만 제국의 통치자들은 여러 민족의 문화를 인정하는 관용 정책을 펼쳤고 능력에 따라 인재를 등용하였다.

자료 하나 더 알고 가자!

오스만 제국의 종교 정책

> 나 술탄 메흐메트 칸은 이 칙령을 소유한 보스니아 프란체스코회 신자들을 받아들이고, 보호할 것임을 전 세계에 알리노라. …… 누구도 이들과 이들의 교회를 건드려서는 아니 된다. 그들은 나의 제국 안에서 평화롭게 살아갈지어다.
>
> – 술탄 메흐메트의 칙령

오스만 제국 통치자들은 제국 내에 있는 다양한 밀레트의 종교적·문화적 정체성을 보호해 주었어.

자료 5 오스만 제국의 문화

비잔티움 양식의 영향을 받아 여러 개의 돔이 중첩된 모스크가 만들어졌어.

술탄 아흐메트 사원

오스만 제국에는 다양한 물자와 문물이 흘러들어왔다. 그리하여 오스만 제국의 문화는 이슬람 문화의 바탕 위에 비잔티움, 페르시아, 튀르크 문화 등 동서 문화가 융합되어 발전하였다. 문학에서는 궁정 문학이 유행하였고, 미술에서는 아라베스크와 서예가 발달하였으며 세밀화가 유행하였다. 건축에서는 제국의 권위를 보여 주는 모스크가 많이 만들어졌다.

정리 비법을 알려줄게!

오스만 제국의 문화 발달

배경
넓은 영토 지배, 관용 정책 실시, 동서 교역 활발 → 다양한 문화 흡수
↓
동서 문화 융합
• 페르시아의 전통을 잇는 궁정 문학 발달 • 아라베스크, 페르시아풍 세밀화 발달 • 비잔티움 양식의 영향을 받은 모스크 건축

STEP 1 핵심 개념 확인하기

정답친해 27쪽

1 다음 왕조에 해당하는 설명을 옳게 연결하시오.

(1) 사파비 왕조 • | • ㉠ 시아파 이슬람교를 국교로 채택하였다.
(2) 티무르 왕조 • | • ㉡ 아바스 왕조로부터 술탄이라는 칭호를 받았다.
(3) 셀주크 튀르크 • | • ㉢ 몽골 제국의 재건을 표방하여 중국 원정을 추진하였다.

2 다음 괄호 안의 내용 중 알맞은 말에 ○표를 하시오.

(1) 수도를 이스파한으로 옮긴 (아바스 1세, 이스마일 1세)는 군사력을 강화하여 전성기를 이루었다.

(2) (티무르 왕조, 셀주크 튀르크)는 바그다드에 입성하여 아바스 왕조로부터 정치적 실권을 위임받았다.

3 오스만 제국의 (　　　　)는 비잔티움 제국을 정복하고 콘스탄티노폴리스의 이름을 이스탄불로 바꾸어 수도로 삼았다.

4 다음에서 설명하는 오스만 제국의 제도를 〈보기〉에서 골라 기호를 쓰시오.

보기
ㄱ. 티마르제　　ㄴ. 밀레트 제도　　ㄷ. 데브시르메 제도

(1) 지즈야를 납부하면 종교 공동체를 만들어 자치를 누릴 수 있게 하였다. (　　)

(2) 주로 발칸반도의 크리스트교도 청소년을 징발하여 관료나 예니체리로 충당하였다. (　　)

(3) 술탄이 직할지 외의 지역을 다스리는 관료나 군인들에게 토지에 대한 징세권을 주었다. (　　)

5 다음 설명이 맞으면 ○표, 틀리면 ×표를 하시오.

(1) 티무르 왕조는 페르시아의 부활을 표방하였다. (　　)

(2) 오스만 제국의 메흐메트 2세는 영토를 확장하면서 칼리프의 칭호를 획득하였다. (　　)

(3) 오스만 제국의 술레이만 1세는 유럽의 연합 함대를 무찔러 지중해 해상권을 장악하였다. (　　)

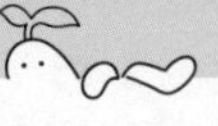

STEP 2 내신 만점 공략하기

01 ☆중요 다음은 튀르크인이 세운 왕조에 대한 발표 주제이다. (가)에 들어갈 주제로 적절한 것은?

- 1모둠: 이슬람교 개종 후의 세력 변화
- 2모둠: 바그다드 입성의 의의
- 3모둠: 아바스 왕조의 칼리프로부터 술탄의 칭호를 받은 배경
- 4모둠: 대제국을 건설할 수 있었던 원동력
- 5모둠: [　　(가)　　]

① 예니체리의 활약상
② 이슬람교의 성립 배경
③ 십자군 전쟁의 원인과 결과
④ 칼리프 선출제의 실시 과정
⑤ 탈라스 전투의 경제적 효과

02 밑줄 친 '이 왕조'에 대한 설명으로 옳은 것은?

이 유적은 우즈베키스탄 사마르칸트에 있는 티무르의 무덤이다. 티무르는 이 왕조를 세우고 14세기 말 사마르칸트를 수도로 삼았다. 그리고 각지에서 장인과 예술가들을 데려와 사마르칸트를 꾸미게 하였다. 그 결과 사마르칸트는 이슬람 세계의 문화 중심지가 되어 '동방의 로마'라고 불렸다.

① 아바스 왕조를 멸망시켰다.
② 몽골 제국의 재건을 내세웠다.
③ 조로아스터교를 국교로 삼았다.
④ 콘스탄티노폴리스를 점령하였다.
⑤ 유럽과의 십자군 전쟁에서 승리하였다.

03 다음 업적을 가진 인물에 대한 다큐멘터리를 만들기 위해 조사할 내용으로 적절한 것은?

- 1370년, 몽골 제국의 부활을 내세우며 왕조 건설
- 1401년, 바그다드 함락
- 1402년, 앙카라 전투에서 오스만 제국의 술탄 생포
- 1405년, 명(明)을 정복하러 가던 도중에 사망

① 부와이 왕조를 정복한 과정을 찾아본다.
② 군주의 칭호로 '샤'를 사용한 목적을 알아본다.
③ 비잔티움 제국을 정복한 후의 행보를 검색한다.
④ 유럽의 연합 함대를 격파하여 얻은 경제적 이익을 살펴본다.
⑤ 사마르칸트가 이슬람 세계의 문화 중심지로 성장한 배경을 조사한다.

[04~05] 지도를 보고 물음에 답하시오.

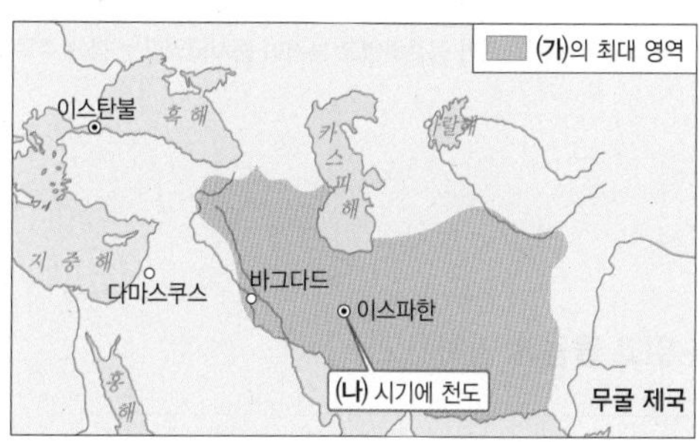

04 (가) 왕조에 대한 설명으로 옳지 않은 것은?

① 이스마일 1세가 수립하였다.
② 시아파 이슬람교를 국교로 채택하였다.
③ 앙카라 전투에서 오스만 제국을 제압하였다.
④ 페르시아인의 민족의식을 부흥하고자 노력하였다.
⑤ 왕실 내부의 갈등과 아프간족의 침입으로 쇠퇴하였다.

05 (나) 황제가 통치한 시기에 있었던 사실로 옳은 것은?

① 헤지라 단행
② 맘루크 왕조 정복
③ 탈라스 전투 승리
④ 속주에 '왕의 눈' 파견
⑤ 비단 산업을 국영 산업으로 전환

06 다음 신문 내용에 해당하는 제국에 대한 설명으로 옳은 것을 〈보기〉에서 고른 것은?

중요

세계사 신문 1453. ○○. ○○.

비잔티움 제국의 콘스탄티노폴리스를 함락한 메흐메트 2세가 수도 이전을 발표하였다. 다음은 메흐메트 2세의 발표문이다.
"우리는 마침내 난공불락의 요새 콘스탄티노폴리스를 함락하였다. 이로써 천 년 넘게 역사를 이어온 비잔티움 제국은 멸망하였다. 이제 콘스탄티노폴리스의 이름을 이스탄불로 바꾸고 이곳을 제국의 수도로 삼겠다."
새로운 수도의 모습이 어떻게 바뀔지 귀추가 주목된다.

보기

ㄱ. 사산 왕조 페르시아를 정복하였다.
ㄴ. 데브시르메 제도로 예니체리를 충당하였다.
ㄷ. 정복지의 전통문화를 탄압하여 반란을 초래하였다.
ㄹ. 일종의 군사적 봉건제인 티마르제로 정복지와 지방을 다스렸다.

① ㄱ, ㄴ ② ㄱ, ㄷ ③ ㄴ, ㄷ
④ ㄴ, ㄹ ⑤ ㄷ, ㄹ

07 다음 업적을 가진 술탄이 오스만 제국을 통치한 시기에 볼 수 있었던 모습으로 적절한 것은?

- 헝가리를 정복하고 오스트리아의 빈을 포위 공격하였다.
- 법전을 편찬하고 이를 바탕으로 정부 조직과 행정 제도를 정비하였다.
- 지중해, 홍해, 아라비아해 연안까지 세력을 확대하여 지중해 교역의 이익을 독점하였다.

① 유럽의 연합 함대를 무찌르는 군대
② 제국에 편입된 맘루크 왕조 사람들
③ 수도 사마르칸트에 모여 학문을 연구하는 학자들
④ 아바스 왕조의 칼리프로부터 술탄의 칭호를 받는 왕
⑤ 귀족층의 박해를 피해 메카에서 메디나로 피신하는 이슬람교도

중요 08 지도에 표시된 제국에 대한 설명으로 옳지 않은 것은?

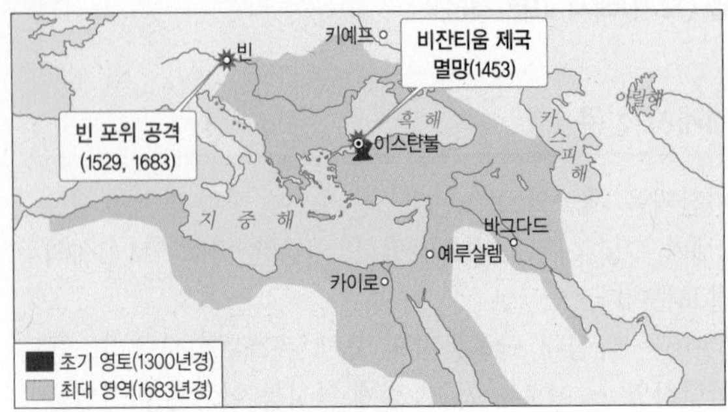

① 우마이야 왕조를 멸망시켰다.
② 곳곳에 상업 도시가 형성되었다.
③ 티마르제를 실시하여 군사력을 강화하였다.
④ 동서 교역의 요충지에 위치해서 무역이 발달하였다.
⑤ 술탄이 칼리프를 겸하여 정치와 종교를 지배하였다.

09 다음 학습 목표를 달성한 학생의 답변으로 가장 적절한 것은?

• 학습 목표: 오스만 제국이 다양한 종교와 언어, 풍습과 문화를 가진 사람들을 통치한 방식을 설명할 수 있다.

① 갑: 지즈야를 폐지하였어요.
② 을: 이교도에게 이슬람교를 강제하였어요.
③ 병: 피정복민에게 강압적인 정책을 펼쳤어요.
④ 정: 종교 공동체별로 자치를 인정해 주었어요.
⑤ 무: 출신과 종교에 따라 인재를 등용하였어요.

10 다음을 뒷받침하는 사례로 적절하지 않은 것은?

오스만 제국에서는 이슬람 문화를 바탕으로 튀르크, 페르시아, 비잔티움 제국의 문화가 융합된 문화가 발전하였다.

① 세밀화 유행
② 궁정 문학 발달
③ 아라베스크 사용
④ 술탄 아흐메트 사원 건축
⑤ 이븐시나의 『의학전범』 저술

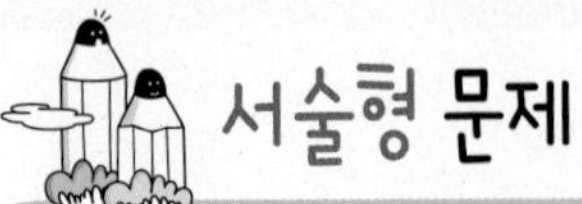

서술형 문제

● 정답친해 28쪽

01 다음을 읽고 물음에 답하시오.

뷰즈벡이 "폐하, 서로 다른 많은 종교가 어떻게 평화롭게 공존할 수 있습니까?"라고 묻자, 오스만 제국의 황제 술레이만 1세는 "그것이 바로 내 제국이 크게 성공할 수 있는 비결 아니겠는가. 우리는 그대들과 달리 똘똘 뭉쳐 있지. 내가 모든 권력을 통제할 수 있으니 분열 같은 것은 아예 생각조차 할 수 없어. …… 사람의 운명을 결정하는 것은 출신과 신분이 아니고 바로 능력이라오. …… 그 능력이라는 게 오직 끝없는 훈련과 노력만으로 얻을 수 있는 게 아니겠소?"라고 답하였다. – 뷰즈벡, 『터키에서의 편지』

(1) 밑줄 친 사회 모습의 기반이 된 오스만 제국의 제도를 쓰고, 그 내용을 서술하시오.

(2) 윗글을 통해 알 수 있는 오스만 제국의 통치 방식을 서술하시오.

길잡이 오스만 제국에서 많은 종교가 공존하였고 능력이 중시되었다는 점에 주목한다.

02 다음을 읽고 물음에 답하시오.

'신군'이라는 뜻의 이들은 오스만 제국에서 술탄의 직속 상비군 역할을 하였다. 술레이만 1세가 통치한 시기에는 약 12,000명에서 13,000명에 달하였다. 이들은 총으로 무장하고 오스만 제국 군대의 주요 세력이 되어 오스만 제국이 세력을 확대하는 데 크게 기여하였다. 그러나 17세기 이후에는 술탄직 계승에 간섭하고 자신들의 요구를 관철하기 위해 분쟁을 일으켜 사회 혼란의 원인이 되기도 하였다.

(1) 밑줄 친 '이들'에 해당하는 단체를 쓰시오.

(2) 오스만 제국이 (1)의 단체를 선발하는 데 활용한 제도를 서술하시오.

길잡이 오스만 제국에서 정복지의 우수한 인재를 징집하여 술탄의 친위 부대로 편입시켰음을 생각해 본다.

STEP 3 1등급 정복하기

평가원 응용

1 (가) 민족에 대한 설명으로 옳은 것은?

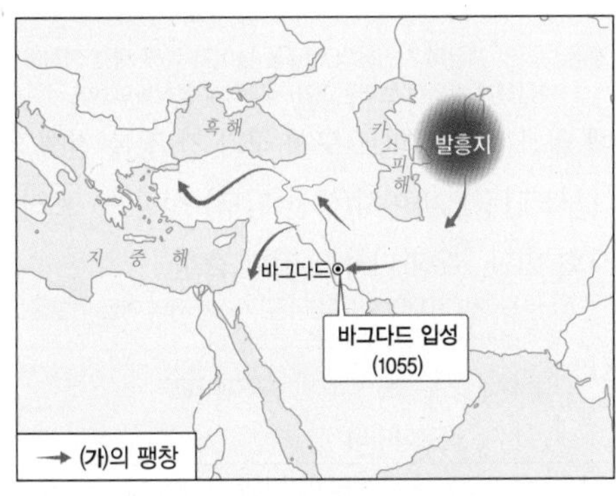

① 밀레트의 자치를 허용하였다.
② 칼리프 선출제를 시행하였다.
③ 사산 왕조 페르시아를 정복하였다.
④ 당과의 탈라스 전투에서 승리하였다.
⑤ 아바스 왕조로부터 술탄의 칭호를 얻었다.

> 이슬람 세계의 다원화

완자샘의 시험 꿀팁

이슬람 세계가 확대되면서 나타난 왕조들 중 셀주크 튀르크, 오스만 제국이 자주 출제된다. 자료가 어느 왕조에 해당하는지 파악하고, 다른 이슬람 왕조들과 구분되는 특징을 찾을 수 있도록 정리해 둔다.

2 선생님의 질문에 옳은 답변을 한 학생을 고른 것은?

이들은 데브시르메 제도로 선발되어 궁정 학교에서 훈련을 받다가 왕의 친위 부대로 편성된 군인입니다. 이 군대를 운영한 나라에서는 어떤 일들이 있었을까요?
바그다드를 새로운 수도로 정하였어요.
술탄이 칼리프 칭호까지 계승하였지요.
아랍인을 관직 등용에서 우대하였어요.
비잔티움 양식을 받아들여 이슬람 사원을 건축하였어요.
갑
을
병
정

① 갑, 을 ② 갑, 병 ③ 을, 병
④ 을, 정 ⑤ 병, 정

> 이슬람 세계의 팽창

완자 사전

- **친위(親衛)**
임금이나 국가 원수 등의 신변을 안전하게 지키는 일
- **비잔티움 양식**
비잔티움 제국(동로마 제국)에서 유행한 문화 양식이다. 그리스와 로마 문화, 그리스 정교가 결합하여 발전하였으며, 웅장한 돔, 모자이크 벽화 등이 특징적이다.

03 인도의 역사와 다양한 종교·문화의 출현

학습 목표
- 마우리아 왕조, 쿠샨 왕조, 굽타 왕조의 발전 과정과 종교·문화를 설명할 수 있다.
- 인도에 세워진 이슬람 왕조의 특징을 정리할 수 있다.

이것이 핵심!

고대 인도 세계의 발전

불교의 성립
인간 평등과 윤리적 실천을 통한 해탈 강조 → 대중의 지지 획득
↓
마우리아 왕조의 성립과 발전
• 찬드라굽타 마우리아가 건국 • 아소카왕 때 전성기 이룩, 상좌부 불교 발전(→ 동남아시아로 전파)
↓
쿠샨 왕조의 성립과 발전
• 쿠샨족이 건국 • 카니슈카왕 때 전성기 이룩, 대승 불교와 간다라 양식 발달(→ 중앙아시아, 동아시아로 전파)

★ 우파니샤드 철학
우주의 본체(브라만)와 인간의 본체(아트만)가 같다고 본 철학이다. 신이 아닌 인간에 주목하였으며, 인간은 수행을 통해 윤회의 속박에서 해탈할 수 있다고 주장하였다.

★ 윤회 사상
수레바퀴가 계속 굴러가듯 영혼은 인간이나 생물로 다시 태어나고 죽기를 반복한다는 이론

★ 해탈
윤회에서 벗어나 더 이상 인간이나 생물로 태어나지 않는 것이다. 불교에서는 욕심을 버려야 고통에서 벗어나 해탈할 수 있다고 가르쳤다.

★ 간다라 양식(간다라 미술)
기원전 2세기 이후 몇 세기에 걸쳐 간다라 부근에서 번성한 그리스풍의 불교 미술 양식

1 고대 인도 세계

1. 불교와 자이나교의 출현

왜? 브라만 계급이 자신들의 권위를 높이기 위해 제사 의식을 복잡하게 만들어 브라만교가 지나치게 형식화되었어.

(1) **기원전 7세기경 인도의 정세**: 갠지스강 유역에 철기 문화 전파로 도시 국가 간 정복 전쟁 활발, 농업과 상공업 발달 → 크샤트리아(정치, 군사 담당), 바이샤(생산 담당) 성장 → 브라만교의 형식화된 제사 의식과 브라만 중심의 사회 비판, *우파니샤드 철학 출현

브라만 사제의 횡포와 타락, 카스트제의 계급 차별을 비판하는 여러 움직임이 일어났어.

(2) **불교와 자이나교의 성립(기원전 6세기경)**

구분		불교	자이나교
창시		고타마 싯다르타(석가모니)	바르다마나
특징	공통점	*윤회 사상에 기반, 브라만교의 지나친 권위주의와 신분 차별에 반대, 카스트제 극복 노력 → 크샤트리아와 바이샤 세력의 지지 획득	
	차이점	인간 평등 강조, 윤리적 실천을 통한 *해탈 추구 → 대중의 환영, 급속히 전파	금욕, 엄격한 계율과 고행을 통한 해탈 추구

VS 불교의 가르침은 대중의 환영을 받아 급속히 퍼져 나간 반면, 자이나교는 엄격한 교리 때문에 크게 유행하지 못하였어.

2. 마우리아 왕조

(1) **성립**: 알렉산드로스의 인더스강 유역 침공으로 통일 자극 → 기원전 4세기경 찬드라굽타 마우리아가 마우리아 왕조 건국(최초로 북인도 통일)

기원전 4세기 후반까지 작은 도시 국가들로 분열되어 있던 인도가 최초로 통일되었어.

(2) **전성기**: 제3대 아소카왕 때 이룩 자료 ①

영토 확장	기원전 3세기경 남부를 제외한 인도 대륙 대부분 통일
중앙 집권 강화	각지에 도로 건설, 전국에 감찰관 파견
불교 장려	• 불교의 보호와 포교 노력 → 불경 정리, 불교의 가르침을 새긴 돌기둥과 스투파(불탑) 건립 • 상좌부 불교 발전(개인의 해탈 강조), 동남아시아에 포교단 파견 → 동남아시아에 상좌부 불교 전파 자료 ②

포교단 파견: 사절과 승려 등을 파견하여 불교의 포교에 힘썼어.

(3) **쇠퇴**: 아소카왕 사후 급격히 쇠퇴, 이민족의 침입으로 인도 북부 재분열

3. 인도 남부의 성장: 데칸고원을 중심으로 안드라 왕조를 비롯한 여러 나라 발전, 로마·동남아시아와의 해상 무역으로 번영, 바닷길을 통해 인도 문화가 동남아시아로 전파

4. 쿠샨 왕조와 간다라 양식

(1) **쿠샨 왕조의 성립**: 1세기경 쿠샨족이 쿠샨 왕조 수립(북인도 재통일) → 중국, 인도, 이란을 연결하는 무역로를 독점하고 중계 무역으로 번영

마우리아 왕조가 쇠퇴한 후 인도는 다시 여러 세력으로 분열되었는데, 이를 쿠샨 왕조가 통일하였어.

(2) **쿠샨 왕조의 전성기**: 카니슈카왕 때 이룩

영토 확장	북인도와 중앙아시아에 이르는 최대 영토 확보
불교 장려	불경 수집 지원, 불교 포교 노력 → 대승 불교 발전(대중의 구제 추구) 자료 ②

(3) ***간다라 양식의 발달** 자료 ③

헬레니즘 문화에서는 신을 인간의 모습으로 조각하였어.

성립	알렉산드로스의 원정으로 인도 서북부 지방에 헬레니즘 문화 전파 → 간다라 지방에서 인도 문화와 헬레니즘 문화가 융합되어 성립, 부처를 인간의 모습으로 표현한 불상 제작
영향	대승 불교와 함께 중앙아시아를 거쳐 동아시아로 전파

(4) **쿠샨 왕조의 쇠퇴**: 카니슈카왕 사후 점차 약화, 사산 왕조 페르시아에 인더스강 서쪽 지역 상실 → 인도 북부 재분열

인간으로서 '깨달은 자'를 의미하던 부처는 점차 초월적인 존재로 신격화되어 예배와 기도의 대상이 되었어. 이에 따라 불상 제작이 활발해졌지.

완자 자료 탐구

내 옆의 선생님

자료 1 아소카왕의 통치 방식

아소카왕은 불교의 교리를 바탕으로 나라를 다스리겠다고 선언하였어.

> 칼링가를 정복하면서 나는 결코 돌이킬 수 없는 양심의 가책을 느꼈다. 그들의 영토가 수많은 시체로 뒤덮인 처참한 광경을 바라보면서 나의 가슴은 온통 찢어지고 말았다. …… 나는 오직 진리에 맞는 법만을 실천하고 가르칠 것이다.
>
> – 아소카왕의 돌기둥 비문

아소카왕의 돌기둥

아소카왕은 칼링가 전투를 계기로 불교에 귀의한 뒤 적극적으로 불교를 장려하였다. 그는 곳곳에 자비와 평등 같은 불교의 가르침을 새긴 돌기둥(석주)을 세워 불교의 보호와 포교에 힘썼다.

자료 2 불교의 발전

마우리아 왕조의 아소카왕은 동남아시아 각국으로 포교단을 파견하였고, 쿠샨 왕조의 카니슈카왕은 중앙아시아, 티베트, 중국 등으로의 포교를 지원하였어.

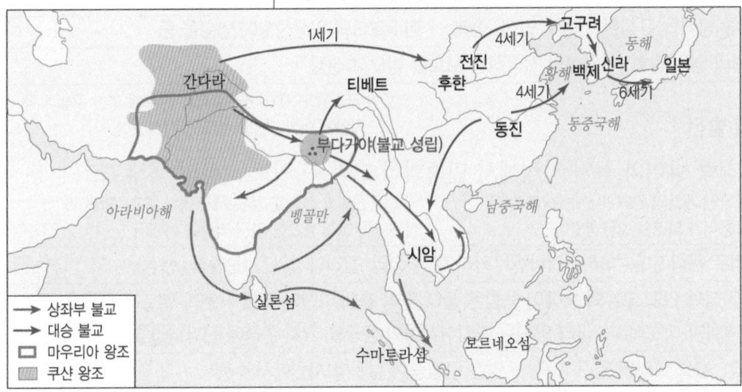

불교의 전파 경로

마우리아 왕조 시기에는 개인의 해탈을 강조하는 상좌부 불교가 실론(스리랑카), 시암(태국)을 비롯한 동남아시아에 전파되었다. 한편, 쿠샨 왕조 시기에는 일반 백성(중생)의 구제를 목표로 하고 부처를 초월적인 존재로 보는 대승 불교가 발전하였다. 대승 불교는 비단길을 거쳐 중국을 포함한 동아시아 지역으로 전파되었다.

자료 3 간다라 양식의 발달

간다라 양식은 비단길을 따라 동아시아 지역에 전파되어 중국, 한국 등지의 불상 제작에 영향을 주었어.

간다라 불상

한국 경주 석굴암 본존상

그리스 신상에 보이는 곱슬곱슬한 머리카락, 오뚝한 콧날, 움푹 들어간 눈, 자연스럽고 깊게 새겨져 있는 옷 주름 등의 특징을 지니고 있어.

쿠샨 왕조의 간다라 지방에서는 헬레니즘 문화와 인도 문화가 융합된 간다라 양식이 발달하였다. 대승 불교에서는 부처를 신앙의 대상으로 삼았는데, 간다라 지역에서는 헬레니즘 문화의 영향을 받아 부처를 인간의 모습으로 표현한 불상을 만들어 예배하였다. 간다라 양식은 대승 불교와 함께 중앙아시아를 거쳐 중국, 한국, 일본으로 전해졌다.

자료 하나 더 알고 가자!

산치 대탑

산치 대탑은 아소카왕 때 세워진 현존하는 가장 오래된 탑이야. 아소카왕은 불교를 장려하여 곳곳에 스투파(불탑)를 세웠어.

정리 비법을 알려줄게!

상좌부 불교와 대승 불교

구분	상좌부 불교	대승 불교
발전 시기	마우리아 왕조, 아소카왕 시기	쿠샨 왕조, 카니슈카왕 시기
추구	개인의 해탈	대중의 구제
전파 지역	동남아시아	중앙아시아, 동아시아

문제로 확인할까?

대승 불교에 대한 설명으로 옳은 것은?

① 바르다마나가 창시하였다.
② 대중의 구제를 강조하였다.
③ 마우리아 왕조에서 발전하였다.
④ 주로 동남아시아에 전파되었다.
⑤ 계급에 따른 의무를 중시하였다.

② 답

자료 하나 더 알고 가자!

간다라 양식 발달 전의 부처 표현 방식

부처의 발자국

초기 불교도는 부처의 발자국, 보리수나무, 수레바퀴 등으로 부처를 표현하였어.

03 인도의 역사와 다양한 종교·문화의 출현

2 굽타 왕조와 인도 고전 문화

이것이 핵심!

굽타 왕조의 성장

성립	찬드라굽타 1세가 건국
발전	찬드라굽타 2세 때 전성기(최대 영토 확보, 경제적 번영)
문화	• 힌두교 성립 → 카스트에 따른 의무 수행 강조 • 인도 고전 문화 발전: 산스크리트 문학 발달, 굽타 양식 출현, 자연 과학 발달

★ 에프탈
5세기 중반에서 7세기 중반까지 투르키스탄과 아프가니스탄을 통일한 민족이다. 전성기에는 인근의 약 30개 부족을 지배할 만큼 세력이 강하였다.

★ 마누 법전
기원전 200년경~기원후 200년경에 완성된 가장 권위 있는 힌두 법전이다. 힌두교의 지침서 역할을 하여 힌두교도의 일상생활에 영향을 주었다.

1. 굽타 왕조의 성립과 발전 자료 ④

굽타 왕조가 성립되어 북인도가 재통일되었어.

(1) **성립**: 인도 북부에서 찬드라굽타 1세가 건국(320)

(2) **전성기(찬드라굽타 2세)**: 벵골만에서 아라비아해까지 차지하여 최대 영토 확보, 중앙과 지방의 행정 조직 정비, 농지 확대와 동서 해상 무역의 독점을 통해 경제적으로 번영, 학문과 예술 장려

(3) **멸망**: 5세기 이후 *에프탈의 계속된 침략으로 쇠퇴 → 왕위를 둘러싼 내분으로 멸망(550)

(4) **굽타 왕조 이후의 북인도**: 바르다나 왕조가 북인도 재통일 → 여러 소왕국으로 분열

2. 힌두교의 성립과 발전 자료 ⑤

브라만교에는 비슈누가 다양한 모습으로 세상에 나타난다는 화신 사상이 있었어. 이 관념을 통해 여러 카스트와 부족들이 숭배하던 신을 비슈누에 통합하였지.

성립	브라만교를 바탕으로 민간 신앙, 불교 등이 융합되어 힌두교 성립 → 빠르게 대중화되어 인도의 민족 종교로 발전
특징	• 다양한 신 숭배(브라흐마, 비슈누, 시바 등) • 카스트에 따른 의무 수행 강조 → 직업 세습에 의한 카스트제가 인도 사회에 정착 • 카스트의 생활 방식을 규정한 *『마누 법전』 정리 → 힌두교도의 일상생활에 영향을 줌
성장	힌두교에서 왕의 권위 강화 → 왕실의 적극적인 보호를 받으며 성장

굽타 왕조 시기 카스트제는 신분에 의한 구별에서 직업에 의한 구별로 변화가 나타났어.

3. 인도 고전 문화의 발전

(1) **배경**: 이민족의 침략 방어와 통일 과정에서 민족의식 고취 → 인도 고유의 색채 강조

(2) **발달**

브라만 계급의 언어인 산스크리트어가 공용어가 되면서 발달하였어.

인도의 전설과 설화를 담은 서사시로, 『마누 법전』과 함께 힌두교의 중요한 경전 역할을 하였어.

문학	산스크리트 문학 발달(『마하바라다』와 『라마야나』 정리, 칼리다사의 『샤쿤탈라』 완성)
미술	간다라 양식과 인도 고유의 특색이 융합된 굽타 양식 출현(아잔타 석굴 사원과 엘로라 석굴 사원의 불상과 벽화가 대표적) → 굽타 양식은 중앙아시아와 중국을 거쳐 한국에 전파 자료 ⑥
불교	불교 쇠퇴, 불교 교리의 연구 지속 → 많은 구법승이 날란다 사원에서 수행
자연 과학	• 천문학: 지구 구형과 자전·월식의 원리 확인, 지구의 둘레 계산, 행성의 운행 기술 • 수학: '영(0)'의 개념 최초 도입, 10진법 사용, 아리아바타의 원주율 계산

꼭! 인도의 지식이 이슬람 세계에 전해져 자연 과학의 발달에 기여하였어.

3 인도의 이슬람화와 촐라 왕조

이것이 핵심!

인도의 이슬람화

8세기 초부터 이슬람 세력의 인도 진출

↓

인도의 이슬람화
- 가즈니 왕조: 10세기 후반 튀르크족이 수립
- 구르 왕조: 12세기경부터 북인도 지역 대부분 지배
- 델리 술탄 왕조: 13세기 초 성립, 지즈야만 부담하면 힌두교 인정, 인도에 이슬람 문화 전파

1. 인도의 이슬람화

8세기 초부터 이슬람 세력이 인도로 진출하였는데, 가즈니 왕조와 구르 왕조의 인도 침입은 이후 이슬람 세력이 인도에 본격적으로 진출하는 계기가 되었어.

(1) **가즈니 왕조**: 10세기 후반 아프가니스탄의 튀르크족이 펀자브 지역 차지

(2) **구르 왕조(고르 왕조)**: 12세기경 인도를 침입하여 북인도 지역 대부분 지배

(3) **델리 술탄 왕조**

이 정책으로 카스트제에 불만이 컸던 인도인 중에서 인간 평등을 주장하는 이슬람교로 개종하는 사람이 많아졌어.

성립	13세기 초 아이바크가 델리를 수도로 이슬람 왕조 수립 → 이후 300여 년 동안 이슬람 계통의 다섯 왕조가 교체되며 북인도 지배
통치	지즈야(인두세)만 부담하면 힌두교 인정, 이슬람교로 개종하면 세금 감면
문화	인도에 이슬람 문화 전파 → 인도 문화와 이슬람 문화가 융합되어 독특한 문화 형성

2. 촐라 왕조: 9~13세기경 남인도에서 번성, 동남아시아·서아시아 등과 교역, 동남아시아에 힌두 문화 전파

완자 자료 탐구

내 옆의 선생님

자료 4 굽타 왕조의 발전

굽타 왕조의 영역

쿠샨 왕조가 분열된 뒤 이민족의 침입 등으로 혼란을 겪던 북인도를 굽타 왕조가 다시 통일하였다. 굽타 왕조는 찬드라굽타 2세 때 북인도 대부분을 차지하고 남쪽으로 영토를 확장하여 대제국으로 발전하였다. 특히 대외 무역이 발달한 서부 인도의 항구 도시들을 장악하여 벵골만과 아라비아해에 이르는 동서 해상 무역을 독점하면서 경제적 번영을 누렸다. 그러나 5세기 중엽 이후 에프탈의 계속된 침략으로 점차 쇠퇴하였다.

자료 5 힌두교의 특징

카스트에 따른 의무 수행을 중시한 힌두교가 확산되면서 카스트제가 인도 사회에 정착되어 갔어.

• 창조주는 …… 각자의 업을 정하였도다. 브라만에게는 『베다』를 가르치며 제사 지내는 일을, 크샤트리아에게는 백성을 보호하고 다스릴 것을, 바이샤에게는 농사를 짓고 짐승을 기를 것을 명령하셨다. 마지막으로 수드라에게는 앞선 세 신분의 사람들에게 봉사하는 임무를 명령하셨다.

– 『마누 법전』

• 카르마(업)에 의하면 인간의 행위는 그에 따른 결과를 가져온다. 그 결과는 다음 생에 자신이 갖게 될 모든 조건을 만든다. 네 지금의 삶은 바로 네가 과거에 저질렀던 행위의 결과이다. 따라서 너는 과거에 네가 만든 카르마(업)를 해결하기 위해 먼저 너에게 주어진 의무를 다해야만 한다. 너는 무사 계급으로 태어났으니 전쟁에서 싸우는 것은 당연한 의무이다.

– 『마하바라다(마하바라타)』

힌두교에서 카스트에 따른 의무 수행을 강조하여 힌두교도는 자신의 신분을 숙명으로 받아들이게 되었어.

굽타 왕조 시기에 브라만교의 전통이 강화되면서 힌두교가 형성되었다. 힌두교는 브라만교에 불교 및 다양한 민간 신앙이 융합된 것으로, 토착적 성격이 강해 백성에게 쉽게 수용되었다. 굽타 시대의 왕들은 『마누 법전』을 기초로 백성에게 의무를 요구하는 한편, 자신의 통치를 합리화하여 왕권을 강화하였다.

자료 6 굽타 양식의 발전

아잔타 제1 석굴의 연화수 보살상

사르나트에서 출토된 불상

굽타 왕조에서는 인도 고유의 특색이 강조된 굽타 양식이 발달하였다. 굽타 양식의 불상은 간다라 양식과 달리 인도 특유의 곡선미가 나타났으며, 옷 주름의 선을 생략하고 얇은 옷을 통해 신체의 윤곽을 그대로 드러낸 것이 특징이다. 그림에서는 독특한 음영법을 사용하였다. 이러한 굽타 양식은 중앙아시아, 중국을 거쳐 한반도와 일본의 불교 미술에 영향을 주었다.

문제로 확인할까?

인도의 굽타 왕조에 대한 설명으로 옳은 것을 〈보기〉에서 고른 것은?

보기
ㄱ. 4세기경 북인도를 통일하였다.
ㄴ. 동서 해상 무역으로 번영하였다.
ㄷ. 인도에 이슬람 문화를 전파하였다.
ㄹ. 찬드라굽타 1세 때 전성기를 이룩하였다.

① ㄱ, ㄴ ② ㄱ, ㄷ ③ ㄴ, ㄷ
④ ㄴ, ㄹ ⑤ ㄷ, ㄹ

답 ①

자료 하나 더 알고 가자!

힌두교의 신

비슈누 신상

힌두교에서는 브라흐마, 비슈누, 시바 등 여러 신을 믿었는데, 그중 신 비슈누가 왕의 모습으로 나타났다고 주장하여 왕의 권위를 높여 주었어.

정리 비법을 알려줄게!

간다라 양식과 굽타 양식

구분	간다라 양식	굽타 양식
출현 배경	알렉산드로스의 인도 침입	외침 방어와 통일의 과정에서 민족의식 고취
특징	인도와 헬레니즘 문화 융합	인도 고유의 색채 강조
불상	곱슬머리와 오뚝한 코, 입체적이고 굵은 옷 주름 등	옷 주름 생략, 신체의 윤곽을 그대로 드러냄

03 인도의 역사와 다양한 종교·문화의 출현

이것이 핵심!

무굴 제국의 발전

정치	• 아크바르 황제: 중앙 집권 체제 확립, 종교적 관용 정책 실시 • 아우랑제브 황제: 최대 영토 확보, 이슬람 제일주의 표방
경제	• 농업과 상공업 발달 → 대도시 성장 • 인도양 무역 주도, 면직물·견직물·향신료 등 수출
문화	인도·이슬람 문화 발전(시크교 성립, 우르두어 사용, 인도·이슬람 양식 발달, 무굴 회화 발달)

★ 바부르
중앙아시아 출신으로, 부계는 티무르, 모계는 칭기즈 칸의 혈통을 이어받았다. 자신을 몽골의 후예라 생각하여 나라 이름을 '무굴(몽골을 의미하는 페르시아어의 변형)'이라 정하였다.

★ 마라타 동맹
18세기 초에 마라타족이 힌두교도를 모아 결성한 동맹이다. 무굴 제국이 쇠퇴하자 인도 중서부의 모든 지역을 차지하고 인도 북부와 동부까지 세력을 떨쳤다.

★ 시크교
16세기경 하급 카스트 출신의 나나크가 창시하였다. 이슬람교와 힌두교를 절충한 종교로, 유일신을 믿고 인간 평등을 주장하였다.

★ 타지마할
무굴 제국의 샤자한 황제가 그의 부인 뭄타즈 마할을 기리기 위해 만든 궁전 형식의 묘당이다. 건축물에 인도 양식과 이슬람 양식이 조화를 이루고 있어 인도·이슬람 양식의 대표적인 건축물로 꼽힌다.

4 무굴 제국

1. 무굴 제국의 성립과 발전

(1) **성립**: *바부르가 아프가니스탄 지방 점령 후 북인도 침입 → 델리 술탄 왕조를 무너뜨리고 무굴 제국 수립(1526)

(2) **발전** 자료 7

① 아크바르 황제(16세기 중반 ~ 17세기 초)

영토 확장	데칸고원 이남을 제외한 인도 대부분 통일 — 황제의 명령이 지방에 골고루 미치는 데 기여하였어.
체제 정비	• 관료제와 지방 행정 기구 정비 → 중앙 집권 체제 확립 • 농민의 생활 수준 향상을 위한 정책 실시(토지 개혁, 농민들에게 자금 대여)
종교 정책	힌두교도에게 관직 개방, 강제로 이슬람교로 개종한 힌두교도가 다시 힌두교로 개종할 수 있는 법령 반포, 비이슬람교도에 대한 지즈야(인두세) 폐지, 혼인 동맹 추진 → 힌두교 세력 통합, 무굴 제국 번영의 토대 마련 자료 8

— 아크바르는 토착 힌두교도와 결혼하여 힌두교 세력을 통합하고자 노력하였어.

② 아우랑제브 황제(17세기 후반 ~ 18세기 초)

영토 확장	남인도 대부분 정복 → 최대 영토 확보
종교 정책	이슬람 제일주의 지향(지즈야 부활, 힌두교 사원 파괴, 이교도 탄압) → 힌두교도와 시크교도의 반발 초래 — 이슬람교를 제외한 다른 종교들의 축제가 금지되었고, 이슬람 율법도 강제되었어.

(3) **쇠퇴**: 정복 활동으로 재정 악화, 시크교도와 *마라타 동맹의 반란, 후계 계승 분쟁과 지방 토호의 저항 등 발생 → 서양 세력이 인도에 침투하여 세력 확장
— 18세기에 들어 영국과 프랑스가 인도의 동서 해안 지방으로 침투하면서 무굴 제국이 급속히 쇠퇴하였어.

2. 무굴 제국의 경제

(1) **국내**: 농업과 상공업 발달(→ 델리, 아그라 등 대도시 등장), 시장 설치, 해안 지역에 무역항 발달

(2) **대외 무역**: 중국·동남아시아·아라비아·지중해를 잇는 인도양 무역 주도, 주로 면직물·견직물·향신료 수출
— 면직물이 인기가 많아서 수출품 중 가장 큰 비중을 차지하였고, 유럽에까지 팔려 나갔어.

(3) **서양 세력의 침투**: 15세 말 포르투갈 상인의 인도양 무역 진출(→ 이슬람 상인과 인도 상인의 무역 주도권 약화) → 17세기 이후 서양 세력이 인도와의 무역에 합류 → 무굴 제국의 경제가 침체됨
— 네덜란드, 프랑스, 영국 상인들이 향신료를 찾아 인도양 무역에 진출하여 무역의 주도권을 장악해 갔어.

3. 무굴 제국의 문화

(1) **배경**: 이슬람 세력의 인도 지배 → 이슬람 사회의 페르시아 문화, 튀르크인의 풍습 등이 인도에 전파

(2) **특징**: 힌두 문화와 이슬람 문화의 융합 → 인도(힌두)·이슬람 문화 발전

(3) **발달** 교과서 자료

종교	*시크교 성립: 16세기경 힌두교와 이슬람교가 융합되어 성립 → 우상 숭배와 카스트제의 신분 차별에 반대, 윤회 사상 신봉 — 시크교는 주로 델리 북쪽의 펀자브 지방을 중심으로 융성하였어.
언어	• 페르시아어를 공식 문서나 외교에 사용 • 힌두어, 페르시아어, 아랍어가 합쳐진 우르두어를 일상어로 사용
건축	인도·이슬람 양식 발달: 이슬람의 아라베스크와 돔, 인도의 연꽃무늬와 만자 무늬 등이 융합된 건축물 건립(*타지마할, 아그라성이 대표적)
회화	무굴 회화 발달(페르시아 세밀화와 인도 양식의 융합)
음식	인도인의 주식인 쌀과 이슬람교도가 즐겨 먹는 양고기가 어우러진 새로운 음식 등장

— 역동적인 표현과 화려한 색채, 현세적인 공간 구성과 인물 표현이 특징적이야.

완자 자료 탐구

내 옆의 선생님

자료 7 무굴 제국의 발전

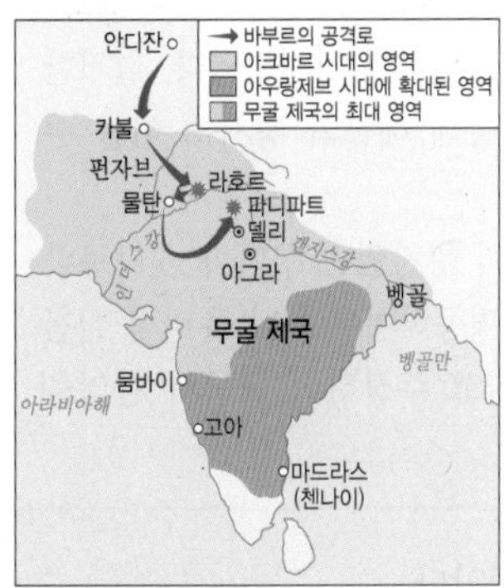

무굴 제국의 영역

무굴 제국은 16～17세기 아크바르 황제와 아우랑제브 황제 시기에 크게 발전하였다. 3대 황제인 아크바르 황제는 데칸고원 이남을 제외한 인도 대부분을 통일하고 중앙 집권 체제를 강화하였다. 17세기에는 샤자한의 아들 아우랑제브가 6대 황제의 자리에 올랐다. 아우랑제브 황제는 이슬람 제일주의를 내세워 비이슬람교도의 반란을 초래하였다. 그러나 그는 군사적 재능이 뛰어나 각지의 반란을 제압하고 이슬람의 여러 왕조를 정복하여 무굴 제국의 최대 영토를 확보하였다.

정리 비법을 알려줄게!

무굴 제국의 발전 과정

바부르(16세기)
델리 술탄 왕조 정복, 무굴 제국 수립
↓
아크바르 황제(16세기 중반～17세기 초)
데칸고원 이남을 제외한 인도 대부분 통일, 체제 정비(관료제와 지방 행정 기구 정비, 토지 개혁)
↓
아우랑제브 황제(17세기 후반～18세기 초)
최대 영토 확보, 이슬람 제일주의 지향

자료 8 아크바르 황제의 종교 정책

아크바르는 관용과 화해를 통해 인종과 종교가 복잡하게 얽혀 있는 제국을 통치하고자 하였어.

> 지금까지 나는 나하고 신앙이 다른 사람들을 박해하여 나와 같게 만들려고 하였으며, 그것을 신에 대한 귀의라고 생각하였다. 그러나 지식을 쌓아 감에 따라 나는 후회하는 마음에 사로잡혔다. 강제로 개종을 시킨 사람에게서 어떻게 성실한 신앙생활을 기대할 수 있을까? …… 모든 사람은 자신의 처지에 따라 각각 자기가 최고로 여기는 존재에 대해 각기 다른 이름을 붙여 놓는다.
>
> –『아크바르나마』

이슬람교도였던 아크바르 황제는 자신의 종교만이 유일하다는 생각을 버리고 다양한 종교와 사상을 받아들였다. 그는 힌두교도에게 신앙의 자유를 허용하고 지즈야를 면제해 주는 등 관용 정책을 펼쳐 이슬람교도와 힌두교도의 통합을 꾀하였다. 이러한 정책은 아크바르 황제 시기의 무굴 제국이 약 1세기 동안 번영을 누리는 데 기여하였다.

자료 하나 더 알고 가자!

토착 세력과의 화합 정책

아크바르 황제가 라지푸트의 족장에게 선물을 받는 모습

아크바르 황제는 라지푸트 지역을 점령한 후 토착 힌두 세력과의 화합을 추구하여 라지푸트의 족장들에게 관직을 개방하고 라지푸트 공주를 아내로 맞았어.

수능이 보이는 교과서 자료 인도·이슬람 문화의 발달

돔형 지붕, 아치형 입구, 벽면의 『쿠란』 구절 등은 이슬람 양식이고, 작은 탑, 미너렛, 벽면의 연꽃무늬, 벽돌 장식 등은 인도 양식이야.

시크교의 성지, 황금 사원

타지마할

무굴 제국에서는 인도·이슬람 문화가 발달하였다. 종교에서는 힌두교와 이슬람교가 융합된 시크교가 등장하였다. 시크교는 이슬람교의 영향으로 유일신을 믿고 신분 차별에 반대하며 힌두교의 영향을 받아 윤회 사상을 믿는다. 건축에서는 인도·이슬람 양식이 발달하였다. 대표적 건축물인 타지마할은 인도와 이슬람 양식이 조화를 이루고 있다.

완자샘의 탐구 강의

• **무굴 제국에서 발달한 문화의 특징을 서술해 보자.**

무굴 제국에서는 인도의 힌두 문화와 이슬람 문화가 융합된 인도·이슬람 문화가 발전하였다.

• **위와 같은 문화의 사례를 써 보자.**

우르두어가 널리 사용되었고, 시크교가 발전하였다. 또한 인도·이슬람 양식의 타지마할이 건축되었고 무굴 회화가 발달하였다.

함께 보기 111쪽, 1등급 정복하기 5

STEP 1 **핵심 개념 확인하기**

정답친해 30쪽

1 쿠샨 왕조는 (   )이 통치한 시기에 최대 영토를 확보하고 전성기를 이룩하였다.

2 다음 괄호 안의 내용 중 알맞은 말에 O표를 하시오.

(1) (쿠샨 왕조, 마우리아 왕조)에서는 상좌부 불교가 발달하였다.

(2) 대승 불교는 대체로 (동아시아, 동남아시아) 지역에 전파되었다.

(3) 알렉산드로스의 원정으로 인도에 헬레니즘 문화가 전파되어 (굽타 양식, 간다라 양식)이 발달하였다.

3 다음에서 설명하는 종교를 〈보기〉에서 골라 기호를 쓰시오.

보기

ㄱ. 불교 ㄴ. 시크교 ㄷ. 힌두교

(1) 카스트에 따른 의무 수행을 강조하였다. (   )

(2) 나나크가 창시하였으며 유일신을 믿고 인간 평등을 주장하였다. (   )

(3) 고타마 싯다르타가 창시하였으며 윤리적 실천을 통한 해탈을 추구하였다. (   )

4 다음 황제가 통치한 시기에 있었던 일을 옳게 연결하시오.

(1) 아크바르 황제 • • ㉠ 힌두교도에 관직 개방, 지즈야 폐지

(2) 아우랑제브 황제 • • ㉡ 이슬람 제일주의 지향, 힌두교 사원 파괴

5 다음 설명이 맞으면 O표, 틀리면 ×표를 하시오.

(1) 굽타 왕조에서는 산스크리트 문학이 발달하였다. (   )

(2) 굽타 왕조는 찬드라굽타 1세 때 최대 영토를 확보하였다. (   )

(3) 델리 술탄 왕조에서는 이슬람교 외의 종교를 탄압하였다. (   )

(4) 무굴 제국의 문화는 힌두 문화와 이슬람 문화가 융합되어 발전하였다. (   )

STEP 2 **내신 만점 공략하기**

01 (가), (나) 종교에 대한 설명으로 옳지 않은 것은?

(가) 크샤트리아 출신의 바르다마나가 창시하였다. 철저한 금욕과 엄격한 고행을 통해 해탈의 경지에 이를 수 있다고 주장하였다.
(나) 네팔 남부 카필라 왕국의 왕자였던 고타마 싯다르타가 창시하였다. 인간은 평등하며 누구나 윤리적 실천을 통해 해탈할 수 있다고 주장하여 대중의 환영을 받았다.

① (가) – 바이샤의 환영을 받았다.
② (나) – 카스트에 따른 의무 수행을 중시하였다.
③ (가), (나) – 기원전 6세기경에 성립되었다.
④ (가), (나) – 윤회 사상을 바탕으로 발전하였다.
⑤ (가), (나) – 브라만교의 지나친 권위주의를 비판하였다.

중요

02 밑줄 친 '이 왕조'에 대한 설명으로 옳은 것을 〈보기〉에서 고른 것은?

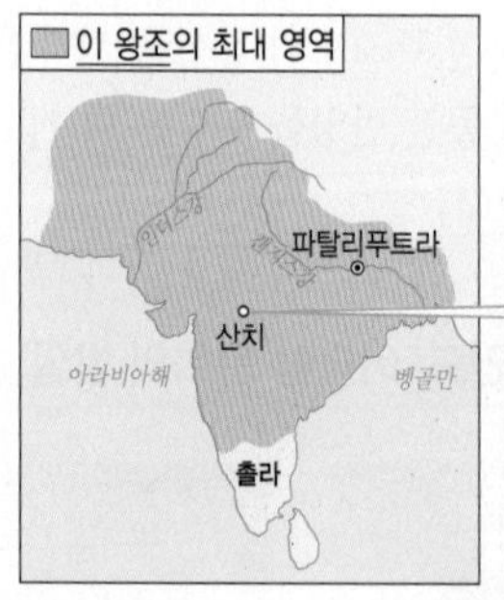

▲이 왕조에서 세워진 산치 대탑

보기

ㄱ. 최초로 북인도 지역을 통일하였다.
ㄴ. 개인의 해탈을 강조한 상좌부 불교가 발달하였다.
ㄷ. 헬레니즘 문화의 영향을 받아 간다라 양식이 유행하였다.
ㄹ. 시크교도와 마라타 동맹의 반란이 일어나 국력이 약화되었다.

① ㄱ, ㄴ ② ㄱ, ㄷ ③ ㄴ, ㄷ
④ ㄴ, ㄹ ⑤ ㄷ, ㄹ

03 다음 업적을 가진 왕에 대한 설명으로 옳은 것은?

- 마우리아 왕조의 제3대 왕으로 전성기를 누렸다.
- 칼링가 전투에서 전쟁의 참혹함을 깨닫고 불교에 귀의하였다.
- 불경을 정리하고 각지에 돌기둥과 탑을 세우는 등 불교를 포교하는 데 힘썼다.

① 델리 술탄 왕조를 무너뜨렸다.
② 몽골 제국의 재건을 추구하였다.
③ '샤'라는 왕의 칭호를 사용하였다.
④ 각지에 도로를 건설하고 전국에 감찰관을 파견하였다.
⑤ 중앙아시아, 중국 등으로의 불교 포교를 지원하였다.

04 (가)에 들어갈 내용으로 가장 적절한 것은?

수행 평가 보고서

1. 탐구 주제: ○○ 왕조의 경제와 문화
2. 조사 자료

수도에서 발굴된 지중해 연안 지역의 에로스상

간다라 지방에서 제작된 불상

3. 자료 분석 결과
 – 카니슈카왕 때 비단길의 중심을 차지하여 동서를 연결하는 중계 무역으로 번영하였다.
 – [(가)]하였다.

① 인도·이슬람 문화가 발전
② 산스크리트어로 쓰인 문학이 발달
③ 아후라 마즈다를 선의 신으로 숭배
④ 이슬람교와 아랍어를 중심으로 문화가 발달
⑤ 헬레니즘 문화와 인도 문화가 융합된 미술 양식이 발달

05 지도의 영역을 차지한 왕의 업적으로 옳은 것은?

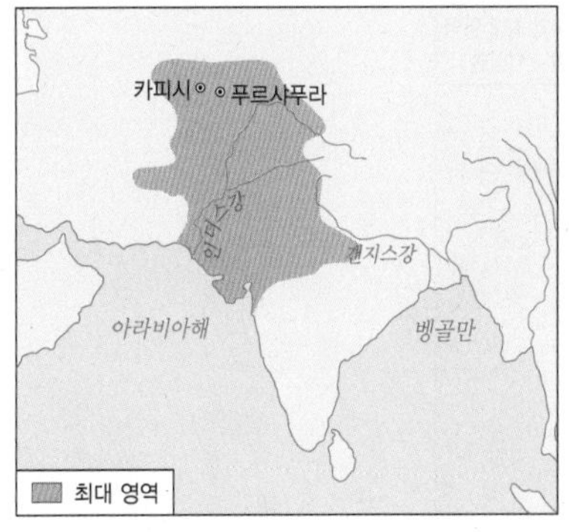

① 타지마할 건립
② 맘루크 왕조 정복
③ 불경 수집과 사원 건축
④ 동남아시아에 불교의 포교단 파견
⑤ 비이슬람교도에 거두던 지즈야 폐지

중요
06 다음과 같은 경로로 전파된 불교의 종파에 대한 대화 내용으로 적절한 것은?

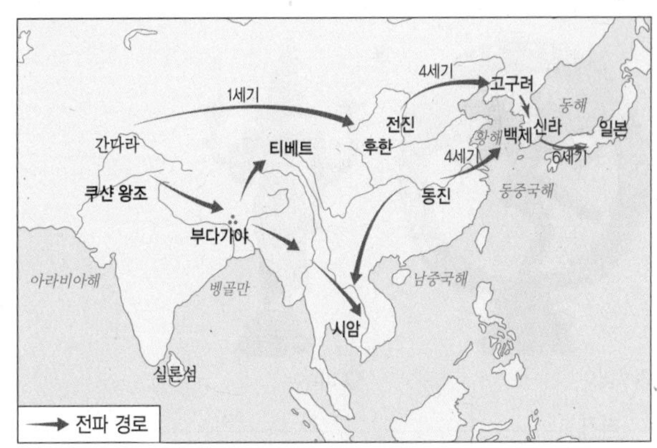

① 갑: 브라만의 특권을 인정하였어.
② 을: 불상을 제작하는 것을 금지하였어.
③ 병: 아소카왕의 포교 노력으로 널리 전파되었지.
④ 정: 개인의 해탈보다 대중을 구제하는 것이 중요하다고 주장하였어.
⑤ 무: 최후의 심판, 선악의 대결과 같은 교리가 크리스트교와 이슬람교에 영향을 주었어.

07 (가) 왕조에 대한 탐구 활동으로 적절한 것은?

① 왕실이 힌두교를 보호한 이유를 조사한다.
② 술탄 아흐메트 사원에 사용된 미술 양식을 알아본다.
③ 아바스 왕조의 칼리프로부터 술탄의 칭호를 얻은 배경을 찾아본다.
④ 알렉산드로스의 침입이 미술 양식의 변화에 미친 영향을 검토한다.
⑤ 카니슈카왕이 최대 영토를 확보할 수 있었던 원동력을 살펴본다.

08 중요 다음 신들을 섬기는 종교에 대한 설명으로 옳은 것을 〈보기〉에서 고른 것은?

시바 비슈누

보기
ㄱ. 『쿠란』을 경전으로 삼았다.
ㄴ. 무함마드에 의해 정립되었다.
ㄷ. 카스트에 따른 의무 수행을 중시하였다.
ㄹ. 브라만교에 민간 신앙과 불교 등이 융합되어 성립하였다.

① ㄱ, ㄴ ② ㄱ, ㄷ ③ ㄴ, ㄷ
④ ㄴ, ㄹ ⑤ ㄷ, ㄹ

09 다음을 통해 힌두교가 인도 사회에 미친 영향을 추론한 것으로 가장 적절한 것은?

> 카르마(업)에 의하면 …… 네 지금의 삶은 바로 네가 과거에 저질렀던 행위의 결과이다. 따라서 너는 과거에 네가 만든 카르마(업)를 해결하기 위해 먼저 너에게 주어진 의무를 다해야만 한다. -『마하바라다』

① 카스트제가 정착되었다.
② 왕의 권위가 약화되었다.
③ 간다라 양식이 유행하였다.
④ 이슬람 문화가 유입되었다.
⑤ 시크교도가 반란을 일으켰다.

10 다음 내용을 뒷받침하는 사례로 적절한 것은?

> 굽타 왕조 시기에는 민족의식이 성장하여 인도 고유의 색채가 강조된 문화가 발달하였다.

① 타지마할 건축 ② 무굴 회화 유행
③ 아라베스크 발달 ④ 간다라 양식 유행
⑤ 산스크리트 문학 발달

11 다음은 인도의 어느 왕조에 대한 발표 주제이다. (가)에 들어갈 내용으로 적절하지 않은 것은?

> • 정치 – 찬드라굽타 2세의 지방 행정 조직 정비
> • 경제 – 농지 개간과 해상 무역에 따른 경제적 번영
> • 사회 – 『마누 법전』이 일상생활에 미친 영향
> • 문화 – (가)

① 엘로라 석굴 사원의 조성
② 부처를 불상으로 만들게 된 계기
③ 동아시아 지역에 영향을 준 미술 양식
④ 천문학의 발달이 이슬람 세계에 미친 영향
⑤ 10진법 사용, 원주율 계산 등으로 보는 수학의 발전

12 밑줄 친 '이 왕조'에서 볼 수 있었던 모습으로 적절한 것은?

이 벽화는 <u>이 왕조</u>가 남긴 아잔타 제1 석굴에 있는 연화수 보살 벽화이다. 화려한 장신구, 신체의 윤곽을 그대로 드러낸 기법 등이 돋보인다. 이를 통해 <u>이 왕조</u>에서 인도 고유의 색채가 강조된 미술 양식이 유행하였음을 엿볼 수 있다.

① 지즈야를 징수하는 관리
② 우르두어로 대화하는 가족
③ 숫자 '영(0)'을 사용하는 학자
④ 마라타 동맹을 결성하는 힌두교도
⑤ 탈라스 전투에서 당의 군대와 싸우는 군인

13 (가) 시기에 인도 지역에서 있었던 일로 옳은 것은?

아이바크가 델리를 수도로 이슬람 왕조를 세웠다. ➔

➔ 바부르가 델리를 중심으로 무굴 제국을 수립하였다.

① 우마이야 가문이 칼리프를 세습하였다.
② 이슬람교로 개종하면 세금이 감면되었다.
③ 이슬람교가 수니파와 시아파로 분리되었다.
④ 이슬람 세력이 사산 왕조 페르시아를 정복하였다.
⑤ 찬드라굽타 2세가 벵골만에서 아라비아해까지 영토를 확장하였다.

14 다음 내용에 해당하는 인물의 업적으로 옳은 것은?

- 약력: 인도 무굴 제국의 제3대 황제
- 재위 기간: 1556년~1605년
- 주요 업적: 데칸고원 이남을 제외한 인도 대부분 통일, 관료제 정비, 혼인 동맹을 통해 힌두교 세력 포섭

① 지즈야 폐지
② 대승 불교 지원
③ 속주에 '왕의 눈' 파견
④ 유럽의 연합 함대 격파
⑤ 무굴 제국의 최대 영토 확보

[15~16] 지도를 보고 물음에 답하시오.

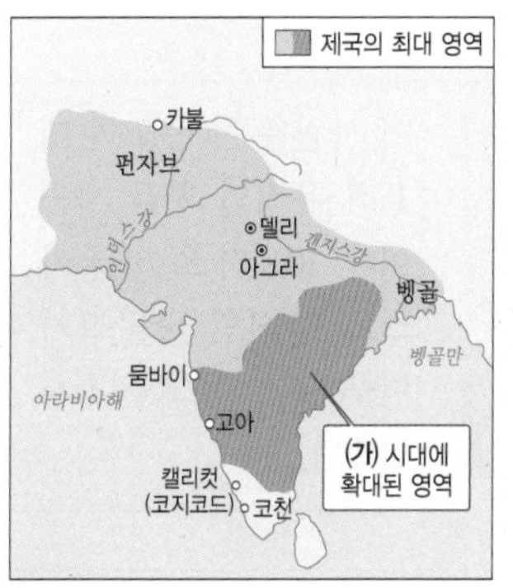

15 (가) 황제가 재위한 시기에 있었던 일로 옳은 것은?

중요

① 타지마할이 건축되었다.
② 힌두교 사원이 파괴되었다.
③ 불교와 자이나교가 성립되었다.
④ 칼리다사가 『샤쿤탈라』를 완성하였다.
⑤ 비이슬람교도에 대한 인두세가 폐지되었다.

16 지도의 영토를 다스린 제국에 대한 설명으로 옳지 <u>않은</u> 것은?

① 델리 술탄 왕조를 멸망시켰다.
② 에프탈의 침입을 받아 쇠퇴하였다.
③ 상공업이 발달하여 대도시가 등장하였다.
④ 면직물을 수출하여 많은 부를 획득하였다.
⑤ 인도와 이슬람 문화가 융합된 문화가 발전하였다.

17 다음 내용을 활용한 탐구 활동 주제로 가장 적절한 것은?

• 시크교 등장 • 우르두어 사용 • 타지마할 건축

① 이슬람 문화권의 형성
② 굽타 왕조의 문화적 업적
③ 힌두 문화와 이슬람 문화의 융합
④ 간다라 양식과 인도 고유문화의 융합
⑤ 헬레니즘 문화가 인도 문화에 미친 영향

18 중요 밑줄 친 '이 종교'에 대한 설명으로 옳은 것을 〈보기〉에서 고른 것은?

이 사원은 이 종교의 대표적 유적인 황금 사원이다. 16세기 초 하급 카스트 출신인 나나크가 이곳에서 이 종교를 창시하였다.

보기

ㄱ. 여러 신을 믿는 다신교였다.
ㄴ. 카스트제의 신분 차별에 반대하였다.
ㄷ. 힌두교와 이슬람교를 절충하여 성립되었다.
ㄹ. 간다라 양식과 함께 동아시아로 전파되었다.

① ㄱ, ㄴ ② ㄱ, ㄷ ③ ㄴ, ㄷ
④ ㄴ, ㄹ ⑤ ㄷ, ㄹ

19 (가)에 들어갈 내용으로 적절하지 않은 것은?

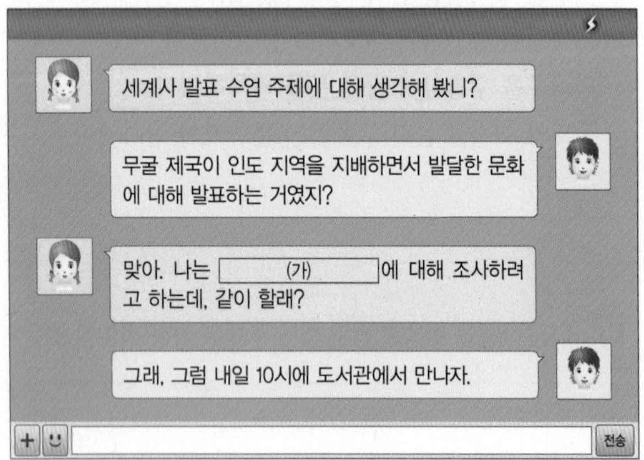

세계사 발표 수업 주제에 대해 생각해 봤니?
무굴 제국이 인도 지역을 지배하면서 발달한 문화에 대해 발표하는 거였지?
맞아. 나는 (가) 에 대해 조사하려고 하는데, 같이 할래?
그래, 그럼 내일 10시에 도서관에서 만나자.
전송

① 우르두어의 특징
② 시크교의 성립과 영향
③ 인도·이슬람 양식의 건축물
④ 알파벳의 기원이 된 표음 문자
⑤ 무굴 회화에 영향을 준 미술 양식

서술형 문제

● 정답친해 32쪽

01 다음과 같이 부처를 표현하는 방식이 변화한 배경을 서술하시오.

 → 

길잡이 불상의 외형적 특징을 참고하여 배경을 유추해 본다.

02 다음을 읽고 물음에 답하시오.

창조주는 …… 각자의 업을 정하였도다. 브라만에게는 『베다』를 가르치며 제사 지내는 일을, 크샤트리아에게는 백성을 보호하고 다스릴 것을, 바이샤에게는 농사를 짓고 짐승을 기를 것을 명령하셨다. 마지막으로 수드라에게는 앞선 세 신분의 사람들에게 봉사하는 임무를 명령하셨다.

–『마누 법전』

(1) 자료의 가르침을 중시한 종교를 쓰시오.

(2) 자료를 참고하여 (1) 종교의 확산이 인도 사회에 미친 영향을 서술하시오.

길잡이 브라만, 크샤트리아, 바이샤, 수드라에게 각각 의무를 부여하였음을 생각해 본다.

03 다음과 같은 깨달음으로 아크바르 황제가 실시한 정책의 사례를 세 가지 서술하시오.

지금까지 나는 나하고 신앙이 다른 사람들을 박해하여 나와 같게 만들려고 하였으며, 그것을 신에 대한 귀의라고 생각하였다. 그러나 …… 강제로 개종을 시킨 사람에게서 어떻게 성실한 신앙생활을 기대할 수 있을까? …… 모든 사람은 자신의 처지에 따라 각각 자기가 최고로 여기는 존재에 대해 각기 다른 이름을 붙여 놓는다.

길잡이 아크바르가 자신과 다른 종교를 인정한 것에 주목하여 서술한다.

정답친해 32쪽

STEP 3 1등급 정복하기

1 다음 칙령을 발표한 왕에 대한 탐구 활동으로 적절하지 않은 것은?

> 고대 인도 세계의 발전

왕이 세운 돌기둥

• 칼링가를 정복하면서 나는 결코 돌이킬 수 없는 양심의 가책을 느꼈다. 그들의 영토가 수많은 시체로 뒤덮인 처참한 광경을 바라보면서 나의 가슴은 온통 찢어지고 말았다. …… 앞으로 나는 오직 진리에 맞는 법만을 실천하고 가르칠 것이다.
• 누구나 자신의 종교만을 숭상하고 다른 종교를 저주해서는 안 된다. 여러 가지 이유로 다른 종교도 존중해야 한다. …… 경청하라! 다른 종교의 교의나 가르침에도 귀를 기울여라. – 돌기둥에 새겨진 칙령

① 산치 대탑을 건립한 이유를 살펴본다.
② 델리 술탄 왕조를 무너뜨린 과정을 찾아본다.
③ 통치 지역에 도로를 건설한 효과를 검토한다.
④ 동남아시아에 불교 포교단을 파견한 목적을 조사한다.
⑤ 개인의 해탈을 강조한 불교가 발전한 배경을 알아본다.

2 (가), (나) 종교에 대한 설명으로 옳은 것은?

> 불교의 발전과 전파

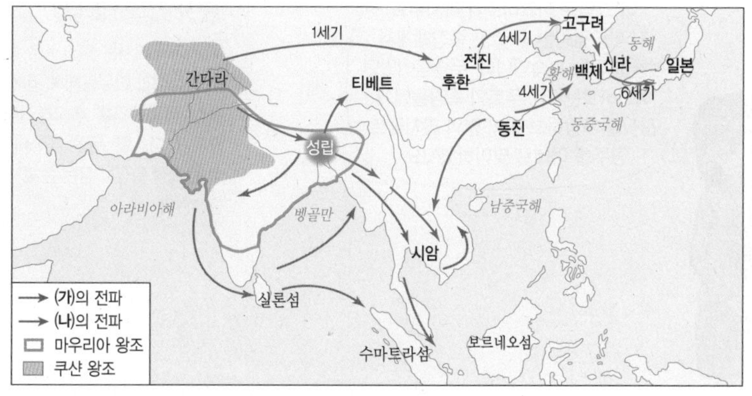

① (가) – 개인의 해탈을 강조하였다.
② (가) – 간다라 양식의 전파에 영향을 주었다.
③ (나) – 아소카왕의 재위 기간에 발전하였다.
④ (나) – 힌두교와 이슬람교의 장점을 융합하였다.
⑤ (가), (나) – 카스트에 따른 의무 수행을 중시하였다.

완자 사전

• **재위(在位)**
임금(황제)이 자리에 있는 동안

• **카스트**
인도의 세습적인 신분 제도로, 브라만, 크샤트리아, 바이샤, 수드라의 네 계급을 기원으로 한다. 오늘날에는 그 종류가 많아졌다.

3 (가), (나) 왕조에 대한 보고서 주제로 적절하지 않은 것은?

인도의 불상, 한국에 오다

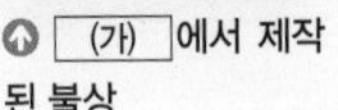
(가)에서 제작된 불상

(나)에서 제작된 불상

△△ 박물관에서는 인도의 여러 시대에서 만들어진 불상을 전시합니다. 특히, 이번 특별전에서는 (가) 에서 제작된 그리스풍의 간다라 불상과 (나) 에서 만들어진 인도 고유의 색채가 강조된 불상을 만나 봄으로써 인도 불교 미술의 정수를 맛볼 수 있습니다.

- 주관: 인도 불교미술 연구회
- 장소: △△ 박물관 기획 전시실

① (가) – 대승 불교의 발전
② (가) – 카니슈카왕의 업적
③ (나) – 힌두교의 성립과 발전
④ (나) – 지즈야 폐지와 혼인 동맹
⑤ (가), (나) – 북인도의 통일 과정

> 인도 불교미술의 발전

완자 사전

- **대승 불교**
대승(大乘)이란 '많은 사람을 구제하여 태우고 가는 큰 수레'를 의미한다. 대승 불교에서는 부처와 보살을 믿고 선행을 쌓으면 깨달음을 얻을 수 있다고 주장하였다.

평가원 응용

4 다음 자료에 나타난 제국에 대한 설명으로 옳은 것은?

이 그림은 아크바르가 라지푸트 지역을 점령한 후 그곳 족장에게서 선물을 받는 모습입니다. 무슬림이었던 아크바르는 라지푸트의 족장들에게 관직을 개방하고 여러 명의 라지푸트 공주를 아내로 맞이하였지요.

① 타지마할이 건축되었다.
② 간다라 양식이 유행하였다.
③ '0'이라는 숫자가 만들어졌다.
④ 아잔타 석굴 사원이 건설되기 시작하였다.
⑤ 『샤쿤탈라』와 같은 산스크리트 문학이 발달하였다.

> 인도에 진출한 이슬람 왕조

완자샘의 시험 꿀팁

무굴 제국에서는 아크바르 황제의 관용 정책과 아우랑제브 황제의 이슬람 제일주의를 비교하거나, 두 황제가 다스린 무굴 제국의 경제적·문화적 특징을 묻는 문제가 주로 출제된다.

5 다음 다큐멘터리에서 다룰 내용으로 가장 적절한 것은?

- 제목: ○○ 제국에서 탄생한 문화
- 기획 의도: 이슬람 세력이 인도 지역에 들어오면서 두 지역의 문화가 서로 어우러져 발전한 양상을 살펴본다.
- 고증 자료

타지마할

샤자한과 뭄타즈 마할의 세밀화

① 『아베스타』에 담긴 교리
② 그리스 신상과 간다라 불상의 비교
③ 『샤쿤탈라』를 찬양하는 괴테의 시 소개
④ 황금 사원에서 만난 시크교도와의 인터뷰
⑤ 엘로라 석굴 사원에 조성된 불상과 벽화 감상

> 인도·이슬람 문화의 발달

완자 사전

• 샤쿤탈라
굽타 왕조의 칼리다사가 인도의 옛 전설을 각색하여 지은 희곡으로, 샤쿤탈라와 두샨타왕의 기구한 사랑을 그린 작품이다.

6 (가)~(라)에 들어갈 내용으로 적절한 것을 〈보기〉에서 고른 것은?

인도사 강의 계획서

- 개요: 각 주마다 하나의 인도 왕조를 강의하며 강의 시간은 60분이다.
- 주별 강의 계획

회차	강의 주제	
	정치	문화
1주 차	아소카왕의 중앙 집권 강화 정책	(가)
2주 차	(나)	대승 불교와 간다라 양식의 발달
3주 차	찬드라굽타 2세의 지방 행정 조직 정비	(다)
4주 차	(라)	인도·이슬람 양식과 타지마할

보기

ㄱ. (가) – 시크교의 성립 배경과 교리상의 특징
ㄴ. (나) – 아이바크의 종교 정책과 이슬람교도의 증가
ㄷ. (다) – 힌두교의 성립과 인도 고전 문화의 발전
ㄹ. (라) – 아크바르 황제와 아우랑제브 황제의 종교 정책 비교

① ㄱ, ㄴ ② ㄱ, ㄷ ③ ㄴ, ㄷ
④ ㄴ, ㄹ ⑤ ㄷ, ㄹ

> 인도 각 왕조의 발전

완자샘의 시험 꿀팁

인도 역대 왕조들은 각 왕조별로 문화적 특징이 뚜렷하게 구분된다. 마우리아 왕조, 쿠샨 왕조, 굽타 왕조, 무굴 제국 등 각 왕조에서 탄생한 종교와 각 왕조의 문화적 특징을 구체적인 사례와 함께 정리해 둔다.

- **기원전 6세기경** · 불교 성립: 고타마 싯다르타가 창시
- **기원전 525** · 아케메네스 왕조 페르시아, 서아시아 재통일
- **기원전 4세기경** · ❶ ____, 최초로 북인도 통일
- **320** · 굽타 왕조 성립: 찬드라굽타 1세가 건국
- **622** · ❷ ____: 무함마드가 메카에서 메디나로 피신(이슬람력의 기원)
- **632** · 정통 칼리프 시대 성립: ❸ ____ 선출제 실시
- **661** · 우마이야 왕조 성립: 우마이야 가문이 칼리프 세습
- **750** · 아바스 왕조 성립: 아바스 가문이 비아랍인 불만 세력과 시아파의 도움을 받아 건국
- **1055** · 셀주크 튀르크, 바그다드 입성 후 아바스 왕조의 칼리프로부터 ❹ ____의 칭호 획득
- **1370** · 티무르 왕조 수립: 몽골 제국의 재건 표방
- **1453** · 오스만 제국, ❺ ____가 콘스탄티노폴리스를 이스탄불로 개칭 후 수도로 삼음
- **1501** · 사파비 왕조 수립: 이스마일 1세가 이란 지역을 중심으로 수립
- **1526** · ❻ ____ 성립: 바부르가 델리 술탄 왕조를 무너뜨리고 수립

01 고대 서아시아 제국과 이슬람 세계의 형성

1. 고대 서아시아 제국의 형성

아시리아	기원전 7세기경 철제 무기와 기병을 토대로 서아시아 일부 통일 → 중앙 집권적 통치 → 피지배 민족에 대한 강압적 통치로 반란이 일어나 멸망
아케메네스 왕조 페르시아	• 성립: 키루스 2세가 수립, 서아시아 재통일 • (❼ ____): 영토 확장, 속주에 총독과 감찰관('왕의 눈'과 '왕의 귀') 파견, '왕의 길' 건설, 역참제 정비 • 통치 정책: 피지배 민족에게 관용 정책 실시 • 문화: 조로아스터교 성립, 국제적 문화 발달
파르티아	기원전 3세기경 이란계 민족이 수립 → 동서 교역로 장악, 중계 무역으로 번영
사산 왕조 페르시아	• 성립: 3세기 초 이란 계통 농경민이 아케메네스 왕조 페르시아의 부흥을 내걸고 성립 • 발전: 대제국 건설, 중계 무역으로 번영 • 문화: (❽ ____)의 국교화, 국제적 문화 발달

2. 이슬람 세계의 형성

(1) 이슬람교의 성립과 확산: 무함마드의 이슬람교 정립(알라를 유일신으로 숭배, 인간 평등 강조) → 무함마드가 헤지라 이후 교세 확장·아라비아반도 대부분 통일

(2) 이슬람 제국의 성립과 확대

정통 칼리프 시대	무함마드 사후 칼리프 선출, 시리아·이집트·사산 왕조 페르시아 정복
우마이야 왕조	우마이야 가문이 칼리프 세습(→ 이슬람교가 수니파와 시아파로 분리), 아랍인 우대 정책 실시
아바스 왕조	(❾ ____)를 수도로 건설, 탈라스 전투 승리로 동서 교역로 장악, 모든 이슬람교도의 평등 표방
후우마이야 왕조	우마이야 왕조의 일파가 이베리아반도에 건국, 지중해 무역 장악
파티마 왕조	시아파가 북아프리카에 건국, 이집트 정복

(3) 이슬람 세계의 사회와 문화

사회	이슬람교의 경전인 (❿ ____)의 가르침을 중심으로 생활
경제	동서 교역 활발 → 대도시 발달
문화	• 특징: 동서 문화 융합, 이슬람 문화권 형성 • 발달: 신학·법학·지리학 발달, 설화 문학 유행, 모스크 건축(아라베스크 발달), 자연 과학 발달(지구 구형설 설명, 아라비아 숫자 완성, 『의학전범』 편찬 등) • 영향: 중세 유럽 문화와 르네상스에 영향을 줌

02 이슬람 세계의 팽창

1. 이슬람 세계의 다원화

셀주크 튀르크	• 성립: 10세기 중반 카스피해 부근에서 발흥 • 세력 확대: 11세기 바그다드에 입성 후 아바스 왕조로부터 술탄의 칭호 획득, 정치적 실권을 위임받음
티무르 왕조	• 성립: 티무르가 몽골 제국의 재건을 표방하며 수립 • 발전: 중앙아시아에서 서아시아에 이르는 대제국 건설, 동서 무역 독점, 복합 문화 발달
사파비 왕조	• (⑪): 사파비 왕조 수립, 페르시아인의 민족의식 부흥에 노력, 시아파 이슬람교를 국교로 채택 • 아바스 1세(전성기): 이스파한 천도, 바그다드 수복

2. 오스만 제국의 발전

성립	오스만족이 아나톨리아 지역에서 수립 → 14세기 말 발칸반도 대부분 지배, 술탄의 칭호 사용
발전	• 메흐메트 2세: 비잔티움 제국 정복, 수도로 이스탄불 채택 • 셀림 1세: 맘루크 왕조 정복, 술탄이 칼리프의 칭호 계승 • (⑫): 헝가리 정복, 빈 공격, 유럽의 연합 함대 격파 → 육로 교통을 통한 동서 무역과 지중해 해상권 장악
통치	• 통치 체제: 술탄이 대부분 지역 지배, (⑬)로 관리와 예니체리 충당, 티마르제 실시 • 관용 정책: 지즈야만 내면 밀레트의 자치 허용
경제	국제 무역 발달 → 상업 도시 형성, 이스탄불 번성
문화	• 특징: 이슬람·튀르크·페르시아·비잔티움 제국의 문화 융합 • 발전: 모스크 건축, 궁정 문학 유행, 천문학·수학·지리학 발달, 아라베스크와 서예 발달, 세밀화 유행

03 인도의 역사와 다양한 종교·문화의 출현

1. 불교와 자이나교의 출현

배경
기원전 7세기경 농업과 상공업의 발달로 크샤트리아와 바이샤 성장 → 브라만 중심의 사회 비판, 우파니샤드 철학 출현

↓

불교	고타마 싯다르타가 창시, 인간 평등 강조(→ 대중의 지지 획득)	윤회 사상에 기반, 브라만교의 권위주의와 신분 차별에 반대 → 크샤트리아와 바이샤의 지지 획득
자이나교	바르다마나가 창시, 엄격한 계율과 고행을 통한 해탈 추구	

2. 마우리아 왕조와 쿠샨 왕조

마우리아 왕조	• 성립: 기원전 4세기경 찬드라굽타 마우리아가 수립 • (⑭): 남부를 제외한 인도 대부분 통일, 각지에 도로 건설, 불교의 보호 노력(개인의 해탈을 강조하는 상좌부 불교 발달 → 동남아시아에 전파)
쿠샨 왕조	• 성립: 1세기경 쿠샨족이 수립 → 중계 무역으로 번영 • 카니슈카왕: 최대 영토 확보, 불교 장려(대중의 구제를 추구하는 대승 불교 발전) • (⑮) 발달: 인도 문화와 헬레니즘 문화의 융합으로 성립(부처를 불상으로 제작) → 대승 불교와 함께 중앙아시아를 거쳐 동아시아까지 전파

3. 굽타 왕조

성립	4세기 초 찬드라굽타 1세가 건국
발전	찬드라굽타 2세 때 전성기 이룩(최대 영토 확보, 동서 해상 무역 독점, 학문과 예술 장려)
문화	• 힌두교: 민간 신앙·브라만교·불교 등이 융합되어 성립, 다양한 신 숭배, (⑯)에 따른 의무 수행 강조, 『마누 법전』 정리 → 왕실의 적극적인 보호를 받으며 성장 • 인도 고전 문화: 인도 고유의 색채 강조 → 산스크리트 문학 발달, (⑰) 출현(아잔타와 엘로라 석굴 사원의 불상과 벽화가 대표적), 천문학 발달(지구 구형과 자전 확인), 수학 발달('0'의 개념 도입, 10진법 사용)

4. 이슬람 세력의 인도 진출

(1) 델리 술탄 왕조

성립	13세기 초 (⑱)를 수도로 이슬람 왕조 수립 → 300여 년간 이슬람 계통의 다섯 왕조가 교체되며 북인도 지배
통치	지즈야만 부담하면 힌두교 인정, 이슬람교로 개종 시 세금 감면 → 인도에 이슬람 문화 전파

(2) 무굴 제국

성립	바부르가 델리 술탄 왕조를 무너뜨리고 수립
발전	• (⑲): 데칸고원 이남을 제외한 인도 대부분 통일, 관용 정책 추진(힌두교도에 관직 개방, 지즈야 폐지) • 아우랑제브 황제: 최대 영토 확보, 이슬람 제일주의 지향(지즈야 부활, 힌두교 사원 파괴, 이교도 탄압 → 비이슬람교도의 반발 초래)
경제	인도양 무역 주도(면직물, 견직물, 향신료 등 수출)
문화	• 특징: 힌두 문화와 (⑳) 문화 융합 • 발달: 나나크가 시크교 창시, 일상어로 우르두어 사용, 인도·이슬람 양식 발달(타지마할 건축), 무굴 회화 발달

●정답● ① 마우리아 왕조 ② 헤지라 ③ 칼리프 ④ 술탄 ⑤ 메흐메트 2세 ⑥ 무굴 제국 ⑦ 다리우스 1세 ⑧ 조로아스터교 ⑨ 바그다드 ⑩ 쿠란 ⑪ 이스마일 1세 ⑫ 술레이만 1세 ⑬ 데브시르메 제도 ⑭ 아소카왕 ⑮ 간다라 양식 ⑯ 카스트 ⑰ 굽타 양식 ⑱ 델리 ⑲ 아크바르 황제 ⑳ 이슬람

01 (가)에 대한 설명으로 옳은 것은?

> (가) 은/는 기원전 7세기 전반 철제 무기와 우수한 기마병을 이용하여 서아시아 지역의 대부분을 통일하였다. 그리고 피정복 민족을 강압적으로 통치하였다.

① 마니교 신자를 박해하였다.
② 칼리프 선출제를 시작하였다.
③ 군용 도로와 교역로를 정비하였다.
④ 아바스 왕조로부터 술탄의 칭호를 얻었다.
⑤ 아케메네스 왕조 페르시아의 전통을 계승하였다.

02 다음에서 설명하는 왕의 업적으로 옳은 것은?

> 아케메네스 왕조 페르시아의 제3대 왕으로, 최대 영토를 확보하고 속주에 총독과 감찰관을 파견하였으며 페르세폴리스를 건설하였다.

① '왕의 길' 건설
② 대승 불교 포교
③ 비잔티움 제국 정복
④ 수도 바그다드 건설
⑤ 사산 왕조 페르시아 정복

03 다음 내용에 해당하는 왕조에 대한 설명으로 옳은 것은?

> • 3세기 초 이란 계통의 농경민이 세웠다.
> • 페르시아의 부흥을 표방하였다.
> • 유리 공예품, 도자기 등이 동아시아에 전파되었다.

① 조로아스터교를 국교로 삼았다.
② 아바스 1세 때 전성기를 맞았다.
③ 탈라스 전투에서 당군을 물리쳤다.
④ 속주에 '왕의 눈', '왕의 귀'를 파견하였다.
⑤ 로마와 한 왕조 사이의 중계 무역으로 번영하였다.

04 밑줄 친 '이 종교'에 대한 설명으로 옳은 것은?

이 건축물은 바위의 돔 사원입니다. 이 종교에서는 예언자 무함마드가 이곳에서 하늘로 올라갔다고 믿지요. 사원의 벽면은 아라베스크로 장식되었는데, 이 종교에서 우상 숭배를 금지하였기 때문입니다.

① 아후라 마즈다를 최고신으로 섬긴다.
② 『쿠란』이 일상생활에 큰 영향을 미친다.
③ 인간 평등과 윤리적 실천을 통한 해탈을 중시한다.
④ 크리스트교와 불교의 영향을 받아 금욕주의적인 성향을 보인다.
⑤ 브라만교를 바탕으로 불교와 민간 신앙 등이 융합되어 성립되었다.

05 다음 두 사건 사이에 이슬람 세계에서 있었던 사실로 옳은 것은?

> • 칼리프 알리가 암살된 이후 시리아 총독이었던 무아위야가 칼리프가 되었으며, 그의 아들이 칼리프를 계승하였다.
> • 아바스 가문이 시아파의 도움을 받아 바그다드를 수도로 삼고 오늘날 이라크 지역을 중심으로 이슬람 제국을 건설하였다.

① 헤지라가 단행되었다.
② 사산 왕조 페르시아를 멸망시켰다.
③ 아랍인 우월주의 정책이 추진되었다.
④ 칼리프를 뽑아 정치·종교의 통치권을 맡겼다.
⑤ 무함마드가 아라비아반도의 대부분을 통일하였다.

06 (가)에 들어갈 내용으로 가장 적절한 것은?

> **수행 평가 보고서**
> 1. 탐구 주제: ○○○ 왕조의 발전
> 2. 탐구 활동
>   - (가)
>   - 탈라스 전투의 승리가 왕조의 경제에 미친 영향을 알아본다.
>   - 계획도시로 건설된 바그다드의 구조를 살펴본다.
> 3. 탐구 결과
>   - 범이슬람 제국으로 발전하였다.
>   - 동서 교역로를 장악하여 경제적으로 번영하였다.
>   - 유럽, 지중해, 아시아에서 온 여러 국적의 사람들이 왕조의 수도에 드나들었다.

① 밀레트의 역할을 찾아본다.
② 조로아스터교를 장려한 목적을 살펴본다.
③ 시아파와 수니파가 생겨난 배경을 알아본다.
④ 아랍인의 특권을 폐지한 정책의 영향을 조사한다.
⑤ 예니체리 군단을 창설한 목적과 그 결과를 분석한다.

07 다음과 같이 문화가 발달한 사회에 대한 설명으로 옳은 것을 〈보기〉에서 고른 것은?

> - 이븐시나가 『의학전범』을 저술하였다.
> - 아라비아 숫자와 삼각법이 완성되었다.
> - 모스크 건축에서 아라베스크가 활용되었다.
> - 알칼리와 산의 구별법, 승화 작용이 발견되었다.
> - 『아라비안나이트』와 같은 설화 문학이 발달하였다.

보기

ㄱ. 우르두어를 일상적으로 사용하였다.
ㄴ. 카스트에 따른 의무 수행이 중시되었다.
ㄷ. 『쿠란』의 가르침을 중심으로 생활하였다.
ㄹ. 국가의 지원을 받아 상업 활동이 활발하였다.

① ㄱ, ㄴ ② ㄱ, ㄷ ③ ㄴ, ㄷ
④ ㄴ, ㄹ ⑤ ㄷ, ㄹ

08 다음에서 설명하는 왕조에 대한 대화 내용으로 적절한 것은?

> 11세기 중엽 부와이 왕조를 무너뜨리고 바그다드로 입성하여 아바스 왕조의 칼리프를 보호하였다. 이에 아바스 왕조로부터 술탄의 칭호와 정치적 실권을 위임받았다.

① 갑: 비잔티움 제국을 멸망시켰어.
② 을: 데브시르메 제도로 관료를 충당하였어.
③ 병: 크리스트교 세계와 십자군 전쟁을 벌였어.
④ 정: 칼리프를 뽑아 이슬람 세계의 지도자로 삼았지.
⑤ 무: 북인도와 이베리아반도까지 영토를 확장하였어.

09 다음 제도를 운영한 나라에서 있었던 사실로 옳지 <u>않은</u> 것은?

> 정복지의 크리스트교도 중 우수한 인재를 뽑아 이들 중 일부를 국왕의 친위 부대인 예니체리에 편성하였다.

① 티마르제가 실시되었다.
② 밀레트 운영이 허용되었다.
③ 지중해 교역의 이익을 독점하였다.
④ 술탄이 칼리프의 칭호를 계승하였다.
⑤ 이베리아반도까지 영토를 확장하였다.

10 다음 가상 인터뷰의 (가)에 대한 설명으로 옳은 것은?

> - 기자: 최근 영토 확장에 힘쓰셨지요?
> - (가): 그렇소, 유럽의 연합 함대를 격파해서 영토를 넓혔지요.
> - 기자: 경제적으로는 어떤 성과가 있었나요?
> - (가): 지중해 해상권을 장악하여 지중해 교역을 독점하게 되었다오.

① 시아파 이슬람교를 국교로 삼았다.
② 오스트리아의 빈을 포위 공격하였다.
③ 속주에 '왕의 눈', '왕의 귀'를 파견하였다.
④ 수도 사마르칸트를 건설하여 중계 무역을 발전시켰다.
⑤ 비잔티움 제국을 멸망시키고 수도를 이스탄불로 옮겼다.

11 **다음 자료를 활용한 탐구 활동 주제로 적절한 것은?**

> 나 술탄 메흐메트 칸은 이 칙령을 소유한 보스니아 프란체스코회 신자들을 받아들이고, 보호할 것임을 전 세계에 알리노라. …… 또한 명령하노니, 누구도 이들과 이들의 교회를 건드려서는 아니 된다. 그들은 나의 제국 안에서 평화롭게 살아갈지어다. …… 성스러운 신의 이름으로 나의 검을 들어 이 칙령을 선포하노라. 나의 모든 백성은 이 칙령에 복종해야 한다. – 술탄 메흐메트의 칙령

① 관용 정책의 내용
② 지즈야 폐지의 효과
③ 헤지라 단행의 결과
④ 마라타 동맹의 결성 계기
⑤ 상좌부 불교의 발달 배경

12 **다음 문화유산을 남긴 제국의 문화에 대한 설명으로 옳은 것은?**

유네스코 세계 유산 – 튀르키예 편

도시 전체가 유네스코 세계 유산인 이스탄불 구시가지에 있는 모스크이다. 이 모스크는 술탄 아흐메트 1세의 명령에 따라 건축된 것으로, 사원 내부가 푸른색 타일로 장식되어 있어 '블루 모스크'로도 불린다.

① 아잔타 석굴을 조성하였다.
② 산스크리트 문학이 발달하였다.
③ 조로아스터교를 국교로 정하였다.
④ 페르시아의 영향을 받아 세밀화가 유행하였다.
⑤ 인도 문화와 이슬람 문화를 융합하여 발전하였다.

13 **(가) 왕의 업적으로 옳은 것은?**

이 사진은 마우리아 왕조의 전성기를 이끈 (가) 때 지어진 스투파(불탑)이다. 이 스투파는 현존하는 가장 오래된 탑이다.

① 타지마할 건축
②『마누 법전』 정리
③ 상좌부 불교 장려
④ 십자군 전쟁 승리
⑤ 델리 술탄 왕조 정복

14 **밑줄 친 '미술 양식'에 대한 설명으로 옳은 것은?**

> 초기 불교도들은 부처의 모습을 조각하는 것을 법도에 어긋난다고 여겼다. 그러나 마케도니아의 알렉산드로스가 인도를 원정한 이후 간다라 지방에서 인도 문화와 헬레니즘 문화가 융합된 <u>미술 양식</u>이 탄생하여 사람들은 불상을 제작하기 시작하였다.

① 아라베스크가 특징적이다.
② 동아시아의 불상 제작에 영향을 주었다.
③ 상좌부 불교의 확산으로 널리 전파되었다.
④ 아소카왕의 보호를 받아 인도 전역에 퍼졌다.
⑤ 아잔타 석굴 사원 벽화가 대표적인 작품이다.

15 **다음 내용에 해당하는 종교에 대한 설명으로 옳은 것은?**

> • 브라만교에 민간 신앙, 불교가 융합되어 성립하였다.
> • 브라흐마, 비슈누, 시바 등의 다양한 신을 숭배하였다.

① 인간 평등을 주장하였다.
② 선한 신의 상징인 불을 숭배하였다.
③ 하급 카스트 출신의 나나크가 창시하였다.
④『쿠란』의 가르침에 따른 생활을 강조하였다.
⑤ 굽타 왕조에서 왕실의 보호를 받으며 성장하였다.

16 다음에서 설명하는 왕조의 문화적 특징으로 옳지 않은 것은?

> 찬드라굽타 1세가 인도 북부에서 건국하였다. 이후 찬드라굽타 2세 때 벵골만에서 아라비아해까지 영토를 확장하고 전성기를 이룩하였다. 동서 해상 무역을 독점하여 경제적으로 번영하였으나, 5세기 이후 에프탈의 계속된 침입으로 쇠퇴하였다.

① 힌두교가 융성하였다.
② 우르두어가 널리 사용되었다.
③ 영(0)과 10진법이 사용되었다.
④ 산스크리트 문학이 발달하였다.
⑤ 『라마야나』가 오늘날의 형태로 정리되었다.

17 다음 시대에 볼 수 있었던 모습으로 적절한 것은?

> 13세기 초 아이바크가 델리를 수도로 하는 왕조를 수립한 이후 약 300년 동안 이슬람 계통의 다섯 왕조가 교체되며 북인도 지역을 지배하였다.

① 지즈야를 납부하는 힌두교도
② 페르세폴리스 공사에 동원된 백성
③ 무함마드를 따라 메디나로 이동하는 무리
④ 앙카라 전투에서 오스만 제국과 싸우는 군인
⑤ 우마이야 왕조의 칼리프 세습에 반발하는 이슬람교도

18 다음 자료와 관련된 무굴 제국의 정책으로 옳은 것은?

> 강제로 개종을 시킨 사람에게서 어떻게 성실한 신앙생활을 기대할 수 있을까? …… 모든 사람은 자신의 처지에 따라 각각 자기가 최고로 여기는 존재에 대해 각기 다른 이름을 붙여 놓는다.
> – 『아크바르나마』

① 지즈야를 부활시켰다.
② 대승 불교를 후원하였다.
③ 밀레트의 자치를 허용하였다.
④ 힌두교도에게 관직을 개방하였다.
⑤ 크리스트교 청소년을 예니체리에 편성하였다.

19 밑줄 친 '그'에 대한 설명으로 옳은 것은?

> 샤자한의 아들이었던 그는 17세기에 무굴 제국 황제의 자리에 올랐다. 그는 군사적 재능이 뛰어나 이슬람의 여러 왕조를 정복하고 인도 남부의 데칸고원까지 차지하여 무굴 제국의 최대 영토를 확보하였다.

① 사마르칸트로 도읍을 옮겼다.
② 토착 힌두교도와 결혼하였다.
③ 이슬람 제일주의를 지향하였다.
④ 시아파 이슬람교를 국교로 정하였다.
⑤ 아바스 왕조로부터 술탄의 칭호를 얻었다.

[20~21] 다음을 읽고 물음에 답하시오.

> • 발표 주제: (가) 의 문화 발달
> • 발표 순서
> 1모둠: 우르두어의 성립과 일상적 사용
> 2모둠: 타지마할에 사용된 건축 양식
> 3모둠: 페르시아 세밀화와 인도 양식이 융합된 그림

20 위의 수업에서 발표할 주제로 가장 적절한 것은?

① 시크교의 교리적 특징
② 아라비아 숫자의 탄생 배경
③ 산스크리트 문학의 발달 사례
④ 엘로라 석굴 사원의 건축 양식
⑤ 그리스 신상과 간다라 불상의 비교

21 (가) 제국에 대한 설명으로 옳지 않은 것은?

① 인도양 무역을 주도하였다.
② 서양 세력의 침투로 쇠퇴하였다.
③ 동남아시아에 상좌부 불교의 포교단을 파견하였다.
④ 상공업의 발달로 해안 지역에 무역항이 발달하였다.
⑤ 이슬람 문화와 인도 문화가 융합된 문화가 발달하였다.

유럽·아메리카 지역의 역사

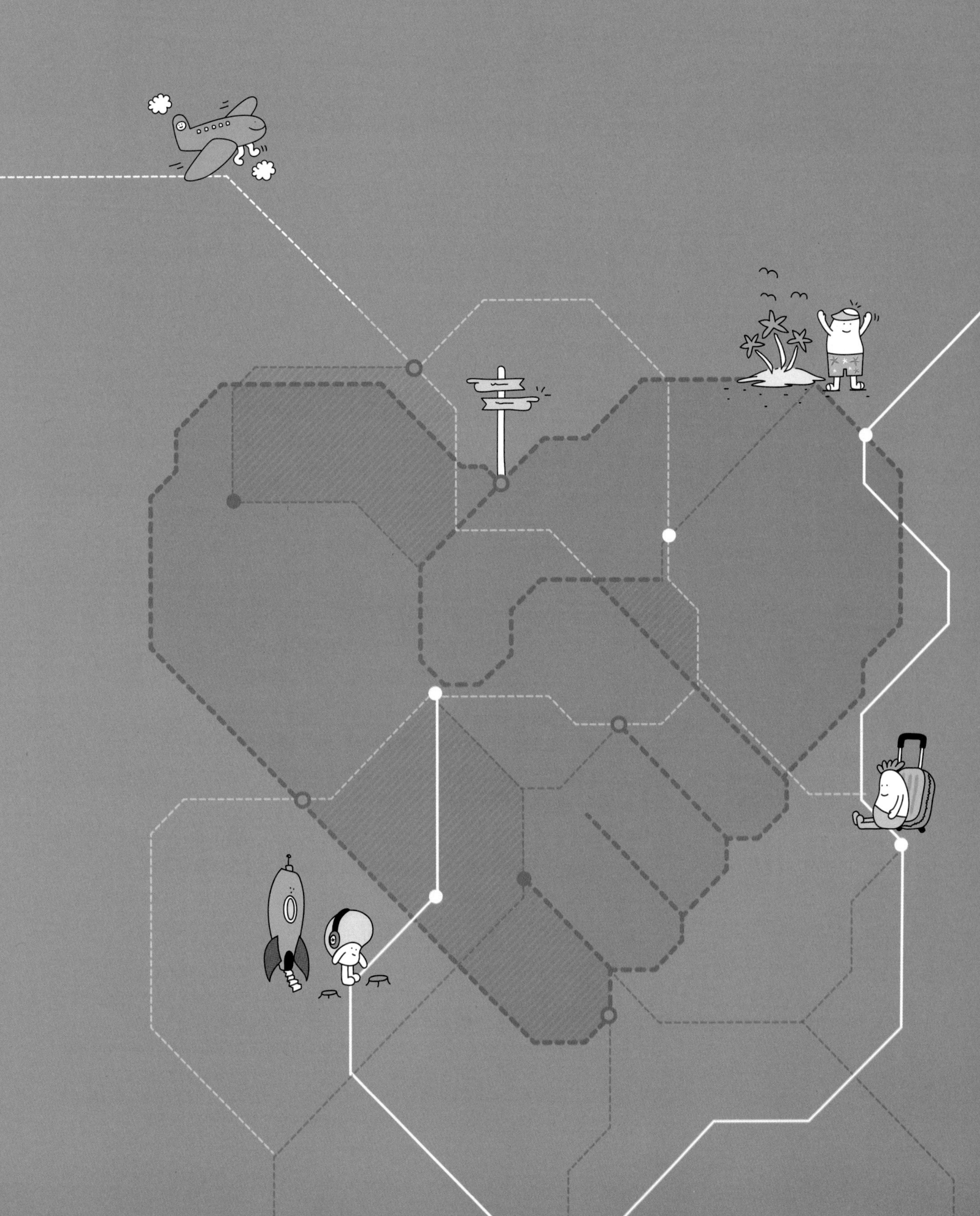

01 고대 지중해 세계

학습목표
- 아테네와 스파르타 사회를 비교하고 그리스 문화와 헬레니즘 문화의 특징을 파악할 수 있다.
- 로마의 정치 발전 과정과 로마 문화의 특징을 설명할 수 있다.

이것이 핵심!

• 그리스 세계의 성립과 발전

폴리스의 성립	
산이 많고 평야가 적은 자연환경 → 도시 국가 폴리스 형성	
↓	
아테네	스파르타
• 상공업 발달 • 민주 정치 발전	• 농업 발달 • 군국주의 체제 발전

• 그리스의 문화

미술	조화와 균형의 미 추구
역사	헤로도토스의 『역사』, 투키디데스의 『역사』 저술
문학	호메로스의 『일리아드』, 『오디세이아』 유명
철학	소피스트, 소크라테스, 플라톤, 아리스토텔레스 등 활약

★ 헬레네스
그리스인이 자기 민족을 부르던 이름으로, 그리스어를 모르는 이민족들을 '바르바로이'라고 칭하며 스스로를 다른 민족과 구별하였다.

★ 도편 추방제
도자기 파편에 독재자(참주)가 될 가능성이 있는 사람의 이름을 적어 6,000표 이상을 얻은 사람을 10년간 국외로 추방하는 제도

★ 소피스트
'뛰어난 자', '지식 있는 자'를 의미한다. 기원전 5세기경부터 등장하여 철학의 관심을 자연에서 인간으로 돌린 철학자들이다. 이들은 수사학과 변론을 가르치는 직업 교사를 지칭하며 인간을 만물의 척도라 하여 절대적 진리를 부정하였다.

1 그리스 문명

1. 폴리스의 성립

기원전 2000년경 에게해에서 청동기를 바탕으로 한 크레타 문명과 미케네 문명이 몰락한 이후 그리스 세계에서 긴 암흑기가 이어지다가 폴리스가 형성되기 시작하였어.

(1) **배경**: 산이 많고 평야가 적어 그리스인들이 해안 가까이의 평지를 중심으로 촌락 형성

(2) **성립**: 기원전 10세기경 촌락들이 방어를 위해 언덕에 성과 요새를 쌓음 → 폴리스로 발전

(3) **구조**: 아크로폴리스(종교와 군사의 거점), 아고라(집회, 상거래, 공공 생활의 중심인 광장)로 구성

(4) **특징**: 강한 동족 의식 형성(공통된 언어와 종교 공유, 스스로를 *헬레네스라 부름, 4년마다 올림피아 제전 개최)

잠깐! 정치적 통일은 이루지 못하였다는 것을 기억해 둬.

2. 아테네의 민주 정치

(1) **발전 배경**: 평민들의 지위 향상, 정치 참여 요구 확대

Q? 상공업 발달로 부유해진 평민들이 중장 보병으로 전쟁에 참여하였기 때문이야.

(2) **발전 과정** 교과서 자료

사회 혼란 속에서 페이시스트라토스와 같은 참주가 민중의 지지를 얻기도 하였어.

솔론의 개혁	재산에 따라 참정권을 차등 분배(금권정) → 귀족과 평민 모두의 반발 초래
클레이스테네스의 개혁	부족제 개편(혈연 중심 → 거주지 중심), 500인 평의회 구성, 독재자의 출현을 막기 위해 *도편 추방제 마련 → 민주 정치의 기반 마련
페리클레스의 개혁	성인 남자 시민이 민회에 참여, 민회가 실질적인 입법권 행사, 공무 수당 지급, 특수직을 제외한 모든 관직과 배심원을 추첨으로 선출 → 민주 정치의 전성기 이룩

(3) **한계**: 여자, 거류 외국인, 노예에게는 참정권이 부여되지 않음

꼭! 아테네의 민주 정치가 현대 민주 정치와 다른 점이야.

3. 스파르타의 발전

(1) **성립**: 소수의 도리스인들이 펠로폰네소스반도의 다수 원주민을 정복하고 폴리스 건설

(2) **통치**: 강력한 군국주의 체제 발전(남자 시민에게 엄격한 군사 훈련 실시), 왕 아래 귀족들이 정치적 실권 장악, 성인 남자 시민에게만 참정권 부여 자료①

4. 그리스 세계의 번영과 쇠퇴

(1) **그리스·페르시아 전쟁(기원전 492 ~ 기원전 479)**: 세 차례의 그리스·페르시아 전쟁 발발 → 아테네, 스파르타 중심의 그리스 승리(→ 아테네는 델로스 동맹의 맹주가 되어 해상 제국으로 발전) 자료②

Q? 그리스·페르시아 전쟁 이후 아테네의 세력이 커지자, 아테네 중심의 델로스 동맹과 스파르타 중심의 펠로폰네소스 동맹이 대립하였어.

(2) **펠로폰네소스 전쟁(기원전 431 ~ 기원전 404)**: 델로스 동맹과 펠로폰네소스 동맹의 대립 격화 → 전쟁 발발 → 펠로폰네소스 동맹 승리(→ 스파르타가 그리스 세계의 패권 장악)

(3) **그리스의 쇠퇴**: 그리스 세계의 내분, 마케도니아의 필리포스 2세에게 정복됨(기원전 338)

5. 그리스의 문화: 합리적·인간 중심적 문화 발전

그리스는 신들도 인간의 모습과 감정을 가진 존재로 여겼어.

건축, 미술	조화와 균형의 미를 추구한 신전과 조각 제작(파르테논 신전, 「아테네 여신상」 등)
역사	헤로도토스의 『역사』(그리스·페르시아 전쟁사), 투키디데스의 『역사』(펠로폰네소스 전쟁사) 저술
문학	전쟁 영웅과 신의 세계를 다룬 호메로스의 『일리아드』와 『오디세이아』 유명
연극	희극과 비극이 극장에서 상연, 아이퀼로스·소포클레스(비극)·아리스토파네스(희극) 등 작가의 활동
철학	• 자연 철학: 우주와 만물의 근원 탐구 • 인간 철학: *소피스트(진리의 상대성과 주관성 강조), 소크라테스(진리의 보편성과 절대성 강조), 플라톤(이상 국가 구상), 아리스토텔레스(여러 분야 학문의 체계적 정리) 등 활약

소크라테스: 소피스트를 비판하였어.

완자 자료 탐구

내 옆의 선생님

수능이 보이는 교과서 자료 아테네 민주 정치의 발전

• 도편이 계수되면 최다이면서 6,000표 이상을 받은 사람은 누구나, …… 10년간 도시를 떠나야 한다. ─ 아테네에서는 독재자 출현을 막기 위해 도편 추방제를 실시하였어.
– 뮬러 외, 『그리스 역사가 단편』

• 우리의 정치 체제는 권력이 소수가 아닌 다수로부터 나오기 때문에 민주 정치라고 부릅니다. …… 우리는 중요한 공직을 부여할 때 출신이 아니라 능력의 탁월함만을 고려합니다. …… 국가에 봉사할 능력만 있다면 가난하다고 정치적으로 배제되지는 않습니다.
– 투키디데스, 『역사』, 페리클레스의 연설

• 관리는 경험이나 기술이 요구되지 않는 한 모두 추첨을 통해 선출한다. …… 모든 관직 또는 가능한 많은 관직의 임기가 짧아야 하며 …… 나아가 민회·재판소·여러 관직에 되도록 많은 수당을 지급해야 한다.
– 아리스토텔레스, 『정치학』

─ 추첨제를 나타내. 특수직을 제외한 모든 관직과 배심원이 추첨으로 선출되었어.
─ 공무 수당이 지급되어 가난한 시민도 정치에 참여할 수 있었어.

아테네에서는 기원전 6세기 말 클레이스테네스가 독재자(참주)의 출현을 막기 위해 도편 추방제를 실시하여 민주 정치의 기틀을 마련하였다. 그리고 기원전 5세기 중엽 페리클레스 때 수당제, 추첨제 등이 실시되면서 민주 정치의 전성기를 맞이하였다.

완자샘의 탐구강의

• **도편 추방제의 장단점을 써 보자.**
도편 추방제는 독재자의 출현을 막을 수 있다는 장점이 있었지만 정적을 제거하는 수단으로 변질되기도 하였다.

• **아테네 민주 정치의 특징과 한계를 서술해 보자.**
시민이 민회에 직접 참여하는 직접 민주 정치였다. 공무 수당을 지급하여 가난한 시민도 정치에 참여할 수 있었고, 특수직을 제외한 모든 관직과 배심원을 추첨으로 선출하였다. 그러나 성인 남자만 시민 자격을 가졌다는 한계가 있다.

함께 보기 130쪽, 1등급 정복하기 1

자료 ① 스파르타의 사회 체제

─ 스파르타의 남자아이는 7세가 되면 공동 교육소에서 신체 단련과 군사 훈련을 시작하였고 30세까지 공동생활을 하였어.

20세부터 60세까지 남자들은 병역의 의무를 졌다. 30세까지는 결혼을 했어도 병영에서 공동생활을 하였다. 소녀들도 국가의 감독하에 격렬한 육체 운동과 정신 교육을 받았는데, 건강한 어머니만이 훌륭한 전사를 낳을 수 있다는 취지에서였다.
– 플루타르코스, 『영웅전』

스파르타는 피정복민들의 반란을 진압하고 질서를 유지하고자 강력한 군사 통치 체제를 발전시켰다. 스파르타에는 모든 시민이 이수해야 하는 공교육 제도(아고게)가 있었다. 교육 기간은 7~20세까지였고 주요 과목은 읽기, 쓰기, 음악, 무용, 군사 훈련이었으며 교육의 궁극적인 목적은 덕을 겸비한 용감한 전사의 양성이었다.

자료 하나 더 알고 가자!

스파르타의 인구 구성과 통치 체제

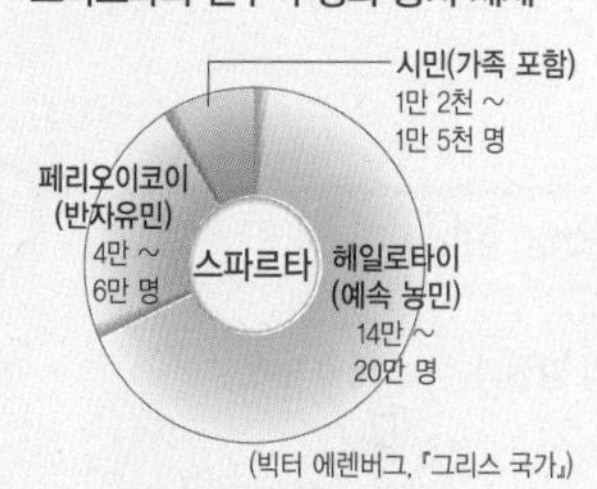

▲ 스파르타의 인구 구성비

소수의 지배층이 다수의 피지배층을 다스리기 위해 군사 통치 체제가 발달하였어.

자료 ② 그리스·페르시아 전쟁

기원전 5세기 아케메네스 왕조 페르시아가 지중해로 세력을 확대하고 소아시아의 그리스 식민 도시를 압박하면서 그리스 세계와 페르시아 사이에 그리스·페르시아 전쟁이 일어났다. 아테네와 스파르타를 중심으로 한 그리스 세계는 마라톤 전투와 살라미스 해전 등에서 페르시아 군대를 물리쳐 전쟁에서 승리하였다. 이후 아테네는 델로스 동맹의 맹주가 되어 강력한 해상 제국으로 발전하였다.

문제로 확인할까?

그리스·페르시아 전쟁에 대한 설명으로 옳은 것은?

① 아테네 민주 정치의 쇠퇴를 초래하였다.
② 페르시아가 그리스 세계에 승리를 거두었다.
③ 스파르타가 그리스의 패권을 장악하는 결과를 낳았다.
④ 아테네가 강력한 해상 제국으로 발전하는 계기가 되었다.
⑤ 그리스 세계가 마라톤 전투와 살라미스 해전에서 패배하였다.

㉮ ④

01 고대 지중해 세계

이것이 핵심!

알렉산드로스 제국과 헬레니즘 문화

성립	알렉산드로스의 동방 원정 → 유럽, 아시아, 아프리카에 걸친 대제국 건설
정책	동서 융합(동방의 전제 군주정 도입, 피정복민의 종교와 관습 존중, 알렉산드리아 건설 등)
문화	헬레니즘 문화 발달(개방적, 개인주의적, 세계 시민주의적)

★ **헬레니즘 문화**
헬레니즘은 '그리스적으로 사고하는 것' 또는 '그리스인의 것'이라는 의미이다. 헬레니즘 문화는 그리스 문화를 바탕으로 오리엔트 문화가 융합되어 나타난 것으로 알렉산드로스가 정복한 지역에서 융성하였다.

2 알렉산드로스 제국과 헬레니즘 문화

1. 알렉산드로스 제국 자료③

(1) **성립**: 알렉산드로스의 동방 원정 시작(기원전 334) → 이집트·페르시아 정복, 인더스강 유역까지 진출 → 유럽, 아시아, 아프리카에 걸친 대제국 건설

└ 이로써 지중해에서 인도에 이르는 동서 교역로가 열렸어.

(2) **동서 융합 정책**: 동방의 전제 군주정 도입(강력한 왕권 행사), 피정복민의 종교와 관습 존중, 알렉산드리아 건설, 그리스인과 페르시아인의 결혼 장려, 그리스어를 공용어로 사용, 그리스 화폐 사용 장려

(3) **멸망**: 알렉산드로스 사후 시리아, 이집트, 마케도니아 등으로 분열 → 기원전 1세기 후반까지 모두 로마 제국에 정복됨

2. ★헬레니즘 문화 자료④

(1) **특징**: 개방적, 개인주의적, 세계 시민주의적 성격

└ 대제국의 건설로 폴리스 중심의 기존 질서가 무너지고 공동체에 대한 인식이 약화되면서 개방적, 개인주의적, 세계 시민주의적인 성격이 나타났어.

(2) **발전**

철학	스토아학파(금욕, 이성적인 삶 추구), 에피쿠로스학파(마음의 안정과 만족을 통해 개인의 행복 추구)
자연 과학	• 물리학: 아르키메데스가 부력의 원리 발견 • 수학: 에우클레이데스(유클리드)의 기하학 발전 • 천문학: 에라토스테네스가 지구의 자오선 측정, 아리스타르코스가 태양 중심설 제기 • 의학: 인체 해부 시작
예술	현실적인 아름다움 중시, 인간의 육체와 감정을 사실적으로 표현한 관능적 작품 등장(「밀로의 비너스상」, 「라오콘 군상」, 「니케상」 등) → 간다라 양식의 성립에 영향, 유럽 문화 발달의 기반이 됨

└ 헬레니즘 문화가 로마 제국을 거쳐 유럽에 전해졌어.

이것이 핵심!

로마의 발전과 정치 체제 변천

왕정 체제
↓
공화정의 수립과 발전
귀족 중심의 공화정 수립 → 평민의 정치적 권리 요구 → 평민권 신장
↓
대외 팽창과 포에니 전쟁
이탈리아반도 통일 → 포에니 전쟁 전개(로마 승리, 지중해 연안 장악)
↓
공화정의 쇠퇴
사회 혼란(자영농 몰락, 라티푼디움 성행) → 그라쿠스 형제의 개혁 시도 실패 → 군인 정치가 등장, 3두 정치 실시
↓
제정 성립
옥타비아누스의 정권 장악(제정 수립) → 5현제 시대(로마의 평화 시대) 전개

3 로마 제국

1. 로마의 성립: 기원전 8세기 중엽 라틴인이 테베레강 하류에 도시 국가 로마 건설

2. 로마 공화정의 발전 자료⑤

잠깐! 로마는 원래 에트루리아 출신 왕의 지배를 받는 왕정이었음을 알아 둬.

(1) **공화정 수립**: 기원전 6세기 말 공화정 수립 → 귀족들이 원로원 독점, 집정관의 국정 장악

(2) **평민권의 신장**

① 배경: 평민들이 중장 보병으로 군대의 주력 담당 → 정치적 권리 요구

└ 상공업의 발달로 부를 축적하였어.

② 과정

호민관직 설치, 평민회 조직	평민 중에 선출된 호민관이 원로원의 의결 사항에 대한 거부권을 가짐
12표법 제정	로마 최초의 성문법 제정으로 평민의 권리 보호(귀족들의 자의적 법 집행 방지)
리키니우스·섹스티우스법 제정	집정관 2명 중 1명을 평민에서 선출
호르텐시우스법 제정	원로원의 승인 없이 평민회의 의결이 법적 효력을 가짐

└ 법률상 평민이 귀족과 동등한 권리를 획득하게 되었어.

3. 포에니 전쟁(로마·카르타고 전쟁)

지중해의 제해권을 둘러싸고 세 차례 전쟁을 벌였어.

(1) **로마의 대외 팽창**: 기원전 3세기 이탈리아반도 통일 → 카르타고와의 포에니 전쟁에서 승리, 서지중해의 패권 장악 → 마케도니아와 그리스 정복(지중해 연안 대부분 지배)

(2) **포에니 전쟁 이후의 사회 변화**: 유력자들이 오랜 전쟁으로 방치된 농지 독차지, 노예 노동을 이용한 대농장(라티푼디움) 경영, 자영농 몰락 → 사회 혼란(국가 재정 악화, 군사력 약화)

└ 토지를 잃은 자영 농민층이 몰락하여 도시로 몰려들면서 사회 불안이 조성되었어.

내 옆의 선생님

자료 3 알렉산드로스의 동방 원정과 그 영향

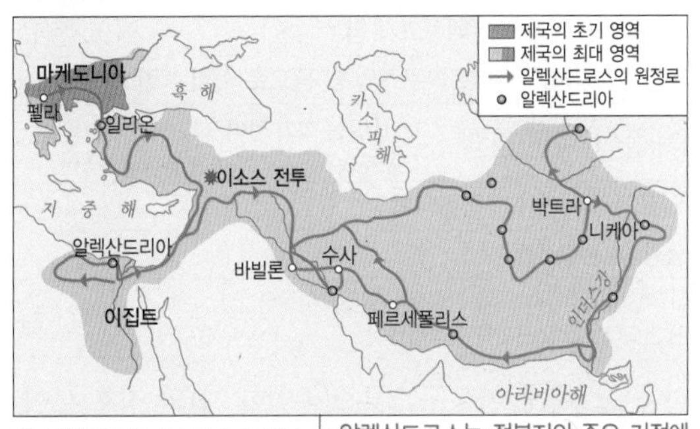

알렉산드로스 제국의 영토 ─ 알렉산드로스는 정복지의 주요 거점에 자신의 이름을 딴 '알렉산드리아'라는 도시를 건설하고 그리스인을 이주시켰어.

알렉산드로스는 대제국을 건설한 뒤 정복지에 포용 정책을 펼쳤다. 또한 넓은 제국을 원활하게 통치하기 위해 그리스와 오리엔트 문화의 융합에 힘썼다. 그는 동방의 전제 군주정을 수용하고, 페르시아의 공주와 결혼하는 등 동서 융합 정책을 펼쳤다.

정리 비법을 알려줄게!

알렉산드로스의 정책

배경	동방 원정 단행 → 대제국 건설
목적	넓은 제국의 원활한 통치를 위해 동서 문화의 융합 추구
내용	• 동방의 전제 군주정 수용 • 피정복민의 종교와 관습 존중 • 알렉산드리아를 건설하여 그리스인을 이주시킴 • 그리스인과 페르시아인의 결혼을 장려함

자료 4 헬레니즘 문화의 발달

─ 헬레니즘 사람들은 세계를 하나로 보고 인간을 여기에 속한 세계 시민으로 생각하였어.

> 스토아학파의 창시자 제논은 "모든 인간들은 이 세계의 시민이다. 모든 사람들에게 세계는 하나"라고 주장하였다. 그는 모든 인간들이 "똑같은 목동 밑에서 풀을 뜯고 똑같은 성가신 일들을 겪는 양 떼처럼" 똑같은 삶을 누리기를 원하였다.
>
> – 앙드레 보나르, 『그리스인 이야기 3』

라오콘 군상

─ 뱀에게 감긴 라오콘과 두 아들의 고통을 사실적으로 묘사하였어. 이처럼 헬레니즘의 미술은 현실적이고 관능적인 아름다움을 추구하였지.

알렉산드로스의 정복 활동으로 폴리스 중심의 배타적 성격은 사라지고 개방적이고 세계 시민주의적인 문화가 발전하였다. 헬레니즘 시대 사람들은 세계를 하나로 보고 인간을 여기에 속한 세계 시민으로 생각하였다. 이러한 생각은 철학에도 영향을 미쳐 스토아학파와 에피쿠로스학파가 발달하였다. 예술에서는 이상적인 아름다움보다 현실적인 아름다움이 중시되어 인간 육체의 아름다움과 인간의 감정을 사실적으로 표현한 작품들이 등장하였다.

자료 하나 더 알고 가자!

자연 과학의 발달

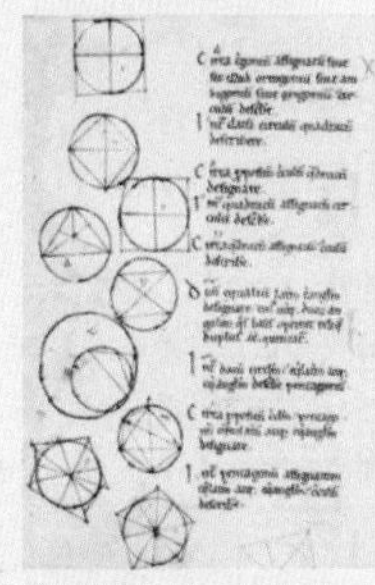

에우클레이데스의 저서

헬레니즘 시대에는 자연 과학도 크게 발전하였어. 에우클레이데스가 체계화한 기하학과 같은 수학 이론은 오늘날에도 활용되고 있지.

자료 5 로마 공화정의 발전

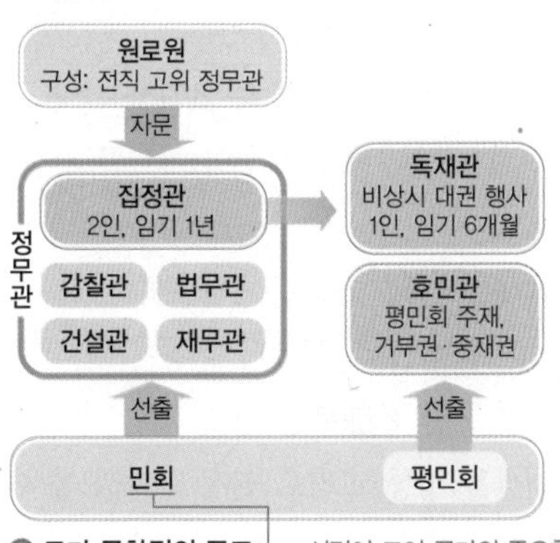

로마 공화정의 구조 ─ 시민이 모여 국가의 중요한 일을 결정하였어.

왕정 체제로 출발한 로마는 기원전 6세기 말 귀족들이 왕을 몰아내고 공화정을 수립하였다. 공화정 초기는 귀족들 중심이었으나 상공업 발달로 부유해진 평민들이 중장 보병으로 군대의 주력이 되면서 정치적 권리를 요구하였다. 그리하여 호민관직과 평민회가 설치되는 등 평민의 권리가 향상되었다. 로마 공화정은 행정과 군사를 담당하는 2명의 집정관과 자문 기관인 원로원, 그리고 민회가 서로 견제하며 균형을 이루었다.

문제로 확인할까?

로마의 평민권 신장 과정에서 있었던 일로 옳지 않은 것은?

① 500인 평의회가 구성되었다.
② 호민관직과 평민회가 설치되었다.
③ 12표법이 제정되어 평민의 권리가 보호되었다.
④ 리키니우스·섹스티우스법으로 집정관 2명 중 1명을 평민에서 선출하였다.
⑤ 호르텐시우스법이 제정되어 평민이 형식상 귀족과 동등한 권리를 갖게 되었다.

① 답

01 고대 지중해 세계

★ **스파르타쿠스의 난**
검투 노예였던 스파르타쿠스가 동료 검투사들을 이끌고 자유를 외치며 일으킨 난

★ **3두 정치**
공화정 말기 3명의 지도자가 동맹하여 정권을 장악한 정치 형태이다. 1차는 카이사르, 크라수스, 폼페이우스, 2차는 옥타비아누스, 안토니우스, 레피두스가 권력을 잡았다.

★ **프린켑스**
공화정 때 원로원의 의장을 가리키는 용어로 사용되었으나 제정 시대에는 황제를 지칭하는 말이었다.

★ **콜로나투스**
로마 제정 후기 정복 전쟁이 끝나자 노예 공급이 중단되고 자영농이 몰락하였다. 이에 토지를 대여하여 경작하게 하는 소작제가 나타나 종전의 노예나 몰락한 농민은 소작인(콜로누스)이 되었다. 이러한 소작인을 이용한 농장 경영을 '콜로나투스'라고 한다.

★ **유스티니아누스 법전**
6세기 비잔티움 제국 전성기의 황제인 유스티니아누스 황제가 로마법을 집대성하여 편찬한 법전

★ **카타콤**
좁은 통로로 이어진 지하 무덤으로 크리스트교도들이 박해를 피해 몰래 예배를 보는 장소로 쓰였다.

★ **삼위일체설**
아타나시우스파가 주장한 것으로 성부(하느님), 성자(예수), 성령(성신)이 본질상 하나라는 이론

4. 로마 사회의 변화

(1) 그라쿠스 형제의 개혁 자료 6

내용	• 농지법(티베리우스 그라쿠스): 유력자의 대토지 소유 제한, 농민에게 토지 재분배 시도 • 곡물법(가이우스 그라쿠스): 빈민들에게 곡물을 싼 가격에 분배하고자 함
결과	귀족층의 반대로 실패 → 귀족파와 평민파의 권력 다툼, *스파르타쿠스의 난 등으로 사회 혼란 지속

(2) *3두 정치: 사회 혼란 속에서 군인 정치가들이 정권 장악 (카이사르는 그가 왕이 되어 전제 정치를 할 것을 두려워한 반대파에게 암살당하였어.)

제1차 3두 정치	카이사르가 개혁 주도 → 카이사르가 반대파에게 암살당함
제2차 3두 정치	옥타비아누스가 악티움 해전 승리 후 권력 장악

(악티움 해전: 기원전 31년 옥타비아누스가 이집트의 클레오파트라와 연합한 안토니우스의 군대를 격파하였어.)

5. 로마 제정의 등장과 몰락 자료 7

(1) **제정의 시작(기원전 27)**: 원로원이 옥타비아누스에게 '아우구스투스(존엄한 자)'의 칭호 부여, 옥타비아누스가 *프린켑스(제1 시민) 자처, 군대 통수권과 재정권 장악, 황제로 군림

(2) **5현제 시대**: 최대 영토 확보, 도로·화폐·도량형 정비, 동서 교역 활발 → 로마의 평화 시대

(3) **군인 황제 시대**: 군대의 정치 개입, 군인 출신 황제가 연이어 등장(→ 국정 문란, 속주의 반란), 농촌 피폐, 도시·상공업 쇠퇴(→ 중산층 자유 시민 몰락), *콜로나투스 운영

(4) **중흥을 위한 노력**

① 디오클레티아누스 황제: 제국을 4분할하여 통치, 전제 군주제 도입 (4분할하여 통치: 제국을 넷으로 나누고 황제와 부황제를 2명씩 임명하여 통치하게 하였어.)

② 콘스탄티누스 대제: 밀라노 칙령(313)으로 크리스트교 공인, 콘스탄티노폴리스로 천도

(5) **제국의 분열 및 멸망**: 테오도시우스 황제 사후 동서 로마로 분리(395) → 서로마 제국은 게르만족의 침입으로 멸망(476), 동로마 제국(비잔티움 제국)은 약 1000년간 지속

6. 로마의 문화 자료 8

(로마의 문화: 그리스 문화와 헬레니즘 문화를 융합하여 서양의 고전 문화를 완성하였어.)

(1) **특징**: 광대한 제국을 통치하기 위해 법률, 건축, 토목 등 실용적 분야 발달

(2) **발전**

법률	12표법(관습법의 성문화) → 시민법(로마 시민에게 적용) → 만민법(제국 안의 모든 민족에게 적용) → 비잔티움 제국의 『*유스티니아누스 법전』(로마법 대전)으로 집대성
토목, 건축	도로와 수도 시설, 개선문, 원형 경기장(콜로세움), 공중목욕탕 등 건설
과학	프톨레마이오스의 천동설 주장 (천동설: 태양이 지구 둘레를 돈다는 주장이야.)
역사	리비우스의 『로마사』, 타키투스의 『게르마니아』, 카이사르의 『갈리아 전기』, 플루타르코스의 『영웅전』 등 유명
문학, 철학	키케로·베르길리우스·호라티우스 등의 문학 활동, 스토아 철학 발전

7. 크리스트교의 등장과 확산

(1) **성립**: 예수가 유대교의 선민사상과 형식적인 율법주의 배격, 민족과 신분을 초월한 신의 사랑·평등·인간애 설교, 십자가에 처형당함 → 예수의 제자들을 통해 예수의 가르침 확산, 각지에 교회 설립, 『신약성서』 편찬

(2) **탄압**: 황제 숭배 및 군대 복무 거부로 박해당함 → 박해를 피해 *카타콤에서 예배, 크리스트교의 교세 확장

(왜? 로마는 다신교로 다양한 종교를 수용하였는데 크리스트교가 유일신을 믿으며 황제 숭배를 우상 숭배라며 거부하자 박해하였어.)

(3) **공인**: 콘스탄티누스 대제의 밀라노 칙령으로 크리스트교 공인 자료 8

(4) **발전**: 니케아 공의회에서 아타나시우스파의 *삼위일체설을 정통 교리로 인정 → 테오도시우스 황제가 크리스트교를 국교로 선포(392) → 전 유럽에 전파, 세계 종교로 성장

(전 유럽에 전파, 세계 종교로 성장: 크리스트교는 그리스와 헬레니즘 문화, 로마 문화와 함께 유럽 문화의 중요한 바탕이 되었어.)

완자 자료 탐구

내 옆의 선생님

자료 6 그라쿠스 형제의 개혁

> • 이탈리아를 위해 싸우고 죽은 사람들은 공기와 햇빛을 향유할 뿐, 아무것도 가진 것이 없습니다. …… 그들은 다른 사람들의 부와 사치를 위해서 싸우다 죽지만 자기 소유라 할 단 한 조각의 땅도 없습니다. └ 포에니 전쟁 이후 로마의 자영농이 몰락하였어. – 플루타르코스, 『영웅전』, 그라쿠스의 연설
>
> • 1,000유게룸 이상의 토지를 임차하고 있는 자는 그것을 국가에 반환하고, 국가는 반환된 토지의 면적에 따라 보상금을 지급한다. 그런 다음 국가는 상설 실무 위원회를 설치하여 희망하는 농민에게 임차 농지를 재분배한다. ┌ 가난한 농민에게 토지를 주어 자영농을 육성하고자 하였어. – 티베리우스 그라쿠스가 제출한 『농지법』

로마는 포에니 전쟁에서 승리하여 서지중해의 패권을 장악하였다. 이후 로마의 유력자들이 전쟁으로 방치된 많은 토지를 소유하게 되면서 노예를 이용한 라티푼디움이 성행하였다. 그 결과 자영농들이 토지를 잃고 몰락하였고, 이에 그라쿠스 형제가 개혁을 시도하였다.

자료 7 로마 제국의 발전

로마 제국의 영토

로마 제국의 옥타비아누스가 원로원으로부터 '아우구스투스'라는 칭호를 받으면서 황제와 다름없는 권력을 행사하였고 로마의 제정이 시작되었다. 이후 로마는 유능한 다섯 황제(5현제)가 연달아 집권하여 영토를 확장하고 평화와 안정을 누렸는데, 옥타비아누스부터 5현제까지의 약 200년간을 로마의 평화 시대라고 한다.

자료 8 로마의 문화

수로가 협곡이나 계곡을 통과하였기 때문에 아치형의 교량 형태로 세웠어. 맨 위층이 수로이고, 아래층은 사람이나 말이 지나는 길로 이용하였지.

로마 시대에 만든 도로

수도교

콜로세움

로마에서는 대제국을 통치하기 위해 법률, 토목, 건축 등의 실용적인 문화가 발전하였다. 로마는 사람과 물자의 이동을 쉽게 하기 위해 정복지를 도로로 연결하였고, 도시에 물을 공급하기 위한 수도교와 원형 경기장인 콜로세움 등을 건설하였다.

정리 비법을 알려줄게!

그라쿠스 형제의 개혁

배경
라티푼디움 성행, 자영농 몰락 → 사회 혼란
↓
개혁
대토지 경영 제한(농지법), 빈민에게 싼값으로 밀 제공(곡물법) → 사회 혼란 극복 노력
↓
결과
귀족들의 반대로 실패, 사회 혼란 지속

문제로 확인할까?

1. 다음 내용에 해당하는 인물에 대한 설명으로 옳은 것은?

> 그는 원로원으로부터 '존엄한 자'라는 '아우구스투스'의 칭호를 부여받았다.

① 프린켑스를 자처하였다.
② 밀라노 칙령을 발표하였다.
③ 니케아 공의회를 소집하였다.
④ 크리스트교를 국교로 삼았다.
⑤ 제국을 4분할 체제로 통치하였다.

2. 4세기 (   )는 수도를 콘스탄티노폴리스로 옮기는 등 로마 제국의 부흥을 위해 힘썼다.

답 1. ① 2. 콘스탄티누스 대제

자료 하나 더 알고 가자!

크리스트교의 공인

> 크리스트교든 다른 어떤 종교든 관계없이 각자 원하는 종교를 믿고 거기에 따르는 제의에 참석할 자유를 완전히 인정받는다. – 밀라노 칙령

로마는 크리스트교를 박해하였지만 크리스트교의 교세는 노예, 여성, 하층민을 중심으로 확장되었어. 그러자 콘스탄티누스 대제는 밀라노 칙령으로 크리스트교를 공인하였어.

정답친해 36쪽

STEP 1 핵심 개념 확인하기

1 ㉠, ㉡에 들어갈 내용을 각각 쓰시오.

> 그리스의 폴리스에서 (㉠)는 종교와 군사의 거점이었고, (㉡)는 집회와 상거래, 공공 생활의 중심이었다.

2 다음 설명이 맞으면 ○표, 틀리면 ×표를 하시오.

(1) 페리클레스는 재산에 따라 참정권을 차등 분배하는 금권정을 실시하였다. ( )

(2) 클레이스테네스는 부족제 개편, 500인 평의회 구성을 통해 아테네 민주 정치의 기반을 마련하였다. ( )

3 다음 괄호 안의 내용 중 알맞은 말에 ○표를 하시오.

(1) (아테네, 스파르타)는 델로스 동맹의 맹주가 되었다.

(2) (스파르타, 마케도니아)는 소수의 정복민이 다수의 피정복민을 지배하기 위해 강력한 군국주의 체제를 발전시켰다.

4 ( )는 그리스와 오리엔트 문화의 융합에 힘썼고, 정복지에 알렉산드리아라는 도시를 건설하여 그리스인을 이주시켰다.

5 다음에서 설명하는 인물을 〈보기〉에서 골라 기호를 쓰시오.

보기
ㄱ. 옥타비아누스 ㄴ. 그라쿠스 형제
ㄷ. 콘스탄티누스 대제

(1) 밀라노 칙령을 통해 크리스트교를 공인하였다. ( )

(2) 원로원으로부터 '아우구스투스'의 칭호를 받았다. ( )

(3) 호민관 출신으로 몰락한 자영농을 육성하기 위해 개혁을 시도하였으나 귀족들의 반대로 실패하였다. ( )

6 다음 문화와 그 성격을 옳게 연결하시오.

(1) 로마 문화 • • ㉠ 실용적
(2) 그리스 문화 • • ㉡ 합리적, 인간 중심적
(3) 헬레니즘 문화 • • ㉢ 개방적, 세계 시민주의적

STEP 2 내신 만점 공략하기

01 밑줄 친 '도시 국가'에 대한 설명으로 옳은 것을 〈보기〉에서 고른 것은?

> 미케네 문명이 몰락한 이후 그리스는 긴 암흑기를 겪었으나, 기원전 10세기경부터 도시 국가가 형성되기 시작하였다. 이 도시 국가는 정치·경제·사회생활의 기본 단위였고 아테네, 스파르타 등이 대표적이다.

보기
ㄱ. 자연환경으로 인해 정치적 통일을 이룰 수 있었다.
ㄴ. 같은 언어와 종교를 사용하여 동족 의식이 강하였다.
ㄷ. 호민관직이 설치되어 평민의 정치적 권리가 향상되었다.
ㄹ. 4년마다 올림피아 제전을 열어 민족의 결속력을 키웠다.

① ㄱ, ㄴ ② ㄱ, ㄷ ③ ㄴ, ㄷ
④ ㄴ, ㄹ ⑤ ㄷ, ㄹ

02 (중요) 다음 노트 필기 내용에 대한 설명으로 옳은 것은?

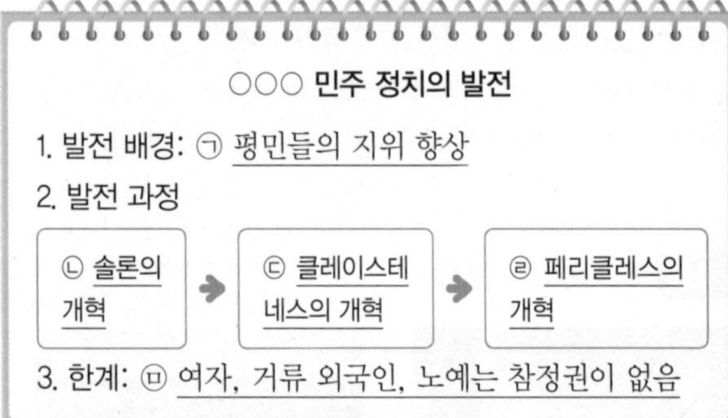
○○○ 민주 정치의 발전
1. 발전 배경: ㉠ 평민들의 지위 향상
2. 발전 과정
㉡ 솔론의 개혁 → ㉢ 클레이스테네스의 개혁 → ㉣ 페리클레스의 개혁
3. 한계: ㉤ 여자, 거류 외국인, 노예는 참정권이 없음

① ㉠ – 평민들이 중장 보병으로 활약하여 군대의 주력이 되었기 때문이다.
② ㉡ – 재산과 상관없이 동일한 참정권을 부여하였다.
③ ㉢ – 공무 수당제를 실시하였다.
④ ㉣ – 500인 평의회를 구성하였다.
⑤ ㉤ – 간접 민주 정치가 발전하였음을 보여 준다.

03 다음 학습 목표를 달성하기 위한 탐구 활동으로 적절한 것은?

> • 학습 목표: 기원전 800년경 도리스인이 원주민을 정복하고 세운 폴리스의 정치적 특징을 파악할 수 있다.

① 시민 모두가 국정에 참여하였던 배경을 알아본다.
② 참주의 출현을 막기 위해 실시한 제도를 확인한다.
③ 제2차 3두 정치를 주도한 인물의 업적을 조사한다.
④ 중장 보병으로 참여한 평민들이 권리 신장을 요구한 결과를 찾아본다.
⑤ 소수의 지배층이 다수의 피지배층을 다스리기 위해 실시한 정책을 분석한다.

04 다음 내용에 해당하는 전쟁에 대한 설명으로 옳은 것은?

> 기원전 431년 델로스 동맹과 펠로폰네소스 동맹 세력 간에 일어난 전쟁이다.

① 델로스 동맹이 승리하였다.
② 마라톤 전투와 살라미스 해전이 유명하다.
③ 델로스 동맹에 대한 불만으로 인해 일어났다.
④ 그리스 세계가 번영을 누리는 결과를 낳았다.
⑤ 아테네가 강력한 해상 제국으로 발전하는 계기가 되었다.

중요
05 다음과 같이 문화가 발달한 지역에 대한 설명으로 옳은 것은?

> • 문학: 호메로스의 『일리아드』와 『오디세이아』 유명
> • 역사서: 헤로도토스의 『역사』, 투키디데스의 『역사』 저술

① 수도교, 콜로세움 등이 건설되었다.
② 프톨레마이오스가 천동설을 주장하였다.
③ 아르키메데스가 부력의 원리를 발견하였다.
④ 소피스트가 진리의 상대성과 주관성을 강조하였다.
⑤ 마음의 안정과 만족을 추구하는 에피쿠로스학파가 등장하였다.

중요
06 지도의 영토를 차지하였던 제국에 대한 설명으로 옳지 않은 것은?

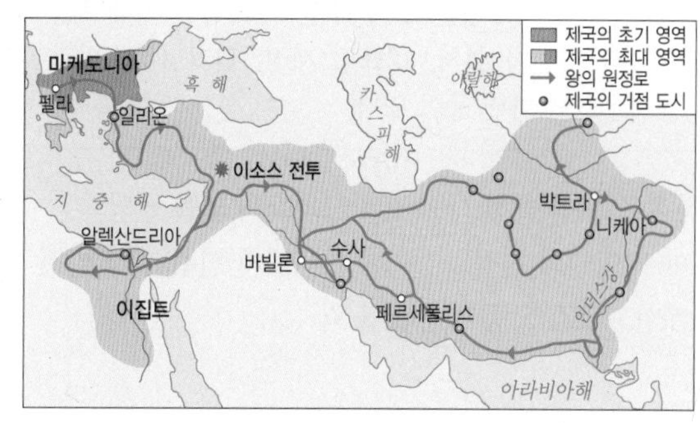

① 그리스어를 공용어로 사용하였다.
② 정복지의 종교와 관습을 존중하였다.
③ '왕의 길'이라고 불리는 도로를 조성하였다.
④ 그리스인과 페르시아인의 결혼을 장려하였다.
⑤ 시리아, 이집트, 마케도니아 등으로 분열하였다.

07 (가)에 들어갈 내용으로 적절한 것을 〈보기〉에서 고른 것은?

> **탐구 활동 보고서**
>
> 1. 탐구 주제: ○○○○ 문화의 발전
> 2. 탐구 자료
>
> 
>
> 라오콘 군상
>
> 스토아학파의 창시자 제논은 "모든 인간들은 이 세계의 시민이다. 모든 사람들에게 세계는 하나"라고 주장하였다.
> – 앙드레 보나르, 『그리스인 이야기 3』
>
> 3. 탐구 결과
>
> (가)

보기

ㄱ. 실용적인 문화가 발달하였다.
ㄴ. 개인보다 공동체를 중시하는 경향을 띠었다.
ㄷ. 인간의 육체와 감정을 사실적으로 표현하였다.
ㄹ. 폴리스에서 벗어난 세계 시민주의적 성격을 가졌다.

① ㄱ, ㄴ ② ㄱ, ㄷ ③ ㄴ, ㄷ
④ ㄴ, ㄹ ⑤ ㄷ, ㄹ

08 (가)에 들어갈 내용으로 적절한 것은?

> (가) 을 보여 주는 대표적인 사례로는 호민관직과 평민회 설치, 12표법 제정, 리키니우스법과 호르텐시우스법 마련 등이 있다.

① 5현제 시대의 발전
② 그리스의 법률 발달
③ 로마 평민권의 신장
④ 아테네의 민주 정치 발전
⑤ 알렉산드로스의 동서 융합 노력

09 로마에서 다음 연설문이 나온 배경으로 옳은 것은?

> 이탈리아를 위해 싸우고 죽은 사람들은 공기와 햇빛을 향유할 뿐, 아무것도 가진 것이 없습니다. …… 그들은 다른 사람들의 부와 사치를 위해서 싸우다 죽지만 자기 소유라 할 단 한 조각의 땅도 없습니다.

① 라티푼디움이 경영되었다.
② 로마 제국이 동서로 분리되었다.
③ 로마가 크리스트교도를 박해하였다.
④ 로마 농촌에서 콜로나투스가 확산되었다.
⑤ 군인 정치가들이 로마의 정권을 장악하였다.

중요
10 밑줄 친 '그'에 대한 설명으로 옳은 것을 〈보기〉에서 고른 것은?

> 제2차 3두 정치를 주도한 그는 이집트의 클레오파트라와 연합한 안토니우스의 군대를 격파하여 로마의 지배권을 장악하였다.

보기
ㄱ. 크리스트교를 국교로 선포하였다.
ㄴ. 사실상 황제로 군림하여 제정 시대를 열었다.
ㄷ. 자영농의 몰락을 막기 위해 농지법을 실시하였다.
ㄹ. 원로원으로부터 '아우구스투스'라는 칭호를 받았다.

① ㄱ, ㄴ
② ㄱ, ㄷ
③ ㄴ, ㄷ
④ ㄴ, ㄹ
⑤ ㄷ, ㄹ

11 다음 두 사건 사이에 로마에서 일어난 사실로 옳은 것은?

> • 군대가 정치에 개입하여 황제를 마음대로 폐위하고 옹립하는 군인 황제 시대가 전개되었다.
> • 로마 제국이 동서로 분리된 후 서로마 제국이 게르만족의 침입으로 멸망하였다.

① 호민관직이 설치되었다.
② 최대 영토를 확보하게 되었다.
③ 제국이 4분할 체제로 통치되었다.
④ 스파르타쿠스의 난이 발생하였다.
⑤ 라티푼디움이 성행하기 시작하였다.

중요
12 다음 내용을 뒷받침하는 문화유산으로 적절한 것은?

> 로마인은 광대한 제국을 유지하고 관리해야 할 현실적 필요 때문에 법률과 건축, 도시 설계 등 실용적인 분야에서 뛰어난 능력을 발휘하였다.

①

스핑크스와 피라미드

②

산치 대탑

③

타지마할

④

수도교

⑤

파르테논 신전

13 다음에서 설명하는 인물의 활동으로 옳은 것은?

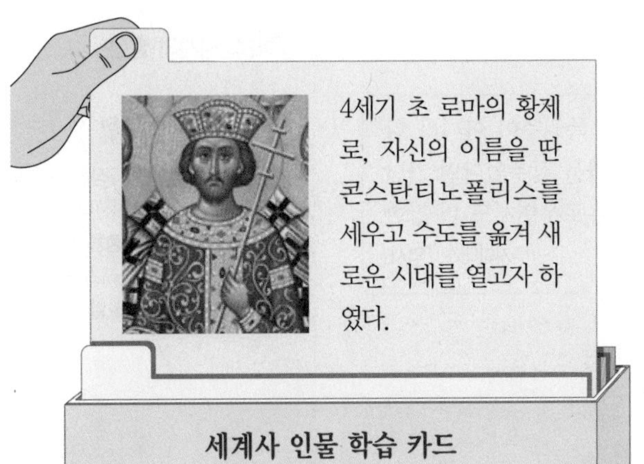

4세기 초 로마의 황제로, 자신의 이름을 딴 콘스탄티노폴리스를 세우고 수도를 옮겨 새로운 시대를 열고자 하였다.
세계사 인물 학습 카드

① 프린켑스를 자처하였다.
② 제국을 넷으로 나누었다.
③ 크리스트교를 공인하였다.
④ 악티움 해전에서 승리하였다.
⑤ 제1차 3두 정치를 주도하였다.

14 다음 칙령으로 공인된 종교에 대한 대화 내용으로 적절하지 않은 것은?

> 신앙은 각자 자신의 양심에 비추어 결정해야 할 일이라고 생각해 왔다. …… 그 신이 무엇이든, 통치자인 황제와 그 신하인 백성에게 평화와 번영을 가져다준다면 인정해야 마땅하다. …… 오늘부터 다른 어떤 종교든 관계없이 각자 원하는 종교를 믿고 거기에 따르는 제의에 참석할 자유를 완전히 인정받는다.
> – 밀라노 칙령

① 갑: 유대교의 선민사상을 배격하였어.
② 을: 테오도시우스 황제 때 로마의 국교가 되었지.
③ 병: 윤회 사상을 바탕으로 하면서도 브라만교의 권위주의를 비판하였어.
④ 정: 그리스·헬레니즘 문화, 로마 문화와 함께 유럽 문화의 중요한 바탕이 되었지.
⑤ 무: 니케아 공의회에서 아타나시우스파의 삼위일체설이 정통 교리로 인정받았어.

서술형 문제

● 정답친해 38쪽

01 다음에서 설명하는 제도를 쓰고 아테네가 이 제도를 마련한 이유를 서술하시오.

> 사람들이 이름을 새긴 면을 아래로 하여 자신의 도편을 내려놓는다. …… 도편이 계수되면 최다이면서 6,000표 이상을 받은 사람은 누구나 자신이 고소인이든 피고인이든 관련된 송사의 의무를 열흘 내에 정리하고 10년간 도시를 떠나야 한다
> – 뮬러 외, 『그리스 역사가 단편』

길잡이 자료에 나타난 제도를 실시하여 얻을 수 있는 효과를 생각해 본다.

02 다음 자료를 통해 알 수 있는 스파르타의 사회 체제에 대해 서술하시오.

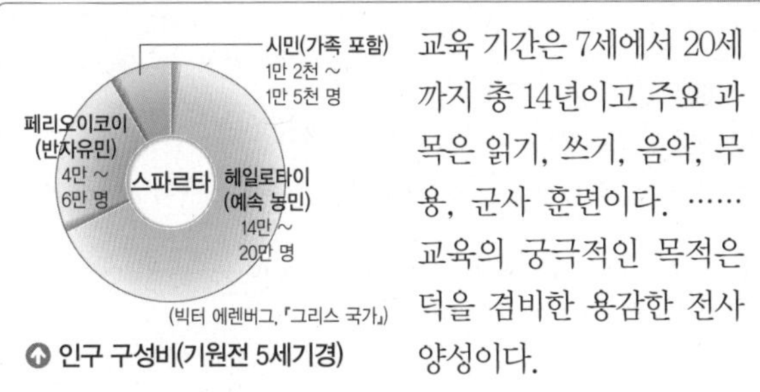

⊙ 인구 구성비(기원전 5세기경)

교육 기간은 7세에서 20세까지 총 14년이고 주요 과목은 읽기, 쓰기, 음악, 무용, 군사 훈련이다. …… 교육의 궁극적인 목적은 덕을 겸비한 용감한 전사 양성이다.

길잡이 스파르타 인구 구성의 특징을 파악하여 스파르타의 사회 체제와 교육이 어떤 식으로 운영되었는지 서술한다.

03 다음을 읽고 물음에 답하시오.

> 포에니 전쟁 이후 로마의 유력자들은 노예 노동을 이용해 넓은 토지를 경작하는 라티푼디움을 경영하였고, 그 결과 자영농이 몰락하였다.

(1) 위와 같은 상황을 해결하기 위해 개혁을 추진한 인물들을 쓰시오.

(2) (1)의 인물들이 추진한 개혁 내용을 두 가지 서술하시오.

길잡이 자영농이 몰락하는 상황을 해결하기 위해 어떤 개혁을 추진하였을지 추론해 본다.

STEP 3 1등급 정복하기

평가원 응용

1 다음 자료에 나타난 나라의 정치 발전에 대한 설명으로 옳은 것은?

> 우리의 정치 제도를 데모스(시민)의 지배라고 한다. 왜냐하면 소수 특권층이 아니라 다수 시민이 통치하기 때문이다. 시민 중 누구라도 국가에 봉사할 능력을 갖추었다면 가난하다고 해서 정치적으로 소외되지 않는다. 우리가 스파르타보다 자유로우면서도 더 강한 이유가 바로 여기에 있다.
>
> – 투키디데스, 『역사』

① 3두 정치가 나타났다.
② 호민관이 선출되었다.
③ 밀레트 제도가 시행되었다.
④ 호르텐시우스법이 제정되었다.
⑤ 특수직을 제외한 모든 관직에 추첨제를 도입하였다.

> 그리스 세계의 발전

완자샘의 시험 꿀팁

아테네 민주 정치의 특징을 자료와 함께 묻는 문제가 출제된다. 아테네 민주 정치의 발전 과정을 솔론, 클레이스테네스, 페리클레스 등이 실시한 개혁 내용과 함께 알아 둔다.

2 밑줄 친 '나'가 다음과 같은 정책을 실시하여 나타난 결과로 옳은 것은?

마케도니아의 왕인 나는 유럽과 아시아, 아프리카에 걸친 대제국을 건설하였다. 나는 페르시아의 공주와 결혼하여 정복지의 문화를 이해하고 존중하려 한다.

① 12표법이 제정되었다.
② 『유스티니아누스 법전』이 편찬되었다.
③ 법률, 건축과 같은 실용적인 문화가 발달하였다.
④ 그리스 문화와 오리엔트 문화가 융합된 문화가 발전하였다.
⑤ 왕이 원로원으로부터 '아우구스투스'의 칭호를 받게 되었다.

> 알렉산드로스 제국의 발전

완자 사전

- **오리엔트**
해가 뜨는 곳이라는 뜻으로, 지중해의 동쪽 여러 나라를 가리키는 말

3 다음과 같이 활동한 인물들이 실시한 개혁에 대한 설명으로 옳은 것을 <보기>에서 고른 것은?

> 포에니 전쟁 이후 로마의 사회 변화

- 호민관으로 선출된 후 귀족들이 불법적으로 점유한 토지를 몰수하여 무산 시민에게 분배하려 하였다.
- 평민들의 지지를 얻기 위해 농지법을 다시 추진하였고, 곡물법을 제정하여 국가가 곡물을 구입하여 로마 시민에게 매월 일정량을 시장 가격의 절반 이하로 공급하도록 하였다.

보기

ㄱ. 콜로누스의 등장을 배경으로 추진되었다.
ㄴ. 귀족층의 호응을 얻어 성공적으로 실시되었다.
ㄷ. 포에니 전쟁 이후 몰락한 자영농을 육성하려는 목적이 있었다.
ㄹ. 노예 노동을 이용한 라티푼디움 경영이 성행하는 상황에서 추진되었다.

① ㄱ, ㄴ ② ㄱ, ㄷ ③ ㄴ, ㄷ
④ ㄴ, ㄹ ⑤ ㄷ, ㄹ

완자 사전

- **라티푼디움**
로마가 영토를 확장하는 과정에서 유력자가 국유지를 사유화하면서 확산된 대토지 소유제이다. 특히 국외에서 유입된 노예 노동력을 바탕으로 대농장을 경영하였다.

4 (가)에 들어갈 내용으로 적절하지 않은 것은?

> 로마 제정 말기

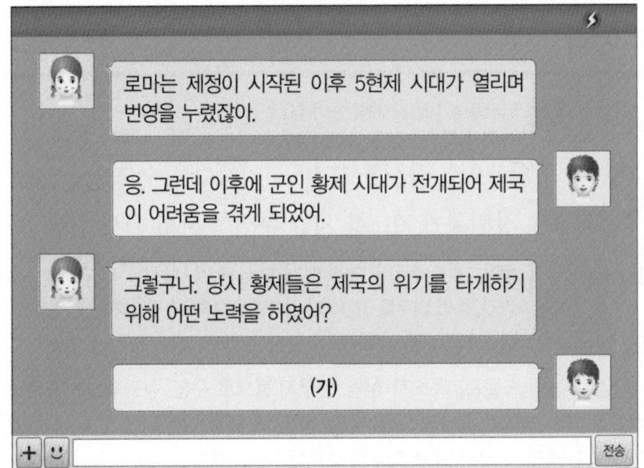

① 전제 군주제를 도입하여 황제권을 강화하려 하였어.
② 크리스트교를 국교로 선포하여 제국의 통일을 꾀하였어.
③ 프린켑스를 자처하며 제국의 질서와 안정을 추구하였어.
④ 광대한 제국을 넷으로 나누어 효율적으로 통치하고자 하였어.
⑤ 비잔티움에 새 도시인 콘스탄티노폴리스를 건설하여 수도로 삼았어.

완자샘의 시험 꿀팁

로마의 제정 성립부터 제정 말기 제국의 부흥을 위한 노력에도 불구하고 동서 로마로 분열되는 과정까지의 모습을 학습한다. 특히 옥타비아누스, 콘스탄티누스 대제의 업적을 기억해 두어야 한다.

02 서유럽 봉건 사회의 형성과 비잔티움 제국

학습목표
- 서유럽 봉건 사회의 형성 과정과 중세 서유럽에서 크리스트교의 역할을 설명할 수 있다.
- 비잔티움 제국의 특징을 파악하고, 이를 서유럽과 비교할 수 있다.

이것이 핵심!

게르만족의 이동과 프랑크 왕국

게르만족의 이동
↓
프랑크 왕국의 성립
- 클로비스: 메로베우스 왕조 개창
- 카롤루스 마르텔: 투르·푸아티에 전투에서 이슬람군 격퇴
- 피핀: 카롤루스 왕조 개창
- 카롤루스 대제: 서로마 황제로 대관, 카롤루스 르네상스 창출

↓
프랑크 왕국의 분열
동프랑크, 서프랑크, 중프랑크로 분열

★ 훈족
중앙아시아에 살던 유목 민족으로 흉노의 일파로 알려져 있다. 이들의 서진으로 게르만족의 이동이 시작되었다.

★ 투르·푸아티에 전투
우마이야 왕조가 피레네산맥을 넘어 서유럽으로 진출하면서 프랑크 왕국과 벌인 전투

1 게르만족의 이동과 프랑크 왕국의 발전

1. 게르만족의 이동 자료①

배경	인구 증가로 인한 농경지 부족, 로마 제국의 약화, 4세기 후반 *훈족의 압박
과정	게르만족의 일파인 서고트족의 이동을 계기로 많은 게르만족이 이동 → 서로마 제국 곳곳에 정착
영향	서고트 왕국, 반달 왕국, 프랑크 왕국 등 게르만족의 여러 왕국 등장 → 게르만족 출신 용병 대장 오도아케르에게 서로마 제국 멸망(476)

└ 이로써 서양 고대 사회가 끝나고 중세 유럽 사회가 시작되었어.

2. 프랑크 왕국의 성장과 분열

Q&A? 로마인과 융합하고 로마 교회의 지지를 얻어 왕국의 토대를 마련하기 위해서였어. 이를 통해 로마 원주민과의 문화적 마찰을 줄일 수 있었지.

(1) 프랑크 왕국의 성장

클로비스	5세기 말 메로베우스 왕조 개창, 로마 가톨릭교(아타나시우스파)로 개종
카롤루스 마르텔	*투르·푸아티에 전투에서 이슬람군 격퇴(732) → 크리스트교 세계 보호
피핀	카롤루스 왕조 개창, 왕조 개창에 도움을 준 교황에게 랑고바르드족(롬바르드족)으로부터 빼앗은 이탈리아 중부 지역을 기증함
카롤루스 대제 (전성기) 자료②	• 서로마 제국 옛 영토의 상당 부분 차지 • 정복지에 크리스트교 전파, 서로마 황제로 대관(800) • 카롤루스 르네상스: 궁정 학교 설립, 수도원을 통해 고전 연구 등 → 로마 문화, 크리스트교, 게르만 문화가 융합된 중세 서유럽 문화의 기틀 마련

┌ 교황 레오 3세는 비잔티움 제국 황제의 간섭에서 벗어나고자 카롤루스 대제에게 서로마 황제의 관을 씌워 주었어.

(2) **프랑크 왕국의 분열**: 카롤루스 대제 사후 분할 상속에 따른 내분 발생 → 베르됭 조약(843)과 메르센 조약(870)에 의해 서프랑크, 동프랑크, 중프랑크로 분열

┌ 오늘날 프랑스, 독일, 이탈리아의 기원이 되었어.

3. 노르만족의 이동: 9세기 무렵부터 뛰어난 항해술을 이용하여 유럽 해안과 내륙에 진출 → 노르망디 공국, 노르만 왕조, 노브고로드 공국, 키예프 공국, 시칠리아 왕국 등 건설

└ 스칸디나비아반도에 거주하며 바이킹이라 불렸어. 농사에 불리한 환경에 살아서 주로 해안 지역을 약탈하였지.

이것이 핵심!

봉건제의 구조

봉건제

주종제 (정치적)	장원제 (사회적·경제적)
주군과 봉신 사이의 봉토를 매개로 한 쌍무적 계약 관계	• 영주: 장원 지배 • 농노: 부역·공납의 의무 부담, 재산 소유 가능

★ 둠즈데이 북
노르만 왕조를 개창한 윌리엄이 중앙 집권 체제를 강화하기 위해 전국적인 토지 조사를 벌여 만든 토지 대장이다. 경작지의 면적, 소유자의 이름, 노예와 자유민의 수, 쟁기의 수까지 상세히 조사하여 기록하였다.

2 서유럽 봉건 사회의 성립

1. 봉건제의 형성 자료③

┌ 노르만족, 마자르족, 이슬람 세력 등이 침입하여 유럽 봉건 사회의 형성을 촉진하였어.

(1) **배경**: 프랑크 왕국의 분열, 이민족의 침략으로 극심한 혼란 → 기사 계급 성장

(2) **구조**: 정치적으로 주종제, 경제적으로 장원제에 기초한 지방 분권적 사회 질서 형성

주종제	• 주종 관계: 봉토를 매개로 한 쌍무적 계약 관계, 주군은 봉신에게 봉토 수여, 봉신은 주군에게 군사적 봉사와 충성을 맹세함 (꼭! 어느 한쪽이 의무를 이행하지 않으면 원칙적으로 파기되는 관계였어.) • 봉신의 불입권 인정: 봉토 안에서 주군의 간섭 없이 재판권, 징세권 행사 → 지방 분권화 촉진
장원제	• 토지 이용: 경작지(영주 직영지, 농민 보유지)·목초지·삼림·황무지 등으로 구분, 삼포제 방식으로 경작 • 농노의 생활: 영주의 직영지 경작, 부역과 공납의 의무 부담, 장원 내 시설 이용료 및 인두세·사망세·혼인세 등 납부, 거주 이전의 자유 없음, 영주의 법정에서 재판을 받음, 결혼과 재산 소유 가능

Q&A? 지력 유지를 위해 춘경지, 추경지, 휴경지로 나누어 해마다 돌려 가며 농사를 지었어.

2. 봉건 국가의 발전

┌ 카롤루스 왕조의 혈통이 끊기자 유력한 제후들이 파리 백작 위그 카페를 왕으로 추대하였어.

프랑스(서프랑크)	카페 왕조 개창 → 왕권 미약(왕권은 파리와 그 주변에만 미침)
독일(동프랑크)	오토 1세가 교황으로부터 서로마 황제로 대관(신성 로마 제국의 기원이 됨, 962)
영국	노르망디 공국의 윌리엄이 잉글랜드를 정복하고 노르만 왕조 개창 → 강력한 왕권에 입각한 봉건제 도입(중앙 집권과 지방 분권의 결합), 토지 대장인 *『둠즈데이 북』 작성

└ 마자르족과 슬라브족의 침입을 막고 이탈리아의 내란을 진압하여 교황을 도와주었어.

완자 자료 탐구

내 옆의 선생님

자료 ① 게르만족의 이동

훈족의 서진은 게르만족이 서로마로 이동하는 계기가 되었어.

프랑크 왕국은 게르만 왕국 중 가장 오랫동안 왕국을 유지하였어.

게르만족은 본래 발트해 연안 지역에 살면서 농경과 목축, 수렵 생활을 하다가 인구가 증가하자 농경지를 찾아 남하하였다. 이들 중 일부는 로마로 들어와 용병이나 농민이 되어 점차 로마 문화에 동화되어 갔다. 그리고 4세기 후반 중앙아시아의 유목 민족인 훈족이 서쪽으로 이동하자 수많은 게르만족들이 이동하여 서로마 제국의 영토 곳곳에 정착하거나 나라를 세웠다.

정리 비법을 알려줄게!

게르만족의 이동

배경
4세기 후반 훈족의 서쪽 이동 → 서고트족이 로마 영토 안으로 이동
↓
게르만족의 이동
게르만족이 서로마 제국에 정착하여 서고트 왕국, 반달 왕국, 프랑크 왕국 등 왕국 건설 → 서로마 제국 멸망

자료 ② 카롤루스 대제

서로마 황제의 관을 받는 카롤루스 대제

> 로마 주민들이 교황 레오를 폭행하자, 교황은 왕에게로 도망가서 도움을 청하였다. 카롤루스는 추락한 교회의 위상을 바로 세우기 위해 로마에 왔다가, 결국 그곳에서 겨울을 났다. 이때 그는 교황으로부터 황제와 아우구스투스 칭호를 받았다.
>
> – 아인하르트, 『카롤루스 생애』

카롤루스 대제를 가리켜.

카롤루스 대제는 비잔티움 제국의 황제를 대신하여 교회의 새로운 보호자가 되었어.

카롤루스 대제는 피핀의 아들로 자신의 정복 지역에 교회를 세우며 크리스트교를 전파하였다. 교황은 비잔티움 제국 황제의 간섭에서 벗어나기를 원하였고 카롤루스 대제는 권력의 정당성을 인정받고자 하였다. 이러한 둘의 이해관계가 맞아떨어져 800년 교황 레오 3세는 크리스마스 미사에 참석한 카롤루스 대제에게 서로마 황제의 관을 씌워 주었다.

문제로 확인할까?

카롤루스 대제에 대한 설명으로 옳은 것을 〈보기〉에서 고른 것은?

보기
ㄱ. 궁정 학교를 설립하였다.
ㄴ. 카롤루스 왕조를 개창하였다.
ㄷ. 프랑크 왕국의 전성기를 이끌었다.
ㄹ. 투르·푸아티에 전투에서 이슬람군을 격퇴하였다.

① ㄱ, ㄴ ② ㄱ, ㄷ ③ ㄴ, ㄷ ④ ㄴ, ㄹ ⑤ ㄷ, ㄹ

② 답

자료 ③ 봉건제의 형성

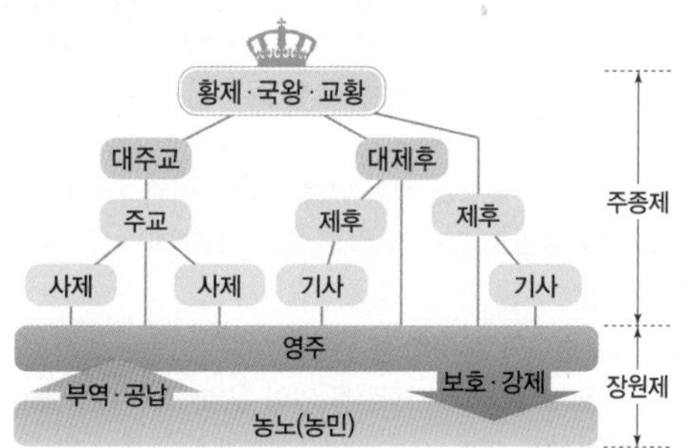

봉건 사회의 구조

> 나의 봉사와 공로에 따라 당신은 나에게 음식과 의복을 주어 나를 부양해야 한다. …… 둘 중 한 명이 계약을 파기하려고 한다면, 그는 상대방에게 얼마간 돈을 지급해야 할 것이며, 그로써 계약은 모든 효력을 잃을 것이다.
>
> – 메로베우스 왕조와 카롤루스 왕조 시대의 계약서

봉신의 군사적 봉사와 충성 맹세를 가리켜.

주군이 봉신에게 봉토를 하사하고 보호해 줘야 함을 의미해.

주군과 봉신은 쌍무적 계약 관계였어.

봉건제는 주종제와 장원제의 이중 구조로 이루어졌다. 주종제는 국왕과 제후, 제후와 기사 간에 여러 층으로 된 피라미드 형태를 이루었다. 주종 관계를 맺은 이들은 영주로서 장원을 소유하였고, 농노를 신분적으로 예속시켜 장원의 토지를 경작하게 하였다.

자료 하나 더 알고 가자!

농노의 생활

농노는 영주의 지배를 받는 예속 농민이었어. 이들은 장원 내 영주의 땅을 경작하였어. 당시에는 소와 쟁기를 활용한 심경법이 개발되어 농업 생산력이 증가하였어.

02 서유럽 봉건 사회의 형성과 비잔티움 제국

이것이 핵심!

크리스트교의 발전

교회의 동서 분열	레오 3세의 성상 파괴령 반포 → 동서 교회의 대립 격화 → 동서 교회의 분열
로마 가톨릭 교회의 성장	교회의 성장 → 교회의 세속화 → 교회 개혁 운동 → 교회의 지위 강화, 교황의 성직자 서임권 차지 → 교황권의 강화

★ **카노사의 굴욕**
황제 하인리히 4세가 교황 그레고리우스 7세에게 파문을 당하자 교황이 머무는 카노사성에 찾아가 성 앞 눈밭에서 사흘간 용서를 빈 사건이다. 황제는 용서를 빈 끝에 사면되었다.

★ **보름스 협약**
신성 로마 제국의 황제 하인리히 5세와 교황 칼릭스투스 2세가 체결한 협약이다. 황제가 가진 성직자 서임권을 교황이 차지하는 대신 성직자는 황제의 봉신이 되고 황제는 주교 선출에 직접 참여할 권리를 보유한다는 내용이다.

3 크리스트교의 발전과 교황권의 확대

1. 크리스트교 세계의 분열

꼭! 예수, 성모, 성자의 상을 만들거나 숭배하는 것을 금지시킨 칙령이야.

(1) **배경**: 비잔티움 제국의 황제 레오 3세가 성상 파괴령 반포(726) → 동서 교회(콘스탄티노폴리스 교회와 로마 교회)의 대립 격화

왜? 게르만족에게 포교하기 위해 성상이 필요하였던 로마 교회가 성상 파괴령을 거부하였기 때문이야.

(2) **동서 교회의 분열(1054)**: 비잔티움 제국 황제를 교회의 수장으로 하는 그리스 정교회와 로마 교황을 중심으로 하는 로마 가톨릭교회로 분열

2. 로마 가톨릭교회의 성장

(1) **교회의 성장**: 교회가 유럽인의 정신세계와 일상생활 지배, 프랑크 왕국·신성 로마 제국 등과 제휴하여 비잔티움 제국 황제의 간섭에서 벗어남, 기증과 개간으로 막대한 토지 소유, 중세 사회의 신분 질서 정당화, 교황을 정점으로 계서제 확립

교황 밑에 대주교, 주교, 교구 사제로 구성되는 성직자의 서열 제도

(2) **교회의 세속화**: 성직자들이 국왕이나 제후의 봉신이 되면서 성직자 서임권(임명권)을 세속 권력이 차지, 성직자가 혼인 및 성직 매매 등으로 부패·타락

(3) **교회 개혁 운동**: 10세기 초 클뤼니 수도원을 중심으로 교회 개혁 운동 전개 → 청빈, 정결, 순명, 학문 연구, 노동을 권장한 베네딕트 규율 강조(모범적인 신앙생활 강조) 자료 4

3. 교황과 황제의 대립 교과서 자료

고위 성직자를 세속 군주가 임명하는 것을 금지시킨 거야.

배경	11세기 교황이 세속 권력에서 벗어나고자 함 → 교황 그레고리우스 7세가 성직 매매 금지 및 성직자의 결혼 금지 등을 통해 교회의 부패 척결 시도, 세속 군주의 성직자 서임 금지
전개	성직자 서임권을 둘러싸고 교황 그레고리우스 7세와 신성 로마 제국의 황제 하인리히 4세가 대립 → 교황이 황제 파문 → 황제가 교황에게 굴복(*카노사의 굴욕, 1077)
결과	*보름스 협약(1122)으로 교황이 성직자 서임권 차지 → 13세기 교황 인노켄티우스 3세 때 교황권이 절정에 이름(교황은 해, 황제는 달에 비유)

이것이 핵심!

중세 서유럽 문화

특징	크리스트교 중심의 문화 발전
발전	• 철학: 스콜라 철학 집대성 • 교육: 교회와 수도원 중심(중세 초기), 대학 설립(12세기 이후) • 문학: 기사 문학 발달 • 건축: 로마네스크 양식(11세기), 고딕 양식(12세기 이후) 유행

★ **교부 철학**
1~8세기경 초기 크리스트교의 교리를 그리스 철학에 기초하여 합리적으로 설명하려 한 철학이다. 성스러운 생활로 모범이 된 교부들의 철학과 사상을 주된 연구 대상으로 삼았다.

4 중세 서유럽의 문화

1. 중세 서유럽 문화의 특징: 크리스트교 중심의 문화 발전

그리스, 로마, 게르만적 요소가 융합되었어.

2. 중세 서유럽 문화의 발전

중세 시대의 학문은 신학 중심이었기 때문에 '철학은 신학의 시녀'라는 말이 생겨났어.

철학	• 특징: 크리스트교 신앙과 교리의 합리적 이해에 도움을 주는 보조 학문으로 발달 • 중세 초기: 아우구스티누스의 *교부 철학 발전 • 십자군 전쟁 이후: 아리스토텔레스의 철학을 바탕으로 한 스콜라 철학 유행, 토마스 아퀴나스가 스콜라 철학을 집대성하여 『신학대전』 저술(신앙과 이성의 조화 강조) (신학 중심의 철학이야.) • 13세기 이후: 윌리엄 오컴이 신앙과 이성의 분리 주장
교육	• 중세 초기: 교회나 수도원 중심으로 발달(신학, 법학, 수사학, 논리학 등 연구) • 12세기 이후: 유럽 각지에 대학 설립(교회나 세속 권력으로부터 자치권을 얻어 운영, 파리 대학·볼로냐 대학·옥스퍼드 대학 등 유명) → 중세의 학문 발전에 기여
문학	봉건 기사의 모험과 사랑을 다룬 기사 문학(기사도 문학) 유행, 『롤랑의 노래』·『니벨룽겐의 노래』·『아서왕 이야기』 등 유명 (게르만족의 전설을 바탕으로 쓴 거야. / 카롤루스 대제의 부하였던 기사 롤랑의 무용담이야.)
건축 자료 5	• 로마네스크 양식(11세기): 돔과 원형의 아치가 특징적(피사 대성당, 피렌체 대성당 등) • 고딕 양식(12세기 이후): 첨탑과 큰 창문, 스테인드글라스가 특징적(샤르트르 대성당, 쾰른 대성당 등)

내부의 벽에 벽화가 그려져 있어.

완자 자료 탐구

내 옆의 선생님

자료 4 클뤼니 수도원의 교회 개혁 운동

클뤼니 수도원에서 제단을 축성하는 교황 우르바누스 2세

클뤼니 수도원은 교황에 직속되어 세속 권력의 간섭을 받지 않았다. 이에 베네딕트 계율을 엄격하게 지키며 교회 개혁 운동을 주도할 수 있었다. 수도원은 노동을 존중하여 세속인의 모범이 되었을 뿐만 아니라 학문 연구를 권장하여 학문과 교육의 중심지였다. 또한 고전 보존과 문화 발달에 기여하였고 고전 보존과 문화 발달에 기여하였다.

자료 하나 더 알고 가자!

수도원 수도사의 생활

고전을 필사하는 모습

수도사는 기도, 고전 연구, 노동 등을 하며 생활하였어.

수능이 보이는 교과서 자료 교황과 황제의 대립

교황이 세속 군주의 성직자 서임을 금지하는 글이야.

- 우리는 황제와 왕을 포함한 모든 평신도가 성직자에게 감독의 직책, 대수도원 또는 교회에 대한 서임을 줄 수 없음을 법령으로 선포하였다. 그러므로 누군가가 평신도로부터 서임을 받더라도 그 서임은 효력이 없는 것이며, 스스로 서임을 취소하기 전까지는 파문 상태에 처할 것이다. (교황과 황제의 갈등 원인이 되었어.) – 그레고리우스 7세, 「교황 훈령」, 1075
- 신성 로마 제국의 황제인 나, 하인리히는 …… 영적 권력에 의한 모든 서임권을 성스러운 가톨릭교회에 양도하고, 우리 왕국과 제국에 있는 모든 교회에서 교회법에 기초한 선거 및 자유로운 서임이 이루어지는 것을 승인한다. – 보름스 협약, 1122

황제가 성직자 서임권을 가톨릭교회에 양도함으로써 교황이 서임권을 차지하게 되었어.

교황 그레고리우스 7세와 황제 하인리히 4세에서 시작된 성직자 서임권 투쟁은 카노사의 굴욕 이후에도 계속되었다. 결국 서임권 투쟁은 1122년 보름스 협약을 통해 교황의 성직자 서임권 차지로 끝이 났고, 이후 교황권은 13세기 초에 절정을 이루었다.

완자샘의 탐구 강의

- 황제 하인리히 4세가 「교황 훈령」을 무시하여 발생한 사건을 써 보자.

카노사의 굴욕

- 보름스 협약에서 알 수 있는 서임권 투쟁의 결과를 서술해 보자.

교황이 성직자 서임권을 차지하게 되었고, 이후 교황의 영향력이 점차 강화되었다.

함께 보기 142쪽, 1등급 정복하기 2

자료 5 크리스트교와 중세 교회 건축

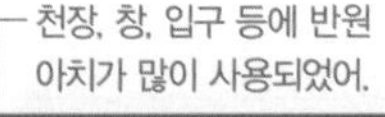
천장, 창, 입구 등에 반원 아치가 많이 사용되었어.

피사 대성당(로마네스크 양식)

샤르트르 대성당(고딕 양식)

고딕 양식의 뾰족한 첨탑은 천국을 향한 중세인의 염원을 나타내. 사람들은 신에게 닿으려는 열망을 담아 교회를 아름답게 꾸미려 하였어.

교회는 크리스트교가 중세 유럽인의 정신세계와 일상생활을 지배하면서 매우 중요한 곳이 되었다. 11세기에는 돔형 천장, 원형의 아치, 두꺼운 벽, 작은 창이 특징인 로마네스크 양식이 유행하였고, 12세기부터는 첨탑과 내부의 스테인드글라스(채색 유리)가 특징인 고딕 양식이 유행하였다.

문제로 확인할까?

고딕 양식에 대한 설명으로 옳은 것을 <보기>에서 고른 것은?

보기
ㄱ. 높은 첨탑과 스테인드글라스가 특징이다.
ㄴ. 비잔티움 제국의 대표적인 건축 양식이다.
ㄷ. 12세기경부터 서유럽 지역에서 유행하였다.
ㄹ. 천장을 지탱하기 위한 두꺼운 돌벽을 갖추었다.

① ㄱ, ㄴ ② ㄱ, ㄷ ③ ㄴ, ㄷ ④ ㄴ, ㄹ ⑤ ㄷ, ㄹ

② 답

서유럽 봉건 사회의 형성과 비잔티움 제국

이것이 핵심!

비잔티움 제국의 발전

정치	황제 교황주의
경제	콘스탄티노폴리스를 중심으로 상공업과 무역 발달
군사	군관구제, 둔전병제 실시
문화	그리스 정교 발달, 『유스티니아누스 법전』 편찬, 성 소피아 대성당 건축

★ 비잔티움 제국
로마 황제 콘스탄티누스는 수도를 로마에서 흑해 연안의 비잔티움으로 이전하였고, 새로운 수도를 콘스탄티노폴리스라 불렀다. 이러한 이유로 동로마 제국이 비잔티움 제국으로 불리게 되었다.

★ 군관구제
제국 내 영토를 31개의 군관구로 나누고 황제가 직접 임명한 사령관에게 군사권, 행정권, 사법권을 부여한 제도

★ 둔전병제
농민에게 군역을 부과하는 대가로 토지를 주고 이들이 계속 군영에 종사한다는 조건에서 토지를 상속할 수 있도록 한 제도

★ 키릴 문자
비잔티움 제국 출신의 키릴로스 형제가 그리스어를 바탕으로 만든 슬라브의 알파벳이다. 세르비아, 불가리아, 러시아 등이 사용하는 문자의 원형이 되었다.

5 비잔티움 제국의 발전

1. *비잔티움 제국의 성립과 발전

(1) **성립**: 동서 로마의 분열 → 서로마 제국이 멸망한 뒤에도 비잔티움 제국(동로마 제국)은 약 1000년간 더 존속

(2) **특징**

정치	정치적·군사적으로 강력한 권력을 가진 황제가 교회의 수장을 겸하며 교회 지배 → 황제 교황주의 발달
경제	수도 콘스탄티노폴리스를 중심으로 상공업과 무역 발달
사회	*군관구제, *둔전병제 실시 → 군사력 강화와 자영농 육성 목적

왜? 유스티니아누스 황제 사후 외침이 거듭되자 이에 대비하기 위해 시행하였어.

(3) **의의**: 그리스의 고전 문화 보존(→ 르네상스에 영향을 줌), 이슬람 세력에 맞서 크리스트교 세계를 지키는 방파제 역할을 함

2. 비잔티움 제국의 변천

(1) **발전**: 6세기 유스티니아누스 황제 때 전성기 이룩 자료 6

① 영토 확장: 에스파냐 남부 지역을 공격하여 일부 점령, 북아프리카·이탈리아 본토·시칠리아 등 회복 – 옛 로마 제국 영토의 대부분을 회복하였어.

② 문화 발달: 로마법을 정리한 『유스티니아누스 법전』 편찬, 콘스탄티노폴리스에 성 소피아 대성당 건축
비잔티움 양식의 대표적인 건축물이야.

(2) **쇠퇴 및 멸망**

쇠퇴	이슬람 세력의 침입 → 8세기 무렵 발칸반도 남부와 소아시아 일부로 영토 축소 → 9세기 이슬람 세력의 분열을 이용하여 영토 일부 회복, 이후 지방 유력자의 대토지 사유화 경향으로 둔전병제 붕괴, 황제권 약화 → 11세기 셀주크 튀르크의 침입, 서유럽 세계에 구원 요청 → 13세기 제4차 십자군에게 콘스탄티노폴리스를 점령당함
멸망	오스만 제국의 공격으로 콘스탄티노폴리스 함락, 멸망(1453)

3. 비잔티움 제국의 문화

(1) **특징**: 그리스 정교를 바탕으로 그리스·로마 문화와 헬레니즘 문화가 융합됨 → 독자적인 문화 발전

(2) **발전**

학문	그리스어를 공용어로 사용, 그리스 고전의 수집·보존 및 연구 → 멸망 전후로 많은 학자와 예술가들이 이탈리아로 망명 → 서유럽 세계의 르네상스에 영향을 줌
법률	로마법을 집대성하여 『유스티니아누스 법전』 완성
건축, 미술	비잔티움 양식 발달(웅장한 돔과 내부의 모자이크 벽화가 특징, 성 소피아 대성당이 대표적), 금은 세공품·상아 세공품·유리 제품 등 제작 자료 7

(3) **영향**: 비잔티움 문화를 러시아를 비롯한 슬라브족에게 전파 → 러시아와 동유럽 문화의 발전에 영향을 줌
유럽 동북부 지역에 살며 슬라브어를 사용하였어.

4. 슬라브 문화권의 형성 자료 8

(1) **형성**: 6세기경부터 슬라브족이 비잔티움 제국 내로 들어와 살면서 비잔티움 제국 문화에 동화 → 비잔티움 문화의 영향을 받으며 슬라브 문화권 형성

(2) **키예프 공국**: 비잔티움 제국과 교역하며 그리스 정교를 국교로 수용, 그리스어를 바탕으로 만든 *키릴 문자 사용, 키예프에 비잔티움 양식의 영향을 받은 성 소피아 성당 건립
키예프 공국의 대공 블라디미르는 비잔티움 제국 황제 바실리우스 2세의 동생 안나와 결혼하고 그리스 정교를 받아들였어.

내 옆의 선생님

자료 6 비잔티움 제국의 발전

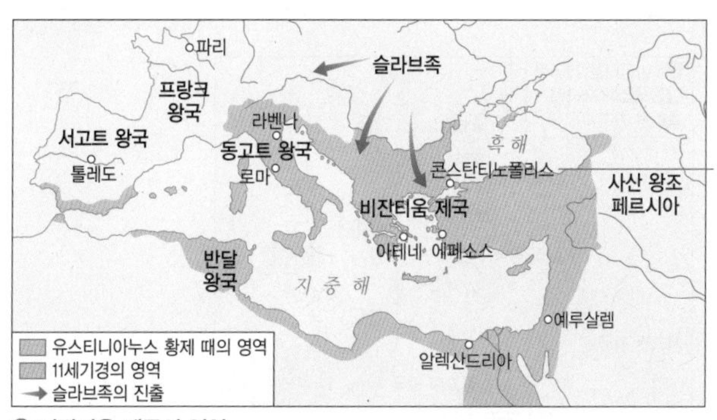

비잔티움 제국의 영역

콘스탄티노폴리스는 흑해와 지중해 사이의 바닷길과 유럽과 아시아를 잇는 교역로에 위치하여 동서 교통의 요충지였어.

비잔티움 제국은 6세기 초 유스티니아누스 황제 때 전성기를 누렸다. 유스티니아누스 황제는 아프리카의 반달 왕국, 이탈리아의 동고트 왕국, 이베리아반도 남부 등 옛 로마 영토의 대부분을 회복하였다. 비잔티움 제국은 이슬람 세력에 맞서 크리스트교 세계를 지키는 방파제 역할을 하면서도 서유럽 세계와 경쟁하였다.

자료 7 비잔티움 양식의 발달

성당 옆에 보이는 4개의 미너렛은 오스만 제국의 지배를 받은 이후에 세워진 거야.

성 소피아 대성당

성 소피아 대성당은 유스티니아누스 황제의 명령에 따라 5년 만에 그리스 정교회의 성당으로 완공되었다. 지붕의 무거운 둥근 돔을 지탱하기 위해 네 개의 육중한 교대(받침대)가 설치되었고, 실내에 있는 화려한 모자이크 벽화는 주로 종교화이다. 후에 오스만 제국의 지배를 받으면서 모스크(이슬람 사원)로 바뀌었다. 이러한 비잔티움 양식은 그리스 정교와 더불어 동유럽 국가에 전해져 슬라브 문화권의 형성에 영향을 주었다.

자료 8 슬라브 문화권의 형성

콘스탄티노폴리스의 성 소피아 대성당을 본떠 건축하였으며 러시아의 독자적 특징으로 발전시켜 나갔어.

우크라이나 키예프의 성 소피아 성당

비잔티움 문화는 슬라브족에게 많은 영향을 미쳤다. 러시아 지역의 키예프 공국은 흑해를 통해 비잔티움 제국과 교역하며 그리스 정교를 국교로 받아들였고, 그리스어를 바탕으로 키릴 문자를 사용하였다. 11세기에는 비잔티움 제국의 성 소피아 대성당을 모방하여 키예프에 성 소피아 성당을 건축하였는데, 실내에 있는 모자이크 벽화는 비잔티움 제국의 것과 매우 비슷하다.

자료 하나 더 알고 가자!

비잔티움 제국의 정치 체제

벽화에 그려진 황제와 수행자들의 모습

중앙의 유스티니아누스 황제 머리 주위에는 예수에게만 쓸 수 있었던 후광이 그려져 있어. 황제의 왼쪽에 성직자, 오른쪽에 관료와 군인들로 보이는 사람들이 황제를 수행하고 있지. 이렇듯 비잔티움 제국의 황제는 정치적·군사적으로 최고의 지배자인 동시에 콘스탄티노폴리스 교회의 주교를 임명하는 교회의 수장 역할도 하였어.

자료 하나 더 알고 가자!

성 소피아 대성당의 모자이크 벽화

성당 내부의 벽화

성 소피아 대성당 내부 벽면은 그리스 미술의 전통 위에 서아시아의 문화가 흡수되어 탄생한 모자이크 벽화로 장식되었어.

정리 비법을 알려줄게!

비잔티움 문화의 형성과 영향

그리스 정교 / 그리스·로마 문화 / 헬레니즘 문화

→ 비잔티움 문화 형성

그리스 정교 발달, 『유스티니아누스 법전』 편찬, 성 소피아 대성당 건축

↓

슬라브 문화권 형성에 영향

STEP 1 핵심 개념 확인하기

정답친해 39쪽

1 다음 업적을 남긴 프랑크 왕국의 왕을 〈보기〉에서 골라 기호를 쓰시오.

보기
ㄱ. 피핀　ㄴ. 카롤루스 대제　ㄷ. 카롤루스 마르텔

(1) 서로마 황제로 대관 (　　)
(2) 투르·푸아티에 전투에서 이슬람 세력 격퇴 (　　)
(3) 이탈리아 중부 라벤나 지역을 교황에게 기증 (　　)

2 다음 빈칸에 들어갈 중세 유럽의 신분을 쓰시오.

(1) (　　　　)는 장원에서 영주의 지배를 받는 예속 농민으로 거주 이전의 자유가 없었다.
(2) 중세 서유럽의 봉건제는 주군과 (　　　　)이 봉토를 매개로 한 쌍무적 계약 관계를 맺었다.

3 다음 설명이 맞으면 ○표, 틀리면 ×표를 하시오.

(1) 비잔티움 제국 황제의 성상 파괴령 반포를 계기로 동서 교회가 분열되었다. (　　)
(2) 성직자에 대한 서임권 투쟁의 결과 보름스 협약으로 황제가 성직자 서임권을 차지하였다. (　　)

4 다음 괄호 안의 내용 중 알맞은 말에 ○표를 하시오.

(1) 비잔티움 제국에서는 (교황, 황제)이/가 교회의 수장이었다.
(2) 비잔티움 제국의 (군관구제, 둔전병제)는 농민에게 토지를 지급하고 군역을 부과한 제도이다.

5 (　　　　)는 로마법을 집대성하고, 옛 로마 제국 영토의 상당 부분을 회복하여 비잔티움 제국의 전성기를 맞이하였다.

6 다음 건축 양식과 그 특징을 옳게 연결하시오.

(1) 고딕 양식 • 　　• ㉠ 첨탑, 스테인드글라스
(2) 비잔티움 양식 • 　　• ㉡ 웅장한 돔, 모자이크 벽화
(3) 로마네스크 양식 • 　　• ㉢ 돔과 원형의 아치, 두꺼운 벽

STEP 2 내신 만점 공략하기

01 지도와 같이 이동한 민족에 대한 설명으로 옳지 않은 것은?

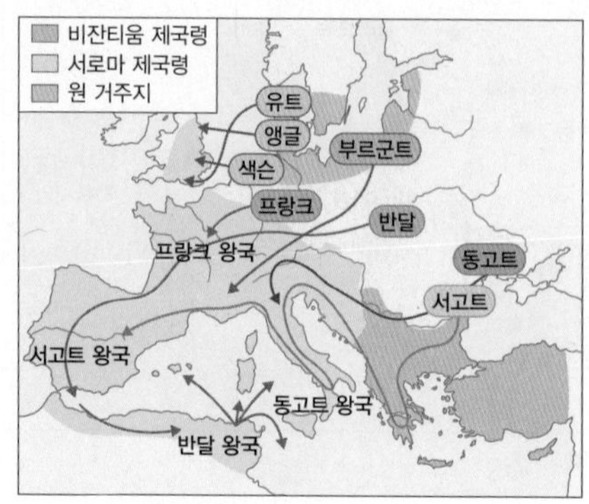

① 서로마 제국을 멸망시켰다.
② 로마 영토 안에 들어와 용병이나 농민이 되었다.
③ 뛰어난 항해술을 지녔으며 바이킹이라고 불렸다.
④ 훈족의 서진이 원인이 되어 대이동을 시작하였다.
⑤ 본래 발트해 연안 지역에 살면서 농경과 목축 생활을 하였다.

02 중요 (가)에 들어갈 내용으로 적절한 것은?

수행 평가 보고서
1. 조사 인물: ○○
2. 조사 결과
– 국적: 프랑크 왕국
– 생몰 연도: 714년~768년
– 재위 기간: 751년~768년
– 업적: 카롤루스 왕조 개창, (가)

① 성상 파괴령 반포
② 『둠즈데이 북』 작성
③ 교황으로부터 서로마 황제로 대관
④ 투르·푸아티에 전투에서 이슬람군 격퇴
⑤ 랑고바르드족으로부터 빼앗은 영토를 교황에게 기증

03 밑줄 친 '왕'에 대한 설명으로 옳은 것은?

로마 주민들이 교황 레오(3세)를 폭행하자, 교황은 프랑크 왕국의 왕에게로 도망가서 도움을 청하였다. 왕은 추락한 교회의 위상을 바로 세우기 위해 로마에 왔다가, 결국 그곳에서 겨울을 났다. 이때 왕은 교황으로부터 황제와 아우구스투스 칭호를 받았다.

① 로마 카톨릭교로 개종하였다.
② 스스로를 프린켑스라 불렀다.
③ 황제 교황주의를 발전시켰다.
④ 카롤루스 르네상스를 일으켰다.
⑤ 『유스티니아누스 법전』을 편찬하였다.

04 (가) 민족에 대한 설명으로 옳은 것은?

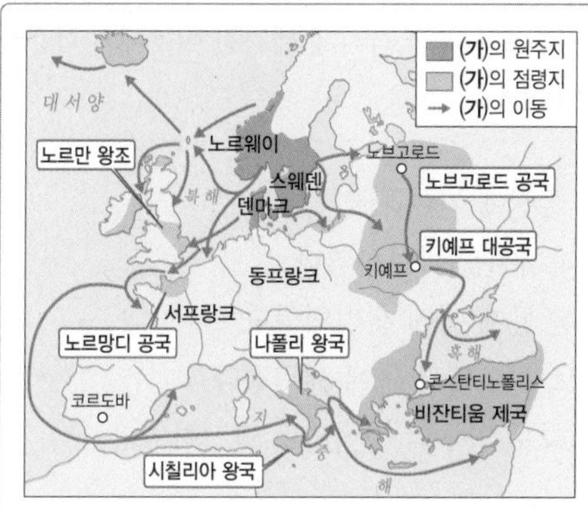

(가) 은/는 원래 스칸디나비아반도에 거주하고 있었는데, 9세기부터 기름진 땅을 찾아 남쪽으로 내려왔다. 이들은 배를 유선형으로 제작하여 기동성이 뛰어나 해안에서 내륙까지 정복하였다.

① 알렉산드리아를 건설하였다.
② 비잔티움 제국을 멸망시켰다.
③ 봉건제 형성에 영향을 주었다.
④ 군관구제와 둔전병제를 실시하였다.
⑤ 유럽 각지에 부르군트 왕국, 반달 왕국 등의 나라를 세웠다.

05 중요 밑줄 친 '나'에 대한 설명으로 옳은 것을 〈보기〉에서 고른 것은?

타인의 권력에 몸을 의탁한 자로서 …… 나는 다음과 같이 처신한다. 나의 봉사와 공로에 따라 당신(주군)은 나에게 음식과 의복을 주어 나를 부양해야 한다. …… 둘 중 한 명이 계약을 파기하려고 한다면, 그는 상대방에게 얼마간 돈을 지급해야 할 것이며, 그로써 계약은 모든 효력을 잃을 것이다. – 메로베우스 왕조와 카롤루스 왕조 시대의 계약서

보기

ㄱ. 주군에게 봉토를 바쳤다.
ㄴ. 주군에게 군사적 봉사와 충성을 맹세하였다.
ㄷ. 장원의 영주로서 재판권과 징세권을 행사하였다.
ㄹ. 자유로운 농민과 예속된 노예의 특징을 모두 갖고 있었다.

① ㄱ, ㄴ ② ㄱ, ㄷ ③ ㄴ, ㄷ
④ ㄴ, ㄹ ⑤ ㄷ, ㄹ

06 선생님의 질문에 대한 학생의 답변으로 적절하지 않은 것은?

그림은 이 신분이 장원 내 영주의 땅을 경작하는 모습을 보여 줍니다. 이 신분의 특징에 대해 말해 볼까요?

① 거주 이전의 자유가 없었어요.
② 토지, 집 등의 재산을 소유할 수 없었어요.
③ 잘못을 한 경우 영주의 법정에서 재판을 받았어요.
④ 인두세, 사망세 등 각종 세금을 영주에게 바쳤어요.
⑤ 장원 내의 방앗간, 제빵소 등의 시설 사용료를 영주에게 지불하였어요.

07 다음 신문 기사에서 다룬 사건의 결과로 옳은 것은?

> **세계사 신문** 726. ○○. ○○.
>
> **비잔티움 제국의 황제와 교황이 대립하다!**
>
> 최근 비잔티움 제국의 황제 레오 3세가 본래 예수 그리스도와 성모 마리아를 섬기는 것은 마음으로 하는 것이지 석상을 만들거나 그림을 그려 절하거나 그 앞에서 기도하는 것이 아니라는 말과 함께 성상을 파괴하고 예수 그리스도와 성모 마리아를 성경 말씀대로 섬길 것을 명령하였다. 이에 대해 로마 교황청에서는 레오 3세의 이번 조치는 현실적으로 포교의 어려움을 모르는 조치라며 거부할 뜻을 밝혔다.

① 교황이 황제를 파문하였다.
② 크리스트교가 국교화되었다.
③ 로마가 동로마와 서로마로 분열되었다.
④ 교황이 성직자 서임권을 차지하게 되었다.
⑤ 크리스트교가 로마 가톨릭교회와 그리스 정교회로 분열되었다.

중요
08 그림의 사건이 일어난 배경으로 적절한 것은?

> 카노사성의 주인인 마틸다 백작 부인이여! 무릎을 꿇고 간청하는 하인리히 4세가 교황을 만날 수 있도록 도와주십시오.

① 카롤루스 대제가 서로마 황제로 대관하였다.
② 보름스 협약으로 교황의 영향력이 강화되었다.
③ 비잔티움 제국 황제가 성상 숭배를 금지하였다.
④ 교황과 황제가 성직자 서임권 문제로 대립하였다.
⑤ 클뤼니 수도원 중심으로 교회 개혁 운동이 전개되었다.

09 다음 내용에 해당하는 철학에 대한 설명으로 옳은 것을 〈보기〉에서 고른 것은?

> 십자군 전쟁 이후 이슬람 세계로부터 아리스토텔레스의 철학이 유입되면서 신앙과 이성의 조화를 꾀하는 철학이 발달하였다.

> **보기**
> ㄱ. 신학 중심의 철학이다.
> ㄴ. 토마스 아퀴나스가 『신학대전』을 통해 집대성하였다.
> ㄷ. 마음의 안정과 만족을 통해 개인의 행복을 추구하였다.
> ㄹ. 성스러운 생활을 한 교부들의 철학과 사상을 연구하였다.

① ㄱ, ㄴ ② ㄱ, ㄷ ③ ㄴ, ㄷ
④ ㄴ, ㄹ ⑤ ㄷ, ㄹ

10 밑줄 친 '이곳'에 대한 설명으로 옳지 않은 것은?

> 중세 초기에는 교회나 수도원 중심으로 학문이 발달하였으나, 12세기 이후에는 유럽 각지에 세워진 이곳에서 학문 연구가 이루어졌다.

① 중세의 학문 발전에 기여하였다.
② 영주로부터 자치권을 확보하였다.
③ 교회의 철저한 통제 아래 운영되었다.
④ 12세기경 볼로냐와 파리 등에 세워졌다.
⑤ 12세기 이후 학문 연구의 중심지로 발전하였다.

11 다음 교회의 건축 양식에 대한 설명으로 옳은 것은?

① 창이 작아 실내가 어둡다.
② 스테인드글라스를 사용하였다.
③ 11세기 서유럽에서 유행하였다.
④ 내부를 모자이크 벽화로 장식하였다.
⑤ 무거운 천장을 지탱하기 위해 벽을 두껍게 하였다.

중요

12 (가) 황제의 활동으로 옳은 것은?

① 밀라노 칙령을 공포하였다.
② 성상 파괴령을 발표하였다.
③ 『유스티니아누스 법전』을 편찬하였다.
④ 전국적인 토지 조사를 실시하여 『둠즈데이 북』을 만들었다.
⑤ 궁정 학교를 세우고 고전을 연구하여 카롤루스 르네상스를 일으켰다.

13 다음 건축물을 남긴 나라의 문화에 대한 설명으로 옳은 것을 〈보기〉에서 고른 것은?

보기

ㄱ. 그리스어를 공용어로 사용하였다.
ㄴ. 러시아와 동유럽 문화의 발전에 영향을 주었다.
ㄷ. 기사들의 모험과 사랑을 소재로 한 기사 문학이 발달하였다.
ㄹ. 뾰족한 탑과 아라베스크를 특징으로 하는 건축 양식이 발달하였다.

① ㄱ, ㄴ ② ㄱ, ㄷ ③ ㄴ, ㄷ
④ ㄴ, ㄹ ⑤ ㄷ, ㄹ

서술형 문제

● 정답친해 41쪽

01 다음을 읽고 물음에 답하시오.

(가) 마침내 하인리히 4세가 두어 명의 수행원만 거느리고 내가 머물고 있던 카노사에 찾아왔소. 황제는 적대적이거나 오만한 기색이 전혀 없이 성문 앞에서 사흘 동안 빌었다오. – 그레고리우스 7세, 『서한집』

(나) 독일 왕국에서 주교와 수도원장의 서임은 그대(신성 로마 제국 황제)의 입회하에 이루어질 것이다. …… 신성 로마 제국 황제인 나, 하인리히는 모든 서임권을 성스러운 로마 가톨릭교회에 바친다. 그리고 짐의 왕국과 제국 내 모든 교회에서 교회법에 따른 주교와 수도원장의 선출과 성직 수임의 자유를 보장하는 것에 동의한다. – 보름스 협약

(1) (가)에서 설명하는 사건을 쓰시오.

(2) (나) 협약 이후 교황권이 어떻게 변화하였는지 성직자 서임권과 관련지어 서술하시오.

길잡이 성직자 서임권을 누가 차지하였는지에 주목한다.

02 다음을 통해 알 수 있는 비잔티움 제국의 정치적 특징을 서유럽과 비교하여 서술하시오.

유스티니아누스 황제와 수행자들

중앙의 유스티니아누스 황제 머리 주위에는 예수에게만 쓸 수 있었던 후광이 그려져 있다. 황제를 중심으로 왼쪽에는 성직자, 오른쪽에는 관료와 군인들로 보이는 사람들이 황제를 수행하고 있다.

길잡이 비잔티움 제국의 정치적, 종교적 권한이 누구한테 있었는지를 서유럽과 비교하여 서술한다.

STEP 3

1등급 정복하기

평가원 응용

1 다음은 프랑크 왕국의 변천 과정을 순서대로 쓴 책이다. 찢어진 부분에 들어갈 내용으로 적절한 것을 〈보기〉에서 고른 것은?

메로베우스 왕조의 군대는 궁재 카롤루스 마르텔의 지휘 아래 용맹함을 발휘하며 이슬람 군대를 투르·푸아티에 전투에서 격퇴하였다.	분할 상속에 따른 내분과 다툼으로 혼란을 겪다가 베르됭 조약과 메르센 조약으로 왕국이 동프랑크, 중프랑크, 서프랑크로 분열되었다.

보기
ㄱ. 동서 교회가 분열되었다.
ㄴ. 클로비스가 로마 가톨릭교로 개종하였다.
ㄷ. 피핀이 라벤나 지역을 교황령으로 기증하였다.
ㄹ. 카롤루스 대제가 교황으로부터 서로마 황제의 관을 받았다.

① ㄱ, ㄴ ② ㄱ, ㄷ ③ ㄴ, ㄷ
④ ㄴ, ㄹ ⑤ ㄷ, ㄹ

▶ 프랑크 왕국의 변천 과정

완자샘의 시험 꿀팁
프랑크 왕국의 변천 과정은 빈출 주제이다. 특히 프랑크 왕국의 전성기를 맞이하였던 카롤루스 대제의 업적을 꼭 정리해 두도록 한다.

완자 사전
- **궁재**
서양 중세 시대 왕실 궁정의 최고위 관직이다. 원래는 궁 행정의 장(長)을 뜻하였는데 뒤로 갈수록 권한이 확대되어 왕권을 능가하였다.
- **라벤나 지역**
이탈리아 중부 지역으로, 프랑크 왕국의 피핀이 랑고바르드(롬바르드) 왕국을 공격하여 얻은 지역을 말한다.

2 다음 훈령을 발표한 이후의 사실로 옳지 않은 것은?

> 우리는 황제와 왕을 포함한 모든 평신도가 성직자에게 감독의 직책, 대수도원 또는 교회에 대한 서임을 줄 수 없음을 법령으로 선포하였다. 그러므로 누군가가 평신도로부터 서임을 받더라도 그 서임은 효력이 없는 것이며, 스스로 서임을 취소하기 전까지 파문 상태에 처할 것이다.
> – 그레고리우스 7세, 「교황 훈령」

① 교황은 '해', 황제는 '달'에 비유되었다.
② 황제가 카노사로 교황을 찾아가 사죄하였다.
③ 보름스 협약으로 교황이 서임권을 차지하게 되었다.
④ 교회가 로마 가톨릭교회와 그리스 정교회로 분리되었다.
⑤ 인노켄티우스 3세의 선언으로 교황권이 절정에 달하였다.

▶ 교황과 황제의 대립

완자 사전
- **서임**
벼슬자리를 내리는 것
- **파문**
신도의 자격을 빼앗고 교단이나 종파에서 내쫓는 것

3 **(가) 제국에 대한 설명으로 옳은 것은?**

> 중세 동유럽 세계의 발전

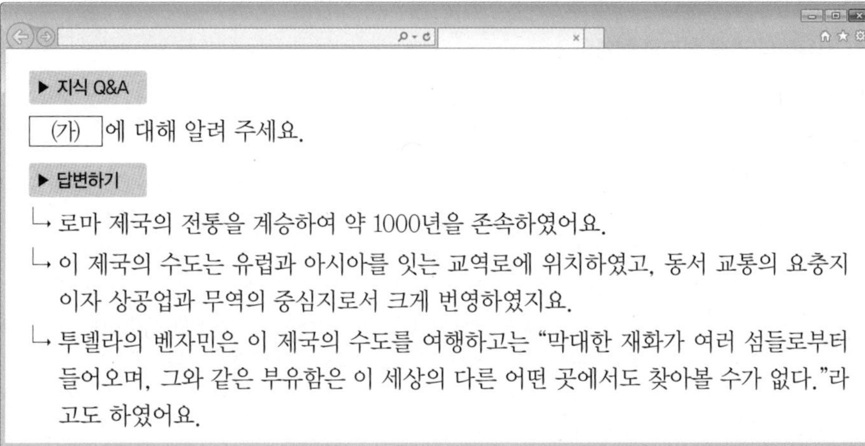

▶ 지식 Q&A
(가) 에 대해 알려 주세요.
▶ 답변하기
↳ 로마 제국의 전통을 계승하여 약 1000년을 존속하였어요.
↳ 이 제국의 수도는 유럽과 아시아를 잇는 교역로에 위치하였고, 동서 교통의 요충지이자 상공업과 무역의 중심지로서 크게 번영하였지요.
↳ 투델라의 벤자민은 이 제국의 수도를 여행하고는 "막대한 재화가 여러 섬들로부터 들어오며, 그와 같은 부유함은 이 세상의 다른 어떤 곳에서도 찾아볼 수가 없다."라고도 하였어요.

① 키릴 문자를 만들어 사용하였다.
② 오늘날 독일, 프랑스, 이탈리아의 기원이 되었다.
③ 게르만족의 공격으로 수도가 함락되어 멸망하였다.
④ 투르·푸아티에 전투에서 이슬람 군대를 격퇴하였다.
⑤ 이슬람 세력에 맞서 크리스트교 세계를 지키는 방파제 역할을 하였다.

4 **(가), (나) 건축 양식이 유행한 시기 각 지역의 문화에 대한 탐구 활동으로 옳은 것을 〈보기〉에서 고른 것은?**

> 중세 유럽 문화의 특징

완자샘의 시험 꿀팁
중세 유럽에서는 서유럽 문화와 비잔티움 제국 문화의 특징을 비교하는 문제가 출제된다. 중세에 유행한 건축 양식인 로마네스크 양식, 고딕 양식, 비잔티움 양식의 특징을 비교하여 정리해 둔다.

(가)

(나)

보기
ㄱ. (가) – 기사 문학이 발달한 배경을 찾아본다.
ㄴ. (가) – 건물의 내부 벽면을 장식한 모자이크 벽화를 살펴본다.
ㄷ. (나) – 이탈리아에서 전개된 르네상스에 미친 영향을 알아본다.
ㄹ. (나) – 토마스 아퀴나스가 『신학대전』에서 주장한 내용을 파악한다.

① ㄱ, ㄴ　② ㄱ, ㄷ　③ ㄴ, ㄷ
④ ㄴ, ㄹ　⑤ ㄷ, ㄹ

03 중세 유럽 세계의 성장과 변화

학습목표
- 십자군 전쟁 이후 봉건적 질서가 동요되는 과정을 파악할 수 있다.
- 르네상스와 종교 개혁을 계기로 유럽 사회가 변화하는 모습을 설명할 수 있다.

이것이 핵심!

중세 유럽 세계의 성장

봉건 사회의 동요
• 십자군 전쟁 전개 → 실패 → 교황권 쇠퇴, 제후·기사 계층 몰락, 왕권 강화 • 상업 발달과 도시 성장, 흑사병 유행 → 농민의 지위 향상, 장원 해체
↓
중앙 집권 국가의 등장
봉건 영주 약화, 교황권 쇠퇴 → 영국, 프랑스 등이 중앙 집권 국가로 발전

★ **한자 동맹**
'한자'는 독일어로 '조합', '동료'라는 뜻이다. 북유럽의 무역을 독점하고, 자체적으로 법률, 군대를 소유하며 발전하였으나 신항로 개척으로 무역의 중심지가 이동하면서 쇠퇴하였다.

★ **길드**
상인과 수공업자들이 공동의 이익과 안전을 도모하기 위해 만든 동업 조합으로 이를 통해 도시 행정을 주도하였다. 수공업자 길드의 장인들은 직인과 도제를 두고 물품을 제작하였다.

★ **아비뇽 유수**
교회와 성직자에 대한 과세 문제로 프랑스 왕 필리프 4세와 교황 보니파키우스 8세가 대립한 것이 원인이 되었다. 교황이 프랑스 왕에게 굴복하여 교황청이 아비뇽으로 옮겨졌고 약 70년 동안 프랑스 왕의 통제를 받게 되었다.

★ **백년 전쟁(1337~1453)**
영국과 프랑스가 프랑스 내 영국령 문제와 모직물 공업의 중심지인 플랑드르 지방의 지배권을 놓고 대립하던 상황에서 영국 왕이 프랑스의 왕위 계승을 주장하면서 일어난 전쟁

★ **장미 전쟁(1455~1485)**
영국의 랭커스터 가문과 요크 가문 사이에 왕위 계승 문제를 둘러싸고 일어난 전쟁

1 십자군 전쟁과 봉건 사회의 동요

1. 서유럽의 경제 성장과 십자군 전쟁

(1) **서유럽의 경제 성장**: 농업 생산력 향상, 인구 증가 → 농경지 부족 → 대외 팽창 추진

(독일은 엘베강 동쪽으로 식민 활동을 전개하였고, 이베리아반도의 크리스트교 국가들은 이슬람 세력을 축출하기 위한 재정복 운동을 펼쳤어.)

(2) **십자군 전쟁** 자료①

배경	11세기 후반 셀주크 튀르크의 예루살렘 점령과 비잔티움 제국 공격 → 비잔티움 제국 황제가 교황에게 도움 요청 → 로마 교황 우르바누스 2세가 클레르몽 공의회에서 성지 회복을 위한 전쟁 호소
전개	제1차 십자군의 예루살렘 탈환 성공, 예루살렘 왕국 건설(→ 이슬람 세력이 예루살렘 탈환) → 170여 년간 여러 차례 지속된 전쟁에서 종교적 열정이 식고 세속적 목적이 강화됨 → 성지 탈환 실패
영향	교황권 약화, 제후와 기사 계층 몰락, 왕권 강화, 지중해 교역·동방 교역 활발(→ 상공업 발달, 이탈리아 도시 번영), 비잔티움 문화와 이슬람 문화가 서유럽에 유입(→ 서유럽 문화의 발전 자극)

(왕과 제후는 영지 확보, 기사들은 자신들의 용맹함을 보여 주는 것을 통한 지위 상승, 상인들은 동방 무역의 거점 확보를 위해 싸웠어.)

2. 교역의 발달과 도시의 성장 자료②

(1) **교역의 발달**

(십자군 전쟁 이후에 원거리 무역이 활발해지고 거래 규모가 커졌어.)

배경	교통의 요지에 시장 발달, 상인과 수공업자의 유입으로 도시 성장
내용	• 지중해의 베네치아·제노바(동방 무역으로 번영), 피렌체·밀라노(금융업과 직물업으로 번창) 등 번영 • 북유럽에서 북독일 도시들이 *한자 동맹을 맺고 발트해와 북해 연안의 무역 독점

(2) **도시의 성장**: 자치권 획득(도시민들이 국왕과 제휴하여 영주에 대항, 영주에게 일정한 금액 지불 후 특허장 확보·무력으로 자치권 획득 → 독자적으로 도시 행정 운영), *길드 조직

(특허장: 국왕이나 영주가 도시의 자치에 관한 여러 권한을 승인한 문서야.)

3. 봉건 사회의 동요 자료③

(1) **장원의 해체**

(꼭! 화폐의 수요가 증가하자 영주들이 농민들에게 부역 대신 현물이나 화폐 지대를 요구하게 된 거야.)

배경	• 상공업 발달과 도시 성장 → 화폐 경제의 발달 → 지대의 금납화 → 농민들이 부역에서 벗어남 • 흑사병으로 인구 감소 → 노동력 부족, 임금 상승 → 농민의 처우 개선
결과	농노 신분에서 해방된 사람 증가, 자영농 증가, 장원 점차 해체
농민 봉기	영주가 농민에 대한 속박 강화 → 자크리의 난(프랑스, 1358), 와트 타일러의 난(영국, 1381) 발발

(일부 영주들이 직영지를 확대하고 화폐 지대를 부역으로 되돌려 농민을 억압하였어.)

(2) **교황권의 쇠퇴**

① *아비뇽 유수(1309~1377): 프랑스 왕이 교황청을 로마에서 아비뇽으로 옮김

② 교회의 대분열(1378~1417): 로마와 아비뇽에서 각각 교황 선출 → 교회의 권위 추락

③ 교회의 개혁 운동: 위클리프(영국)와 후스(보헤미아)가 교회의 세속화 비판 → 로마 가톨릭 교회가 콘스탄츠 공의회를 통해 로마 교황의 정통성 인정

4. 중앙 집권 국가의 등장

(1) **배경**: 봉건 영주의 세력 약화, 교황권 쇠퇴, 국왕권 강화(도시 상공업자들의 협조)

(국왕은 사법권과 과세권을 확대하고 상비군과 관료제를 도입하여 왕권을 강화시키려 하였어.)

(상공 시민은 봉건적 제약에서 벗어나고자 국가 재정을 지원하거나 왕의 관리로 봉사하였고, 신분제 의회에도 참여하였어.)

(2) ***백년 전쟁과 왕권 강화**

(대헌장: 국왕의 명령보다 법이 우위에 있다고 명시하여 입헌 정치의 기초가 되었다고 평가받아.)

영국	13세기 존왕이 무거운 세금 부과 → 귀족의 반발, 「대헌장」 승인 → 모범 의회 소집 → 양원제 의회 확립 → 백년 전쟁 → *장미 전쟁 → 헨리 7세가 튜더 왕조 개창, 중앙 집권 체제의 토대 마련
프랑스	12세기 말 필리프 2세의 왕권 강화 → 백년 전쟁(잔 다르크의 활약으로 승리) → 중앙 집권 국가로 발전
기타	• 독일, 이탈리아: 통일 국가를 이루지 못하고 정치적 분열 상태 유지 • 이베리아반도: 에스파냐 왕국 건설(→ 통일 국가 완성), 포르투갈이 중앙 집권 국가로 성장

(독일: 13세기 대공위 시대를 거쳐 14세기에 「황금문서」가 만들어져 유력한 제후들이 황제를 선출하였어.)

완자 자료 탐구

내 옆의 선생님

자료 1 십자군 전쟁

예루살렘, 안티오크와 그 밖의 도시들에서 크리스트교도가 박해를 받고 있다. 신을 믿지 않는 튀르크인의 침략은 계속되어 마침내 콘스탄티노폴리스에 다다르고 있다. 성지의 형제들을 구하자. …… 예수의 성묘가 있는 곳으로 가지 않겠는가? 이 땅에서 불행한 자와 가난한 자는 그 땅에서 번영할 것이다.

– 교황 우르바누스 2세의 클레르몽 공의회 연설

셀주크 튀르크가 비잔티움 제국을 위협하였어.

교황권의 확대를 노린 교황이 성지 회복을 위한 전쟁을 호소하였어.

십자군 전쟁의 전개

십자군 전쟁은 종교적 열의에서 시작되었으나 점차 성지 회복이라는 목표와 달리 세속적인 욕망으로 타락한 모습을 보였다. 결국 제1차 십자군만 예루살렘을 회복하고 남은 전쟁은 모두 성지 탈환 목표를 이루지 못하였다.

문제로 확인할까?

십자군 전쟁에 대한 설명으로 옳은 것은?

① 교황의 권위 강화에 영향을 주었다.
② 종교적 열의와 세속적 욕망이 모두 존재하였다.
③ 유럽 전역에 유행한 흑사병이 원인이 되어 일어났다.
④ 제8차 십자군이 성지 탈환이라는 목표를 달성하였다.
⑤ 로마 가톨릭교회가 두 곳으로 분열되는 결과를 가져왔다.

② 답

자료 2 교역의 발달과 도시의 성장

중세 유럽의 상업과 교통로

프랑스 상파뉴 지방에는 정기 시장이 형성되어 지중해와 북유럽의 두 무역권을 연결하였어.

서유럽에서는 11세기경부터 상업이 활기를 띠었고, 시장이 생기기 시작하였다. 이에 따라 교역 활동이 활발해져 교통로를 따라 도시가 발달하였다. 베네치아와 제노바 등 지중해 연안의 도시는 동방 무역으로 번영하였으며, 함부르크 등 북독일 도시와 플랑드르 지방은 북유럽 교역권을 형성하였다.

자료 하나 더 알고 가자!

수공업자 길드의 규정

- 길드에 가입하지 않은 가게는 영업할 수 없다.
- 정해진 가격으로만 받는다.
- 새로운 생산 기술은 길드의 승인을 얻어야 한다.

길드는 중세 도시의 상인과 수공업자들이 만든 동업 조합으로, '노동 시간, 생산 기술, 상품 가격 등을 정한 규정'을 만들었어. 그리고 규정을 어긴 회원에게는 벌금을 부과하였지.

자료 3 봉건 사회의 동요

교회의 대분열 상황을 의미해.

교회의 세속화와 성직자의 타락을 비판하였어.

악마가 흉계를 꾸며 두 명의 교황이 선출되면 교회에 많은 재앙이 일어날지 모른다. 현재 교황은 예수의 바른 길을 이어 나가지 않고 사탄의 잘못된 길을 걸어가고 있다. 예수께서 교황청을 세웠다는 기록은 어디에도 없다. …… 예수께서는 반드시 교황이 있어야 한다고 말씀하시지 않았다. …… 이로부터 결론을 내리건대, 계속 싸움만 하고 있는 지상의 교회에는 오히려 교황이 없는 쪽이 좋다는 것이 분명하다.

교황의 권위를 부정하였어.

– 위클리프, 「교황에 대한 저항」

십자군 전쟁 이후 약화된 교황권은 14세기 아비뇽 유수와 교회의 대분열로 크게 실추되었다. 이러한 가운데 위클리프와 후스 등은 교회의 세속화를 비판하며 『성서』에 기반을 둔 신앙을 강조하였다. 그러자 로마 가톨릭교회는 콘스탄츠 공의회를 소집하여 로마 교황의 정통성을 인정하는 한편, 위클리프를 이단으로 규정하고 후스를 화형에 처하였다.

자료 하나 더 알고 가자!

장원의 해체

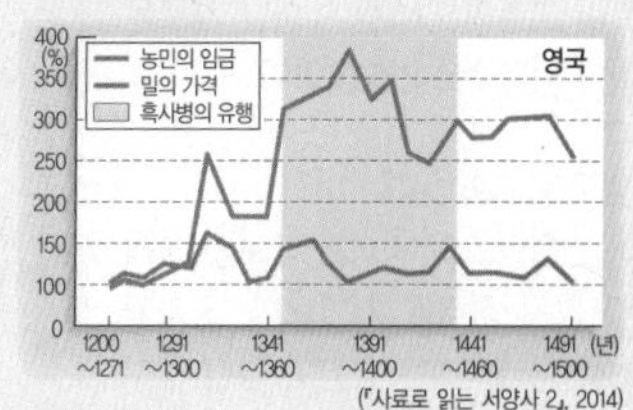

(『사료로 읽는 서양사 2』, 2014)

곡물 가격과 임금 변화

흑사병으로 인구가 급감하자 농민의 처우가 개선되었고 자영농도 증가하여 장원은 점차 해체되어 갔어.

중세 유럽 세계의 성장과 변화

2 유럽 사회의 변화

1. 르네상스

인간 중심의 새로운 문화를 창조하려는 문화 운동이야. 르네상스의 인문주의자들은 신 중심의 중세적 세계관을 극복하고자 하였어.

(1) 의미: '재생', '부활'을 뜻함, 14~16세기에 전개된 고대 그리스·로마의 고전 문화 부흥 운동

(2) 이탈리아의 르네상스 자료 ④

비잔티움 제국이 오스만 제국에 멸망하면서 이탈리아로 망명하였어.

발생 배경		옛 로마 제국의 중심지로 고전 문화의 전통 보존, 비잔티움 제국 학자들이 그리스·로마 문화 전파, 지중해 무역 중심지로 경제 번영(→ 부유한 상인과 군주가 문예 활동 후원)
특징		*인문주의를 바탕으로 인간의 개성과 감정 중시, 인간과 자연을 사실적으로 묘사
발전	문학	• 페트라르카: 라틴어 고전 연구, 서정시를 남김(인간의 감정을 솔직하게 표현) • 보카치오: 『데카메론』에서 사회의 타락상과 인간의 위선 풍자 • 마키아벨리: 『군주론』에서 이탈리아의 통일을 위한 강력한 군주의 필요성 주장
	미술	레오나르도 다빈치(「모나리자」), 미켈란젤로(「다비드상」), 라파엘로(「아테네 학당」) 등 활동
	건축	르네상스 양식 발달(그리스의 열주와 로마의 돔 양식을 계승한 성 베드로 성당이 대표적)

(3) 알프스 이북의 르네상스 자료 ⑤

왜? 알프스 이북에는 교회의 권위와 봉건 사회의 관습이 강하게 남아 있었기 때문이야.

배경		이탈리아의 르네상스가 16세기 북유럽의 여러 나라에 전파
특징		현실 사회와 교회를 비판하며 사회 개혁적 성격을 띰 → 종교 개혁에 영향을 줌
발전	문학	• 인문주의자의 활동: 토머스 모어가 *『유토피아』에서 부조리한 영국의 현실 사회 비판, 에라스뮈스가 『우신예찬』에서 교회와 성직자의 타락 지적 • 국민 문학 발달: 세르반테스가 『돈키호테』에서 몰락한 기사 계급의 현실 풍자, 셰익스피어가 『햄릿』을 비롯한 여러 희곡 저술 – 라틴어 대신 자국어로 쓴 국민 문학이 발달하였어.
	미술	반에이크 형제의 유화 기법 개발, 브뤼헐이 서민의 생활 모습을 생동감 있게 표현

(4) 과학의 발달: 화약 사용(→ 봉건 기사 몰락), 나침반을 개량하여 원거리 항해에 이용(→ 유럽 세계의 팽창), 구텐베르크의 활판 인쇄술 고안(→ 지식과 사상의 전파 촉진)

꼭! 르네상스와 종교 개혁의 확산에 기여하였어.

2. 종교 개혁 교과서 자료

(1) 배경: 교회의 부패와 일부 성직자의 타락, 북유럽 인문주의자들의 교회 비판

(2) 루터의 종교 개혁(독일)

루터는 인간의 구원이 오직 신앙과 신의 은총에 달려 있고 신앙의 근거는 『성서』라고 주장하였어.

발단	교황 레오 10세가 성 베드로 성당의 증축 비용 마련을 위해 *면벌부 판매
전개	루터의 「95개조 반박문」 발표(1517) → 루터파 제후들이 황제, 교황에게 대항
결과	*아우크스부르크 화의 체결(1555)로 루터파 교회가 종교로 인정받음

(3) 칼뱅의 종교 개혁(스위스): 예정설 주장, 근면하고 검소한 직업 생활 강조, 부자가 되는 것을 신의 은총으로 여김 → 신흥 상공업자의 호응, 영국·프랑스·네덜란드 등지로 확산

영국에는 청교도, 프랑스에는 위그노, 네덜란드에는 고이센이 성립되었어.

(4) 영국의 종교 개혁: 헨리 8세의 수장법 반포(국왕이 영국 교회의 수장임을 선포, 1534), 수도원 해산과 교회의 토지·재산 몰수 → 엘리자베스 1세의 통일법 반포(*영국 국교회 확립, 1559)

(5) 로마 가톨릭교회의 대응과 종교 전쟁

① 로마 가톨릭교회의 대응: 트리엔트 공의회 개최(교황의 권위와 교리 재확인, 폐단 시정 노력), 교회 내부의 결속 강화, 예수회 창설(에스파냐의 로욜라 등이 선교 활동 전개)

② 종교 전쟁: 구교(로마 가톨릭)와 신교(프로테스탄트)의 대립으로 발생

신교도에게 특정 지역에서 예배의 자유를 허용하였어.

네덜란드	신교도(고이센)가 에스파냐의 가톨릭 강화 정책에 반발하여 전쟁 발발 → 독립 달성
프랑스	신교도(위그노)와 가톨릭교도 간의 대립 → 위그노 전쟁 발발 → 낭트 칙령 발표(1598)
신성 로마 제국	구교와 신교의 대립 → 30년 전쟁 발발 → 국제전으로 확대(유럽 각국의 참여) → 베스트팔렌 조약 체결(제후의 가톨릭·루터파·칼뱅파 등에 대한 선택권 허용, 1648)

위그노에 대한 탄압이 전쟁의 원인이었어.

이것이 핵심!

유럽 사회의 변화

르네상스	
이탈리아	알프스 이북
• 인간의 개성과 감정 중시 • 그리스·로마의 전통을 계승한 회화, 조각, 건축 등 발달	• 현실 사회와 교회 비판 • 자국어로 쓴 국민 문학, 서민의 생활 모습을 표현한 회화 발달

↓ 영향

종교 개혁

독일(루터), 스위스(칼뱅), 영국의 종교 개혁 → 구교와 신교로 분열

↓

종교 전쟁

구교와 신교의 갈등 → 30년 전쟁 발발 → 베스트팔렌 조약 체결

★ 인문주의
'사람다움'을 뜻하는 라틴어에서 나온 말로, 그리스·로마의 고전을 연구하고 가르치는 학풍이다. 점차 인간의 개성과 능력, 존엄성을 강조하는 사상으로 발전하였다.

★ 유토피아
현실에 존재하지 않는 이상적인 사회인 '유토피아'의 제도, 풍속 등을 묘사해 영국의 현실을 비판한 책

★ 면벌부
로마 가톨릭교회가 신자에게 기부금을 받고 교황의 이름으로 벌을 면해 준 증명서

★ 아우크스부르크 화의
개인이 아닌 제후와 자유 도시가 루터파와 가톨릭교회 사이에 종교 선택권을 가질 수 있다는 내용을 담고 있다. 이로써 교황의 지배를 벗어난 새로운 교회가 처음으로 인정받았다.

★ 영국 국교회
로마 가톨릭교의 의식과 신교의 교리가 혼합된 성격을 지녔으며, 국가가 교회를 통제하려는 경향이 강한 것이 특징이다.

완자 자료 탐구

내 옆의 선생님

자료 4 이탈리아의 르네상스

비너스의 탄생(보티첼리)

성 베드로 성당

다비드상(미켈란젤로)

이탈리아 르네상스의 자유로운 인간 정신이 가장 돋보이는 것은 예술 분야였다. 미술에서는 보티첼리, 레오나르도 다빈치, 미켈란젤로 등이 인간과 자연을 사실적으로 표현하였고, 건축에서는 르네상스 양식이 발전하였는데 로마의 성 베드로 성당이 대표적이다.

자료 5 알프스 이북의 르네상스

어리석음의 여신인 우신이 철학자와 신학자의 공허한 논리와 성직자의 위선을 풍자하는 형식을 취하여 교회와 성직자의 타락을 비판하였어.

> 교황은 바로 나, 우신(愚神) 덕분에 우아한 생활을 하고 있다. 왜냐하면 연극이나 다름없는 화려한 교회 의식을 통해 축복이나 저주의 말을 하고 감시의 눈만 번쩍이면, 충분히 그리스도에게 충성하였다고 생각하기 때문이다. – 에라스뮈스, 『우신예찬』

알프스 이북의 르네상스는 현실 사회와 교회를 비판하는 개혁적 성향이 강하였다. 에라스뮈스는 『우신예찬』에서 교회의 허식과 성직자의 타락상을 풍자하여 종교 개혁에 영향을 주었고, 토머스 모어는 『유토피아』에서 부조리한 현실 사회를 비판하였다.

자료 하나 더 알고 가자!

르네상스 시대의 문학

> 내가 숙녀들을 좋아하고 그네들의 사랑을 받으려고 노력한다는 것은 나도 틀림없는 사실로서 인정하는 바입니다. 그러나 나는 대체 그것이 무엇이 나쁘냐고 묻고 싶습니다. – 보카치오, 『데카메론』

보카치오는 『데카메론』에서 교회의 타락과 사회의 모순을 풍자하였어. 보카치오, 페트라르카 등 르네상스 시대의 작가들은 고전을 연구하면서 인간의 감정을 중시한 작품을 썼지.

정리 비법을 알려줄게!

이탈리아와 알프스 이북의 르네상스

구분	이탈리아	알프스 이북
시기	14~16세기	16세기 이후
성격	인간과 자연의 사실적 표현	현실 사회와 교회 비판
대표 작품	• 보티첼리의 「비너스의 탄생」 • 보카치오의 『데카메론』 • 미켈란젤로의 「다비드상」	• 에라스뮈스의 『우신예찬』 • 세르반테스의 『돈키호테』 • 브뤼헐의 「농가의 혼례」

수능이 보이는 교과서 자료 종교 개혁이 유럽 사회에 미친 영향

[루터와 칼뱅의 주장]

• 제6조 교황은 신의 용서를 확증하는 이외에 어떠한 죄도 용서할 수 없다. (면벌부 판매 비판)
제36조 진실로 회개한 크리스트교도는 면벌부가 없이도 벌이나 죄에서 완전히 해방될 수 있다. – 루터, 「95개조 반박문」, 1517

• 일찍이 신께서는 당신의 영원불변한 섭리를 통해 구제해 주고자 하는 자들과 파멸에 빠뜨리고자 하는 자들을 결정하였다. – 칼뱅, 『크리스트교 강요』
(인간의 구원은 신이 미리 정하였다는 예정설이야.)

[베스트팔렌 조약]

1. 칼뱅파는 루터파와 동등한 특권을 가진다. (제후에게 칼뱅파를 선택할 수 있는 권리 부여)
4. 각 제후는 자기 영내에서 실질적으로 독립된 주권을 행사한다. (제후의 정치적 독립권 인정)
5. 프랑스는 스트라스부르를 제외한 알자스·로렌을 차지한다.
6. 네덜란드는 에스파냐로부터, 스위스는 신성 로마 제국으로부터 독립된 국가임을 인정받는다.

루터는 교황의 면벌부 판매를 비판하였고, 칼뱅은 예정설을 주장하며 종교 개혁을 전개하였다. 종교 개혁으로 서유럽 크리스트교가 구교와 신교로 분열되었으며 구교와 신교 간의 갈등이 격화되어 곳곳에서 종교 전쟁이 일어났다. 그리고 30년 전쟁의 결과 베스트팔렌 조약이 체결되어 제후가 종교를 선택하는 것이 허용되었다.

완자샘의 탐구 강의

• 루터가 「95개조 반박문」을 발표하게 된 배경을 써 보자.
교황 레오 10세가 성 베드로 성당의 증축 비용을 마련하려고 면벌부를 판매하였다.

• 칼뱅의 주장이 신흥 상공업자들에게 환영받은 이유를 서술해 보자.
칼뱅의 주장은 직업 생활을 성실하게 할 것을 강조하면서 부자가 되는 것을 정당화하였기 때문이다.

• 베스트팔렌 조약의 결정으로 나타난 종교상의 변화를 써 보자.
제후가 가톨릭, 루터파, 칼뱅파 등을 선택하는 것이 허용되었다.

함께 보기 151쪽, 1등급 정복하기 2

STEP 1 핵심 개념 확인하기

정답친해 43쪽

1 다음 설명이 맞으면 ○표, 틀리면 ×표를 하시오.

(1) 제1차 십자군은 콘스탄티노폴리스를 점령하고 라틴 제국을 세웠다. ( )

(2) 중세 도시민들은 공동의 이익과 안전을 도모하고자 길드를 조직하였다. ( )

2 다음에서 설명하는 사건을 〈보기〉에서 골라 기호를 쓰시오.

보기

ㄱ. 아비뇽 유수　ㄴ. 자크리의 난　ㄷ. 교회의 대분열

(1) 로마와 아비뇽에서 각각 교황이 선출되어 대립하였다. ( )

(2) 교회와 성직자에 대한 과세 문제로 국왕과 교황이 갈등하여 교황청을 옮기게 되었다. ( )

(3) 프랑스에서 영주의 불공평한 세금 징수와 재판 등에 반발하여 농민 봉기가 일어났다. ( )

3 ㉠, ㉡에 들어갈 지역을 각각 쓰시오.

(㉠)의 르네상스는 그리스·로마의 고전 작품을 수집, 연구하였고 (㉡)의 르네상스는 현실 사회와 교회를 비판하는 개혁적 성향이 강하였다.

4 종교 개혁과 관련하여 빈칸에 들어갈 내용을 쓰시오.

(1) 헨리 8세의 ( ) 반포에 따라 영국 교회가 교황으로부터 독립하게 되었다.

(2) 칼뱅은 인간의 구원은 태어날 때부터 이미 예정되어 있다는 ( )을 주장하였다.

5 다음 사건과 그 결과를 옳게 연결하시오.

(1) 30년 전쟁 • 　　• ㉠ 낭트 칙령 발표

(2) 위그노 전쟁 • 　　• ㉡ 베스트팔렌 조약 체결

(3) 루터의 종교 개혁 • 　　• ㉢ 아우크스부르크 화의 체결

STEP 2 내신 만점 공략하기

01 (중요) 지도에 나타난 전쟁의 결과로 옳은 것을 〈보기〉에서 고른 것은?

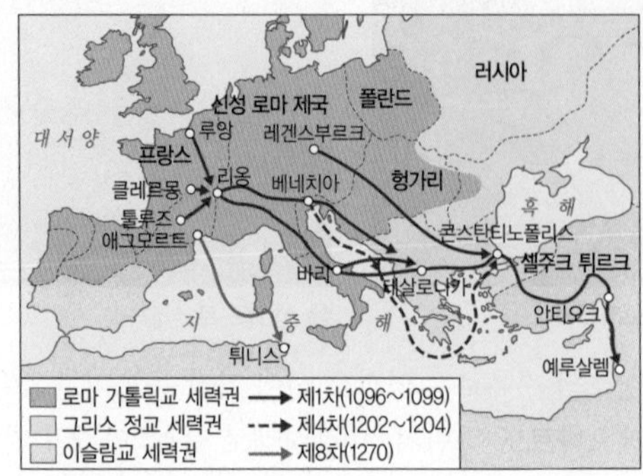

보기

ㄱ. 동서 무역이 중단되는 결과를 초래하였다.

ㄴ. 십자군이 이슬람 세력으로부터 성지를 완전히 회복하였다.

ㄷ. 서유럽에서 교황권이 약화되고 제후와 기사 계층이 몰락하였다.

ㄹ. 이슬람 문화와 비잔티움 문화가 서유럽으로 유입되어 문화 발전에 자극이 되었다.

① ㄱ, ㄴ　② ㄱ, ㄷ　③ ㄴ, ㄷ　④ ㄴ, ㄹ　⑤ ㄷ, ㄹ

02 (가) 조직에 대한 설명으로 옳지 않은 것은?

▶ 지식 Q&A

(가) 조직에 대해 알려 주세요.

▶ 답변하기

ㄴ (가) 은/는 13세기경 북부 유럽에서 결성된 도시 동맹을 말해요. 명칭에 '조합', '동료'라는 의미가 들어 있지요.

① 신항로 개척 이후 쇠퇴하였다.

② 자체의 법률이나 군대를 소유하였다.

③ 발트해와 북해 연안의 무역을 독점하였다.

④ 직인과 도제를 거느리는 장인들로 구성되었다.

⑤ 함부르크, 뤼베크 등이 대표적인 회원 도시였다.

03 다음 상황이 전개된 시기를 연표에서 고른 것은?

> 프랑스 왕 필리프 4세와 교황 보니파키우스 8세가 성직자 과세 문제로 대립하다가 삼부회의 지지를 받은 필리프 4세가 교황을 굴복시켜 교황청이 아비뇽으로 옮겨졌다.

1077		1096		1122		1378		1455		1598
	(가)		(나)		(다)		(라)		(마)	
카노사의 굴욕		십자군 전쟁 발발		보름스 협약 체결		교회의 대분열 발생		장미 전쟁 발발		낭트 칙령 발표

① (가) ② (나) ③ (다) ④ (라) ⑤ (마)

04 다음 주장이 나온 배경으로 옳은 것은?

> 현재 교황은 예수의 바른길을 이어 나가지 않고 사탄의 잘못된 길을 걸어가고 있다. 예수께서 교황청을 세웠다는 기록은 어디에도 없다. …… 계속 싸움만 하고 있는 지상의 교회에는 오히려 교황이 없는 쪽이 좋다는 것이 분명하다.
> – 위클리프, 「교황에 대한 저항」

① 카노사의 굴욕 사건이 일어났다.
② 교황 레오 10세가 면벌부를 판매하였다.
③ 로마와 아비뇽에서 각각 교황이 선출되었다.
④ 교회가 로마 가톨릭교회와 그리스 정교로 분리되었다.
⑤ 콘스탄츠 공의회에서 로마 교황의 정통성을 인정하였다.

05 다음 자료가 갖는 의미로 적절한 것은?

> 제12조 짐의 왕국에서는 전체의 자문에 따르지 않고는 군역 면제세 혹은 부조금은 부과되지 않을 것이다.
> 제39조 자유인은 …… 국법에 따르지 않고는 체포되지도, 재산을 빼앗기지도 않으며, …… 짐도 그 사람을 소송하거나 처벌하지 않을 것이다.
> – 「대헌장」

① 신교를 공인하였다.
② 국왕권을 강화하였다.
③ 영국 국교회를 확립하였다.
④ 입헌 정치의 기초를 마련하였다.
⑤ 대공위 시대의 혼란을 해결하였다.

06 (중요) 밑줄 친 '전쟁'에 대한 설명으로 옳지 않은 것은?

> 14~15세기에 영국과 프랑스 사이에 전쟁이 일어났다. 전쟁 초기에는 영국군이 우세하게 전투를 이끌었다. 프랑스는 거듭되는 패전으로 위기에 처하였으나 잔 다르크의 활약에 힘입어 전세를 역전시켰고 끝내는 영국군을 몰아냈다.

① 100년이 넘는 기간 동안 지속되었다.
② 베스트팔렌 조약이 체결되는 계기가 되었다.
③ 영국의 왕이 프랑스의 왕위 계승을 주장하면서 시작되었다.
④ 영국과 프랑스가 중앙 집권 국가로 발전하는 데 영향을 주었다.
⑤ 플랑드르 모직물 공업 지역을 둘러싼 갈등을 배경으로 일어났다.

07 (중요) (가), (나) 작품이 나온 시기 각 지역의 문화적 동향에 대한 설명으로 옳은 것은?

> (가) 숙녀들을 좋아하고 그네들의 사랑을 받으려고 노력한다는 것은 나도 틀림없는 사실로서 인정하는 바입니다. 그러나 대체 그것이 무엇이 나쁘냐고 묻고 싶습니다.
> – 보카치오, 『데카메론』
>
> (나) 요즘 교황은 가장 어려운 일들은 베드로와 바울에게 맡기고 호화로운 의식과 즐거운 일만 찾는다. 교황은 바로 나, 우신(愚神) 덕분에 우아한 생활을 하고 있다. 왜냐하면 연극이나 다름없는 화려한 교회 의식을 통해 축복이나 저주의 말을 하고 감시의 눈만 번쩍이면, 충분히 그리스도에게 충성하였다고 생각하기 때문이다.
> – 에라스뮈스, 『우신예찬』

① (가) – 교회의 부패를 비판하는 작품이 많이 쓰였다.
② (가) – 초기 크리스트교 정신으로 돌아갈 것을 주장하여 종교 개혁에 영향을 주었다.
③ (나) – 인간과 자연을 있는 그대로 표현하였다.
④ (나) – 라틴어 대신 자국어로 쓴 국민 문학이 발달하였다.
⑤ (가), (나) – 인간보다 신 중심의 세계관을 바탕으로 하였다.

08 (가)에 들어갈 자료로 적절한 것은?

> 수행 평가 보고서
> 1. 주제: 16세기 이후 알프스 이북의 르네상스
> 2. 조사 자료: (가)
> 3. 자료 분석 결과: 현실 사회를 비판하는 개혁적 성향이 강함

① 페트라르카의 서정시
② 마키아벨리의 『군주론』
③ 세르반테스의 『돈키호테』
④ 보티첼리의 「비너스의 탄생」
⑤ 레오나르도 다빈치의 「모나리자」

09 밑줄 친 '영향'에 해당하는 내용으로 옳지 않은 것은?

> 자연을 세밀히 관찰하고 탐구하는 르네상스 시대의 정신은 근대 과학 기술 발달의 바탕이 되었다. 특히 화약과 나침반, 인쇄술이 발전하여 사회 전반에 큰 영향을 주었다.

① 봉건 기사의 몰락 ② 종교 개혁의 확산
③ 원거리 항해의 시작 ④ 중세 유럽 사회의 형성
⑤ 지식과 사상의 전파 촉진

중요

10 다음 자료를 발표한 인물의 종교 개혁에 대한 설명으로 옳은 것을 〈보기〉에서 고른 것은?

> 제6조 교황은 신의 용서를 확증하는 이외에 어떠한 죄도 용서할 수 없다.
> 제36조 진실로 회개한 크리스트교도는 면벌부가 없이도 징벌이나 죄에서 완전히 해방될 수 있다.

보기
ㄱ. 수장법 반포에 반발하여 일어났다.
ㄴ. 제후들의 지지를 받으며 전개되었다.
ㄷ. 검소하고 근면한 생활 윤리를 강조하였다.
ㄹ. 아우크스부르크 화의에서 종교의 자유를 얻게 되었다.

① ㄱ, ㄴ ② ㄱ, ㄷ ③ ㄴ, ㄷ
④ ㄴ, ㄹ ⑤ ㄷ, ㄹ

서술형 문제

● 정답친해 44쪽

01 중세 서유럽 시대에 다음과 같은 규정이 있었던 조직의 결성 목적과 활동을 서술하시오.

> • 길드에 가입하지 않은 가게는 영업할 수 없다.
> • 정해진 가격으로만 받는다.
> • 새로운 생산 기술은 길드의 승인을 얻어야 한다.

길잡이 규정의 내용을 토대로 결성 목적과 활동을 파악하여 서술한다.

02 밑줄 친 '새로운 문화 운동'이 이탈리아에서 시작된 배경을 세 가지 서술하시오.

> 14세기경 이탈리아에서 고대 그리스·로마의 인간 중심적인 문화를 부활시키고 인간의 자유와 존엄성을 중시하는 새로운 문화 운동이 일어났다.

길잡이 14세기경 이탈리아의 사회적·문화적 상황을 생각해 본다.

03 다음을 읽고 물음에 답하시오.

> • 일찍이 신께서는 영원불변의 섭리를 통해 구제해 주고자 하는 자들과 파멸에 빠뜨리고자 하는 자들을 결정하였다. – 『크리스트교 강요』
> • 신이 크리스트교도에게 바라는 것은 그들이 사회에서 맡은 일을 열심히 하는 것이다. …… 그들은 직업 노동의 결과로 부자가 되는 것을 신의 은혜로 여겼다. – 『프로테스탄티즘의 윤리와 자본주의 정신』

(1) 윗글을 참고하여 신흥 상공업자들이 칼뱅의 종교 개혁을 지지한 이유를 서술하시오.

(2) 윗글과 같은 주장의 확산에 대한 로마 가톨릭교회의 대응을 두 가지 서술하시오.

길잡이 칼뱅의 주장이 신흥 상공업자들의 활동에 준 영향을 유추해 보고, 종교 개혁의 확산을 막기 위한 로마 가톨릭교회의 노력을 서술한다.

정답친해 45쪽

STEP 3 1등급 정복하기

1 (가) 시기에 대한 설명으로 옳은 것을 〈보기〉에서 고른 것은?

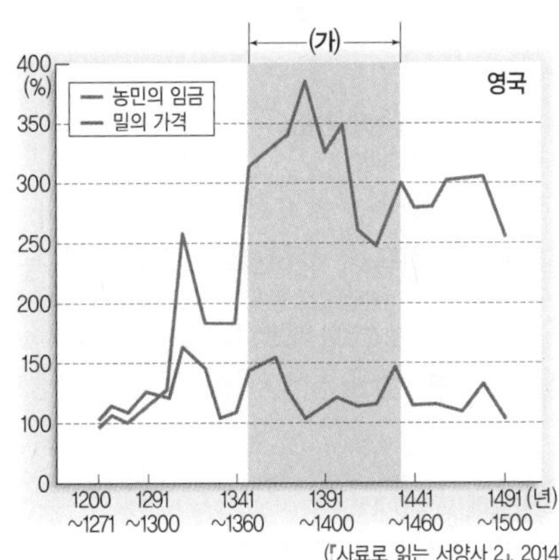

(『사료로 읽는 서양사 2』, 2014)

보기

ㄱ. 농민들의 경제적 지위가 하락하였다.
ㄴ. 농민들이 지대를 대부분 노동력으로 부담하였다.
ㄷ. 흑사병의 유행으로 유럽 인구가 크게 줄어들었다.
ㄹ. 영국에서는 일부 영주들이 농민에 대한 속박을 강화하여 와트 타일러의 난이 일어났다.

① ㄱ, ㄴ ② ㄱ, ㄷ ③ ㄴ, ㄷ
④ ㄴ, ㄹ ⑤ ㄷ, ㄹ

> 봉건 사회의 동요

완자샘의 시험 꿀팁

중세 유럽에서는 봉건 사회가 동요하면서 나타난 경제적·사회적 변화를 자료와 함께 묻는 문제가 출제된다. 14세기 흑사병이 유행하면서 중세 유럽 사회에 나타난 변화들을 정리해 둔다.

수능 응용

2 다음 조약과 관련된 가상 신문을 만들 때 기사의 제목으로 적절한 것은?

전쟁에 참가한 신성 로마 제국과 여러 국가들은 다음 사항에 합의한다.
• 신성 로마 제국 내의 국가들에서 '통치자가 종교를 선택한다.'라는 원칙을 재확인한다.
• 신성 로마 제국 내의 국가들은 자국의 안전을 위해 외국과 동맹을 맺을 수 있다.
• 프랑스는 알자스를, 스웨덴은 서부 포메른을 차지한다.

① 백년 전쟁, 드디어 막을 내리다
② 콘스탄츠 공의회, 로마 교황의 정통성 인정!
③ 제후들에게 칼뱅파 선택의 권리가 주어지다
④ 교황의 지배를 벗어난 새로운 교회가 처음으로 인정받다
⑤ 프랑스, 낭트 칙령 발표로 특정 지역에서 예배의 자유 허용!

> 종교 개혁의 전개

완자 사전

• **낭트 칙령**
1598년 프랑스의 앙리 4세가 낭트에서 발표한 칙령이다. 칼뱅파인 위그노교도에게 일정한 지역 안에서 신앙의 자유를 누릴 수 있도록 한 것으로 이에 따라 위그노 전쟁이 종결되었다.

04 유럽 세계의 변화

학습목표
- 신항로 개척의 과정과 영향을 설명할 수 있다.
- 절대 왕정의 특징을 파악하고, 이 체제가 각 나라에서 전개된 양상을 알 수 있다.

이것이 핵심!

신항로 개척

신항로 개척의 배경
- 동방에 대한 호기심 증대
- 동방과의 직접 무역 욕구 확대
- 조선술, 항해술의 발달

↓

신항로 개척의 전개
- 바르톨로메우 디아스: 희망봉 발견
- 콜럼버스: 서인도 제도 도착
- 바스쿠 다 가마: 인도 항로 개척
- 마젤란 일행: 최초로 세계 일주 성공

↓

유럽	아메리카	아프리카
가격 혁명, 상업 혁명	고대 문명 파괴	노예 무역 성행

★ 프레스터 존의 전설
동방에 프레스터(성직자) 존이 크리스트교 왕국을 세워 다스리고 있다는 전설

★ 메스티소
백인과 아메리카 원주민의 혼혈로 오늘날 라틴 아메리카 인구의 다수를 차지한다.

★ 가격 혁명

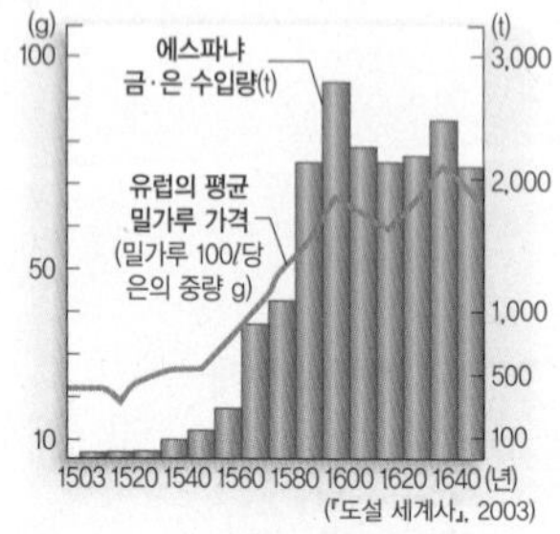

(『도설 세계사』, 2003)

가격 혁명의 전개
신항로 개척 후 1500~1650년 사이에 아메리카에서 유럽으로 막대한 양의 금과 은이 유입된 결과 화폐의 가치가 하락하여 유럽의 물가가 크게 올랐다.

★ 동인도 회사
영국, 네덜란드, 프랑스 등이 아시아 지역과의 무역과 식민지 경영을 위해 세운 회사

1 신항로 개척과 유럽 교역망의 확장

1. 신항로 개척 자료①

(1) 배경

① 동방에 대한 호기심 증대: 유럽인이 *프레스터 존의 전설, 『동방견문록』 등을 접함
(마르코 폴로가 동방 여행 경험을 기록하여 편찬한 책이야.)

② 동방 산물에 대한 수요 증가: 이슬람과 이탈리아 상인들이 향신료와 비단 무역 독점 → 유럽인들이 동방과의 직접 교역로를 찾고자 함
(왜? 십자군 전쟁으로 동서 교류가 확대되어 계피, 후추, 생강 등의 향신료와 비단에 대한 수요가 증가하였어.)

③ 과학 기술 발달: 지리학·천문학·조선술 발달, 나침반 사용 등 → 원양 항해가 가능해짐

(2) 전개: 포르투갈, 에스파냐의 후원으로 전개

포르투갈의 후원	• 바르톨로메우 디아스: 아프리카 남단의 희망봉에 도착(1488) • 바스쿠 다 가마: 아프리카의 희망봉을 돌아 인도의 캘리컷에 도착(1498)
에스파냐의 후원	• 콜럼버스: 인도 항로를 개척하려다가 서인도 제도 도착(1492) • 마젤란의 함대: 대서양과 태평양을 건너 필리핀에 도착, 인도양과 희망봉을 거쳐 3년 만에 귀환(1522)

(꼭! 최초로 세계 일주에 성공하여 지구 구형설을 입증하였어.)

2. 아메리카 문명의 파괴

(1) 유럽인 침입 이전의 아메리카: 독자적인 문명 발전

마야 문명	• 발전: 멕시코만 연안에서 발전, 피라미드형 신전 건설, 천문학 발전, 0과 20진법 사용 • 쇠퇴: 급격한 인구 증가에 따른 토지 부족, 기후 변화 → 10세기 이후 쇠퇴
아스테카 문명	멕시코고원에서 발전, 수도 테노치티틀란이 거대 도시로 번성, 계획도시 건설, 피라미드형 신전 건축, 그림 문자와 달력 사용
잉카 문명	• 형성: 안데스고원에서 성장 → 15세기 중엽 주변 영토를 정복하며 제국 건설 • 발전: 수도 쿠스코에 거대한 태양 신전 건설, 역법·직물업·건축술 등 발전, 새끼줄 매듭(키푸)으로 숫자와 의사 표시, 농업 발전(계단식 밭, 관개 수로 이용)

(약 30만 명의 주민이 거주하였어.)
(마추픽추 유적은 잉카 건축의 위대함을 잘 보여 줘.)

(2) 아메리카의 변화 자료②

① 고대 문명 파괴: 에스파냐의 코르테스가 아스테카 문명, 피사로가 잉카 문명 파괴

② 원주민의 생활 변화: 유럽인이 원주민을 동원해 금·은 채굴, 사탕수수·담배 재배 및 단일 경작 강요 → 전염병·노동력 착취 등으로 원주민 수 감소, *메스티소 증가
(이러한 플랜테이션 농업은 이후 라틴 아메리카의 대외 의존도를 높이는 부작용을 낳았어.)

3. 유럽 교역망의 확장 자료③

(1) 배경

① 무역 중심지 이동: 신항로 개척으로 지중해에서 대서양으로 이동

② 노예 무역과 삼각 무역 실시: 아프리카인을 노예로 삼아 아메리카에 투입(노예 무역) → 대서양에서 유럽, 아메리카, 아프리카를 잇는 대서양 삼각 무역 체제 성립
(아메리카의 노동력이 부족해지자 유럽인들은 아프리카에서 흑인 노예를 끌고 왔어.)

③ *가격 혁명과 상업 혁명 발생

가격 혁명	유럽의 물가 상승 → 토지로부터 지대를 받던 봉건 영주보다 신흥 상공업 계층이 이익 획득
상업 혁명	세계적인 교역 활성화 → 유럽 각국의 해외 진출 노력(*동인도 회사 설립) → 근대 자본주의의 발전에 기여(주식회사 및 금융·보험 제도 발전)

(상인들은 어음 교환을 통해 현금 없이 편리하게 원거리 교역에 종사하였고, 보험 제도로 원거리 교역에 따르는 위험을 최소화할 수 있었어.)

④ 인도양 무역: 포르투갈의 인도 항로 개척, 향신료 무역 전개
(고아, 믈라카, 마카오 등 거점 항구를 장악하여 이를 무역 기지로 삼았어.)

(2) 세계적 교역망의 형성: 유럽인이 동남아시아의 향신료와 중국의 비단·차 등을 대량 구매하고 많은 양의 은 지급(→ 은이 교역망 통합의 매개체가 됨)

완자 자료 탐구

내 옆의 선생님

자료 1 신항로 개척의 전개

포르투갈과 에스파냐는 대서양 연안에 위치하여 지중해 무역에 불리하였기 때문에 신항로 개척에 앞장섰어.

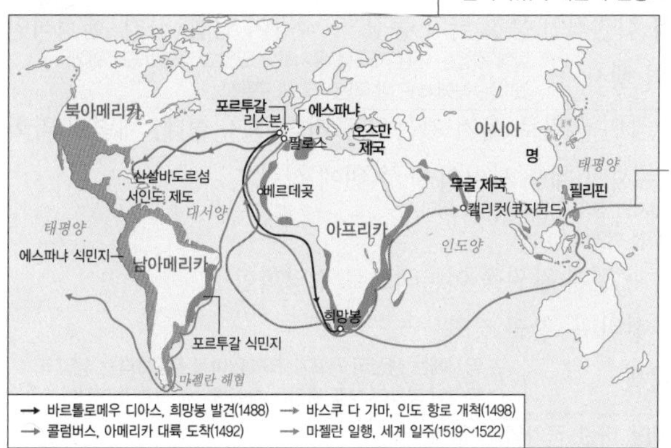

마젤란은 필리핀에서 원주민에게 살해되었으나 그의 일행이 항해를 계속하여 최초로 세계 일주에 성공하였어.

15~16세기에 포르투갈은 바스쿠 다 가마, 에스파냐는 콜럼버스와 마젤란을 후원하여 새로운 항로를 개척하였다. 신항로 개척 이후 유럽의 교역망이 대서양으로 확대되었다.

자료 2 아메리카 원주민의 인구 변화

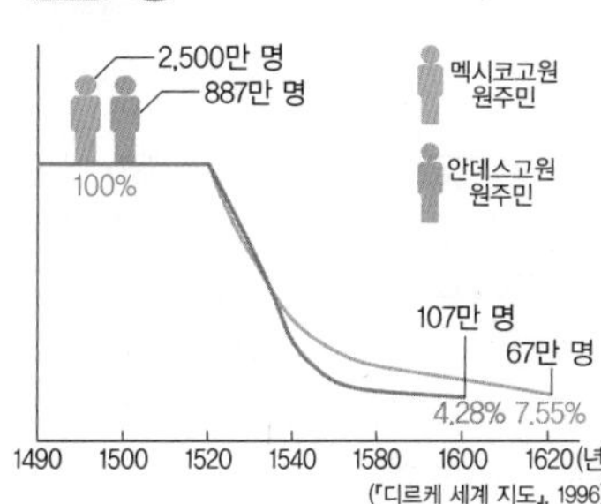

아메리카 원주민 수의 감소

아메리카의 고대 문명들은 신항로 개척 이후 에스파냐인에게 정복되었다. 이후 아메리카 원주민들은 플랜테이션 농장, 은 광산 등에서 각종 노동에 혹사되었고, 유럽에서 유입된 천연두와 홍역 등의 전염병에 무방비로 노출되었다. 이로 인해 멕시코고원과 안데스고원의 원주민은 100년 만에 인구수가 급격하게 줄어들었다.

자료 3 삼각 무역과 은 중심의 세계 교역

노예 무역으로 인구 감소, 남녀 성 비율 불균형, 부족 간 갈등 심화 등의 문제가 나타났어.

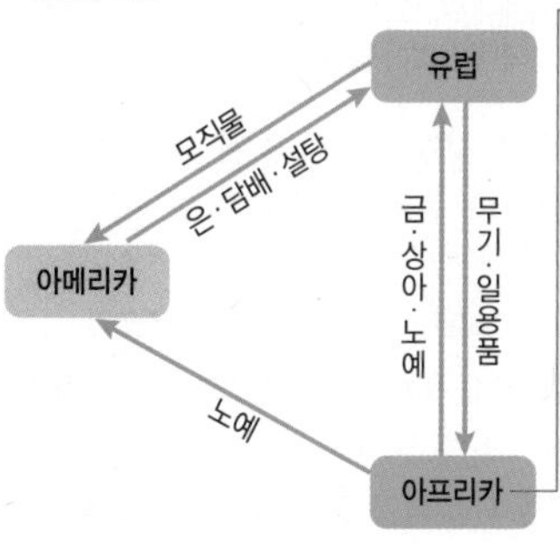

삼각 무역

아메리카 은의 유통

유럽 상인들은 무기, 면제품을 싣고 아프리카에 가서 노예와 바꾸었고, 다시 노예를 배에 싣고 대서양을 건너 아메리카의 대농장에 팔았다. 그리고 아메리카에서 은, 담배, 설탕을 구입하여 막대한 이익을 남겼다. 신항로 개척 이후 아메리카가 교역망에 통합되면서 세계적인 교역망이 형성되었고, 아메리카의 은이 세계적 교역망 형성의 매개체가 되었다.

자료 하나 더 알고 가자!

신항로 개척을 가능하게 한 발명

카라벨 선

카라벨 선은 작고 빨랐으며, 삼각돛을 달아 바람을 거스르는 데 유리하였어. 이외에도 나침반을 통해 바다에서 방향을 알 수 있었고, 육분의는 위도와 경도를 구하는 데 쓰여 배의 위치를 결정하는 데 도움이 되었어.

문제로 확인할까?

자료의 그래프와 같은 현상이 나타난 원인을 〈보기〉에서 고른 것은?

보기
ㄱ. 메스티소가 증가하였다.
ㄴ. 노예 무역이 확대되었다.
ㄷ. 원주민들이 노동력을 착취당하였다.
ㄹ. 홍역, 천연두 등 전염병이 유행하였다.

① ㄱ, ㄴ ② ㄱ, ㄷ ③ ㄴ, ㄷ
④ ㄴ, ㄹ ⑤ ㄷ, ㄹ

답 ⑤

정리 비법을 알려줄게!

유럽 교역망의 확장

배경
신항로 개척 → 대서양 삼각 무역 체제 형성, 유럽의 아시아 진출
↓
세계적 교역망의 형성
유럽에 의해 교역망이 아메리카 대륙까지 확장 → 은을 매개로 세계의 교역망 통합

문제로 확인할까?

유럽에서는 신항로 개척 이후 대서양 삼각 무역을 비롯하여 세계적으로 교역이 활성화되는 (   )이 나타났다.

답 상업 혁명

04 유럽 세계의 변화

이것이 핵심!

절대 왕정

기반		왕권신수설, 관료제, 상비군, 중상주의 경제 정책
전개	서유럽	• 에스파냐: 펠리페 2세(레판토 해전 승리) • 영국: 엘리자베스 1세(무적함대 격파) • 프랑스: 루이 14세(태양왕 자처)
	동유럽	• 프로이센: 프리드리히 2세('국가 제일의 공복' 자처) • 오스트리아: 요제프 2세(계몽 전제 군주 자처) • 러시아: 표트르 대제(서유럽화 정책 추진)

★ **왕권신수설**
국왕의 권력은 신으로부터 주어진 것이므로 의회나 국민이 이에 간섭할 수 없다는 이론이다. 보댕, 보쉬에 등이 주장하였으며 절대 왕정을 옹호하고 뒷받침하였다.

★ **상비군**
직업 군인(용병)으로 구성되어 언제든지 전쟁에 투입될 수 있었으나, 용병을 유지하는 데 많은 비용이 들었다.

★ **중상주의**
국가의 부를 위해 국가가 경제 활동을 통제하고 국내 산업을 보호·육성하는 등 국가가 상공업 활동에 개입한 경제 정책

★ **무적함대**
에스파냐의 펠리페 2세가 편성한 대함대로, 전함 약 120척, 대포 약 2,000문의 규모였다.

★ **콜베르**
루이 14세가 임명한 재무 총감이다. 그는 국가 안보에 필요한 모든 물자는 국내에서 생산하거나 식민지에서 수입할 것을 주장하였다.

2 절대 왕정

1. 절대 왕정의 성립

(1) **성립**: 16~18세기 유럽에서 중앙 집권적인 통일 국가 등장 → 국왕이 입법·사법·행정적인 권한을 모두 갖고 절대적인 권력 행사

절대 왕정은 신분 제도를 유지하고 있었고 주권이 군주에게 있다는 점에서 근대 국민 국가와 구분돼.

(2) **성격**: 중세 봉건 국가에서 근대 국민 국가로 옮겨 가는 과도기적 정치 형태, 세력이 약화되는 봉건 귀족과 점차 성장하는 시민 계층 사이의 균형 위에 성립

봉건 귀족: 여전히 특권을 누렸지만 점차 영향력이 약화되어 결국 왕에게 의존하게 되었어.

(3) **기반** 교과서 자료

① 사상적 기반: *왕권신수설 주장 → 절대 왕권을 이론적으로 정당화함

② 정치적 기반: 관료제와 *상비군 정비 → 왕권 강화

③ 경제적 기반: *중상주의 경제 정책

당시에는 생산의 규모가 크지 않아서 생산보다는 상업과 무역이 국가의 부를 늘리는 확실한 수단으로 여겨졌어.

목적	관료제와 상비군 운영에 필요한 비용 마련, 국가의 부 증대
내용	• 중상주의 경제 정책 실시: 금, 은 등 귀금속을 국부의 원천으로 여김 → 수출 장려(국내 산업 보호·육성), 수입 억제(무역 통제, 관세 부과 등) 추진 • 해외 팽창과 식민지 건설 적극 지원 → 국가의 경쟁력 증대

(4) **지지 세력**: 상공업에 종사하는 시민 계층(국왕의 보호를 받는 대신 국왕에게 정치적 지지와 재정적 지원을 함)

국왕의 보호: 이로 인해 시민 계층이 성장하게 되었지.

2. 서유럽의 절대 왕정(16세기 이후)

에스파냐: 가장 먼저 절대 왕정을 이루었어.

에스파냐	펠리페 2세: 대서양 무역의 주도권 획득, 아메리카에서 유입된 귀금속을 바탕으로 대제국 건설, 레판토 해전에서 오스만 제국 격파(→ 지중해 해상권 장악), 포르투갈 병합 → 네덜란드 북부 7주의 독립, *무적함대가 영국에 패배, 국내 산업 육성 미비 등으로 국력 쇠퇴
영국	• 헨리 8세: 종교 개혁 단행, 해군 육성 → 절대 왕정의 기틀 마련 • 엘리자베스 1세: 영국 국교회 확립, 화폐를 통일하고 중상주의 정책 전개, 모직물 공업 육성, 빈민 구제법 제정, 에스파냐의 무적함대 격파, 동인도 회사 설립(→ 아시아 진출)
프랑스	• 앙리 4세: 부르봉 왕조 개창, 낭트 칙령 발표(종교 전쟁의 수습 목적) → 절대 왕정의 기초 마련 • 루이 14세: 왕권신수설 신봉, 태양왕 자처, 중상주의 정책 실시(*콜베르 등용), 상비군 육성, 궁정 문화 발달(베르사유 궁전 건립) → 낭트 칙령 폐지(1685)로 국내 산업 침체, 무리한 전쟁으로 재정난 초래 자료 ④

네덜란드 북부 7주의 독립: 극단적인 가톨릭 강요 정책 때문이었어.

루이 14세: '짐이 곧 국가다.'라는 말로 유명해.

왜? 낭트 칙령을 폐지하자 위그노 상공업자들이 해외로 망명하여 국내 산업이 침체되었어.

3. 동유럽의 절대 왕정(17세기 이후) 자료 ⑤

(1) **특징**: 서유럽에 비해 도시와 상공업의 발달이 늦어 시민 계급 성장 미약, 봉건 귀족 계급의 농노제 유지

꼭! 동유럽은 서유럽보다 1세기 정도 늦게 절대 왕정이 성립되었어. 동유럽에서는 군주들이 계몽사상의 영향을 받아 직접 개혁에 나서면서 계몽 전제 정치가 나타났지.

(2) **발전**

슐레지엔 지방: 섬유 공업이 발달하고 석탄과 철이 풍부하였어.

프로이센	프리드리히 2세: 오스트리아와 전쟁을 벌여 슐레지엔 지방 차지, 계몽사상의 영향으로 '국가 제일의 공복(심부름꾼)' 자처, 산업 장려, 종교적 관용 정책 실시
오스트리아	• 마리아 테레지아: 오스트리아 왕위 계승 전쟁으로 슐레지엔 지방 상실, 정치 안정, 문화 번성 • 요제프 2세: 계몽 전제 군주를 자처하며 내정 개혁 시도 → 보수적인 귀족들의 반발로 성과 미약
러시아	• 표트르 대제(17세기 말): 서유럽의 문화와 제도 적극 도입(내정 개혁과 군비 확장), 흑해 북부 진출, 스웨덴과 북방 전쟁을 벌여 발트해 진출, 상트페테르부르크 건설 후 수도로 삼음, 청과 네르친스크 조약 체결(국경선 확정) • 예카테리나 2세(18세기 말): 계몽 전제 군주를 자처하며 내정 개혁 단행, 프로이센 및 오스트리아와 함께 폴란드를 분할 점령하여 영토 확장

서유럽의 문화와 제도 적극 도입: 유럽에 머물면서 선진 문물을 둘러보고 조선술을 직접 배우기도 하였어.

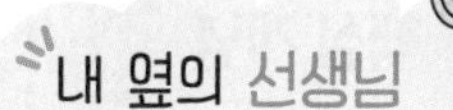

완자 자료 탐구

내 옆의 선생님

수능이 보이는 교과서 자료 절대 왕정의 기반

• 왕의 모든 권력은 신으로부터 나온다. …… 정의 그 자체에 복종하는 것처럼 국왕에게 복종하라. – 왕권신수설

– 보쉬에, 『성서의 말씀에서 인용한 정치』

• 모든 공업을 다시 살리거나 새로 세워야 합니다. 관세와 관련해서는 보호 무역 제도를 확립해야 합니다. …… 식민지를 발전시켜 무역에서 프랑스에 종속시켜야 합니다. – 중상주의 정책

– 콜베르가 프랑스 재상에게 보낸 편지

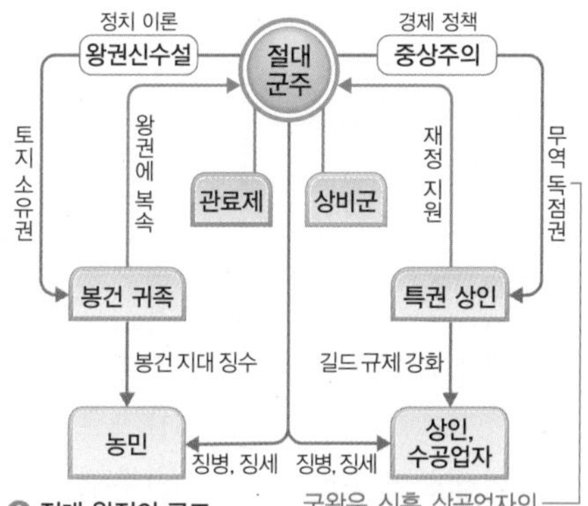

절대 왕정의 구조

국왕은 신흥 상공업자의 경제 활동을 지원하였어.

절대 왕정은 기존의 봉건 귀족 세력과 신흥 시민 세력 사이의 균형 위에 성립한 체제이다. 절대 군주는 왕권신수설로 절대 왕정을 정당화하고, 관료제와 상비군을 통해서 왕권을 강화하는 한편, 상공업을 장려하는 중상주의 경제 정책을 시행하였다.

완자샘의 탐구 강의

• 절대 왕정이 왕권신수설을 기반으로 삼은 이유를 써 보자.

국왕의 권력에 정당성을 부여하여 절대 왕정을 사상적으로 뒷받침해 주었기 때문이다.

• 절대 왕정이 중상주의 정책을 실시한 목적을 서술해 보자.

절대 왕정은 관료제와 상비군 운영에 필요한 비용을 마련하고 늘어나는 전쟁 비용을 조달하기 위해 중상주의 경제 정책을 실시하였다.

함께 보기 159쪽, 1등급 정복하기 2

자료 4 절대 왕정 시대의 예술

베르사유 궁전

베르사유 궁전은 40여 년간의 공사 끝에 완성된 대규모의 화려한 바로크 양식 건물이야. 프랑스 루이 14세 때의 권력을 상징하지.

유럽의 절대 군주들은 예술의 힘을 빌려 군주권과 국가를 일치시키고 국가의 정체성을 확립하려 하였다. 그리하여 17세기에는 화려하고 웅장한 느낌으로 절대 왕정의 권위를 강조한 바로크 양식이 유행하였는데 베르사유 궁전이 대표적이다. 18세기 전반에는 섬세하고 우아한 로코코 양식이 유행하였는데 상수시 궁전이 대표적이다.

자료 5 동유럽의 절대 왕정

동유럽의 계몽 군주들은 인민의 행복 증진을 군주의 임무로 생각하였어.

군주의 가장 중요한 책임은 정의를 실현하는 것이다. 군주가 지배하는 인민에게 무엇보다 중요한 것이 정의이므로, 군주는 자신의 그 어떤 이익보다 정의에 최우선을 두어야 한다. …… 군주는 결코 자기가 지배하고 있는 인민의 절대적인 주인이 아니라, 국가 제일의 공복(公僕)에 지나지 않는다.

– 프리드리히 2세, 『반(反)마키아벨리론』

계몽사상가 볼테르 등과 교류하며 계몽사상의 영향을 받았어.

동유럽은 도시와 상공업의 발달이 미약해 시민 계급의 성장이 늦었으며, 봉건 귀족이 강력한 세력을 유지하였다. 이러한 상황에서 계몽사상의 영향을 받은 군주들이 직접 개혁에 나서는 계몽 전제 정치가 나타났으나 귀족들의 반발로 큰 성과를 거두지 못하였다.

자료 하나 더 알고 가자!

독일의 상수시 궁전

프로이센의 프리드리히 2세가 베르사유 궁전을 모방하여 세운 로코코 양식의 건축물이야.

문제로 확인할까?

다음에서 설명하는 절대 군주로 옳은 것은?

계몽사상의 영향을 받아 '국가 제일의 공복'을 자처하고, 오스트리아와의 전쟁을 통해 슐레지엔 지방을 차지하였다.

① 루이 14세 ② 요제프 2세
③ 표트르 대제 ④ 예카테리나 2세
⑤ 프리드리히 2세

⑤ 답

정답친해 46쪽

STEP 1 핵심 개념 확인하기

1 **다음 인물의 신항로 개척 활동을 옳게 연결하시오.**

(1) 마젤란 •   • ㉠ 인도 항로 발견
(2) 콜럼버스 •   • ㉡ 서인도 제도 도착
(3) 바스쿠 다 가마 •   • ㉢ 세계 일주 항로 발견

2 **다음 괄호 안의 내용 중 알맞은 말에 ○표를 하시오.**

(1) 에스파냐의 코르테스는 (잉카 문명, 아스테카 문명)을 파괴하였다.

(2) 신항로 개척으로 유럽 경제의 중심지가 (대서양, 지중해)(으)로 이동하였다.

(3) (에스파냐, 포르투갈)은/는 인도 항로를 개척하여 고아와 믈라카에 무역 거점을 마련하였다.

3 **신항로 개척 이후 아메리카의 금과 은이 유럽으로 유입되어 유럽의 물가가 크게 상승하는 (   )이 일어났다.**

4 **다음 설명이 맞으면 ○표, 틀리면 ×표를 하시오.**

(1) 동유럽은 절대 왕정 시기에 봉건 귀족의 힘이 약해지고 농노제가 사라졌다. (   )

(2) 절대 군주는 왕권신수설을 이용하여 절대 왕정을 이론적으로 정당화하였다. (   )

(3) 중상주의는 관세 부과로 수입을 억제하고 해외 시장 확대를 위해 수출을 장려한 경제 정책이다. (   )

5 **다음 활동을 한 절대 군주를 〈보기〉에서 골라 기호를 쓰시오.**

보기
ㄱ. 루이 14세   ㄴ. 펠리페 2세
ㄷ. 표트르 대제   ㄹ. 엘리자베스 1세

(1) 서유럽의 문화와 제도 적극 수용 (   )
(2) 태양왕 자처, 베르사유 궁전 건설 (   )
(3) 레판토 해전에서 오스만 제국 격파 (   )
(4) 에스파냐의 무적함대 격파, 동인도 회사 설립 (   )

STEP 2 내신 만점 공략하기

01 중요 **(가)에 들어갈 내용으로 옳지 않은 것은?**

〈세계사 다큐멘터리 기획〉
새로운 항로의 개척, 세상을 바꾸다
제1부. 항로 개척의 배경: (가)
제2부. 항로 개척에 나선 항해자들: 바르톨로메우 디아스, 콜럼버스, 바스쿠 다 가마, 마젤란 등

① 포르투갈과 에스파냐의 지원
② 유럽 내에서 동방에 대한 호기심 증가
③ 유럽인의 동방과의 직접 무역 욕구 확대
④ 선박 제작 기술의 발달로 원거리 항해 가능
⑤ 지중해에서 대서양으로의 경제 중심지 이동

[02~03] 다음을 읽고 물음에 답하시오.

안데스산맥의 비탈에 계단식 밭을 만들고 관개 수로를 이용해 농업을 발전시켰다. 또한 역법과 직물업이 발달하였고, 쿠스코 태양 신전 같은 건축물을 남겼다.

02 **윗글에서 설명하는 고대 문명으로 옳은 것은?**

① 마야 문명   ② 인도 문명
③ 잉카 문명   ④ 아스테카 문명
⑤ 메소포타미아 문명

03 **신항로 개척이 위의 문명이 발달한 대륙에 미친 영향으로 옳은 것을 〈보기〉에서 고른 것은?**

보기
ㄱ. 가격 혁명이 일어났다.
ㄴ. 메스티소가 증가하였다.
ㄷ. 선진 문물의 유입으로 고대 문명이 크게 번영하였다.
ㄹ. 유럽인들로부터 천연두, 홍역 같은 전염병이 전파되어 인구가 감소하였다.

① ㄱ, ㄴ   ② ㄱ, ㄷ   ③ ㄴ, ㄷ
④ ㄴ, ㄹ   ⑤ ㄷ, ㄹ

정답친해 46쪽

04 다음은 15~16세기에 전개된 무역을 나타낸 것이다. 이 무역이 전개된 시기에 있었던 사실로 옳은 것은?

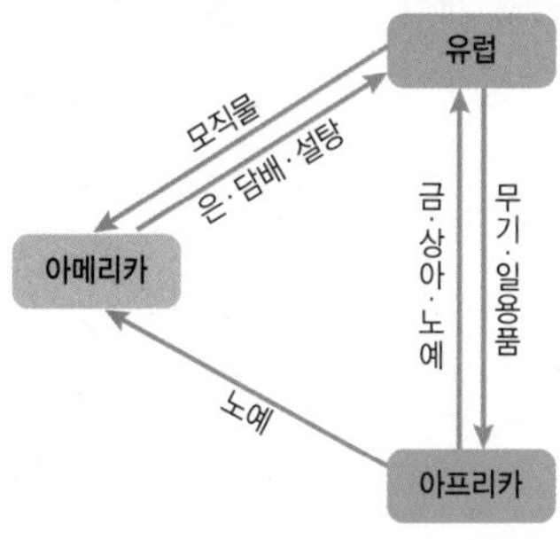

① 유럽의 물가가 폭락하였다.
② 유럽에서 흑사병이 유행하였다.
③ 지중해가 무역의 중심지 역할을 하였다.
④ 아프리카에서 남녀 성 비율이 불균형해졌다.
⑤ 이슬람과 이탈리아 상인들이 향신료 무역을 독점하였다.

05 지도는 신항로 개척 이후의 은 유통을 나타낸 것이다. 이에 대한 설명으로 옳지 않은 것은?

① 은을 매개로 세계의 교역망이 통합되었다.
② 북유럽의 도시들이 한자 동맹을 결성하여 무역을 주도하였다.
③ 유럽에서는 아메리카의 금·은이 대량 유입되어 물가가 상승하였다.
④ 중국에서는 아메리카의 은이 대량 유입되어 은이 화폐로 사용되었다.
⑤ 아메리카에서는 많은 노예들이 은광에 동원되어 막대한 양의 은이 채굴되었다.

06 다음 사상에 대한 설명으로 옳은 것은?

> 왕의 모든 권력은 신으로부터 나온다. …… 그러므로 정의 그 자체에 복종하는 것처럼 국왕에게 복종하라.
>
> – 보쉬에, 『성서의 말씀에서 인용한 정치』

① 지방 분권 체제를 강화하였다.
② 계몽사상을 바탕으로 등장하였다.
③ 절대 왕정의 사상적 기반이 되었다.
④ 국왕의 권력이 국민으로부터 온 것이라고 보았다.
⑤ 주군과 봉신의 쌍무적 계약 관계 형성에 영향을 주었다.

07 중요 (가)에 대한 설명으로 옳은 것을 〈보기〉에서 고른 것은?

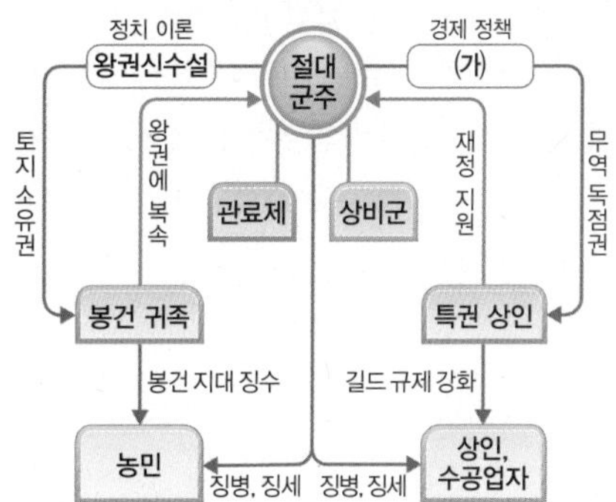

보기

ㄱ. 수출을 장려하고 수입을 억제하려 하였다.
ㄴ. 농노의 경제적 지위를 높이는 계기가 되었다.
ㄷ. 식민지 개척으로 해외 시장을 확보하고자 하였다.
ㄹ. 국가가 개입하지 않는 자유방임적 경제 정책이었다.

① ㄱ, ㄴ ② ㄱ, ㄷ ③ ㄴ, ㄷ
④ ㄴ, ㄹ ⑤ ㄷ, ㄹ

08 다음에서 설명하는 절대 군주의 업적으로 옳은 것은?

> 에스파냐의 무적함대를 격파하고 동인도 회사를 세워 아시아로 진출하였으며, 영국의 대표적인 산업인 모직물 공업을 육성하였다.

① 국교회 확립 ② 낭트 칙령 선포
③ 레판토 해전 승리 ④ 베르사유 궁전 건립
⑤ 계몽 전제 군주 자처

09 중요 다음 대화에서 설명하는 인물의 업적으로 옳은 것은?

그는 프랑스의 국왕으로
스스로를 '태양왕'이라고
칭하였다고 해.

맞아. 그리고 콜베르를
등용하여 재무를
담당하게 하였지.

① 상수시 궁전을 건설하였다.
② 청과 네르친스크 조약을 체결하였다.
③ 낭트 칙령을 폐지하여 위그노를 탄압하였다.
④ 무적함대를 이끌고 오스만 제국을 격파하였다.
⑤ 오스트리아와의 전쟁으로 슐레지엔 지방을 차지하였다.

10 (가)에 대한 탐구 활동으로 옳은 것을 〈보기〉에서 고른 것은?

> (가) 은/는 러시아의 절대 군주로서 네덜란드와 영국 등의 선진 문화와 제도를 적극 도입하였다. 유럽에 머물면서 선진 문화를 둘러보았고, 조선술을 직접 배우기도 하였다. 또한 스웨덴과 북방 전쟁을 벌여 발트해로 진출하였다.

보기

ㄱ. 농노제를 폐지한 배경을 알아본다.
ㄴ. 계몽 전제 군주로서 실시한 정책을 조사한다.
ㄷ. 상트페테르부르크를 건설하여 수도로 삼은 이유를 찾아본다.
ㄹ. 프로이센, 오스트리아와 함께 폴란드를 분할 점령하는 과정을 살펴본다.

① ㄱ, ㄴ　② ㄱ, ㄷ　③ ㄴ, ㄷ　④ ㄴ, ㄹ　⑤ ㄷ, ㄹ

서술형 문제

● 정답친해 47쪽

01 그래프를 참고하여 신항로 개척 이후에 전개된 유럽의 경제 상황을 서술하시오.

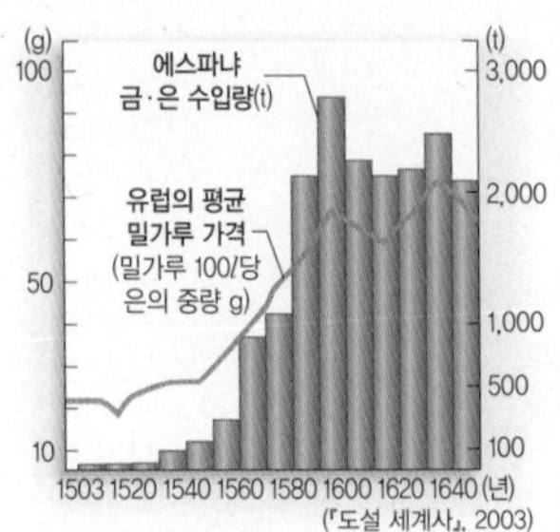

(『도설 세계사』, 2003)

길잡이 그래프에서 금·은의 수입량 및 밀가루 가격의 변화에 주목하여 당시 경제 상황을 추론해 본다.

02 다음을 읽고 물음에 답하시오.

> 모든 공업을 다시 살리거나 새로 세워야 합니다. 관세와 관련해서는 보호 무역 제도를 확립해야 합니다. …… 식민지를 발전시켜 무역에서 프랑스에 종속시켜야 합니다.
>
> – 콜베르가 프랑스 재상에게 보낸 편지

(1) 위 주장과 관련된 경제 정책을 쓰시오.

(2) 절대 왕정에서 (1) 정책을 실시한 이유를 서술하시오.

길잡이 절대 왕정의 정치적 기반과 연관 지어 서술한다.

03 다음 주장이 나온 지역에서 전개된 절대 왕정의 특징을 서술하시오.

> 군주는 자신의 그 어떤 이익보다 정의에 최우선을 두어야 한다. …… 군주는 결코 자기가 지배하고 있는 인민의 절대적인 주인이 아니라, 국가 제일의 공복(公僕)에 지나지 않는다.
>
> – 프리드리히 2세, 『반(反)마키아벨리론』

길잡이 해당 지역의 사회적 상황에 주목하여 통치 제도의 특징을 정리해 본다.

정답친해 47쪽

STEP 3 1등급 정복하기

평가원 응용

1 지도는 15~16세기의 항해로를 나타낸 것이다. 지도의 (가)~(다) 인물에 대한 설명으로 옳은 것은?

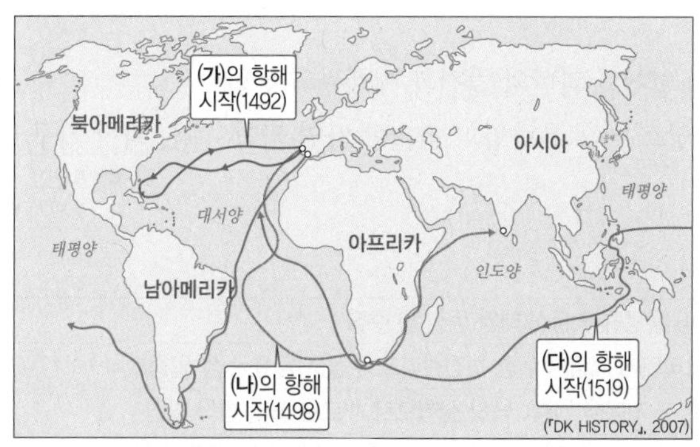

① (가) – 서인도 제도를 개척하였다.
② (가) – 항해 도중 원주민에게 살해되었다.
③ (나) – 아프리카의 희망봉을 처음 발견하였다.
④ (다) – 포르투갈의 후원을 받았다.
⑤ (다) – 인도 항로 개척의 계기를 마련하였다.

> 신항로의 개척
>
> **완자샘의 시험 꿀팁**
>
> 15~16세기에 일어난 신항로 개척의 과정과 그 영향을 묻는 문제는 시험에 자주 출제된다. 신항로를 개척한 인물과 개척 내용을 지도와 함께 정리해 둔다.

2 다음 자료에 나타난 사상을 정치적 기반으로 삼은 통치 체제에 대한 설명으로 옳은 것을 〈보기〉에서 고른 것은?

> 신은 국왕을 그의 사자로 만들어 국왕을 통해 백성을 지배한다. …… 모든 권력은 신으로부터 나온다. …… 그러므로 정의 그 자체에 복종하는 것처럼 국왕에게 복종하라. 그렇지 않으면 질서도 세워지지 않으며, 제대로 끝맺음이 되는 일이 없다.
>
> – 보쉬에, 『성서의 말씀에서 인용한 정치』

보기

ㄱ. 관료제와 상비군은 절대 군주를 견제하는 역할을 하였다.
ㄴ. 안정적인 경제 활동을 원하였던 시민 계층의 지지를 받았다.
ㄷ. 봉건 국가에서 국민 국가로 옮겨 가는 과도기적 정치 형태였다.
ㄹ. 경제 분야에 대한 규제를 완화하고 자유 무역 체제를 확립하였다.

① ㄱ, ㄴ ② ㄱ, ㄷ ③ ㄴ, ㄷ
④ ㄴ, ㄹ ⑤ ㄷ, ㄹ

> 16, 17세기 유럽의 통치 체제
>
> **완자 사전**
>
> • **자유 무역**
> 국제 무역에서 교역에 대한 국가의 간섭을 최소화하는 무역 제도이다. 외국과의 교역 상품에 관세를 매기지 않으며, 무역 활동을 각 개인의 자율에 맡긴다.

05 근대 의식의 발전과 시민 혁명

학습 목표
- 과학 혁명과 계몽사상이 유럽 사회에 미친 영향을 설명할 수 있다.
- 영국, 미국, 프랑스에서 일어난 시민 혁명의 과정, 결과와 그 의의를 파악할 수 있다.

이것이 핵심!

과학 혁명

배경	실험·관찰 강조, 과학 기구 발명
내용	• 코페르니쿠스의 지동설 주장 • 갈릴레이의 망원경 제작 → 지동설 입증 • 뉴턴이 만유인력의 법칙 발견 → 기계론적 우주관 확립
영향	과학적·합리적 사고방식 발달 → 계몽사상의 토대 마련

★ **만유인력의 법칙**
모든 물체들은 서로 끌어당기는 힘이 있다는 법칙

1 과학 혁명

1. 과학 혁명의 의미와 발생 배경

(1) **의미**: 17세기를 전후한 시기에 일어난 과학의 발전과 세계관의 변화

(2) **배경**: 실험과 관찰 강조, 르네상스 이후 유럽인의 이슬람 자연 과학 수용, 과학 기구 발명

예) 망원경, 현미경, 기압계 등

2. 과학 혁명의 전개 자료①

(1) **과학의 발전**

코페르니쿠스	『천체의 회전에 관하여』를 통해 지동설(태양 중심설) 주장
케플러	행성이 타원 궤도를 그리면서 태양 주위를 회전한다고 주장(지동설 수정·입증)
갈릴레이	망원경 제작(천체 관측 → 지동설 입증), 낙하 실험으로 새로운 물리 법칙 발견
뉴턴	*만유인력의 법칙 발견, 천체의 운동을 수학적으로 설명 → 기계론적 우주관 확립
기타	베살리우스의 인체 해부학 연구, 하비의 혈액 순환의 원리 발견, 제너의 종두법 발견 등

기계론적 우주관: 우주와 자연계를 일정한 원리에 따라 운영되는 기계라 보는 관점이야.

(2) **영향**: 과학적·합리적 사고방식 발달 → 계몽사상의 토대 마련

이것이 핵심!

근대 사상의 발달

근대 철학과 정치사상의 발전
• 철학: 경험론과 합리론 발달 • 정치사상: 사회 계약설 등장
↓
계몽사상의 발전
볼테르, 몽테스키외, 루소, 디드로 등의 활동 → 시민 혁명에 영향을 줌

★ **자연법사상**
자연계에 법칙과 원리가 있는 것처럼 인간 사회에도 보편타당한 형평의 원리가 있다고 보는 사상

★ **사회 계약설**
자연 상태에 살던 개인들이 자신들의 평화와 안전을 위해 사회 계약을 맺어 국가가 등장하였다는 학설

★ **일반 의지**
자유와 평등을 지향하는 사람들의 의지를 말한다. 공동체가 공동선을 추구하는 과정에서 구성원이 합의하여 그 권력의 행사를 정당화하는 유일한 의지이다.

2 근대 사상과 17, 18세기 유럽 문화

1. 근대 철학의 발달

경험론	베이컨의 귀납법 제시 → 로크가 계승하여 인간의 경험과 감각을 지식의 원천으로 여기는 경험론 주장
합리론	데카르트가 연역법을 주장하여 합리론의 토대 마련

귀납법: 실제로 관찰한 결과에서 일반적 결론을 도출하는 방법

연역법: 대전제를 근거로 개별적 사실에 관한 결론을 제시하는 방법

2. 근대 정치사상의 발전: *자연법사상에 바탕을 둔 *사회 계약설 등장 자료②

홉스	인간이 혼란한 상태를 벗어나려고 정부에 자연권을 양도하였다고 주장
로크	개인이 생명과 자유·재산을 보호받고자 정부에 권리를 위탁하였다고 주장, 시민의 혁명권(저항권) 인정
루소	*일반 의지의 형성과 인민 주권의 원리 제시

인민 주권의 원리: 주권은 항상 인민에게 있는 것으로 양도될 수 없다는 이론

꼭! 시민의 혁명권(저항권): 시민 혁명의 사상적 기반이 되었어.

3. 계몽사상의 발전(18세기) 자료③

(1) **계몽사상**: 인간의 이성으로 낡은 관습, 미신을 타파하여 사회가 진보할 수 있다고 믿음 → 인간의 자유와 평등 옹호, 절대 왕정 비판(→ 시민 혁명의 사상적 기반 마련)

(2) **대표적 계몽사상가**

① 볼테르: 계몽 군주제에 입각한 개혁 지지, 관용의 원리 주장, 신앙과 언론의 자유 강조

② 몽테스키외: 입법, 사법, 행정의 삼권 분립을 이상적 정치 형태로 제시

삼권 분립: 미국의 헌법 제정에 영향을 주었어.

③ 루소: 자유, 평등, 국민 주권 주장 → 프랑스 혁명, 민주주의 이념에 영향을 줌

④ 디드로, 달랑베르: 『백과전서』의 출판 주도 → 계몽사상 확산에 기여

『백과전서』: 당대의 과학적이고 실용적인 지식을 집대성한 책이야.

4. 경제사상(18세기): 중상주의 비판 → 자유방임주의 등장(고전 경제학의 기틀 마련)

꼭! 애덤 스미스가 『국부론』에서 '보이지 않는 손'에 의해 조정되는 개인의 자유로운 경제 활동을 주장하였어.

5. 17, 18세기 유럽 문화

(1) **특징**: 17세기 바로크 양식(호화, 웅장함), 18세기 로코코 양식(경쾌함, 섬세함) 유행

(2) **발전**: 바로크 음악(바흐, 헨델)·고전 음악(모차르트, 베토벤) 발전, 고전주의 문학 유행

완자 자료 탐구

내 옆의 선생님

자료 1 우주관의 변화

지구가 태양을 중심으로 돌고 있다는 지동설을 보여 줘.

코페르니쿠스의 「천구도」

중세의 우주관에서는 지구의 주위를 태양이 돈다는 천동설이 강조되었다. 하지만 자연 현상에 대한 관찰을 바탕으로 천동설에 의문을 품었던 코페르니쿠스는 『천체의 회전에 관하여』라는 책에서 지동설을 제기하였다. 이후 지동설은 케플러, 갈릴레이 등에 의해 과학적으로 입증되었고, 뉴턴이 만유인력의 법칙을 발견하면서 모든 자연 현상을 필연적인 인과 법칙으로 설명하기 시작하였다.

문제 로 확인할까?

17세기 전후에 일어난 과학 혁명의 내용으로 옳지 않은 것은?

① 케플러가 행성의 타원 운동을 밝혔다.
② 하비가 혈액 순환의 원리를 발표하였다.
③ 뉴턴이 만유인력을 법칙을 확립하였다.
④ 프톨레마이오스가 천동설을 주장하였다.
⑤ 갈릴레이가 낙하 실험으로 새로운 운동 법칙을 발견하였다.

㉮ 目

자료 2 사회 계약설

사회 유지를 위한 강력한 정부 수립을 제시하여 절대 군주제를 옹호하였어.

- 정치권력이 존재하지 않는 자연 상태에서 인간은 …… 서로 싸우는 전쟁 상태에 있다. …… (이를) 벗어나기 위해 강력한 정부가 요구되므로, 인간은 개인행동의 자유를 지배자의 손에 맡기기 위한 일종의 합의나 계약을 하게 된다. 그러나 이 경우 지배자에게 무제한의 절대적 권력을 줘야 한다. 그렇지 않으면 …… 사회는 또다시 '만인의 만인에 대한 투쟁'인 자연 상태로 돌아가기 때문이다. – 홉스, 『리바이어던』, 1651
- 자연 상태는 살기에 불편하므로 사람들은 공동 관심사인 사회와 정부를 세우기 위해 계약을 맺는다. 인간은 자연권인 생명, 자유, 재산의 권리를 가지고 있다. 인간은 이러한 모든 권리가 잘 보장되도록 정부를 세우는 데 합의(계약)하는 것이다. …… 만일 정부가 기본권인 생명, 자유, 재산의 권리를 보장하지 않고 방자해진다면 물러나야 하며, 극단의 경우 혁명으로 타도할 수 있다. – 로크, 『시민 정부론』, 1690

자연권 사상을 가리켜.

개인은 생명과 자유, 재산을 보호받기 위해 정부에 권리를 위탁하였다고 보았어.

시민의 혁명권을 인정하였어.

영국의 홉스와 로크는 왕권신수설에 반대하며 자연법사상에 바탕을 둔 사회 계약설을 주장하였다. 홉스는 혼란한 상태를 벗어나기 위해 강력한 정부를 수립해야 한다고 주장하여 결과적으로 절대 군주제를 옹호하였다. 반면, 로크는 입헌 군주제를 옹호하였으며 정부가 인간의 자연권을 침해한다면 정부를 교체할 수 있다고 하여 시민의 혁명권을 인정하였다.

자료 하나 더 알고 가자!

루소의 사회 계약설

> 인간은 자연 상태에서 자유롭고 평등하지만 오직 본능에 따르기 때문에 개인의 자유와 재산을 보장할 수 없으므로 사회 계약을 맺는다. 인간은 계약을 맺음으로써 자연적 자유 대신 정의와 도덕에 의하는 법적 자유를 얻는다. 계약을 통해 구성된 국가의 주권은 전체로서 인민에게 있으며, 전체 인민이 통치자라야 한다. 주권은 공공의 선을 지향하는 초개인적 의사인 일반 의지의 산물이다.
> – 루소, 『사회 계약론』, 1762

프랑스의 계몽사상가 루소는 로크의 사상을 계승하였고 일반 의지의 형성과 인민 주권을 바탕으로 한 민주주의를 강조하였어. 이러한 루소의 사상은 로크의 사상과 함께 시민 혁명의 사상적 기반이 되었지.

자료 3 계몽사상의 확산

마담 조프랭의 살롱에서 열린 연회 그림

정치가, 사상가, 문인들이 살롱(응접실)에 모여 자유롭게 대화와 토론을 나누었어.

18세기 이후 인쇄기 발명과 문맹률 감소로 사람들은 다양한 책과 신문 등을 접하게 되었다. 여기에 사교 모임, 살롱 등과 같은 공론의 장을 통해 계몽사상이 널리 확산되었다. 또한 프랑스의 볼테르, 루소, 몽테스키외 등 계몽사상가들이 과학적이고 유용한 지식들을 체계적으로 정리한 『백과전서』를 펴냈는데, 이는 인쇄술의 발달에 힘입어 유럽 각지로 확산되었다.

정리 비법을 알려줄게!

계몽사상의 발전

특징	• 인간의 이성과 진보의 가치 강조 • 근대 과학과 정치 이론을 사회 개혁에 적용
대표적 사상가	볼테르, 몽테스키외, 루소, 디드로, 달랑베르 등
의의	시민 혁명의 사상적 기반 마련
확산	『백과전서』 보급, 살롱 등 공론의 장 마련에 힘입어 널리 확산

05 근대 의식의 발전과 시민 혁명

이것이 핵심!

영국 혁명의 전개

청교도 혁명
스튜어트 왕조(제임스 1세와 찰스 1세)의 전제 정치 → 의회파와 왕당파의 내전 → 찰스 1세 처형, 공화정 수립

↓

크롬웰의 독재 정치 실시, 항해법 제정

↓

명예혁명
왕정복고(찰스 2세 즉위), 제임스 2세의 전제 정치 → 의회가 메리와 윌리엄을 공동 왕으로 추대 → 권리 장전 승인, 입헌 군주제 수립

★ **항해법**
영국과 영국 식민지로 들어오는 수입품은 영국과 그 식민지 및 수출국의 선박을 이용하여 수송하도록 한 규정이다. 당시 중계 무역으로 많은 이익을 얻고 있던 네덜란드에 타격을 주었다.

3 영국 혁명

1. 청교도 혁명(1642~1649)

(젠트리: 16, 17세기 영국 농촌에서 성장한 지주층을 가리켜. 이들은 인클로저 운동을 주도하면서 부를 쌓았어.)

배경	• 17세기 전후 지주층인 젠트리와 도시의 시민 계급 성장 → 의회로 진출하여 의회 정치 주도 • 제임스 1세: 왕권신수설과 국교회 고수, 과중한 세금 부과, 의회 무시, 청교도 탄압 • 찰스 1세: 청교도 박해, 의회의 동의 없이 과세 → 의회의 권리 청원 제출(1628) → 국왕의 권리 청원 승인 → 국왕의 의회 해산 (꼭! 의회의 동의 없이 과세할 수 없다는 내용이 담겨 있어.)
전개	스코틀랜드의 반란 → 찰스 1세의 의회 소집 → 의회가 과세 요구 거부 → 왕과 의회의 대립 격화 → 왕당파와 의회파의 내란 발생(1642) (왜? 스코틀랜드와의 전쟁 비용을 마련하기 위해서였어.)
결과	크롬웰이 이끈 의회파의 승리 → 찰스 1세 처형, 공화정 수립(1649)

2. 크롬웰의 정치: 크롬웰이 호국경에 취임, 의회 해산, 청교도주의에 입각한 금욕적인 독재 정치 실시, 아일랜드 정복, *항해법 제정 → 크롬웰 사후 왕정복고, 찰스 2세 즉위

(왜? 아일랜드가 왕당파의 거점이었기 때문이야.) (금욕적인 독재 정치: 국민의 불만을 샀어.)

3. 명예혁명(1688)

(피를 흘리지 않고 혁명이 이루어져서 명예혁명이라고 해.) (심사법: 영국의 관리와 의원은 영국 국교도만 할 수 있다고 규정한 법률)

배경	• 찰스 2세: 친가톨릭적 전제 정치 실시 → 의회가 심사법과 인신 보호법 제정 • 제임스 2세: 전제 정치 강화(심사법과 인신 보호법 폐지, 가톨릭교도 우대) (인신 보호법: 국왕에 의한 불법 체포나 구금을 금지한 법)
전개	의회가 제임스 2세 추방 → 메리와 그녀의 남편 윌리엄을 공동 왕으로 추대(1688)
결과	국왕이 의회의 권리 장전 승인(1689) → 의회를 중심으로 한 입헌 군주제의 토대 마련 자료 ④

4. 의회 정치의 발전: 앤 여왕이 스코틀랜드를 합병하여 대영 제국 수립(1707) → 독일의 하노버 공 조지 1세 즉위(하노버 왕조 개창, 1714), 내각 책임제 시작

(이때부터 '왕은 군림하나 통치하지 않는다.'라는 영국 특유의 전통이 세워졌어.)

이것이 핵심!

미국 혁명의 전개

미국 독립 전쟁
영국의 중상주의 정책 강화 → 보스턴 차 사건 발발 → 독립 선언문 발표 → 요크타운 전투 승리 → 파리 조약 체결

↓

아메리카 합중국 탄생
연방 헌법 제정(연방제, 삼권 분립 명시), 워싱턴을 초대 대통령으로 선출

★ **7년 전쟁(1756~1763)**
오스트리아가 왕위 계승 전쟁 때 빼앗긴 땅을 되찾으려고 프로이센과 벌인 전쟁으로, 영국과 프랑스 등 유럽 각국이 참전하였다.

★ **보스턴 차 사건**
식민지인들이 보스턴 항구에서 영국 동인도 회사의 배에 실려 있던 차 상자를 바다에 던져 버린 사건

4 미국 혁명

1. 혁명 전 아메리카 정세: 17세기부터 영국인들이 종교적 자유와 경제적 이익을 위해 북아메리카에 이주 → 18세기 전반 대서양 연안에 13개의 식민지 건설

(식민지: 독자적으로 의회를 구성하고 자치권을 보유하였어.)

2. 미국 독립 전쟁

(인지세: 각종 문서와 신문, 학위 증서까지 인지를 사서 붙이도록 하여 거둔 세금이야.)

배경	• 식민지인들이 로크의 사회 계약설, 혁명권 등 진보적 사상 수용 • *7년 전쟁으로 영국의 재정 악화 → 영국의 중상주의 정책 강화(식민지에 인지세, 차세 등 각종 세금 부과) → 식민지인들의 납세 거부 운동 전개('대표 없는 곳에 과세할 수 없다.'라고 주장)
발단	*보스턴 차 사건 발생(1773) → 영국의 강경 대응(보스턴 항구 폐쇄)
전개	• 제1차 대륙 회의: 필라델피아에서 개최, 영국의 탄압 조치 철회 요구 • 렉싱턴 전투: 영국군과 식민지 민병대의 충돌 → 독립 전쟁 시작 • 제2차 대륙 회의: 총사령관에 워싱턴 임명, 독립 선언문 발표(1776) 자료 ⑤
결과	식민지군이 워싱턴의 활약과 열강의 지원에 힘입어 우세 → 식민지군의 요크타운 전투 승리(1781) → 파리 조약 체결(독립 승인, 1783)

(연방 정부: 각 주의 자치권을 인정하면서 군사권과 외교권을 행사하였어.)

3. 아메리카 합중국(미합중국) 탄생: 북아메리카 13개 주의 헌법 제정, 연방 정부 수립, 초대 대통령에 워싱턴 선출, 역사상 최초의 민주 공화국 수립(1789) 자료 ⑥

4. 미국 혁명의 의의: 자유주의와 민주주의에 기초한 공화 체제 수립 → 프랑스 혁명에 영향을 줌, 라틴 아메리카의 독립 자극

완자 자료 탐구

내 옆의 선생님

자료 4 영국 의회 정치의 발달

— 왕이 세금을 부과하려면 의회의 승인을 받도록 하였어.

- 폐하의 신민은 의회에서 만장일치로 부과되는 것이 아니면 어떠한 세금, 차입금, 기부금 및 기타 이와 유사한 부과금을 내도록 강제당하지 않을 자유를 누린다. – 권리 청원, 1628
- 제1조 국왕이 의회의 동의 없이 법의 효력을 정지하거나 법의 집행을 정지하는 것은 위법이다. — 의회의 입법권 확인
  제4조 국왕이 의회의 동의 없이 세금을 징수하는 것은 위법이다. — 의회의 과세 승인권 규정
  제6조 의회의 동의가 없는 한, 평상시에 왕국 내에서 상비군을 징집, 유지하는 것은 위법이다.
  제9조 의회에서 말하고 토론하고 의논한 내용으로 의회 아닌 어떤 곳에서도 고발당하거나 심문당하지 않는다. — 의원의 면책권 규정 – 권리 장전, 1689

영국 의회는 17세기 권리 청원을 제출하고, 청교도 혁명으로 공화정을 수립하여 의회의 권한을 신장시켰다. 그리고 명예혁명 때 권리 장전을 승인받음으로써 영국에서는 의회를 중심으로 한 입헌 군주제의 토대가 마련되었다. 권리 장전은 훗날 미국 독립 선언문과 프랑스의 인권 선언에도 영향을 주었다.

문제로 확인할까?

영국의 명예혁명에 대한 설명으로 옳은 것을 <보기>에서 고른 것은?

보기
ㄱ. 찰스 1세가 처형되었다.
ㄴ. 의회가 제임스 2세를 추방하였다.
ㄷ. 메리와 윌리엄이 공동 왕으로 추대되었다.
ㄹ. 왕당파와 의회파 사이에 내전이 발생하였다.

① ㄱ, ㄴ ② ㄱ, ㄷ ③ ㄴ, ㄷ ④ ㄴ, ㄹ ⑤ ㄷ, ㄹ

Ⓔ 답

자료 5 미국의 독립 선언문

— 천부 인권을 의미해.
— 미국 혁명이 ⓐ 사회 계약설과 ⓑ 로크의 사상(저항권)으로부터 영향을 받았음을 알 수 있어.

모든 사람은 평등하게 태어났으며, 창조주로부터 생명, 자유, 행복 추구를 포함하여 타인에게 양도할 수 없는 확실한 권리를 부여받았다. ⓐ이 권리를 지키기 위해 사람들은 정부를 만들었으며, 이 정부의 정당한 권력은 통치를 받는 사람들의 동의로부터 나오는 것이다. 만일 어떠한 형태의 정부이든 이러한 권리를 침해한다면, ⓑ사람들은 그 정부의 형태를 바꾸거나 폐지하여 인민의 안전과 행복을 가장 잘 이룩할 수 있는 새로운 정부를 조직하는 것이 인민의 권리인 것이다.

— 국민 주권을 의미해.

북아메리카 식민지 대표들은 필라델피아에서 대륙 회의를 개최하여, 워싱턴을 총사령관으로 선출하고 토마스 제퍼슨이 기초한 미국 독립 선언문을 발표하였다. 여기에는 천부 인권, 국민 주권, 저항권을 바탕으로 하는 근대 민주주의의 원리가 담겨 있다.

자료 하나 더 알고 가자!

미국 혁명의 전개

미국 혁명 때 식민지 대표들은 필라델피아에서 독립 선언문을 발표하였어.

자료 6 미국 헌법의 제정

— 입법권, 행정권, 사법권을 분리하는 삼권 분립의 원리가 나타나 있어. 이를 통해 미국 헌법이 계몽사상가인 몽테스키외의 영향을 받았음을 알 수 있지.

제1조 1절 이 헌법에 따라 부여되는 모든 입법권은 미국 연방 의회에 속하며, 연방 의회는 상원과 하원으로 구성한다. — 양원제 의회로 구성하였어.
제2조 1절 행정권은 미국 대통령에게 속한다.
제3조 1절 미국의 사법권은 연방 대법원 한 곳과 연방 의회가 수시로 만들어 설치하는 하급 법원에 속한다. – 미국 연방 헌법, 1787

독립을 달성한 북아메리카 13개 주는 세계 최초로 성문 헌법을 제정하고, 연방 정부를 수립하였다. 미국 헌법은 국회에 상원과 하원을 두고, 국가 권력을 입법부, 사법부, 행정부로 나누어 서로 견제하게 함으로써 독재를 막고자 하였다. 이에 따라 연방주의와 삼권 분립에 기초한 아메리카 합중국이 탄생하였다.

정리 비법을 알려줄게!

헌법 제정에 따른 미국 연방 수립

아메리카 합중국 헌법(연방 헌법) 제정(1787)

↓

민주 공화국 수립(1789)
- 연방제 채택: 연방 정부 설치(군사권, 외교권 행사), 각 주의 자치권 인정
- 삼권 분립 규정: 입법부(연방 의회), 행정부(대통령), 사법부(법원) 설치
- 초대 대통령으로 워싱턴 선출
- 자유주의, 공화주의, 민주주의에 기초한 국민 국가 탄생

05 근대 의식의 발전과 시민 혁명

이것이 핵심!

프랑스 혁명의 전개

배경	구제도의 모순, 시민 계급의 성장, 재정 악화
발단	루이 16세의 삼부회 소집

↓

전개
- 국민 의회: 테니스코트의 서약, '인간과 시민의 권리선언' 발표
- 입법 의회: 입헌 군주제, 혁명전쟁 발발
- 국민 공회: 공화정 선포, 루이 16세 처형, 공포 정치 실시
- 총재 정부: 5인의 총재가 주도, 정치 불안정

★ **테니스코트의 서약**
국가의 재정 위기 해결을 위해 소집된 삼부회에서 제3 신분이 자신들의 요구가 수용되지 않자 테니스코트에 모여 "헌법 제정 전에는 해산하지 않겠다."라고 선언한 것을 말한다.

★ **상퀼로트**
상층 계급이 허벅지에 끼는 반바지인 퀼로트를 착용한 것과는 달리, 민중들은 통이 넓은 긴 바지를 입었기 때문에 '상퀼로트'라고 불렸다.

5 프랑스 혁명

1. 프랑스 혁명의 발생

(구제도: 혁명 이전의 프랑스 사회 체제를 가리키는 말이야.)

배경	• 구제도의 모순: 제1·2 신분은 정치적·경제적 특권을 누림, 제3 신분은 세금 부담·정치 참여 제한 자료 ⑦ • 시민 계급의 성장: 계몽사상과 미국 혁명의 영향으로 구제도에 대한 시민 계급의 비판 의식 고조 • 재정 악화: 계속된 전쟁, 왕실의 사치, 미국 혁명 지원으로 재정 악화
발발	루이 16세의 삼부회(삼신분회) 소집(1789) → 표결 방식을 놓고 대립 → 제3 신분이 국민 의회 결성, *테니스코트의 서약 발표 → 국왕의 국민 의회 탄압 → 파리 시민들의 바스티유 감옥 습격 → 혁명의 전국적 확산, 농민의 적극적인 참가(영주의 성 습격, 봉건 문서 소각)

(표결 방식을 놓고 대립: 제1 신분과 제2 신분은 기존의 신분별 표결을 고집하였고, 제3 신분은 머릿수 표결을 주장하였어.)

2. 프랑스 혁명의 전개

(1) **국민 의회**: 봉건제 폐지 선언, '인간과 시민의 권리선언(인권 선언)' 발표(1789) → 입헌 군주제와 재산에 따른 제한 선거제에 기초한 헌법 제정 → 입법 의회 소집(1791) 교과서 자료

(2) **입법 의회**: 오스트리아·프로이센과의 혁명전쟁 시작(1792) → 물가 상승·식량 부족 → 파리 민중(*상퀼로트)의 왕궁 습격 → 왕권 정지, 국민 공회 수립(1792)

(오스트리아·프로이센: 혁명의 전파를 우려하여 프랑스를 위협하였어.)

(3) **국민 공회**: 공화정 선포, 자코뱅파(급진파)의 주도로 루이 16세 처형

(자코뱅파: 중소 시민의 이익을 대변하였어.)

① 공포 정치 실시(로베스피에르 주도)

배경	영국·오스트리아 등이 동맹을 맺어 프랑스 공격 → 국내 혼란(물가 상승, 반란 발생)
내용	혁명 재판소·공안 위원회 설치(반혁명 세력 처형), 보통 선거제에 기초한 헌법 제정(1793), 개혁 추진(봉건적 공납을 무상으로 폐지, 귀족의 토지 몰수·분배, 징병제·의무 교육·최고 가격제 시행 등)

② 테르미도르의 반동: 공포 정치에 대한 반발 → 지롱드파(온건파)가 로베스피에르 처형

(4) **총재 정부**: 5명의 총재가 주도, 국내외 혼란 → 나폴레옹의 쿠데타(1799)

(국내외 혼란: 물가 급등과 계속된 전쟁으로 정치적으로 불안정하였어.)

3. 프랑스 혁명의 의의: 혁명의 이념인 자유·평등·우애의 정신 전파 → 근대 시민 사회의 형성과 자본주의 발전의 토대 마련, 이후 민주주의의 발전에 영향을 줌

이것이 핵심!

나폴레옹의 활동

통령 정부 수립
나폴레옹이 쿠데타로 집권 → 제1 통령이 되어 오스트리아·러시아 격파, 내정 개혁 시행, 『나폴레옹 법전』 편찬

↓

제1 제정 수립(황제 즉위)
유럽 대륙 제패 → 대륙 봉쇄령 발표 → 러시아 원정 실패 → 몰락

★ **대륙 봉쇄령**
영국을 굴복시키기 위해 영국과 유럽 대륙의 교역을 금지한 것으로, 유럽 국가들의 불만을 불러일으켰다.

6 나폴레옹 시대

1. 통령 정부

(1) **수립**: 나폴레옹이 쿠데타로 권력 장악 → 제1 통령에 오름

(2) **나폴레옹의 활동**: 오스트리아와 러시아군 격파, 내정 개혁 시행(국민 교육 제도 시행, 프랑스 은행 설립을 통해 산업 보호 정책 추진), 『나폴레옹 법전』 편찬

(『나폴레옹 법전』: 나폴레옹의 정복 전쟁 과정에서 유럽 대부분 지역으로 전파되었어.)

2. 제1 제정 자료 ⑧

(1) **수립**: 나폴레옹이 국민 투표로 황제(나폴레옹 1세)에 즉위(1804)

(2) **활동**: 유럽 대륙 대부분 제패, 트라팔가르 해전(1805)에서 영국 해군에 패배 → *대륙 봉쇄령 발표(1806)

(3) **몰락**: 대륙 봉쇄령을 어긴 러시아 원정(→ 실패) → 라이프치히 전투 패배(1813) → 나폴레옹의 엘바섬 유배 및 탈출 → 워털루 전투 패배(1815)로 나폴레옹 몰락

(나폴레옹 몰락: 나폴레옹은 세인트헬레나섬으로 유배되었고, 그곳에서 사망하였어.)

3. 나폴레옹 정복 전쟁의 영향: 유럽에 프랑스 혁명의 이념 전파 → 자유주의와 민족주의 고취

완자 자료 탐구

내 옆의 선생님

자료 7 프랑스 혁명의 배경

구제도의 모순을 풍자한 그림

프랑스 혁명 이전의 구제도는 절대 왕정과 신분제를 바탕으로 유지되는 체제였다. 소수에 불과한 제1 신분(성직자)과 제2 신분(귀족)은 절대 왕정의 보호 아래 관직과 토지를 독점하고 면세 특권을 누렸다. 반면 다수를 차지하는 제3 신분(평민)은 봉건적 의무와 무거운 세금을 부담하면서도 정치에 제한적으로 참여하였다. 프랑스의 시민 계급은 구제도를 타파하여 자유와 권리를 누리고자 하였다.

자료 하나 더 알고 가자!

시에예스의 「제3 신분이란 무엇인가?」

> 제3 신분은 무엇인가? 전체이다. 그러나 족쇄가 채워지고 억압받고 있는 전체일 뿐이다. …… 그러나 자유롭고 건강한 전체가 될 것이다. 이들이 없다면 되는 일이 아무것도 없을 것이다.

제3 신분이 프랑스 인구의 대부분을 차지하고 여러 의무를 부담하였음에도 차별받았다는 것을 보여 줘.

수능이 보이는 교과서 자료 인간과 시민의 권리선언

> 제1조 인간은 자유롭게 그리고 평등한 권리를 가지고 태어났다.
> 제2조 모든 정치적 결사의 목적은 자유, 재산, 안전 그리고 압제에 대한 저항이라는, 그 무엇도 침해할 수 없는 인간의 자연권을 보전하는 데 있다. ─ 로크의 저항권과 자연권 사상을 보여 줘.
> 제3조 모든 주권의 원천은 본래 국민에게 있다. 어떤 단체나 개인도 국민으로부터 유래하지 않은 권리를 행사할 수 없다. ─ 루소의 사상에서 영향을 받았음을 알 수 있어.
> 제17조 소유권은 그 무엇도 침해할 수 없는 신성한 권리이므로, …… 미리 정당한 보상을 제시하지 않고는 누구도 침해할 수 없다. ─ 재산권 보호를 보여 줘.

프랑스 혁명은 봉건적 폐습을 타파하고 인간의 자유와 평등을 최고의 가치로 확립시킨 역사적 사건이었다. 이 과정에서 발표된 '인간과 시민의 권리선언'에는 자유와 평등, 국민 주권, 재산권 보호 등 혁명의 기본 이념이 담겨 있다.

완자샘의 탐구 강의

• 자료에 영향을 준 사상을 써 보자.
계몽사상

• 자료에서 주장하는 인간의 기본권을 서술해 보자.
자유와 평등, 국민 주권, 재산권의 불가침성, 저항권 등을 내세웠다.

함께 보기 171쪽, 1등급 정복하기 3

자료 8 나폴레옹의 유럽 제패

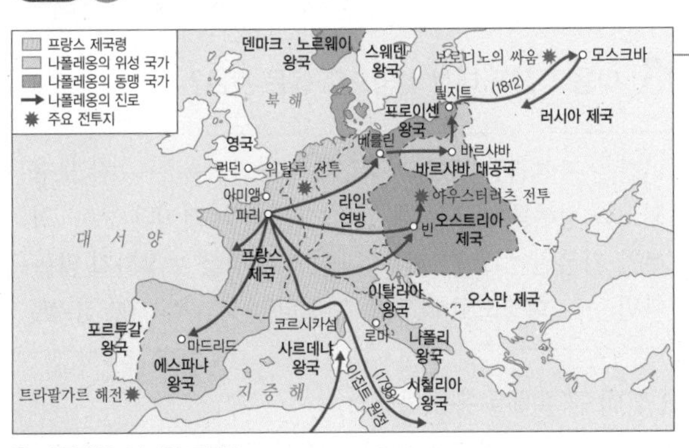

나폴레옹 시기의 프랑스

나폴레옹의 군대는 러시아 원정 때 혹독한 추위와 굶주림을 이기지 못하고 퇴각하였어.

나폴레옹은 황제에 즉위하여 오스트리아, 프로이센, 러시아를 격파하고 신성 로마 제국을 해체시켜 대륙의 패권을 장악하였다. 그러나 러시아 원정 실패 이후 나폴레옹은 유럽 연합군에 패배하여 몰락하였다.

자료 하나 더 알고 가자!

나폴레옹 법전

자유와 평등, 사유 재산권 보장, 노동과 계약의 자유 등 새로운 시민 사회의 규범을 담은 법전이야.

문제로 확인할까?

나폴레옹은 영국을 굴복시키기 위해 유럽 대륙과 영국 사이의 통상을 금지하는 (   )을 내렸다.

답 대륙 봉쇄령

STEP 1 핵심 개념 확인하기

정답친해 48쪽

1 다음에서 설명하는 이론을 〈보기〉에서 골라 기호를 쓰시오.

보기
ㄱ. 경험론　　ㄴ. 계몽사상
ㄷ. 사회 계약설　　ㄹ. 자유방임주의

(1) 인간의 경험과 감각을 지식의 원천으로 여겼다. (　　)

(2) 국가의 간섭을 최소화해야 한다는 경제 이론으로 애덤스미스 등이 주장하였다. (　　)

(3) 인간의 이성으로 낡은 관습과 미신을 타파하고 사회를 개혁할 수 있다고 믿었다. (　　)

(4) 자연 상태에 살던 개인들이 평화와 안전을 위해 계약을 맺으면서 사회나 국가가 등장하였다는 학설이다. (　　)

2 다음 괄호 안의 내용 중 알맞은 말에 ○표를 하시오.

(1) (워싱턴, 크롬웰)은 금욕적인 독재 정치를 전개하였고 항해법을 제정하였다.

(2) 찰스 1세가 의회의 동의 없이 과세하고 청교도를 박해하자 의회는 (권리 장전, 권리 청원)을 제출하였다.

3 다음 설명이 맞으면 ○표, 틀리면 ×표를 하시오.

(1) 아메리카 식민지 대표들은 제2차 대륙 회의에서 '인간과 시민의 권리선언'을 발표하였다. (　　)

(2) 북아메리카 13개 주는 독립 이후 연방 헌법을 제정하고 역사상 최초의 민주 공화국을 수립하였다. (　　)

4 자코뱅파의 지도자였던 (　　　　)는 공안 위원회와 혁명 재판소를 이용하여 공포 정치를 주도하였다.

5 다음 내용과 관련 있는 근대 혁명을 옳게 연결하시오.

(1) 보스턴 차 사건 발생 •　　• ㉠ 미국 혁명
(2) 찰스 1세 처형, 공화정 수립 •　　• ㉡ 청교도 혁명
(3) 시민들의 바스티유 감옥 습격 •　　• ㉢ 프랑스 혁명

STEP 2 내신 만점 공략하기

01 중요 (가)에 대한 사례로 옳은 것을 〈보기〉에서 고른 것은?

17세기경 유럽인은 이슬람의 과학 기술을 수용하며 자연 과학을 발전시켰고 망원경, 현미경 등을 발명하였다. 그 결과 (가) (이)라 불리는 업적들이 쏟아져 나왔다.

보기
ㄱ. 콜럼버스가 새로운 항로를 개척하였다.
ㄴ. 구텐베르크가 활판 인쇄술을 고안하였다.
ㄷ. 갈릴레이가 낙하 실험으로 물리 법칙을 발견하였다.
ㄹ. 케플러가 행성이 태양을 타원 궤도로 회전함을 밝혔다.

① ㄱ, ㄴ　② ㄱ, ㄷ　③ ㄴ, ㄷ
④ ㄴ, ㄹ　⑤ ㄷ, ㄹ

02 밑줄 친 '그'에 대한 설명으로 옳은 것은?

그는 모든 물체들은 서로 끌어당기는 힘이 있다는 만유인력의 법칙을 발견하였다.

① 기계론적 우주관을 확립하였다.
② 혈액 순환의 원리를 발표하였다.
③ 『백과전서』의 편찬을 주도하였다.
④ 망원경을 제작하고 지동설을 증명하였다.
⑤ 연역법을 주장하여 합리론의 토대를 닦았다.

03 다음 주장에 대한 설명으로 옳은 것은?

인간은 자연권인 생명, 자유, 재산의 권리를 …… 잘 보장되도록 정부를 세우는 데 합의(계약)하는 것이다. …… 정부가 기본권인 생명, 자유, 재산의 권리를 보장하지 않는다면 …… 혁명으로 타도할 수 있다. －『시민 정부론』

① 절대 군주제를 옹호하였다.
② 미국의 독립 혁명에 영향을 주었다.
③ 직접 민주주의의 도입을 강조하였다.
④ 삼권 분립의 필요성을 처음 제기하였다.
⑤ 자연 상태를 무질서한 혼란 상태로 보았다.

04 (가)에 들어갈 내용으로 적절한 것은?

중요

수행 평가 보고서

• 탐구 주제: (가)

• 조사 내용

『백과전서』의 편찬	살롱의 발달
『백과전서』에는 볼테르, 루소, 몽테스키외 등 학자들의 글이 실렸고, 『백과전서』는 유럽으로 확산되었다.	살롱은 귀족 부인들의 응접실로, 당대 최고의 지식인들이 모여 정치와 문화를 토론하는 장소였다.

① 계몽사상의 확산
② 권리 장전 승인의 효과
③ 종교 개혁과 종교 전쟁
④ 절대 왕정의 사상적 토대
⑤ 중상주의 정책의 확대 배경

05 다음 문서가 발표된 배경으로 옳지 않은 것은?

현재 의회에 소집된 성직자, 귀족, 평민은 지극히 높으신 국왕 폐하께 다음과 같이 탄원한다.
제1조 폐하의 신민은 의회에서 만장일치로 동의한 것이 아니면 어떠한 세금, 차입금, 기부금 및 기타 부조금을 내도록 강제당하지 않을 자유를 누린다.
제3조 누구도 적법한 판결과 국법에 따르지 않고서 함부로 체포·구속되지 않는다. 자유인은 소유권과 특권 및 개인의 자유를 보장하는 관습을 침해당하거나 법의 보호 밖에 방치되고 추방되는 일이 없다.

① 국왕이 청교도를 탄압하였다.
② 지주층인 젠트리가 성장하였다.
③ 스튜어트 왕조가 전제 정치를 펼쳤다.
④ 국교회를 우대하는 정책이 전개되었다.
⑤ 메리와 윌리엄이 공동 왕으로 추대되었다.

06 (가) 시기 영국의 상황으로 옳은 것은?

1625	1642	1660	1688	1714
찰스 1세 즉위	청교도 혁명 발발	찰스 2세 즉위	명예혁명	하노버 왕조 시작

(가): 1642~1660

① 권리 장전이 승인되었다.
② 영국 국교회가 확립되었다.
③ 심사법과 인신 보호법이 제정되었다.
④ 항해법이 제정되어 대외 무역이 확대되었다.
⑤ 스코틀랜드가 합병되어 대영 제국이 수립되었다.

07 (가), (나) 문서에 대한 설명으로 옳은 것은?

• 영국 의회는 찰스 1세가 의회의 동의 없이 과세하자 1628년에 (가) 을/를 제출하였다.
• 공동 왕으로 추대된 메리와 윌리엄은 의회가 제정한 (나) 을/를 1689년에 승인하였다.

① (가) – 미국 독립 선언의 영향을 받았다.
② (가) – 청교도 혁명의 결과로 발표되었다.
③ (가) – 내각 책임제가 시작되는 계기가 되었다.
④ (나) – 입헌 군주제의 토대를 마련하였다.
⑤ (나) – 왕권이 의회보다 우위에 있음을 확인해 주었다.

08 다음 사건의 배경으로 옳은 것은?

1773년에 보스턴 시민이 영국 동인도 회사의 배에 실린 차 상자를 바다에 던져 버렸다.

① 국민 의회가 테니스코트의 서약을 제시하였다.
② 찰스 2세가 가톨릭교도를 우대하는 정책을 펼쳤다.
③ 영국이 식민지에 대한 중상주의 정책을 강화하였다.
④ 아메리카 식민지 대표들이 독립 선언문을 발표하였다.
⑤ 크롬웰의 항해법 제정으로 네덜란드가 위협을 받았다.

09 중요 다음 선언문에 대한 설명으로 옳지 않은 것은?

> 모든 사람은 평등하게 태어났으며, 창조주로부터 생명, 자유, 행복 추구를 포함하여 타인에게 양도할 수 없는 확실한 권리를 부여받았다. 이 권리를 지키기 위해 사람들은 정부를 만들었으며, 이 정부의 정당한 권력은 통치를 받는 사람들의 동의로부터 나오는 것이다. 만일 어떠한 형태의 정부이든 이러한 권리를 침해한다면, 사람들은 그 정부의 형태를 바꾸거나 폐지하여 인민의 안전과 행복을 가장 잘 이룩할 수 있는 새로운 정부를 조직하는 것이 인민의 권리인 것이다.

① 제2차 대륙 회의에서 발표되었다.
② 로크의 사상으로부터 영향을 받았다.
③ 프랑스 혁명이 일어나는 데 영향을 주었다.
④ 워싱턴을 초대 대통령으로 임명하는 내용이 포함되어 있다.
⑤ 천부 인권과 국민 주권 등 근대 민주주의의 원리가 담겨 있다.

10 다음 헌법에 대한 설명으로 옳은 것을 〈보기〉에서 고른 것은?

> 제1조 1절 이 헌법에 따라 부여되는 모든 입법권은 미국 연방 의회에 속하며, 연방 의회는 상원과 하원으로 구성한다.
> 제2조 1절 행정권은 미국 대통령에게 속한다.
> 제3조 1절 미국의 사법권은 연방 대법원 한 곳과 연방 의회가 수시로 만들어 설치하는 하급 법원에 속한다.

보기
ㄱ. 의회를 단원제로 하였다.
ㄴ. 연방주의를 원칙으로 하였다.
ㄷ. 대통령의 절대권을 인정하였다.
ㄹ. 몽테스키외의 주장으로부터 영향을 받았다.

① ㄱ, ㄴ ② ㄱ, ㄷ ③ ㄴ, ㄷ
④ ㄴ, ㄹ ⑤ ㄷ, ㄹ

11 그림에서 풍자한 상황에 반발하여 일어난 시민 혁명에 대한 설명으로 옳은 것은?

이 그림은 제3 신분이 정치 참여를 배제당한 채 과중한 세금을 부담하였던 상황을 풍자합니다.

① 찰스 1세를 처형하였다.
② 요크타운 전투가 벌어졌다.
③ 인신 보호법을 제정하였다.
④ 보스턴 차 사건이 발생하였다.
⑤ 테니스코트의 서약이 발표되었다.

12 중요 다음 문서에 대한 설명으로 옳지 않은 것은?

> 제1조 인간은 자유롭게 그리고 평등한 권리를 가지고 태어났다.
> 제2조 모든 정치적 결사의 목적은 자유, 재산, 안전 그리고 압제에 대한 저항이라는, …… 인간의 자연권을 보전하는 데 있다.
> 제3조 모든 주권의 원천은 국민에게 있다.
> 제17조 소유권은 그 무엇도 침해할 수 없는 신성한 권리이므로, …… 미리 정당한 보상을 제시하지 않고는 누구도 침해할 수 없다.

① 국민의 재산권을 확인하였다.
② 프랑스 혁명의 이념이 담겨 있다.
③ 아메리카의 식민지 대표들이 발표하였다.
④ 모든 인간의 자유권과 평등권을 천명하였다.
⑤ 루소의 영향을 받아 국민 주권을 규정하였다.

13 다음에서 설명하는 인물에 대한 탐구 주제로 적절한 것은?

> 국민 공회를 주도하면서 최고 가격제, 징병제 등을 실시하였으나 테르미도르의 반동으로 실각한 후 처형되었다.

① 공안 위원회의 역할과 성격
② 국민 투표 실시와 제정 수립
③ 입헌 군주제에 기초한 헌법 발표의 배경
④ 정복 전쟁을 통한 프랑스 혁명 이념의 전파
⑤ 프랑스 은행 설립을 통한 산업 보호 정책의 내용

14 다음 두 사건 사이에 프랑스에서 일어난 사실로 옳은 것을 〈보기〉에서 고른 것은?

> • 삼부회에서 투표의 표결 방식을 두고 대립한 결과 제3 신분이 국민 의회를 구성하였다.
> • 온건파 의원들이 5인의 총재 정부를 수립하였다.

보기

ㄱ. 트라팔가르 해전에서 영국에 패배하였다.
ㄴ. 국민 투표의 결과 제1 제정이 구성되었다.
ㄷ. 혁명 재판소를 통해 반혁명 세력이 처형되었다.
ㄹ. 오스트리아, 프로이센과 혁명전쟁을 시작하였다.

① ㄱ, ㄴ ② ㄱ, ㄷ ③ ㄴ, ㄷ
④ ㄴ, ㄹ ⑤ ㄷ, ㄹ

15 다음 명령이 발표된 시기에 프랑스의 정치 체제로 옳은 것은?

> 영국의 여러 섬을 대륙으로부터 봉쇄할 것을 선언한다. …… 영국 여러 섬과의 모든 무역 활동을 금지한다.

① 공화정이 실시되었다.
② 제1 제정이 시작되었다.
③ 내각 책임제가 수립되었다.
④ 호국경이 정국을 주도하였다.
⑤ 삼권 분립의 원칙이 실현되었다.

서술형 문제

● 정답친해 50쪽

01 다음 자료에 나타난 우주관을 쓰고, 이것이 이전의 우주관과 다른 점을 서술하시오.

코페르니쿠스의 「천구도」

길잡이 제시된 자료에서 태양과 지구의 위치를 확인하여 우주관을 유추해 본다.

02 다음을 읽고 물음에 답하시오.

> 제1조 국왕이 의회의 동의 없이 법의 효력을 정지하거나 법의 집행을 정지하는 것은 위법이다.
> 제4조 국왕이 의회의 승인 없이 세금을 징수하는 것은 위법이다.

(1) 위 문서의 명칭을 쓰시오.

(2) 위 문서의 정치적 의미에 대해 서술하시오.

길잡이 왕과 의회의 권한 변화에 주목하여 서술한다.

03 다음 나폴레옹에 대한 평가를 참고하여 나폴레옹 전쟁의 의의를 서술하시오.

> 나는 얼마 전 프로이센의 부패한 관료 제도를 파괴하고 있는 나폴레옹을 보고 '살아 있는 세계정신'이라며 감격한 바 있다. 보편적인 프랑스 혁명을 전파하는 그의 앞길에 영광이 있으라. – 헤겔

길잡이 나폴레옹의 정복 전쟁이 유럽 사회에 미친 영향을 생각해 본다.

STEP 3 1등급 정복하기

1 (가), (나) 주장에 대한 탐구 활동으로 적절한 것은?

> (가) 인간은 자연 상태에서 자유롭고 평등하지만 오직 본능에 따르기 때문에 개인의 자유와 재산을 보장할 수 없으므로 사회 계약을 맺는다. …… 계약을 통해 구성된 국가의 주권은 전체로서 인민에게 있으며, 전체 인민이 통치자라야 한다. 주권은 공공의 선을 지향하는 초개인적 의사인 일반 의지의 작용이다. -「사회 계약론」
>
> (나) 정치권력이 존재하지 않는 자연 상태에서 인간은 …… 서로 싸우는 전쟁 상태에 있다. …… 이를 벗어나기 위해 강력한 정부가 요구되므로 인간은 개인행동의 자유를 지배자의 손에 맡기기 위한 일종의 합의나 계약을 하게 된다. 그러나 이 경우 지배자에게 무제한의 절대적 권력을 줘야 한다. 그렇지 않으면 …… 사회는 또다시 '만인의 만인에 대한 투쟁'인 자연 상태로 돌아가기 때문이다. -「리바이어던」

① (가) – 프랑스 혁명의 이념적 토대가 된 이유를 파악한다.
② (가) – 왕권이 신으로부터 주어졌다는 왕권신수설에 미친 영향을 알아본다.
③ (나) – 절대 군주제를 비판한 내용을 찾아본다.
④ (나) – 영국의 청교도 혁명에 끼친 영향을 분석한다.
⑤ (가), (나) – 인간의 이성과 진보의 가치를 강조한 내용을 조사한다.

▶ 사회 계약설

완자샘의 시험 꿀팁

근대 사상의 발전과 관련하여 홉스와 로크, 루소의 사상을 보여 주는 자료를 제시하고 사회 계약설의 내용을 묻는 문제가 주로 출제된다. 사회 계약론자들의 주장을 비교하여 정리해 둔다.

▮완자 사전▮

• **리바이어던**
'리바이어던'은 홉스의 저서 이름이자 구약성서 욥기 41장에 나오는 바다의 괴물 이름으로, 인간의 힘을 넘는 매우 강한 동물을 뜻한다. 홉스는 국가라는 거대한 창조물을 이 동물에 비유하였다.

2 ㉠의 상황으로 인해 일어난 사실로 옳은 것은?

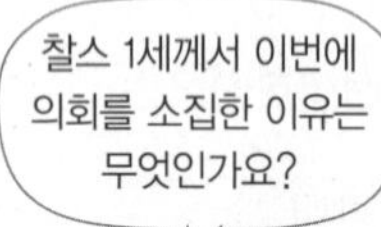

찰스 1세께서 이번에
의회를 소집한 이유는
무엇인가요?

나는 스코틀랜드와의 전쟁 비용을 마련하기 위해 의회를 소집하였소. 그런데 ㉠ 의회가 나의 정치를 비판하고 과세 요구를 거부하고 있어 사태가 커지고 있소.

① 하노버 왕조가 시작되었다.
② 청교도 혁명이 발생하였다.
③ 엘리자베스 1세가 즉위하였다.
④ 의회가 권리 청원을 제출하였다.
⑤ 심사법과 인신 보호법이 제정되었다.

▶ 영국 혁명의 전개

▮완자 사전▮

• **하노버 왕조**
1714~1901년까지 영국을 지배하던 왕조로 독일의 하노버가(家) 출신인 조지 1세에서 시작하여 6대인 빅토리아 여왕까지이다.

3 (가), (나)에 대한 설명으로 옳지 않은 것은?

(가) 모든 사람은 평등하게 태어났으며, 창조주로부터 생명, 자유, 행복 추구를 포함하여 타인에게 양도할 수 없는 확실한 권리를 부여받았다. 이 권리를 지키기 위해 사람들은 정부를 만들었으며, 이 정부의 정당한 권력은 통치를 받는 사람들의 동의로부터 나오는 것이다. 만일 어떠한 형태의 정부이든 이러한 권리를 침해한다면, 사람들은 그 정부의 형태를 바꾸거나 폐지하여 인민의 안전과 행복을 가장 잘 이룩할 수 있는 새로운 정부를 조직하는 것이 인민의 권리인 것이다.

(나) 제1조 인간은 자유롭게 그리고 평등한 권리를 가지고 태어났다.
제2조 모든 정치적 결사의 목적은 자유, 재산, 안전 그리고 압제에 대한 저항이라는, 그 무엇도 침해할 수 없는 인간의 자연권을 보전하는 데 있다.
제3조 모든 주권의 원천은 본래 국민에게 있다.

① (가) – 대륙 회의에서 발표되었다.
② (가) – 삼권 분립의 원리를 담고 있다.
③ (나) – 국민 의회가 발표하였다.
④ (나) – 계몽사상의 영향을 받았다.
⑤ (가), (나) – 국민 주권의 원리가 포함되었다.

> **시민 혁명의 전개**
>
> **완자 사전**
> • **결사**
> 여러 사람이 공동의 목적을 이루기 위하여 단체를 조직한 것

수능 응용

4 (가) 인물에 대한 설명으로 옳은 것은?

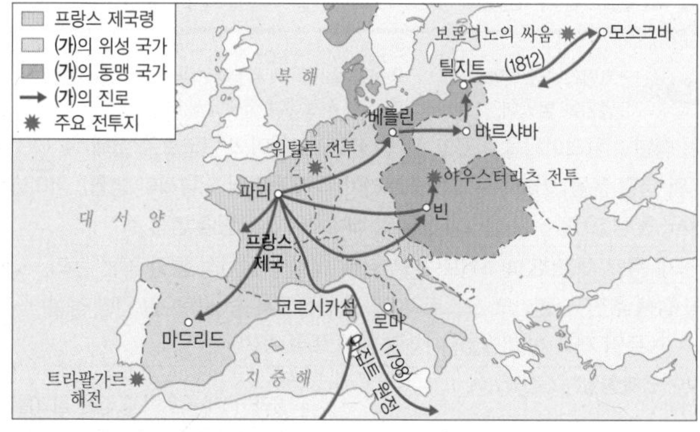

① 초대 대통령으로 선출되었다.
② 항해법을 제정하여 대외 무역을 확대하였다.
③ 반혁명 혐의자를 처형하는 공포 정치를 실시하였다.
④ 영국을 굴복시키기 위해 대륙 봉쇄령을 발표하였다.
⑤ 오스트리아와 프로이센 등 주변국과 혁명전쟁을 시작하였다.

> **프랑스 혁명 이후의 유럽**
>
> **완자샘의 시험 꿀팁**
> 나폴레옹 시대 유럽의 정세와 나폴레옹의 활동 내용은 빈출 주제이다. 나폴레옹이 등장한 총재 정부, 통령 정부 시기와 제1 제정 시기를 비교하여 파악해 둔다.
>
> **완자 사전**
> • **공포 정치**
> 반대파의 세력을 가혹한 수단으로 탄압하여 사회에 극도의 공포 분위기를 조성하는 정치

06 국민 국가의 형성과 산업 혁명

학습목표
- 자유주의와 민족주의의 확산 및 국민 국가의 형성 과정을 설명할 수 있다.
- 산업 혁명의 성과와 산업 사회의 문제점을 제시할 수 있다.

1 빈 체제와 자유주의의 확산

이것이 핵심!

빈 체제와 자유주의의 확산

빈 체제의 수립
복고주의, 정통주의 표방 → 유럽 각국의 자유주의와 민족주의 운동 탄압
↓
자유주의의 확산
• 프랑스: 7월 혁명과 2월 혁명
• 영국: 종교적 차별 철폐, 선거법 개정, 자유 무역 체제 확립

★ **신성 동맹과 4국 동맹**
신성 동맹은 러시아, 오스트리아, 프로이센이 결성하였고, 4국 동맹에는 영국이 합세하였다.

★ **먼로 선언**
1823년 미국 대통령 먼로가 밝힌 외교 방침으로 유럽의 아메리카에 대한 불간섭 원칙을 포함하였다.

★ **파리 코뮌**
파리의 사회주의자와 노동자들이 수립한 자치 정부이다. 이 정부는 프로이센의 지원을 받는 정부군에게 진압되었다.

1. 빈 체제

꼭! 유럽 각국의 지배권과 영토를 프랑스 혁명 이전으로 되돌리자고 결정하였어.

성립	나폴레옹 몰락 후 오스트리아의 재상 메테르니히의 주도로 빈 회의(1814~1815) 개최 → 빈 체제 성립
특징	복고주의·정통주의 표방(자유주의와 민족주의 운동 탄압), *신성 동맹과 4국 동맹 결성
동요	독일 대학생들의 조합(부르셴샤프트) 운동·이탈리아 카르보나리당의 개혁 추진, 그리스 독립(1829) 등 유럽 각국의 저항, 영국의 지원·미국의 *먼로 선언으로 라틴 아메리카의 독립운동 가속화

왜? 새로운 상품 시장을 원한 영국이 라틴 아메리카의 독립을 지원하였어.

시몬 볼리바르, 산마르틴 등이 활약하였어.

2. 프랑스의 자유주의 혁명

(1) 7월 혁명과 2월 혁명

의회를 해산하고 시민의 자유를 제한하였어.

구분	7월 혁명(1830)	2월 혁명(1848)
배경	부르봉 왕실 부활, 샤를 10세의 전제 정치 시행	7월 왕정의 언론과 출판 통제, 선거권 제한
전개	자유주의자·파리 시민들이 봉기 → 샤를 10세 추방, 루이 필리프 즉위, 입헌 군주제 수립(7월 왕정)	중하층 시민 계급과 노동자들의 봉기(선거권 확대 요구) → 루이 필리프 퇴위, 제2 공화정 수립
영향	벨기에의 독립, 유럽 각국의 자유주의 운동 촉진	유럽 곳곳에서 자유주의·민족주의 운동 촉진, 메테르니히 몰락(→ 빈 체제 붕괴)

1848년 3월에 오스트리아에서 혁명이 일어나 메테르니히가 쫓겨났어.

(2) **제2 제정의 수립과 붕괴:** 루이 나폴레옹이 황제 즉위 후 경제 발전과 대외 팽창 노력 → 프로이센과의 전쟁 패배 → *파리 코뮌 수립(1871) → 제3 공화정 수립

3. 영국의 자유주의 개혁: 의회의 주도로 점진적 개혁 추진

종교	심사법 폐지(신교도에게 관직 허용), 가톨릭 해방법 제정(구교도에 대한 차별 철폐) → 종교적 차별 철폐
정치	제1차 선거법 개정(부패 선거구 폐지, 1832) → 차티스트 운동 전개(인민헌장 발표) 자료 ①
경제	곡물법과 항해법 폐지 → 자유 무역 체제 확립

수입 곡물에 관세를 부과하여 국내 지주를 보호하던 법률

2 민족주의의 확산과 국민 국가 발전

이것이 핵심!

민족주의의 확산과 국민 국가 발전

이탈리아	사르데냐 왕국 중심의 통일 운동 전개
독일	관세 동맹 체결, 철혈 정책 추진 등 통일 운동 전개
미국	민주주의 발달, 남북 전쟁 이후 공업 발달
러시아	근대화 노력 전개

★ **브나로드 운동**
브나로드는 러시아어로 '민중 속으로'라는 뜻이다. 많은 지식인들이 농민을 대상으로 급진적인 혁명 사상을 전파하기 위해 계몽 활동을 전개하였으나 별다른 성과를 거두지 못하였다.

1. 이탈리아와 독일의 통일 자료 ②

프랑스 2월 혁명의 영향을 받았어.

의용군을 이끌고 시칠리아와 나폴리를 점령한 후 이를 사르데냐 국왕에게 바쳤어.

이탈리아	• 마치니의 통일 운동: 청년 이탈리아당을 이끌고 전개 → 오스트리아의 탄압으로 실패 • 사르데냐 왕국 중심의 통일 운동: 카보우르의 오스트리아 격파(중북부 이탈리아 병합), 가리발디의 활약 → 이탈리아 왕국 탄생(1861) → 이탈리아 왕국이 베네치아와 교황령 병합
독일	프로이센의 주도로 관세 동맹 체결(1834) → 프랑크푸르트 의회의 정치적 통일 방안 논의(→ 실패) → 비스마르크의 철혈 정책 추진 → 덴마크·오스트리아와의 전쟁에서 승리(북독일 연방 창설) → 프랑스와의 전쟁에서 승리 → 독일 제국 성립(빌헬름 1세의 황제 즉위, 1871)

독일 내 관세를 철폐하여 경제 통일이 진전되었어.

2. 미국과 러시아의 발전

니콜라이 1세 즉위식 때 젊은 장교들이 입헌 군주제를 지향하며 일으켰으나 실패하였어.

미국	• 독립 이후 상황: 민주주의 발달, 영토 확장(태평양 연안까지 확대) → 남부와 북부의 대립 심화 • 남북 전쟁: 링컨의 대통령 당선 → 남부 7개 주(후에 11개 주)가 연방을 탈퇴하면서 전쟁 발발(1861) → 링컨의 노예 해방 선언 → 게티즈버그 전투에서 북부 승리(1863) 자료 ③ • 남북 전쟁 이후: 국민적 단합 강화, 공업 발달, 이민자 유입(노동력 증가), 대륙 횡단 철도 부설
러시아	• 19세기의 상황: 농노제 유지, 차르의 전제 정치 실시 → 데카브리스트의 봉기, 크림 전쟁 패배 • 근대화 움직임: 알렉산드르 2세의 개혁 → *브나로드 운동 전개(→ 알렉산드르 2세 암살)

농노 해방, 지방 의회 설립, 국민 개병제 시행 등 내정 개혁을 추진하였으나 별다른 효과가 없었어.

이후 차르의 전제 정치가 오히려 강화되었어.

완자 자료 탐구

내 옆의 선생님

자료 1 차티스트 운동과 영국의 선거법 개정

산업 혁명 당시 인구 이동으로 유권자의 수가 크게 줄거나 유권자가 사라졌는데도 의원을 선출하던 불합리한 선거구를 가리켜.

[차티스트 운동 세력의 요구 사항]

1. 21세 이상 모든 남자의 선거권 인정
2. 유권자 보호를 위해 비밀 투표제 시행
3. 하원 의원의 재산 자격 조항 폐지
4. 하원에게 보수 지급
5. 인구 비례에 따른 동등한 선거구 결정
6. 의원 임기를 1년으로 하여 매년 선거 시행

– 인민헌장, 1838

[영국의 선거법 개정]

제1차(1832)	• 부패 선거구 폐지 • 신흥 상공업자에게 선거권 부여
제2차(1867)	도시 노동자와 소시민에게 선거권 부여
제3차(1884)	농업·광산 노동자에게 선거권 부여
제4차(1918)	• 남자 보통 선거권 부여(만 21세 이상) • 여자 제한 선거권 부여(만 30세 이상)
제5차(1928)	남녀평등 보통 선거권(만 21세 이상)

제1차 선거법 개정의 혜택을 받지 못한 노동자는 인민헌장을 내걸고 차티스트 운동을 벌였다. 차티스트 운동은 실패하였지만, 훗날 연이은 선거법 개정으로 선거권이 확대되었다.

자료 2 이탈리아와 독일의 통일

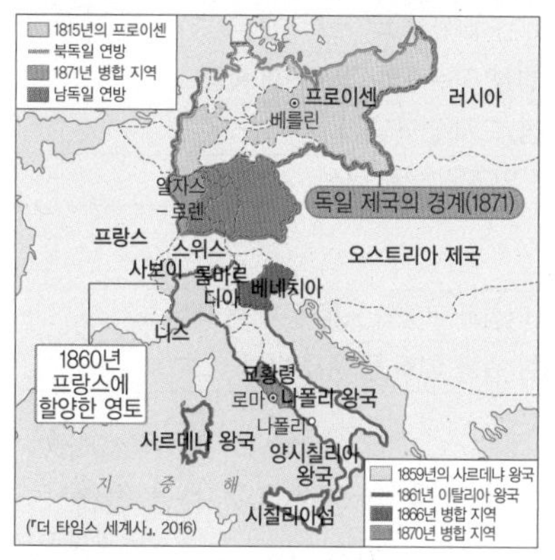

⊙ 이탈리아와 독일의 통일 운동

이탈리아는 여러 왕국으로 분열된 채 오스트리아의 간섭을 받던 상황에서 마치니가 통일 운동을 전개하였으나 실패하였다. 이후 사르데냐 왕국의 재상 카보우르와 가리발디가 주도하여 통일을 완성하였다. 한편, 독일은 40여 개의 소국으로 분열된 상황에서 프로이센이 관세 동맹을 주도하여 경제 통합을 이루었다. 이후 프로이센은 재상 비스마르크의 주도로 강력한 군비 확장 정책을 추진하여 오스트리아와 프랑스를 격파하고 통일을 이룩하였다.

자료 3 미국의 남북 전쟁

남북 전쟁에서 북부가 국제적인 지지를 얻고, 해방 노예들이 북부군으로 전쟁에 참여하는 계기가 되었어.

[남북 경제 비교]

흑인 노예를 고용하여 면화를 재배하였어.

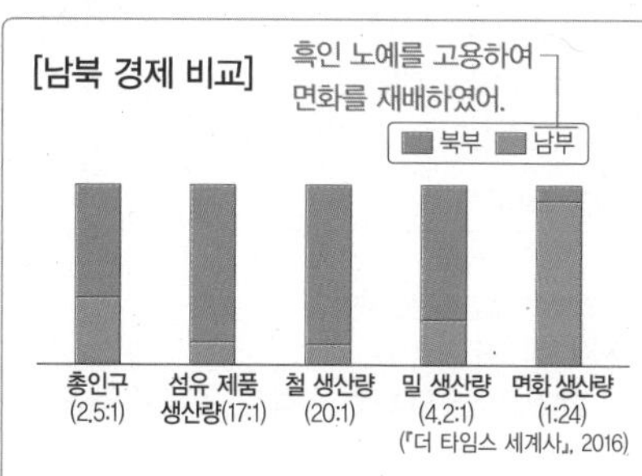

[노예 해방령(1863)]

흑인 노예를 해방한다는 내용이야.

현재 미국에 대하여 반란 상태에 있는 주의 노예들은 1863년 1월 1일 이후부터 영원히 자유의 몸이 될 것이다. …… 미국의 대통령인 나, 에이브러햄 링컨은 …… 자유가 선언된 노예들에게 …… 적합한 임금을 벌기 위하여 성실히 노동할 것을 권유한다.

미국에서는 남부와 북부가 노예제를 둘러싸고 대립하는 가운데 노예제 확대에 반대한 링컨이 대통령에 당선되면서 남북 전쟁이 일어났다. 링컨은 전쟁 중에 노예 해방을 선언하였고, 우월한 경제력과 군사력, 노예 해방의 명분을 앞세운 북부가 전쟁에서 승리하였다.

자료 하나 더 알고 가자!

영국의 곡물법 폐지 운동

외국산 밀을 비롯한 그 밖의 생산품 수입을 금지하며 국내 식료품 가격을 인위적으로 올리는 여러 법률로 인해 우리나라의 주요 제조업이 위기에 처해 있음을 엄숙히 선언하는 바이다. …… 이렇게 커다란 위험을 피할 수 있도록 우리 모임은 이러한 모든 법률의 전면적이고 신속한 폐기를 위해 노력을 쏟을 것을 굳게 맹세한다.

–「반곡물법 동맹 창립 결의문」, 1838

영국에서는 국내 지주를 보호하던 법률인 곡물법이 폐지되고 정부의 규제가 완화되면서 자유 무역 체제가 확립되었어.

자료 하나 더 알고 가자!

비스마르크의 철혈 정책

독일이 현재의 과제를 수행하기 위해 눈여겨보아야 할 것은 프로이센의 자유주의가 아니라 군비입니다. …… 연설과 과반수의 찬성으로 당면한 문제가 해결되지는 않습니다. …… 오로지 철과 피에 의해서만 문제가 해결될 수 있습니다.

– 비스마르크의 의회 연설, 1862

프로이센의 재상 비스마르크는 군비 증강을 내세우는 철혈 정책을 추진하여 강력한 군대를 육성하였어.

정리 비법을 알려줄게!

남북 전쟁 이전 남부와 북부의 상황

구분	남부	북부
산업 형태	대농장 발달	상공업 발달
무역 정책	자유 무역 지지	보호 무역 지지
노예제	찬성	반대

문제로 확인할까?

19세기 미국의 (   ) 지역은 임금 노동자를 이용한 상공업이 발달하여 노예제를 반대하고 보호 무역을 주장하였다.

답 북부

06 국민 국가의 형성과 산업 혁명

이것이 핵심!

산업 혁명

배경	초기 자본주의의 발달
시작	영국에서 시작
전개	기술 혁명(방적기 발명) → 동력 혁명(증기 기관 개량) → 교통·통신 혁명(기차·증기선 개발, 전화 발명)
영향	• 산업 사회 형성, 도시화, 자본가와 노동자 형성 • 사회 문제 발생 → 노동 운동, 사회주의 등장

★ 산업 혁명
18세기 후반 기계의 발명과 기술 혁신으로 일어난 산업상의 대변혁

★ 선대제
상인 자본가가 수공업자에게 원료와 생산 도구 등을 공급하여 물품을 생산하게 한 후 대가를 지불하고 완성품을 가져와 시장에 판매하는 방식

★ 매뉴팩처
일꾼을 한 작업장에 모아 놓고 분업으로 상품을 생산하는 방식

★ 2차 인클로저 운동
18세기 곡물 수요가 늘어나자 대지주들이 대규모 농업을 운영하기 위해 토지를 매입, 합병하여 사유지로 만든 운동이다. 이 운동으로 토지를 잃은 농민들이 공장에 노동력을 제공하였다.

★ 공장제 기계 공업
임금 노동자를 공장에 고용하고 기계로 물건을 생산하는 방식

★ 기계 파괴 운동(러다이트 운동)
일부 노동자들이 기계에게 일자리를 빼앗겼다고 보아 기계를 파괴한 운동

★ 오언
오언은 공장주와 노동자 모두에게 이익이 되는 노동 환경을 만들고자 아동 노동 금지, 교육과 주택 보급 등을 내세운 작업 공동체를 세웠다.

3 산업 혁명과 산업 사회의 형성

1. 초기 자본주의의 발달과 *산업 혁명의 전개

(1) **초기 자본주의의 발달**: 신항로 개척 이후 상업 혁명으로 경제 발전 → *선대제와 *매뉴팩처(공장제 수공업) 발달 → 생산 증가, 자본주의 발달 ─ 아직 수공업 단계에 그쳐 농업 중심의 사회가 유지되었어.

(2) **영국에서 시작된 산업 혁명**: 기계 발명, 기술 혁신 → 생산력 급증

배경	모직물 공업 발달로 자본 축적, 인구 증가와 식민지 확보로 국내외 시장 확대, *2차 인클로저 운동으로 풍부한 노동력 확보, 석탄·철 등 지하자원 풍부, 명예혁명 이후의 정치적 안정
전개	• 면직물 공업 발달로 면직물 수요 증대 → 방적기와 방직기 발명, *공장제 기계 공업 확산 • 제임스 와트의 증기 기관 개량 → 면직물 생산 증가, 제철업과 석탄 산업 등 발전 자료④

(3) **교통과 통신의 발달**: 원료와 제품 수송에 이용 → 시장 확대, 세계 교역량 증가

교통	풀턴(미국)의 증기선 실용화, 스티븐슨(영국)의 증기 기관차 개발, 운하와 철도 건설
통신	모스의 유선 전신, 마르코니의 무선 전신, 벨의 전화 발명

(4) **산업 혁명의 확산**: 19세기 벨기에, 프랑스 → 독일, 미국 → 러시아, 일본으로 확산 자료⑤

2. 산업 혁명의 영향

(1) **사회 구조 변화**

─ 산업 사회가 형성되면서 사람들의 생활이 풍요롭고 편리해졌어.

산업 사회의 형성	공장제 기계 공업 및 교통 발달 → 산업 사회 형성, 자본주의 경제 체제 확립
도시화	대규모 공장이 있는 지역을 중심으로 도시 성장, 도시 인구 증가
새로운 계급 출현	산업 자본가(자본 소유)와 노동자(노동력 제공, 임금을 받음) 형성

(2) **사회 문제 발생** 교과서 자료

노동 문제	노동자들의 열악한 작업 환경과 저임금·장시간 노동, 여성과 아동의 노동 문제 등 대두
도시 문제	환경오염, 주택 부족, 교통 혼잡, 상하수도 미비, 불결한 위생, 범죄 등 문제 발생

(3) **노동 운동의 등장**

① 노동 운동: 노동자들의 *기계 파괴 운동 전개, 노동조합 결성, 참정권 요구 운동 전개 (노동조합: 임금 인상과 노동 조건 개선을 요구하였어. / 참정권 요구 운동: 예 영국의 차티스트 운동)

② 정부의 노력: 영국의 공장법 제정, 유럽과 미국의 노동조합 합법화 ─ 공장법: 장시간 노동을 제한하고, 여성과 아동 노동자를 보호하기 위해 만들어졌어.

(4) **사회주의 사상**

등장 배경	산업 혁명 이후 빈부 격차 심화, 노동 문제 발생
주장	자본주의 체제 및 사유 재산제 비판, 생산 수단을 사회 공동의 소유로 만들 것을 주장
내용	• 초기 사회주의: 푸리에, 생시몽, *오언 등이 협동과 공동체 강조 • '과학적' 사회주의: 마르크스와 엥겔스가 자본주의 체제의 운동 법칙을 과학적으로 해명, 노동자의 단결 및 자본가와 노동자 간의 계급 투쟁 주장 ─ 이들의 주장은 노동자, 지식인의 호응을 얻었어.
영향	노동자 정당, 사회주의 정당 출현 → 노동자의 권리 확보 노력

3. 19세기의 문화

─ 애덤 스미스의 자유방임 사상은 자본주의의 발달을 뒷받침하였어. 이는 리카도와 맬서스를 거쳐 고전 경제학으로 발전하였지.

사상	공리주의(벤담·밀), 고전 경제학(리카도·맬서스), 관념론 철학(칸트 → 피히테 → 헤겔), 실증주의(콩트) 발달
예술	• 19세기 전반: 개인의 감정을 중시하는 낭만주의 유행 • 19세기 후반: 사실을 있는 그대로 묘사한 사실주의와 자연주의 유행(인상파 등장, 국민 음악 발달) ─ 국민 음악: 민족주의의 영향을 받았어.
자연 과학	생물학(다윈의 진화론)·물리학과 화학(뢴트겐의 X선 발견, 퀴리 부부의 라듐 발견)·세균학(파스퇴르) 등 발전, 실용적 발명품 제작(에디슨의 전구와 축음기, 패러데이의 발전기 등)

완자 자료 탐구

내 옆의 선생님

자료 4 영국의 산업 혁명

제임스 와트가 개량한 증기 기관은 기존보다 석탄을 적게 쓰면서 힘을 더 쓸 수 있었어.

제임스 와트의 증기 기관

18세기 후반 영국에서 면직물 수요가 급증하여 새로운 방적기와 방직기가 개발되었다. 제임스 와트가 증기 기관을 개량하자 이 증기 기관을 동력으로 사용하는 공장이 들어서면서 면직물 분야에서 대량 생산이 가능해졌으며 이러한 공장제 기계 공업은 다른 분야로 확대되었다. 그리하여 영국은 18세기 후반에 세계 최대의 공산품 수출국이 되어 세계 무역을 주도하였다.

자료 5 산업 혁명의 확산

유럽의 산업화

영국의 산업 혁명을 시작으로 여러 나라에서도 산업화가 추진되었다. 19세기 초 벨기에는 광업이 발전하였고, 프랑스는 석탄이 생산되는 북동부 지역부터 산업화가 이루어졌다. 19세기 후반부터 미국은 남북 전쟁 이후 풍부한 지하자원과 노동력을 바탕으로, 독일은 통일 이후 정부의 주도로 급속하게 산업화가 전개되었다. 19세기 말부터는 러시아가 시베리아 횡단 철도를 부설하는 등 산업화를 꾀하였으며, 일본도 산업화를 추진하였다.

문제로 확인할까?

다음 내용에 해당하는 사실로 옳지 않은 것은?

> 18세기부터 기계의 발명과 기술 혁신으로 산업 혁명이 일어났다.

① 모스가 유선 전신을 발명하였다.
② 갈릴레이가 망원경을 제작하였다.
③ 풀턴이 증기선의 운항에 성공하였다.
④ 스티븐슨이 증기 기관차를 개발하였다.
⑤ 하그리브스가 제니 방적기를 만들었다.

② 답

자료 하나 더 알고 가자!

산업화의 확산

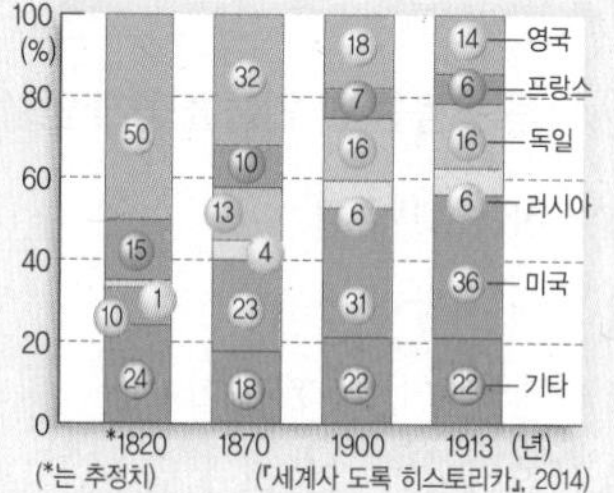

주요 국가의 공업 생산 비율

18세기 후반에는 영국의 몇몇 지역만 산업화하였으나 19세기에 들어서면서 유럽의 다른 지역에서도 산업화가 시작되었어.

수능이 보이는 교과서 자료 산업 혁명 시기의 사회 문제

[아동 노동의 실태]

- 질문: 몇 살 때 공장 일을 시작하였나요?
- 답변: 6세 때입니다.
- 질문: 작업 시간은 몇 시부터 몇 시까지였습니까?
- 답변: 일이 밀릴 때는 새벽 다섯 시부터 저녁 아홉 시까지 일하였습니다.
- 질문: 일을 잘못하거나 늦으면 어떻게 되었습니까?
- 답변: 혁대로 맞았습니다.

– 웨슬리 캠프, 『1831~1832년 의회 보고서』

[빈민가의 모습]

온갖 쓰레기와 오물이 길 위에 버려져 썩고 있으며, 웅덩이에 고인 물은 그대로 방치되어 있다. 따라서 집들이 다닥다닥 붙어 있는 주거 환경은 열악하고 지저분할 수밖에 없으며, 질병이 발생하게 되면 전체 주민의 건강이 위협받게 된다.

– 영국, 「하더스필드 공장 지대 조사 보고서」

산업 사회로 발전하면서 노동자들은 엄격한 규율 아래 자본가의 통제를 받았다. 노동자들은 열악한 작업 환경에서 장시간 동안 저임금으로 일하였고, 여성과 아동까지 일터에 나가 일해야 하였다. 한편, 급속한 도시화로 다양한 도시 문제가 발생하였다.

완자샘의 탐구 강의

• 자료를 읽고 산업 혁명으로 나타난 사회 문제를 서술해 보자.

노동자의 열악한 작업 환경, 저임금과 장시간 노동, 여성과 아동의 노동 문제 등 각종 노동 문제가 발생하였다. 또한 환경오염, 위생·편의 시설 부족 등 도시 문제도 발생하였다.

• 노동 문제를 해결하기 위해 당시 노동자들이 전개한 노력을 써 보자.

노동조합을 결성하고 참정권 요구 운동, 기계 파괴 운동 등을 벌였다.

함께 보기 181쪽, 1등급 정복하기 4

STEP 1 핵심 개념 확인하기

정답친해 51쪽

1 ㉠, ㉡에 들어갈 내용을 각각 쓰시오.

> 나폴레옹 몰락 후 유럽 각국은 전후 처리를 위해 오스트리아의 재상 (㉠)의 주도로 빈 회의를 개최하였다. 그 결과 보수적인 질서를 지키려는 (㉡)가 성립하였다.

2 다음 괄호 안의 내용 중 알맞은 말에 ○표를 하시오.

(1) 영국에서는 (심사법, 항해법)이 폐지되어 신교도에게 관직이 허용되었다.

(2) 프랑스 중소 시민과 노동자들은 (2월 혁명, 7월 혁명)을 일으켜 루이 필리프를 몰아내고 공화정을 수립하였다.

3 다음 활동을 한 인물을 옳게 연결하시오.

(1) 철혈 정책 추진 • • ㉠ 링컨
(2) 노예 해방령 발표 • • ㉡ 가리발디
(3) 이탈리아 중북부 통합 • • ㉢ 카보우르
(4) 시칠리아와 나폴리 점령 • • ㉣ 비스마르크

4 다음 설명이 맞으면 ○표, 틀리면 ×표를 하시오.

(1) 산업 사회가 형성되면서 도시화가 진전되었다. ( )

(2) 자본을 축적한 상인들이 선대제와 매뉴팩처를 이용하면서 자본주의가 발전하였다. ( )

5 다음에서 설명하는 인물을 〈보기〉에서 골라 기호를 쓰시오.

> 보기
> ㄱ. 벤담 ㄴ. 오언 ㄷ. 헤겔 ㄹ. 마르크스

(1) 초기 사회주의자로, 협동과 공동체를 강조하였다. ( )

(2) '최대 다수의 최대 행복'이라는 공리주의를 제시하였다. ( )

(3) 칸트와 피히테의 영향을 받아 관념론 철학을 완성시켰다. ( )

(4) 자본가와 노동자 간 계급 투쟁을 통해 사회주의 사회를 건설할 것을 주장하였다. ( )

STEP 2 내신 만점 공략하기

01 중요 다음 결정으로 형성된 국제 질서에 대한 설명으로 옳은 것은?

> 유럽 각국 대표들이 오스트리아 빈에 모여 영토와 지배권을 프랑스 혁명 이전으로 되돌리자고 결정하였다.

① 그리스의 독립을 지지하였다.
② 정통주의 원칙을 표방하였다.
③ 테르미도르의 반동으로 붕괴되었다.
④ 대프랑스 동맹의 결성으로 이어졌다.
⑤ 이탈리아의 통일 전쟁을 지원하였다.

02 (가)에 들어갈 내용으로 적절한 것은?

> **탐구 보고서**
> 1. 탐구 주제: (가)
> 2. 탐구 내용: 독일 대학생들의 조합(부르셴샤프트) 운동, 이탈리아 카르보나리당의 개혁 추진 등

① 브나로드 운동의 확산 결과
② 빈 체제에 대한 유럽 각국의 저항
③ 봉건 사회의 동요로 일어난 농민 봉기
④ 17～18세기 유럽에서 전개된 시민 혁명의 과정
⑤ 나폴레옹 시대 유럽 국가 간의 대립과 충돌 사례

03 다음 칙령에 반발하여 일어난 혁명의 결과로 옳은 것은?

> 정기 간행물의 발행 자유를 정지한다. …… 하원은 해산한다. …… 향후 의회에서 하원 의원의 수를 줄인다. 하원의 헌법 수정 권한을 철회한다. – 샤를 10세의 7월 칙령, 1830

① 파리 코뮌이 수립되었다.
② 메테르니히가 추방되었다.
③ 루이 필리프가 왕으로 추대되었다.
④ '인간과 시민의 권리선언'이 발표되었다.
⑤ 공안 위원회와 혁명 재판소가 설치되었다.

정답친해 51쪽

중요

04 다음은 프랑스의 역사를 나타낸 연표이다. (가) 시기 유럽의 상황으로 옳은 것은?

1804	1830	1848	1852	1871
제1 제정 수립	7월 혁명	2월 혁명	제2 제정 수립	파리 코뮌 수립

(가): 1830~1848

① 신성 로마 제국이 해체되었다.
② 영국에서 항해법이 발표되었다.
③ 오스트리아에서 3월 혁명이 일어났다.
④ 벨기에가 네덜란드로부터 독립하였다.
⑤ 그리스가 오스만 제국으로부터 독립하였다.

05 영국에서 다음 사항을 요구하며 자유주의 운동을 벌인 배경으로 옳은 것은?

> 1. 21세 이상 모든 남자의 선거권 인정
> 2. 유권자 보호를 위해 비밀 투표제 시행
> 5. 인구 비례에 따른 동등한 선거구 결정 – 인민헌장, 1838

① 의회의 주도로 심사법이 폐지되었다.
② 왕당파와 의회파 사이에 내란이 발생하였다.
③ 선거권 확대를 요구하는 2월 혁명이 일어났다.
④ 1차 선거법 개정에 대한 노동자들의 불만이 커졌다.
⑤ 산업화에 따른 인구 이동으로 부패 선거구가 많아졌다.

중요

06 밑줄 친 '이 나라'의 통일 과정에 대한 설명으로 옳은 것을 〈보기〉에서 고른 것은?

> 이 나라는 여러 왕국으로 분열된 상황에서 민족 통일 운동이 전개되었는데 가리발디, 카보우르 등이 통일에 결정적인 역할을 하였다.

보기

ㄱ. 빌헬름 1세가 황제로 즉위하였다.
ㄴ. 베네치아와 로마 교황령을 병합하였다.
ㄷ. 프랑스의 지원을 받아 오스트리아를 물리쳤다.
ㄹ. 관세 동맹이 체결되어 경제 통일이 진전되었다.

① ㄱ, ㄴ ② ㄱ, ㄷ ③ ㄴ, ㄷ
④ ㄴ, ㄹ ⑤ ㄷ, ㄹ

07 다음과 같이 주장한 인물에 대한 설명으로 옳은 것은?

> 독일이 현재의 과제를 수행하기 위해 눈여겨보아야 할 것은 프로이센의 자유주의가 아니라 군비입니다. …… 연설과 과반수의 찬성으로 당면한 문제가 해결되지는 않습니다. …… 오로지 철과 피에 의해서만 문제가 해결될 수 있습니다.

① 먼로 선언을 발표하였다.
② 군비 확장 정책을 추진하였다.
③ 시칠리아와 나폴리를 점령하였다.
④ 청년 이탈리아당의 통일 운동을 주도하였다.
⑤ 베르사유 궁전에서 독일 제국의 수립을 선포하였다.

[08~09] 다음을 읽고 물음에 답하시오.

> 현재 미국에 대하여 반란 상태에 있는 주의 노예들은 1863년 1월 1일 이후부터 영원히 자유의 몸이 될 것이다. …… 미국의 대통령인 나는 …… 자유가 선언된 노예들에게 …… 적합한 임금을 벌기 위하여 성실히 노동할 것을 권유한다.

08 위 자료가 발표된 전쟁에 대한 탐구 활동으로 적절한 것은?

① 철혈 정책의 추진 효과를 분석한다.
② 보스턴 차 사건이 일어난 배경을 파악한다.
③ 미국 남부와 북부 간 경제 구조의 차이를 조사한다.
④ 라틴 아메리카의 독립운동이 시작된 계기를 알아본다.
⑤ 미국 독립 선언문에서 근대 민주주의의 원리를 찾아본다.

09 위 선언이 나온 전쟁 이후 미국의 상황으로 옳지 않은 것은?

① 빠른 속도로 국민적 단합을 이루었다.
② 이민자가 유입되어 노동력이 증가하였다.
③ 파리 조약으로 13개 주가 독립을 승인받았다.
④ 19세기 말 세계 최대의 공업국으로 성장하였다.
⑤ 대륙 횡단 철도가 부설되어 영토 통합이 진척되었다.

10 다음 조치를 발표한 러시아 황제에 대한 설명으로 옳은 것은?

> 귀족은 농노의 인신에 대한 권리를 자발적으로 포기하였다. 농민은 일정 기간 법에 따라 자유 경작인의 모든 권리를 부여받을 것이다. …… 지주에 대한 의무에서 해방되어 자유농민(토지 소유자)으로 편입된다.

① 데카브리스트의 봉기를 진압하였다.
② 서유럽의 선진 문물을 적극 수용하였다.
③ 남하 정책을 추진하며 크림 전쟁을 일으켰다.
④ 네르친스크 조약을 통해 국경선을 확정하였다.
⑤ 지방 의회를 설립하고 국민 개병제를 시행하였다.

11 밑줄 친 내용의 배경으로 옳지 않은 것은?

> 18세기 후반부터 유럽에서는 기계의 발명과 기술 혁신으로 생산력이 급증하였다. 이러한 산업상의 혁명은 영국에서 가장 먼저 시작되었다.

① 석탄과 철 등 지하자원이 풍부하였다.
② 시민 혁명으로 정치 안정이 이루어졌다.
③ 모직물 공업의 발달로 자본이 축적되었다.
④ 항해법의 제정으로 대외 무역이 확대되었다.
⑤ 2차 인클로저 운동으로 농민들이 도시에 몰려들었다.

중요
12 다음 상황이 미친 영향으로 옳은 것을 〈보기〉에서 고른 것은?

> 제임스 와트가 개량한 증기 기관이 면직물 기계의 동력으로 사용되었으며, 제철, 석탄, 기계 공업에 이용되었다.

보기
ㄱ. 산업 사회가 형성되었다.
ㄴ. 급속한 도시화가 진행되었다.
ㄷ. 중상주의 경제 정책이 강화되었다.
ㄹ. 노동자가 사회 지배층으로 부상하였다.

① ㄱ, ㄴ ② ㄱ, ㄷ ③ ㄴ, ㄷ
④ ㄴ, ㄹ ⑤ ㄷ, ㄹ

13 다음 자료에 드러난 사회 문제에 대한 설명으로 옳지 않은 것은?

> 다음 사례를 보면 산업 혁명으로 인해 노동자의 삶이 어떻게 바뀌었는지를 확인할 수 있다. 1845년 15살 소녀 메리는 면직물 공장에서 일하기 위해 메사추세츠주로 갔다. 메리는 방적 작업장에 취직하고 아버지에게 편지를 써 "급료로 6불 60센트를 받아 하숙비로 4불 68센트를 지불하였고, 나머지 돈으로 고무신 한 켤레와 50센트짜리 신발을 샀어요. 다음 급료 때부터는 하숙비 외에 주당 1불 정도를 남길 수 있을 것 같아요."라고 하였다.

① 아동이 일터에 동원되었다.
② 노동자들이 자본가의 통제를 받았다.
③ 노동자들이 장시간 노동에 시달렸다.
④ 사회주의 사상이 나타나는 배경이 되었다.
⑤ 영국 정부는 문제 해결을 위해 공장법을 폐지하였다.

중요
14 다음은 19세기의 노동 운동에 대해 정리한 것이다. (가)에 들어갈 사례로 적절한 것은?

> • 배경: 산업 혁명 이후 노동 문제 발생
> • 주체: 노동자
> • 다양한 노동 운동의 사례
>   – 자신의 이익을 대변하는 노동조합 결성
>   – 노동자의 참정권 요구 운동 전개
>   – (가)

① 기계 파괴 운동 전개
② 2차 인클로저 운동 추진
③ 테니스코트의 서약 발표
④ 자크리와 와트 타일러의 봉기
⑤ 길드 조직으로 공동의 이익과 안전 도모

15 (가), (나)에 들어갈 내용으로 적절한 것은?

> **사회주의 사상**
>
> 1. 초기 사회주의
>   - 대표 인물: 생시몽, 오언
>   - 주장 및 활동: (가)
> 2. '과학적' 사회주의
>   - 대표 인물: 마르크스, 엥겔스 등
>   - 주장 및 활동: (나)

① (가) – 『공산당 선언』 저술
② (가) – 자유방임주의 고전 경제학 완성
③ (나) – 협동촌이나 작업 공동체 구상
④ (나) – 자본가와 노동자 간의 계급 투쟁 강조
⑤ (가), (나) – 각국에서 발생하는 노동 운동 저지

16 다음 예술 작품이 나온 시기의 유럽 문화에 대한 설명으로 옳지 않은 것은?

쿠르베의 「돌 깨는 사람들」

이 그림은 따뜻한 색과 명암으로 노동의 고귀함을 나타내면서도, 누더기 같은 옷과 돌을 나르는 모습으로 힘든 노동의 현실을 표현하였다. 여기에는 현실을 있는 그대로 묘사하려는 사실주의의 경향이 잘 드러나 있다.

① 에디슨이 전구와 축음기를 발명하였다.
② 다윈이 『종의 기원』에서 진화론을 주장하였다.
③ 민족주의의 영향으로 국민 음악이 발달하였다.
④ 바흐, 헨델의 활약으로 바로크 음악이 발전하였다.
⑤ 화가의 주관적인 인상을 강조하는 인상파가 나타났다.

서술형 문제

● 정답친해 53쪽

01 다음을 읽고 물음에 답하시오.

> 우리 파리 민중의 영웅적인 활동으로 지난 ㉠ 1830년에 탄생한 반동적인 과두 정부가 물러났다. ㉡ 1848년에 들어선 지금부터의 정부는 모든 계급의 시민으로 이루어진 인민의 통일체이며, 인민에 의한 인민의 정부이다.

(1) 프랑스에서 ㉠, ㉡의 정부를 탄생시킨 혁명을 각각 쓰시오.

(2) (1)의 두 혁명이 일어난 결과를 정치 체제 중심으로 각각 서술하시오.

길잡이 1830년과 1848년에 프랑스에서 일어난 자유주의 운동의 결과를 떠올려 본다.

02 다음은 19세기 미국 남부와 북부의 경제 상황을 비교한 그래프이다. 이를 통해 남북 전쟁이 일어난 배경을 서술하시오.

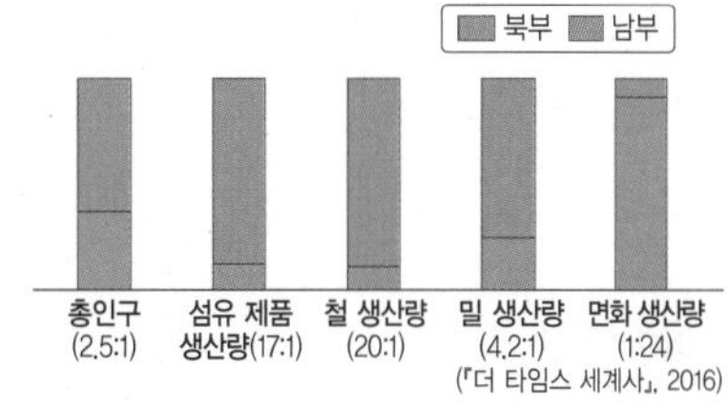

(『더 타임스 세계사』, 2016)

길잡이 남부와 북부의 산업 구조 차이가 각 지역의 무역 정책과 노예제에 미친 영향을 유추해 본다.

03 다음 자료를 읽고 산업 혁명의 긍정적 영향과 부정적 영향을 각각 두 가지 서술하시오.

> • 증기 기관의 발명 후, 100만이 넘는 사람들이 기계에 의존하는 산업에 고용되고 있다. 영국은 기계로 짠 면포를 해마다 4억 프랑 정도 수출하고 있다. – 샤를 뒤팽의 연설
> • 온갖 쓰레기와 오물이 길 위에 버려져 썩고 있으며, 주거 환경은 열악하고 지저분할 수밖에 없으며, 질병이 발생하게 되면 전체 주민의 건강이 위협받게 된다.
> – 영국, 「허더스필드 공장 지대 조사 보고서」

길잡이 제시된 글에 드러난 산업 혁명의 영향을 참고하여 서술한다.

STEP 3 1등급 정복하기

1 다음 자료에 나타난 시민 혁명의 영향으로 옳은 것은?

> 우리 파리 시민들은 샤를 10세의 추방을 위해 끝까지 싸울 것이다.

들라크루아의 「민중을 이끄는 자유의 여신」

① 메테르니히가 실각하였다.
② 프랑스의 7월 왕정이 몰락하였다.
③ 벨기에가 네덜란드로부터 독립하였다.
④ 러시아에서 브나로드 운동이 일어났다.
⑤ 루이 나폴레옹이 대통령에 당선되었다.

프랑스의 자유주의 혁명

완자 사전

• **샤를 10세**
프랑스의 왕으로 입헌주의를 반대하였고 즉위 후 언론 탄압, 망명 귀족의 재산 보상, 보호 관세 정책 등을 펼쳤다.

2 지도는 19세기 유럽을 나타낸 것이다. (가), (나) 국가의 통일 운동에 대한 설명으로 옳은 것은?

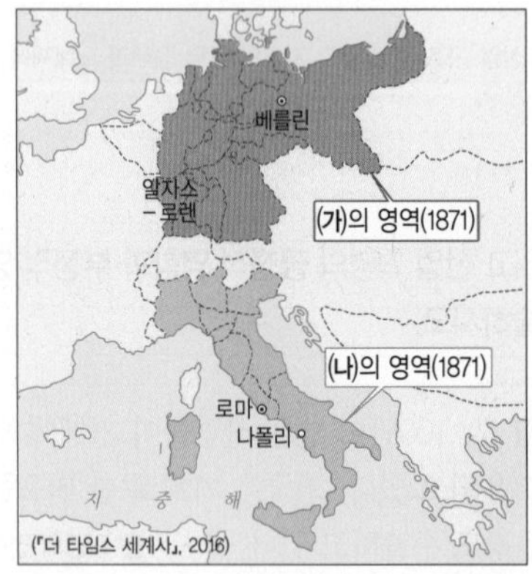

① (가) – 오스트리아의 지원을 받았다.
② (가) – 마치니 등이 민족 통일 운동을 전개하였다.
③ (나) – 카보우르가 중북부 지역을 통합하였다.
④ (나) – 경제 통합을 위해 관세 동맹을 체결하였다.
⑤ (가), (나) – 통합 과정에서 프랑스와의 전쟁이 발생하였다.

민족주의의 확산

완자샘의 시험 꿀팁

19세기 후반 민족주의의 확산에서는 이탈리아나 독일의 통일 운동 과정에서 있었던 사실을 묻는 문제가 자주 출제된다. 따라서 각 나라의 통일에 기여한 인물들의 활동을 정리해 두어야 한다.

완자 사전

• **관세 동맹**
국가 사이의 관세 제도를 통일하여 동맹국 상호 간에는 관세를 폐지 또는 인하하고 제3국에 대하여는 공통된 관세를 설정하는 동맹

정답친해 54쪽

3 다음은 유럽 지역을 나타낸 지도이다. 산업 혁명 시기 (가)~(라) 국가에서 전개된 산업화에 대한 설명으로 옳은 것을 〈보기〉에서 고른 것은?

보기

ㄱ. (가) – 남북 전쟁 이후 풍부한 지하자원을 바탕으로 산업이 발전하였다.
ㄴ. (나) – 18세기에 산업 혁명이 가장 먼저 시작되었다.
ㄷ. (다) – 통일 이후 정부의 주도로 급속하게 산업화가 전개되었다.
ㄹ. (라) – 차관을 도입하고 시베리아 횡단 철도를 부설하였다.

① ㄱ, ㄴ ② ㄱ, ㄷ ③ ㄴ, ㄷ
④ ㄴ, ㄹ ⑤ ㄷ, ㄹ

산업 혁명의 전개

완자 사전

• **차관**
한 나라의 정부나 기업, 은행 등이 외국 정부나 공적 기관으로부터 자금을 빌려 오는 것

수능 응용

4 다음 자료에 나타난 사회 문제를 해결하기 위한 움직임으로 옳지 않은 것은?

• 질문: 몇 살 때 공장 일을 시작하였나요?
• 답변: 6세 때입니다.
• 질문: 작업 시간은 몇 시부터 몇 시까지였습니까?
• 답변: 일이 밀릴 때는 새벽 다섯 시부터 저녁 아홉 시까지 일하였습니다.
• 질문: 일을 잘못하거나 늦을 때 어떤 일을 당하였습니까?
• 답변: 혁대로 맞았습니다.

– 웨슬리 캠프, 『1831~1832년 의회 보고서』

① 영국 의회에서 곡물법을 제정하였다.
② 사회주의를 표방하는 단체와 정당이 나타났다.
③ 노동자들의 정치적 권리를 확대하려는 차티스트 운동이 벌어졌다.
④ 일부 지식인들에 의해 생산 수단을 공동으로 소유하자는 주장이 대두되었다.
⑤ 노동자들이 자신의 고통을 기계 탓이라고 여겨 기계를 파괴하는 운동이 펼쳐졌다.

산업 혁명의 영향

완자샘의 시험 꿀팁

18세기 후반부터 시작된 산업 혁명의 내용은 빈출 주제이다. 산업 혁명으로 인한 사회 변화의 모습도 함께 알아 둔다.

대단원 되돌아보기

기원전 492	• 그리스·페르시아 전쟁 시작: 세 차례의 전쟁 → 아테네를 중심으로 한 그리스 세계 승리(기원전 479)
기원전 334	• ❶ ____ 의 동방 원정 시작: 이집트·페르시아 정복, 인더스강 유역까지 진출 → 헬레니즘 세계 형성
기원전 27	• 로마 제정의 시작: 옥타비아누스가 원로원으로부터 '아우구스투스'의 칭호를 받음, 사실상 황제로 군림
476	• 서로마 멸망: 게르만족의 침입으로 멸망
800	• 프랑크 왕국의 ❷ ____ , 서로마 황제로 대관
1096	• ❸ ____ 시작: 비잔티움 제국 황제의 요청으로 교황이 성지 회복을 위한 전쟁을 선포하면서 전쟁 시작
1337	• 백년 전쟁 시작: 영국과 프랑스가 프랑스 내 영국령 문제, 프랑스의 왕위 계승권 등을 놓고 전쟁 시작
1519	• 마젤란: 세계 일주 항해 시작
1648	• ❹ ____ 체결: 30년 전쟁 종결, 제후에게 칼뱅파 선택 허용
1689	• 영국, 권리 장전 승인: 입헌 군주제의 토대 마련
1776	• 미국 독립 선언문 발표: 북아메리카 식민지 대표들이 영국으로부터 독립 선언
1789	• 프랑스, 국민 의회의 ❺ ____ 발표
1838	• 차티스트 운동 시작: 영국 노동자들이 선거권 요구
1871	• 독일 제국 성립: 프로이센 빌헬름 1세의 황제 즉위

01 고대 지중해 세계

1. 그리스 문명

(1) 폴리스의 발전

아테네	민주 정치 발달: 솔론(금권정), 클레이스테네스(도편 추방제 마련), (❻ ____)(수당제·추첨제 실시)의 개혁
스파르타	강력한 군국주의 체제 발전

(2) **그리스 문화**: 합리적·인간 중심적 문화 발달

2. 알렉산드로스 제국의 발전

성립	알렉산드로스의 동방 원정 → 대제국 건설
정책	동방의 전제 군주정 도입, 정복지에 알렉산드리아 건설
문화	(❼ ____) 문화: 개방적·개인주의적·세계 시민주의적 성격

3. 로마의 발전

정치 변천	공화정	• 평민권의 신장: 호민관·평민회 설치, 법률 제정 • 사회 혼란: 포에니 전쟁 후 자영농 몰락, 라티푼디움 성행 → (❽ ____)의 개혁 추진 실패
	제정	• 성립: (❾ ____)의 정권 장악 → 5현제 시대 • 쇠퇴: 군인 황제 시대 → 중흥 노력 → 서로마 멸망
문화 발달		• 법률, 건축 등 실용적 분야의 문화 발달 • 밀라노 칙령으로 크리스트교 공인 → 국교화

02 서유럽 봉건 사회의 형성과 비잔티움 제국

1. 중세 유럽 사회의 형성

배경	게르만족의 이동으로 서로마 멸망 → 프랑크 왕국 성립 및 분열
특징	(❿ ____) 형성(주종제, 장원제), 봉건 국가 발전

2. 크리스트교의 성장과 문화 발달: 로마 가톨릭교회의 발전 → 크리스트교 중심의 문화 발달

3. 비잔티움 제국의 발전

정치	황제 교황주의 발달, (⓫ ____) 때 전성기
경제	수도 콘스탄티노폴리스를 중심으로 상공업과 무역 발달
문화	『유스티니아누스 법전』 편찬, 성 소피아 대성당 건축 → 슬라브 문화권의 형성에 영향을 줌

03 중세 유럽 세계의 성장과 변화

1. 중세 유럽 사회의 동요: 십자군 전쟁 실패로 교황권 약화·왕권 강화, 교역 발달과 도시 성장, 농민의 지위 상승, 흑사병 유행 → 장원 해체 → 중앙 집권 국가 등장

2. 중세 유럽 사회의 변화

(1) **르네상스:** 그리스·로마의 고전 문화 부흥 운동

특징	• (⑫)를 바탕으로 인간의 개성과 감정 중시 • 이탈리아: 인간과 자연을 사실적으로 묘사 • 알프스 이북: 현실 사회와 교회 비판, 사회 개혁적 성격을 띰
영향	과학의 발달(화약과 나침반 사용, 활판 인쇄술 고안)

(2) **종교 개혁**

배경	교회의 부패와 성직자 타락, 북유럽 인문주의자들의 교회 비판
전개	• (⑬): 「95개조 반박문」으로 면벌부 판매 비판 → 아우크스부르크 화의로 루터파 교회 인정 • 칼뱅: 예정설 주장, 근면한 직업 생활 강조 • 영국: 수장법 반포 → 통일법 반포(영국 국교회 확립)
영향	• 로마 가톨릭교회가 트리엔트 공의회 개최, 예수회 창설 • 종교 전쟁: 위그노 전쟁(→ 낭트 칙령 발표), 30년 전쟁(→ 베스트팔렌 조약 체결) 발생

04 유럽 세계의 변화

1. 신항로 개척: 에스파냐와 포르투갈의 후원으로 전개

배경	동방에 대한 호기심 증대, 동방 산물의 수요 증가, 과학 기술 발달
전개	바르톨로메우 디아스(희망봉 발견), 콜럼버스(서인도 제도 도착), 바스쿠 다 가마(인도 항로 개척), 마젤란(최초의 세계 일주 성공)
영향	• 아메리카: 유럽 세력의 침입으로 고대 문명 파괴 • 유럽 교역망의 확장: 대서양 무역 발달(노예 무역, 삼각 무역), 유럽의 경제 성장(가격 혁명, 상업 혁명)

2. 절대 왕정: 국왕이 절대적 권력 행사

기반	왕권신수설, 관료제와 상비군, (⑭) 경제 정책
전개	• 서유럽: 펠리페 2세(에스파냐), 엘리자베스 1세(영국), 루이 14세(프랑스) 때 전개 • 동유럽: 프리드리히 2세(프로이센), 요제프 2세(오스트리아), 표트르 대제(러시아) 때 전개

05 근대 의식의 발전과 시민 혁명

1. 근대 과학과 사상 발달

과학 혁명	• 배경: 유럽인의 이슬람 자연 과학 수용 • 전개: 코페르니쿠스의 지동설 주장, 갈릴레이의 망원경 제작, 뉴턴의 만유인력의 법칙 발견 등 • 영향: 과학적·합리적 사고방식 발달
근대 사상 발달	근대 철학 발달(경험론·합리론), 사회 계약설 등장(홉스·로크·루소), 계몽사상 발전, 자유방임주의 등장

2. 시민 혁명

영국		• 청교도 혁명: 찰스 1세의 전제 정치 → 내란 후 공화정 수립 • 명예혁명: 제임스 2세의 전제 정치 → 의회가 메리와 윌리엄을 공동 왕으로 추대 → (⑮) 승인, 입헌 군주제 수립
미국		영국의 중상주의 정책 강화 → 보스턴 차 사건 발발 → 독립 선언문 발표 → 파리 조약 체결 → 아메리카 합중국 탄생
프랑스	프랑스 혁명	• 배경: 구제도의 모순 → 루이 16세의 삼부회 소집 • 전개: 국민 의회('인간과 시민의 권리선언' 발표) → 입법 의회 → 국민 공회(공포 정치) → 총재 정부
	나폴레옹 시대	나폴레옹이 쿠데타로 집권 → 통령 정부 → 제1 제정(대륙 봉쇄령 발표 → 러시아 원정 실패로 몰락)

06 국민 국가의 형성과 산업 혁명

1. 국민 국가의 형성

빈 체제	(⑯) 주도, 복고주의·정통주의 표방
(⑰) 의 확산	• 프랑스: 7월 혁명과 2월 혁명 발발 • 영국: 선거법 개정(차티스트 운동 전개), 자유 무역 체제 확립, 종교적 차별 철폐
민족주의의 확산	이탈리아·독일(통일 운동 전개), 미국(민주주의 발달, 남북 전쟁 이후 공업 발달), 러시아(근대화 노력)

2. 산업 혁명

배경	초기 자본주의 발달: 선대제와 매뉴팩처 발달
전개	18세기 후반 영국에서 시작: 기계 발명, 교통 발달
영향	• 사회 구조 변화: 산업 사회 형성, 자본주의 발달, 도시화 • 사회 문제 발생: 도시 문제, 노동 문제 발생 → 기계 파괴 운동 전개, 노동조합 결성, 공장법 제정 등 • (⑱) 등장: 자본가와 노동자 간의 계급 투쟁 주장

●정답● ① 알렉산드로스 ② 카롤루스 대제 ③ 십자군 전쟁 ④ 베스트팔렌 조약 ⑤ 인간과 시민의 권리선언(인권 선언) ⑥ 페리클레스 ⑦ 헬레니즘 ⑧ 그라쿠스 형제 ⑨ 옥타비아누스 ⑩ 봉건제 ⑪ 유스티니아누스 황제 ⑫ 인문주의 ⑬ 루터 ⑭ 중상주의 ⑮ 권리 장전 ⑯ 메테르니히 ⑰ 자유주의 ⑱ 사회주의

01 (가) 폴리스에 대한 설명으로 옳은 것은?

> 그리스·페르시아 전쟁 이후 [(가)]은/는 델로스 동맹의 맹주가 되어 강력한 해상 제국으로 발전하였다.

① 간접 민주 정치가 발달하였다.
② 수당제와 추첨제가 실시되었다.
③ 모든 거주민에게 참정권을 주었다.
④ 강력한 군국주의 체제가 발전하였다.
⑤ 도리스인들이 펠로폰네소스반도에 세웠다.

02 밑줄 친 '이 왕'에 대한 설명으로 옳은 것은?

> 그림은 이 왕이 페르시아 왕좌에 앉아 신하를 만나는 모습을 그린 것이다. 마케도니아의 왕이었던 이 왕은 기원전 334년 동방 원정을 시작하여 페르시아를 정복하고 인더스강 유역까지 진출하였다.

① 성 소피아 대성당을 건설하였다.
② 교황으로부터 서로마 황제의 관을 받았다.
③ 밀라노 칙령으로 크리스트교를 공인하였다.
④ 정복지 곳곳에 알렉산드리아를 건설하였다.
⑤ 원로원으로부터 '아우구스투스'의 칭호를 받았다.

03 (가)에 들어갈 내용으로 적절한 것은?

> **탐구 보고서**
> 1. 탐구 주제: 제정 시작 이후 로마의 발전
> 2. 탐구 내용: [(가)]

① 군국주의 체제가 형성되었다.
② 호르텐시우스법의 제정되었다.
③ 로마가 이탈리아반도를 통일하였다.
④ 5현제가 연달아 집권하여 영토를 확장하였다.
⑤ 그라쿠스 형제가 개혁을 추진하였으나 실패하였다.

04 다음 건축물을 남긴 나라의 문화에 대한 대화 내용으로 적절한 것은?

① 갑: 스콜라 철학이 유행하였어.
② 을: 헤로도토스가 『역사』를 저술하였어.
③ 병: 법률과 건축 등 실용적인 분야가 발달하였어.
④ 정: 북인도의 간다라 양식 성립에 영향을 주었지.
⑤ 무: 개인주의적이고 세계 시민주의적인 성격을 보였어.

05 밑줄 친 '궁재'에 대한 설명으로 옳은 것은?

> 친애하는 프랑크 왕국의 궁재에게
> 우리는 더 이상 롬바르드족의 탄압을 견딜 수가 없습니다. …… 교회와 우리에게 즉각적인 도움을 주신다면 만인이 당신의 신앙과 사랑 그리고 의지를 칭송할 것입니다.
> 739년, 교황 그레고리우스 2세로부터

① 서로마 황제로 대관　　② 카롤루스 왕조 개창
③ 로마 가톨릭교로 개종　　④ 카롤루스 르네상스 창출
⑤ 투르·푸아티에 전투 승리

06 (가), (나) 제도에 대한 설명으로 옳은 것은?

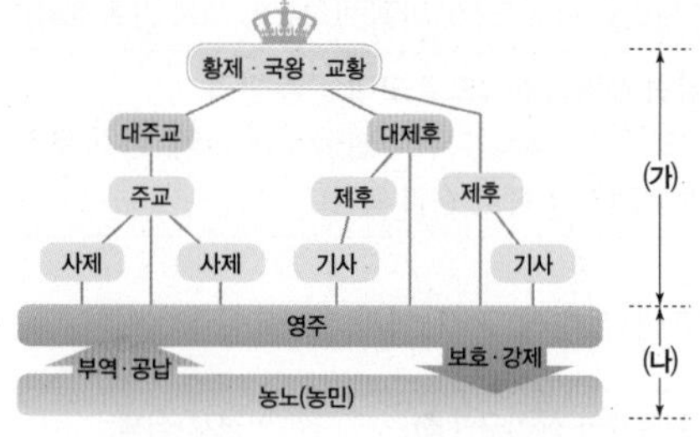

① (가) – 콜로나투스에서 기원하였다.
② (가) – 주군은 권리만 있고 의무는 없었다.
③ (나) – 쌍무적 계약 관계로 이루어졌다.
④ (나) – 봉신은 주군의 간섭 없이 재판권을 행사하였다.
⑤ (가), (나) – 비잔티움 제국에서 시행되었다.

07 밑줄 친 '교황'에 대한 설명으로 옳은 것은?

> 하인리히 4세는 카노사성에 찾아가 백작 부인과 클뤼니 수도원장에게 교황과의 화해를 주선해 달라고 간청하였다.

① 황제와 보름스 협약을 체결하였다.
② 성지 회복을 위한 전쟁을 호소하였다.
③ 성직자 서임권 문제로 황제를 파문하였다.
④ 교회와 성직자에 대한 과세 문제로 황제와 갈등하였다.
⑤ 교황은 해, 황제는 달이라 비유하며 교황권의 절정을 누렸다.

08 다음에서 설명하는 제국에 대한 탐구 주제로 적절하지 않은 것은?

> 로마 제국이 테오도시우스 황제 사후 동서로 분리되면서 성립되었다. 이 제국은 서로마 제국이 멸망한 후로도 약 1000년을 더 존속하였다.

① 황제 교황주의의 특징
② 샤르트르 대성당의 건축 양식
③ 콘스탄티노폴리스 번영의 배경
④ 군관구제와 둔전병제의 실시 목적
⑤『유스티니아누스 법전』 편찬의 의의

09 다음 연설을 계기로 시작된 전쟁의 영향으로 옳은 것은?

> 예루살렘, 안티오크 및 그 밖의 도시들에서 크리스트교도가 박해를 받고 있다. 신을 믿지 않는 튀르크인의 진출은 그칠 줄 모르고 콘스탄티노폴리스로 다가오고 있으니, 성지의 형제들을 구하자.
> – 교황 우르바누스 2세의 연설

① 비잔티움 제국이 멸망하였다.
② 로욜라가 예수회를 조직하였다.
③ 지방 분권적인 봉건 국가가 등장하기 시작하였다.
④ 무역의 중심지가 지중해에서 대서양으로 이동하였다.
⑤ 동방 무역이 활발해져 피렌체 등의 도시가 발달하였다.

10 다음과 같은 상황이 중세 서유럽 사회에 끼친 영향으로 옳은 것은?

> 흑사병이 온 세계를 떠돌았다. …… 가을이 오자 곡식을 거두어들이는 일손을 구하려면 식사를 제공해 주고 8펜스 아래로는 사람을 잡을 수 없었다. 풀 베는 사람에게는 10펜스를 주어야 했다. 일손을 구하지 못한 밭에서는 온갖 작물을 거두지 못한 채 썩어버렸다.

① 교황권이 강화되었다.
② 노예 무역이 등장하였다.
③ 콜로나투스가 성행하였다.
④ 농노의 경제적 지위가 향상되었다.
⑤ 장원제를 바탕으로 한 봉건제가 성립되었다.

11 다음 내용을 뒷받침하는 사실로 옳은 것은?

> 알프스 이북의 인문주의자들은 고전 연구와 함께 초기 크리스트교에 관심을 가졌다. 이들은 현실 사회와 교회의 타락을 비판하는 사회 개혁적 경향이 강하였다.

① 뉴턴이 만유인력의 법칙을 발견하였다.
② 에라스뮈스가『우신예찬』을 저술하였다.
③ 마키아벨리가 강력한 군주의 필요성을 역설하였다.
④ 홉스가『리바이어던』에서 사회 계약설을 제시하였다.
⑤ 토마스 아퀴나스가 신앙과 이성의 조화를 추구하였다.

12 (가), (나) 전쟁에 대한 설명으로 옳은 것을 〈보기〉에서 고른 것은?

> (가) 30년 전쟁　　　　(나) 위그노 전쟁

보기

ㄱ. (가) – 낭트 칙령이 발표되는 계기가 되었다.
ㄴ. (가) – 베스트팔렌 조약이 체결되면서 끝이 났다.
ㄷ. (나) – 위그노에 대한 탄압이 원인이 되었다.
ㄹ. (나) – 유럽 각국이 참전하여 국제전으로 확대되었다.

① ㄱ, ㄴ　② ㄱ, ㄷ　③ ㄴ, ㄷ
④ ㄴ, ㄹ　⑤ ㄷ, ㄹ

13 다음 세계사 수업 계획표에서 (가)~(다)에 들어갈 내용으로 옳지 않은 것은?

차시	학습 주제	학습할 내용
1차시	신항로 개척의 배경	(가)
2차시	신항로 개척의 과정	(나)
3차시	신항로 개척이 가져온 변화	(다)

① (가) – 은을 매개체로 한 세계 교역망 형성
② (가) – 프레스터 존의 전설과 『동방견문록』의 내용
③ (나) – 최초로 세계 일주에 성공한 마젤란 함대
④ (다) – 유럽에서 일어난 가격 혁명의 원인
⑤ (다) – 유럽의 노예 무역이 아프리카에 끼친 영향

14 다음과 같은 정치 체제가 형성된 시기에 있었던 사실로 옳은 것은?

16~18세기 유럽에서는 국왕이 절대적인 권력을 행사하였다. 국왕은 왕권신수설을 이용하여 왕권을 정당화하고, 관료제와 상비군을 통해서 중앙 집권 통치를 강화해 갔다.

① 알렉산드로스가 동방 원정을 단행하였다.
② 엘리자베스 1세가 무적함대를 격파하였다.
③ 유스티니아누스 황제가 법전을 편찬하였다.
④ 필리프 4세가 아비뇽으로 교황청을 이전시켰다.
⑤ 콘스탄티누스 대제가 밀라노 칙령을 발표하였다.

15 다음 주장을 펼친 사상가에 대한 설명으로 옳은 것은?

정치권력이 없는 자연 상태에서 인간은 …… 서로 싸우는 전쟁 상태에 있다. …… (이를) 벗어나기 위해 강력한 정부가 요구되므로, 인간은 개인행동의 자유를 지배자의 손에 맡기기 위한 일종의 합의나 계약을 하게 된다.

① 절대 군주제를 옹호하였다.
② 인민 주권의 원리를 제시하였다.
③ 공동체를 위한 일반 의지를 강조하였다.
④ 정부에 대한 시민의 저항권을 인정하였다.
⑤ 입법, 행정, 사법의 삼권 분립을 주장하였다.

16 밑줄 친 '이 사상'에 대한 설명으로 옳은 것은?

18세기 이후 인쇄기 발명과 문맹률 감소로 유럽 사람들은 다양한 책, 신문 등을 접하게 되었다. 여기에 사교 모임, 공공 극장, 살롱 등과 같은 공론의 장이 열리면서 <u>이 사상</u>이 널리 확산되었다. <u>이 사상</u>은 인간의 이성을 통해 얻은 지식으로 낡은 관습과 미신을 타파하고 사회를 개혁할 수 있다고 믿는 사상을 말한다.

① 종교 개혁의 확산에 기여하였다.
② 『백과전서』의 편찬으로 확산되었다.
③ 사회주의 사회의 건설을 주장하였다.
④ 절대 왕정이 성립하는 배경이 되었다.
⑤ 개인들이 평화를 위해 계약을 맺으면서 국가가 등장하였다고 보았다.

17 다음 문서가 발표된 혁명에 대한 설명으로 옳은 것을 〈보기〉에서 고른 것은?

모든 사람은 평등하게 태어났으며, 창조주로부터 생명, 자유, 행복 추구를 포함하여 타인에게 양도할 수 없는 확실한 권리를 부여받았다. 이 권리를 지키기 위해 사람들은 정부를 만들었으며, 이 정부의 정당한 권력은 통치를 받는 사람들의 동의로부터 나오는 것이다. 만일 어떠한 형태의 정부이든 이러한 권리를 침해한다면, 사람들은 그 정부의 형태를 바꾸거나 폐지하여 인민의 안전과 행복을 가장 잘 이룩할 수 있는 새로운 정부를 조직하는 것이 인민의 권리인 것이다.

보기

ㄱ. 보스턴 차 사건이 발단이 되었다.
ㄴ. 로크의 사상으로부터 영향을 받았다.
ㄷ. 구제도의 모순이 원인이 되어 일어났다.
ㄹ. 의회 중심의 입헌 군주제 국가가 수립되는 결과를 가져왔다.

① ㄱ, ㄴ ② ㄱ, ㄷ ③ ㄴ, ㄷ
④ ㄴ, ㄹ ⑤ ㄷ, ㄹ

18 다음은 프랑스 혁명의 과정을 순서대로 쓴 책이다. 찢어진 부분에 들어갈 내용으로 적절한 것은?

그림으로 보는 시민 혁명 　　　　　　 프랑스 편

국민 공회는 공화정을 선포한 뒤 루이 16세를 단두대에서 처형하였다.

나폴레옹은 황제 대관식에서 아내 조세핀에게 왕관을 씌워 주었다.

① 나폴레옹이 대륙 봉쇄령을 내렸다.
② 파리 시민들이 바스티유 감옥을 습격하였다.
③ 제3 신분이 테니스코트의 서약을 발표하였다.
④ 국민 의회가 봉건제 폐지를 선언하고 인권 선언을 발표하였다.
⑤ 로베스피에르가 공안 위원회와 혁명 재판소를 통해 공포 정치를 시행하였다.

19 (가), (나) 사건에 대한 설명으로 옳은 것을 〈보기〉에서 고른 것은?

(가) 자유주의자들과 파리 시민은 부르봉 왕실 샤를 10세의 전제 정치에 맞서 혁명을 일으켰다.
(나) 프랑스 파리의 중하층 시민과 노동자들이 시위를 벌여 루이 필리프를 몰아내고 공화정을 수립하였다.

보기

ㄱ. (가) – 오스트리아의 빈 체제 붕괴에 영향을 주었다.
ㄴ. (가) – 왕이 추방되고 입헌 군주제가 수립되는 결과를 가져왔다.
ㄷ. (나) – 7월 왕정 퇴진과 선거권 확대를 요구하며 일어났다.
ㄹ. (나) – 벨기에가 네덜란드로부터 독립하는 데 영향을 주었다.

① ㄱ, ㄴ　② ㄱ, ㄷ　③ ㄴ, ㄷ
④ ㄴ, ㄹ　⑤ ㄷ, ㄹ

20 다음 수행 평가에서 학생이 얻은 점수로 옳은 것은?

수행 평가

○학년 ○반 ○○○

근대 국민 국가의 형성 과정에 대한 다음 설명이 맞으면 ○표, 틀리면 ×표를 하시오.

문제	배점	답
영국은 곡물법과 항해법을 제정하여 자유 무역 체제를 확립하였다.	2	×
러시아는 니콜라이 1세가 농노 해방령을 발표하는 등 내정 개혁을 단행하였다.	2	○
프로이센에서는 재상 비스마르크가 철혈 정책을 내세워 독일의 통일을 주도하였다.	2	○
미국에서는 링컨이 대통령으로 당선되자 남부 7개 주가 연방을 탈퇴하면서 남북 전쟁이 일어났다.	2	×
이탈리아는 재상 카보우르가 의용대를 이끌고 점령한 시칠리아와 나폴리를 사르데냐 왕국에 바쳐 통일에 이바지하였다.	2	×

① 2점　② 4점　③ 6점
④ 8점　⑤ 10점

21 다음 기계가 발명된 시기의 사실로 옳지 <u>않은</u> 것은?

제임스 와트가 개량한 이 기계가 면직물 기계의 동력으로 사용되면서 면직물 공업이 급속도로 발전하였다.

① 사회주의 사상이 등장하였다.
② 기계 파괴 운동이 전개되었다.
③ 자본주의 경제 체제가 확립되었다.
④ 가격 혁명과 상업 혁명이 일어났다.
⑤ 노동 문제와 도시 문제가 발생하였다.

제국주의와 두 차례 세계 대전

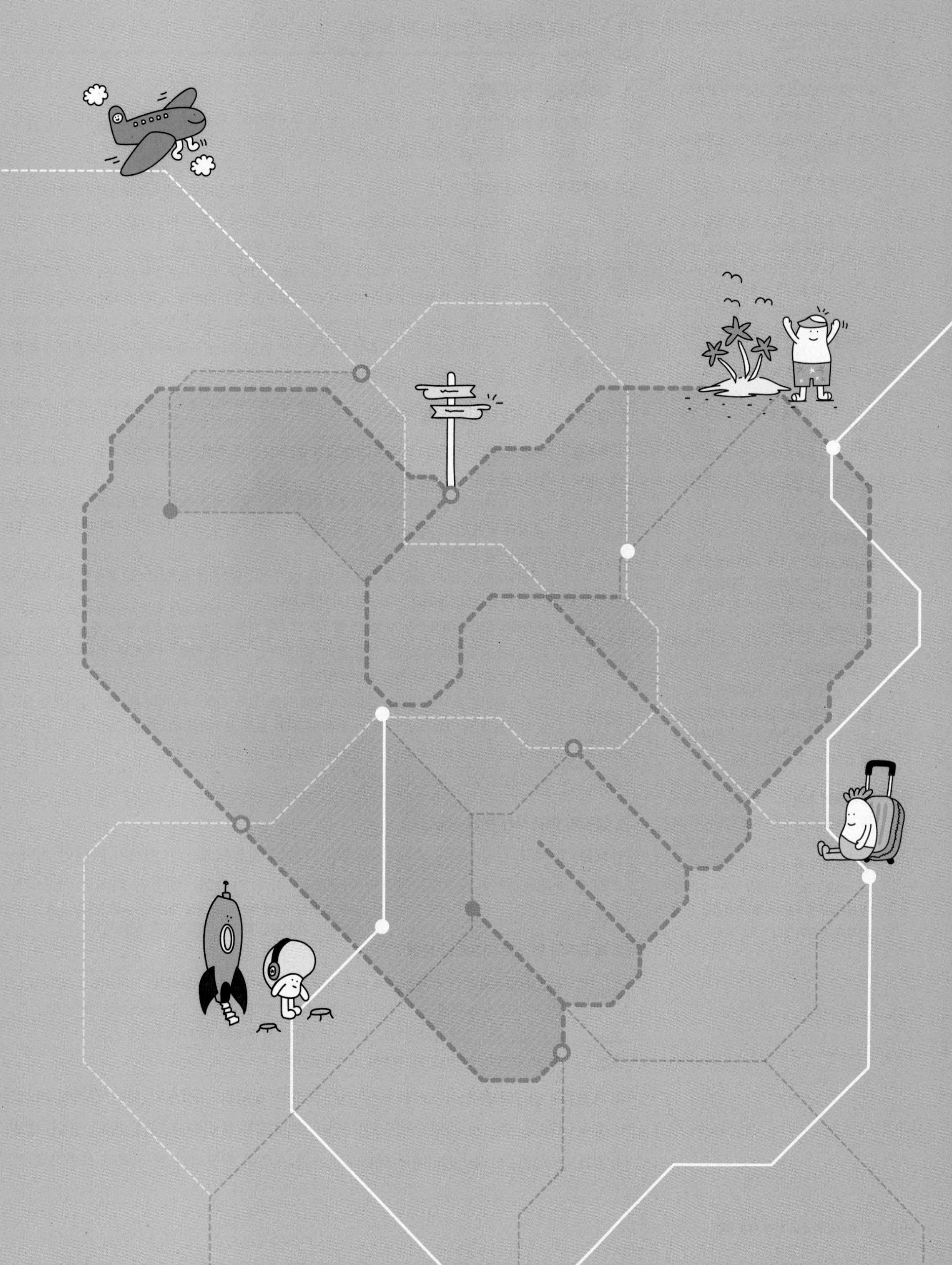

01 제국주의 열강의 침략과 동아시아의 민족 운동

학습목표
- 제국주의의 등장 배경과 성격을 이해하고, 열강의 식민지 점령 과정을 설명할 수 있다.
- 동아시아 3국에서 전개된 근대화 운동을 비교할 수 있다.

이것이 핵심!

제국주의의 등장과 열강의 식민 지배

제국주의의 등장	
독점 자본주의 발달, 침략적 민족주의 등장, 사회 진화론 유행, 인종주의 확산 → 대외 팽창	
↓	
아시아	영국의 인도 진출, 프랑스의 인도차이나 연방 수립, 네덜란드의 인도네시아 점령, 미국의 필리핀 지배
태평양	영국의 오스트레일리아·뉴질랜드 점령, 독일의 비스마르크 제도·마셜 제도 점령, 미국의 괌·하와이 차지
아프리카	• 파쇼다 사건: 영국의 종단 정책과 프랑스의 횡단 정책 충돌 • 모로코 사건: 프랑스와 독일이 모로코에서 두 차례 대립

★ 플라시 전투
영국과 프랑스가 인도 지배를 놓고 플라시에서 벌인 전쟁이다. 영국은 이 전투에서 프랑스를 물리친 뒤 인도에 대한 지배를 강화하였다.

★ 플랜테이션
서구 열강이 식민지 원주민의 값싼 노동력을 바탕으로, 본국의 자본과 기술을 도입하여 기호품과 공업 원료를 단일 경작하는 농업 경영 방식

★ 베를린 회의
벨기에의 콩고 사유지 선언을 계기로 서구 열강의 대표들이 아프리카 분할 원칙에 합의하기 위해 개최한 회의이다. 최종적으로 실효성 있는 지배를 먼저 확보한 나라에게 지배권을 인정하기로 결정하였다.

1 제국주의 열강의 세계 분할

1. 제국주의의 등장 자료①

(1) **제국주의의 의미**: 19세기 말 ~ 20세기 초 서구 열강이 우월한 경제력과 군사력을 앞세워 약소국을 식민지로 삼은 대외 팽창 정책

(2) **제국주의의 등장 배경**

왜? 급속한 산업화 과정에서 빈부 격차가 심해지고, 인구가 급증하면서 도시 문제, 실업 문제가 발생하였어.

독점 자본주의 발달	산업 혁명 이후 자본주의가 급격히 발달하며 소수의 거대 기업이 시장 독점 → 값싼 원료 공급지, 상품 판매 시장, 잉여 자본의 투자처 확보 필요
침략적 민족주의 대두	열강이 식민지 확대를 국내 문제를 해결하고 국가의 위신을 높이는 수단으로 인식
사회 진화론 유행	19세기 후반 스펜서가 다윈의 진화론을 인간 사회에 적용, 우월한 사회나 국가가 열등한 사회나 국가를 지배하는 것이 당연하다는 이론 등장 → 열강의 식민 지배 정당화
인종주의 확산	백인종이 다른 인종에 비해 우월한 인종이라는 주장 확산 → 열강의 식민 지배를 신성한 의무라고 미화함

2. 열강의 아시아와 태평양 분할 자료②

꼭! 영국은 인도인들에게 목화와 함께 아편 재배를 강요하였는데 인도에서 재배한 아편을 중국에 밀수출하여 이익을 남겼어.

포르투갈	신항로 개척 이후 유럽 국가 중 가장 먼저 동남아시아에 진출, 향신료 무역 독점
에스파냐	필리핀을 점령하여 식민지 경영
영국	• 인도: 17세기 초 동인도 회사를 앞세워 인도 진출, *플라시 전투(1757)에서 프랑스에 승리 → 동인도 회사를 통한 인도 간접 지배 → 인도인들에게 목화 재배 강요, 값싼 영국산 면직물 판매(→ 인도 면직물 산업 붕괴) • 동남아시아: 미얀마 점령 후 인도에 병합, 싱가포르·말레이반도·보르네오 북부를 차지하여 말레이 연방 수립, 네팔과 아프가니스탄까지 세력 확대 • 태평양: 오스트레일리아, 뉴질랜드를 자치령으로 삼음
프랑스	베트남의 종주권을 주장하던 청을 물리치고 베트남 지배권 확보 → 베트남, 캄보디아, 라오스를 합쳐 프랑스령 인도차이나 연방 수립(1887)
네덜란드	17세기 동인도 회사를 앞세워 인도네시아에 진출, 고무·사탕수수·커피 등 *플랜테이션 농장과 향신료 무역을 통해 경제적 이익 확보 → 수마트라와 보르네오 점령 후 네덜란드령 동인도 건설(1904)
미국	에스파냐와의 전쟁에서 승리 → 필리핀 식민지화, 괌·하와이 등 차지
독일	비스마르크 제도, 마셜 제도 점령

베트남의 값싼 노동력을 이용한 대규모 쌀농사를 통해 많은 이윤을 남겼어.

3. 열강의 아프리카 분할 자료③

(1) **배경**: 19세기 리빙스턴과 스탠리 등 탐험가들의 활동으로 아프리카의 막대한 지하자원과 시장 잠재력 확인 → 서구 열강의 아프리카 침략 가속화, *베를린 회의로 아프리카 분할 본격화

서구 열강들은 사탕수수, 목화 등을 재배하는 농장 경영이나 금, 다이아몬드 등을 얻기 위한 광산 개발에 아프리카인을 동원하였어.

(2) **제국주의 열강의 아프리카 분할**

영국	이집트 보호국화 및 수에즈 운하 차지, 아프리카 종단 정책 실시(이집트 카이로에서 아프리카 최남단인 케이프타운을 연결) — 영국은 토착민 협력자에게 통치를 위임하는 간접 지배 방식을 선호하였어.
프랑스	아프리카 횡단 정책 실시(알제리, 모로코를 기점으로 동쪽의 마다가스카르로 진출)
독일	서남아프리카, 동아프리카, 카메룬, 토고 등 진출

(3) **제국주의 열강의 충돌**: 파쇼다 사건(영국의 종단 정책과 프랑스의 횡단 정책이 파쇼다에서 충돌, 1898), 모로코 사건(프랑스와 독일이 모로코를 둘러싸고 대립, 1905, 1911) 발발

(4) **결과**: 20세기 초 라이베리아와 에티오피아를 제외한 아프리카 전 지역이 식민지로 전락

완자 자료 탐구

내 옆의 선생님

자료 1 제국주의의 등장

> 나는 어제 런던의 이스트엔드에 가서 실업자 대회를 방청하였다. 그곳에서 빵을 달라고 하는 실업자들의 이야기를 들은 후 제국주의의 중요성을 더욱 확신하였다. 나의 포부는 사회 문제의 해결이다. 우리 식민지 정치가는 대영 제국의 4천만 인구를 피비린내 나는 내란으로부터 지키고, 과잉 인구를 수용하기 위해 새로운 영토를 개척해야 한다. 그들이 공장이나 광산에서 생산하는 상품의 새로운 판로를 만들어 내야 한다. …… 당신들이 내란을 피하려면 당신들은 제국주의자가 되어야 한다.
>
> 제국주의를 국내 문제 해결을 위한 수단으로 생각하였어.
>
> – 세실 로즈, 『유언집』

19세기 후반 소수의 거대 기업이 시장을 지배하는 독점 자본주의가 발달하였다. 이에 따라 서구 열강들은 공업 발전에 필요한 값싼 원료 공급지, 상품 판매 시장, 자본의 투자처를 확보하고자 하였다. 그 과정에서 이들은 월등한 경제력과 군사력을 앞세워 약소국을 침략하고 식민지로 삼았다. 또한 서구 열강들은 자본주의 경제가 발전하면서 빈부 격차가 커지고, 실업 문제가 발생하는 등 국내의 사회 갈등이 심해지자 국민의 관심을 타국과의 식민지 경쟁으로 돌리고자 하였다.

자료 하나 더 알고 가자!

식민지 지배의 정당화

미국 잡지 『저지』에 실린 「백인의 짐」을 표현한 그림

영국과 그 뒤를 따르는 미국의 백인들이 유색 인종을 등에 업고 '야만'에서 '문명'으로 나아가는 모습이 그려져 있어. 서구 열강은 우월한 백인 민족이 열등한 식민지인을 문명화하는 것이 당연하다는 논리를 펼치며 제국주의를 정당화하였지.

자료 2 제국주의 열강의 아시아·태평양 분할

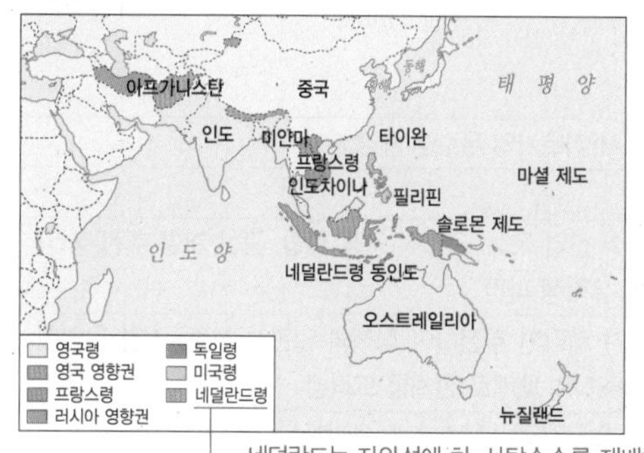

네덜란드는 자와섬에 차, 사탕수수를 재배하는 농장을 건설하여 막대한 이익을 얻었어.

제국주의 열강은 아시아·태평양의 여러 지역에 진출하여 이권을 확보하고자 하였다. 이에 따라 동남아시아 지역에서는 포르투갈을 시작으로 에스파냐, 영국, 프랑스 등이 식민지를 건설하여 많은 경제적 이익을 확보하였고, 태평양 지역에서는 영국, 독일, 미국이 활발한 대외 진출을 시도하며 세력을 확장해 나갔다.

문제로 확인할까?

제국주의 열강의 아시아·태평양 분할에 대한 설명으로 옳은 것은?

① 영국 – 인도를 지배하였다.
② 독일 – 하와이 제도를 차지하였다.
③ 프랑스 – 마셜 제도를 점령하였다.
④ 네덜란드 – 필리핀을 식민지로 삼았다.
⑤ 미국 – 말레이반도와 보르네오 북부를 차지하였다.

① 目

자료 3 제국주의 열강의 아프리카 분할

프랑스의 양보로 마무리되었어.

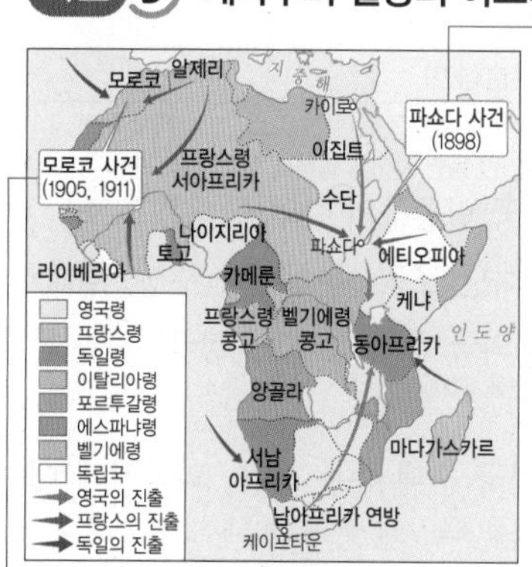

영국이 프랑스를 지원하면서 독일의 대외 팽창을 억제하였어.

리빙스턴과 스탠리 등 탐험가들의 활동으로 아프리카에 막대한 지하자원과 시장 잠재력이 있다는 사실이 알려지자 서구 열강은 앞을 다투어 아프리카 지역을 침략하였다. 그 결과 에티오피아와 라이베리아를 제외한 아프리카 전 지역이 서구 열강의 식민지로 전락하였다. 한편, 식민지 확대 과정에서 영국의 종단 정책과 프랑스의 횡단 정책이 파쇼다에서 충돌하여 갈등을 빚었으며, 독일과 프랑스는 모로코의 지배권을 둘러싸고 두 차례 대립하였다.

정리 비법을 알려줄게!

제국주의 열강의 아프리카 분할

전개	• 영국: 종단 정책 실시 • 프랑스: 횡단 정책 실시 • 벨기에: 콩고강 유역 차지 • 독일: 동아프리카, 카메룬, 토고 등 차지
충돌	• 파쇼다 사건(영국, 프랑스 충돌) • 모로코 사건(독일, 프랑스 대립)
결과	20세기 초 라이베리아, 에티오피아를 제외한 전 지역이 열강에 분할 점령됨

01 제국주의 열강의 침략과 동아시아의 민족 운동

2 중국의 민족 운동

이것이 핵심!

중국의 민족 운동

태평천국 운동(1851~1864)
홍수전 주도, 멸만흥한 주장, 천조 전무 제도 시행

↓

양무운동(1861~1895)
이홍장·증국번 주도, 중체서용 주장, 서양 기술의 도입 주장

↓

변법자강 운동(1898)
캉유웨이·량치차오 등 주도, 메이지 유신 모방, 근대적 제도 개혁 주장

의화단 운동(1899~1901)
부청멸양 주장, 신축조약 체결

신해혁명(1911)
쑨원 중심의 혁명파 주도, 삼민주의 주장, 중화민국 수립

★ 삼각 무역

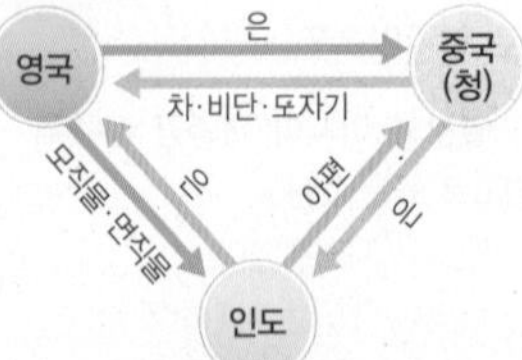

영국이 인도와 청 사이에서 실시한 무역이다. 영국은 청과의 무역에서 차와 비단의 수입 증가로 무역 적자가 심해지자 인도에서 재배한 아편을 청에 밀수출하여 적자를 메우려 하였다.

★ 최혜국 대우
국가 간에 체결하는 통상·항해 조약 등에서 다른 국가에 부여하고 있는 가장 유리한 대우를 상대국에도 적용하도록 하는 것

★ 애로호 사건
1856년 광저우에 정박해 있던 애로호에 청 관리가 올라가 밀수 혐의로 선원을 체포하고 영국 국기를 강제로 내린 사건이다. 영국은 이 사건을 빌미로 제2차 아편 전쟁을 일으켰다.

1. 중국의 개항과 태평천국 운동

(1) 아편 전쟁과 청의 개항 자료④

구분	제1차 아편 전쟁(1840~1842)	제2차 아편 전쟁(1856~1860)
배경	영국이 대청 무역 적자를 만회하기 위해 청에 인도산 아편 수출(*삼각 무역) → 은 유출로 인한 청의 재정 파탄, 아편 중독자 증가 → 청 정부의 아편 무역 단속(아편 몰수, 아편 흡입자 처벌)	영국의 무역 적자 지속 → 영국이 청에 무역 확대 및 선교의 자유 요구 → 청에서 *애로호 사건과 선교사 피살 사건 발생
과정	영국의 청 공격 → 청 패배	영프 연합군의 청 공격 → 톈진과 베이징 점령
결과	난징 조약 체결(공행 폐지, 5개 항구 개항, 홍콩 할양, 배상금 지불 등), 추가 조약 체결(영사 재판권 및 *최혜국 대우 인정)	• 톈진 조약 체결: 10개 항구 추가 개항, 크리스트교 포교 인정, 외국 공사의 베이징 주재 허용 • 베이징 조약 체결: 톈진 개항, 영국에 주룽반도 일부 할양, 러시아에 연해주 지역 할양

(2) 태평천국 운동(1851~1864)

배경	아편 전쟁 이후 청의 권위 실추, 농민 생활의 어려움(아편 전쟁의 배상금 지불로 조세 부담 증가) → 반청 감정 고조
전개	홍수전이 상제회 조직, 멸만흥한을 내세우며 거병 → 광시성에서 태평천국 건설 → 난징 점령
개혁 내용	천조 전무 제도 발표(토지 균등 분배, 남녀평등, 변발·전족·축첩 등 금지, 신분제 폐지 등) 자료⑤
결과	지도층의 분열, 관료·신사층이 조직한 향용의 반격, 서양 열강의 공격으로 실패

꼭! 멸만흥한: 만주족이 세운 청을 몰아내고 한족의 국가를 세우자는 주장이었어.

향용: 향촌의 치안을 유지하기 위해 조직되었어.

서양 열강의 공격: 제2차 아편 전쟁으로 각종 이권을 획득한 서양 열강은 청 정부를 지원하여 태평천국 운동을 진압하였어.

2. 중국의 근대화 운동 교과서 자료

(1) 양무운동(1861~1895)

배경	아편 전쟁과 태평천국 운동을 겪는 과정에서 서양 무기의 우수성 체감
주도 세력	이홍장, 증국번 등 한인 신사층
내용	중체서용론을 바탕으로 부국강병 추구 → 군수 산업 육성, 근대식 공장 설립, 광산 개발 추진, 서양식 육군·해군의 창설, 신식 학교 설립, 외국에 유학생 파견
결과	중앙 정부의 체계적인 계획 부족, 지방 관료가 제각기 추진하여 정책의 일관성 부족, 기업 운영에 대한 정부의 간섭 심화 → 청일 전쟁(1894~1895)의 패배로 한계를 드러냄

(2) 변법자강 운동(무술개혁, 1898)

VS 양무운동은 기존의 정치 제도를 그대로 유지하고자 하였어.

배경	청일 전쟁 패배로 양무운동의 한계 인식, 열강의 이권 침탈로 위기감 고조
주도 세력	캉유웨이, 량치차오 등 개혁 성향의 지식인
내용	일본의 메이지 유신을 모방하여 사회 전반에 걸친 개혁 추진(입헌 군주제 도입, 법률·행정·과거제 개혁, 신식 군대 양성, 상공업 육성, 신교육 실시 등)
결과	서태후, 위안스카이 등 보수파의 반발로 100일 만에 실패(무술정변)

(3) 의화단 운동(1899~1901)

① 배경: 열강의 이권 침탈 심화, 크리스트교의 확산 → 중국 민중들의 반외세 감정 고조

② 과정: 산둥성 농민들이 백련교 계통의 비밀 결사인 의화단 조직, 부청멸양 주장, 철도·전신·교회 등 공격 → 청 정부의 지지를 받아 베이징의 외국 공관 습격 → 영국, 독일 등 8개국 연합군의 의화단 진압, 베이징 점령

③ 결과: 신축조약(베이징 의정서, 1901) 체결(베이징에 외국 군대 주둔 허용, 외국인에 대한 반대 운동 진압, 막대한 배상금 지불)

크리스트교의 확산: 제국주의 열강의 비호 속에 선교 활동을 하는 크리스트교 세력에 대한 반감으로 크리스트교도와 일반 농민 사이에 충돌이 일어나기도 했어.

청 정부의 지지: 청 정부는 의화단을 외세 배척에 이용하려 하였어.

꼭! 부청멸양: 청 왕조를 도와 서양 세력을 몰아내자는 주장이었어.

완자 자료 탐구

내 옆의 선생님

자료 4 중국이 개항 과정에서 체결한 조약

[난징 조약, 1842]
- 영국 국민은 광저우, 아모이, 푸저우, 닝보, 상하이에 거주할 수 있으며, 박해나 구속을 받지 않고 상업할 수 있다.
- 청은 영국에 홍콩을 양도하고, 영국은 적당하다고 인정하는 법률로써 통치한다. — 홍콩 할양
- 공행하고만 거래하는 것을 폐지한다. — 공행 폐지

[톈진 조약, 1858]
- 외국 공사의 베이징 주재 및 크리스트교 포교를 승인한다.

[베이징 조약, 1860] — 러시아는 조약을 중재한 대가로 청으로부터 연해주를 얻었어.
- 톈진 항구를 추가로 개방하고, 주룽반도를 영국에 할양한다.

청은 제1차 아편 전쟁에서 패한 후 난징 조약을 체결하여 문호를 개방하였다. 제2차 아편 전쟁에서 패배한 후에는 톈진 조약과 베이징 조약을 맺어 추가로 개항하고 외국 공사의 베이징 주재를 허용하였다. 이러한 과정에서 청 정부의 권위는 크게 떨어졌다.

자료 하나 더 알고 가자!

아편 전쟁의 전개

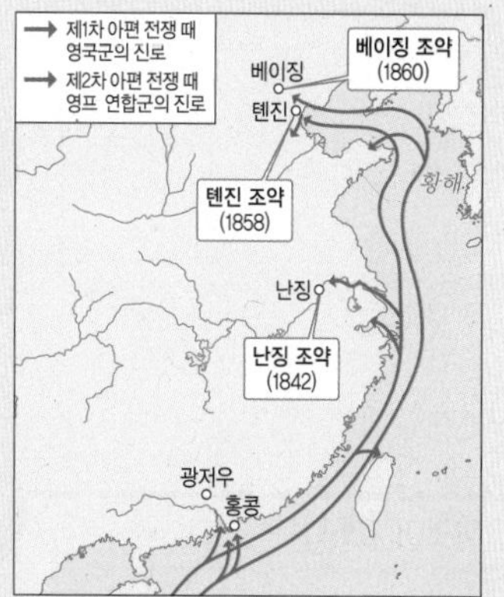

자료 5 천조 전무 제도의 특징

토지를 분배할 때에는 사람 수를 대상으로 하되, 남녀의 차별 없이 각 집의 가족 수에 따라 나눈다. …… 천하의 토지는 세상 사람들이 똑같이 경작하게 한다.(토지 균등 분배를 의미해.) 밭이 있으면 함께 경작하고, …… 장소에 따른 불균형이 있거나 배고프고 추운 생활을 하는 자가 없도록 한다. – 천조 전무 제도

태평천국군은 난징을 점령한 후 천조 전무 제도를 발표하였다. 이 제도는 지주 전호제를 부정하고 농민 중심의 토지 소유를 실현하고자 한 것으로, 농민들의 적극적인 지지를 받았다. 천조 전무 제도는 이외에도 남녀평등, 신분제 폐지 등 다양한 정책을 포함하였다.

문제로 확인할까?

태평천국 운동 세력이 발표한 천조 전무 제도의 내용으로 옳지 않은 것은?

① 신분제 폐지
② 남녀평등 실현
③ 변발과 전족 금지
④ 입헌 군주제 실시
⑤ 토지 균등 분배 추진

ⓣ ④

수능이 보이는 교과서 자료 양무운동과 변법자강 운동

중체서용론에 입각하여 제도 개혁 없이 서양의 기술만을 도입하려고 하였어.

- 신의 군대가 상하이에 온 이래 기회가 있을 때마다 서양식 소총, 대포를 사들이고, 제조국을 설치하여 유산탄을 만들어 적군을 섬멸하는 데 쓰고 보니 과연 위력이 있었습니다. …… 외국인의 좋은 기술을 취해서 중국의 것으로 완성하여, 양자를 비교해서 모자람 없이 준비하여 근심이 없기를 바라는 것입니다. – 양무운동 – 이홍장의 상소문
- 사람들은 단지 서양의 병사와 말의 강건함, 함선과 대포의 예리함, 기계의 신기함만을 보면서 그 때문에 그들이 세계를 쟁패할 수 있다고 생각한다. 하지만 가장 근본은 그들이 정치를 운영하는 데 있다. …… 의회를 설립해서 백성의 뜻을 하나로 뭉쳐 민기(民氣)를 강하게 만들었을 뿐이다. – 변법자강 운동 – 정관잉, 『성세위언』

증국번, 이홍장 등 한인 관료들은 중국의 체제를 유지하면서 서양의 기술만을 받아들여 부국강병을 이루자는 중체서용을 주장하였다. 반면 캉유웨이, 량치차오 등은 일본의 메이지 유신을 모방하여 정치 제도까지 개혁해야 한다고 주장하였다.

완자샘의 탐구 강의

- 변법자강 운동 세력이 모델로 삼고 있는 근대화 운동을 써 보자.

메이지 유신

- 양무운동과 변법자강 운동의 차이점을 서술해 보자.

양무운동은 중국의 체제를 유지하면서 서양의 기술만을 받아들이려 하였고, 변법자강 운동은 정치 제도 개혁을 통해 근대화를 이루고자 하였다.

함께 보기 202쪽, 1등급 정복하기 4

제국주의 열강의 침략과 동아시아의 민족 운동

★ 중국 동맹회
1905년 도쿄에서 설립된 중국 혁명 단체로 민족주의, 민권주의, 민생주의를 혁명의 목표로 내세웠다.

3. 중화민국의 수립

(1) **광서신정**: 보수 세력이 개혁의 필요성 인식 → 근대 관제 도입·과거제 폐지·신식 군대 양성·산업 진흥 등 개혁 추진, 헌법 제정 준비(「흠정 헌법 대강」 발표) → 성과 미흡

왜? 청 왕조가 개혁 추진 비용과 신축조약에 따른 배상금 지불 등으로 재정난에 빠지면서 차관을 얻기 위해 시도하였어.

(2) **신해혁명(1911)**

배경	청 왕조를 몰아내려는 혁명 사상 확산 → 쑨원이 *중국 동맹회 결성(1905), 삼민주의 주장 자료 6
전개	청 정부의 민간 철도 국유화 시도 → 우창에서 신군 봉기 → 전국의 여러 성 호응, 독립 선언
결과	쑨원을 임시 대총통으로 하는 중화민국 수립(중국 최초의 공화정 수립, 1912)

(3) **중화민국의 혼란**: 청 정부가 위안스카이 파견 → 위안스카이가 혁명파와 타협, 청 멸망 → 위안스카이의 혁명파 탄압 및 황제 즉위 시도, 실패 → 각지에서 군벌 난립

이것이 핵심!

일본과 조선의 근대화 노력

일본	메이지 유신(천황 중심의 중앙 집권 체제 구축) → 일본 제국 헌법 제정, 의회 개설 → 제국주의적 팽창 정책 추진(청일 전쟁, 러일 전쟁)
조선	갑신정변, 동학 농민 운동 전개, 갑오개혁 추진, 광무개혁 실시

3 일본과 조선의 근대화 운동

1. 일본의 근대화와 제국주의 침략

(1) **개항**: 미국 페리 함대가 개항을 요구하며 무력시위 전개 → 미일 화친 조약(1854) 및 미일 수호 통상 조약(1858) 체결, 문호 개방 자료 7

왜? 개항 이후 외국 상품이 수입되고 물가가 크게 오르면서 하급 무사들의 생활이 어려워지자 막부에 반발하게 된 거야.

(2) **메이지 유신**

① 배경: 개항 이후 막부의 권위 추락, 경제 악화 → 하급 무사들이 *존왕양이 운동 전개

② 전개: 사쓰마 번과 조슈 번의 주도로 막부 타도, 왕정복고 선언

③ 메이지 정부의 개혁(1868): 천황 중심의 중앙 집권 체제 구축, 부국강병을 위한 개혁 추진

정치	봉건제 폐지(*폐번치현 단행), 에도를 도쿄로 고쳐 수도로 삼음
경제	근대적 토지 제도와 조세 제도 확립, 상공업 육성(식산흥업), 은행·공장 설립, 철도 건설
사회	신분제 폐지(사민평등 선언), 서양식 교육 제도와 의무 교육 도입, 서양에 유학생과 사절단 파견
군사	징병제 실시(근대적 군대 육성)

메이지 정부는 불평등 조약의 개정을 위해 유럽과 미국에 이와쿠라 사절단을 파견하였어.

(3) **입헌제 국가의 성립** 자료 8

① *자유 민권 운동 전개: 헌법 제정과 서양식 의회 설립 주장 확산 → 정부의 탄압

② 입헌 군주국 수립: 천황의 권한을 강조한 일본 제국 헌법 발표(메이지 헌법, 1889), 의회 개설(1890), 교육 칙어 제정(1890), 신도를 국교로 삼음

(4) **일본의 제국주의 침략**

왜? 남만주로 세력을 확대하던 러시아는 일본이 랴오둥반도를 차지하자 독일, 프랑스를 끌어들여 일본을 압박하였어.

① 배경: 근대화 정책의 모순과 불만 해소, 자본주의 발전에 따른 해외 시장 확보 목적

② 대외 침략 정책: *정한론 대두, 타이완 침공, 운요호 사건으로 조선의 문호 개방, 류큐 합병

청일 전쟁 (1894~1895)	조선의 지배권을 둘러싼 일본과 청의 대립 → 일본의 청 공격, 승리 → 시모노세키 조약 체결(일본이 타이완·랴오둥반도를 할양받음), 대륙 진출의 발판 마련 → 삼국 간섭으로 랴오둥반도 반환
러일 전쟁 (1904)	만주와 한반도에서 러시아의 영향력 확대 → 일본의 영일 동맹 체결, 미국과 우호 관계 수립 → 일본의 러시아 공격, 승리 → 포츠머스 강화 조약 체결(일본이 한반도와 만주에서 이권을 인정받음)

청일 전쟁의 결과 청 중심의 중화 질서가 몰락하고, 일본이 동아시아의 강자로 등장하였어.

2. 조선의 근대화 운동과 시련

(1) **조선의 개항과 근대화 운동**: 운요호 사건 발발 → 일본과 강화도 조약 체결(1876) → 갑신정변 발발(1884), 동학 농민 운동 전개(1894), 갑오개혁 추진(1894), 광무개혁 실시(1897)

(2) **일본의 침략**: 을사늑약 체결(외교권 박탈, 1905) → 국권 피탈(1910)

이후 일본의 무단 통치에 저항하여 3·1 운동이 일어나기도 하였어.

★ 존왕양이 운동
천황을 내세우고 외세를 배격하자는 운동으로, 에도 막부 타도의 기반이 되었다.

★ 폐번치현
번을 없애고 현을 설치한다는 뜻으로 봉건제의 폐지를 의미한다. 메이지 정부는 다이묘가 통치하던 270여 개의 번을 통합하여 현을 설치하고 중앙 정부가 직접 임명한 지사를 파견하여 중앙 집권 체제를 확립하고자 하였다.

★ 자유 민권 운동
유럽의 자유 민권 사상으로부터 영향을 받은 지식인들이 국회 개설, 시민의 자유와 평등, 민권 보장 등을 요구한 운동이다.

★ 정한론
1870년을 전후하여 일본 정부 내에서 대두된 조선을 정벌하자는 주장이다. 대외 전쟁보다는 내치를 강화해야 한다는 주장에 밀려 실행되지 못하였다.

완자 자료 탐구

내 옆의 선생님

자료 6 쑨원의 삼민주의

나는 유럽과 미국의 발전이 3대 주의에 의해 이루어졌다고 생각한다. 그것은 민족, 민권, 민생이다. 로마가 멸망하고 나서 민족주의가 일어나고 구미가 독립하였다. 그러나 얼마 뒤에 그 나라들도 제국이 되어 전제 정치를 행하자, 민권주의가 일어났다. 18세기 말에서 19세기 초에 걸쳐 전제 군주제가 무너지고 입헌 국가가 세워졌다. 세계는 문명화되어 지식은 더욱 진보하고 물질이 점점 풍부해져, 최근 백 년간은 지나간 천 년보다 더 발달하였다. 이제는 경제 문제가 정치 문제에 이어 일어나 민생주의가 유행하고 있다. - 쑨원, 중국 동맹회의 기관지인 『민보』 발간사, 1905

쑨원은 도쿄에서 중국 동맹회를 결성하고 민족주의, 민권주의, 민생주의의 삼민주의를 내세웠는데, 이는 신해혁명이 일어나고 중화민국이 수립되는 데 이념적 바탕이 되었다. 여기서 민족주의는 청 왕조를 타도하고 한족의 주권을 회복하는 것이고, 민권주의는 국민이 주권을 갖는 공화주의와 민주주의를 의미한다. 민생주의는 토지 제도 개혁과 같은 제도적 개혁을 통해 국민의 생활 안정을 추구한 것이다.

정리 비법을 알려줄게!

쑨원의 삼민주의

민족	청 왕조 타도, 한족의 주권 회복
민권	국민이 주권을 가지는 공화국 수립
민생	토지 제도 개혁, 국민의 생활 안정

↓

신해혁명과 중화민국의 이념적 바탕

문제로 확인할까?

(　　　)이 주도한 혁명파는 중국 동맹회를 결성하여 삼민주의를 내걸고 혁명 운동을 전개하였다.

답 쑨원

자료 7 일본의 개항과 불평등 조약

• 제2조 시모다, 하코다테는 미국 선박의 …… 부족한 물품 조달에 한해 입항을 허가한다.
제9조 미국에 편무적인 최혜국 대우를 준다. ─ 일본의 의무만 규정하였어. - 미일 화친 조약, 1854
• 제3조 시모다, 하코다테 외에 가나가와, 나가사키, 니가타, 효고를 기한을 정하여 개항한다.
제6조 일본인에게 죄를 지은 미국인은 미국 영사 재판소에서 조사하고, 미국의 법으로 처벌한다. ─ 치외 법권 인정
- 미일 수호 통상 조약, 1858

미국 정부가 개항을 강요하자 에도 막부는 미일 화친 조약과 미일 수호 통상 조약을 체결하여 문호를 개방하였다. 이 두 조약은 각각 최혜국 대우, 치외 법권 등을 인정한 불평등 조약이었으며, 일본은 이후 영국, 러시아 등 다른 국가들과도 비슷한 조약을 체결하였다.

정리 비법을 알려줄게!

동아시아의 개항

구분	청	일본	조선
시기	1842년	1854년	1876년
계기	제1차 아편 전쟁	페리 함대의 무력시위	운요호 사건
조약	난징 조약	미일 화친 조약	강화도 조약
개방 국가	영국	미국	일본

자료 8 일본 제국 헌법과 천황의 권한

국민의 인권을 제한적으로 인정하고, 천황에게 입법, 사법, 행정의 전권을 부여하는 등의 한계를 보였어.

제1조 대일본 제국은 만세 일계의 천황이 통치한다.
제3조 천황은 신성하여 누구라도 침범해서는 안 된다.
제4조 천황은 국가의 원수이며, 통치권을 장악하고 이 법률의 조규에 의하여 이를 거행한다.
제5조 천황은 제국 의회의 협조를 받아 입법권을 행사한다.
제7조 천황은 제국 의회를 소집하고 그 개회, 폐회, 정회 및 중의원의 해산을 명할 수 있다.
제11조 천황은 육해군을 통수한다. - 일본 제국 헌법, 1889

메이지 유신 이후 일본에서는 의회 개설, 헌법 제정 등을 주장하는 자유 민권 운동이 일어났다. 그러나 메이지 정부는 이를 탄압하는 한편, 천황의 권한을 강조한 일본 제국 헌법을 공포하고 의회를 설립하여 입헌 군주국의 모습을 갖추었다.

자료 하나 더 알고 가자!

자유 민권 운동의 전개

제5조 국가는 개인의 자유와 권리를 빼앗거나 제한하는 규칙을 만들어 시행할 수 없다.
제72조 정부가 헌법을 무시하고 함부로 국민의 자유와 권리를 해치고 건국의 취지를 방해할 때, 국민은 그것을 전복하고 새로운 정부를 세울 수 있다.
- 자유 민권 운동가의 헌법안, 1881

자유 민권 운동은 국가의 권력 강화보다 개인의 권리 보장을 우선하였어.

STEP 1 핵심 개념 확인하기

정답친해 58쪽

1 다음에서 설명하는 이론을 쓰시오.

> 19세기 후반 스펜서가 주장한 것으로, 우월한 나라나 민족이 열등한 나라나 민족을 지배하는 것은 당연하다는 이론이다.

2 제국주의 국가의 식민 지배 과정을 옳게 연결하시오.

(1) 미국 • • ㉠ 동인도 회사를 통해 인도를 지배하였다.

(2) 영국 • • ㉡ 청으로부터 베트남 지배권을 확보하였다.

(3) 프랑스 • • ㉢ 에스파냐와 전쟁을 벌여 필리핀을 식민지로 삼았다.

3 제1차 아편 전쟁의 결과 청은 영국과 (   )을 체결하여 영국에 홍콩을 할양하고 상하이 등 5개 항구를 개방하였다.

4 다음에서 설명하는 인물을 〈보기〉에서 골라 기호를 쓰시오.

보기
ㄱ. 이홍장　ㄴ. 홍수전　ㄷ. 캉유웨이

(1) 상제회를 조직하고 태평천국 운동을 일으켰다. (　　)

(2) 중체서용론을 바탕으로 한 양무운동을 주도하였다. (　　)

(3) 일본의 메이지 유신을 모방하여 제도 개혁을 해야 한다고 주장하였다. (　　)

5 다음 설명이 맞으면 ○표, 틀리면 ×표를 하시오.

(1) 신해혁명의 결과 중국에서 쑨원을 임시 대총통으로 하는 중화민국이 수립되었다. (　　)

(2) 1868년 일본에서는 메이지 유신이 일어나 천황 중심의 중앙 집권 체제가 마련되었다. (　　)

(3) 일본은 청일 전쟁에서 승리한 뒤 포츠머스 강화 조약을 체결하여 청으로부터 랴오둥반도와 타이완을 할양받았다. (　　)

STEP 2 내신 만점 공략하기

01 다음과 같은 상황이 전개된 배경으로 옳은 것은?

> 19세기 후반 서구 열강들이 우월한 경제력과 군사력을 앞세워 적극적인 대외 팽창 정책을 추진하였다.

① 르네상스의 전개　② 사회주의의 확산
③ 자유주의의 확산　④ 절대 왕정의 성립
⑤ 독점 자본주의의 발달

02 중요 다음에서 풍자하는 정책을 추진한 국가들에 대한 설명으로 옳지 않은 것은?

장사꾼이 원주민에게 럼주를 붓고 군인이 동전 한닢까지 쥐어짜고 있다. 그 옆에서는 선교사가 설교를 하고 있다.

① 식민지에 국내 잉여 자본을 투자하였다.
② 적극적인 대외 팽창 정책을 전개하였다.
③ 상품 판매 시장을 확보하기 위해 노력하였다.
④ 식민 지배를 받는 국가의 전통과 문화를 존중하였다.
⑤ 식민지 획득을 통해 국내의 갈등을 해결하고자 하였다.

03 다음 이론에 대한 설명으로 옳은 것은?

> 다윈의 진화론을 국제 관계에 적용한 이론으로, 우수한 인종만이 생존하고 열등한 인종은 도태된다는 주장이다.

① 인간의 합리적 이성을 강조하였다.
② 프랑스 혁명의 사상적 기반이 되었다.
③ 빈 체제가 형성되는 데 영향을 주었다.
④ 제국주의 정책을 합리화하는 데 이용되었다.
⑤ 사회주의가 전 세계로 확산되는 데 기여하였다.

04 다음 자료를 활용한 탐구 활동 주제로 적절한 것은?

백인의 책무를 다하라 / …… 기아로 허기진 입들을 먹이기 위해 / …… 그리고 네가 너의 목적을 달성할 때쯤 / 너를 원하는 다른 미개인들을 위해 / 다른 원주민들과 이교들에게로 시선을 돌려라. – 러디어드 키플링, 「백인의 짐」

① 노예제의 폐지 ② 인종주의의 쇠퇴
③ 종교 개혁의 확산 ④ 왕권신수설의 확산
⑤ 식민지 지배의 정당화

05 (중요) 다음은 19세기~20세기경 제국주의 열강의 동남아시아 침략을 나타낸 지도이다. (가) 국가에 대한 설명으로 옳은 것은?

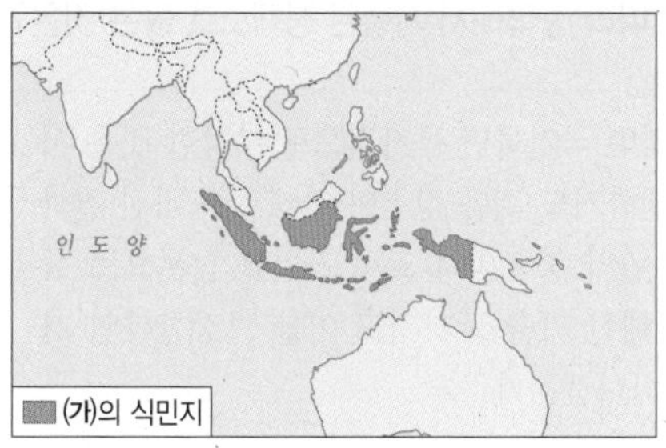

① 괌과 하와이를 차지하였다.
② 아프리카 종단 정책을 추진하였다.
③ 인도인에게 목화 재배를 강요하였다.
④ 베트남 지배권을 두고 청과 전쟁을 벌였다.
⑤ 자와섬에 대규모의 농장을 건설하여 이익을 얻었다.

06 다음은 어느 국가에 대한 발표 주제이다. (가)에 들어갈 내용으로 적절한 것은?

- 1모둠: 베트남의 지배권을 확보하다
- 2모둠: 모로코를 둘러싸고 독일과 대립하다
- 3모둠: (가)

① 아프리카 횡단 정책을 추진하다
② 에스파냐를 물리치고 필리핀을 차지하다
③ 비스마르크 제도와 마셜 제도를 점령하다
④ 오스트레일리아와 뉴질랜드를 자치령으로 삼다
⑤ 수에즈 운하를 차지하고 이집트를 보호국화하다

07 밑줄 친 '이 국가'에 대한 설명으로 옳은 것은?

제국주의 열강은 태평양에 진출하여 여러 섬을 점령하였는데, 이 국가는 괌과 하와이 등을 차지하였다.

① 필리핀를 식민지로 삼았다.
② 제1차 아편 전쟁을 일으켰다.
③ 플라시 전투에서 승리하였다.
④ 영국과 파쇼다에서 충돌하였다.
⑤ 조선과 강화도 조약을 체결하였다.

08 다음 수행 평가 보고서의 (가)에 들어갈 내용으로 적절한 것은?

1. 주제: 제국주의 열강의 충돌
2. 수집 자료: (가)
3. 자료 분석: 열강의 아프리카 분할이 공식화되어 식민지 획득 경쟁이 치열해지자 제국주의 열강 사이에 충돌이 일어났다.

① 러일 전쟁에 대한 기록
② 아편 전쟁을 나타낸 지도
③ 파쇼다 사건을 기록한 글
④ 의화단 운동 세력의 선전물
⑤ 보스턴 차 사건에 대한 신문 기사

09 다음 인터넷 게시판의 답글로 옳은 것은?

세계사 공부방 > 질문 게시판

질문: 일찍이 산업화를 이루면서 식민지 획득에 앞장섰던 영국의 아프리카 분할 과정에 대해 알려 주세요.

① 에티오피아를 점령하였어요.
② 이집트를 보호국으로 삼았어요.
③ 카메룬과 토고로 진출하였어요.
④ 독일과 모로코에서 충돌하였어요.
⑤ 아프리카 횡단 정책을 추진하였어요.

10 다음과 같은 무역 구조가 나타난 배경으로 적절한 것은?

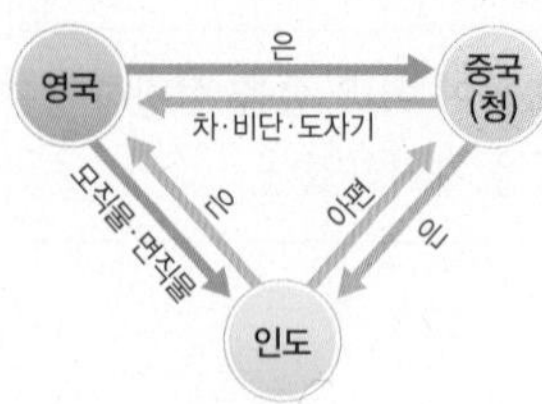

① 애로호 사건이 발생하였다.
② 공행을 통한 무역이 폐지되었다.
③ 영국의 무역 적자가 심화되었다.
④ 영프 연합군이 베이징을 점령하였다.
⑤ 청이 상하이 등 5개 항구를 개항하였다.

11 밑줄 친 '이 전쟁'에 대한 설명으로 옳은 것은?

> <u>이 전쟁</u>에서 패한 청은 1842년 영국과 조약을 체결하여 영국에 홍콩을 할양하였다. 그 결과 홍콩은 1997년까지 영국의 지배를 받게 되었다.

① 난징 조약의 체결로 종결되었다.
② 애로호 사건을 계기로 일어났다.
③ 영국과 프랑스 연합군이 일으켰다.
④ 영국군과 의화단 세력이 충돌하였다.
⑤ 중화민국이 수립되는 결과를 가져왔다.

12 중요 (가)에 들어갈 내용으로 옳은 것은?

> 영국은 애로호 사건을 계기로 프랑스와 연합하여 톈진과 베이징을 점령하였다. 그 결과 청은 서양 열강과 조약을 맺어 (가) 하였다.

① 공행 제도를 폐지
② 영국에 홍콩을 할양
③ 상하이 등 5개 항구를 개항
④ 크리스트교 포교의 자유를 허용
⑤ 외국 군대의 베이징 주둔을 허용

13 다음 개혁을 내세우며 전개된 중국의 근대화 운동에 대한 설명으로 옳은 것은?

> 토지를 분배할 때에는 사람 수를 대상으로 하되, 남녀의 차별 없이 각 집의 가족 수에 따라 나눈다. …… 모름지기 천하의 토지는 세상 사람들이 똑같이 경작하게 한다.

① 멸만흥한을 구호로 내세웠다.
② 중체서용론을 원칙으로 하였다.
③ 입헌 군주제 수립을 목표로 하였다.
④ 중화민국의 수립으로 마무리되었다.
⑤ 백련교 계통의 비밀 결사 조직이 이끌었다.

14 다음 주장에 따라 중국에서 시행된 정책으로 옳은 것은?

> 오로지 서양의 몇몇 국가들만 독자적으로 부강한 것은 서로 비슷하고 실행하기도 쉬운 장점이 크게 두드러진 결과가 아니겠는가? 만약 중국의 유교적 가치를 근본으로 삼고, 외국의 부강해진 기술을 가지고 이를 보강한다면 가장 좋은 방법이 아니겠는가?

① 민간 철도 국유화 ② 입헌 군주제 도입
③ 토지 균등 분배 추진 ④ 변발·전족 등 악습 폐지
⑤ 군수 공장과 산업 시설 건설

15 밑줄 친 '근대화 운동'이 성과를 거두지 <u>못한</u> 이유로 옳은 것은?

> 이 사진은 증국번, 이홍장 등이 추진한 <u>근대화 운동</u>의 일환으로 난징에 건설된 군수 공장의 모습이다. 청은 이곳에서 근대적 무기를 생산하였다.

① 신사층이 향용을 조직하여 반격하였다.
② 기업 운영에 대한 정부의 간섭이 심하였다.
③ 영국, 일본 등 8개 연합군의 공격을 받았다.
④ 중앙 정부가 지방 관료의 동의 없이 추진하였다.
⑤ 정치 제도 개혁에 대한 보수파의 반발이 심하였다.

16 중요 밑줄 친 '개혁'에 대한 설명으로 옳은 것은?

〈보도 자료〉

새로운 청을 열어 갈 개혁안 발표

1898. ○○. ○○.

정부는 많은 논의를 거친 끝에 일본의 메이지 유신을 모방한 새로운 개혁안을 발표한다. 개혁의 주요 내용은 다음과 같다.

• 과거제를 개혁할 것 • 근대 교육을 실시할 것
• 상공업을 진흥할 것 • 신식 군대를 양성할 것

① 민주 공화국 수립을 지향하였다.
② 향용의 공격을 받아 실패하였다.
③ 중체서용론을 바탕으로 추진되었다.
④ 캉유웨이, 량치차오 등이 주도하였다.
⑤ 남녀평등과 신분제 폐지를 포함하였다.

17 다음 신문에서 다루는 운동에 대한 설명으로 옳은 것을 〈보기〉에서 고른 것은?

세계사 신문 1899. ○○. ○○.

무엇이 그들을 움직이는가!

최근 산둥성을 중심으로 백련교 계통의 비밀 결사가 조직되어 외국인과 교회를 공격하고 외국 공관을 습격하는 일이 벌어졌다. 이 과정에 참여한 한 남성은 기자와의 인터뷰에서 '자신들이 이 같은 행동을 하는 이유는 서양 세력이 중국을 어지럽히기 때문'이라고 주장하였다.

보기

ㄱ. 부청멸양의 구호를 내세웠다.
ㄴ. 8개국 연합군에 의해 진압되었다.
ㄷ. 철도 국유화 반대 운동을 전개하였다.
ㄹ. 난징을 점령하고 태평천국을 건설하였다.

① ㄱ, ㄴ ② ㄱ, ㄷ ③ ㄴ, ㄷ
④ ㄴ, ㄹ ⑤ ㄷ, ㄹ

18 다음 인물의 활동으로 옳은 것은?

저는 유럽과 미국의 발전이 3대 주의에 의해 이루어졌다고 생각합니다. 그것은 민족, 민권, 민생으로, 이 세 종류의 목적을 달성한다면 중국은 완성된 국가가 될 것입니다.

① 광서신정 주도 ② 중국 동맹회 조직
③ 변법자강 운동 전개 ④ 천조 전무 제도 발표
⑤ 민간 철도 국유화 추진

19 다음에서 설명하는 사건의 결과로 옳은 것은?

1911년 혁명파가 우창에서 봉기하자 농민, 군인, 입헌파 등이 참여하면서 절반 이상의 성이 청 정부로부터 독립을 선언하였다.

① 광서신정이 추진되었다.
② 신축조약이 체결되었다.
③ 양무운동이 전개되었다.
④ 중화민국이 수립되었다.
⑤ 제2차 아편 전쟁이 일어났다.

20 다음 두 사건 사이에 중국에서 있었던 사실로 옳은 것은?

• 캉유웨이, 량치차오 등은 일본의 메이지 유신을 모방하여 근대적인 개혁을 추진하였다.
• 쑨원을 임시 대총통으로 하는 중화민국이 수립되었다.

① 난징 조약이 체결되었다.
② 홍수전이 상제회를 조직하였다.
③ 영국이 제1차 아편 전쟁을 일으켰다.
④ 이홍장을 중심으로 개혁이 추진되었다.
⑤ 의화단이 철도와 전신, 교회를 공격하였다.

21 다음 헌법에 대한 설명으로 옳지 않은 것은?

> 제1조 대일본 제국은 만세 일계의 천황이 통치한다.
> 제3조 천황은 신성하여 누구라도 침범해서는 안 된다.
> 제4조 천황은 국가의 원수이며, 통치권을 장악하고 이 법률의 조규에 의하여 이를 거행한다.
> 제5조 천황은 제국 의회의 협조를 받아 입법권을 행사한다.
> 제7조 천황은 제국 의회를 소집하고 그 개회, 폐회, 정회 및 중의원의 해산을 명할 수 있다.

① 국민의 권리 보장에 취약하였다.
② 천황에게 군 통수권을 부여하였다.
③ 천황의 절대 권력을 명문화하였다.
④ 입헌 군주국 수립의 기반이 되었다.
⑤ 자유 민권 운동 세력이 주도하여 제정하였다.

22 다음 조약이 체결된 이후의 상황으로 옳은 것을 〈보기〉에서 고른 것은?

> 1. 청은 조선이 완전무결한 독립 자주국임을 확인한다.
> 2. 청은 랴오둥반도, 타이완 및 그 부속 도서를 일본에 넘겨준다.
> 3. 청은 일본에 배상금 2억 냥을 이자와 함께 완전히 지급한다.

보기

ㄱ. 사쓰마 번과 조슈 번이 주도하여 막부를 타도하였다.
ㄴ. 러시아의 개입으로 일본이 랴오둥반도를 청에 반환하였다.
ㄷ. 청이 외국 공사의 베이징 주재 및 크리스트교 포교를 승인하였다.
ㄹ. 캉유웨이, 량치차오 등이 일본의 메이지 유신을 본떠 변법자강 운동을 전개하였다.

① ㄱ, ㄴ ② ㄱ, ㄷ ③ ㄴ, ㄷ
④ ㄴ, ㄹ ⑤ ㄷ, ㄹ

서술형 문제

● 정답친해 61쪽

01 다음과 같은 주장이 등장하게 된 경제적인 배경을 서술하시오.

> 나의 포부는 사회 문제의 해결이다. 우리 식민지 정치가는 대영 제국의 4천만 인구를 피비린내 나는 내란으로부터 지키고, 과잉 인구를 수용하기 위해 새로운 영토를 개척해야 한다.
> – 세실 로즈, 『유언집』

길잡이 새로운 영토를 개척하는 이유에 주목하여 서술한다.

02 다음과 같은 입장에 따라 전개된 근대화 운동의 성격을 비교하여 서술하시오.

> • 신의 군대가 상하이에 온 이래 기회가 있을 때마다 서양식 소총, 대포를 사들이고, 제조국을 설치하여 유산탄을 만들어 적군을 섬멸하는 데 쓰고 보니 과연 위력이 있었습니다. – 이홍장
> • (일본의) 유신 초기에 바꿔야 할 것은 아주 많았지만, 오로지 핵심은 다음 세 가지였습니다. …… 셋째는 제도국을 열고 헌법을 정한 것이었습니다. – 캉유웨이

길잡이 이홍장과 캉유웨이가 지향하는 근대화의 방향에 대해 생각해 본다.

03 다음을 읽고 물음에 답하시오.

> 로마가 멸망하고 나서 민족주의가 일어나고 구미가 독립하였다. 그러나 얼마 뒤에 그 나라들도 제국이 되어 전제 정치를 행하자, 민권주의가 일어났다. …… 이제는 경제 문제가 정치 문제에 이어 일어나 민생주의가 유행하고 있다.
> – 쑨원, 『민보』 발간사, 1905

(1) 윗글에 나타난 이념을 쓰시오.

(2) (1)이 중국의 근대화 운동에 미친 영향을 서술하시오.

길잡이 쑨원이 청 정부를 타도하기 위한 혁명 운동을 전개하였음을 고려하여 서술한다.

STEP 3

1등급 정복하기

정답친해 61쪽

1 선생님의 질문에 대한 학생의 답변으로 적절하지 않은 것은?

이 그림은 영국과 그 뒤를 따르는 미국이 식민지인들을 등에 업고 '야만'에서 '문명'으로 나아가는 모습을 표현한 것입니다. 이러한 생각을 내세워 추진된 정책에 대해 설명해 볼까요?

① 사회 진화론을 사상적 기반으로 삼았어요.
② 19세기 후반 유럽 사회에서 등장하였어요.
③ 침략적 민족주의의 성격을 띠고 있었어요.
④ 유럽에서 산업 혁명이 전개되는 배경이 되었어요.
⑤ 인종 간에 유전적 우열이 있다는 인종주의를 내세웠어요.

> 서구 열강의 대외 팽창

완자 사전

• 민족주의
민족의 독립과 통일을 가장 중시하는 사상으로, 분열되어 있는 민족의 정치적 통일을 목표로 하는 형태와 식민 지배로부터의 해방을 목표로 하는 형태로 나누어진다.

평가원 응용

2 다음은 제국주의 열강의 아프리카 침략을 나타낸 지도이다. (가), (나) 국가에 대한 설명으로 옳은 것은?

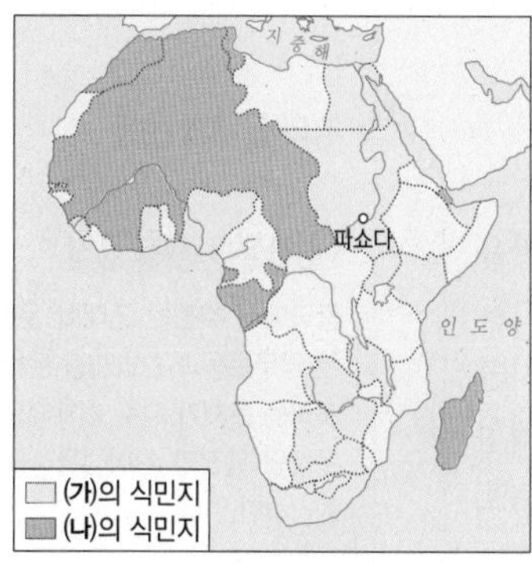

① (가) – 카이로와 케이프타운을 잇는 종단 정책을 추진하였다.
② (가) – 17세기에 동인도 회사를 앞세워 인도네시아로 진출하였다.
③ (나) – 비스마르크 제도, 마셜 제도 등을 점령하였다.
④ (나) – 에스파냐와 전쟁을 벌여 필리핀을 식민지로 삼았다.
⑤ (가), (나) – 모로코에 대한 지배권을 두고 두 차례 대립하였다.

> 열강의 아프리카 분할

완자샘의 시험 꿀팁

제국주의 열강의 식민지 분할 과정에 대한 문제는 시험에 자주 출제된다. 따라서 아프리카뿐만 아니라 아시아와 태평양 지역이 분할되는 과정도 나라별로 비교하여 정리해 두도록 한다.

3 (가), (나) 조약에 대한 설명으로 옳은 것을 〈보기〉에서 고른 것은?

(가) • 영국 국민은 광저우, 아모이, 푸저우, 닝보, 상하이에 거주할 수 있으며, 박해나 구속을 받지 않고 상업할 수 있다.
• 청은 영국에 홍콩을 양도하고, 영국은 적당하다고 인정하는 법률로써 통치한다.
• 공행하고만 거래하는 것을 폐지한다.

(나) • 즈푸, 난징, 한커우, 타이난 등 10개 항구를 개방한다.
• 외국 공사의 베이징 주재 및 크리스트교 포교를 승인한다.

보기
ㄱ. (가) – 의화단 운동이 진압된 후 체결되었다.
ㄴ. (가) – 주룽반도가 영국에 할양되는 결과를 가져왔다.
ㄷ. (나) – 애로호 사건을 계기로 체결되었다.
ㄹ. (가), (나) – 청 정부의 권위가 크게 떨어지는 배경이 되었다.

① ㄱ, ㄴ ② ㄱ, ㄷ ③ ㄴ, ㄷ
④ ㄴ, ㄹ ⑤ ㄷ, ㄹ

> 중국의 개항

완자 사전
• 주재(駐在)
직무상으로 파견되어 한곳에 머물러 있음
• 할양(割讓)
국가 사이에 합의가 이루어져 자기 나라 영토의 일부를 다른 나라에 넘겨주는 일

4 중국에서 다음과 같은 주장을 펼쳤던 세력이 외쳤을 구호로 가장 적절한 것은?

사람들은 단지 서양의 병사와 말의 강건함, 함선과 대포의 예리함, 기계의 신기함만을 보면서 그 때문에 그들이 세계를 쟁패할 수 있다고 생각한다. 하지만 가장 근본은 그들이 정치를 운영하는 데 있다. …… 영국은 겨우 손바닥만한 섬 세 개로 이루어져 있지만 …… 서양의 일등국이 되었다. 어찌 다른 까닭이 있겠는가? 다만, 의회를 설립해서 백성의 뜻을 하나로 뭉쳐 민기(民氣)를 강하게 만들었을 뿐이다. – 정관잉, 『성세위언』

① 신분제를 폐지하라!
② 남녀평등을 실현하자!
③ 서양의 기술만 배우자!
④ 입헌 군주제를 실시하자!
⑤ 청 왕조를 도와 서양을 몰아내자!

> 청의 근대화 운동

완자샘의 시험 꿀팁
중국에서 추진된 근대화 운동에서는 양무운동과 변법자강 운동을 비교하는 문제가 자주 출제되므로 두 운동의 특징과 차이점을 비교해서 정리해야 한다.

5 다음 수행 평가 보고서에서 (가) 정부가 추진한 정책으로 옳은 것은?

- 주제: 외국으로 파견된 일본의 사절단
- 조사 내용
  - 파견 시기: 1871년~1873년
  - 참여 인물: 이와쿠라 도모미 등 40여 명의 관료
  - 파견 목적: (가) 정부가 막부와 서양이 맺은 불평등 조약을 개정하고 서구 문물을 수용하기 위해 파견함
  - 의의: 조약 개정에는 실패하였지만 이들이 배워 온 서구 문물에 대한 지식은 일본 근대화 정책의 기반이 됨

사절단의 모습

① 신분제를 폐지하여 사민평등을 선언하였다.
② 번을 설치하여 지방 분권 체제를 수립하였다.
③ 산킨코타이를 실시하여 다이묘를 통제하였다.
④ 미일 수호 통상 조약을 체결하여 문호를 개방하였다.
⑤ 영주들에게 영지를 주어 독립적인 지위를 인정하였다.

> 일본의 근대화 운동

완자 사전

- **사절단**
나라를 대표하여 일정한 사명을 띠고 외국에 파견되는 사람들의 무리
- **사민평등(四民平等)**
모든 백성이 평등하게 자유와 권리를 가지는 일

6 다음은 동아시아의 근대화 과정을 순서대로 정리한 책이다. 찢어진 부분에 들어갈 내용으로 적절한 것은?

외국 상품의 수입과 물가 상승으로 생활이 어려워진 하급 무사들이 존왕양이 운동을 주도하였다. 이후 사쓰마 번과 조슈 번이 주도하여 천황 중심의 새로운 정권을 세웠다.	러시아가 만주와 한반도에서 영향력을 확대하자 일본은 러시아와 전쟁을 벌였다. 전쟁에서 승리한 일본은 미국의 중재로 포츠머스 조약을 맺고 만주와 한반도의 이권을 인정받았다.

① 일본이 조선을 강제 병합하였다.
② 홍수전이 광시성에서 태평천국을 건설하였다.
③ 청이 난징 조약을 체결하고 공행을 폐지하였다.
④ 에도 막부가 미국과 미일 화친 조약을 체결하였다.
⑤ 조선의 지배권을 둘러싸고 청일 전쟁이 발발하였다.

> 동아시아의 근대화 과정

완자 사전

- **태평천국**
홍수전이 만주족의 지배에 반기를 들며 중국 광시성에 세운 나라

02 인도와 동남아시아, 서아시아와 아프리카의 민족 운동

학습 목표
- 인도와 동남아시아에서 일어난 민족 운동의 배경과 전개 과정을 설명할 수 있다.
- 서아시아와 아프리카에서 일어난 민족 운동을 정리할 수 있다.

이것이 핵심!

• 인도의 반영 민족 운동

세포이의 항쟁	세포이의 무장 투쟁(인도 최초의 반영 운동) → 영국군에 패배
브라흐마 사마지 운동	람 모한 로이 중심, 종교·사회 개혁 추진
인도 국민 회의	초기 영국 식민 통치에 협조 → 벵골 분할령을 계기로 반영 운동 전개, 4대 강령 채택

• 동남아시아의 민족 운동

베트남	근왕 운동 전개, 판보이쩌우·판쩌우찐의 활동
인도네시아	카르티니의 활약, 부디 우토모·이슬람 동맹 결성
태국	라마 5세의 근대적 개혁 추진
필리핀	호세 리살, 아기날도 등이 민족 운동 전개

★ **벵골 분할령**
1905년 영국은 벵골 지역을 이슬람교도 중심의 동벵골과 힌두교도 중심의 서벵골로 분리한다는 벵골 분할령을 발표하였다. 이 정책에는 종교 갈등을 부추겨 인도의 민족 운동을 약화시키려는 목적이 있었다.

★ **동유 운동**
근대 문물 수용을 위해 청년들을 일본으로 유학시키는 운동

★ **라마 5세**
태국 짜끄리 왕조의 제5대 왕으로, 철도 부설, 증기선 도입, 도로와 운하 건설, 노예 제도 및 신분제 폐지, 교육 기관의 창설 등 근대 개혁을 주도하였다.

1 인도와 동남아시아의 민족 운동

1. 인도의 민족 운동

(1) **영국의 인도 침략**: 영국이 플라시 전투에서 프랑스를 물리치고 벵골 지역의 통치권 장악 → 19세기 초 인도의 대부분 점령 → 식민 지배 확대(인도를 원료 공급지와 상품 시장으로 이용, 인도인에게 과도한 토지세 부과)

예) 인도에 영국산 면직물을 대량으로 수출, 면화와 아편 재배 강요

(2) **인도의 반영 운동**

① 세포이의 항쟁

대부분이 힌두교도와 이슬람교도였던 세포이들은 자신들이 사용하는 탄약 주머니에 소와 돼지의 기름이 발려 있다는 소문이 돌자 영국이 자신들의 종교를 무시한다고 생각하였어.

배경	영국이 힌두교와 이슬람교의 종교적 대립 조장, 크리스트교로의 개종 강요, 인도인의 저항 탄압(마이소르 왕국, 마라타 동맹, 시크교도의 항쟁 실패) → 인도인의 불만 고조
전개	영국이 동인도 회사에 고용된 세포이(인도인 용병)의 종교적 전통 무시 → 세포이의 무장 투쟁 전개(1857) → 대규모 민족 운동으로 발전, 델리 점령 → 영국군에 진압됨(1859)
결과, 영향	인도 통치 개선법 제정(1858), 동인도 회사 해체, 무굴 제국의 황제 폐위 → 인도 제국 성립(영국 빅토리아 여왕이 인도 제국의 황제 겸임, 1877) 자료 ①
의의	인도 최초의 반영 민족 운동, 인도인의 민족의식 고취

② 브라흐마 사마지 운동 ─ '브라만의 모임'이라는 뜻이야.

배경	19세기 전반 지식인과 민족 자본가를 중심으로 사회 개혁과 식민 지배에 대한 저항 주장
전개	람 모한 로이를 중심으로 한 힌두교 지도자들이 종교·사회 개혁 추진
내용	순수 힌두교 교리로의 복귀 주장, 힌두교의 우상 숭배 배격, 카스트제 반대, 인도인의 교육 확대와 여성 권리 신장 강조(일부다처제·사티 등 악습 타파 주장)

사티: 남편이 죽으면 부인을 화장하는 인도의 풍습

꼭! 초기에는 종교 운동을 전개하였으나 점차 사회 개혁 운동에 앞장섰어.

③ 인도 국민 회의 교과서 자료

성립	영국의 지원을 받아 인도 지식인들을 중심으로 결성(1885)
활동	• 초기: 영국 식민 통치에 협조, 인도인의 권익 확보 노력 • 반영 운동: 영국의 ★벵골 분할령 발표(1905)를 계기로 시작 → 틸라크가 주도한 콜카타 대회에서 4대 강령 채택(영국 상품 배척, 스와라지(자치), 스와데시(국산품 애용), 국민 교육 실시) → 영국의 전 인도 이슬람교도 연맹 후원 → 전 인도 이슬람교도 연맹의 인도 국민 회의 지지
결과	영국의 벵골 분할령 취소(1911), 명목상 인도인의 자치권 인정

왜? 민족적, 종교적 분열을 조장하려는 목적이었어.

군사권, 외교권은 여전히 영국에게 있었어.

2. 동남아시아의 민족 운동 자료 ②

근왕 운동: 황제의 권력을 회복하고 의병을 일으켜 프랑스에 저항하려고 하였어.

베트남	• 근왕 운동(1885): 유학자들을 중심으로 반프랑스 투쟁 전개 → 실패 • 판보이쩌우: 베트남 유신회 조직, ★동유 운동 전개, 베트남 광복회 조직 • 판쩌우찐: 통킹 의숙 설립에 참여하여 문맹 퇴치와 근대 사상 보급
인도네시아	• 수마트라: 수마트라의 농민들이 네덜란드의 식민 지배에 저항 • 카르티니: 민족 운동과 여성 교육 운동 전개 → 인도네시아에서 최초의 여학교 설립 • 부디 우토모: 독립 국가 건설을 위해 노력 • 이슬람 동맹: 지식인, 이슬람교도 상인들을 중심으로 결성(1912) → 외국 상인의 세력 확대 및 크리스트교 선교 활동 반대
태국	짜끄리 왕조(라마 4세, ★라마 5세)의 근대화 정책 추진(노예 해방, 부역 폐지, 서양 문물 수용 등), 영국과 프랑스의 완충 지대라는 지리적 이점을 바탕으로 동남아시아 국가 중 유일하게 독립 유지
필리핀	• 호세 리살: 필리핀 연맹(동맹) 조직(1892), 학교 설립, 에스파냐인들과 동등한 대우 요구 • 아기날도: 미국·에스파냐 전쟁 중 독립을 약속한 미국을 지원 → 필리핀 공화국 선포(1899) → 전쟁에서 승리한 미국이 약속을 어기고 필리핀을 식민지로 삼음

베트남 광복회: 신해혁명에 자극을 받아 중국 광둥에서 조직되었어.

호세 리살: 『나에게 손 대지 마라』라는 작품을 통해 식민지 필리핀의 현실을 폭로하였어.

완자 자료 탐구

내 옆의 선생님

자료 1 영국의 인도 지배 방식 변화

동인도 회사의 권한을 모두 영국 여왕에게 귀속시켰어.

제1조 지금까지 동인도 회사가 점유하거나 통치했던 영토와 권력은 영국 여왕 폐하가 대신한다.
제2조 인도는 폐하에 의하여 폐하의 이름으로 통치된다.
제39조 동인도 회사의 토지, 부동산, 금전, 저당품, 상품, 재산, 그 밖의 부동산과 동산은 이 회사의 자본금과 배당금을 제외하고는 폐하에게 주어진다. – 인도 통치 개선법, 1858

동인도 회사는 아시아와의 독점 무역권을 부여받은 특허 회사로, 아시아에서 실질적인 식민지 지배 기구 역할을 하였다. 그러나 세포이의 항쟁을 계기로 인도 통치 개선법이 제정되어 인도는 영국 국왕의 직접 통치를 받게 되었고, 동인도 회사의 기능은 정지되었다.

정리 비법을 알려줄게!

영국의 인도 침략 과정

1600	동인도 회사 설립
1757	플라시 전투, 영국 승리
1857	세포이의 항쟁(~1859)
1858	• 인도 통치 개선법 제정 • 무굴 제국의 황제 폐위
1877	영국령 인도 제국 수립

수능이 보이는 교과서 자료 벵골 분할령과 인도 국민 회의의 대응

벵골 분할령

벵골 분할에 벵골인은 아주 큰 불만을 품고 있습니다. …… 나는 '스와데시'가 경제적 혼란 상태에 있는 인도에서 강력해질 필요가 있다고 생각합니다. 인도인들의 희생과 빈곤을 대가로 외국인의 봉급과 연금 등은 매년 2억 루피 정도 제공됩니다. …… 이러한 인도의 상황에 (영국의) 경제법을 적용하는 것은 위험할 뿐만 아니라 모욕을 주려는 것과 같은 것입니다.

– 콜카타 대회 의장 나오로지의 연설문

인도 국민 회의는 초기에 영국의 인도 지배를 인정하면서 인도인의 권익을 확보하는 활동을 하였다. 그러나 영국이 벵골 분할령(1905)을 발표하여 인도인의 분열을 꾀하자 반영 운동에 앞장섰다. 인도 국민 회의는 콜카타 대회를 열어 영국 상품 배척, 스와라지, 스와데시, 국민 교육 실시의 4대 강령을 채택하였다.

완자샘의 탐구강의

• 영국이 벵골 분할령을 발표한 의도를 써 보자.
벵골 지역에서 종교 간의 대립을 야기하여 인도의 민족 운동을 약화시키고자 하였다.

• 벵골 분할령이 인도의 민족 운동에 미친 영향을 서술해 보자.
벵골 분할령을 계기로 영국에 협조적이었던 인도 국민 회의가 콜카타 대회를 열고 4대 강령을 채택하는 등 반영 운동에 앞장서기 시작하였다.

함께 보기 211쪽, 1등급 정복하기 1

자료 2 동남아시아의 민족 운동

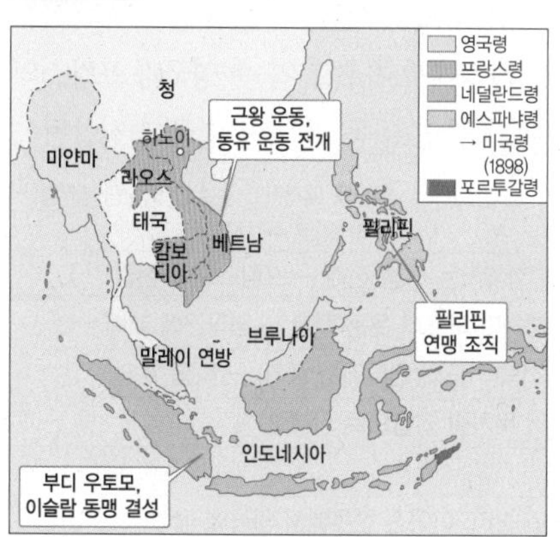

동남아시아 각 지역에서는 열강의 지배에 맞서 민족 운동이 일어났고, 서양 문물을 받아들여 근대화를 이루려는 노력이 전개되었다. 태국의 라마 5세는 근대적 개혁을 주도하였으며, 베트남의 판보이쩌우는 베트남 유신회를 조직하였다. 인도네시아의 카르티니는 민족 운동과 여성 교육 운동에 앞장서 인도네시아 최초의 여학교를 세웠고, 필리핀의 호세 리살은 에스파냐인과 필리핀인의 동등한 대우를 요구하며 필리핀 연맹을 조직하였다.

문제로 확인할까?

동남아시아 각국의 민족 운동에 대한 설명으로 옳은 것은?

① 태국 – 동유 운동이 전개되었다.
② 인도네시아 – 판쩌우찐이 문맹 퇴치에 앞장섰다.
③ 베트남 – 라마 5세가 근대화 정책을 추진하였다.
④ 베트남 – 판보이쩌우가 베트남 유신회를 조직하였다.
⑤ 필리핀 – 이슬람 동맹이 외국 상인의 세력 확대에 반대하였다.

답 ④

02 인도와 동남아시아, 서아시아와 아프리카의 민족 운동

2 서아시아와 아프리카의 민족 운동

1. 오스만 제국의 쇠퇴와 개혁 자료 ③

(1) **오스만 제국의 쇠퇴**: 그리스 독립, 세르비아·이집트 등의 자치권 획득, 열강의 압박 심화

(2) **탄지마트 실시(은혜 개혁)**: 근대 문물의 수용을 통한 부국강병 추구

내용	중앙 집권적 행정 체계 마련, 교육·사법·세금 제도를 서구식으로 개혁, 신식 군대 창설 및 징병제 실시, 전국적인 도로망·철도·운하 등 건설
한계	지방 세력과 구식 군인의 반발, 전쟁으로 국력 소모 → 개혁 성과 미비

(3) **미드하트 파샤의 개혁**: 탄지마트의 성과 미흡 → 근대적 헌법 제정(입헌 군주제 실시, 의회 개설, 1876) → 러시아의 내정 간섭, 보수 세력의 반발로 실패

└ 헌법을 폐지하고 의회를 해산하였어.

(4) **청년 튀르크당의 혁명(1908)**

배경	*러시아·튀르크 전쟁 이후 술탄의 전제 정치 강화
과정	청년 장교, 관료, 젊은 지식인들이 청년 튀르크당 결성, 무장봉기를 통해 정권 장악 → 헌법 부활(1908), 근대적 산업 육성, 언론의 자유 보장, 여성에 대한 차별 철폐, 교육·세금 제도 개혁 추진
한계	극단적 튀르크 민족주의를 내세우고 여러 민족의 독립 탄압 → 제국 내 다른 민족의 반발 초래

└ 청년 튀르크당은 국민 다수가 아랍어나 슬라브어를 사용하는 데도 튀르크어를 공용어로 삼으려고 하였어.

2. 서아시아의 민족 운동

(1) **아랍의 와하브 운동** 자료 ④

왜? 오스만 제국이 이슬람교를 변질시켰다고 여겼어.

배경	오스만 제국의 영향력 쇠퇴, 서양 열강이 종교적·부족적 대립을 이용하여 영향력 확대
전개	압둘 와하브가 이슬람교 초기의 순수성을 되찾자는 신앙 운동 전개 → 오스만 제국에 반대하는 민족 운동으로 발전 → *와하브 왕국 건설(→ 오스만 제국의 탄압으로 멸망)
의의	아랍인의 민족의식 각성, *아랍 민족주의의 기반 형성, 사우디아라비아 왕국 건설의 계기가 됨

(2) **아랍 문화 부흥 운동(19세기 초)**: 아랍의 고전 연구 전개

(3) **이란의 담배 불매 운동**

배경	19세기 말 카자르 왕조의 국왕이 영국에 담배 제조·판매 독점권 양도 → 이란인의 반영 감정 고조
전개	개혁 세력, 상인, 이슬람 성직자를 중심으로 담배 불매 운동 전개
결과	담배 이권을 회수한 대신 영국에 배상금 지불 → 재정 악화로 외국에서 차관 도입(→ 경제 종속화)

(4) **이란의 입헌 혁명**: 혁명 세력이 국민 의회 개설, 입헌 군주제 헌법 제정, 영국과 러시아의 간섭으로 좌절 → 영국과 러시아에 분할 통치됨

3. 이집트의 근대화 운동 자료 ⑤

그리스 독립 전쟁 때에는 오스만 제국을 지원하여 오스만 제국으로부터 자치권을 얻었어.

(1) **무함마드 알리의 개혁**: 군대와 교육 및 행정 기구를 유럽식으로 개편, 산업 육성

(2) **아라비 파샤의 민족 운동**: 이집트가 수에즈 운하 건설 과정에서 차관 도입 → 영국과 프랑스의 내정 간섭 초래 → 아라비 파샤를 중심으로 한 군부가 반영 운동 전개 → 영국에 진압됨

└ 꼭! '이집트인을 위한 이집트 건설'을 내걸고 혁명을 주도하였어.

4. 아프리카의 민족 운동

외세를 배격하고 순수한 이슬람 신앙을 회복하자고 주장하였어.

알제리	19세기 프랑스의 침략 → 30여 년 동안 프랑스에 항거하는 투쟁 전개 → 프랑스군에 진압
수단	무함마드 아흐마드가 스스로 '마흐디(구세주)'라 칭하며 마흐디 운동 전개 → 영국군에 패배
에티오피아	*메넬리크 2세의 근대화 추진, 이탈리아의 침략 격퇴(아도와 전투에서 승리) → 독립 유지
나미비아	독일의 횡포에 맞서 헤레로족이 봉기 → 독일군의 무차별 진압으로 희생 발생
탄자니아	주술사들이 저항 운동 전개(마지마지 봉기)
줄루 왕국	영국의 공격 → 이산들와나 전투에서 줄루 왕국의 승리, 이어진 전투에서 영국에 패배

이것이 핵심!

• 서아시아의 민족 운동

오스만 제국	오스만 제국의 쇠퇴 → 탄지마트 실시 → 미드하트 파샤의 개혁 추진 → 청년 튀르크당의 혁명 전개
아라비아 반도	압둘 와하브 주도로 와하브 운동 전개 → 오스만 제국에 저항, 와하브 왕국 건설
이란	담배 불매 운동 전개 → 국민 의회 수립, 헌법 제정 등 내정 개혁 추진

• 이집트와 아프리카의 민족 운동

이집트	무함마드 알리의 근대화 정책 추진, 아라비 파샤의 반영 운동 전개
아프리카	• 알제리: 30여 년 동안 프랑스에 저항 • 수단: 마흐디 운동 전개 • 에티오피아: 메넬리크 2세의 근대화 정책 추진 • 나미비아: 헤레로족의 봉기 • 탄자니아: 마지마지 봉기 • 줄루 왕국: 영국에 저항

★ **러시아·튀르크 전쟁**
발칸반도로 진출하려는 러시아와 오스만 제국의 충돌로 일어난 여섯 차례의 전쟁이다. 오스만 제국의 헌법 정지와 관련된 6차 전쟁은 1877~1878년에 일어났다.

★ **와하브 왕국(제1차 사우디 왕국)**
압둘 와하브와 와하브 운동을 후원하였던 사우드 가문의 이븐 사우드가 동맹하여 건설한 왕국

★ **아랍 민족주의**
아랍인들이 단일한 정치적 공동체를 구성하고 하나의 정부를 가져야 한다는 주장

★ **메넬리크 2세**
에티오피아의 황제로, 도로와 교량을 건설하고 서양의 교육 체제를 도입하는 등 근대화를 추진하였다. 또 최신 무기를 수입하고 유럽인 교관에게 군대 훈련을 맡겨 군사력을 강화하였다.

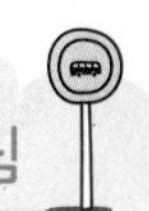

내 옆의 선생님

자료 3 오스만 제국의 개혁

[탄지마트를 위한 칙령, 1839]
- 술탄의 권한 일부를 의회에 넘기고, 의회는 술탄의 승인을 얻어 법률을 제정한다.
- 백성의 생명, 명예, 재산에 대한 충분한 안전을 보장한다.
- 조세 징수에 관한 원칙을 마련한다.
- 군대의 징집에 대한 정식 규정 및 근무 기간을 설정한다.

[오스만 제국 헌법, 1876] — 이후 러시아·튀르크 전쟁이 일어나자 술탄 압둘하미드 2세와 보수 세력이 헌법을 폐지하였어.

제8조 모든 국민은 종교의 자유를 갖는다.
제28조 내각 회의는 대재상의 주재로 소집되며, 내각의 권한은 국내외 모든 중요 안건에 이른다.
제42조 제국 의회는 상원과 하원으로 구성한다.

오스만 제국은 부국강병을 목적으로 서구 문물을 적극 수용하는 탄지마트를 시행하였다. 이후 탄지마트의 성과가 미흡하자 미드하트 파샤를 비롯한 혁신적인 관료들은 입헌 군주제 실시, 의회 설립 등의 내용을 담은 헌법을 공포하였다. 그러나 보수 세력의 반발과 러시아의 내정 간섭으로 큰 성과를 거두지 못하였다.

자료 4 와하브 운동의 전개

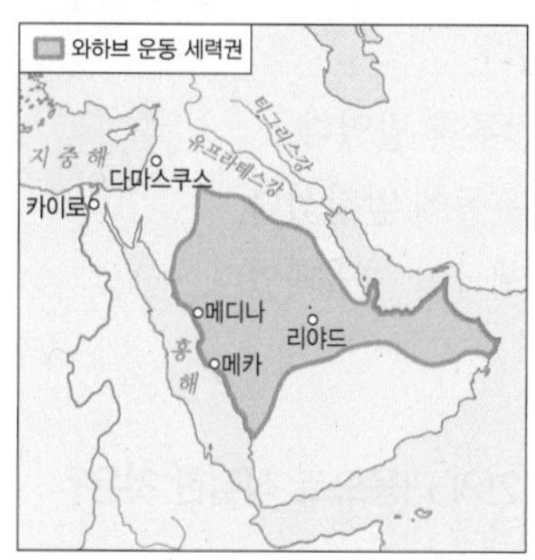

⊙ 와하브 운동의 세력권

18세기 이후 아랍은 점차 오스만 제국의 지배에서 벗어났지만 열강의 침략을 받게 되었다. 이러한 상황에서 이븐 압둘 와하브는 초기 이슬람교 정신으로 돌아가자는 와하브 운동을 일으켰다. 와하브의 주장은 아라비아반도의 유력 세력인 사우드 가문과 튀르크의 지배를 받던 아라비아인들의 지지를 얻었다. 이후 와하브 운동을 후원하였던 사우드 가문은 와하브 운동가들과 함께 와하브 왕국을 세웠다. 와하브 운동은 아라비아반도의 통합을 고취하였고, 아랍 민족주의에도 큰 영향을 주었다.

자료 5 이집트의 민족 운동

— 수에즈 운하는 1956년에 이집트 나세르 대통령이 국유화 조치를 내릴 때까지 영국의 지배 아래 있었어.

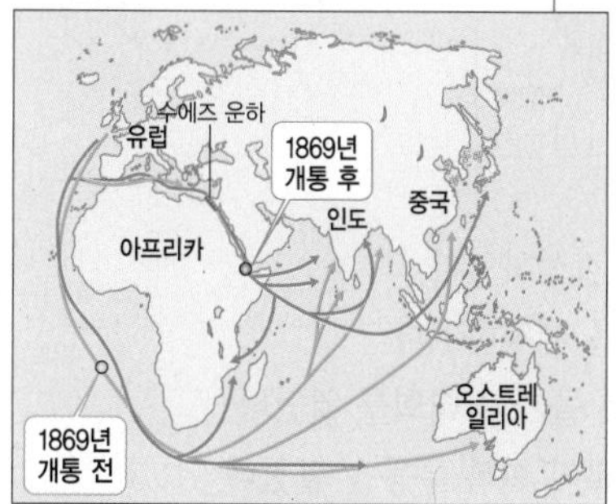

⊙ 수에즈 운하 개통과 교통로의 변화

19세기 중엽 이집트는 수에즈 운하를 건설하고 전신과 철도를 설치하기 위해 영국과 프랑스에 차관을 도입하였다. 그러나 이 과정에서 늘어난 빚이 빌미가 되어 영국과 프랑스의 내정 간섭을 받게 되었다. 아라비 파샤를 중심으로 한 군부는 '이집트인을 위한 이집트의 건설'이라는 구호를 내세워 혁명을 일으켰으나 영국군에 진압되었다. 이후 이집트는 1922년까지 영국의 보호국이 되었다.

정리 비법을 알려줄게!

오스만 제국의 근대화 운동

탄지마트(1839)	행정·교육·군사 제도의 근대적 개혁 추진
미드하트 파샤의 개혁(1876)	근대적 헌법 제정(입헌 군주제 실시, 의회 개설)
청년 튀르크당의 혁명(1908)	헌법 부활, 교육·조세 제도의 개혁 추진, 여성에 대한 차별 철폐 주장

문제 로 확인할까?

탄지마트에 대한 설명으로 옳지 않은 것은?

① 징병제를 실시하였다.
② 신식 군대를 창설하였다.
③ 아랍 고전을 연구하였다.
④ 철도와 운하를 건설하였다.
⑤ 전국적인 도로망을 설치하였다.

ⓒ 답

자료 하나 더 알고 가자!

와하브 운동 때 쓰인 깃발

오늘날 사우디아라비아의 국기는 와하브 운동에서 쓰였던 깃발에서 유래하였어. 이 깃발에는 '알라는 유일한 신이며, 무함마드는 신의 사도이다.'라고 적혀 있지.

자료 하나 더 알고 가자!

수에즈 운하의 항해로 단축

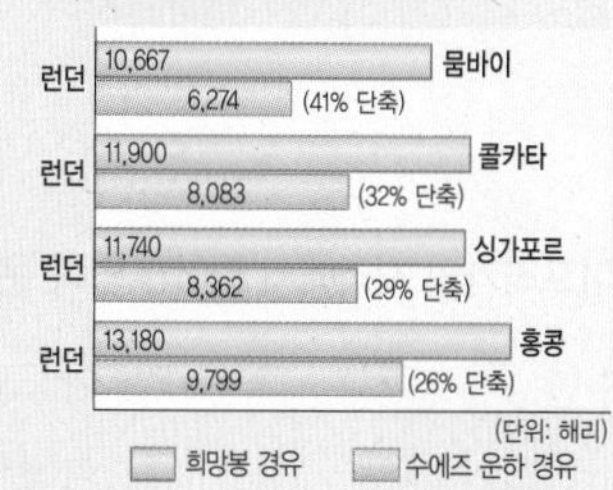

STEP 1 핵심 개념 확인하기

정답친해 62쪽

1 다음에서 설명하는 인도의 민족 운동을 쓰시오.

(1) 람 모한 로이를 중심으로 한 힌두교 지도자들이 추진한 종교·사회 개혁 운동이다. (　　　)

(2) 영국이 인도의 종교적 전통을 무시하자 동인도 회사에 고용된 인도인 용병들이 일으킨 항쟁이다. (　　　)

2 다음에서 설명하는 인물을 〈보기〉에서 골라 기호를 쓰시오.

보기
ㄱ. 카르티니　　ㄴ. 호세 리살　　ㄷ. 판보이쩌우

(1) 인도네시아의 여성 교육을 위해 헌신하였다. (　　)

(2) 베트남 유신회, 베트남 광복회를 조직하였다. (　　)

(3) 에스파냐 유학 후 필리핀 연맹을 조직하였다. (　　)

3 오스만 제국에서 술탄의 전제 정치가 강화되자 청년 장교들은 (　　　　)을 결성하고 1908년에 무장봉기하여 헌법을 부활시켰다.

4 다음 설명이 맞으면 ○표, 틀리면 ×표를 하시오.

(1) 이집트에서는 아라비 파샤를 중심으로 반영 운동이 전개되었다. (　　)

(2) 이란인들은 영국에 양도된 담배의 독점 판매권을 회수하기 위해 탄지마트를 전개하였다. (　　)

(3) 아랍 지역에서 시작된 와하브 운동은 점차 오스만 제국에 반대하는 민족 운동으로 발전하였다. (　　)

5 아프리카의 지역에서 일어난 민족 운동을 옳게 연결하시오.

(1) 수단 •　　　• ㉠ 아도와 전투에서 승리

(2) 나미비아 •　　　• ㉡ 독일에 맞서 헤레로족이 봉기

(3) 에티오피아 •　　　• ㉢ 무함마드 아흐마드가 이슬람 신앙의 회복 주장

STEP 2 내신 만점 공략하기

01 (중요) 밑줄 친 '항쟁'에 대한 설명으로 옳은 것은?

동인도 회사에 고용된 세포이들은 영국이 인도를 수탈하고 인도의 종교적 전통을 무시하자 <u>항쟁</u>을 일으켰다.

① 람 모한 로이가 주도하였다.
② 인도 국민 회의의 지원을 받았다.
③ 스와데시와 스와라지를 구호로 삼았다.
④ 무굴 제국의 황제가 폐위되는 데 영향을 주었다.
⑤ 영국이 벵골 분할령을 취소하는 결과를 가져왔다.

02 다음 법령이 선포된 이후 인도의 상황으로 적절한 것은?

제1조 지금까지 동인도 회사가 점유하거나 통치했던 영토와 그 권력은 영국 여왕 폐하에게 주어진다.
제2조 인도는 폐하에 의하여 폐하의 이름으로 통치된다.

① 시크교가 개창되었다.
② 세포이의 항쟁이 시작되었다.
③ 영국과 프랑스가 플라시 전투를 벌였다.
④ 무굴 제국의 황제가 반영 운동에 앞장섰다.
⑤ 영국 왕이 지배하는 인도 제국이 성립되었다.

03 지도의 상황에 대한 인도인의 대응으로 적절한 것은?

① 인도 국민 회의를 결성하였다.
② 인도 통치 개선법을 제정하였다.
③ 틸라크를 중심으로 콜카타 대회를 열었다.
④ 힌두교의 순수한 교리 회복 운동을 펼쳤다.
⑤ 마라타 동맹을 결성하여 영국에 저항하였다.

04 (가) 단체에 대한 설명으로 옳은 것은?

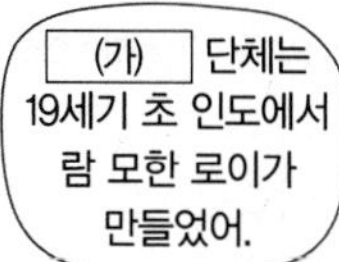

(가) 단체는 19세기 초 인도에서 람 모한 로이가 만들었어.

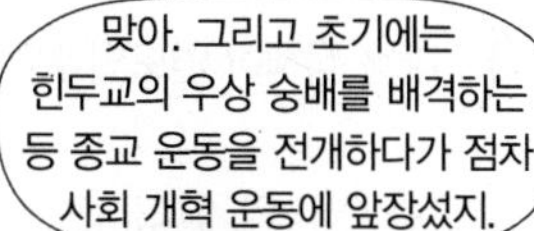

맞아. 그리고 초기에는 힌두교의 우상 숭배를 배격하는 등 종교 운동을 전개하다가 점차 사회 개혁 운동에 앞장섰지.

① 세포이의 항쟁을 전개하였다.
② 이슬람 동맹의 설립을 주도하였다.
③ 스와라지와 스와데시를 주장하였다.
④ 사티와 일부다처제 등의 악습 타파를 주장하였다.
⑤ 미국·에스파냐 전쟁 중 독립을 약속한 미국을 지원하였다.

05 (중요) 다음은 19세기 말 동남아시아 지역을 나타낸 지도이다. (가), (나) 국가에서 전개된 민족 운동에 대한 설명으로 옳은 것은?

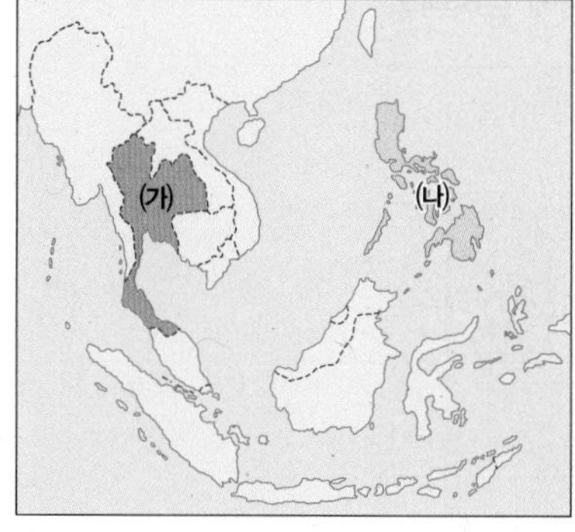

① (가) – 아기날도가 공화국을 선포하였다.
② (가) – 카르티니가 여성을 위한 학교를 세웠다.
③ (나) – 판쩌우찐이 문맹 퇴치 운동을 주도하였다.
④ (나) – 호세 리살이 독립운동 단체를 조직하였다.
⑤ (나) – 지식인과 이슬람교도 상인들이 이슬람 동맹을 결성하였다.

06 다음은 세계사 퀴즈 대회의 대본이다. 사회자의 질문에 대한 답변으로 옳은 것은?

사회자: 사진 속 인물은 베트남의 초기 민족 운동을 이끌었던 인물로 신해혁명에 자극을 받아 베트남 광복회를 조직하기도 하였습니다. 이 인물의 다른 업적은 무엇일까요?

① 동유 운동을 전개하였습니다.
② 부디 우토모를 결성하였습니다.
③ 이슬람 동맹을 설립하였습니다.
④ 통킹 의숙의 건립에 참여하였습니다.
⑤ 에스파냐의 식민 지배에 저항하였지요.

07 (중요) 밑줄 친 '개혁'의 내용으로 옳지 않은 것은?

오스만 제국은 대내외적인 위기를 극복하기 위해 1839년부터 '은혜 개혁'이라고 불린 <u>개혁</u>을 추진하였다. 그러나 전쟁으로 국력이 소모되어 <u>개혁</u>의 성과가 미흡하였다.

① 술탄제 폐지
② 교육 제도 개혁
③ 신식 군대 창설
④ 전국에 도로망 건설
⑤ 중앙 집권적 행정 체계 마련

08 다음 학습 목표를 달성하기 위한 발표 주제로 적절한 것은?

• 학습 목표: 19세기 이후 오스만 제국에서 전개된 근대화 운동의 특징을 파악할 수 있다.

① 근왕 운동의 결과
② 콜카타 대회 개최의 의미
③ 브라흐마 사마지 운동의 영향
④ 짜끄리 왕조의 개혁이 미친 영향
⑤ 미드하트 파샤가 제정한 헌법의 특징

09 (가)에 들어갈 내용으로 옳은 것은?

> 19세기 말 영국은 이란의 담배 제조 및 판매 독점권을 획득하면서 카자르 왕조에 영향력을 행사하였다. 이에 이란의 상인과 이슬람 지도자들이 중심이 되어 [(가)]

① 와하브 운동을 벌였다.
② 탄지마트를 추진하였다.
③ 담배 불매 운동을 벌였다.
④ 마지마지 봉기를 일으켰다.
⑤ 청년 튀르크당 혁명을 전개하였다.

중요

10 밑줄 친 '이 나라'에서 일어난 일로 옳은 것은?

> <u>이 나라</u>의 총독인 무함마드 알리는 공업화를 추진하고 영토를 확장하는 등 적극적인 근대화 운동을 추진하였지만, 열강의 간섭으로 좌절되었다.

① 마흐디 운동이 전개되었다.
② 스와라지, 스와데시 운동이 일어났다.
③ 미드하트 파샤가 의회 설립을 추진하였다.
④ 아라비 파샤가 외세 배격 운동을 주도하였다.
⑤ 지식인을 중심으로 이슬람 동맹이 결성되었다.

11 다음 수행 평가로 만든 가상 신문 기사의 제목으로 적절한 것은?

> **[수행 평가] 세계사 가상 신문 만들기**
> • 주제: 19세기 말 북부 아프리카 수단 지역의 민족 운동
> • 주의 사항: 역사적 오류 없이 기사를 작성할 것
> • 제출 기한: 20○○년 ○○월 ○○일

① 아도와 전투, 그 현장 속으로!
② 이산들와나 전투를 재구성하다
③ 헤레로족은 독일군에 어떻게 맞섰나?
④ 메넬리크 2세가 근대화를 추진한 이유는?
⑤ 무함마드 아흐마드, 이슬람 신앙 회복을 꿈꾸다!

서술형 문제

● 정답친해 64쪽

01 다음 정책이 인도의 민족 운동에 미친 영향을 서술하시오.

> 1905년 영국의 인도 총독은 벵골 지역을 이슬람교도 중심의 동벵골과 힌두교도 중심의 서벵골로 분리한다는 벵골 분할령을 발표하였다. 그 명분은 면적이 넓고 인구가 많은 벵골 지역을 효과적으로 다스리고 힌두교도와 이슬람교도 간 분쟁을 방지한다는 것이었다.

길잡이 인도 국민 회의의 활동 변화를 중심으로 서술한다.

02 (가) 단체의 활동 내용을 구체적으로 서술하시오.

> 19세기에 들어 오스만 제국은 탄지마트를 추진하고, 헌법을 제정하여 입헌 군주 체제를 갖추었다. 그러나 러시아·튀르크 전쟁이 일어난 후 보수 세력이 헌법을 폐지하고 의회를 해산하여 정치 개혁이 중단되었다. 이후 술탄의 전제 정치가 강화되자 청년 장교들은 [(가)]을/를 결성하였다.

길잡이 오스만 제국의 정치 체제가 변화되는 과정을 고려하여 서술한다.

03 지도를 보고 물음에 답하시오.

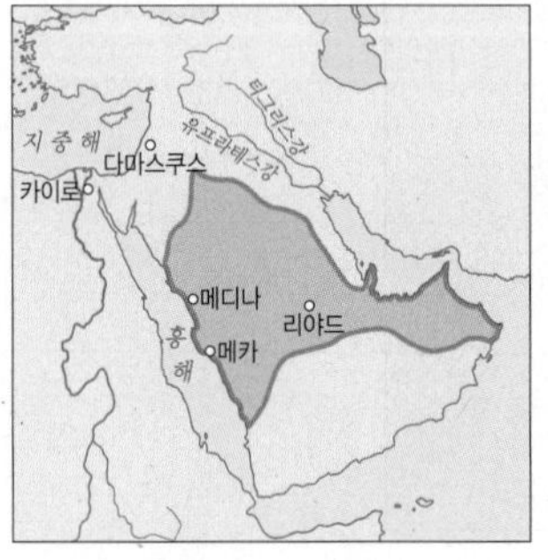

(1) 지도와 같은 세력 범위를 유지하며 전개된 민족 운동을 쓰시오.

(2) (1) 운동이 아랍 지역에 미친 영향을 서술하시오.

길잡이 18세기 이후 아랍 지역에서 일어난 신앙 운동에 주목하여 서술한다.

정답친해 64쪽

STEP 3 1등급 정복하기

1 다음과 같은 주장을 펼친 단체에 대한 탐구 활동으로 적절한 것은?

> 벵골 분할에 벵골인은 아주 큰 불만을 품고 있습니다. 그것은 영국인의 잔인하고도 어리석은 행동입니다. …… 나는 '스와데시'가 경제적 혼란 상태에 있는 인도에서 강력해질 필요가 있다고 생각합니다. 인도인들의 희생과 빈곤을 대가로 외국인의 봉급과 연금 등은 매년 2억 루피 정도 제공됩니다. …… 이러한 인도의 상황에 (영국의) 경제법을 적용하는 것은 위험할 뿐만 아니라 모욕을 주려는 것과 같은 것입니다.

① 동유 운동의 영향을 알아본다.
② 와하브 왕국이 건설된 배경을 찾아본다.
③ 무굴 제국의 황제가 폐위된 이유를 확인한다.
④ 콜카타 대회에서 채택된 4대 강령의 내용을 살펴본다.
⑤ 각 지역에서 브라흐마 사마지 운동이 일어난 원인을 조사한다.

> 인도의 민족 운동

| 완자 사전 |

• **강령**
정당이나 사회단체들이 그 기본 입장이나 방침, 운동 규범 등을 열거한 것

평가원 응용

2 다음 상황이 원인이 되어 일어난 사실로 옳은 것은?

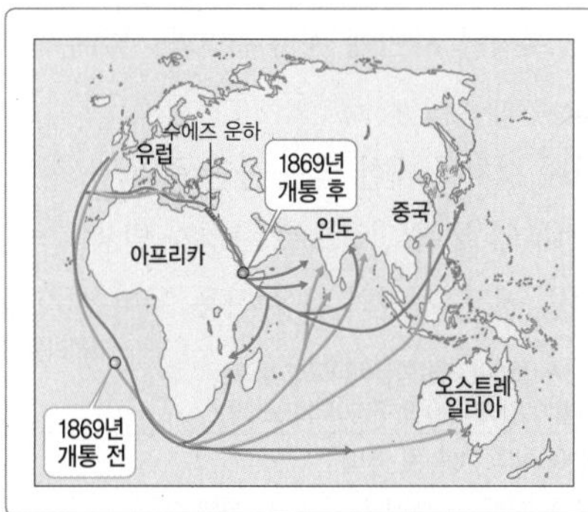

수에즈 운하는 지중해와 홍해를 연결하는 세계 최대의 인공 수로이다. 1869년에 이 운하가 완공되면서 유럽과 인도를 오가는 항로가 3분의 1로 단축되었다. 그러나 이집트가 수에즈 운하를 건설하는 과정에서 막대한 차관을 도입하면서 외채에 허덕이게 되자, 영국은 재빨리 수에즈 운하의 주식을 매입하여 운하 경영권을 차지하였다.

① 압둘 와하브가 이슬람 운동을 전개하였다.
② 메넬리크 2세가 서양식 무기를 도입하였다.
③ 아라비 파샤를 중심으로 한 군부가 혁명을 일으켰다.
④ 이슬람 지도자들과 상인들이 담배 불매 운동을 벌였다.
⑤ 청년 장교들이 청년 튀르크당을 결성하고 무장봉기하였다.

> 이집트의 민족 운동

완자쌤의 시험 꿀팁

서아시아와 아프리카 지역에서 일어난 독립운동은 민족 운동 관련 문제에서 선택지로 활용되는 경우가 많다. 따라서 각 지역에서 전개된 민족 운동의 특징과 주요 인물의 활동 내용을 정리해 두면 시험에 도움이 된다.

03 제1차 세계 대전과 세계정세의 변화

학습 목표
- 제1차 세계 대전의 배경과 전개 양상을 파악하고, 러시아 혁명의 영향을 설명할 수 있다.
- 베르사유 체제의 특징과 전후 세계정세의 변화를 정리할 수 있다.

이것이 핵심!

제1차 세계 대전

배경	3국 동맹과 3국 협상의 대립, 범게르만주의와 범슬라브주의의 대립으로 발칸 전쟁 발발
전개	사라예보 사건 발생 → 오스트리아·헝가리 제국이 세르비아에 선전 포고 → 독일의 벨기에 침공 → 독일의 무제한 잠수함 작전 전개 → 미국의 참전 → 러시아의 전선 이탈 → 독일의 항복
결과	참호전, 총력전, 신무기 등장 → 막대한 인적·물적 피해 발생

★ **발칸 전쟁**
발칸 동맹국들이 제1차 발칸 전쟁을 일으켜 오스만 제국을 격퇴하고 발칸 반도를 차지하였으나, 이후 영토 분할을 둘러싼 내분이 일어나 제2차 발칸 전쟁이 발발하였다. 이 과정에서 오스트리아·헝가리 제국이 개입하자 발칸 반도의 상황은 더욱 악화되었다.

1 제1차 세계 대전

1. 제1차 세계 대전의 배경

(1) **열강의 대립**: 3국 동맹과 3국 협상의 결성 자료①
- 3국 협상: 프랑스, 러시아, 영국
- 3국 동맹: 독일, 오스트리아·헝가리 제국, 이탈리아

(2) **발칸반도의 분쟁**

① 발칸반도의 상황: 오스만 제국의 쇠퇴 → 범게르만주의(독일, 오스트리아·헝가리 제국 중심)와 범슬라브주의(러시아, 세르비아 중심)가 대립

- 오스만 제국의 쇠퇴로 발칸반도의 여러 민족이 독립하자 독일과 오스트리아·헝가리 제국은 범게르만주의를, 러시아는 범슬라브주의를 내세우며 발칸반도에서 세력을 확대하였어.

② *발칸 전쟁의 전개: 오스트리아·헝가리 제국이 보스니아와 헤르체고비나 병합(1908) → 세르비아가 발칸 동맹 결성 → 발칸 동맹이 오스만 제국 격퇴(제1차 발칸 전쟁, 1912) → 발칸 동맹 사이에 내분 발생(제2차 발칸 전쟁, 1913)

2. 제1차 세계 대전의 전개와 결과

- 사라예보 사건: 보스니아의 수도 사라예보를 방문한 오스트리아·헝가리 제국의 황태자 부부가 세르비아 청년에게 피살당한 사건이야.

발발	사라예보 사건(1914) 발생 → 오스트리아·헝가리 제국이 세르비아에 선전 포고 → 동맹국(3국 동맹)과 연합국(3국 협상) 국가들이 각각 전쟁에 가담하여 제1차 세계 대전으로 확대
전개	독일의 벨기에 침공 → 독일이 마른 전투와 솜 전투에서 고전 → 서부 전선의 교착화로 전쟁 장기화(참호전 전개) → 영국의 해상 봉쇄 → 독일의 무제한 잠수함 작전 전개 → 미국이 연합국으로 참전 → 러시아가 독일과 단독 강화를 맺고 전선 이탈 (왜? 러시아에서 사회주의 혁명이 일어났기 때문이야.)
종결	독일의 서부 전선 대공세 실패 → 오스트리아·헝가리 제국 등 항복 → 킬 군항 해군의 폭동을 계기로 독일에서 혁명 발발, 공화국 선포 → 독일의 공화국 정부가 항복 선언(1918)
결과	총력전·참호전 양상, 신무기 사용으로 막대한 인적·물적 피해 발생, 미국이 강대국으로 부상 자료②

- 미국이 연합국으로 참전: 미국은 독일의 무제한 잠수함 작전으로 자국민이 사망하는 사건이 일어나고, 독일이 비밀리에 멕시코와 동맹을 추진하자 제1차 세계 대전에 참전하게 되었어.

이것이 핵심!

러시아 혁명과 소련의 성립

배경	차르의 전제 정치, 러일 전쟁의 패배, 피의 일요일 사건 발생
전개	3월 혁명(→ 제정 붕괴, 임시 정부 수립) → 11월 혁명(→ 소비에트 정부 수립)

↓

혁명 이후
레닌이 코민테른 결성, 신경제 정책(NEP) 추진, 소비에트 사회주의 공화국 연방(소련) 수립

★ **신경제 정책(NEP)**
식량의 강제 징발을 금지하고 농민들이 세금 이외의 자기 생산물을 팔 수 있도록 한 것으로, 레닌이 반혁명파 세력과의 내전으로 경제난에 처하자 추진하였다.

2 러시아 혁명과 소련의 성립

1. 러시아 혁명의 배경

(1) **민중의 개혁 요구**: 산업화로 노동자 계층 증가, 지식인 사이에 자유주의와 사회주의 사상 확산 → 민중의 사회 개혁 요구 증가

(2) **피의 일요일 사건(1905)**: 러일 전쟁과 차르의 전제 정치에 대한 국민 불만 증가 → 상트페테르부르크에서 개혁을 요구하는 시위 발생 → 정부의 무력 진압으로 사상자 발생(피의 일요일 사건) → 차르 니콜라이 2세의 개혁 약속(헌법 제정, 시민의 자유 허용, 두마 설치 등)
- 차르: 러시아어로 '황제'라는 뜻이야.
- 두마: 의회라는 뜻이야.

2. 러시아 혁명의 전개

- 3월 혁명은 러시아력으로 2월에 일어나 2월 혁명이라고도 하고, 11월 혁명은 러시아력으로 10월에 일어나 10월 혁명이라고도 해.

3월 혁명 (1917. 3.)	• 배경: 차르의 개혁 성과 미흡, 제1차 세계 대전에서의 계속된 패배 • 전개: 노동자들과 병사들이 소비에트 조직, 혁명 발생 → 제정 붕괴, 임시 정부 수립
11월 혁명 (1917. 11.)	• 배경: 임시 정부의 전쟁 지속, 개혁 부진 • 전개: 레닌이 이끄는 볼셰비키가 봉기 → 임시 정부 타도, 소비에트 정부 수립 자료③

- 볼셰비키: 레닌이 만든 러시아 사회 민주 노동당의 다수파를 가리켜.

3. 혁명 후의 러시아: 레닌이 볼셰비키의 일당 독재 추진, 독일과 브레스트리토프스크 조약 체결 후 제1차 세계 대전에서 이탈, 토지·산업의 국유화 추진 → *신경제 정책(NEP) 추진, 코민테른 결성, 반혁명파 진압 → 소비에트 사회주의 공화국 연방(소련) 수립(1922)

- 코민테른: 사회주의 세력의 국제적 단결을 목적으로 하였어. 식민지 해방 운동 지원을 선언하여 사회주의가 전 세계로 확산되었지.

완자 자료 탐구

내 옆의 선생님

자료 1 3국 동맹과 3국 협상의 대립

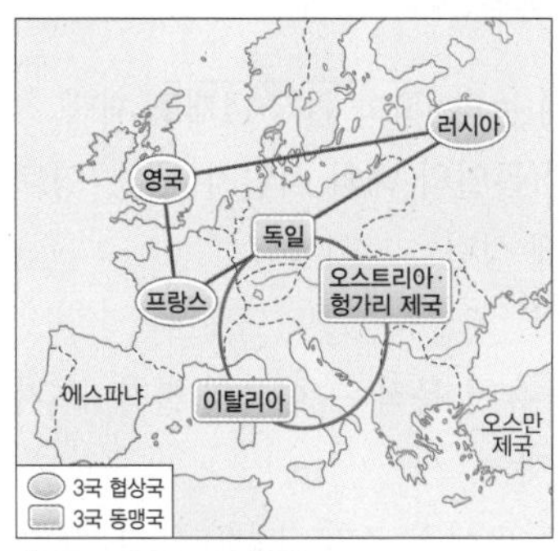

3국 동맹과 3국 협상

독일은 프랑스를 고립시키기 위해 3국 동맹을 결성하였다. 이후 독일은 3B 정책을 펼치는 등 적극적인 대외 팽창을 추진하여 3C 정책을 추진한 영국과 충돌하기도 하였다. 한편, 독일의 팽창을 견제한 프랑스는 러시아, 영국과 함께 3국 협상을 결성하였고 3국 동맹과 3국 협상의 대립은 발칸 전쟁이 일어나는 데 영향을 주었다. 이후 사라예보 사건으로 촉발된 제1차 세계 대전에 3국 동맹과 3국 협상 측이 각각 가담하자 전쟁은 이들의 대결 구도로 나아갔다.

문제로 확인할까?

1. 1882년 독일은 프랑스를 고립시키기 위해 오스트리아·헝가리 제국, 이탈리아와 (　　　)을 결성하였다.

2. 3국 협상을 맺은 나라를 〈보기〉에서 골라 기호를 쓰시오.

보기	
ㄱ. 미국	ㄴ. 영국
ㄷ. 러시아	ㄹ. 프랑스

답 1. 3국 동맹 2. ㄴ, ㄷ, ㄹ

자료 2 제1차 세계 대전의 특징

제1차 세계 대전은 참호전, 장기전, 총력전의 양상으로 전개되었어.

참호 속 병사들

탱크의 등장

방독면을 만드는 여성들

제1차 세계 대전은 이전 전쟁과 다른 양상을 보였다. 참호전으로 전쟁이 장기화되자 각국은 전쟁을 지원하기 위해 국가의 자원을 총동원하였다. 이 과정에서 기관총, 전차, 독가스 등 다양한 신무기들이 투입되어 엄청난 물적·인적 손실을 낳았다.

- 참호: 적의 총포탄에 의한 피해를 막고 전투를 자유롭게 수행할 수 있도록 땅을 파서 만든 도랑이야.
- 여성들은 남성들을 대신하여 군수 공장에서 전쟁 물자를 만들었어. 이것은 전후 여성들이 참정권을 요구하는 배경이 되었지.

자료 하나 더 알고 가자!

제1차 세계 대전의 피해

(억 마르크) 300, 250, 200, 150, 100, 50, 0 / (만 명) 200, 150, 100, 50, 0

전쟁 비용 / 전사자

미국 / 이탈리아 / 영국 / 오스트리아·헝가리 / 프랑스 / 러시아 / 독일

(『DK History』, 2007)

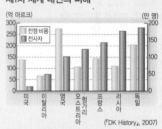

제1차 세계 대전의 피해 상황

제1차 세계 대전의 피해는 유례없이 컸어. 전사자가 800만 명이 넘었고, 민간인 희생자도 약 1,000만 명에 이르렀지.

자료 3 레닌의 강령과 11월 혁명

제1항 계속되는 제국주의 전쟁에 단호히 반대하고 즉각 평화를 실현해야 한다.
제4항 소비에트의 권력을 확대해야 한다.
제5항 의회제 공화국에 반대하고 소비에트 공화국을 수립해야 한다.
제8항 생산과 분배를 소비에트가 통제해야 한다.

－「4월 테제」

- 제국주의 전쟁: 레닌은 제1차 세계 대전을 제국주의 국가들 사이의 전쟁으로 규정하였어.
- 소비에트: 러시아어로 '평의회' 또는 '대표자 회의'를 뜻해. 노동자와 병사들의 대표가 모인 자치 조직이야.
- 생산과 분배의 통제: 사회주의 경제 체제를 확립하고자 하였어.

3월 혁명으로 수립된 임시 정부가 전쟁을 지속하자 레닌은 전쟁을 중지하고 임시 정부의 모든 권력을 소비에트에 이양할 것을 요구하며 「4월 테제(혁명에서 프롤레타리아트의 임무)」를 발표하였다. 이 강령은 소비에트 노동자와 병사들의 자치 조직 강화, 사회주의 경제 정책 실시 등을 포함하였는데, 이후 볼셰비키의 방침으로 채택되어 11월 혁명에 영향을 주었다.

자료 하나 더 알고 가자!

러시아 혁명의 배경

> 폐하! 저희 상트페테르부르크의 노동자와 주민들 …… 정의와 보호를 구하러 당신께 갑니다. …… 러시아의 모든 계급과 신분의 대표자를 선출하고, 또 모든 사람에게 평등한 선거권을 부여하며, 자유롭게 선거하도록 배려해 주십시오.
> － 상트페테르부르크 노동자들의 청원서

1905년에 상트페테르부르크에서 개혁을 요구하며 일어난 대규모 군중 시위는 러시아 혁명의 도화선이 되었어.

03 제1차 세계 대전과 세계정세의 변화

3 전후 세계정세의 변화

1. 전후 처리와 유럽의 정치·사회 변화

꼭! 미국 대통령 윌슨이 제안하였어. 모든 민족은 스스로 국가를 구성하고 자신의 정부를 선택할 수 있다는 민족 자결주의가 포함되었지.

(1) 베르사유 체제의 성립 교과서 자료

① 파리 강화 회의 개최: 제1차 세계 대전의 전후 처리 문제 논의, 평화 원칙 14개조 채택

② 베르사유 조약의 체결(1919): 독일과 연합군 간에 체결(독일의 해외 식민지 상실, 영토 축소, 배상금 지불, 군비 제한 등 규정) → 베르사유 체제 성립

(2) 국제 평화를 위한 노력 — 군비 축소, 각국의 독립과 영토 보전, 국제 분쟁의 평화적 해결 등에 합의하였어.

① 국제 연맹 창설(1920): 세계 각국의 협력 강화 및 평화 유지 목적 → 미국의 불참, 초기 독일과 소련 배제, 국제 분쟁 억제를 위한 무력 수단 부재

② 각국의 노력: *로카르노 조약(1925)과 켈로그·브리앙 조약(부전 조약, 1928) 체결, 도스안과 영안으로 독일의 배상금 삭감, 워싱턴 회의와 런던 회의에서 해군의 군비 축소 논의

전쟁을 국가 정책 수단으로 삼지 말자는 데 합의하였어.

(3) 전후 유럽의 변화

① 민주 공화국 탄생: 독일에서 바이마르 공화국 수립, 오스트리아·헝가리 제국과 오스만 제국에서 공화정 수립

② 신생 독립국 등장: 민족 자결주의 원칙에 따라 독립 → 대부분 공화정 채택

③ 참정권 확대: 재산에 따른 선거권 제한 폐지, 노동자층과 여성의 선거권 확대

Q&? 제1차 세계 대전이 총력전으로 전개되자 여성의 참여와 경제적 기여도가 증가하였고 이것이 여성의 참정권 획득으로 이어졌어.

2. 중국의 민족 운동

(1) 신문화 운동: 천두슈·후스 등 지식인과 학생들이 주도, 유교 사상 비판, 서양의 과학과 민주주의의 수용 주장, 잡지 『신청년』 발간, 백화 운동 전개(구어체 사용 주장)

(2) 5·4 운동: 베이징 대학생 주도로 반일본·반군벌 시위 전개 자료 ④

한국에서 일어난 3·1 운동의 영향을 받았어.

(3) 국공 합작

국민당의 토벌로 궁지에 몰린 공산당의 홍군이 만 킬로미터 이상 행군한 것을 말해.

*제1차 국공 합작	중국 국민당과 중국 공산당이 반군벌, 반제국주의를 내세우며 국민 혁명 추진(1924)
제2차 국공 합작	장제스의 군벌 타도 및 공산당 토벌 → 공산당의 대장정 단행 → *시안 사건, 중일 전쟁을 계기로 제2차 국공 합작 성립(1937)

쑨원의 뒤를 이은 장제스는 국민 혁명군을 이끌고 군벌을 소탕하였어. 그러나 이 과정에서 공산당을 공격하면서 국공 합작은 결렬되었지.

3. 인도와 동남아시아의 민족 운동

인도	영국의 식민 지배 강화(선거권 제한, *롤럿법 제정) → 간디가 롤럿법의 폐지와 자치를 요구하며 비폭력·불복종 시위 전개(국산품 애용, 납세 거부, 소금 행진 등 전개), 네루가 인도 독립 동맹 결성 후 무력 투쟁 전개 → 영국의 *신인도 통치법 제정(1935)
베트남	호찌민이 베트남 공산당(인도차이나 공산당)을 이끌고 반프랑스 독립운동 전개
인도네시아	수카르노가 인도네시아 국민당을 결성하여 네덜란드에 저항
필리핀	미국으로부터 자치권 획득, 완전한 독립 요구
태국	청년 장교들이 쿠데타를 일으켜 입헌 군주제 실시

4. 서아시아와 아프리카의 민족 운동

아프리카 지식인들은 범아프리카 운동을 벌여 유럽 열강으로부터 벗어나려 하였어.

오스만 제국	*무스타파 케말이 튀르키예 공화국 수립(1923), 근대화 정책 추진(일부다처제 폐지, 남녀평등권 도입, 술탄 제도 폐지, 로마자 표기법 도입, 튀르키예 문자 제정 등)
이란	리자 샤 주도로 민족 운동 전개 → 팔레비 왕조 수립, 국호를 '이란'으로 정함, 근대화 정책 추진
팔레스타인	후사인·맥마흔 협정, 밸푸어 선언으로 아랍인과 유대인 간 갈등 발생 자료 ⑤
이집트	반영 운동 전개 → 영국으로부터 독립(수에즈 운하 관리권 제외, 1922)

오스만 제국의 식민지였던 아랍 민족은 독립운동을 전개하여 이란, 이라크 등으로 독립하였어.

이것이 핵심!

제1차 세계 대전 이후의 국제 질서

전후 처리	파리 강화 회의 개최, 윌슨의 평화 원칙 14개조 채택, 베르사유 조약 체결
평화를 위한 노력	국제 연맹 창설, 로카르노 조약 체결, 켈로그·브리앙 조약 체결, 도스안과 영안 결의, 군비 축소 논의
유럽의 변화	각국에서 공화정 수립, 참정권의 확대

★ 로카르노 조약
독일의 국제 연맹 가입과 국제 분쟁의 평화적 해결에 합의한 조약이다.

★ 제1차 국공 합작
5·4 운동 이후 쑨원이 중국 국민당을 결성하였고, 천두슈 등이 중국 공산당을 결성하였다. 쑨원은 반군벌, 반제국주의를 내걸고 중국 공산당과 힘을 합쳐 국민 혁명을 추진하였다.

★ 시안 사건
일본의 중국 침략이 강화되는 가운데 시안의 군벌 지도자 장쉐량이 장제스를 감금하고 내전 중지와 항일 투쟁을 요구한 사건

★ 롤럿법
1919년 영국의 식민지 정부가 인도 내의 치안 대책으로 마련한 법안이다. 인도 총독이 인도인을 영장 없이 체포하거나 재판 없이 투옥할 수 있도록 규정하였다.

★ 신인도 통치법
영국이 군사와 외교를 제외한 인도의 자치를 인정한 법령

★ 무스타파 케말
튀르키예 공화국의 초대 대통령으로, 정치와 종교를 분리시키고 서양 문물을 수용하는 등 근대화 정책을 추진하였다.

완자 자료 탐구

내 옆의 선생님

수능이 보이는 교과서 자료 **베르사유 체제**

민족 자결주의의 원칙으로, 아시아·아프리카의 민족 운동이 활발해지는 데 영향을 주었어.

- 제5조 모든 식민지 문제는 식민지 주민의 의사를 존중하여 공평무사하고 자유롭게 처리되도록 한다.
  제14조 국가 간 연합 기구를 만들어 각국의 정치적 독립과 영토 보전을 보장한다.

– 윌슨의 평화 원칙 14개조

- 제119조 독일은 해외 식민지에 관한 모든 권리와 요구를 동맹국과 연합국의 주요 국가에 넘겨준다. — 독일이 모든 식민지를 상실하였어.
  제235조 독일은 동맹국과 연합국의 청구액이 확정되기 전에 우선 배상 위원회가 지불 방법에 따라 …… 금화 200억 마르크에 해당하는 액수를 지불해야 한다.

└ 이후 도스안과 영안을 통해 독일의 배상금 부담이 경감되었어.

– 베르사유 조약

1919년 전후 처리 문제를 논의하기 위해 파리 강화 회의가 개최되었다. 이 회의에서는 미국 대통령 윌슨이 민족 자결주의와 비밀 외교 금지 등을 제안한 평화 원칙 14개조를 기본 원칙으로 삼았다. 그러나 실제로는 승전국의 이익을 더 중요하게 여겼고, 특히 연합국과 독일이 맺은 베르사유 조약은 독일에 보복적인 측면이 강하였다. 이렇게 제1차 세계 대전이 끝난 후 형성된 새로운 국제 질서를 베르사유 체제라고 한다.

완자샘의 탐구강의

- **윌슨의 민족 자결의 원칙이 아시아와 아프리카에 미친 영향을 써 보자.**

식민 지배를 받고 있던 여러 나라에 독립에 대한 희망을 주어 아시아와 아프리카의 민족 운동이 활발해지는 계기가 되었다.

- **베르사유 체제의 한계를 서술해 보자.**

승전국의 이익이 우선시되고 패전국에는 철저한 보복과 응징이 가해졌다.

함께 보기 221쪽, 1등급 정복하기 3

자료 4 중국의 5·4 운동

산둥반도는 원래 독일이 차지하고 있었어. 그런데 제1차 세계 대전이 독일의 패배로 끝나자, 승전국이었던 일본은 독일이 중국에서 가지고 있던 권리를 차지하려고 했지.

일본은 파리 강화 회의에서 …… 산둥의 모든 권리를 관리하는 데 성공하려 한다. …… 이는 곧 중국 영토가 파괴되는 것이며, 중국이 망하는 것을 뜻한다. …… 밖으로는 주권 수호를 위해 싸우고, 안으로는 국적을 제거하는 것이 오로지 이번 일에 달려 있다. – 톈안먼 선언문, 1919

└ 군벌을 가리켜.

제1차 세계 대전 중 일본은 산둥반도의 이권을 포함한 21개조 요구를 중국에 강요하였다. 전후 열린 파리 강화 회의에서 일본의 21개조 요구가 연합국의 승인을 받자, 베이징 학생들이 중심이 되어 반일본·반군벌 시위를 벌였다. 이 시위는 전국으로 퍼져 도시의 상인, 노동자들이 참여하는 항일 구국 운동으로 발전하였다.

문제로 확인할까?

중국의 5·4 운동에 대한 설명으로 옳지 않은 것은?

① 베이징 대학생들이 주도하였다.
② 구국 운동으로 발전하지 못하였다.
③ 반제국주의, 반군벌의 성격을 지녔다.
④ 일본의 21개조 요구 철회를 주장하였다.
⑤ 한국에서 일어난 3·1 운동의 영향을 받았다.

답 ②

자료 5 팔레스타인 분쟁의 발생

1948년에는 유대인이 팔레스타인에 이스라엘을 건국하고 이곳에 살던 아랍인을 추방하였어.

- 아덴과 시리아 서쪽 지역을 제외한 모든 아랍 지역의 독립을 지지한다. – 후사인·맥마흔 협정, 1915
- 영국 정부는 팔레스타인에 유대 민족을 위한 민족의 본거지를 건설하는 일에 호의를 보이며, 이 목적을 쉽게 달성할 수 있도록 최선을 다할 것이다. – 밸푸어 선언, 1917

제1차 세계 대전 중 영국은 아랍인의 협조를 얻고자 전후 아랍 민족의 독립과 아랍 국가 건설을 약속하였다(후사인·맥마흔 협정). 그러나 2년 후 영국은 유대인의 지지를 얻기 위해 팔레스타인에 유대인 국가를 건설하는 것을 지지하겠다고 약속하였다(밸푸어 선언). 이를 배경으로 팔레스타인 지역에서 아랍인과 유대인 간의 갈등이 일어났다.

정리 비법을 알려줄게!

팔레스타인 분쟁

후사인·맥마흔 협정(1915)	영국이 팔레스타인 지역 아랍 민족들의 독립과 독립 국가 건설 약속
밸푸어 선언(1917)	영국이 팔레스타인 지역에 유대인 국가 건설 지지

↓

팔레스타인 지역을 둘러싸고 아랍인과 유대인 사이에 분쟁 발생

정답친해 65쪽

STEP 1 핵심 개념 확인하기

1 ㉠, ㉡에 들어갈 동맹을 각각 쓰시오.

> 독일은 프랑스를 고립시키기 위해 오스트리아·헝가리 제국, 이탈리아와 (㉠)을 맺었다. 이에 맞서 영국과 프랑스는 러시아를 끌어들여 (㉡)을 맺고 독일의 팽창을 견제하였다.

2 다음 설명이 맞으면 ○표, 틀리면 ×표를 하시오.

(1) 사라예보 사건으로 제1차 세계 대전이 촉발되었다. ( )

(2) 독일의 무제한 잠수함 작전을 계기로 프랑스가 제1차 세계 대전에 참전하였다. ( )

(3) 제1차 세계 대전 중 러시아에서 혁명이 발생하여 소비에트 정부가 수립되었다. ( )

3 1917년 러시아에서 임시 정부가 개혁을 미루고 전쟁을 지속하자 레닌이 이끄는 볼셰비키가 임시 정부를 무너뜨리고 ( ) 정부를 세웠다.

4 다음에서 설명하는 인물을 〈보기〉에서 골라 기호를 쓰시오.

보기
ㄱ. 간디 ㄴ. 장제스 ㄷ. 호찌민

(1) 인도차이나 공산당을 이끌고 반프랑스 독립운동을 전개하였다. ( )

(2) 영국의 인도 지배에 저항하여 비폭력·불복종 운동을 전개하였다. ( )

(3) 중국에서 쑨원에 이어 집권한 후 북벌에 나서 국민 혁명을 완수하였다. ( )

5 서아시아와 아프리카에서 일어난 민족 운동을 옳게 연결하시오.

(1) 이란 • • ㉠ 무스타파 케말의 개혁
(2) 이집트 • • ㉡ 리자 샤 중심의 민족 운동
(3) 오스만 제국 • • ㉢ 반영 운동 후 수에즈 운하 관리권을 제외하고 독립 달성

STEP 2 내신 만점 공략하기

01 중요 지도는 19세기 후반～20세기 초 국제 정세를 나타낸 것이다. (가), (나)에 대한 설명으로 옳은 것을 〈보기〉에서 고른 것은?

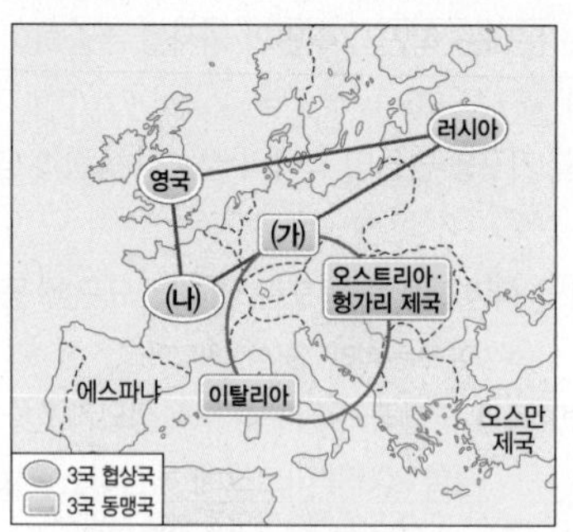

보기
ㄱ. (가) – 3C 정책을 추진하였다.
ㄴ. (가) – 범게르만주의를 내세우며 발칸반도에서 세력을 확대하였다.
ㄷ. (나) – 보스니아와 헤르체고비나를 병합하였다.
ㄹ. (가), (나) – 모로코에서 두 차례 충돌하였다.

① ㄱ, ㄴ ② ㄱ, ㄷ ③ ㄴ, ㄷ
④ ㄴ, ㄹ ⑤ ㄷ, ㄹ

02 다음 사건이 발생한 직후의 상황으로 옳은 것은?

> 발칸반도에서 열강의 대립과 충돌이 심화되는 가운데 1914년 세르비아의 한 청년이 슬라브족의 해방을 내세우며 보스니아의 사라예보를 방문한 오스트리아·헝가리 제국의 황태자 부부를 저격하였다. 황태자 부부는 사망하였고, 청년은 그 자리에서 체포되었다.

① 3국 동맹이 결성되었다.
② 제2차 세계 대전이 전개되었다.
③ 두 차례의 발칸 전쟁이 일어났다.
④ 그리스가 오스만 제국으로부터 독립하였다.
⑤ 오스트리아·헝가리 제국이 세르비아에 전쟁을 선포하였다.

03 지도와 같이 전개된 전쟁에 대한 설명으로 옳지 않은 것은?

① 서부 전선에서 참호전이 전개되었다.
② 국제 연맹이 창설되는 결과를 가져왔다.
③ 영국의 플라시 전투 승리로 종결되었다.
④ 국가의 모든 인력과 물자가 총동원되었다.
⑤ 미국이 강대국으로 부상하는 데 영향을 주었다.

중요

04 다음은 세계사 신문을 만들기 위해 일어난 순서대로 기사 제목을 정리한 것이다. (가)에 들어갈 내용으로 적절한 것은?

> [기획 연재]
> **참혹했던 제1차 세계 대전**
>
> 본 신문은 세계 평화의 필요성에 대한 공감대 형성을 위해 제1차 세계 대전을 재조명하는 기획 연재를 마련하였다.
>
> **목차**
> • 제1편: 무제한 잠수함 작전으로 루시타니아호가 침몰하다!
> • 제2편: (가)
> • 제3편: 킬 군항에서 폭동 발생, 독일은 항복할 것인가?

① 독일, 벨기에 영토를 침공하다!
② 미국, 연합국 진영으로 참전하다!
③ 세르비아가 발칸 동맹을 결성한 이유는?
④ 독일이 패배한 마른 전투, 그 현장 속으로!
⑤ 오스트리아·헝가리 제국의 황태자 부부, 암살당하다!

05 다음 연극 대본의 밑줄 친 '시위'에 대한 설명으로 옳은 것은?

> 장면 #15. 1905년 1월 상트페테르부르크
> • 시민1: 일요일에 있었던 시위에 대해 들었어?
> • 시민2: 상트페테르부르크의 노동자들이 개혁을 요구하며 평화 시위를 벌였다면서?
> • 시민1: 맞아. 그런데 정부군이 시위대를 향해 무자비하게 발포하면서 많은 사상자가 나왔다고 하더라고.

① 브나로드 운동으로 발전하였다.
② 러일 전쟁이 일어나는 배경이 되었다.
③ 신경제 정책(NEP)의 실패로 시작되었다.
④ 레닌이 이끄는 볼셰비키에 의해 진압되었다.
⑤ 차르가 두마 설치를 약속하는 결과를 가져왔다.

06 밑줄 친 '혁명'의 결과로 옳은 것은?

> 러시아의 임시 정부가 개혁을 미루고 제1차 세계 대전을 지속하자 레닌이 이끄는 볼셰비키가 혁명을 일으켰다.

① 농노가 해방되었다.
② 소비에트 정부가 수립되었다.
③ 피의 일요일 사건이 일어났다.
④ 영국, 프랑스와 3국 협상을 맺었다.
⑤ 니콜라이 2세가 물러나 제정이 붕괴되었다.

중요

07 (가) 인물의 활동으로 옳지 않은 것은?

> (가) 은/는 코민테른을 조직하고 각국의 노동 운동과 식민지 해방 운동을 지원하겠다고 선언하였다.

① 피의 일요일 사건 주도
② 신경제 정책(NEP) 추진
③ 볼셰비키의 일당 독재 선언
④ 브레스트리토프스크 조약 체결
⑤ 소비에트 사회주의 공화국 연방 수립

08 다음 원칙에 대한 설명으로 옳은 것은?

> 제5조 모든 식민지 문제는 식민지 주민의 의사를 존중하여 공평무사하고 자유롭게 처리되도록 한다.
> 제14조 국가 간 연합 기구를 만들어 각국의 정치적 독립과 영토 보전을 보장한다. – 윌슨의 평화 원칙 14개조

① 3국 협상이 결성되는 배경이 되었다.
② 빈 체제가 형성되는 결과를 가져왔다.
③ 아시아의 민족 운동에 영향을 주었다.
④ 독일의 막대한 배상금 지급을 명시하였다.
⑤ 독일이 재무장을 선언하는 명분을 제공하였다.

중요

09 다음은 어느 단체에 대해 정리한 내용이다. (가)에 들어갈 내용으로 적절한 것은?

> • 설립: 1920년, 제1차 세계 대전 종결 이후 설립
> • 목적: 전후 세계 각국의 협력 강화 및 평화 유지
> • 활동: 군비 축소, 각국의 독립과 영토 보전 등 협의
> • 한계: (가)

① 발칸반도 내 위기감 조성
② 무력을 통한 국제 분쟁 억제
③ 창설 초기 독일과 소련의 배제
④ 미국과 같은 강대국 위주의 운영
⑤ 독일의 막대한 배상금 지불을 결정

10 다음 내용에 해당하는 사례로 적절하지 않은 것은?

> 제1차 세계 대전 이후 세계 각국은 평화를 유지하기 위한 다양한 노력을 전개하였다.

① 3국 동맹을 결성하였다.
② 런던 회의를 개최하였다.
③ 도스안과 영안을 결의하였다.
④ 로카르노 조약을 체결하였다.
⑤ 켈로그·브리앙 조약을 체결하였다.

11 다음 선언이 발표된 민족 운동에 대한 설명으로 옳은 것은?

> 지금 일본은 파리 강화 회의에서 칭다오를 삼키고 산둥의 모든 권리를 관리하는 데 성공하려 한다. …… 이는 곧 중국 영토가 파괴되는 것이며, 중국이 망하는 것을 뜻한다. …… 밖으로는 주권 수호를 위해 싸우고, 안으로는 국적을 제거하는 것이 오로지 이번 일에 달려 있다. …… 중국의 영토는 정복될지언정 할양될 수 없다.
> – 톈안먼 선언문, 1919

① 시안 사건을 배경으로 일어났다.
② 신문화 운동이 일어나는 계기가 되었다.
③ 서양의 과학과 민주주의의 수용을 주장하였다.
④ 베이징 대학생들이 반일본·반군벌을 내세웠다.
⑤ 장제스가 이끄는 국민 혁명군에게 탄압을 받았다.

12 (가) 지역에서 전개된 민족 운동에 대한 설명으로 옳은 것은?

> **다큐멘터리 기획안**
> 1. 제목: 화폐로 보는 역사 (가) 편
> 2. 기획 의도: 호찌민은 현재 (가) 의 모든 화폐에 얼굴이 그려져 있다. 제1차 세계 대전 이후 독립 운동을 이끌었던 그의 활동을 살펴봄으로써 그가 (가) 역사에서 지니는 의미를 재조명해 보고자 한다.
> 3. 주요 장면
> – 장면 #1. 독립에 대한 약속을 어긴 프랑스 정부를 비판하는 호찌민
> – 장면 #2. 반프랑스 구호를 외치며 시위를 전개하는 시민들

① 11월 혁명이 일어났다.
② 소금 행진이 전개되었다.
③ 팔레비 왕조가 수립되었다.
④ 제1차 국공 합작이 추진되었다.
⑤ 인도차이나 공산당이 결성되었다.

중요
13 다음 상황에 대응하여 인도에서 전개된 활동으로 옳은 것을 <보기>에서 고른 것은?

> **세계사 신문** 1919. ○○. ○○.
>
> **영국, 롤럿법을 제정하다!**
>
> 영국의 식민지 정부가 새롭게 마련한 인도 내의 치안 대책을 발표하였다. 이 대책에 따라 앞으로 인도 총독은 인도인을 영장 없이 체포하거나 재판 없이 투옥할 수 있게 되었다. 영국의 정책에 인도인들이 어떻게 대응할지 귀추가 주목된다.

보기

ㄱ. 세포이들이 반영 운동에 앞장섰다.
ㄴ. 간디가 비폭력·불복종 시위를 전개하였다.
ㄷ. 네루가 인도 독립 동맹을 결성하고 무력 투쟁을 전개하였다.
ㄹ. 힌두교 지도자들과 지식인들이 브라흐마 사마지 운동을 벌였다.

① ㄱ, ㄴ ② ㄱ, ㄷ ③ ㄴ, ㄷ
④ ㄴ, ㄹ ⑤ ㄷ, ㄹ

14 다음 학습 목표를 달성한 학생의 답변으로 가장 적절한 것은?

> • 학습 목표: 제1차 세계 대전에서 패한 후 오스만 제국에서 전개된 민족 운동에 대해 설명할 수 있다.

① 갑: 수카르노가 반네덜란드 운동을 벌였어요.
② 을: 영국에 항거하여 소금 행진이 실시되었어요.
③ 병: 리자 샤가 주도하여 팔레비 왕조를 세웠어요.
④ 정: 국민당과 공산당이 힘을 합쳐 국민 혁명을 추진하였어요.
⑤ 무: 무스타파 케말이 남녀평등권 도입과 같은 근대화 정책을 추진하였어요.

서술형 문제

● 정답친해 67쪽

01 다음을 읽고 물음에 답하시오.

> 11월 혁명 이후 레닌은 식량의 강제 징발을 금지하고, 농민들이 세금 이외의 자기 생산물을 팔 수 있도록 하며, 중소 기업의 활동을 보장하는 정책을 추진하였다.

(1) 윗글에 해당하는 정책을 쓰시오.

(2) 위 정책의 시행 배경과 특징을 서술하시오.

길잡이 11월 혁명 이후 러시아에서 반혁명 세력이 등장하였음을 고려하여 서술한다.

02 다음 두 조약이 팔레스타인 지역에 미친 영향을 서술하시오.

> • 아덴과 시리아 서쪽 지역을 제외한 모든 아랍 지역의 독립을 지지한다. – 후사인·맥마흔 협정
> • 영국 정부는 팔레스타인에 유대 민족을 위한 민족의 본거지를 건설하는 일에 호의를 보이며, 이 목적을 쉽게 달성할 수 있도록 최선을 다할 것이다. – 밸푸어 선언

길잡이 영국이 두 조약을 통해 지지하였던 민족에 주목하여 서술한다.

03 밑줄 친 '투쟁'의 결과를 서술하시오.

> 제1차 세계 대전 당시 인도는 자치권을 주겠다는 영국의 약속을 믿고 영국에 협조하였다. 그러나 전쟁이 끝나자 영국은 롤럿법을 제정하여 식민 지배를 강화하였다. 이에 맞서 인도인들은 여러 방식으로 투쟁하였다.

길잡이 영국이 인도를 통치하는 과정에서 발표한 법령과 그 내용을 떠올려 본다.

STEP 3 1등급 정복하기

1 밑줄 친 '전쟁'이 일어난 시기에 볼 수 있었던 모습으로 적절하지 않은 것은?

세계 각국의 전쟁사

사라예보 사건으로 촉발된 전쟁은 몸서리치게 참혹하였다. 마른 전투 이후 서부 전선은 교착 상태에 빠졌고 오랜 전쟁 기간 동안 인간이 상상하기 어려울 정도로 끔찍하고 무참한 일들이 벌어졌다. 수많은 젊은이가 목숨을 잃었고 과학 기술의 발달에 힘입어 처참한 학살이 자행되었다.

① 방어선을 따라 참호를 파는 군인
② 전투기의 공격을 피해 후퇴하는 보병
③ 군수 공장에서 방독면을 만드는 여성
④ 무제한 잠수함 작전을 명령하는 독일 장군
⑤ 이산들와나 전투에서 패한 뒤 복귀하는 군인

> 세계 대전의 양상

완자샘의 시험 꿀팁

제1·2차 세계 대전은 이전의 전쟁과 다른 양상을 띠고 있다. 따라서 그 특징을 묻는 문제가 자주 출제되므로 이전에 일어났던 전쟁들과 세계 대전의 차이점을 비교하여 정리해 두도록 한다.

| 완자 사전 |

• **군수 공장**
군사상 필요한 것을 생산하고 수리하는 공장

2 (가), (나)에서 설명하는 혁명의 결과로 옳은 것은?

(가) 러시아는 제1차 세계 대전에 참전하여 많은 인명 피해를 입었고, 전쟁이 장기화되면서 국민들의 생활은 더욱 어려워졌다. 결국 노동자와 군인은 소비에트를 조직하여 혁명을 일으켰다.
(나) 러시아에서 새롭게 수립된 임시 정부가 개혁을 미루고 전쟁을 지속하자 볼셰비키의 지도자 레닌은 임시 정부의 모든 권력을 소비에트에 이양할 것과 전쟁을 중지할 것을 주장하며 무장봉기를 일으켰다.

① (가) – 피의 일요일 사건이 일어났다.
② (가) – 독일과 브레스트리토프스크 조약을 맺었다.
③ (가) – 소비에트 사회주의 공화국 연방이 수립되었다.
④ (나) – 차르가 헌법 제정, 두마(국회) 설치 등을 약속하였다.
⑤ (나) – 레닌이 의회를 해산하고 공산당 일당 독재를 선언하였다.

> 러시아 혁명의 전개

| 완자 사전 |

• **소비에트**
노동자, 농민, 병사의 대표가 구성한 평의회를 말한다. 의회에 대비되는 개념으로, 인민이 자발적으로 조직·운영하는 민중 권력 기관이다.

• **볼셰비키**
1898년 결성된 러시아 사회 민주 노동당 내의 다수파를 말한다.

정답친해 67쪽

3 다음 조약에 대한 설명으로 옳은 것을 〈보기〉에서 고른 것은?

> 제119조 독일은 해외 식민지에 관한 모든 권리와 요구를 동맹국과 연합국의 주요 국가에 넘겨준다.
> 제235조 독일은 동맹국과 연합국의 청구액이 확정되기 전에 우선 배상 위원회가 지불 방법에 따라 …… 금화 200억 마르크에 해당하는 액수를 지불해야 한다.

보기

ㄱ. 승전국의 이익을 우선하였다.
ㄴ. 로카르노 조약으로 비준되었다.
ㄷ. 독일에 대한 보복적인 측면이 강하였다.
ㄹ. 전쟁을 국가 정책 수단으로 삼지 말 것에 합의하였다.

① ㄱ, ㄴ ② ㄱ, ㄷ ③ ㄴ, ㄷ
④ ㄴ, ㄹ ⑤ ㄷ, ㄹ

베르사유 체제의 성립

완자 사전

• **로카르노 조약**
유럽 각국이 독일의 국제 연맹 가입과 국제 분쟁의 평화적 해결에 합의한 조약

4 (가) 인물에 대한 설명으로 적절한 것은?

① 청 황제를 퇴위시키고 중화민국의 대총통이 되었다.
② 시안 사건을 계기로 제2차 국공 합작에 합의하였다.
③ 크리스트교의 영향을 받아 태평천국 운동을 일으켰다.
④ 삼민주의를 내세웠으며 5·4 운동 이후 중국 국민당을 결성하였다.
⑤ 봉건적 유교 사상을 비판하고 서양의 과학과 민주주의 수용을 주장하였다.

중국의 민족 운동

완자샘의 시험 꿀팁

제1차 세계 대전을 전후로 중국에서 일어난 민족 운동의 특징을 흐름에 따라 정리해 두면 문제를 푸는 데 도움이 된다.

완자 사전

• **대총통**
중화민국에서 1912년부터 1925년까지 사용한 국가 원수의 칭호

04 대공황과 제2차 세계 대전

학습목표
- 대공황의 발생 배경을 이해하고, 세계 각국의 대공황 극복 방안을 파악할 수 있다.
- 제2차 세계 대전의 전개 과정과 전후 처리 내용을 설명할 수 있다.

1 대공황의 시작과 전체주의의 등장

이것이 핵심!

대공황의 발생

배경	기업의 과잉 생산 → 소비보다 생산이 많아 재고 증가
전개	뉴욕 증권 거래소의 주가 폭락 → 전 세계로 경제 위기 확산
극복 노력	• 미국: 뉴딜 정책 추진 • 영국·프랑스: 블록 경제 형성 • 독일·이탈리아·일본: 전체주의의 대두

★ **뉴딜 정책**
루스벨트 대통령이 대공황을 극복하기 위해 추진한 정책으로, 국가가 경제에 적극 개입하여 정부 지출을 늘리고 대규모 공공사업을 통해 일자리를 창출하는 방식으로 전개되었다.

★ **블록 경제**
자국과 식민지를 하나의 경제권으로 묶고 그 안에서만 교류하는 체제

1. 대공황의 발생

(1) **배경**: 제1차 세계 대전 이후 미국의 경제 성장, 기업의 과잉 생산 → 상품 재고 증가
(미국은 제1차 세계 대전 중 연합국에 군수 물자를 판매하여 세계 최대의 공업국이자 채권국이 되었어.)

(2) **전개**: 뉴욕 증권 거래소의 주가 폭락 → 기업·은행 파산, 실업자 증가 → 경제 위기 확산
(국제 무역이 급감하였지.)

2. 대공황 극복을 위한 노력 자료 ①

미국	국가가 경제 분야에 적극 개입하는 *뉴딜 정책 추진
영국, 프랑스	본국과 식민지 사이에 *블록 경제 형성(영국의 파운드 블록, 프랑스의 프랑 블록)

(사회당이 중심이 되어 인민 전선을 결성하였어.)
(노동당이 보수당과 거국 내각을 구성하여 보호 관세를 추진하였어.)

3. 전체주의의 대두 교과서 자료

이탈리아	제1차 세계 대전 이후 경제 악화 → 무솔리니가 파시스트당 조직 후 로마로 진군·정권 장악 → 국가 지상주의와 군국주의 주장, 알바니아를 보호국으로 삼고 에티오피아 침공, 국제 연맹 탈퇴
독일	대공황의 영향으로 경제 위기 → 히틀러가 이끄는 나치스가 총선 승리(1932), 히틀러 총통 취임, 극단적 게르만 민족주의와 인종주의 표방, 비밀경찰(게슈타포)과 친위대(SS) 창설 후 국민 사생활 통제, 국제 연맹 탈퇴 후 재무장 선포 → 라인란트 무력 점령, 오스트리아 합병 및 수데텐 점령
일본	대공황으로 인한 경기 침체 → 만주 사변(1931)을 일으키고 만주국 수립, 군부 강경파의 쿠데타 발생(5·15 사건), 군국주의화 추진 → 국제 연맹 탈퇴(1933) → 중일 전쟁을 일으킴(1937)

4. 소련의 스탈린 독재 체제 형성: 스탈린이 신경제 정책(NEP) 폐기, 경제 개발 5개년 계획 추진, 정권에 대한 비판 금지, 반대파 숙청을 통한 독재 체제 강화

(꼭! 중화학 공업을 육성하였고, 농업 집단화, 공장 국유화 등 사회주의 경제 체제를 강화하였어.)
(반대자들을 감금하는 수용소(굴라크)를 건설하였어.)

2 제2차 세계 대전

이것이 핵심!

제2차 세계 대전

배경	독일과 이탈리아에서 파시즘 확산, 일본의 군국주의화 추진
전개	독일의 폴란드 침공, 파리 함락 → 일본의 진주만 침공 → 미국의 참전 → 미국의 미드웨이 해전 승리 → 독일의 스탈린그라드 전투 패배 → 이탈리아 항복 → 연합군의 노르망디 상륙 작전 성공 → 독일 항복, 일본 항복
영향	국제 전범 재판 실시, 국제 연합(UN) 창설

★ **홀로코스트**
제2차 세계 대전 중에 독일 나치스가 자행한 유대인 대학살

★ **난징 대학살**
중일 전쟁 시기 난징을 점령한 일본군이 일으킨 대규모 학살 사건

1. 제2차 세계 대전의 전개

(왜? 독일은 영국과의 전쟁이 길어지자 장기전에 대비한 식량과 석유를 확보하기 위해 소련을 침공하였어.)

발발	독일·이탈리아·일본의 방공 협정 체결(1937), 독소 불가침 조약 체결(1939), 독일의 폴란드 침공(1939) → 영국과 프랑스의 대독 선전 포고
전개	• 유럽 전선: 독일의 덴마크·네덜란드 점령, 프랑스 파리 함락, 비시 정권 수립 → 프랑스 정부의 영국 망명, 레지스탕스 운동 전개 → 독일이 독소 불가침 조약 파기 후 소련 침공(1941) • 아시아·태평양 전선: 일본의 동남아시아 침략, 진주만 공격(1941) → 미국의 참전(태평양 전쟁 발발)
종결	미국의 미드웨이 해전 승리(1942), 소련의 스탈린그라드 전투 승리(1943) → 이탈리아 항복 → 노르망디 상륙 작전 성공(1944) → 독일 항복(1945) → 미국이 일본에 원자 폭탄 투하 → 일본 항복(1945)
결과	대량 학살(*홀로코스트, *난징 대학살), 대량 살상 무기 사용(원자 폭탄) → 큰 인적·물적 피해 발생

(프랑스의 드골 장군이 영국에 망명 정부를 세웠어.)
(연합군은 이 작전으로 프랑스 서북부 해안에 상륙하여 독일군을 몰아내고 파리를 되찾았어.)

2. 제2차 세계 대전 이후의 세계

(1) **전후 처리**: 4개국의 독일 분할 점령, 미국의 일본 감시, 뉘른베르크·도쿄 군사 재판 개최

(2) **평화를 위한 논의**: 대서양 헌장 발표(1941), 카이로 회담(1943)·얄타 회담(1945)·포츠담 회담(1945)을 개최하여 전후 처리와 평화를 위한 방안 모색

(3) **국제 연합(UN) 창설**: 평화 유지와 국제 협력 추구, 안전 보장 이사회의 역할 강조, 국제 연합군(유엔군)과 국제 평화 유지군(PKF) 운영 자료 ②

(안전 보장 이사회의 결의를 총회보다 우선하고 미국, 소련 등 5개 상임 이사국에 거부권을 부여하는 등 강대국의 이해에 좌우되는 한계를 보였어.)

완자 자료 탐구

내 옆의 선생님

자료 1 대공황 극복 정책

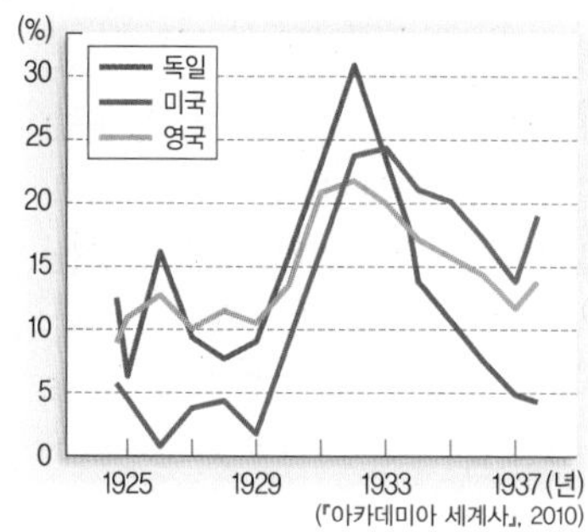

대공황 시기 실업률

1929년 미국에서 시작된 대공황으로 전 세계가 경제적 어려움을 겪었다. 미국의 루스벨트 대통령은 이를 극복하기 위해 자유방임 원칙을 포기하고 정부가 경제 분야에 적극 개입하는 뉴딜 정책을 추진하였다. 뉴딜 정책은 생산량 조절, 대규모 공공사업 시행을 통한 실업자 구제, 노동자의 권리 보장, 사회 보장 제도 실시 등을 주요 내용으로 하였다. 한편, 영국, 프랑스 등은 본국과 식민지 사이에 블록 경제를 형성하여 대공황에서 벗어나려 하였다.

자료 하나 더 알고 가자!

영국과 프랑스의 대공황 극복 노력

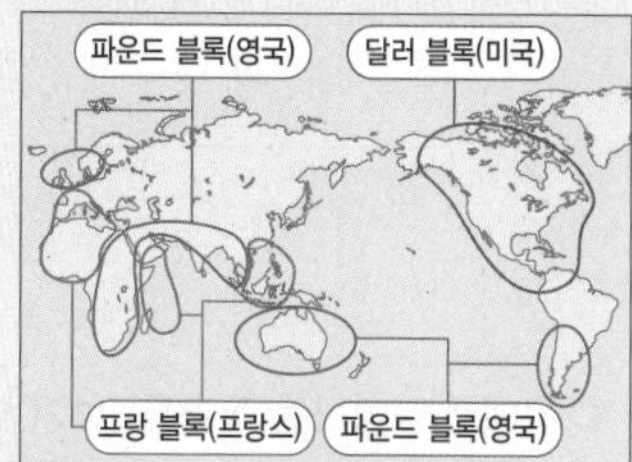

대공황 이후 블록 경제 형성

영국은 파운드 블록, 프랑스는 프랑 블록을 형성하여 대공황을 극복하려 하였어.

수능이 보이는 교과서 자료 전체주의의 등장

• 파시스트의 국가 개념은 모든 것을 포괄하며, 국가를 떠나서는 인간과 영혼의 가치도 존재하지 않는다. …… 파시즘은 영구 평화의 가능성을 믿지 않는다. 오직 전쟁만이 인간의 힘을 최고조에 이르게 하고 이에 직면할 용기를 가진 국민에게 고귀함을 부여한다.

└ 대외 침략을 추구하였어.

– 무솔리니, 『파시즘 독트린』

• 민족주의 국가는 인종을 모든 생활의 중심에 두어야 한다. 국가는 인종의 순수한 유지를 위해 배려해야 한다.

└ 히틀러는 극단적인 인종주의를 앞세워 팽창 정책을 추진하였어.

– 히틀러, 『나의 투쟁』

제1차 세계 대전 이후 이탈리아의 경제 상황이 악화되자 무솔리니가 파시스트당을 조직하고 정권을 장악하였다. 이후 파시스트 정부는 국가의 이익이 개인의 자유보다 우선한다는 전체주의 체제를 구축하였다. 한편, 전후 막대한 배상금을 지불해야 하였던 독일은 대공황의 여파로 더욱 심각한 경제 위기에 빠졌다. 이러한 상황에서 히틀러가 이끄는 나치스는 극단적인 민족주의와 인종주의를 앞세워 대외 침략에 나섰다.

완자샘의 탐구 강의

• 전체주의가 등장한 배경을 써 보자.

대공황의 영향으로 경제 상황이 어려워지자 개인의 자유를 제한하고 국가의 이익을 추구하는 전체주의가 등장하였다.

• 전체주의의 특징을 서술해 보자.

전체주의는 국민 개인의 생명과 권리보다 국가의 이익을 절대적으로 우선시하였다.

함께 보기 227쪽, 1등급 정복하기 2

자료 2 국제 연합(UN)의 창설

제1조 국제 평화와 안전을 유지한다. 정해진 조치로는 불충분하다고 추정되거나 불충분한 것으로 판명되는 경우, 평화를 깨뜨리는 모든 국제 분쟁과 사태를 평화적 수단에 따라, 정의와 국제법의 원칙에 따라 조정하거나 해결한다.

제42조 안전 보장 이사회는 정해진 조치로는 불충분하다고 추정되거나 불충분한 것으로 판명되는 경우, 국제 평화와 안전을 유지하고 회복하는 데 필요한 육·해·공군에 의한 행동을 취할 수 있다.

국제 연맹과 달리 국제 분쟁을 제재하기 위한 무력 수단을 갖추었어.

– 국제 연합(UN) 헌장

제2차 세계 대전 중에 연합국 대표들은 세계 각국의 연대를 강조한 대서양 헌장을 발표하고 전후 국제 평화 질서의 실마리를 마련하였다. 이후 세계 평화와 국제 협력을 유지하기 위해 국제 연합(UN)이 창설되었다. 국제 연합(UN)은 총회를 중심으로 각종 이사회와 산하 기구를 두었는데, 그중에서 안전 보장 이사회의 역할이 강조되었다.

자료 하나 더 알고 가자!

국제 전범 재판의 개최

뉘른베르크 재판 당시 모습

전쟁이 끝난 후 독일의 뉘른베르크와 일본 도쿄에서는 전쟁 범죄자 처벌을 위한 국제 전범 재판이 열렸어.

정답친해 68쪽

STEP 1 핵심 개념 확인하기

1 다음에서 설명하는 경제 체제를 쓰시오.

자국과 식민지를 하나의 경제권으로 만들고 그 안에서만 교류를 하는 체제로, 대공황 당시 영국, 프랑스 등이 형성하였다.

2 다음에서 설명하는 국가를 〈보기〉에서 골라 기호를 쓰시오.

보기
ㄱ. 독일　　ㄴ. 미국　　ㄷ. 프랑스

(1) 루스벨트 대통령이 뉴딜 정책을 추진하였다. (　　)

(2) 나치스가 극단적인 게르만 민족주의와 인종주의를 앞세워 세력을 확대하였다. (　　)

(3) 대공황을 극복하기 위해 본국과 식민지를 하나의 경제권으로 만드는 프랑 블록을 형성하였다. (　　)

3 다음 설명이 맞으면 ○표, 틀리면 ×표를 하시오.

(1) 독일, 이탈리아, 일본은 1937년에 3국 방공 협정을 맺고 대외 침략에 나섰다. (　　)

(2) 제2차 세계 대전이 끝난 후 뉘른베르크와 도쿄에서 국제 전범 재판이 열렸다. (　　)

(3) 제2차 세계 대전 중 독일군은 스탈린그라드 전투에서 승리하여 동부 전선을 확보하였다. (　　)

4 ㉠, ㉡에 들어갈 내용을 각각 쓰시오.

서부 유럽의 대부분을 장악한 독일군은 (㉠　　　)을 파기하고 소련을 침공하여 모스크바 부근까지 진격하였다. 그러나 독일군은 (㉡　　　) 전투에서 소련군에 패하여 동부 전선에서 물러났다.

5 제2차 세계 대전이 종결된 후 출범한 (　　　　)은 회원국이 모두 참여하는 총회를 중심으로 각종 이사회와 산하 기구를 두었다.

STEP 2 내신 만점 공략하기

01 중요 다음 연설문이 발표된 시기 미국의 경제 상황으로 옳지 않은 것은?

물가는 믿을 수 없을 정도로 떨어졌습니다. 세금은 올랐습니다. …… 기업은 말라 죽은 잎사귀처럼 여기저기로 흩어지고 있습니다. 농민은 작물을 재배해도 시장을 찾을 수가 없습니다. 몇 만의 가정에서 여러 해에 걸쳐 저축한 돈이 사라졌습니다. – 미국 루스벨트 대통령 취임 연설문

① 실업자가 급증하였다.
② 주가 대폭락 사태가 벌어졌다.
③ 기업과 공장, 은행이 도산하였다.
④ 과잉 소비로 물품 부족 현상이 나타났다.
⑤ 시장이 마비되고 국제 무역이 급감하였다.

02 (가)에 들어갈 내용으로 적절한 것은?

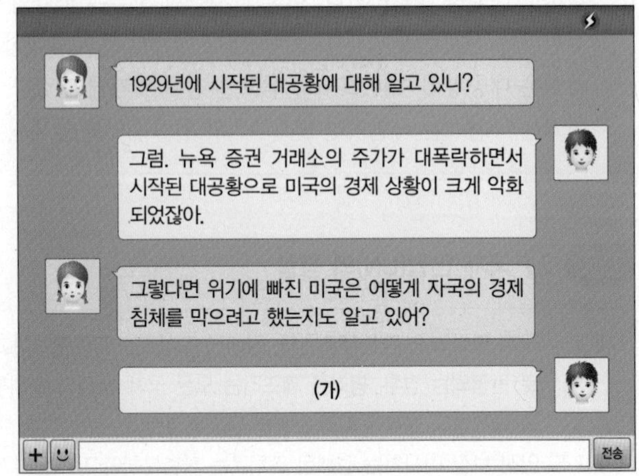

1929년에 시작된 대공황에 대해 알고 있니?
그럼. 뉴욕 증권 거래소의 주가가 대폭락하면서 시작된 대공황으로 미국의 경제 상황이 크게 악화되었잖아.
그렇다면 위기에 빠진 미국은 어떻게 자국의 경제 침체를 막으려고 했는지도 알고 있어?
(가)
전송

① 파시즘을 내세워 개인의 자유를 제한하였어.
② 군국주의를 내세우며 다른 나라를 침공하였지.
③ 대규모 공공사업을 통해 일자리를 창출하였어.
④ 자유방임주의 원칙에 기반을 둔 정책을 추진하였어.
⑤ 게슈타포와 친위대를 창설하여 국민의 사생활을 통제하였지.

03 다음과 같은 정책이 시행된 배경으로 옳은 것은?

영국은 자국과 식민지를 하나의 경제권으로 만들고 그 안에서만 교류를 하는 체제인 파운드 블록을 형성하였다.

① 파시즘이 유행하였다.
② 군국주의가 출현하였다.
③ 국제 연합(UN)이 창설되었다.
④ 대공황이 유럽으로 확산되었다.
⑤ 제2차 세계 대전이 발발하였다.

04 다음에서 설명하는 두 국가의 공통점으로 옳은 것을 〈보기〉에서 고른 것은?

• 히틀러가 지도하는 나치스가 극단적인 게르만 민족주의와 인종주의를 앞세워 세력을 확대하였다.
• 경제 상황이 악화되면서 사회가 불안한 틈을 타 무솔리니가 파시스트당을 조직하고 로마로 진군하여 정권을 장악하였다.

보기
ㄱ. 국제 연맹에서 탈퇴하였다.
ㄴ. 전체주의 체제를 구축하였다.
ㄷ. 대규모 공공사업을 추진하였다.
ㄹ. 경제 개발 5개년 계획을 추진하였다.

① ㄱ, ㄴ ② ㄱ, ㄷ ③ ㄴ, ㄷ
④ ㄴ, ㄹ ⑤ ㄷ, ㄹ

중요
05 다음 내용에 해당하는 인물의 활동으로 옳은 것은?

• 생몰 연도: 1889년~1945년
• 주요 활동: 비밀경찰(게슈타포)과 친위대(SS) 창설, 독일 총통 취임, 3국 방공 협정 체결

① 라인란트 점령 ② 에티오피아 침공
③ 파시스트당 조직 ④ 영국에 망명 정부 수립
⑤ 신경제 정책(NEP) 추진

중요
06 다음은 제2차 세계 대전을 순서대로 다룬 책이다. 찢어진 부분에 들어갈 내용으로 적절한 것은?

독일의 폴란드 공격
독일군이 폴란드를 공격하면서 제2차 세계 대전이 시작되었다.

노르망디 상륙 작전
노르망디 상륙 작전의 성공으로 연합국은 파리를 되찾을 수 있었다.

① 일본이 만주 사변을 일으켰다.
② 독일이 소련 영토를 침공하였다.
③ 독일이 오스트리아를 합병하였다.
④ 일본이 무조건 항복을 선언하였다.
⑤ 미국이 히로시마에 원자 폭탄을 투하하였다.

07 밑줄 친 '이 전쟁'에 대한 탐구 활동으로 적절하지 않은 것은?

이곳은 이 전쟁이 일어났을 때 유대인이 희생당한 폴란드의 아우슈비츠 수용소이다. 이곳에서만 약 250만 명에서 400만 명의 수용자가 학살되었다.

① 태평양 전쟁의 과정을 알아본다.
② 국제 연맹이 창설된 배경을 조사한다.
③ 독소 불가침 조약이 파기된 원인을 살펴본다.
④ 도쿄 전범 재판에 올라온 전범자 명단을 찾아본다.
⑤ 레지스탕스 운동이 활발하게 전개된 지역을 검색한다.

08 다음 가상 편지에 나타난 사건의 결과로 옳은 것은?

> ○○에게
> 나는 진주만을 떠나는 배 안에 있어. 12월 7일 오전에 일본군이 진주만을 공격하고 있다는 이야기를 처음 들었을 때만 해도 훈련이라고 생각했어. 그런데 하늘을 뒤덮은 일본군 전투기를 보고는 실제 상황이라고 믿을 수밖에 없었지. 자세한 이야기는 만나서 들려줄게.

① 태평양 전쟁이 발발하였다.
② 3국 방공 협정이 체결되었다.
③ 일본이 만주 사변을 일으켰다.
④ 윌슨이 평화 원칙 14개조를 발표하였다.
⑤ 킬 군항에서 독일 해군들이 반란을 일으켰다.

09 다음 국제 회담의 공통점으로 옳은 것은?

> • 카이로 회담 • 얄타 회담 • 포츠담 회담

① 한국의 독립을 약속하였다.
② 미국, 영국, 중국이 참가하였다.
③ 제2차 세계 대전의 전후 처리 문제를 논의하였다.
④ 독일의 나치스와 같은 전쟁 범죄자를 처벌하였다.
⑤ 윌슨의 평화 원칙 14개조를 기본 원칙으로 삼았다.

중요
10 다음 헌장을 규정한 단체에 대한 설명으로 옳은 것은?

> 제42조 안전 보장 이사회는 정해진 조치로는 불충분하다고 추정되거나 불충분한 것으로 판명된 경우, 국제 평화와 안전을 유지하고 회복하는 데 필요한 육·해·공군에 의한 행동을 취할 수 있다.

① 제창국인 미국이 불참하였다.
② 안전 보장 이사회의 역할이 강조되었다.
③ 파리 강화 회의 결정에 따라 출범하였다.
④ 사회주의권 국가들의 가입을 허용하지 않았다.
⑤ 군사 재판을 열어 주요 전쟁 범죄자를 처벌하였다.

서술형 문제

● 정답친해 69쪽

01 다음과 같은 경제 블록이 형성된 배경을 서술하시오.

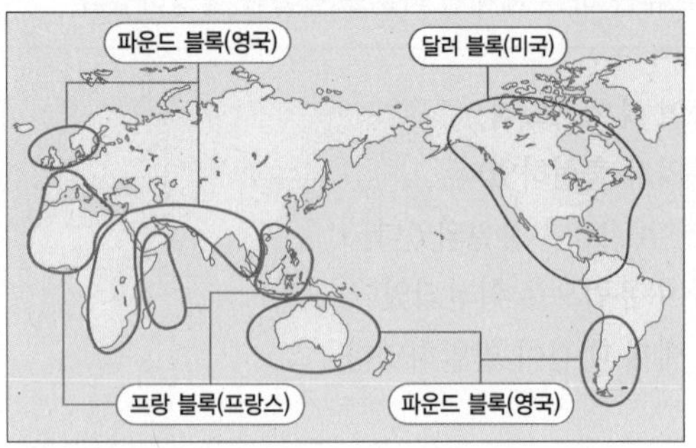

길잡이 1929년 미국의 경제 상황과 그 영향을 고려하여 서술한다.

02 다음을 읽고 물음에 답하시오.

> • (가) 은/는 "파시스트의 국가 개념은 모든 것을 포괄하며, 국가를 떠나서는 인간과 영혼의 가치도 존재하지 않는다."라고 주장하였다. 그는 로마로 진군하여 파시스트 정권을 수립하였다.
> • (나) 은/는 연설에서 "민족은 오직 민족으로서만 존재할 수 있으며 개인이나 정당 등으로는 존속할 수 없다."라고 주장하였다. 그는 나치스의 지도자로 정권을 장악한 후 반유대주의 정책을 펼쳤다.

(1) (가), (나)에 들어갈 인물을 각각 쓰시오.

(2) 두 자료에 담긴 공통적인 주장을 서술하시오.

길잡이 대공황의 영향으로 확산된 사상을 국가와 개인의 관계에 주목하여 서술한다.

03 다음에서 설명하는 국제기구가 지닌 한계를 서술하시오.

> 제2차 세계 대전 이후 평화 유지와 국제 협력을 위해 창설된 기구로, 국제 분쟁을 무력으로 제재하기 위한 국제 연합군을 운용하였다.

길잡이 제2차 세계 대전이 종결된 후 강대국으로 부상한 국가를 떠올려 보고, 국제기구에서 이들이 담당하는 역할이 무엇일지 생각해 본다.

STEP 3 1등급 정복하기

정답친해 70쪽

평가원 응용

1 다음은 20세기 초 각국의 실업률을 나타낸 그래프이다. (가) 시기의 경제 상황을 해결하기 위한 각국의 대응으로 옳지 않은 것은?

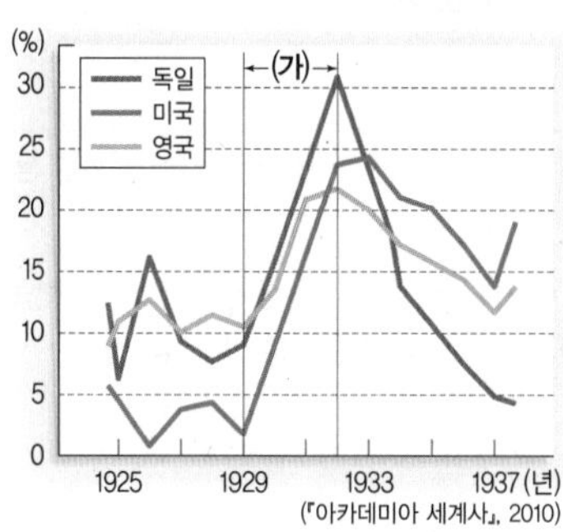

(『아카데미아 세계사』, 2010)

① 미국 – 대규모 공공사업으로 일자리를 창출하였다.
② 독일 – 국제 연맹을 탈퇴하고 재무장을 선언하였다.
③ 영국 – 보호 무역을 실시하고 파운드 블록을 형성하였다.
④ 소련 – 자본주의 요소를 도입한 신경제 정책(NEP)을 채택하였다.
⑤ 프랑스 – 사회당 중심의 인민 전선을 결성하고 프랑 블록을 형성하였다.

> 경제 위기 극복을 위한 노력

완자샘의 시험 꿀팁

대공황을 극복하기 위한 각국의 대응은 미국, 영국, 프랑스와 전체주의 국가의 대응 과정을 비교하는 방식으로 자주 출제된다. 따라서 주요 국가들이 발표한 대응책의 내용과 차이점을 정리해 두면 시험에 도움이 된다.

2 다음과 같이 주장한 인물에 대해 학생들이 나눈 대화 내용으로 적절한 것은?

> 파시스트의 국가 개념은 모든 것을 포괄하며, 국가를 떠나서는 인간과 영혼의 가치도 존재하지 않는다. …… 파시즘은 영구 평화의 가능성을 믿지 않는다. 오직 전쟁만이 인간의 힘을 최고조에 이르게 하고 이에 직면할 용기를 가진 국민에게 고귀함을 부여한다.

① 갑: 국제 공산당 조직인 코민테른을 조직하였어.
② 을: 친위대와 게슈타포를 동원하여 독재 권력을 확립하였어.
③ 병: 정부가 경제 분야에 적극 개입하는 뉴딜 정책을 추진하였지.
④ 정: 국가 지상주의와 군국주의를 내세우며 에티오피아를 침공하였지.
⑤ 무: 신경제 정책(NEP)을 폐기하고 사회주의 경제 체제를 구축하였어.

> 전체주의의 등장

완자 사전

• **군국주의**
국가의 가장 중요한 목적을 군사력에 의한 대외적 발전에 두고, 전쟁과 그 준비를 위한 정책이나 제도를 최상위에 두려는 이념을 말한다.

1839	• 오스만 제국, ❶ ______ 실시: 서구 근대 문물의 수용을 통한 부국강병 추구
1840	• 제1차 아편 전쟁 발발: 청 정부의 아편 무역 단속을 계기로 영국이 청 공격
1851	• 청, ❷ ______ 시작: 홍수전이 멸만흥한을 내세우며 거병하여 태평천국 건설(~1864)
1857	• 인도, 세포이의 항쟁 시작: 영국 동인도 회사의 용병인 세포이들이 반영 투쟁 전개(~1859)
1868	• 일본, 메이지 유신 추진: 천황 중심의 중앙 집권 체제 구축
1884	• 베를린 회의 개최: 제국주의 열강이 아프리카 분할 원칙에 합의(~1885)
1898	• ❸ ______ 발생: 아프리카에서 영국의 종단 정책과 프랑스의 횡단 정책이 충돌
1914	• 제1차 세계 대전 발발: ❹ ______ 을 계기로 오스트리아·헝가리 제국이 세르비아에 선전 포고
1917	• 러시아 혁명: 3월 혁명으로 제정 붕괴 → ❺ ______ 으로 소비에트 정부 수립
1919	• 파리 강화 회의 개최: 전후 처리 논의, 윌슨의 평화 원칙 14개조 채택
1929	• ❻ ______ 시작: 미국에서 시작된 경제 위기가 전 세계로 확산
1939	• 제2차 세계 대전 발발: 독일의 ❼ ______ 침공을 시작으로 제2차 세계 대전 발발
1945	• 국제 연합(UN) 창설: 제2차 세계 대전 종결 후 평화 유지와 국제 협력을 목적으로 설립

01 제국주의 열강의 침략과 동아시아의 민족 운동

1. 제국주의 열강의 세계 분할

(1) 제국주의의 등장

배경	독점 자본주의 발달, 침략적 민족주의의 대두, 사회 진화론 등장, 인종주의의 확산
전개	19세기 말에서 20세기 초 열강이 우월한 경제력과 군사력을 앞세워 약소국을 식민지로 삼는 팽창 정책 추진

(2) 열강의 세계 분할

포르투갈	16세기에 동남아시아 진출, 향신료 무역 독점
에스파냐	필리핀을 점령하여 식민지 경영
(❽)	인도 지배, 말레이 연방 수립, 네팔과 아프가니스탄까지 세력 확대, 오스트레일리아와 뉴질랜드의 자치령화, 아프리카 종단 정책 추진, 이집트 보호국화
프랑스	인도차이나 연방 수립, 아프리카 횡단 정책 실시
네덜란드	인도네시아 진출 후 네덜란드령 동인도 건설
미국	필리핀 식민지화, 괌과 하와이 등 차지
독일	비스마르크 제도와 마셜 제도 점령, 서남아프리카·동아프리카·카메룬·토고 등 진출

2. 중국의 개항과 민족 운동

(1) **중국의 개항:** 제1차 아편 전쟁(→ 난징 조약 체결), 제2차 아편 전쟁(→ 톈진 및 베이징 조약 체결)으로 개항

(2) 중국의 근대화 운동

태평천국 운동	홍수전이 멸만흥한을 내세워 태평천국 건설
(❾)	이홍장 주도, 중체서용에 따른 서양 기술 도입 주장
변법자강 운동	캉유웨이 주도, 근대적 개혁 추진(입헌 군주제 도입, 신식 군대 양성, 상공업 육성 등)
의화단 운동	의화단 조직, 부청멸양 주장 → 신축조약 체결
신해혁명	신군이 우창에서 봉기 → 쑨원을 임시 대총통으로 하는 (❿) 수립 → 청 멸망

3. 일본과 조선의 근대화 운동

일본	개항 후 하급 무사들이 막부 타도, 메이지 정부 수립, 근대적 개혁 추진 → 일본 제국 헌법 제정 → 대외 팽창 정책 추진
조선	개항 후 갑신정변 발발, 동학 농민 운동 전개, 갑오개혁 추진, 광무개혁 실시 → 일본에 국권 피탈

02 인도와 동남아시아, 서아시아와 아프리카의 민족 운동

1. 인도와 동남아시아의 민족 운동

인도	세포이의 항쟁, 브라흐마 사마지 운동 전개(종교·사회 개혁 추진), (⑪) 결성(콜카타 대회 개최)
베트남	근왕 운동 전개, 판보이쩌우와 판쩌우찐의 활동
인도네시아	카르티니의 활동, 부디 우토모 결성, 이슬람 동맹 조직
태국	짜끄리 왕조의 근대 개혁 실시, 독립 유지
필리핀	호세 리살과 아기날도의 독립운동 전개

2. 서아시아와 아프리카의 민족 운동

오스만 제국	탄지마트 단행, 미드하트 파샤의 개혁(근대적 헌법 제정), 청년 장교들이 (⑫) 조직 후 봉기
아랍	와하브 운동 전개(신앙 운동 → 민족 운동으로 발전)
이란	열강의 이권 침탈 → 담배 불매 운동, 입헌 혁명 전개
이집트	무함마드 알리의 개혁 추진, 아라비 파샤의 혁명
아프리카	알제리, 수단, 에티오피아, 나미비아, 탄자니아, 줄루 왕국 등에서 민족 운동 전개

03 제1차 세계 대전과 세계정세의 변화

1. 제1차 세계 대전

배경	서구 열강의 대립, 범슬라브주의와 범게르만주의의 대립
전개	사라예보 사건 발생 → 오스트리아·헝가리 제국이 세르비아에 선전 포고 → 독일의 무제한 잠수함 작전 전개 → 미국의 참전 → 러시아의 전선 이탈 → 독일의 항복
결과	총력전·참호전 양상, 신무기 사용으로 막대한 인적·물적 피해 발생, 미국이 강대국으로 부상

2. 러시아 혁명과 소련의 성립

배경	차르의 전제 정치, 피의 일요일 사건
3월 혁명	소비에트 혁명 발생 → 제정 붕괴, 임시 정부 수립
11월 혁명	레닌이 이끄는 볼셰비키가 봉기 → 소비에트 정부 수립
혁명 이후	(⑬)의 공산당 일당 독재 선언, 신경제 정책(NEP) 추진, 소비에트 사회주의 공화국 연방(소련) 수립

3. 전후 세계정세의 변화

(1) **전후 처리와 유럽의 변화**: 파리 강화 회의 개최, 베르사유 조약 체결, 국제 연맹 창설, 공화국 탄생, 참정권의 확대

(2) 아시아와 아프리카의 민족 운동

중국	신문화 운동 전개, 베이징 학생들을 중심으로 5·4 운동 전개, 제1·2차 국공 합작 추진
인도	• (⑭)의 반영 운동: 비폭력·불복종 시위 • 네루의 반영 운동: 인도 독립 동맹 결성, 무력 투쟁
동남아시아	• 베트남: 호찌민을 중심으로 반프랑스 독립운동 전개 • 인도네시아: 수카르노 주도로 네덜란드에 저항 • 필리핀: 미국으로부터 자치권 획득, 완전 독립 요구 • 태국: 청년 장교들의 쿠데타로 입헌 군주제 수립
서아시아	• 오스만 제국: (⑮)이 튀르키예 공화국 수립, 개혁 추진 • 이란: 리자 샤 주도로 민족 운동 전개 • 팔레스타인: 후사인·맥마흔 협정, 밸푸어 선언으로 아랍인과 유대인 간 갈등 발생
아프리카	이집트의 반영 운동 전개, 범아프리카 운동 전개

04 대공황과 제2차 세계 대전

1. 대공황의 시작과 전체주의의 등장

대공황	• 발생: 뉴욕 증권 거래소의 주가 폭락 → 기업·은행 파산, 실업자 급증 → 전 세계로 경제 위기 확산 • 극복 노력: (⑯) 추진(미국), 경제 블록 형성(영국과 프랑스)
(⑰)의 대두	• 특징: 개인의 권리보다 국가의 이익을 우선으로 여김, 대외 침략 추진 • 대표적인 국가: 독일, 이탈리아, 일본

2. 제2차 세계 대전

배경	대공황의 발생 → 독일과 이탈리아에서 파시즘 확산, 일본의 군국주의화 추진
전개	독일의 폴란드 침공, 파리 함락 → 일본의 진주만 침공 → 미국의 미드웨이 해전 승리 → 독일의 스탈린그라드 전투 패배 → 이탈리아 항복 → 연합군의 (⑱)으로 파리 수복 → 독일 항복 → 미국이 일본에 원자 폭탄 투하, 일본 항복
결과	대량 학살, 대량 살상 무기 사용으로 피해 발생
전후 처리	대서양 헌장 발표, 카이로 회담·얄타 회담·포츠담 회담 개최, 국제 연합(UN) 창설

●정답● ① 탄지마트 ② 태평천국 운동 ③ 파쇼다 사건 ④ 사라예보 사건 ⑤ 11월 혁명 ⑥ 대공황 ⑦ 폴란드 ⑧ 영국 ⑨ 양무운동 ⑩ 중화민국 ⑪ 인도 국민 회의 ⑫ 청년 튀르크당 ⑬ 레닌 ⑭ 간디 ⑮ 무스타파 케말 ⑯ 뉴딜 정책 ⑰ 전체주의 ⑱ 노르망디 상륙 작전

대단원
실력 굳히기

01 다음은 서구 열강의 정책을 정리한 것이다. (가)에 들어갈 내용으로 적절하지 않은 것은?

> • 시기: 19세기 말~20세기 초
> • 의미: 우월한 경제력과 군사력을 앞세워 약소국을 식민지로 삼는 열강의 대외 팽창 정책
> • 사례: (가)

① 미국이 괌과 하와이를 차지하였다.
② 프랑스가 인도차이나 연방을 수립하였다.
③ 일본이 하와이의 진주만을 기습 공격하였다.
④ 독일이 비스마르크 제도와 마셜 제도를 점령하였다.
⑤ 영국이 오스트레일리아와 뉴질랜드를 자치령으로 삼았다.

02 다음은 19세기~20세기경 서구 열강의 동남아시아 침략을 나타낸 지도이다. (가) 국가에 대한 설명으로 옳은 것을 〈보기〉에서 고른 것은?

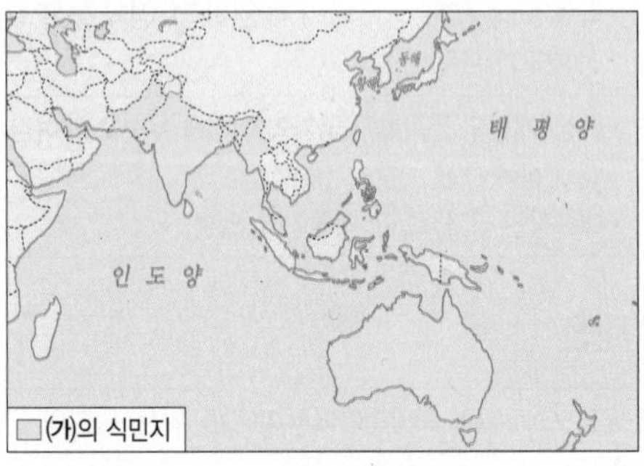

보기

ㄱ. 모로코 지배를 둘러싸고 독일과 대립하였다.
ㄴ. 서남아프리카와 카메룬, 토고 등으로 진출하였다.
ㄷ. 이집트를 보호국으로 삼고 수에즈 운하를 차지하였다.
ㄹ. 카이로에서 케이프타운을 잇는 아프리카 종단 정책을 추진하였다.

① ㄱ, ㄴ　② ㄱ, ㄷ　③ ㄴ, ㄷ
④ ㄴ, ㄹ　⑤ ㄷ, ㄹ

03 다음 두 사건 사이에 중국에서 있었던 사실로 옳은 것은?

> • 청 정부가 아편을 몰수하자 청과의 무역 확대를 꾀하던 영국은 이를 빌미로 전쟁을 일으켰다.
> • 광저우에 정박해 있던 애로호에 청 관리가 올라가 선원을 체포하고 영국 국기를 강제로 내리게 하였다.

① 신축조약이 체결되었다.
② 중화민국이 수립되었다.
③ 홍콩이 영국에 할양되었다.
④ 신군이 우창에서 봉기하였다.
⑤ 태평천국이 향용의 공격으로 몰락하였다.

04 밑줄 친 '근대화 운동'에 대한 탐구 활동으로 가장 적절한 것은?

> 청일 전쟁 이후 제국주의 열강의 중국 분할이 본격적으로 시작되었다. 이에 따라 캉유웨이, 량치차오 등의 지식인들은 위기를 극복하기 위해 <u>근대화 운동</u>을 추진하였다.

① 무술정변의 배경을 조사한다.
② 난징 조약의 조항을 분석한다.
③ 중체서용론의 의미를 알아본다.
④ 천조 전무 제도의 내용을 확인한다.
⑤ 의화단 운동에 미친 영향을 파악한다.

05 다음 조약이 체결되는 결과를 가져온 민족 운동에 대한 설명으로 옳은 것은?

> • 청은 베이징에서 산하이관까지 철도를 따라 열강의 군대 주둔을 허용한다.
> • 청은 제국주의에 반대하는 모든 조직과 활동을 단속한다.

① 부청멸양을 구호로 내세웠다.
② 토지 균등 분배를 주장하였다.
③ 증국번, 이홍장 등이 주도하였다.
④ 보수파의 반발로 100일 만에 실패하였다.
⑤ 변발, 전족과 같은 악습의 폐지를 추진하였다.

06 다음 헌법을 공포한 정부가 추진한 정책으로 옳지 않은 것은?

> 제1조 대일본 제국은 만세 일계의 천황이 통치한다.
> 제3조 천황은 신성하여 누구라도 침범해서는 안 된다.
> 제4조 천황은 국가의 원수이며, 통치권을 장악하고 이 법률의 조규에 의하여 이를 거행한다.

① 신분제 폐지 ② 미일 화친 조약 체결
③ 이와쿠라 사절단 파견 ④ 서양식 교육 제도 도입
⑤ 상공업 육성 및 은행 설립

07 밑줄 친 '전쟁'의 결과로 옳은 것은?

> 러시아가 만주와 한반도에서 영향력을 확대하자 영일 동맹을 맺은 일본은 1904년에 러시아와 전쟁을 벌였다.

① 삼국 간섭이 일어났다.
② 포츠머스 강화 조약이 체결되었다.
③ 미일 수호 통상 조약이 체결되었다.
④ 일본에서 메이지 정부가 수립되었다.
⑤ 일본이 타이완과 랴오둥반도를 차지하였다.

08 다음 정책에 대응하여 인도인들이 벌인 활동으로 옳은 것은?

> **세계사 신문** 1905. 10. ○○.
>
> **영국, 새로운 인도 통치법을 발표하다!**
>
> 영국의 인도 총독이 벵골 지역을 효율적으로 다스리기 위한 벵골 분할령을 발표하였다. 이에 따라 앞으로 벵골 지역은 이슬람교도 중심의 동벵골과 힌두교도 중심의 서벵골로 나뉘어 통치된다.

① 소금 행진을 전개하였다.
② 세포이의 항쟁을 일으켰다.
③ 브라흐마 사마지 운동을 벌였다.
④ 틸라크의 주도 아래 콜카타 대회를 개최하였다.
⑤ 인도 독립 동맹을 중심으로 무력 투쟁을 전개하였다.

09 다음 가상 성명서를 발표한 세력의 활동으로 옳은 것은?

> 우리는 힌두교의 우상 숭배를 배격하며 순수 힌두교 교리로의 복귀를 추구한다. 더불어 사티, 일부다처제와 같은 악습에 반대한다.

① 통킹 의숙 설립 ② 동유 운동의 추진
③ 부디 우토모 조직 ④ 콜카타 대회 개최
⑤ 브라흐마 사마지 운동 전개

10 (가) 국가에서 있었던 일로 옳은 것은?

> (가) 에서는 판쩌우찐이 통킹 의숙 설립에 참여하여 문맹 퇴치와 근대 사상 보급에 앞장섰다.

① 호찌민이 반프랑스 운동을 주도하였다.
② 스와라지, 스와데시 운동이 추진되었다.
③ 짜끄리 왕조가 근대화 정책을 실시하였다.
④ 카르티니가 여성을 위한 학교를 설립하였다.
⑤ 이슬람교 순화 운동인 와하브 운동이 일어났다.

11 다음 수행 평가 보고서의 (가)에 들어갈 내용으로 적절한 것은?

> 1. 주제: 오스만 제국의 개혁과 민족 운동
> 2. 수집 자료: 탄지마트를 위한 칙령, 1876년에 발표된 오스만 제국의 헌법, 청년 튀르크당의 활동을 기록한 문서
> 3. 조사 결과
> – 대내외의 위기 극복을 위해 탄지마트를 실시하였다.
> – (가)
> – 청년 튀르크당이 봉기하여 정권을 장악하였다.

① 반영 운동 세력이 입헌 혁명을 일으켰다.
② 미드하트 파샤가 의회 설립을 추진하였다.
③ 유교 지식인들이 근왕 운동을 주도하였다.
④ 무함마드 알리가 근대화 정책을 실시하였다.
⑤ 상인과 이슬람 지도자들이 담배 불매 운동을 벌였다.

12 지도와 같은 세력 범위를 유지하였던 운동에 대한 설명으로 옳은 것은?

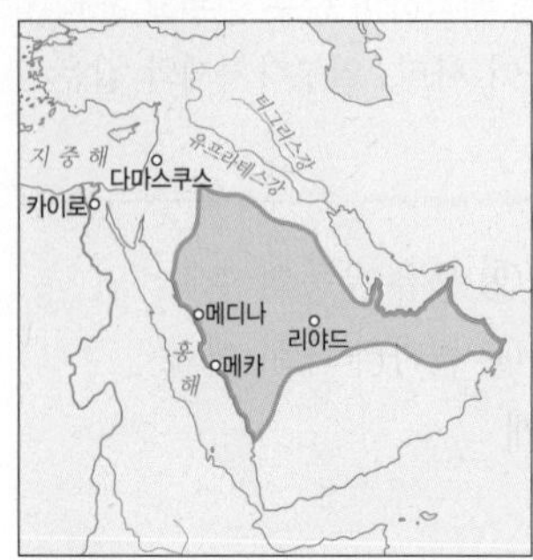

① 무함마드 알리가 주도하였다.
② 삼민주의를 혁명의 이념으로 내세웠다.
③ 신앙 운동에서 민족 운동으로 발전하였다.
④ 영국의 롤럿법 제정에 반대하여 일어났다.
⑤ 영국으로부터 담배 이권을 회수하는 결과를 가져왔다.

13 다음 전시회에서 볼 수 있는 사진으로 가장 적절한 것은?

> **역사 동아리 사진전에 초대합니다.**
>
> 이번 사진전에서는 생생한 사진 자료를 통해 제1차 세계 대전의 참상을 살펴보고, 나아가 우리가 반전 평화를 추구해야 하는 이유를 생각해 보는 시간을 가질 예정입니다. 많은 참석 바랍니다.
>
> 
>
> ⬆ 참호 속 병사들
>
> • 일시: 20○○년 ○○월 ○○일
> • 장소: △△ 고등학교 도서실

① 일본 도쿄에서 열린 전범 재판
② 홀로코스트 희생자들의 소지품
③ 난징 대학살을 자행하는 일본군
④ 진주만을 공격하는 일본 전투기
⑤ 독일의 잠수함 작전으로 침몰한 상선

14 (가) 정부에 대한 설명으로 옳은 것은?

> 러시아에서 3월 혁명의 결과 수립된 임시 정부가 개혁을 미루고 전쟁을 지속하자 레닌이 이끄는 볼셰비키가 임시 정부를 무너뜨리고 (가) 정부를 세웠다.

① 피의 일요일 사건을 일으켰다.
② 신경제 정책(NEP)을 폐기하였다.
③ 토지와 주요 산업을 국유화하였다.
④ 경제 개발 5개년 계획을 추진하였다.
⑤ 헌법 제정과 두마(의회) 창설을 약속하였다.

15 밑줄 친 '강화 조약'의 영향으로 옳은 것은?

> 1919년 6월 제1차 세계 대전 전승국 대표들은 베르사유 궁전에서 독일과 <u>강화 조약</u>을 체결하였다.

① 모로코 사건이 일어났다.
② 국제 연합(UN)이 창설되었다.
③ 파리 강화 회의가 개최되었다.
④ 독일이 모든 식민지를 상실하였다.
⑤ 뉘른베르크에서 국제 전범 재판이 열렸다.

16 (가)에 들어갈 내용으로 옳은 것은?

> 5·4 운동이 끝난 이후 중국에서는 대중적 민족 운동이 성장하는 가운데 쑨원이 이끄는 중국 국민당과 중국 공산당이 군벌 정권을 타도하기 위해 (가) 하였어요.

① 대장정을 단행
② 양무운동을 전개
③ 중화민국을 수립
④ 중국 동맹회를 결성
⑤ 제1차 국공 합작을 추진

17 다음 내용에 해당하는 인물의 활동으로 옳은 것은?

> • 생몰 연도: 1869년~1948년
> • 주요 활동: 영국의 롤럿법에 맞서 비폭력·불복종을 내세우며 영국 상품 불매, 납세 거부 등의 활동을 이끌었다.

① 소금 행진을 전개하였다.
② 잡지 『신청년』을 발간하였다.
③ 세포이의 항쟁을 주도하였다.
④ 인도 독립 동맹을 결성하였다.
⑤ 삼민주의를 바탕으로 신해혁명을 이끌었다.

18 다음 자료에 대해 학생들이 나눈 대화 내용으로 적절한 것은?

> 영국 정부는 팔레스타인에 유대 민족을 위한 민족의 본거지를 건설하는 일에 호의를 보이며, 이 목적을 쉽게 달성할 수 있도록 최선을 다할 것이다. – 밸푸어 선언, 1917

① 갑: 발칸 전쟁의 배경이 되었어.
② 을: 사회 진화론의 영향을 받아 발표되었어.
③ 병: 제2차 세계 대전이 끝난 후에 작성되었지.
④ 정: 아랍인과 유대인 사이의 갈등을 초래하였지.
⑤ 무: 대서양 헌장의 내용을 충실히 반영하고 있어.

19 다음 자료와 같은 사상이 등장한 배경으로 옳은 것은?

> 파시스트의 국가 개념은 모든 것을 포괄하며, 국가를 떠나서는 인간과 영혼의 가치도 존재하지 않는다. …… 파시즘은 영구 평화의 가능성을 믿지 않는다. 오직 전쟁만이 인간의 힘을 최고조에 이르게 하고 이에 직면할 용기를 가진 국민에게 고귀함을 부여한다.

① 사회주의가 등장하였다.
② 사라예보 사건이 일어났다.
③ 민족 자결주의가 등장하였다.
④ 대공황이 전 세계로 확산되었다.
⑤ 평화 원칙 14개조가 발표되었다.

20 밑줄 친 '전쟁'에 대한 설명으로 옳지 않은 것은?

> 세계사 다큐멘터리
>
> 
>
> 러시아군이 스탈린그라드 전투에서 독일군에 승리를 거두면서 전쟁은 연합군에게 유리한 양상으로 전개되었다.

① 독일의 폴란드 침공으로 시작되었다.
② 전체주의의 확산을 배경으로 일어났다.
③ 국제 연맹이 창설되는 결과를 가져왔다.
④ 원자 폭탄과 같은 신무기가 사용되어 많은 인적 피해가 발생하였다.
⑤ 일본이 진주만을 공격하면서 전선이 아시아·태평양 지역으로 확대되었다.

21 다음 자료를 바탕으로 보고서를 작성할 때 그 제목으로 가장 적절한 것은?

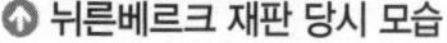
뉘른베르크 재판 당시 모습

도쿄 재판 당시 모습

① 팔레스타인 분쟁의 시작
② 베르사유 체제의 성립과 한계
③ 발칸반도를 둘러싼 각국의 대립
④ 제2차 세계 대전의 전후 처리 과정
⑤ 3국 협상국과 3국 동맹국 간의 대립

현대 세계의 변화

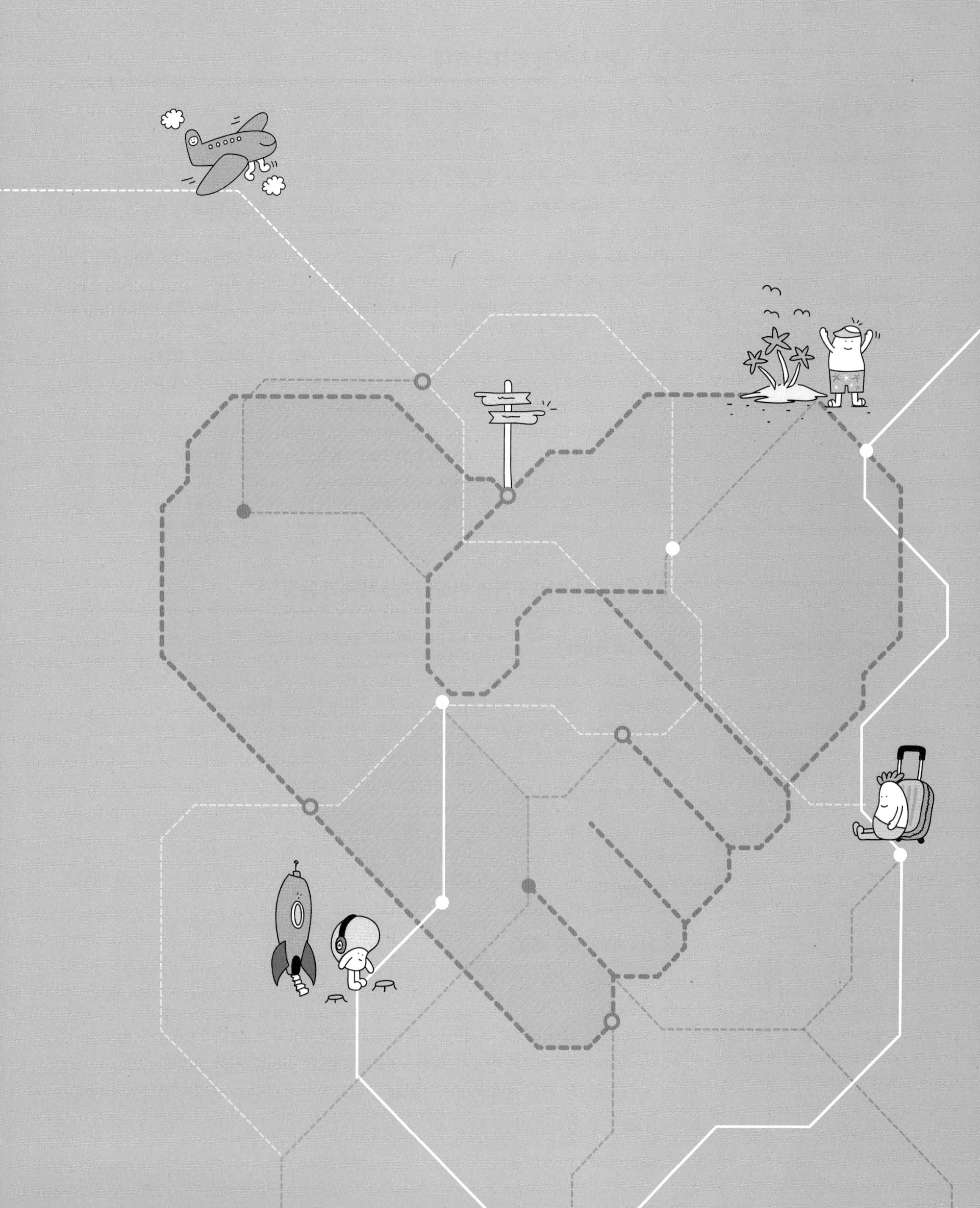

01 냉전과 탈냉전

학습 목표

- 냉전의 전개 과정을 여러 사례를 통해 파악하고, 제3 세계가 성립한 배경을 설명할 수 있다.
- 냉전이 완화된 배경과 냉전의 붕괴 과정을 파악할 수 있다.

1 냉전 체제의 형성과 확대

이것이 핵심!

냉전 체제의 형성과 전개

형성	미국 중심의 자본주의 진영과 소련 중심의 공산주의 진영의 대립
전개	베를린 봉쇄, 독일 분단, 6·25 전쟁 발발, 베트남 전쟁 발발, 쿠바 미사일 위기 발생

★ **마셜 계획**
전쟁으로 피폐해진 서유럽의 경제를 재건하기 위해 미국이 대규모 경제 원조 기금을 제공하는 정책이다. 소련이 자국의 영향권에 있던 국가의 참여를 막아 지원 대상이 서유럽 국가에 한정되었다.

1. 냉전 체제의 형성

냉전: 직접적인 무력 사용 대신 정치, 외교, 군사 등의 수단을 통해 이루어지는 국제적 경쟁과 긴장 상태

(1) **배경**: 제2차 세계 대전 이후 미국과 소련의 대립 심화

(2) **형성 과정**: 미국 중심의 자본주의 진영과 소련 중심의 공산주의 진영 간의 대립

자본주의 진영 자료①		공산주의 진영
• 트루먼 독트린 발표 • *마셜 계획 추진 • 북대서양 조약 기구(NATO) 결성	↔	• 코민포름(공산당 정보국) 조직 • 코메콘(COMECON, 동유럽 경제 상호 원조 회의) 설립 • 바르샤바 조약 기구(WTO) 결성

2. 냉전 체제의 전개

독일	소련의 베를린 봉쇄(1948) → 동독과 서독으로 분단 → 베를린 장벽 설치(1961) 자료②
중국	국민당과 공산당의 내전(국공 내전) 발생 → 공산당의 승리, 중화 인민 공화국 수립(1949)
한국	냉전의 영향으로 남북 분단 → 6·25 전쟁 발발(1950)
베트남	제네바 협정(1954) 이후 공산당 정권의 북베트남과 친미 정권의 남베트남으로 분단 → 베트남 전쟁 발발, 미국 참전 → 미국이 재정 부담과 반전 여론으로 철수 → 북베트남 승리(1975)
쿠바	미국과 소련이 군사적 우위 확보를 위해 경쟁적으로 군비 확장, 핵무기 경쟁 → 소련이 쿠바에 미사일 기지 건설 시도 → 미국의 쿠바 해상 봉쇄(쿠바 미사일 위기, 1962) → 소련 철수

- 소련의 베를린 봉쇄: 미국, 영국, 프랑스가 서베를린 지역을 하나의 경제 단위로 통합하자 소련이 서베를린으로 통하는 길을 봉쇄하였어.
- 동독과 서독으로 분단: 동독은 공산주의 진영, 서독은 자본주의 진영으로 분단되었어.
- 왜? 미국 참전: 베트남의 공산화를 저지한다는 명분으로 참전하였어.
- 소련이 쿠바에 미사일 기지 건설 시도: 미국이 튀르키예와 중동에 미사일을 배치하자 소련은 쿠바에 미사일 기지를 세워 미국을 견제하고자 하였어.

2 아시아·아프리카의 변화와 제3 세계의 등장

이것이 핵심!

아시아·아프리카의 변화

아시아	• 중국: 대약진 운동, 문화 대혁명 전개 • 인도: 인도와 파키스탄으로 분리 독립 • 인도네시아·필리핀·말레이시아 독립
아프리카	튀니지, 모로코, 알제리, 가나 등이 독립

↓

제3 세계의 등장

비동맹 중립주의 노선 추구 → 냉전 체제 완화에 영향

★ **홍위병**
문화 대혁명 당시 마오쩌둥의 이념을 관철시키기 위해 조직된 준군사 조직으로 주로 학생들로 구성되었다. 이들은 '봉건 잔재와 자본주의 잔재 타파'를 외치며 각 지역의 당 지도자와 교사, 지식인을 무차별적으로 처형하였다.

1. 중국의 공산화

대약진 운동(1958)	마오쩌둥이 인민공사 설립, 공산주의 경제 건설 도모(토지 개혁과 산업의 국유화 등) → 과도한 목표 설정, 기술 부족, 노동 의욕 저하, 자연재해 등으로 실패
문화 대혁명(1966~1976)	마오쩌둥에 대한 비판 고조, 덩샤오핑·류사오치 등 실용주의 세력 대두 → 마오쩌둥이 공산주의 혁명 완수를 명분으로 *홍위병을 앞세워 반대파 숙청 → 중국의 전통문화 파괴, 지식인·예술인 탄압

- 인민공사: 농촌의 경제, 사회, 교육, 군사 등을 총괄하는 행정 조직의 기초 단위

2. 아시아·아프리카의 독립

인도	힌두교도 중심의 인도 연방과 이슬람교도 중심의 파키스탄으로 각각 분리 독립(1947)
동남아시아	인도네시아가 네덜란드로부터 독립, 필리핀·말레이시아가 일본으로부터 독립
아프리카	튀니지·모로코·알제리가 프랑스로부터 독립, 가나가 영국으로부터 독립 → 1960년에 아프리카 17개국이 독립 선언

- 1960년에 아프리카 17개국이 독립 선언: 1960년에는 '아프리카의 해'라고 불릴 정도로 많은 독립국이 탄생하였어.

3. 제3 세계의 등장 자료③

(1) **형성**: 아시아·아프리카 신생 독립국들이 비동맹 중립주의 노선을 표방하며 형성

- 비동맹 중립주의 노선: 자본주의 진영과 공산주의 진영 중 어느 편에도 가담하지 않고 독자적인 노선을 추구하여 냉전 체제의 완화에 영향을 주었어.

(2) **활동**

① 반둥 회의 개최(1955): 아시아·아프리카 29개국 대표들이 참석, 1954년 중국의 저우언라이와 인도의 네루가 발표한 '평화 5원칙'을 기초로 이듬해 '평화 10원칙' 채택

② 제1차 비동맹 회의 개최(1961): 미국 및 소련이 주도하는 군사 동맹의 불참과 비동맹 국가들 간의 협력 결의

- 반둥 회의: 인도네시아 반둥에서 열려 반둥 회의라고 하며, 아시아·아프리카 회의라고도 불려.

완자 자료 탐구

내 옆의 선생님

자료 1 트루먼 독트린과 마셜 계획

오늘날 전 세계의 거의 모든 나라는 두 가지 생활 방식 중 하나를 선택해야 합니다. 첫 번째 생활 방식은 …… 다른 생활 방식은 소수의 의지로 다수를 강제하는 방식입니다. …… 저는 모든 민족이 자유로운 상황에서 운명을 스스로 결정할 수 있도록 도와야 한다고 믿습니다. 그래서 무엇보다 재정적인 지원을 염두에 두고 있습니다.

– 트루먼 대통령 의회 연설, 1947

(공산주의를 지칭한거야.)

(이를 위해 마셜 계획이 추진되었어.)

(서유럽 국가는 마셜 계획으로 미국의 경제 원조를 받아 전쟁 이전 수준으로 경제를 회복하였어.)

마셜 계획과 유럽의 냉전

제2차 세계 대전이 끝난 후 동유럽 각국에 공산주의 정부가 들어서고 그리스와 튀르키예 등지에서 공산주의 세력이 부상하였다. 이에 따라 미국의 트루먼 대통령은 공산주의의 침략을 받는 지역에 정치적·군사적 원조를 제공하겠다는 요지의 트루먼 독트린을 발표하였다. 그리고 이듬해 서유럽 각국에 경제적 원조를 제공하는 마셜 계획을 추진하였다.

문제로 확인할까?

1. 미국이 트루먼 독트린을 발표한 배경으로 옳지 않은 것은?
① 동유럽의 공산화
② 유럽의 경제 불황
③ 소련의 영향력 확대
④ 제2차 세계 대전의 발발
⑤ 그리스 내 공산주의 세력 확대

2. 미국은 공산주의의 확산을 막기 위해 제2차 세계 대전으로 피해를 입은 서유럽에 경제적 원조를 제공하는 (　　　　)을 추진하였다.

답 1. ④ 2. 마셜 계획

자료 2 독일의 분단

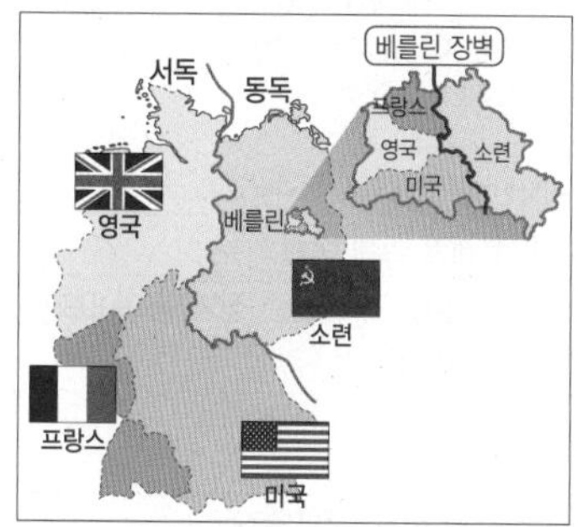

독일의 분할과 베를린 장벽 설치

독일은 제2차 세계 대전 이후 미국, 영국, 프랑스, 소련에 의해 분할 점령되었다. 베를린도 분할되어 서베를린은 서방 측에, 동베를린은 소련 측에 속하게 되었다. 1948년 서방 측이 서베를린을 단일 행정 구역으로 통합하자 불안감을 느낀 소련은 서방 측에서 베를린으로 통하는 길을 봉쇄하였다. 베를린 봉쇄는 이듬해 해제되었으나 독일이 동서로 분단되는 계기가 되었고, 1961년에는 베를린을 동서로 나누는 베를린 장벽이 설치되었다.

자료 하나 더 알고 가자!

소련의 베를린 봉쇄와 서방의 대응

베를린에 물자를 공수하는 비행기

소련이 베를린을 봉쇄하자 서방 측은 봉쇄된 서베를린 지역에 비행기로 물자를 공수하며 맞섰어.

자료 3 제3 세계의 등장

(제국주의에 시달려 온 아시아·아프리카 국가가 외세에 대한 저항을 집단적으로 선포하였다는 의미가 있어.)

1. 기본적 인권과 국제 연합 헌장 존중
2. 주권과 영토 보전 존중
3. 인류와 국가 간의 평등
4. 내정 불간섭
5. 단독·집단의 자위권 존중
6. 강대국에 유리한 집단 방위 배제
7. 무력 침공 부정
8. 국제 분쟁의 평화적 해결
9. 상호 이익·협력 촉진
10. 정의와 국제 의무 존중

– 평화 10원칙

아시아·아프리카의 신생 독립 국가들은 자본주의 진영과 공산주의 진영 중 어느 편에도 가담하지 않고 독자적으로 발전하고자 하였다. 이러한 흐름에 따라 1955년 열린 반둥 회의에서 29개국 대표가 비동맹 중립주의를 표방하는 '평화 10원칙'을 선언하였다. 이 선언으로 제3 세계의 성립이 공식화되었다.

자료 하나 더 알고 가자!

평화 5원칙 발표

1. 영토와 주권의 상호 존중
2. 상호 불가침
3. 상호 내정 불간섭
4. 호혜 평등
5. 평화 공존

1954년 6월 인도의 네루와 중국의 저우언라이가 델리에서 만나 상호 존중과 평화 공존을 강조하는 '평화 5원칙'에 합의하였어. 이 원칙은 이듬해 발표된 '평화 10원칙'의 바탕이 되었지.

01 냉전과 탈냉전

이것이 핵심!

냉전 체제의 변화

냉전 체제의 완화
제3 세계의 등장, 닉슨 독트린 발표, 국제 질서의 다극화
↓
국제 질서의 변화
소련의 해체, 독일 통일, 동유럽의 민주화 전개, 중국의 개혁·개방 정책 추진

★ 헬싱키 협약
1975년 핀란드 헬싱키에서 열린 안보 협력 회의에서 35개국이 주권 존중·전쟁 방지·인권 보호를 핵심으로 체결한 협약

★ 자유 노조
폴란드의 바웬사가 이끈 자유 노조는 1980년에 일어난 전국적인 파업을 계기로 동유럽 국가 최초로 국가의 통제를 받지 않는 노동조합으로 인정받았다. 이후 자유 노조가 1989년 총선거에서 압승을 거두고 바웬사가 대통령에 취임하면서 폴란드에 비공산주의 정권이 수립되었다.

★ 벨벳 혁명
체코슬로바키아에서 일어난 비폭력 민주화 혁명을 일컫는다. 부드러운 천인 벨벳(Velvet)처럼 피를 흘리지 않고 정권 교체를 이루어 '벨벳 혁명'이라고 하였다.

★ 유고슬라비아 연방 해체
1991년에 슬로베니아, 크로아티아, 마케도니아가 독립하였고, 이듬해에는 보스니아 헤르체고비나가 독립하였다.

★ 흑묘백묘론
'검은 고양이든 흰 고양이든 쥐를 잘 잡으면 좋은 고양이'라는 뜻으로, 자본주의든 공산주의든 중국 사람들을 잘살게 하면 그것이 제일이라는 의미를 담고 있다.

3 냉전 체제의 변화와 공산주의권의 붕괴

1. 냉전 체제의 완화

1989년 12월 몰타에서 열린 회담에서 미국과 소련의 정상이 평화를 지향하는 새로운 세계 질서를 수립한다는 선언을 하면서 냉전 체제가 종식되었어.

(1) 긴장 완화(데탕트) 분위기 형성 교과서 자료

소련	흐루쇼프가 자본주의 국가들과의 평화 공존 추구(서독과의 국교 회복 추진, 미국 방문)
미국	닉슨 독트린 발표(1969) → 베트남 전쟁에서 미군 철수(1973), 닉슨의 중국과 소련 방문, 소련과 전략 무기 제한 협정(SALT) 체결, 중국과 국교 수립(1979)
독일	서독 총리 브란트의 동방 정책 추진 → 소련과 불가침 협정 체결(1970), 동독과 서독의 국제 연합(UN) 동시 가입(1973)

동방 정책: 동독을 포함한 공산주의 국가와의 화해와 교류를 강조한 정책이야.

(2) 국제 질서의 다극화: 제3 세계의 등장, 중국과 소련의 이념 논쟁 및 국경 분쟁, 유럽 경제 공동체(EEC) 구성, 프랑스의 북대서양 조약 기구(NATO) 탈퇴, *헬싱키 협약 체결, 동유럽에서 자유화 운동 전개

동유럽에서 자유화 운동: 헝가리와 체코슬로바키아에서 소련에 반대하는 봉기가 발생하여 동유럽에 대한 소련의 지배에 균열이 생겼어.

2. 소련의 개혁과 해체 자료 ④

(1) 고르바초프의 페레스트로이카(개혁)·글라스노스트(개방) 정책

페레스트로이카(개혁)·글라스노스트(개방) 정책: 생산 의욕과 효율성이 저하되었어.

배경	브레즈네프의 공산당 관료 체제와 통제 경제 체제 강화 → 부정부패 증대, 경기 침체
내용	정치 민주화 추진(언론 통제 완화 등), 시장 경제 체제 도입, 동유럽 국가들에 대한 불간섭 선언, 군비 감축, 미국 및 서방과의 관계 개선 시도

미국 및 서방과의 관계 개선 시도: 아프가니스탄에서 소련군을 철수하였어.

(2) 소련의 붕괴: 고르바초프의 정책에 대한 공산당 강경파의 반발 → 옐친의 저지, 공산당 해체 → 소련 내 각 공화국이 독립 국가 연합(CIS) 결성 결의, 소련 해체(1991)

옐친: 공산당 강경파의 반발을 저지한 후 실권자로 부상하였고, 독립 국가 연합의 결성을 주도하였어.

3. 독일의 통일과 동유럽 공산주의권의 붕괴

(1) 독일의 통일

배경	서독의 경제 성장에 따른 동독과 서독 간 경제 격차 심화, 소련의 개혁·개방 정책 추진
과정	동독에서 민주화와 통일 요구 시위 전개, 동독 주민들이 서독으로 대거 탈출 → 베를린 장벽 붕괴(1989) → 동독에서 자유 총선거 실시, 통일 논의 진전 → 서독에 의한 흡수 통일(1990)

베를린 장벽 붕괴(1989): 1989년 11월 9일 동독과 서독 간의 통행 자유화 조치가 발표되면서 베를린 장벽이 붕괴되었어.

(2) 동유럽 공산주의권의 몰락: 소련의 정치적 간섭 약화, 민주화 요구 확산

폴란드	총선거에서 바웬사가 이끄는 *자유 노조가 승리 → 비공산주의 정권 수립(1989)
헝가리	다당제(복수 정당제)와 시장 경제 기반의 공화국 수립
루마니아	민주화 운동을 탄압한 차우셰스쿠 독재 정권 붕괴
체코슬로바키아	하벨이 이끄는 '시민 광장'을 중심으로 민주화 운동 전개 → 공산주의 정권 붕괴(*벨벳 혁명, 1989), 하벨이 대통령에 당선 → 체코 공화국과 슬로바키아 공화국으로 분리(1993)
유고 연방	독자 노선을 이끌던 티토 사후 민족주의 대두 → *유고슬라비아 연방 해체(1992)

민족주의 대두: 각 공화국의 분리 독립 요구가 커졌어.

4. 중국의 변화

(1) 덩샤오핑의 개혁·개방 정책: *흑묘백묘론에 기초한 실용주의 노선 채택, 시장 경제 도입, 경제 특구 설치, 수출 주도형 경제 발전 전략 추진 → 고도의 경제 성장 자료 ⑤

경제 특구: 예 동남부 해안 지역의 선전, 주하이 등

(2) 톈안먼 사건(1989)

배경	개혁·개방 정책 이후 관료의 부정부패와 빈부 격차 심화 → 민주화 요구 증대
전개	학생들과 지식인들이 톈안먼 광장에서 정치적 자유를 요구하는 시위 전개 → 정부의 무력 진압

(3) 국력 신장: 경제 성장, 국제적 영향력 확대 → 홍콩과 마카오 환수, 세계 무역 기구(WTO) 가입, 베이징 올림픽 개최(2008), 국내 총생산(GDP) 세계 2위의 경제 대국으로 성장

완자 자료 탐구

내 옆의 선생님

수능이 보이는 교과서 자료 냉전의 완화

> 2. 미국은 강대국의 핵에 의한 위협의 경우를 제외하고는 내란이나 침략에 대하여 각국이 스스로 협력하여 그에 대처하도록 한다.
> 3. 미국은 '태평양 국가'로서 그 지역에서 중요한 역할을 계속하지만 직접적·군사적 과잉 개입은 하지 않는다.
> 4. 아시아 여러 나라에 대한 원조는 경제 중심으로 바꾸며 다수국에 대한 원조 방식을 강화하여 미국의 과중한 부담을 피한다.
>
> – 닉슨 독트린, 1969

이 원칙에 따라 미국은 베트남에서 미군을 철수시켰어.

1969년 미국의 닉슨 대통령은 아시아에서 벌어지는 내란이나 침략에 개입하지 않겠다는 내용의 닉슨 독트린을 발표하였다. 이후 미국은 베트남전에서 군대를 철수시키고, 중국과의 국교를 수립하면서 긴장 완화(데탕트)의 분위기를 조성하였다.

완자샘의 탐 구 강 의

• **닉슨 독트린의 주요 내용을 써 보자.**
아시아에서 벌어지는 내란이나 침략에 과잉 개입은 하지 않겠다는 내용이다.

• **닉슨 독트린이 당시의 국제 질서에 미친 영향을 서술해 보자.**
긴장 완화 분위기를 조성하여 냉전 체제의 완화에 영향을 주었다.

함께 보기 246쪽, 1등급 정복하기 1

자료 4 소련의 해체

> 페레스트로이카 정책은 소련과 같은 국가가 …… 권위주의적이고 관료주의적인 체제에서 벗어나 인간적이고 민주적인 사회로 평화롭게 이행하는 유일한 길이라고 생각합니다. 페레스트로이카의 주요한 업적은 민주화와 글라스노스트이고 …… .
>
> – 고르바초프의 연설, 1990

각지에서 민족주의가 확산되면서 발트 3국(라트비아, 리투아니아, 에스토니아)의 독립을 시작으로 소련이 해체되기 시작하였어.

○ 소련의 해체

고르바초프가 추진한 개혁·개방 정책의 영향으로 소련 내 공화국들이 독립을 선포하기 시작하였다. 결국 옐친이 독립 국가 연합(CIS)을 결성하기로 결의하고 소련은 공식적으로 해체되었다. 소련의 개방에 따라 동유럽 국가들도 자본주의 시장 경제를 받아들이기 시작하였다.

문제로 확인할까?

1. 소련의 고르바초프가 실시한 정책으로 옳은 것을 〈보기〉에서 고른 것은?

보기
ㄱ. 시장 경제 체제 도입
ㄴ. 바르샤바 조약 기구(WTO) 결성
ㄷ. 동유럽 국가들에 대한 불간섭 선언
ㄹ. 코메콘(COMECON, 동유럽 경제 상호 원조 회의) 설립

① ㄱ, ㄴ ② ㄱ, ㄷ ③ ㄴ, ㄷ
④ ㄴ, ㄹ ⑤ ㄷ, ㄹ

2. 옐친이 여러 공화국과 함께 (　　　)을 결성하기로 결의한 뒤 소련은 공식적으로 해체되었다.

답 1. ② 2. 독립 국가 연합(CIS)

자료 5 덩샤오핑의 개혁·개방 정책

보수파들이 개혁·개방 노선을 비판하자 덩샤오핑은 경제특구를 순방하면서 개혁·개방의 중요성을 역설하였어. 훗날 이 순방은 남방을 순회하면서 개혁·개방을 촉구한 연설이라는 뜻의 남순강화라고 불리게 되었지.

> 이번에 와 보니 선전과 주하이 특구, 기타 몇몇 지방은 내가 전혀 예상하지 못할 정도로 너무도 발전이 빠릅니다. 나는 믿음이 더 늘었습니다. …… 사회주의 기본 제도가 확립된 다음, 생산력의 발전을 속박하는 경제 체제를 근본적으로 바꾸어 생기와 활력에 찬 사회주의 경제 체제를 건립하고, 생산력의 발전을 촉진하는 것이 개혁입니다.
>
> – 남순강화, 1992

1970년대 말 집권한 중국의 덩샤오핑은 실용주의 노선을 내세워 사회주의 체제와 자본주의 요소를 결합한 개혁·개방 정책을 실시하였다. 그 결과 중국은 연평균 10%를 전후하는 높은 경제 성장률을 기록하였다.

자료 하나 더 알고 가자!

개혁·개방 정책에 따른 문제점

> 민중의 주머니는 불어나지 않았고, 검은 고양이와 흰 고양이는 더 뚱뚱해졌다. 외부 세계에 문호를 개방하고 외국 자본을 유치하면서 외채는 점점 늘어나고, …….
>
> – 톈안먼 사건의 전단지

덩샤오핑의 개혁·개방 정책으로 중국의 경제는 성장하였으나, 빈부 격차, 관료의 부정부패 등 여러 부작용이 나타났어.

01 냉전과 탈냉전

이것이 핵심!

• 세계 각지의 분쟁

인도	인도와 파키스탄 간에 카슈미르 분쟁 발생
팔레스타인	유대인이 이스라엘 수립 → 중동 전쟁 발발
발칸반도	유고슬라비아 연방 해체 과정에서 내전 발발
아프리카	제국주의 국가들의 종족 차별 통치 → 독립 이후 종족 간 분쟁 발생

• 세계 질서의 다원화

브레턴우즈 체제의 성립	'관세 및 무역에 관한 일반 협정(GATT)' 체결 → 국제 통화로 달러 사용, 국제 무역 증가
지역 단위의 협력 노력	자유 무역 협정(FTA) 체결, 지역 내 경제 공동체 형성

★ **팔레스타인 분쟁(중동 전쟁)**
팔레스타인 지역에 유대인이 이스라엘을 건국하면서 이스라엘과 아랍 여러 나라 사이에 일어난 전쟁이다. 이스라엘의 건국을 반대한 주변 아랍계 국가를 비롯하여 팔레스타인에 살던 아랍인들과 이스라엘 사이에 여러 차례 전쟁이 벌어졌다.

★ **르완다 내전**
르완다에서 소수족인 투치족이 다수족인 후투족을 지배하면서 시작된 두 종족의 갈등은 벨기에가 르완다를 식민지를 삼은 후 후투족을 차별하는 정책을 실시하면서 더욱 심화되었다. 결국 1994년 후투족이 투치족을 대학살하면서 많은 희생자가 발생하였다.

4 탈냉전 시대 새로운 질서의 재편

1. 세계 각지의 분쟁

(1) 종족·인종 갈등

왜? 유고슬라비아 연방은 민족과 종교가 복잡하게 섞여 있었어. 그래서 연방을 주도해 온 세르비아인들이 분리 독립을 막기 위해 다른 민족들을 무차별적으로 학살하였지.

유고슬라비아 내전	연방 해체 이후 종족·종교 차별로 적대감 증가 → '종족 청소'라 불리는 대규모 학살 발생
★팔레스타인 분쟁	팔레스타인 분할안을 계기로 유대인이 팔레스타인에 이스라엘 수립 → 주변의 아랍 국가, 팔레스타인 내 아랍인과 이스라엘 사이에 중동 전쟁 발발
★르완다 내전	다수 민족인 후투족과 소수 민족인 투치족 사이의 갈등 발생
키프로스 분쟁	키프로스 지역 내 그리스계와 터키계 민족의 분쟁
체첸·러시아 분쟁	소련 붕괴 후 체첸의 독립 선언 → 러시아의 반대로 갈등 전개

팔레스타인 해방 기구(PLO)를 창설하였어.

(2) 종교 갈등

① 카슈미르 분쟁: 카슈미르 지역을 둘러싸고 인도와 파키스탄 사이의 영토 분쟁 발생 자료⑥

② 수단 내전: 크리스트교를 믿는 남부의 흑인들이 북부의 이슬람 정부에 저항 → 남수단 독립

2. 국지전과 테러의 발생

(1) 국지전 발발 ─ 한정된 지역에서 일어나는 전쟁을 의미해.

아프가니스탄 내전(1979)	소련의 아프가니스탄 침공 → 미국, 중국, 이란 등이 개입하여 국제전의 양상으로 전개
이란·이라크 전쟁(1980)	이슬람 혁명을 둘러싼 종파 문제, 이란의 반서구 노선에 대한 미국의 견제로 발생
걸프 전쟁(1990)	8년간 지속된 전쟁으로 이라크의 경제 악화 → 쿠웨이트 침공 → 미국을 중심으로 한 다국적군이 이라크 공습

(2) 테러 발생: 2001년 미국의 세계 무역 센터와 국방부 건물(펜타곤)에 항공기 충돌 발생(9·11 테러) → 테러 배후로 이슬람 근본주의 과격파인 알카에다 지목, 미국의 진압 추진

근본주의: 종교 경전의 내용을 절대적으로 따르는 것을 지향하면서 신앙의 근본적인 측면을 강조하는 종교 운동을 가리켜.

3. 전후 새로운 경제 질서의 형성

(1) 브레턴우즈 체제의 성립

① 브레턴우즈 회의(국제 통화 금융 회의) 개최(1944): 미국의 달러를 주거래 통화로 결정, 달러를 기준으로 각국의 환율 고정, 국제 무역 지원을 위한 국제 부흥 개발 은행(IBRD)과 국제 통화 기금(IMF) 창설

② '관세 및 무역에 관한 일반 협정(GATT)' 체결(1947): 관세율 인하로 각국의 보호 무역 장벽 완화 → 자유 무역 확대, 상호 의존적인 국제 관계 강화

무역 장벽: 자유 무역을 가로막는 법적 또는 제도적 조치를 말해.

(2) 지역 단위의 협력 노력 자료⑦

① 배경: 국제 무역의 자유화로 국가 간 무역 경쟁 심화, 지역 차원의 상호 협력 강화 → 지역 내 경제 공동체 형성 및 자유 무역 협정(FTA) 체결

② 각 지역의 경제 공동체

유럽	1950년대부터 통합 추진 → 유럽 석탄 철강 공동체(ECSC) 결성(1951), 서독·프랑스 등 6개국이 유럽 경제 공동체(EEC)와 유럽 원자력 공동체(EURATOM) 설립 조약 체결(1957) → 세 단체가 유럽 공동체(EC)로 통합(1967) → 마스트리흐트 조약의 발효로 유럽 연합(EU) 출범(1993) 자료⑧
아메리카	남미 남부 공동 시장(MERCOSUR) 성립, 북미 자유 무역 협정(NAFTA) 체결, 미주 자유 무역 지대(FTAA) 출범, 남아메리카 국가 연합(UNASUR) 결성
아시아	동남아시아 국가 연합(ASEAN) 창설, 아세안 자유 무역 지대(AFTA) 결성, 아시아·태평양 경제 협력체(APEC) 결성, 아세안 경제 공동체(ACE) 출범
아프리카	남아프리카 관세 동맹(SACU) 체결, 아프리카 연합(AU) 창설

완자 자료 탐구

내 옆의 선생님

자료 6 카슈미르 분쟁

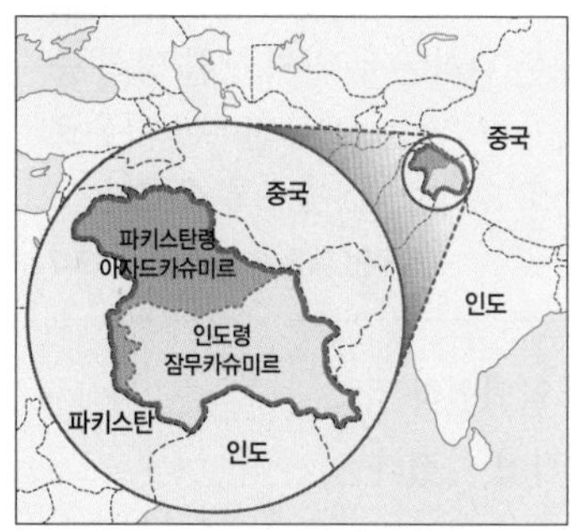

▲ 카슈미르의 분단

제2차 세계 대전 이후 인도는 힌두교도 중심의 인도 연방과 이슬람교도 중심의 파키스탄으로 분리 독립하였다(1947). 이 과정에서 이슬람교도가 대부분이었던 카슈미르 지역이 주민들의 반발에도 불구하고 인도에 강제 편입되자 분쟁이 일어났다. 두 나라가 전쟁을 치른 결과 카슈미르 지역은 인도령과 파키스탄령으로 분할되었으나 국경선이 명확하지 않아 이후에도 갈등을 겪고 있다.

자료 7 세계 각지의 경제 공동체

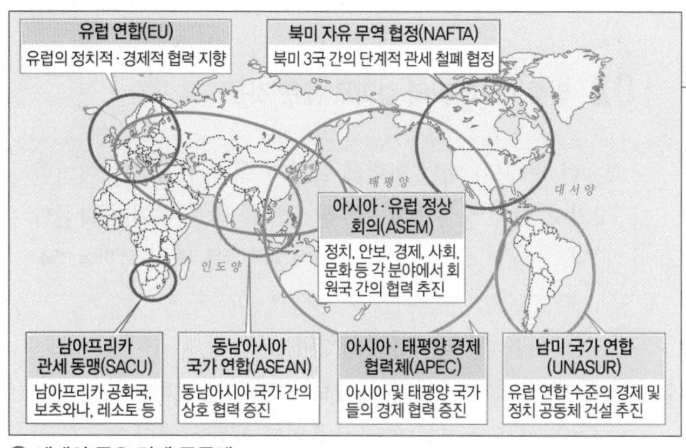

▲ 세계의 주요 경제 공동체

이러한 경제의 지역화와 블록화의 확산으로 전통적인 국민 국가의 경계는 약해지고 국제 협력이 증진되었어.

세계화의 진행으로 국제 무역의 자유화가 확대되면서 국가 간 무역 경쟁이 치열해졌다. 이 과정에서 지역 차원에서의 경제 협력이 강화되어 지역 경제 공동체가 형성되었다.

자료 8 유럽 연합(EU)의 출범

1999년부터 단일 통화인 '유로화'가 유통되면서 경제적으로도 더욱 긴밀해졌어.

1. 역내에 장벽이 없는 영역을 창조하고 경제 및 사회의 일체성을 강화하고 궁극적으로는 단일 통화를 포함하여 경제 통화 연합을 달성할 것
2. 최종적으로는 공통 방위 정책을 형성하는 것을 포함하여 공통 대외 정책·안전 보장 정책을 특별히 시행함으로써 국제 무대에서 스스로의 정체성을 주장할 것
4. 사법 및 치안 문제에서 긴밀한 협조를 발전시키는 것

– 마스트리흐트 조약, 1992

유럽 공동체(EC) 소속의 국가들은 1992년 마스트리흐트에서 공동의 외교와 안보 정책, 경제와 화폐 통합 등에 관한 협조를 목표로 조약을 체결하였고, 그 결과 1993년 유럽 연합(EU)이 정식 출범하였다. 유럽 연합(EU)은 각종 사안을 공동으로 처리하였으며 단일 화폐를 사용하여 경제적 통합을 추구하였다.

자료 하나 더 알고 가자!

유고슬라비아 내전

▲ 코소보에서 탈출한 피난민들

유고슬라비아 연방은 민족과 종교가 복잡하게 섞여 있었기 때문에 연방이 해체되자 민족 간 전쟁과 갈등이 발생하였어.

문제로 확인할까?

1. 제2차 세계 대전이 종결된 후 각 지역에서 경제 공동체가 형성된 배경으로 옳은 것은?
① 대공황이 확산되었다.
② 제3 세계가 형성되었다.
③ 냉전 체제가 강화되었다.
④ 국가 간 무역 경쟁이 심화되었다.
⑤ 윌슨이 평화 원칙 14개조를 발표하였다.

2. 아시아 지역에서는 동남아시아 국가 간의 상호 협력을 증진시키기 위해 1967년 (   )이 창설되었다.

답 1. ④ 2. 동남아시아 국가 연합(ASEAN)

자료 하나 더 알고 가자!

유럽 연합(EU)의 현재

▲ 영국 브렉시트(Brexit) 국민 투표 모습

유럽 연합의 재정이 악화되자 영국 내에서 유럽 연합 탈퇴에 대한 여론이 거세졌어. 결국 2016년에 치러진 국민 투표를 통해 영국의 탈퇴가 결정되었지.

STEP 1 핵심 개념 확인하기

정답친해 73쪽

1 다음에서 설명하는 국제 질서를 쓰시오.

제2차 세계 대전 이후 형성된 세계 질서로, 자본주의 진영과 공산주의 진영이 직접적인 무력 사용보다는 정치, 외교, 군사 등에서 경쟁과 긴장 상태를 유지하던 것을 말한다.

2 냉전 체제가 심화되면서 일어난 사건을 〈보기〉에서 골라 기호를 쓰시오.

보기

ㄱ. 6·25 전쟁 발발　　ㄴ. 베를린 장벽 붕괴
ㄷ. 베트남 전쟁 발발　　ㄹ. 쿠바 미사일 위기 발생

3 다음 설명이 맞으면 ○표, 틀리면 ×표를 하시오.

(1) 냉전 체제가 전개되는 상황에서 제3 세계는 자본주의 진영을 지지하였다. (　　)

(2) 제2차 세계 대전이 종결된 후 미국과 소련 중심의 냉전 체제가 형성되었다. (　　)

(3) 냉전 체제가 원인이 되어 카슈미르 분쟁, 중동 전쟁, 유고슬라비아 내전 등이 발생하였다. (　　)

4 다음 괄호 안의 내용 중 알맞은 말에 ○표를 하시오.

(1) (덩샤오핑, 마오쩌둥)은 중국에서 흑묘백묘론에 기초한 실용주의를 표방하였다.

(2) 1969년에 미국의 (닉슨, 트루먼)은 아시아에서 벌어지는 내란이나 침략에 개입하지 않겠다고 발표하였다.

(3) (고르바초프, 브레즈네프)는 러시아에서 페레스트로이카와 글라스노스트를 내세우며 정치 민주화와 시장 경제의 도입을 추진하였다.

5 1993년에 마스트리히트 조약의 발효로 출범한 (　　　　)은 유럽 국가들 간의 경제 통합뿐만 아니라 정치 통합까지 추구하고 있다.

STEP 2 내신 만점 공략하기

01 중요 다음 연설이 발표된 배경으로 옳은 것은?

오늘날 전 세계의 거의 모든 나라는 두 가지 생활 방식 중 하나를 선택해야 합니다. …… 저는 모든 민족이 자유로운 상황에서 운명을 스스로 결정할 수 있도록 우리가 도와야 한다고 믿습니다. - 트루먼 대통령 의회 연설, 1947

① 동독이 서독에 흡수 통일되었다.
② 유럽에서 소련의 영향력이 커졌다.
③ 유럽과 아시아에 파시즘이 확산되었다.
④ 비동맹주의를 표방한 제3 세계가 형성되었다.
⑤ 서독의 브란트 총리가 동방 정책을 추진하였다.

02 밑줄 친 '협조'의 결과로 옳은 것은?

(유럽 경제의) 재건 과업에 동참할 의지가 있다면 어떠한 국가도 미국 정부에게 충분한 <u>협조</u>를 받을 것이라 확신합니다. - 미국 국무 장관 조지 마셜, 1947

① 베르사유 체제가 성립되었다.
② 국제 사회가 다극화 체제로 변화되어 갔다.
③ 많은 신생 국가들이 공산주의를 채택하였다.
④ 유럽 전 지역이 미국의 경제적 지원을 받았다.
⑤ 전쟁으로 피폐해진 서유럽의 경제가 회복되었다.

03 다음은 냉전 체제를 정리한 것이다. (가) 진영의 활동으로 옳은 것은?

- 시기: 제2차 세계 대전 이후
- 전개: 미국을 중심으로 한 자본주의 진영과 소련을 중심으로 한 (가) 진영 간의 대립으로 곳곳에서 전쟁이 이어졌다.

① 코민포름 조직　　② 마셜 계획 추진
③ 얄타 회담 개최　　④ 제1차 비동맹 회의 개최
⑤ 북대서양 조약 기구 결성

04 다음 발표 수업의 주제로 가장 적절한 것은?

- 1모둠: 소련의 베를린 봉쇄
- 2모둠: 동서 진영의 각축장이 된 베트남
- 3모둠: 쿠바 해상 봉쇄와 핵전쟁의 위기

① 제3 세계의 형성
② 냉전 체제의 전개
③ 데탕트 분위기의 형성
④ 자유 무역 체제의 강화
⑤ 브레턴우즈 체제의 확대

05 다음 연극 대본의 밑줄 친 '이 운동'에 대한 설명으로 옳은 것은?

장면 #15. 일을 마친 사람들이 한 곳에 모여 있다.

- **농민1**: 인민공사를 조직하고 이 운동을 시작한지 꽤 시간이 지났는데 별다른 성과가 없는 것 같지?
- **농민2**: 맞아. 게다가 자연재해도 계속되고 있잖아.
- **농민1**: 나는 집단 농장에서 일하기 시작한 이후로 일에 의욕도 생기지 않아.

① 중국 전역에 경제특구를 설치하였다.
② 닉슨 독트린의 영향을 받아 진행되었다.
③ 중·고등학생 중심의 홍위병이 주도하였다.
④ 마오쩌둥의 입지가 강화되는 계기가 되었다.
⑤ 공산주의 경제 건설을 도모하려는 운동이었다.

06 다음과 같이 전개된 사건에 대한 설명으로 옳은 것은?

마오쩌둥은 공산주의 혁명을 완수한다는 명분으로 학생 중심의 홍위병을 앞세워 반대파를 숙청하였다.

① 5·4 운동의 영향을 받아 시작되었다.
② 덩샤오핑의 개방 정책에 반발하여 일어났다.
③ 중화 인민 공화국이 수립되는 계기가 되었다.
④ 중국의 전통문화가 파괴되는 결과를 가져왔다.
⑤ 제2차 국공 합작이 성립되는 데 영향을 주었다.

07 다음 국제회의의 결과 형성된 세력에 대한 설명으로 옳지 않은 것은?

1955년에 반둥에서 열린 국제회의에서 기본적 인권과 국제 연합 헌장 존중 등을 담은 '평화 10원칙'이 채택되었다.

① 미국과의 군사 동맹을 강화하였다.
② 냉전 체제의 완화에 영향을 주었다.
③ 비동맹 중립주의 노선을 표방하였다.
④ 신생 독립국을 중심으로 형성되었다.
⑤ 반제국주의와 반식민주의를 주장하였다.

중요

08 다음 탐구 활동 보고서의 (가)에 들어갈 내용으로 적절하지 않은 것은?

1. 주제: 데탕트 분위기의 형성
2. 조사 내용: (가)
3. 조사 결과: 화해와 평화를 지향하는 국제 분위기가 나타나면서 냉전 체제는 점차 완화되었다.

① 미국이 베트남 전쟁에서 철수하였다.
② 닉슨 대통령이 중국과 소련을 방문하였다.
③ 군비 축소를 논의하는 워싱턴 회의가 개최되었다.
④ 동독과 서독이 국제 연합(UN)에 동시 가입하였다.
⑤ 프랑스가 북대서양 조약 기구(NATO)를 탈퇴하였다.

09 (가) 인물이 실시한 정책으로 옳은 것은?

통제 경제 체제의 한계가 드러나 소련의 경제가 침체되자 (가) 은/는 페레스트로이카(개혁)와 글라스노스트(개방)를 내세웠다.

① 베를린 봉쇄를 단행하였다.
② 독립 국가 연합(CIS)을 결성하였다.
③ 바르샤바 조약 기구(WTO)를 조직하였다.
④ 동유럽 국가들에 대한 불간섭을 선언하였다.
⑤ 코메콘(동유럽 경제 상호 원조 회의)을 설립하였다.

10 밑줄 친 '정책'이 추진된 시기에 볼 수 있었던 모습으로 가장 적절한 것은?

세계사 신문 1970. ○○. ○○.

브란트 총리, 유대인 추모비 앞에서 무릎 꿇다

오늘 서독의 브란트 총리가 폴란드 방문 도중 제2차 세계 대전 당시에 희생된 유대인을 기리는 추모비 앞에서 무릎을 꿇었다. 그의 행동은 유대인들에게 보내는 진심 어린 사죄인 동시에 최근 브란트 총리가 추진하고 있는 정책의 연장선으로 해석되고 있다.

① 6·25 전쟁에 참전하는 군인
② 뉘른베르크에서 재판받는 나치 지도자
③ 베를린 봉쇄를 발표하는 소련 측 관계자
④ 닉슨 대통령의 중국 방문을 환영하는 정치인
⑤ 국제 연합(UN) 출범 소식을 기사로 작성하는 기자

중요

11 지도와 같은 정치 공동체가 형성된 시기의 국제 정세로 옳은 것을 〈보기〉에서 고른 것은?

보기
ㄱ. 유고스라비아 연방이 해체되었다.
ㄴ. 미국에서 트루먼 독트린이 발표되었다.
ㄷ. 러시아가 자본주의 시장 경제 체제로 전환하였다.
ㄹ. 많은 동유럽 국가들이 공산주의 체제를 강화하였다.

① ㄱ, ㄴ ② ㄱ, ㄷ ③ ㄴ, ㄷ
④ ㄴ, ㄹ ⑤ ㄷ, ㄹ

중요

12 다음 전시회에서 두 사진 사이에 전시될 사진 주제로 적절한 것은?

사진으로 보는 중국 현대사

• 기획 의도: 20세기 중국의 역사를 보여 주는 사진들을 순서대로 감상함으로써 중국 현대사의 흐름을 살펴보도록 한다.
• 전시 그림

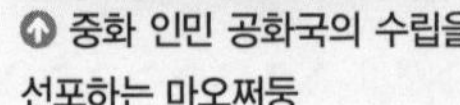

▲ 중화 인민 공화국의 수립을 선포하는 마오쩌둥

▲ 톈안먼 사건 당시 정부의 전차 행렬을 가로막은 시민

① 신해혁명의 전개
② 제1차 국공 합작의 성립
③ 영국으로부터 홍콩 환수
④ 베이징 올림픽 대회 개최
⑤ 덩샤오핑의 경제특구 설치

13 다음은 어느 보고서의 머리말이다. 이 보고서에 들어갈 주제로 적절하지 않은 것은?

냉전 체제가 종식된 후 세계 여러 나라에서는 민족, 종교, 영토 등을 원인으로 갈등이 발생하였다. 이 보고서에서는 냉전 종식 이후에 일어난 분쟁의 원인을 파악하고, 이를 바탕으로 분쟁의 해결 방안을 도출해 보고자 한다.

① 쿠바에서 발생한 미사일 위기
② 카슈미르 지역을 둘러싼 영토 분쟁
③ 아랍과 이스라엘의 팔레스타인 분쟁
④ 유고슬라비아에서 발생한 '종족 청소'
⑤ 르완다 내전과 후투족의 투치족 대학살

14 (가)에 들어갈 내용으로 옳은 것은?

제2차 세계 대전이 종결된 후 연합국 대표들은 미국의 브레턴우즈에서 회의를 개최하여 국제 무역의 확대를 위해 (가) 하는 데 합의하였다.

① 코민포름을 결성
② 뉴딜 정책을 추진
③ 마셜 계획을 발표
④ 유럽 연합(EU)을 출범
⑤ 국제 통화 기금(IMF)을 창설

15 (가) 단체에 대한 설명으로 옳은 것은?

2016년 6월 23일 영국에서 치러진 국민 투표 결과 영국의 (가) 탈퇴가 결정되었다. (가) 은/는 유럽의 협력과 평화를 위해 창설되었으며, 2016년까지 28개국이 가입되어 있었다.

① 마스트리흐트 조약에 따라 출범하였다.
② 분쟁 지역에 평화 유지군을 파견하였다.
③ 미국의 달러를 주거래 통화로 결정하였다.
④ 코메콘(동유럽 경제 상호 원조 회의)을 계승하였다.
⑤ 총회의 결정보다 안전 보장 이사회의 결의를 우선하였다.

16 밑줄 친 부분에 해당하는 사례로 옳지 않은 것은?

국제 무역의 자유화로 국가 간 무역 경쟁이 치열해지자, 각국은 <u>국가 간 상호 경제 협력을 위한 지역 간 협력체를 구성</u>하여 공동의 이익을 추구하기 시작하였다.

① 북대서양 조약 기구(NATO) 결성
② 미주 자유 무역 지대(FTAA) 출범
③ 북미 자유 무역 협정(NAFTA) 체결
④ 동남아시아 국가 연합(ASEAN) 창설
⑤ 아시아·태평양 경제 협력체(APEC) 결성

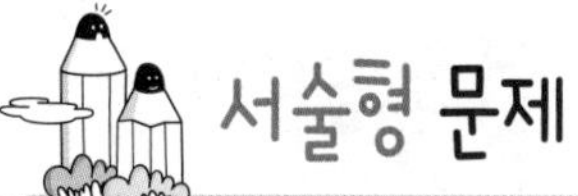

서술형 문제

정답친해 75쪽

01 다음을 읽고 물음에 답하시오.

1. 기본적 인권과 국제 연합의 헌장 존중
2. 주권과 영토 보전 존중
3. 인류와 국가 간의 평등
4. 내정 불간섭
5. 단독·집단의 자위권 존중
6. 강대국에 유리한 집단 방위 배제
7. 무력 침공 부정
8. 국제 분쟁의 평화적 해결
9. 상호 이익·협력 촉진
10. 정의와 국제 의무 존중

– 평화 10원칙

(1) 위 원칙의 발표로 공식화된 국제 세력을 쓰시오.

(2) 위 세력의 활동이 국제 질서에 미친 영향에 대해 서술하시오.

길잡이 '평화 10원칙'에서 표방한 노선을 생각해 본다.

02 다음 글에서 공통적으로 추구하는 정책의 방향을 서술하시오.

- 생산력의 발전을 속박하는 경제 체제를 근본적으로 바꾸어 생기와 활력에 찬 사회주의 경제 체제를 건립하고, 생산력의 발전을 촉진하는 것이 개혁입니다. …… 개혁·개방을 하지 않는다면, 경제를 발전시키지 않는다면, …… 오로지 막다른 외길로 나아갈 뿐입니다.

  – 덩샤오핑
- 페레스트로이카 정책은 소련과 같은 국가에서 새로운 질적 상태로의 전환, 즉 권위주의적이고 관료주의적인 체제에서 벗어나 인간적이고 민주적인 사회로 평화롭게 이행하는 유일한 길이라고 생각합니다. …… 페레스트로이카의 주요한 업적은 민주화와 글라스노스트이고 …… .

  – 고르바초프

길잡이 중국의 덩샤오핑과 소련의 고르바초프가 집권한 당시 국제 정세를 고려하여 서술한다.

STEP 3 1등급 정복하기

1 (가), (나) 선언에 대한 설명으로 옳은 것을 〈보기〉에서 고른 것은?

(가) • 미국은 강대국의 핵에 의한 위협의 경우를 제외하고는 내란이나 침략에 대하여 각국이 스스로 협력하여 그에 대처하도록 한다.
• 미국은 '태평양 국가'로서 그 지역에서 중요한 역할을 계속하지만 직접적·군사적·정치적 과잉 개입은 하지 않는다.

(나) 오늘날 전 세계의 거의 모든 나라는 두 가지 생활 방식 중 하나를 선택해야 합니다. 첫 번째 생활 방식은 …… 정치적 억압으로부터의 자유를 보장하고 있습니다. 다른 생활 방식은 소수의 의지로 다수를 강제하는 방식입니다. 이 방식은 …… 개인에 대한 억압으로 가득 차 있습니다. …… 그래서 무엇보다 재정적인 지원을 염두에 두고 있습니다.

보기
ㄱ. (가) – 미국과 중국의 국교 수립에 영향을 주었다.
ㄴ. (나) – 마셜 계획을 추진하는 계기가 되었다.
ㄷ. (나) – 동유럽 공산주의권이 붕괴되는 배경이 되었다.
ㄹ. (가), (나) – 냉전 체제가 완화되는 결과를 가져왔다.

① ㄱ, ㄴ ② ㄱ, ㄷ ③ ㄴ, ㄷ
④ ㄴ, ㄹ ⑤ ㄷ, ㄹ

> 냉전 체제의 전개

완자 사전

• **냉전 체제**
제2차 세계 대전 이후 자본주의 진영과 공산주의 진영이 실질적인 전투가 아닌 정치, 외교, 군사 등에서 경쟁과 긴장 상태를 유지하던 것을 말한다.

• **국교**
나라와 나라 사이에 맺는 외교 관계

2 (가)에 들어갈 내용으로 적절한 것은?

세계사 다큐멘터리 제작 계획서

1. 제목: 독일, 분단을 넘어서서 통일을 완성하다!
2. 기획 의도: 제2차 세계 대전 이후 동서로 분단되었던 독일이 통일을 이루기까지의 과정을 소개하고 앞으로 우리나라가 통일을 위해 걸어가야 할 길을 제시하고자 한다.
3. 편성 계획: 주요 사건을 시간 순서에 따라 3부작으로 편성한다.

제1부	독일 분단의 상징, 베를린 장벽이 건설되다
제2부	(가)
제3부	동독과 서독이 통일에 합의하다

① 바이마르 공화국이 수립되다
② 독일, 무제한 잠수함 작전을 전개하다
③ 미국·영국·프랑스, 서베를린을 통합하다
④ 소련이 서베를린으로 통하는 길을 봉쇄하다
⑤ 동독과 서독이 국제 연합(UN)에 동시 가입하다

> 독일의 분단과 통일

완자 사전

• **베를린 장벽**
독일의 동서 분단을 상징하는 콘크리트 벽으로, 동독 정부가 주민의 탈출을 막기 위해 설치하였다.

평가원 응용

3 다음 가상 회고록에서 밑줄 친 '그'에 대한 설명으로 옳은 것은?

중국 역사 회고록

우리 홍위병들은 그를 동방홍이라고 불렀고, 그의 어록을 지니고 다니면서 암송하였다. 우리는 주자파를 공격하였고, 봉건적 잔재를 없애기 위하여 전통 유물들을 파괴하였다. 그는 '반란을 일으키는 것이 정당하다.'라고 하면서 우리들에게 기존의 권위를 공격하라고 선동하였다.

① 대약진 운동의 실패로 정치적 입지가 약화되었다.
② 흑묘백묘론에 기초한 실용주의 노선을 채택하였다.
③ 청 황제를 퇴위시키고 중화민국의 대총통이 되었다.
④ 민주화를 요구하는 톈안먼 시위를 무력으로 진압하였다.
⑤ 중국 동맹회를 결성하여 삼민주의를 내걸고 혁명 운동을 전개하였다.

> 중국의 변화

완자샘의 시험 꿀팁

냉전 이후 중국의 변화에서는 문화 대혁명과 관련된 인물을 묻는 문제가 자주 출제된다. 따라서 문화 대혁명의 특징과 이를 추진한 인물의 활동을 함께 정리해야 한다.

완자 사전

• 동방홍(東方紅)
'동쪽의 붉은 태양'이라는 의미로 중화 인민 공화국을 수립한 인물을 찬양하면서 지칭하는 표현이다.

4 다음 조약이 체결된 결과로 옳은 것은?

1. 역내에 장벽이 없는 영역을 창조하고 경제 및 사회의 일체성을 강화하고 궁극적으로는 단일 통화를 포함하여 경제 통화 연합을 달성할 것
2. 최종적으로는 공통 방위 정책을 형성하는 것을 포함하여 공통 대외 정책·안전 보장 정책을 특별히 시행함으로써 국제 무대에서 스스로의 정체성을 주장할 것
4. 사법 및 치안 문제에서 긴밀한 협조를 발전시키는 것

– 마스트리흐트 조약, 1992

① 유럽 연합(EU)이 정식 출범하였다.
② 서유럽의 경제를 재건하려는 마셜 계획이 추진되었다.
③ 미국이 재정 부담과 자국 내 반전 여론으로 베트남에서 철수하였다.
④ 캐나다, 멕시코 등 3국이 북미 자유 무역 협정(NAFTA)을 체결하였다.
⑤ 프랑스, 독일 등 6개국이 유럽 석탄 철강 공동체(ECSC)를 결성하였다.

> 지역 단위의 협력

완자샘의 시험 꿀팁

최근 유럽 국가들의 유럽 연합(EU) 탈퇴 문제와 브렉시트(Brexit)가 주목받은 만큼, 유럽 연합(EU)의 형성과 변화 과정을 브렉시트(Brexit)와 함께 정리해 두도록 한다.

02 오늘날의 세계

학습목표
- 세계화와 과학 기술의 발달이 가져온 현대 사회의 변화를 설명할 수 있다.
- 인류가 당면한 과제를 진단하고 그 해결 방법을 제시할 수 있다.

1 현대 사회의 변화

이것이 핵심!

현대 사회의 변화

배경
교통수단과 정보 통신 기술 발달, 신자유주의 확산, 대중 매체와 과학 기술 발달
↓
현대 사회의 모습
세계화 전개, 자유 무역 체제 확대, 대중 사회 등장, 원자력 이용 및 우주 개발

★ **신자유주의**
정부의 규제 완화와 시장에 최대한의 자유 부과를 내세운 정책

★ **세계 무역 기구(WTO)**
'관세 및 무역에 관한 일반 협정(GATT)'의 뒤를 이어 1995년에 설립된 국제기구이다. 각국의 무역 불균형과 마찰을 감시하며 자유 무역을 추구하는 것을 목표로 출범하였다.

1. 세계화와 대중 사회의 형성

(1) 세계화

① 배경: 교통수단과 정보 통신 기술의 발달로 시간적·공간적 거리 단축 → 인적·물적 교류 활발, 정보의 자유로운 이동 가능 → 지구촌 형성, 세계 각 지역의 상호 의존성 증가

(예 인공위성, 휴대 전화, 인터넷 등)

② 세계화의 전개

(영국 총리 대처는 복지 예산 삭감, 국영 기업의 민영화 등을 내세운 대처주의를 추진하였고, 미국의 레이건 정부는 복지 비용 축소, 각종 규제 철폐 등을 골자로 한 레이거노믹스를 추진하였어.)

경제	• 석유 파동, 달러 가치 하락으로 경제 불황 → *신자유주의의 대두(대처주의, 레이거노믹스 등) • '관세 및 무역에 관한 일반 협정(GATT)' 체결(1947), *세계 무역 기구(WTO) 설립(1995), 다국적 기업 활동, 자유 무역 협정(FTA) 체결 → 자유 무역 체제 확대, 국가 간 장벽 완화
문화	전 세계의 문화 공유 → 국적과 인종에 관계없이 공감대 형성, 문화 획일화 등의 부작용 초래

(국가 간 물자와 서비스가 원활하게 이동할 수 있도록 무역 장벽을 완화하거나 철폐하는 협정이야.)

(2) 대중 사회의 형성

① 배경: 1960년대 이후 대중 매체 발달, 대중의 영향력 증대 → 대중 사회 출현

② 영향: 민주주의의 성장과 확산에 기여, 대중문화 발달(국가 간 대중문화 교류)

(대중이 정치, 경제, 사회, 문화 등에서 주도적 역할을 하는 사회를 말해.)

2. 과학 기술의 발달

구분	과학	의학	정보 통신
발달	상대성 이론과 양자 역학의 등장 → 원자력 이용, 의약 및 신소재 개발, 우주 진출 등	유전 공학 발전 → 인간의 게놈 지도 완성, 백신 개발과 식량 증산에 기여	컴퓨터 발달, 인터넷 보급 → 실시간 정보 검색과 의사소통 가능, 지식과 정보의 민주화
부작용	핵무기 개발, 방사능 유출이나 폭발 사고의 위험성 대두	생명 윤리 문제, 유전자 조작 식품의 위험성 대두	정보 불평등, 사생활 침해, 악성 댓글로 인한 인권 침해 등 발생

(최근에는 인공 지능이 과학 IT 분야와 결합하여 급속하게 발전하고 있지.)

2 21세기 인류의 과제

이것이 핵심!

현대 세계의 문제와 해결 노력

현대 세계의 문제
민족·종교·자원을 둘러싼 분쟁, 빈부 격차, 환경 오염, 여성과 소수자 차별
↓
해결 노력
국제기구와 비정부 기구의 활동 전개, 성숙한 시민 의식 함양

★ **남북문제**
북반구의 선진 공업국과 남반구의 개발도상국 사이의 경제적 격차에서 생기는 정치적·경제적 문제를 가리킨다.

★ **다문화주의**
서로 다른 문화가 공존하고 존중받으며 함께 발전해야 한다는 관념으로, 다양성과 관용, 통합을 중시한다.

1. 현대 세계의 문제

(잠깐! 오늘날 국제 분쟁과 환경 오염으로 난민 문제가 발생하고 있음을 함께 알아 둬.)

(9·11 테러, 파리 테러 등 테러의 범위가 확대되고 있어.)

국제 분쟁	민족, 종교, 인종 등을 둘러싼 대립 지속(시리아 내전, 테러 증가, 인종 차별 문제 등)
빈부 격차	• 신자유주의 확대, 불공정 무역 → *남북문제 발생 교과서 자료 • 공공 서비스 축소, 산업 구조 조정 → 국가 내의 계층 간 빈부 격차 심화, 실업자 증가
여성과 소수자	여성, 소수자에 대한 차별 → 양성 평등 운동·흑인 민권 운동 전개, *다문화주의 강조
자원과 환경	• 자원 문제: 산업화로 에너지 고갈 → 자원 확보를 위한 분쟁 발생 • 환경 문제: 급속한 산업화로 환경 오염 초래(지구 온난화, 오존층 파괴, 기상 이변, 사막화 등) → 환경 보호 노력 전개(리우 선언 발표, 교토 의정서와 파리 기후 협약 체결, 태양열·풍력 에너지 등의 대체 에너지 개발 노력) 자료①

(정보 접근성의 차이로 발생한 정보 격차도 빈부 격차를 심화하였어.)

(카스피해, 남중국해의 난사 군도, 동중국해의 센카쿠 열도 등을 놓고 여러 국가들이 분쟁을 벌이고 있어.)

2. 인류의 과제를 해결하기 위한 노력 자료②

(1) **국제 연합(UN)**: 국제 분쟁, 환경, 인권, 빈곤, 여성 문제 해결에 노력

(2) **비정부 기구(NGO)**: 여러 민간단체들이 국제적인 구호 및 환경 보호 활동 전개

(3) **성숙한 시민 의식 함양**: 다른 인종과 종교에 개방적 태도 함양, 인류 공동체 의식을 바탕으로 상호 공존 모색, 인류의 과제 해결에 지속적인 관심과 참여 필요

완자 자료 탐구

내 옆의 선생님

수능이 보이는 교과서 자료 남북문제와 반세계화

주로 북반구에 있는 국가들의 1인당 국민 총생산이 높은 것을 볼 수 있어.

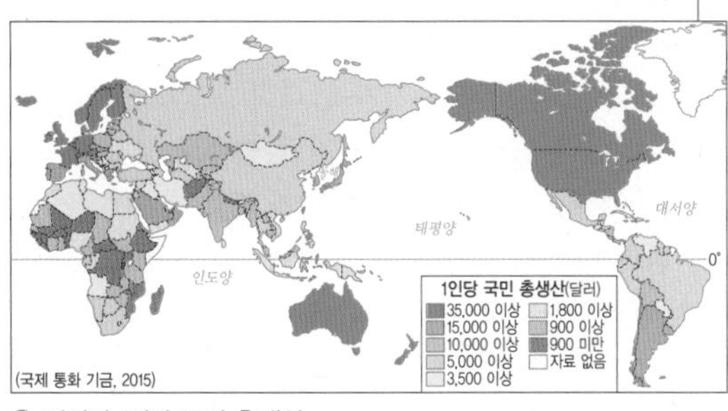

지역별 1인당 국민 총생산

반세계화 시위

첨단 산업에 주력하는 선진국과 1차 산업 중심의 개발 도상국 사이에 부의 공평한 분배가 이루어지지 못해 경제적 격차가 커졌다. 이러한 경향은 신자유주의와 세계화로 점차 심화되어 남북문제를 가져왔다. 그러자 일부에서는 반세계화 운동을 벌여 세계화와 신자유주의가 강대국 중심으로 세계 질서를 재편하는 이론이라고 비판하였다.

완자샘의 탐구 강의

• 남북문제가 생긴 이유를 써 보자.

세계화의 전개와 신자유주의의 확산으로 무역 장벽이 낮아지면서 선진국에 비해 자본력, 기술력, 정보력 등이 부족한 개발 도상국들은 자국의 산업을 보호하기 어려워졌다.

• 반세계화 운동이 일어나는 이유를 서술해 보자.

개발 도상국이 무역 장벽과 같은 장치 없이 선진국과 경쟁하는 것은 빈부 격차를 심화시킨다고 생각하기 때문이다.

함께 보기 253쪽, 1등급 정복하기 2

자료 1 지구 온난화

지구 온난화 현상으로 해빙의 면적이 작아지면서 북극곰의 사냥 가능 지역이 줄어들어 북극곰이 살기 어려워졌어.

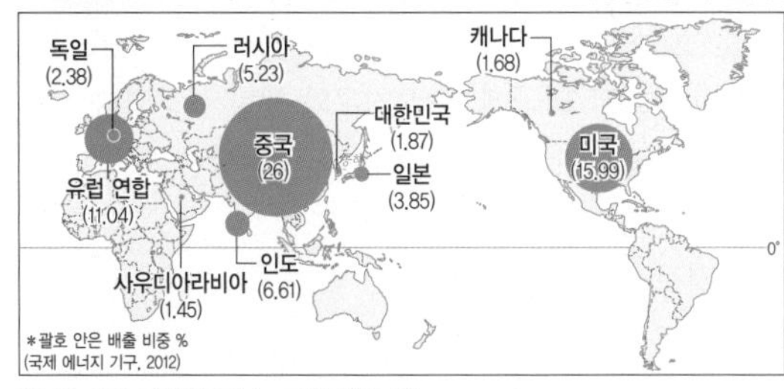

국가별 이산화 탄소 배출량(2012)

좁은 해빙 위에 있는 매우 마른 북극곰

산업화로 온실가스가 배출되어 지구 온난화 현상이 지속되자 곳곳에서 기상 이변이 일어나고 있다. 이에 세계 각국은 이산화 탄소 배출량의 감소를 위한 협약을 맺고 환경친화적 에너지를 찾아 개발과 환경 보존이 함께 이루어지도록 힘쓰고 있다.

자료 하나 더 알고 가자!

환경 오염 개선을 위한 국제 사회의 노력

리우 선언 발표(1992)
'지속 가능한 발전' 개념 채택
↓
교토 의정서 체결(1997)
전 세계 온실가스 감축 협의, 38개의 선진국 의무 감축 대상 지정
↓
파리 기후 협약 체결(2015)
온실가스 의무 감축 대상을 195개국으로 확대, 2020년 종료되는 교토 의정서를 대체

세계 각국은 지속 가능한 발전을 위해 함께 노력하고 있어.

자료 2 인류 과제의 해결을 위한 노력

국제 연합은 여러 분쟁 지역에 평화 유지군을 파견하여 사회의 안녕을 꾀하고 있어. 또한 산하에 식량 농업 기구를 두어 세계 식량 및 기아 문제 개선을 위해 노력하고 있지.

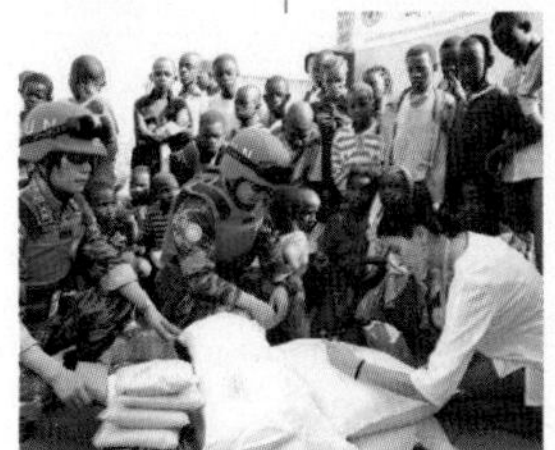

평화 유지군의 활동

국제 연합 식량 농업 기구의 활동

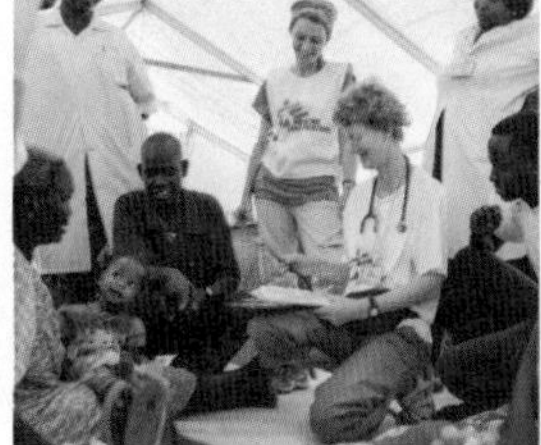

국경 없는 의사회의 활동

오늘날에는 국제 분쟁, 국가 간 빈부 격차 등 인류의 과제 해결을 위해 국제 연합(UN)과 같은 국제기구나 국경 없는 의사회, 그린피스 등의 비정부 기구(NGO)들이 활동하고 있다.

문제로 확인할까?

다음에서 설명하는 단체로 옳은 것은?

> 자연재해, 전쟁 등으로 피해를 입은 지역에 가서 의료 활동을 벌이는 비정부 기구(NGO)이다.

① 그린피스
② 국제 연합
③ 유럽 연합
④ 국제 통화 기금
⑤ 국경 없는 의사회

⑤ 답

STEP 1 핵심 개념 확인하기

정답친해 77쪽

1 다음에서 설명하는 정책을 쓰시오.

> 정부의 규제를 완화하고 시장에 최대한의 자유를 부과하는 정책으로, 영국의 대처주의와 미국의 레이거노믹스가 대표적이다.

2 다음 괄호 안의 내용 중 알맞은 말에 ○표를 하시오.

(1) 시리아 내전은 (남북문제, 종교 갈등)을/를 배경으로 일어났다.

(2) (양자 역학, 유전 공학)의 등장은 원자력 발전, 우주 개발 등에 영향을 주었다.

(3) (리우 선언, 교토 의정서)에서 처음으로 '지속 가능한 발전'의 개념이 채택되었다.

3 1960년대 이후 대중 매체가 발달하여 대중이 정치, 경제, 사회, 문화 등 모든 면에서 주도적 역할을 하는 (　　　　)가 형성되었다.

4 다음 설명이 맞으면 ○표, 틀리면 ×표를 하시오.

(1) 자유 무역 협정(FTA)이 늘어나면서 국가 간 무역 장벽이 높아졌다. (　　)

(2) 소수자의 권리에 대한 관심이 높아지면서 다문화주의가 중요한 가치로 강조되고 있다. (　　)

(3) 유전 공학의 발전은 질병 치료와 식량 증산 등에 기여하였으나, 생명 윤리에 대한 논란도 촉발하였다. (　　)

5 다음에서 설명하는 국제기구를 쓰시오.

(1) 분쟁 지역에 평화 유지군을 보내고 식량 농업 기구를 산하에 두어 세계 식량 개선에 힘쓰고 있다. (　　　　)

(2) '관세 및 무역에 관한 일반 협정(GATT)'을 이어 1995년에 설립되었으며, 자유 무역 추구를 목표로 출범하였다. (　　　　)

STEP 2 내신 만점 공략하기

01 중요 다음 상황을 개선하기 위한 각국의 노력에 대한 설명으로 옳은 것은?

> 1970년대 들어 국제 유가가 급격히 상승하는 석유 파동이 두 차례나 발생하였다. 유가 상승으로 물가가 상승하고 소비가 위축되면서 많은 나라가 경기 침체에 빠져들었다. 또한 미국의 경기 불황과 베트남 전쟁 등으로 달러의 가치가 하락하였다.

① 신자유주의 정책을 실시하였다.
② 토지와 주요 산업을 국유화하였다.
③ 국제 통화 기금(IMF)을 설립하였다.
④ 미국의 달러를 주거래 통화로 결정하였다.
⑤ '관세 및 무역에 관한 일반 협정(GATT)'을 체결하였다.

02 다음과 같은 사회에 대한 설명으로 옳지 않은 것은?

> • 갑은 휴대 전화로 외국에 있는 친구와 채팅을 하였다.
> • 을은 인터넷으로 외국에서 일어난 사고 상황을 보았다.

① 실시간 정보 검색이 가능하다.
② 개인 정보가 유출될 위험이 있다.
③ 악성 댓글로 인권이 침해되기도 한다.
④ 세계 각 지역의 상호 의존성이 약화된다.
⑤ 정보 보유의 불평등 문제가 나타날 수 있다.

03 다음 상황이 사회에 미친 영향으로 옳지 않은 것은?

> • 신자유주의가 제기되었다.
> • 세계 무역 기구(WTO)가 출범하였다.

① 다국적 기업의 활동이 활발해졌다.
② 개인, 기업, 국가 간의 경쟁이 치열해졌다.
③ 인력과 물자, 정보의 이동이 자유로워졌다.
④ 중앙 집중식 계획 경제 정책이 강화되었다.
⑤ 선진국과 개발 도상국 간에 빈부 격차가 심화되었다.

04 다음 글의 주제로 가장 적절한 것은?

국가 간 무역 장벽이 낮아지면서 소비자들은 상품 선택의 폭이 넓어졌고, 여러 지역의 문화가 공유되어 다양한 문화를 즐길 수 있게 되었다. 또한 개인이 세계 시민으로서의 지위를 누리게 되었다. 한편, 선진국보다 자본력, 기술력, 정보력 등이 부족한 개발 도상국들은 선진국과의 경쟁에서 밀려나게 되었다.

① 냉전 체제의 형성
② 다문화주의의 필요성
③ 세계화의 빛과 그림자
④ 과학 기술의 발달과 부작용
⑤ 유럽 연합(EU)이 세계 경제에 미친 영향

05 다음과 같은 움직임이 나타난 배경으로 가장 적절한 것은?

중요

세계사 신문 1999. 11. ○○.

오늘 오전 세계 무역 기구(WTO) 제3차 각료 회의장 앞에서 시위가 시작되었다. 이들은 회의장을 둘러싸고 대표단의 출입을 봉쇄한 뒤 'WTO 체제 반대' 등을 외쳤다.

① 소련의 붕괴로 동유럽이 민주화되었다.
② 온실가스의 증가로 지구 온난화가 진행되었다.
③ 세계화가 확산되면서 국가 간 빈부 격차가 심화되었다.
④ 종교 갈등을 계기로 팔레스타인 지역에서 전쟁이 발발하였다.
⑤ 양을 복제하는 데 성공하면서 생명 윤리에 대한 논란이 일어났다.

06 다음 사건을 활용한 보고서의 주제로 가장 적절한 것은?

• 9·11 테러 • 시리아 내전 • 카슈미르 분쟁

① 종교 갈등으로 인한 다툼
② 국제 연합(UN)의 결성 배경
③ 냉전 체제 속에서 발생한 열전
④ 제3 세계의 국제적 영향력 확대
⑤ 자원 확보를 위한 국가 간의 충돌

07 다음 사회에서 갖추어야 할 자세로 옳은 것을 〈보기〉에서 고른 것은?

이주 노동자, 결혼 이민자, 귀화자 등 한국에 등록한 외국인은 1990년대 말 약 20만여 명에 불과하였으나 2016년에는 약 110만여 명으로 늘어났다.

보기
ㄱ. 국수주의적 태도를 함양한다.
ㄴ. 다문화주의의 가치를 강조한다.
ㄷ. 소수자의 권리를 보장하는 방안을 마련한다.
ㄹ. 다른 나라의 문화를 우월하게 보는 관점을 갖춘다.

① ㄱ, ㄴ ② ㄱ, ㄷ ③ ㄴ, ㄷ
④ ㄴ, ㄹ ⑤ ㄷ, ㄹ

08 다음 사례를 바탕으로 현대 사회에 대해 대화한 내용 중 적절한 것은?

협약	시기	주요 합의 내용
리우 선언	1992	국가적 제도로 환경 영향 평가 실시, 국제 연합 헌장에 따라 환경 분쟁 해결
교토 의정서	1997	온실가스 의무 감축 대상국 선정
파리 기후 협약	2015	교토 의정서를 대신하여 온실가스 감축 이행

① 갑: 배타적 민족주의가 널리 퍼지고 있어.
② 을: 세계화로 자유 무역 체제가 확대되었지.
③ 병: 영토 갈등으로 국제 분쟁이 일어나고 있어.
④ 정: 지속 가능한 발전을 위한 노력이 전개되고 있어.
⑤ 무: 대중 매체가 발달하면서 대중 사회가 형성되었지.

09 중요 다음 상황을 개선하기 위한 국제 사회의 노력으로 옳은 것은?

> 오늘 매우 마른 북극곰의 사진이 공개되어 충격을 주고 있습니다. 전문가들은 지구 온난화로 해빙의 면적이 작아져 북극곰의 사냥 가능 지역이 줄어들었기 때문인 것으로 추측하고 있습니다.

① 교토 의정서를 발표하였다.
② 닉슨 독트린을 선언하였다.
③ 북미 자유 무역 협정(NAFTA)을 체결하였다.
④ 브레턴우즈에서 국제 통화 금융 회의를 개최하였다.
⑤ 아시아·아프리카의 29개국 대표가 '평화 10원칙'을 채택하였다.

10 다음 자료를 통해 알 수 있는 현대 사회의 모습으로 가장 적절한 것은?

국경 없는 의사회의 활동

그린피스의 활동

① 국제 연합(UN)이 구호 활동을 전개하고 있다.
② 대중 사회의 성장과 함께 대중문화가 발달하고 있다.
③ 세계 무역 기구(WTO)의 국제적 역할이 확대되고 있다.
④ 양자 역학이 등장하여 우주 개발 시대가 펼쳐지고 있다.
⑤ 비정부 기구(NGO)가 인류의 과제 해결을 위해 노력하고 있다.

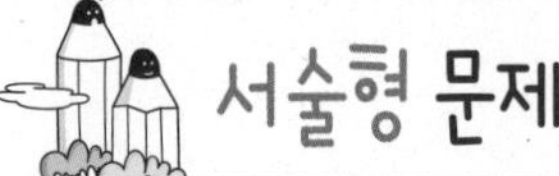

서술형 문제

정답친해 78쪽

01 다음 정책이 추진된 배경을 서술하시오.

- 1979년 영국 총리 대처는 복지 예산 삭감과 세금 인하, 국영 기업의 민영화, 노동조합 활동의 규제와 기업의 자유 활동 보장을 골자로 한 경제 정책을 펼쳤다.
- 1980년대 미국의 레이건 정부는 복지 비용 축소, 각종 규제 철폐 등의 정책으로 경제의 활성화를 꾀하였다.

길잡이 제시된 정책이 정부의 규제 완화와 민간에 대한 자유 확대를 주요 목표로 하고 있음을 생각해 본다.

02 (가)에 들어갈 국제 문제를 쓰고, 이러한 문제가 생긴 이유를 서술하시오.

북반구에 몰려 있는 선진국과 남반구에 몰려 있는 개발 도상국 간의 경제적 격차와 이로 인해 발생하는 여러 가지 문제를 일컬어 [(가)](이)라고 한다.

길잡이 선진국과 개발 도상국이 경쟁하게 된 배경을 중심으로 서술한다.

03 다음을 보고 물음에 답하시오.

이 사진은 투발루 수도의 변화를 보여 준다. 남태평양 9개의 섬으로 이루어진 투발루는 해수면 상승으로 인해 사라져 가고 있다.

(1) 밑줄 친 모습의 배경이 된 지구 현상을 쓰시오.

(2) 위의 현상을 해결하기 위한 세계 각국의 공통적인 노력을 서술하시오.

길잡이 지속 가능한 발전을 위한 국제 사회의 노력에 주목한다.

STEP 3 1등급 정복하기

정답친해 78쪽

수능 응용

1 (가)에 들어갈 국제기구에 대한 설명으로 옳은 것은?

> ▶ 지식 Q&A
>
> (가) 에 대해 알려 주세요.
>
> ▶ 답변하기
>
> ↳ 관세 및 그 밖의 무역 장벽을 낮추고 국제 무역 관계에서 차별 대우를 없애려는 목적을 갖고 있어요.
>
> ↳ 제2차 세계 대전 이후 반세기 가까이 존속한 '관세 및 무역에 관한 일반 협정(GATT)'을 대신한 것이기도 합니다.

① 경제적 세계화를 가속화하였다.
② 신자유주의의 확산에 반대하였다.
③ 개발 도상국의 권익을 보호하였다.
④ 지역 단위의 경제 블록을 형성하였다.
⑤ 분쟁 지역에 평화 유지군을 파견하였다.

> 세계화 시대의 전개

완자샘의 시험 꿀팁

브레턴우즈 체제의 성립부터 자유 무역 협정(FTA)의 체결까지 자유 무역 체제가 확대되는 과정을 파악해 두면 경제의 세계화와 관련된 문제를 푸는 데 도움이 된다.

완자 사전

• **관세 및 무역에 관한 일반 협정(GATT)**
관세 장벽과 수출입 제한을 없애고 국제 무역을 증진시키기 위하여 1947년 제네바에서 미국을 비롯한 23개국이 조인한 국제 무역 협정

2 다음은 지역별 1인당 국민 총생산을 나타낸 지도이다. 이와 같은 현상의 원인을 알아보기 위한 탐구 활동으로 가장 적절한 것은?

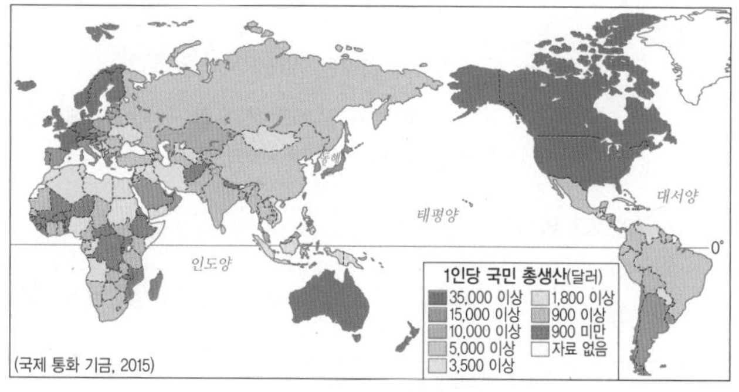

① 소비 주체로 대중이 형성되는 과정을 알아본다.
② 크리스트교와 이슬람교가 대립한 배경을 조사한다.
③ 양자 역학의 발전이 무기 개발에 미친 영향을 찾아본다.
④ 리우 선언에서 채택한 '지속 가능한 발전'의 의미를 살펴본다.
⑤ 북아메리카·유럽과 아시아·아프리카 국가의 산업 구조를 비교한다.

> 21세기 인류의 과제

완자 사전

• **양자 역학**
원자보다 더 작은 입자의 운동을 연구하는 현대 물리학의 기초 이론이다. 이 이론에서는 세상이 예측 불가능하며 무작위적인 움직임의 원자들로 구성되어 있다고 보았다.

대단원
되돌아보기

1948	• 미국, ❶ 실시: 트루먼 독트린에 따라 서유럽에 대한 경제적 지원 강화
1949	• 중화 인민 공화국 수립: 국공 내전에서 공산당이 승리한 이후 마오쩌둥을 중심으로 수립
1955	• 반둥 회의 개최: 아시아·아프리카 대표들이 '평화 10원칙'에 합의 (❷ 형성의 공식화)
1962	• 쿠바 미사일 위기: 소련이 쿠바에 미사일 기지의 건설을 시도하자 이에 맞서 미국이 쿠바 해상 봉쇄
1966	• 중국, 문화 대혁명 시작: ❸ 이 공산주의 혁명 완수를 목표로 추진(~1976)
1969	• ❹ 발표: 미국 대통령이 대외 군사 개입을 최소화하겠다고 선언
1975	• 베트남 전쟁 종결: 베트남에 공산주의 정권 수립
1989	• 톈안먼 사건: 중국 군중의 정치 민주화 요구 시위를 중국 정부가 무력으로 진압하여 대규모 인명 피해 발생
1990	• 독일 통일: 서독이 동독을 흡수하는 형태로 통일
1991	• ❺ (CIS) 출범: 소련 해체 이후 러시아와 11개의 공화국이 결성
1993	• 유럽 연합(EU) 창설: 유럽의 정치적·경제적 통합 추구
1995	• ❻ 출범: '관세 및 무역에 관한 일반 협정(GATT)' 계승, 전 세계적 자유 무역 체제 강화
2001	• 9·11 테러 발생: 테러 조직이 여객기를 납치하여 미국 뉴욕의 세계 무역 센터 빌딩에 충돌

01 냉전과 탈냉전

1. 냉전 체제의 형성과 전개

(1) 냉전 체제의 형성

형성	미국 중심의 (❼) 진영과 소련 중심의 공산주의 진영의 대립
과정	동유럽 지역의 공산화·공산주의 세력 부상 → 미국의 트루먼 독트린 발표 및 마셜 계획 실시 → 소련이 코민포름과 코메콘(COMECON) 조직 → 자본주의 진영의 (❽)(NATO) 결성 → 소련과 동유럽의 바르샤바 조약 기구(WTO) 결성

(2) 냉전 체제의 전개

독일	소련의 베를린 봉쇄, 동독과 서독으로 분단
중국	국공 내전 발생 → 공산당 승리, (❾) 수립
한국	냉전의 영향으로 남북 분단 → 6·25 전쟁 발발
베트남	공산당 정권의 북베트남과 친미 정권의 남베트남으로 분단 → (❿) 발발 → 미국 참전 → 북베트남 승리
쿠바	소련이 쿠바에 미사일 기지 건설 시도 → 미국의 쿠바 해상 봉쇄(쿠바 미사일 위기) → 소련 철수

2. 아시아·아프리카의 변화와 제3 세계의 등장

(1) 아시아·아프리카의 변화

중국	• (⓫): 마오쩌둥 주도, 인민공사 조직, 공산주의 경제 건설 도모 → 실패 • 문화 대혁명: 마오쩌둥 주도, 공산주의 혁명의 완수 표방 → 실용주의 세력 후퇴, 전통문화 파괴
인도	인도 연방(힌두교도 중심)과 파키스탄(이슬람교도 중심)으로 분리 독립
동남아시아	인도네시아, 필리핀, 말레이시아 등 독립
아프리카	튀니지, 모로코, 알제리 등 독립 → 1960년에 아프리카 17개국이 독립 선언('아프리카의 해')

(2) 제3 세계의 등장

형성	아시아·아프리카 신생 독립국들이 비동맹 중립주의 노선을 표방하며 제3 세계 형성
활동	• '평화 5원칙' 발표(1954) • 반둥 회의 개최(1955): '평화 10원칙' 발표 • 제1차 비동맹 회의 개최(1961): 미국이나 소련과 군사 동맹을 맺지 않은 국가들 간의 협력 결의
영향	미·소 중심의 냉전 체제 완화에 기여

3. 냉전 체제의 변화와 공산주의권의 붕괴

(1) 냉전 체제의 완화

① 긴장 완화(데탕트) 분위기의 형성

소련	(⑫)가 자본주의 국가들과 평화 공존 추구(서독과 국교 회복 추진, 미국 방문)
미국	닉슨 독트린 발표 → 베트남 전쟁에서 미군 철수, 닉슨의 중국과 소련 방문, 소련과 전략 무기 제한 협정(SALT) 체결, 중국과 국교 수립
독일	서독 총리 브란트의 동방 정책 추진 → 소련과 불가침 협정 체결, 동독과 서독의 국제 연합(UN) 동시 가입

② 국제 질서의 다극화: 제3 세계의 등장, 중국과 소련의 이념 논쟁 및 국경 분쟁, 유럽 경제 공동체(EEC) 구성, 프랑스의 북대서양 조약 기구(NATO) 탈퇴, 헬싱키 협약 체결, 동유럽의 자유화 운동 전개

(2) 공산주의권의 붕괴

소련	• (⑬)의 개혁 정책: 페레스트로이카·글라스노스트 정책 추진 → 시장 경제 체제 도입, 정치 민주화 추진 → 공산당 강경파의 반발 초래 • 소련 붕괴: 옐친이 공산당 강경파의 반발 저지 → 공산당 해체 → 독립 국가 연합(CIS) 결성
독일	동독과 서독 간 경제 격차 심화 → 동독에서 민주화와 통일을 요구하는 시위 전개, 서독으로 대거 탈출 → 베를린 장벽 붕괴 → 서독에 의한 흡수 통일(1990)
동유럽	• (⑭): 총선거에서 바웬사가 이끄는 자유 노조가 승리 → 비공산주의 정권 수립 • 헝가리: 다당제와 시장 경제 기반의 공화국 수립 • 루마니아: 차우셰스쿠 독재 정권 붕괴 • 체코슬로바키아: '시민 광장' 중심의 민주화 운동 전개 → 공산당 정권 붕괴(벨벳 혁명) → 하벨이 대통령에 당선 → 체코 공화국과 슬로바키아 공화국으로 분리 • 유고 연방: 유고슬라비아 연방 해체

(3) 중국의 변화

개혁·개방 정책	(⑮)의 실용주의 노선 채택, 시장 경제 도입, 경제특구 설치 → 고도의 경제 성장 이룩
(⑯)	• 배경: 관료의 부정부패와 빈부 격차 심화 • 전개: 학생들과 지식인들이 톈안먼 광장에서 시위 전개(정치적 자유 요구) → 정부의 무력 진압
국력 신장	경제 성장을 바탕으로 국제적 영향력 확대 → 홍콩과 마카오 환수, 세계 무역 기구(WTO) 가입, 베이징 올림픽 개최, 경제 대국으로 성장

4. 탈냉전 시대 새로운 질서의 재편

(1) 세계 각지의 분쟁: 종족과 인종·종교·영토 등을 둘러싼 분쟁과 테러 발생(유고슬라비아 내전, 팔레스타인 분쟁, 카슈미르 분쟁, 이란·이라크 전쟁, 9·11 테러 등)

(2) 전후 새로운 경제 질서의 형성

브레턴우즈 체제의 성립	미국의 (⑰)를 주거래 통화로 결정, 국제 통화 기금(IMF)과 국제 부흥 개발 은행(IBRD) 설립, '관세 및 무역에 관한 일반 협정(GATT)' 체결 → 자유 무역 확대
지역 단위의 협력 노력	• 배경: 국가 간 무역 경쟁 심화, 지역 간 상호 협력 강화 • 지역의 공동체 결성: 동남아시아 국가 연합(ASEAN), 아시아·태평양 경제 협력체(APEC), 유럽 연합(EU), 북미 자유 무역 협정(NAFTA) 등

02 오늘날의 세계

1. 현대 사회의 변화

세계화의 전개	• 경제: (⑱) 대두(대처주의 등), 세계 무역 기구(WTO) 설립 → 자유 무역 확대 • 문화: 전 세계의 문화 공유
(⑲) 형성	대중 매체 발달, 대중의 영향력 증대에 힘입어 형성 → 민주주의의 성장과 대중문화 발달에 기여
과학 기술 발달	과학(상대성 이론과 양자 역학 등장), 의학(유전 공학 발전), 정보 통신 기술 발달 → 핵무기 개발, 생명 윤리 문제와 사생활 침해 등 발생

2. 21세기 인류의 과제

(1) 현대 세계의 문제

국제 분쟁	민족, 종교, 인종 등을 둘러싼 대립 지속
빈부 격차	(⑳) 발생(남반구와 북반구 간 경제적 격차 문제), 국가 내 계층 간 빈부 격차 심화
여성, 소수자	여성과 소수자에 대한 차별 존속
자원 문제	자원 확보를 위한 분쟁 발생
환경 문제	환경 오염 초래(지구 온난화, 오존층 파괴 등) → 환경 보호 노력(리우 선언 발표, 교토 의정서·파리 기후 협약 체결, 대체 에너지 개발 노력 등)

(2) 인류의 과제 해결을 위한 노력: 국제 연합(UN)과 비정부 기구(NGO) 단체들이 국제적인 구호 및 인권과 환경 보호 활동 등 전개, 성숙한 시민 의식 함양 필요

●정답● ① 마셜 계획 ② 제3 세계 ③ 마오쩌둥 ④ 닉슨 독트린 ⑤ 독립 국가 연합 ⑥ 세계 무역 기구(WTO) ⑦ 자본주의 ⑧ 북대서양 조약 기구 ⑨ 중화 인민 공화국 ⑩ 베트남 전쟁 ⑪ 대약진 운동 ⑫ 흐루쇼프 ⑬ 고르바초프 ⑭ 폴란드 ⑮ 덩샤오핑 ⑯ 톈안먼 사건 ⑰ 달러 ⑱ 신자유주의 ⑲ 대중 사회 ⑳ 남북문제

01 밑줄 친 '원조 계획'에 대한 설명으로 옳은 것은?

> 미국은 트루먼 독트린을 구체화하여 유럽에 대한 대규모 원조 계획을 발표하였다. 이 계획에 따라 미국은 서유럽의 경제 부흥을 위한 경제적 원조를 하였다.

① 마스트리흐트 조약에서 결정되었다.
② 닉슨 독트린의 영향을 받아 실행되었다.
③ 고르바초프의 개혁 정책에 맞서 시작되었다.
④ 북대서양 조약 기구(NATO)에서 주도하였다.
⑤ 공산주의의 확산을 막으려는 목적으로 추진되었다.

02 다음 사례를 활용한 보고서 주제로 적절한 것은?

> • 마셜 계획의 추진과 코메콘의 창설
> • 북대서양 조약 기구와 바르샤바 조약 기구의 결성

① 제국주의의 등장　② 냉전 체제의 형성
③ 다극화 체제로의 변화　④ 반세계화 운동의 전개
⑤ 지역별 경제 공동체의 등장

03 (가)에 들어갈 내용으로 적절한 것은?

> **수행 평가 보고서**
> 1. 탐구 활동
> – 6·25 전쟁의 배경과 전개 과정을 검토한다.
> – 쿠바 미사일 위기가 발생한 원인을 알아본다.
> – (가) 을/를 조사한다.
> 2. 탐구 결과
> – 냉전 체제가 격화되면서 열전이 전개되었다.

① 9·11 테러의 배경과 결과
② 베트남 전쟁의 전개 과정
③ 유고슬라비아 내전의 배경
④ 닉슨 독트린이 국제 정세에 미친 영향
⑤ 독립 국가 연합(CIS)이 출범하게 된 계기

04 선생님의 질문에 대한 학생의 답변으로 가장 적절한 것은?

이 그림은 붉은 완장을 차고 마오쩌둥의 어록이 담긴 수첩을 들고 다녔던 홍위병의 모습이에요. 이들은 대부분 학생들로 구성되었지요. 홍위병이 등장한 배경은 무엇이었을까요?

① 난징 조약이 체결되었습니다.
② 정치적 자유를 요구하는 톈안먼 사건이 일어났습니다.
③ 마오쩌둥이 공산당을 이끌고 대장정을 시작하였습니다.
④ 대약진 운동 실패 이후 실용주의 세력이 대두하였습니다.
⑤ 급격한 경제 성장 속에 관리들의 부정부패 문제가 심각해졌습니다.

05 다음 신문에서 이어질 내용으로 적절하지 않은 것은?

> **세계사 신문** 1955. 4. ○○.
>
> **아시아·아프리카 회의에서 평화 원칙 채택**
>
> 아시아와 아프리카의 29개국 대표가 인도네시아 반둥에 모여 개최한 회의가 마침내 끝이 났다. 이 회의에서 각국 대표들은 식민지 문제에 대해 토론을 벌였고, 지난해에 중국 총리 저우언라이와 인도 총리 네루 사이에 합의된 '평화 5원칙'을 통합해 새로운 평화 원칙을 선언하였다. 그 주요 내용은 다음과 같다.

① 모든 국가의 주권 및 영토를 존중한다.
② 무력에 의해서 타국을 침공하지 않는다.
③ 강대국에 유리한 집단 방위 체제를 배제한다.
④ 자유 무역이 활성화될 수 있는 경제 질서를 형성한다.
⑤ 아시아·아프리카 국가 간의 상호 이익과 협력을 촉진한다.

정답친해 79쪽

06 다음 원칙에 따라 전개된 미국의 활동으로 옳은 것은?

> 2. 미국은 강대국의 핵에 의한 위협의 경우를 제외하고는 내란이나 침략에 대하여 각국이 스스로 협력하여 그에 대처하도록 한다.
> 3. 미국은 '태평양 국가'로서 …… 역할을 계속하지만 직접적·군사적·정치적 과잉 개입은 하지 않는다. - 1969

① 뉴딜 정책을 실시하였다.
② 마셜 계획을 추진하였다.
③ 베트남 전쟁에서 군대를 철수시켰다.
④ 파리 강화 회의에서 민족 자결주의를 주장하였다.
⑤ 소련, 영국, 중국과 함께 포츠담 회담을 개최하였다.

07 다음 주장이 국제 사회에 미친 영향으로 옳은 것은?

> 페레스트로이카 정책은 …… 권위주의적이고 관료주의적인 체제로부터 인간적·민주적 사회로의 평화적 이행을 가능하게 하는 유일한 길이라고 생각한다.

① 제3 세계가 등장하였다.
② 냉전 체제가 강화되었다.
③ 독일이 동·서로 분단되었다.
④ 소비에트 사회주의 공화국 연방이 성립되었다.
⑤ 동유럽 국가들이 자본주의 시장 경제를 받아들였다.

08 다음 조약이 체결된 시기의 국제 상황으로 가장 적절한 것은?

> 제1조 동독의 브란덴부르크, …… 튜링겐 주들은 기본법 제23조에 의거하여 독일 연방 공화국 편입 발효와 동시에 …… 독일 연방 공화국의 주가 된다.
> 제2조 독일의 수도는 베를린이다.

① 중국에서 5·4 운동을 벌였다.
② 미국에서 뉴딜 정책이 전개되었다.
③ 한반도에서 6·25 전쟁이 일어났다.
④ 소련에서 개혁·개방 정책이 추진되었다.
⑤ 이탈리아에서 파시스트당이 정권을 잡았다.

09 다음 내용을 모아 역사 신문을 만들 때 제목으로 적절한 것은?

> • 하벨이 이끄는 '시민 광장'의 활동
> • 차우셰스쿠 독재 정권의 몰락 과정
> • 바웬사가 이끄는 자유 노조의 자유 총선거 승리 과정

① 제3 세계가 등장하다
② 동유럽 공산주의권이 붕괴되다
③ 종교적 갈등이 비극을 일으키다
④ 신자유주의의 확산에 맞서 싸우다
⑤ 냉전 체제의 중심 세력을 파헤치다

10 다음과 같이 주장한 인물의 활동으로 옳은 것은?

> 왜 시장을 말하면 자본주의고 계획을 말하면 사회주의가 되는가? 계획과 시장은 모두 하나의 방법에 불과하다. 단지 경제 발전에 유익하다면 어느 것이든 이용할 수 있는 것이다.

① 경제특구 설치　　② 무술개혁 단행
③ 중화민국 건립　　④ 문화 대혁명 추진
⑤ 신문화 운동 주도

11 다음 내용에 해당하는 사건의 배경으로 옳은 것은?

> • 발생 시기: 1989년
> • 과정: 학생들이 톈안먼 광장에 모여 민주화 시위 전개 → 중국 정부가 무력으로 시위 진압 → 6월 9일 덩샤오핑의 시위 진압 선언
> • 결과: 수천여 명의 사상자 발생

① 서양에 문호를 개방하였다.
② 국공 내전에서 공산당이 승리하였다.
③ 홍콩과 마카오가 중국으로 반환되었다.
④ 관료의 부정부패와 빈부 격차가 심화되었다.
⑤ 문화 대혁명으로 중국의 전통문화가 파괴되었다.

12 다음 분쟁의 배경을 이해하기 위한 탐구 활동으로 적절한 것은?

> 유대인이 팔레스타인에 이스라엘을 건국한 이후 주변 아랍 국가들과 이스라엘 간에 수차례 전쟁이 일어났다. 팔레스타인에 거주하던 아랍인은 1964년 팔레스타인 해방 기구(PLO)를 창설하여 무장 투쟁을 전개하였고, 이 기구는 1994년에 이스라엘과 협상을 체결하여 팔레스타인 자치 정부를 수립하였다. 그러나 여러 국가의 이해관계가 얽혀 양측의 대립은 계속되고 있다.

① 베르사유 체제의 한계를 알아본다.
② 냉전의 영향으로 분단된 국가를 찾아본다.
③ 시아파와 수니파가 분열된 과정을 조사한다.
④ 미국에서 실시된 뉴딜 정책의 특징을 파악한다.
⑤ 후사인·맥마흔 협정과 밸푸어 선언의 내용을 살펴본다.

13 밑줄 친 '이 기구'에 대한 설명으로 옳은 것은?

> ▶ 지식 Q&A
>
> 브렉시트(Brexit)가 체결되었다는데 이게 무엇인가요?
>
> ▶ 답변하기
>
> ↳ '영국'을 의미하는 Britain과 '탈퇴'를 의미하는 Exit의 합성어로 영국의 <u>이 기구</u> 탈퇴를 뜻하는 신조어입니다.
>
> ↳ 1993년 마스트리흐트 조약이 발효되어 <u>이 기구</u>가 출범하였습니다. 그런데 <u>이 기구</u>의 재정이 악화되면서 영국의 경제 부담이 커졌습니다. 게다가 영국으로 들어오는 난민의 수가 증가하자 내부에서 불만이 많아졌지요. 결국 국민 투표로 영국의 <u>이 기구</u> 탈퇴가 결정되었답니다.

① '평화 10원칙'을 채택하였다.
② 세계 질서의 다원화에 영향을 주었다.
③ 국제 통화 기금(IMF)의 창설을 주도하였다.
④ 아시아·태평양 경제 협력체(APEC)가 전신이었다.
⑤ 북대서양 조약 기구(NATO)에 대응하여 결성되었다.

14 다음 글을 통해 현대 사회의 특징을 추론한 내용으로 적절하지 <u>않은</u> 것은?

> 오늘날 텔레비전 방송은 더 이상 한 나라의 국경 안에서만 머물지 않는다. 동일한 내용이 인공위성을 타고 전 세계로 동시에 전달되고 있다. 그리고 한때는 먼 거리에 존재하여 낯설고 잘 알지 못하였던 문화들도 이제는 텔레비전 화면을 통해 자세히 전달되어 지구촌 사람들의 삶에 영향을 미치는 경우가 늘어나고 있다.

① 갑: 민주주의가 후퇴하고 있어.
② 을: 문화의 획일화 현상이 나타나기도 해.
③ 병: 대중 매체에 의해 문화가 대량으로 생산돼.
④ 정: 여러 지역 간의 상호 의존성이 증대되고 있어.
⑤ 무: 전 세계에서 동시적으로 문화 변동이 일어나기도 하지.

15 (가)에 들어갈 국제 문제의 배경으로 가장 적절한 것은?

> 이 사진은 나사의 인공위성이 지구 곳곳의 야경을 촬영해서 합성한 세계 지도이다. 북반구에 있는 국가들에 주요 도시와 산업 시설이 밀집되어 있어 남반구에 있는 국가들보다 더 밝게 촬영되었다. 이 사진에서 남반구와 북반구의 밝기 차이는 [(가)]의 일면을 보여 준다.

① 전체주의의 확대
② 냉전 체제의 형성
③ 종교 갈등의 심화
④ 신자유주의의 확산
⑤ 대중의 사회 참여 증가

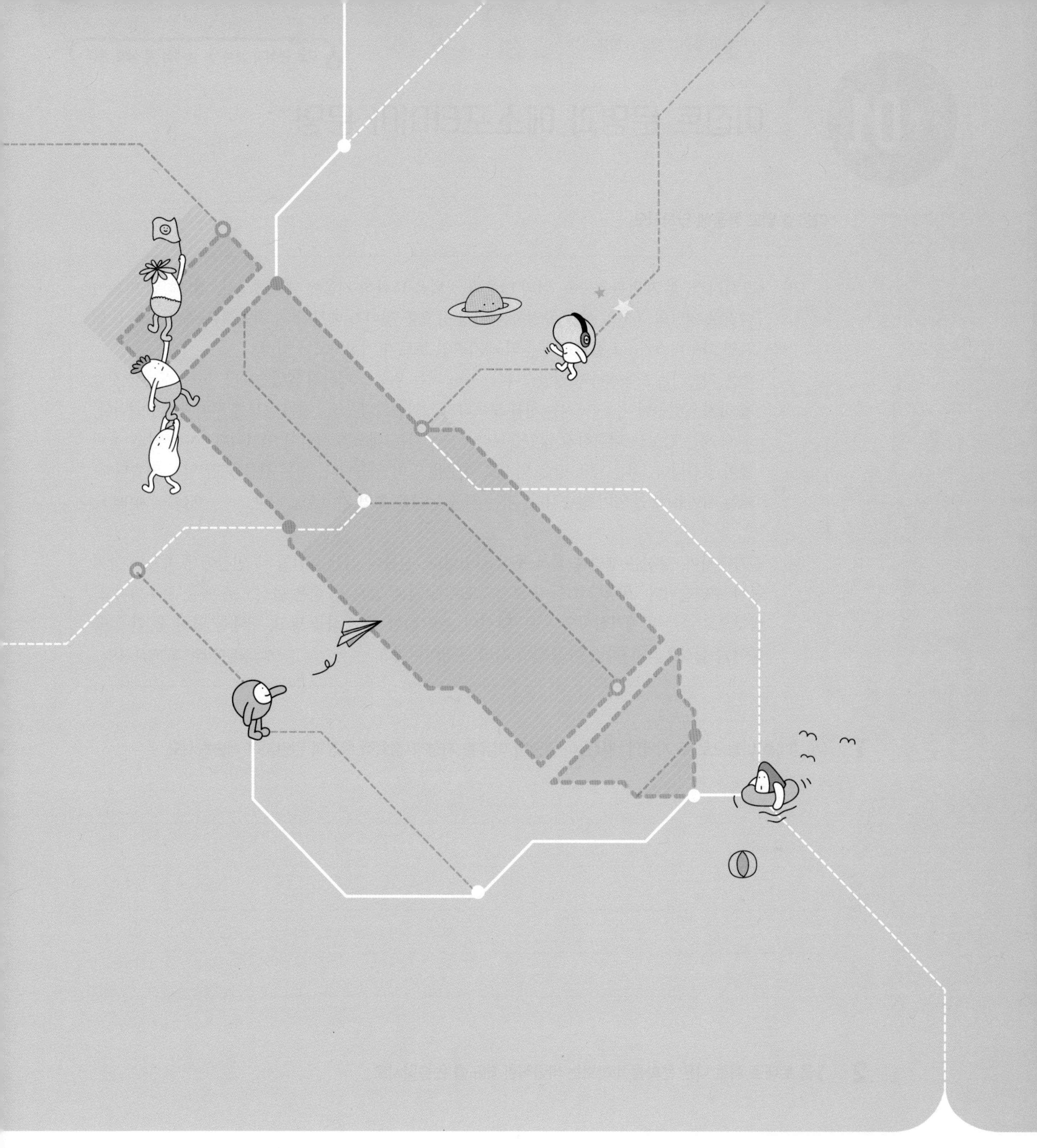

논술형 문제

>> 정답친해 82쪽

이집트 문명과 메소포타미아 문명

다음을 읽고 물음에 답하시오.

(가) • 오시리스: 본 재판관은 …… 너의 마음과 깃털을 나란히 저울에 매달겠노라. 왜냐하면 마음이야말로 인간의 존재와 삶을 규정하는 가장 중요한 것이기 때문이다. 저울질은 죽은 사람의 의사인 아누비스가, 그 결과는 신들의 서기관인 토트가 기록하도록 하라.

• 죽은 자: 저는 도둑질하지 않았습니다. …… 저는 위선을 행하지 않았습니다. …… 저는 거짓말을 하지 않았습니다. …… 저는 신을 모독하지 않았습니다. …… 저는 음모를 꾸미지 않았습니다. …… 저는 강물을 더럽히지 않았습니다. …… 저는 게으른 사람이 아닙니다. 저는 남을 울린 일이 없습니다. 저는 남의 땅을 억지로 빼앗은 일이 없습니다. 저는 간음을 한 일이 없습니다. 저는 사람을 죽인 일이 없습니다. 저는 저울 눈금을 속인 일이 없습니다. – 이집트의 「사자의 서」

(나) 길가메시여, 당신은 생명을 찾지 못할 것입니다. 신들이 인간을 만들 때 인간에게 죽음도 함께 붙여 주었습니다. 생명만 그들이 보살피도록 남겨 두었지요. 좋은 음식으로 배를 채우십시오. 밤낮으로 춤추며 즐기십시오. …… 당신의 손을 잡아 줄 자식을 낳고, 아내를 당신 품 안에 꼭 품어 주십시오. 왜냐하면 이 또한 인간의 운명이니까요. – 메소포타미아의 「길가메시 서사시」

1 (가), (나)를 바탕으로 두 지역의 내세관이 달랐던 이유를 지형적·정치적 특징과 관련지어 서술하시오.

2 1을 토대로 서로 다른 문화를 바라보는 바람직한 태도를 논술하시오.

중국 관리 등용 제도의 변천

다음을 읽고 물음에 답하시오.

(가) 유의는 …… "신이 들은 바에 따르면 정치를 바로 세우는 데에는 인재 등용이 기본이라고 합니다. …… 지금 중정관을 두어 9품을 정하고 있는데, 등급의 높고 낮음이 그 뜻에 달려 있고, 영예와 치욕이 그의 손에 달려 있어서, 임금의 권위와 축복을 제멋대로 가지고 놀고 있으며 천자의 권한을 빼앗고 있습니다. …… 이런 까닭에 상품(上品)에는 빈천한 가문이 없으며, 하품(下品)에는 권세 있는 가문이 없다고 합니다."라고 아뢰어 올렸다. -『진서』

(나)
- 당 대에는 과거 합격자가 관직을 받으려면 이부에서 시행하는 면접 위주의 시험을 치러야 했다. 면접에서는 외모·말솜씨·글씨·판단력을 기준으로 평가하였으므로, 명문가의 응시자가 좋은 성적을 받기 쉬웠다.
- 송 대에는 황제가 직접 주관하는 전시를 치렀고, 그 결과에 따라 관직이 주어졌다. 성적도 황제가 최종적으로 결정하여 전시 결과는 이후 승진에 많은 영향을 주었다. 따라서 전시는 관료 지망생들로부터 황제에 대한 충성을 유도하는 기능을 하였다.

1 **(가), (나)에 나타난 관리 등용 제도가 무엇인지 서술하고, 각 제도가 사회에 미친 영향을 서술하시오.**

2 **(나)를 통해 당·송 대 관리 등용 제도의 특징을 비교하고, 제도의 변화가 황제권에 미친 영향을 논술하시오.**

중국 조세 제도의 변화

다음을 읽고 물음에 답하시오.

(가) 양염은 폐단을 걱정하여 …… 조세 제도를 하나로 통일하였다. …… 빈부에 따라 징수액에 차이를 둔다. 자기 땅에 거주하지 않고 행상을 하는 자는 자신이 머무르고 있는 주현의 세금으로 판매액의 30분의 1을 내게 한다. 거주자의 세금은 여름, 가을에 징수한다. – 『신당서』

(나) 각 현(縣)의 토지세와 요역을 모두 합치고, 각 호의 토지와 성년 남자의 수에 따라 토지세와 요역을 할당하여 관청에 납부하도록 한다. …… 각종 잡다한 부담은 모두 합쳐 한 가지 조목(一條)으로 하여, 토지의 넓이에 따라 은으로 징수하여 관청에 바치도록 한다. – 『명사』, 식화지

(다) 천하가 평정된 지 오래되어 호구가 날로 번창하니 인정(人丁)을 헤아려 정세를 부과하기 어렵다. 인정은 늘더라도 토지는 늘지 않으니 현재의 세역 장부에 등재된 인정 수를 …… 영구히 고정하라. 그리고 지금 이후 태어나는 인정으로부터 꼭 정세를 거둘 필요가 없다. – 『성조실록』

1 (가) 제도가 시행된 배경을 서술하시오.

2 (가)에서 (나), (다)로 조세 제도가 변화한 배경을 교역망의 확대와 관련지어 서술하시오.

3 다음과 같이 청 대에 인구가 증가한 배경을 (다)를 참고하여 논술하시오.

주제 04 원과 청의 중국 지배

다음 자료를 참고하여 원과 청의 중국 지배 방식을 비교하고, 청이 원보다 중국을 오랜 기간 지배할 수 있었던 배경을 추론하여 논술하시오.

[원의 중국 통치]

- "몽골인·색목인이 한인·남인을 구타하면 조세와 요역 면제의 혜택을 박탈한다."라는 규정이 있었다. 당시 서역에서 이주해 온 사람 수백 명이 특권을 바탕으로 횡포를 일삼았다. …… 마치 도적 떼와 같았다. －『고태사부조집』
- 지금 원의 세상에서는 10등급의 사람이 있는데, 첫째는 관료요, 둘째는 서리이다. …… 아홉째는 유학 지식인이요, 열째는 거지이다. 뒤에 있으면 천한 사람이요, 천한 사람이란 나라에 보탬이 되지 않는다는 뜻이다. －『첩산집』

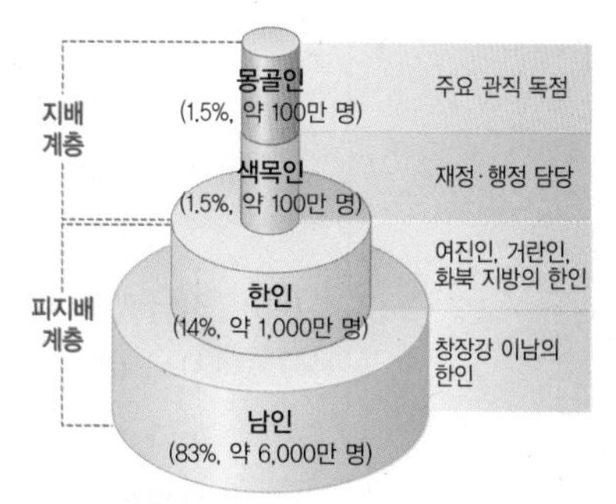

원의 인구 구성

[청의 중국 통치]

- 중국과 외국이 통일되어 한집이 되었으니, …… 하나가 되지 못하고 두 마음을 품으면 다른 나라 사람이 되는 것이 아닌가? …… 수도 내외는 10일, 그 밖은 명령서가 도착한 날로부터 10일 이내에 변발하라. 그에 따르는 자는 우리나라 백성으로 간주하고 거역하면 엄벌에 처할 것이다. －『세조실록』
- 내각 대학사는 만주인과 한인 각 2명, 협판 대학사는 만주인과 한인 각 1명, 학사는 만주인 6명과 한인 4명, 전적은 만주인·한인·한군 팔기에서 각 2명이 임명되었다. 시독학사는 만주인 4명과 몽골인·한인 각 2명이 임명되었다. 중서는 만주인 70명과 몽골인 16명, 한군 팔기 8명이 임명되었다. …… 첩사 중서는 만주인 40명과 몽골인 6명이 임명되었다. …… 6부 상서와 좌·우 시랑 모두 만주인과 한인이 각각 1명씩 임명되었다. －『청사고』, 직관지

오스만 제국과 무굴 제국의 통치

다음을 읽고 물음에 답하시오.

(가) 나, 정복자 술탄은 보스니아의 프란체스코회 신자를 보호할 것임을 선언하노라. 누구도 이들을 방해하거나 프란체스코회 교회에 피해를 줄 수 없다. 그들은 나의 제국에서 평화를 누릴 것이다. …… 또한 이들은 그들의 나라에서 누려 왔던 권리를 계속해서 누리게 될 것이니라. …… 땅과 하늘을 지으신 성스러운 신의 이름으로 나의 검을 들어 이 칙령을 선포하노라. 나의 모든 백성은 이 칙령에 복종해야 한다.

– 메흐메트 2세가 보스니아를 정복한 후 발표한 칙령

(나) 지금까지 나는 나하고 신앙이 다른 사람들을 박해하여 나와 같게 만들려고 하였으며, 그것을 신에 대한 귀의라고 생각하였다. 그러나 지식을 쌓아 감에 따라 나는 후회하는 마음에 사로잡혔다. 강제로 개종을 시킨 사람에게서 어떻게 성실한 신앙생활을 기대할 수 있을까? …… 모든 사람은 자신의 처지에 따라 각각 자기가 최고로 여기는 존재에 대해 각기 다른 이름을 붙여 놓는다.

– 아크바르 황제, 『아크바르나마』

1 (가)와 같은 의도로 시행된 오스만 제국의 사회 제도를 서술하시오.

2 아크바르 황제가 (나)와 같은 생각으로 전개한 통치 정책을 서술하시오.

3 **1**, **2**의 정책이 오스만 제국과 무굴 제국의 사회와 문화에 미친 영향을 논술하시오.

굽타 왕조와 힌두교

(가), (나)를 토대로 굽타 왕조 시기에 힌두교가 발전한 배경과 힌두교가 인도 사회에 미친 영향을 논술하시오.

(가) 굽타 왕조 시대에는 브라만교를 바탕으로 불교 및 다양한 민간 신앙이 융합된 힌두교가 발전하였다. 힌두교에서는 세상의 질서를 유지하는 신 비슈누가 인류를 구하기 위해 지상에 몇 가지 화신으로 나타난다고 하였는데, 이는 여러 부족과 다양한 카스트가 숭배하는 신을 비슈누에 통합하는 근거가 되었다. 굽타 왕조의 왕들도 자신을 비슈누의 화신이라고 비유하였다.

(나) 아르주나는 크리슈나에게 질문하였다. "오, 크리슈나여, 벌판 저쪽에 있는 적들을 보라. 내 눈에는 그들이 적이 아니라 사랑스런 친구들과 친척 그리고 존경하는 스승으로 보일 뿐이다. 어떻게 왕권을 얻기 위해 사랑하는 친척과 친구들 그리고 스승을 죽일 수 있단 말인가?"
크리슈나가 대답했다. "카르마(업) 이론에 의하면 인간의 행위는 그에 따른 결과를 가져온다. 그 결과는 다음 생에 자신이 갖게 될 모든 조건을 만든다. 네 지금의 삶은 바로 네가 과거에 저질렀던 행위의 결과이다. 따라서 너는 과거에 네가 만든 카르마(업)를 해결하기 위해 먼저 너에게 주어진 의무를 다해야만 한다. 너는 무사 계급으로 태어났으니 전쟁에서 싸우는 것은 당연한 의무이다. 진정으로 의무를 다한다면 신은 반드시 너를 구원할 것이다." –『마하바라다』

그라쿠스 형제의 개혁

다음을 읽고 물음에 답하시오.

(가) 이탈리아를 위해 싸우거나 죽은 사람들은 공동의 공기와 햇빛을 향유할 뿐, 정말 아무것도 가진 것이 없습니다. 그들은 집도 없고 가정도 없고 처자식과 함께 돌아다니고 있습니다. 장군들은 전쟁터의 병사들에게 적에 대항하여 묘지와 신당을 방어하라고 촉구합니다만, 그것은 거짓말입니다. 왜냐하면 병사들 중에 아무도 세습되는 제단을 가진 자가 없기 때문입니다. 그들은 오직 다른 사람들의 부와 사치를 위해 싸우다 죽을 뿐입니다. 그들은 세계의 지배자가 되었지만, 그들 자신의 소유라고 할 만한 땅은 단 한 조각도 없습니다.

– 플루타르코스, 『영웅전』, 그라쿠스의 연설

(나) • 1,000유게룸 이상의 토지를 임차하고 있는 자는 그것을 국가에 반환하고, 국가는 반환된 토지의 면적에 따라 보상금을 지급한다. 그런 다음 국가는 상설 실무 위원회를 설치하여 희망하는 농민에게 임차 농지를 재분배한다. – 티베리우스 그라쿠스가 제출한 「농지법」

• 가이우스 그라쿠스가 가난한 시민들에게 곡물을 저렴한 값에 배급하자, 피소라는 귀족이 나타나 말하였다. "그라쿠스여, 나는 그대가 내 재산을 사람들에게 나누어 주는 것을 원치 않소. 그러나 그대가 그렇게 할 것이라면 내 몫은 요구하겠소." – 키케로, 『투스쿨룸에서의 논쟁』

1 (가), (나)를 토대로 그라쿠스 형제가 개혁을 추진한 배경과 그 내용을 서술하시오.

2 (나)를 참고하여 그라쿠스 형제의 개혁이 실패한 이유를 논술하시오.

주제 08 유럽의 절대 왕정

다음을 읽고 물음에 답하시오.

(가) • 국가는 그 자체가 하나의 공동체를 이루는 것이 아니라 오직 왕의 존재를 통해서만 결속할 수 있다.
– 루이 14세, 『회고록』

• 왕은 공적인 인격이며, 국가 전체가 그 안에 있다. 모든 완전성과 권능이 신에게 결합하여 있듯이 개개인의 모든 권력이 군주의 인격 안에 결합하여 있다. – 루이 14세에게 봉사한 사제 보쉬에의 말

(나) 군주의 가장 중요한 책임은 정의를 실현하는 것이다. 군주가 지배하는 인민에게 무엇보다 중요한 것이 정의이므로, 군주는 자신의 그 어떤 이익보다 정의에 최우선을 두어야 한다. 적나라한 사리사욕과 세력 확장의 추구, 야심 추구와 폭정을 권장하는 마키아벨리는 대체 무엇이란 말인가? 군주는 결코 자기가 지배하고 있는 인민의 절대적인 주인이 아니라, 국가 제일의 공복(公僕)에 지나지 않는다.
– 프리드리히 2세, 『반(反)마키아벨리론』

(다) (러시아에서) 지주에게 속한 농민은 마치 농기구나 소 떼처럼 그의 개인 재산이다. …… 지주는 농노를 어떤 식으로 고용하든, 그리고 어떤 강요를 하든, 법적으로 아무런 제재를 받지 않는다. 그는 농노의 시간과 노동의 절대적 주인이다. 그는 일부 농노를 농업에 고용하고 일부는 자신의 하인으로 쓰면서 임금은 주지 않는다. 또 다른 농노에게는 매년 세금을 걷는다.
– 윌리엄 콕스, 『폴란드·러시아·스웨덴·덴마크 여행』

1 (가), (나)를 통해 서유럽과 동유럽 절대 군주의 모습을 비교하여 서술하시오.

2 (다)를 참고하여 동유럽 절대 왕정의 한계점을 논술하시오.

시민 혁명의 전개

다음을 읽고 물음에 답하시오.

(가) 모든 인간은 평등하게 태어났고, 창조주는 양도할 수 없는 일정한 권리를 인간에게 부여하였으며, 거기에는 생명권과 자유권 및 행복 추구권이 포함되어 있다. 그리고 이러한 권리를 보장하기 위해 인간은 정부를 만들었으며, 정부의 정당한 권력은 통치를 받는 사람들의 동의로부터 나온다. 어떤 형태의 정부라도 이러한 목적을 훼손하는 경우에는 언제나 정부를 변경하거나 폐기하여 …… 새로운 정부를 수립할 수 있는 권리가 국민에게 있다. – 「독립 선언문」, 1776

(나) 제1조 인간은 자유롭게 그리고 평등한 권리를 가지고 태어났다.
제2조 모든 정치적 결사의 목적은 그 무엇도 침해할 수 없는 인간의 자연권을 보전하는 데 있다. 그 권리는 자유, 재산, 안전, 그리고 압제에 대한 저항이다.
제3조 모든 주권의 원천은 국민에게 있다. 어떤 단체나 개인도 국민으로부터 유래하지 않은 권리를 행사할 수 없다.
제6조 법은 일반 의지의 표현이다. 모든 시민들은 직접, 또는 그들의 대표를 통해 법의 제정에 참여할 권리를 갖는다. – 「인간과 시민의 권리선언」, 1789

1 **(가), (나) 문서가 발표된 혁명의 배경을 각각 논술하시오.**

2 **(가), (나) 문서에 담긴 공통적인 내용을 서술하시오.**

제국주의의 등장

다음을 읽고 물음에 답하시오.

(가) 나는 어제 런던의 이스트엔드에 가서 실업자 대회를 방청하였다. 그곳에서 빵을 달라고 하는 실업자들의 이야기를 들은 후 제국주의의 중요성을 더욱 확신하였다. 나의 포부는 사회 문제의 해결이다. 우리 식민지 정치가는 대영 제국의 4천만 인구를 피비린내 나는 내란으로부터 지키고, 과잉 인구를 수용하기 위해 새로운 영토를 개척해야 한다. 그들이 공장이나 광산에서 생산하는 상품의 새로운 판로를 만들어 내야 한다. – 세실 로즈, 『유언집』

(나) 나는 우등 민족에게 권리가 있다고 다시 한 번 말씀드립니다. 왜냐하면 그들에게는 의무가 있기 때문입니다. …… 나는 우리나라의 식민 정책, 즉 사이공과 코친차이나로 가게 하고, 튀니지로 이끌고, 마다가스카르로 데려간 식민지 확장 정책은 여러분이 주의를 기울여야 할 진리로 영감을 받은 것이라는 점을 지적합니다. – 장 카르팡티에, 『프랑스인의 역사』

(다) 콩고의 넓은 지역은 벨기에의 레오폴드가 선수를 쳐 차지하였고, …… 아프리카 곳곳에서 행해진 비인간적인 식민지 통치 가운데서도 가장 가혹하고 잔인하였던 곳을 꼽으라면 콩고를 빼놓을 수 없다. …… 1896년 벨기에의 상원 의원 에드몽 피카르는 급류 근처에서 보았던 짐꾼들의 행렬을 이렇게 묘사하였다. “우리는 짐꾼들을 계속해서 만났다. …… 옷이라고는 허리춤에 작은 천 조각밖에 걸치지 않은 불쌍한 흑인들이었다. …… 콩고 정부가 그들을 징발하였고 마을의 족장은 자신의 노예를 짐꾼으로 내어놓고 그들의 임금을 가로챘다. …… 그들은 짐을 나르던 길 위에서 죽었고 혹은 요행히 그 괴롭고 힘든 여정을 마치고 자신들의 마을로 돌아가더라도 후유증과 피로로 죽을 수밖에 없었다.” – 아담 호크쉴드, 『레오폴드왕의 유령』

1 **(가), (나)를 참고하여 제국주의의 등장 배경과 제국주의 열강이 이를 어떻게 정당화하였는지 서술하시오.**

2 **(다)를 바탕으로 제국주의를 비판하는 글을 논술하시오.**

주제 11 동아시아의 근대화 운동

다음을 읽고 물음에 답하시오.

(가) 서양 사람들은 자기들의 총포나 기선의 뛰어난 성능을 믿고 중국에서 제멋대로 행동하고 있습니다. 중국에서 사용되는 무기로는 도저히 그들과 맞설 수 없습니다. 그래서 서양 사람들에게 눌리고 마는 것입니다. …… 저의 어리석은 소견으로는, 국가의 모든 경비는 절약해야 하나 병사를 기르고 총포나 군함을 제조하는 데 드는 비용만은 아끼지 말아야 할 것입니다.

– 이홍장의 상소문

(나) 어떤 사람은 '전 세계의 나라들이 서로 나누어져 각각 독립된 형태를 이루면 그에 따라서 민심과 문화가 다를 수 있고, 국체와 정치가 같지 않을 수가 있다. 그런데도 지금 그 나라의 문명화를 꾀함에 있어서 모조리 유럽을 목표로 하는 것은 적합하지 않고, 적절히 그쪽의 문명을 채택해서 우리의 민심과 문화를 자세히 관찰하고, 그 국체에 따라 그 정치를 준수하고 우리에게 적합한 것을 선택하여, 받아들일 것은 받아들이고 버릴 것은 버려야 비로소 적절한 조화를 얻게 될 것이다.'라고 말한다. 이에 답하건대, 서양의 문명을 취해서 미개한 나라에 퍼뜨릴 때에는 모름지기 적절하게 취사선택해야 한다. 그렇지만 문명에는 밖으로 드러난 사물과 내부에 존재하는 정신의 구별이 있는데, 밖으로 드러나는 문명은 취하기가 쉽고 내부의 문명은 찾기 어렵다. 나라의 문명화를 꾀함에 있어서는 어려운 쪽을 먼저하고 쉬운 쪽을 나중에 해야 한다.

– 후쿠자와 유키치, 『문명론의 개략』

1 (가), (나) 주장의 공통점과 차이점을 서술하시오.

2 (가), (나) 주장에 따라 진행된 근대화 운동을 비교하여 논술하시오.

냉전의 형성과 변화

다음을 읽고 물음에 답하시오.

(가) 오늘날 전 세계의 거의 모든 나라는 두 가지 생활 방식 중 하나를 선택해야 합니다. 첫 번째 생활 방식은 다수의 의지에 기초하며, 자유로운 제도와 종교의 자유, 정치적 억압으로부터의 자유를 보장하고 있습니다. 다른 생활 방식은 소수의 의지로 다수를 강제하는 방식입니다. 이 방식은 테러와 억압, 언론과 방송 통제, 선거 조작, 그리고 개인에 대한 억압으로 가득 차 있습니다. …… 저는 모든 민족이 자유로운 상황에서 운명을 스스로 결정할 수 있도록 우리가 도와야 한다고 믿습니다. 그래서 무엇보다 재정적인 지원을 염두에 두고 있습니다.

– 트루먼 대통령의 의회 연설, 1947

(나) 길지 않은 기간 동안 미국은 세 번이나 태평양을 건너 아시아에서 싸워야 했다. …… 아시아에서 미국의 직접적인 출혈은 더 이상 계속되어서는 안 된다. 동맹국들에 대해 미국의 정책이 견지해야 할 원칙은 다음과 같다. ① 미국은 우방 및 동맹국들에 대한 조약상의 의무는 지킨다. ② 동맹국이나 기타 미국 및 기타 전체의 안보에 절대 필요한 국가의 안정에 대한 핵보유국의 위협에 대해서는 미국이 핵 방패를 제공한다. ③ 핵 공격 이외의 공격에 대해서는 당사국이 그 1차적 방위 책임을 져야 하고 미국은 군사 및 경제 원조만 제공한다. ④ 군사적 개입을 줄인다.

– 닉슨 대통령의 괌 발표, 1969

1 (가), (나)가 발표된 배경을 서술하시오.

2 (가), (나)의 입장 차이를 논술하시오.

3 (가), (나)가 당시의 국제 정세에 미친 영향을 각각 논술하시오.

공산주의 체제의 변화

다음을 읽고 물음에 답하시오.

(가) 1987년 2월 6일, 덩샤오핑은 중국의 중앙 부서 책임자들에게 다음과 같이 말하였다. "왜 시장을 말하면 자본주의고 계획을 말하면 사회주의가 되는가? 계획과 시장은 모두 하나의 방법에 불과하다. 단지 경제 발전에 유익하다면 어느 것이든 이용할 수 있는 것이다. 마치 계획 경제가 곧 사회주의인 것처럼 말하는데 이것은 틀린 말이다."

(나) • 페레스트로이카 정책은 소련과 같은 국가에 있어서 새로운 질적 상태로의 전환, 즉 권위주의적이고 관료주의적인 체제에서 인간적·민주적 사회로의 평화적 이행을 가능하게 하는 유일한 길이라고 생각한다. 페레스트로이카의 주요한 업적은 민주화와 글라스노스트이고 이것은 우리 앞에 놓인 개혁의 길에 중요한 의의를 갖는다. 우리들은 모두 정치 개혁의 최초의 결실, 현실적인 결과를 느끼고 있다. 현재 진정한 민주주의 제도가 창설되고 있으며 법치 국가의 기반이 형성되고 있다. 단일 국가로부터 활기 넘치는 연방으로의 전환이 시작되었다.

– 고르바초프의 대통령 취임 연설

• 유럽에는 제각기 다른 사회 체제를 가진 국가들이 섞여 있습니다. 그리고 각국의 사회적·정치적 질서는 꾸준히 변해 왔고 앞으로도 계속 변해 갈 것입니다. 그러나 이는 그 나라 인민이 결정하고 선택할 문제입니다. 우방국이든 동맹국이든 간에, 어떤 식으로든 타국의 내정에 간섭하거나 주권을 제한하려 해서는 안 됩니다.

– 고르바초프의 유럽 평의회 연설

1 중국과 소련에서 (가), (나)와 같은 변화가 나타난 배경을 각각 서술하시오.

2 (나)의 정책이 국제 사회에 미친 영향을 논술하시오.

15개정 교육과정

· 완벽한 자율학습서 ·

완자

완자네 새주소

자율학습시 비상구

정확한 답과 친절한 해설

정답친해로 53

책 속의 가접 별책 (특허 제 0557442호)
'정답친해'는 본책에서 쉽게 분리할 수 있도록 제작되었으므로
유통 과정에서 분리될 수 있으나 파본이 아닌 정상제품입니다.

visang

ABOVE IMAGINATION

우리는 남다른 상상과 혁신으로
교육 문화의 새로운 전형을 만들어
모든 이의 행복한 경험과 성장에 기여한다

· 완벽한 자율학습서 ·

자율학습시 비상구 정답친해로 53

정확한 답과 친절한 해설

세계사

I. 인류의 출현과 문명의 발생

01 세계사 학습과 선사 문화

STEP 1 핵심 개념 확인하기 012쪽

1 세계화 2 (1) 호모 네안데르탈렌시스 (2) 호모 에렉투스 3 (1) ○ (2) ○ (3) × 4 (1) 농경 (2) 호모 사피엔스 (3) 구석기 5 ㄴ, ㄹ

STEP 2 내신 만점 공략하기 012~014쪽

01 ① 02 ⑤ 03 ② 04 ⑤ 05 ④ 06 ② 07 ⑤ 08 ③ 09 ②

01 자민족 중심주의 역사관의 문제점

첫 번째 글은 중화주의, 두 번째 글은 유럽 중심주의를 설명한 것으로 모두 자민족 중심주의적인 역사 시각이다. ㄱ. 역사가 지나치게 주관적이고 편협한 시각으로 기록된다면 국가나 민족 간에 대립과 갈등이 심화될 수 있다. ㄴ. 자기 민족을 중심으로 보는 역사 시각은 모든 나라와 민족이 서로 긴밀하게 의존하고 영향을 주고받으며 발전한 측면을 무시하는 경향이 강하다.

바로 알기 ㄷ. 다문화적이고 다중심적인 입장에서 바라보는 시각은 객관적이고 상대적인 역사 탐구의 자세로, 이는 세계사를 탐구할 때 갖추어야 할 자세이다. ㄹ. 자민족 중심주의적인 역사 시각을 가진 사람은 각 지역의 기록과 유물을 자신의 입장에서 주관적으로 분석할 가능성이 높다.

02 세계사 학습의 목적

제시된 사례는 콜럼버스가 아메리카 대륙으로 간 사실을 두고 지역의 입장에 따라 다른 시각을 보이는 모습이다. ⑤ 세계사 학습을 통해 세계 여러 지역에서 발생하는 사건이나 갈등을 역사적 맥락에서 파악하면 그 연원을 이해하고 해결 방안을 모색할 수 있다.

바로 알기 ① 국수주의적 태도는 지양해야 한다. ②, ③, ④는 제시된 사례로 알 수 있는 세계사 학습의 목적과는 거리가 멀다.

03 호모 네안데르탈렌시스의 특징

약 40만 년 전에 등장하였고 주로 유럽과 지중해 일대에서 활동하였으며 뇌 용량이 현생 인류와 비슷하다는 내용을 통해 제시된 내용이 호모 네안데르탈렌시스의 특징임을 알 수 있다. 호모 네안데르탈렌시스는 시체를 매장한 것으로 보아 사후 세계에 대한 관념을 지녔던 것으로 보인다.

바로 알기 ①은 오스트랄로피테쿠스, ③은 호모 에렉투스, ④, ⑤는 호모 사피엔스에 대한 설명이다.

04 호모 사피엔스의 특징

인류가 아프리카에서 전 세계로 퍼져 나가고, 크로마뇽인을 형성한 것을 통해 지도가 호모 사피엔스의 이동 경로를 나타낸 것임을 알 수 있다. ⑤ 호모 사피엔스 중 크로마뇽인은 사냥의 성공을 기원하며 여러 동굴 벽화를 남겼다.

바로 알기 ① 구석기 시대는 평등한 사회였다. ②는 오스트랄로피테쿠스, ③, ④는 신석기 시대 사람들에 대한 설명이다.

05 구석기 시대의 사회

제시된 유물은 구석기 시대에 제작된 빌렌도르프의 비너스이다. 이 조각상은 다산과 풍요를 기원하여 만들어진 것으로 짐작된다. 구석기 시대에 출현한 호모 네안데르탈렌시스는 시체를 매장하였다. 구석기 시대 사람들은 화살을 만들어 사냥을 하였고, 돌을 깨뜨려 주먹도끼와 같은 뗀석기를 제작하였다. 또 식물의 열매와 뿌리를 채집하여 먹었다.

바로 알기 ④ 신석기 시대부터 뼈바늘과 베틀을 이용하여 옷을 만들어 입었다.

06 구석기 시대의 생활 모습

자료의 뇌 구조에서 '사냥의 성공을 기원하며 그림 그리기'라는 내용과 알타미라 동굴 벽화 사진을 통해 해당 시대가 구석기 시대임을 알 수 있다. 따라서 (가)에는 구석기 시대의 생활 모습에 해당하는 내용이 들어가면 된다. ② 구석기 시대 사람들은 사냥과 채집을 하였기 때문에 먹을 것을 찾아 이동하였는데, 한곳에 머물 때에 동굴이나 간단한 막집을 지어 생활하였다.

바로 알기 ①, ③, ④, ⑤는 신석기 시대의 생활 모습과 관련이 있다.

07 구석기 시대와 신석기 시대의 생활 비교

(가)는 나무로 된 막집을 짓고 산 것을 통해 구석기 시대임을 알 수 있고, (나)는 움집을 제작한 것을 통해 신석기 시대임을 알 수 있다. 구석기 시대에는 주로 뗀석기를 사용하여 수렵과 채집 생활을 하였다. 신석기 시대에는 간석기로 농사를 짓고 토기를 만들어 음식을 저장하는 데 이용하였다. 당시에는 애니미즘과 토테미즘이 등장하였다.

바로 알기 ⑤는 신석기 시대 후기에 해당하는 설명이다.

완자 정리 노트 구석기 시대와 신석기 시대

구분	구석기 시대	신석기 시대
도구	뗀석기	간석기, 토기, 뼈도구
경제	채집, 사냥	농경, 목축 시작
주거	이동 생활, 동굴·바위 그늘·숲속 등에서 생활	정착 생활, 주로 움집에서 거주
문화	동굴 벽화와 예술품 제작(알타미라 동굴 벽화, 빌렌도르프의 비너스 등)	원시적인 종교 의식 등장(영혼 숭배, 애니미즘, 토테미즘 등)

08 신석기 시대의 생활 모습

영국에 있는 스톤헨지는 신석기 시대 후기의 거석문화를 대표하는 유적으로, 돌의 높이가 4m가 넘는 거대한 규모이다. 이 유적은 태양 숭배나 천문 관측과 관련이 있다고 추정된다. ㄴ. 신석기 시대에는 태양과 물, 나무 등에 정령이 있다고 믿는 애니미즘이 생겨났다. ㄷ. 신석기인들은 뼈바늘을 이용해 옷이나 그물을 만들어 사용하였다.

바로 알기 ㄱ, ㄹ은 구석기 시대의 생활 모습에 해당하는 설명이다. 신석기 시대에는 사람들이 농경과 목축을 시작하면서 움집을 짓고 정착 생활을 하였다.

09 신석기 혁명의 의미

구석기 시대에는 자연 그대로를 얻는 단계였지만, 신석기 시대에는 자연을 이용하여 식량을 생산하는 단계로 변화하였어.

자료 분석

구석기인은 수렵, 채집의 생업 경제에만 의존하여 살았다. 그런데 빙하기가 끝나자마자 환경을 대하는 인간의 태도가 변화하였다. …… 이 시대에 들어와 생업 경제를 변화시킨 최초의 혁명은 인간이 자기 스스로 식량 공급을 통제할 수 있는 길을 열어 주었다.

– 고든 차일드

약 1만 년 전 빙하기가 끝나고 기온이 올라가자 동식물의 분포가 달라졌지.

신석기 혁명

밑줄 친 '이 시대'는 신석기 시대이다. ② 신석기 시대에는 사냥, 농사 등에 간석기를 사용하였고, 토기를 만들어 생산물을 저장하는 데 이용하였다.

바로 알기 ① 구석기 시대에 시체를 매장하는 풍습이 생겨났다. ③ 신석기 시대에는 돌로 만든 도구를 사용하였다. ④ 주먹도끼는 대표적인 뗀석기로, 구석기 시대에 주로 사용되었다. ⑤ 구석기 시대 사람들은 이동 생활을 하면서 동굴이나 숲속에 거주하였다.

서술형 문제

014쪽

01 주제: 세계사 탐구의 자세

(1) ㉠ 유럽 중심주의, ㉡ 중화주의

(2) 예시 답안 유럽 중심주의, 중화주의와 같은 자민족 중심주의 시각은 각 지역 세계가 상호 교류를 통해 함께 발전하였다는 사실을 무시하고, 국가 간 대립과 갈등을 조장할 수 있다. 이러한 시각을 극복하기 위해 역사 연구의 자료가 되는 사료를 철저히 비판해 보아야 하며, 다문화적이고 다중심적인 시각으로 세계사를 바라보아야 한다.

채점 기준

상	자문화 중심주의의 부정적 영향과 이를 극복하기 위한 방안을 모두 서술한 경우
중	자문화 중심주의의 부정적 영향과 이를 극복하기 위한 방안을 일부만 서술한 경우
하	자문화 중심주의의 부정적 영향과 이를 극복하기 위한 방안 중 한 가지만 서술한 경우

02 주제: 구석기 시대와 신석기 시대의 생활 모습

(1) (가) 구석기 시대, (나) 신석기 시대

(2) 예시 답안 구석기 시대에는 주먹도끼, 찌르개 등의 뗀석기를 사용하여 식물의 열매와 뿌리를 채집하거나 짐승을 사냥하고, 물고기를 잡아 식량으로 삼았다. 이들은 먹을거리를 찾아 이동 생활을 하면서 동굴이나 막집, 바위 그늘 등에 거주하였다. 반면, 신석기 시대에는 돌낫, 돌괭이 등 간석기를 사용하여 농사를 짓기 시작하였다. 농경이 발전하면서 신석기 시대 사람들은 움집 등을 짓고 한 곳에 정착하였다.

채점 기준

상	구석기 시대의 생활 모습(뗀석기 사용, 사냥과 채집, 이동 생활과 막집 등 거주)과 신석기 시대의 생활 모습(간석기 사용, 농사 시작, 움집 제작, 정착 생활)을 모두 서술한 경우
중	구석기 시대와 신석기 시대의 생활 모습을 일부만 서술한 경우
하	구석기 시대와 신석기 시대 중 한 시대의 생활 모습만 서술한 경우

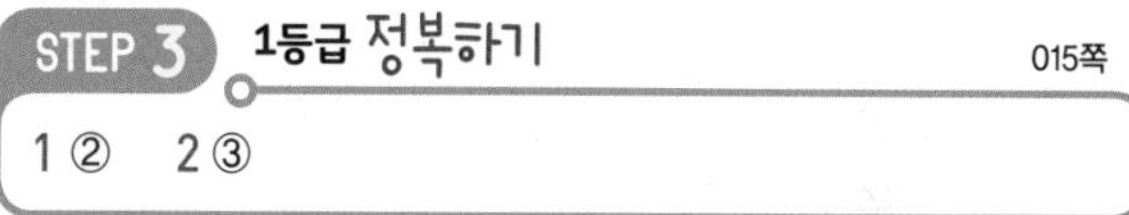

STEP 3 1등급 정복하기

015쪽

1 ② 2 ③

1 구석기 시대의 생활 모습

빌렌도르프의 비너스와 알타미라의 동굴 벽화는 구석기 시대 사람들이 다산과 풍요, 사냥의 성공 등을 기원하여 제작한 것이다. 따라서 밑줄 친 '이 시대'는 구석기 시대이다. ② 구석기 시대에는 주먹도끼와 같은 뗀석기를 사용해 사냥을 하거나 식물의 열매와 뿌리 등을 채집하였다.

바로 알기 ① 신석기 시대에 농경과 목축을 시작하였다. 구석기 시대에는 주로 사냥과 채집으로 먹을거리를 얻었다. ③ 신석기 시대에 농경이 시작되면서 토기를 만들어 곡물 저장에 활용하였다. ④ 신석기 시대에는 원시적 수공업이 이루어졌는데, 뼈바늘을 이용해 옷이나 그물을 만들었다. ⑤ 물과 수목 등에 정령이 깃들었다고 믿는 신앙은 애니미즘이다. 애니미즘은 신석기 시대에 등장하였다.

2 신석기 혁명의 의미

아프리카 알제리의 타실리나제르 벽화로, 농사 짓는 모습과 목축을 하는 모습이 그려져 있어. 자연이 주는 그대로 식량을 얻는 단계였던 구석기 시대에 비해 달라진 점이야.

자료 분석

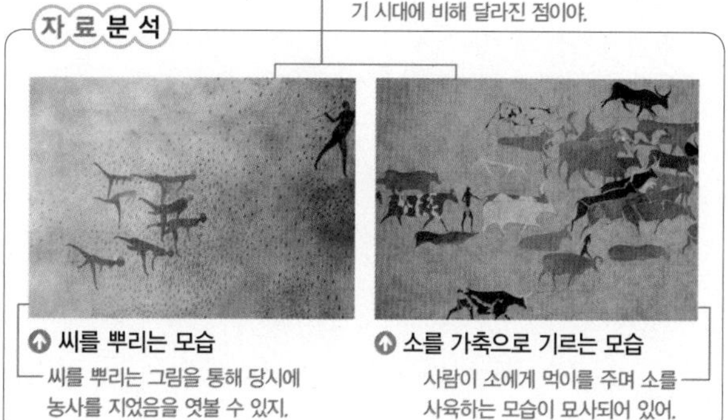

씨를 뿌리는 모습 — 씨를 뿌리는 그림을 통해 당시에 농사를 지었음을 엿볼 수 있지.

소를 가축으로 기르는 모습 — 사람이 소에게 먹이를 주며 소를 사육하는 모습이 묘사되어 있어.

제시된 자료는 신석기 시대와 관련이 있다. 신석기 시대에는 농경과 목축이 시작되면서 인류의 생활 모습이 크게 바뀌었다. 신석기 시대 사람들은 자연을 의도적으로 이용하여 식량을 '생산'하는 단계로 발전하였다. 이로써 생산력이 크게 향상되었고 인구가 증가하였다. 또한 사람들은 여러 곳으로 이동하는 대신 한곳에 정착하는 생활을 하였다.

바로 알기 ① 언어는 구석기 시대부터 사용되었다. ② 빙하기가 끝나고 지구의 기온이 올라가면서 신석기 시대가 시작되었다. ④ 신석기 시대에는 농경과 목축이 시작되면서 인구가 증가하였다. ⑤ 인류는 구석기 시대부터 직립 보행을 하였으며, 이에 힘입어 도구를 만들어 사용하였다.

02 문명의 발생

STEP 1 핵심 개념 확인하기 020쪽

1 ㄱ, ㄷ 2 (1) × (2) ○ 3 (1) 이집트 문명 (2) 메소포타미아 문명 (3) 중국 문명 4 (1) 내세 (2) 헤브라이인 (3) 인도 문명 5 봉건제

STEP 2 내신 만점 공략하기 020～022쪽

01 ① 02 ④ 03 ⑤ 04 ⑤ 05 ③ 06 ② 07 ④ 08 ③ 09 ④ 10 ③

01 4대 문명의 특징

지도에 표시된 고대 문명은 왼쪽부터 이집트 문명, 메소포타미아 문명, 인도 문명, 중국 문명이다. ㄱ. 이들 문명에서는 농경지가 확대되고 생산량이 증가하면서 도시가 발생하고 국가가 성립되었다. ㄴ. 지배 계급은 신에게 제사를 지내고 조세를 징수하였는데 이를 기록하기 위해 문자를 발명하였다.

바로 알기 ㄷ. 4대 문명은 청동기를 기반으로 성립되었다. ㄹ. 『베다』는 인도에서 브라만교의 경전으로 사용되었다.

02 메소포타미아 문명의 특징

지도는 메소포타미아 문명이 발생한 지역이고, 유적은 우르의 지구라트이다. 따라서 (가) 문명은 메소포타미아 문명임을 알 수 있다. ④ 메소포타미아 문명에서는 점토판에 쐐기 문자로 기록을 남겼는데, 이 문자는 서아시아 지역에 널리 퍼졌다.

바로 알기 ①은 이집트 문명, ②는 중국 주 왕조의 제도, ③은 아리아인의 인도 문명, ⑤는 드라비다인의 인도 문명과 관련이 있다.

03 함무라비 법전의 특징

제시된 자료는 함무라비 법전의 일부이다. 함무라비 법전은 바빌로니아 왕국의 함무라비왕이 집대성한 것으로, 가족 관계 및 소유 관계, 직업, 채무, 담보 등을 규정하고 있다. 함무라비 법전에서 형벌은 신분에 따라 차등적으로 적용되었고, 형법에는 보복적 성격이 반영되었다.

바로 알기 ① 함무라비 법전은 쐐기 문자로 기록되었다. 갑골문은 상 왕조에서 사용되었다. ② 브라만교에서는 『베다』가 경전으로 사용되었다. ③ 고대 이집트에서는 무덤에 미라와 함께 「사자의 서」를 넣기도 하였다. ④ 파라오는 이집트 문명과 관련이 있다.

04 이집트 문명의 문화유산

제시된 글은 사후 세계와 영혼 불멸을 믿었고 죽은 자의 미라를 만들었다는 내용을 통해 이집트 문명에 대한 설명임을 알 수 있다.

⑤ 이집트 문명 사람들은 사후 세계에 대한 안내서인 「사자의 서」를 만들어 무덤 속에 넣었다.

| 바로 알기 | ①은 중국 상 왕조, ②, ④는 메소포타미아 문명에서 남긴 문화유산이다. ③은 구석기 시대에 만들어졌다.

05 이집트 지역의 사회 모습

제시된 글에서 나일강이 주기적으로 범람하여 강 주변의 땅이 기름졌고, 그 땅에서 농사를 지은 내용을 통해 밑줄 친 '이 문명'은 이집트 문명임을 알 수 있다. 이집트 문명의 왕인 파라오는 종교적 권위를 바탕으로 절대 권력을 행사하였고, 농민은 피라미드와 같은 대형 건축물의 건설에 동원되었다.

| 바로 알기 | ① 인도 문명에서 브라만은 자연 현상을 신격화하는 종교 의식을 발전시켰다. ② 메소포타미아 문명에서는 점토판에 쐐기 문자로 기록을 남겼다. ④ 중국 주 왕조에서는 영토를 공신 등에게 나누어 주고 제후로 임명하는 봉건제를 시행하였다. ⑤ 중앙아시아에 있던 아리아인은 북인도의 펀자브 지방에 정착하였다.

06 인도 문명의 특징

자료분석

인장에는 상형 문자가 새겨져 있는데, 아직 해독되지는 않았어.

모헨조다로 유적에서 발견된 인물상이야. 모헨조다로 지역에 지배자가 있었는지 여부는 밝혀지지 않았지만, 이 인물상이 통치자나 제사장으로 추정되고 있어.

첫 번째 사진은 인장, 두 번째 사진은 인물상으로 모두 인도 문명의 계획도시였던 모헨조다로에서 발견된 것이다. 이곳 주민들은 청동기와 채도, 문자를 사용하였고 밀과 보리를 재배하였다. ② 인도 문명 사람들 중 일부는 메소포타미아 지역과의 해상 무역에 종사하였다.

| 바로 알기 | ① 바빌로니아 왕국의 함무라비왕이 함무라비 법전을 편찬하였다. ③ 메소포타미아 문명에서 지구라트를 세웠다. ④ 미라는 이집트 문명에서 제작되었다. ⑤ 중국 주 왕조의 왕은 천명사상을 토대로 절대적인 권력을 행사하였다.

07 아리아인의 이동이 인도 사회에 미친 영향

지도는 아리아인이 인도 지역에 이동한 경로를 나타낸 것이다. 아리아인들은 펀자브 지방을 정복한 후 갠지스강 유역까지 진출하였다. 갠지스강 유역은 농경이 어려웠지만 아리아인은 철제 농기구와 관개 사업으로 농업 생산력을 증대시켰고, 가부장적 사회를 이루며 소를 신성하게 여겼다. 또한 선주민을 지배하기 위해 엄격한 신분 제도인 카스트제를 확립하였다. 지배 계급인 브라만은 자신들의 특권을 유지하기 위해 브라만교를 성립시켰다.

| 바로 알기 | ④ 하라파 도시 문명은 아리아인이 인도 지역에 정착하기 전에 건설되었다.

완자 정리 노트 인도 문명의 발전

구분	인더스 문명	아리아인이 일군 문명
출현	인더스강 상류 지방에서 드라비다인이 건설한 것으로 추정	아리아인이 인더스강 유역에 정착 → 갠지스강 유역으로 진출
특징	계획도시 건설, 메소포타미아 지역과 교역, 청동기와 상형 문자 사용 등	철제 농기구 사용, 카스트제 확립, 브라만교 성립 등

08 상의 통치 체제

사진은 중국 상 왕조에서 제작된 갑골문이다. 상 왕조에서는 점을 쳐서 신의 뜻을 알고 이를 바탕으로 나라의 일을 결정하는 신권 정치를 펼쳤다. 점의 내용과 결과는 거북의 배딱지나 소의 어깨뼈에 기록하였는데, 이때 사용된 문자를 갑골문이라고 한다.

| 바로 알기 | ①, ④는 메소포타미아 문명, ②는 인도 문명과 관련이 있다. ⑤ 메소포타미아 지역에서 인도의 인장 등이 발견되어 두 지역의 교역을 짐작할 수 있다.

09 주 왕조의 발전

지도는 주의 세력 범위와 주의 수도를 나타낸 것이다. 주는 기원전 11세기경에 상을 멸망시키고 호경에 도읍을 정하였다. 주의 왕실은 천명사상으로 왕권을 강화하고 덕으로 백성을 감화하여 다스린다는 덕치주의를 내세웠다. 토지 제도는 정전제를 실시하였다.

| 바로 알기 | ④는 아리아인의 인도 문명과 관련이 있다. 아리아인은 선주민을 지배하기 위해 카스트제를 만들었다.

10 주 대 봉건제의 특징

제시된 자료는 왕이 제후에게 토지를 하사하고 제후가 조공과 군사적 의무를 지는 것을 통해 주의 봉건제에 대한 것임을 알 수 있다. ③ 주는 창장강 일대까지 세력을 확대하고 넓어진 영토를 효과적으로 다스리기 위해 봉건제를 시행하였다. 주의 봉건제는 종법제를 바탕으로 운영되었다.

| 바로 알기 | ① 『베다』는 아리아인들이 카스트제를 합리화하는 근거가 되었다. ② 함무라비 법전은 메소포타미아 지역의 바빌로니아 왕국에서 편찬되었다. ④ 주의 왕은 도읍과 직할지를 직접 다스렸다. ⑤는 유럽 봉건제의 특징이다. 주의 봉건제는 혈연관계를 기반으로 하였다.

서술형 문제

022쪽

01 주제: 4대 문명의 공통점

(1) (가) 이집트 문명, (나) 메소포타미아 문명, (다) 인도 문명, (라) 중국 문명

(2) 예시 답안 큰 강 유역에서 관개 농업이 대규모로 이루어지면서 농업 생산력이 증대하여 사유 재산의 개념이 생겼다. 또한 청동기의

사용으로 정복 활동이 활발해져 계급 분화가 촉진되고 영토가 확장되어 도시나 국가가 성립되었다. 도시 국가에서는 제사나 조세 징수 등을 기록하는 데 문자가 사용되었다.

채점 기준

상	4대 문명의 공통적인 특징(큰 강 유역의 관개 농업, 사유 재산 발생, 계급 분화, 도시 국가 성립, 문자 사용) 중 세 가지를 서술한 경우
중	4대 문명의 공통적인 특징 중 두 가지를 서술한 경우
하	4대 문명의 공통적인 특징을 한 가지만 서술한 경우

02 주제: 이집트 문명의 내세관

예시 답안 이집트 지역은 폐쇄적인 지형으로 이민족의 침입을 거의 받지 않아 오랫동안 통일 왕국을 유지하였기 때문에 현세의 삶이 내세까지 이어지기를 원하는 경향이 강하였다. 그리하여 이집트에서는 영혼 불멸과 사후 세계를 믿는 등 내세를 중시하는 관념이 형성되었다.

채점 기준

상	지형적 특징(폐쇄적인 지형)을 배경으로 언급하여 이집트 문명의 내세관을 서술한 경우
중	이집트 문명의 내세관만 서술한 경우
하	이집트 지역의 지형적 특징만 서술한 경우

03 주제: 상의 정치적 특징

예시 답안 상에서는 나라에 중요한 일이 있을 때 왕이 점을 쳐서 결정하였다. 이는 상에서 왕이 신과 인간 사이를 매개하는 신권 정치가 실시되었음을 보여 준다.

채점 기준

상	나라의 중요한 일이 있을 때 점을 쳐서 결정하는 신권 정치가 실시되었다고 서술한 경우
하	나라의 중요한 일이 있을 때 점을 쳐서 결정하였다고만 서술한 경우

STEP 3 1등급 정복하기 023쪽

1 ② 2 ①

1 메소포타미아 문명의 특징

「길가메시 서사시」에서는 인간이 현세에서 행복을 추구할 것을 강조하고 있다. ② 메소포타미아 지역은 개방적 지형으로 잦은 외침을 겪었는데, 이러한 과정에서 현세의 문제를 중시하는 종교관이 형성되었다.

바로 알기 ①은 이집트 문명과 관련된 내용이다. ③은 메소포타미아 문명에 대한 설명이지만 제시된 자료로 추론할 수 있는 내용이 아니다. ④ 메소포타미아 사람들은 다신교를 믿었다. ⑤ 메소포타미아 지역은 잦은 이민족의 침입으로 왕조가 자주 교체되었다.

2 주 왕조의 특징

자료 분석

> 이 왕조를 세운 무왕이 말하였다. "지금 상나라 주왕은 여인의 말만 듣고 스스로 하늘과 인연을 끊어 버렸다. 윤리를 어지럽히고 부모와 형제를 멀리하며 선조들의 음악 대신 음란하고 방탕한 음악을 즐기고, 간사한 자들을 등용하여 바른 소리를 하는 사람들을 괴롭히고 있다. 이에 나는 오직 하늘의 뜻을 받들어 그를 멸할 것이다." – 「사기」
>
> (무왕: 주 왕조를 세운 왕이야.)
> (나는 오직 하늘의 뜻을 받들어 그를 멸할 것이다: 주의 무왕이 상을 멸망시키고 주를 세운 것은 천명이라는 사상이 드러나 있어.)

밑줄 친 '이 왕조'는 주 왕조이다. 주 왕조에서는 왕이 수도 부근을 직접 다스리고 나머지 지역은 왕실의 친족과 공신을 제후로 삼아 이들에게 나누어 다스리도록 하는 봉건제를 실시하였다(ㄱ). 그리고 천명사상과 덕치주의를 내세워 통치하면서 왕의 권력을 합리화하였다(ㄴ).

바로 알기 ㄷ은 드라비다인의 인도 문명(인더스 문명), ㄹ은 메소포타미아 문명에서 있었던 사실이다.

대단원 실력 굳히기 026쪽~027쪽

01 ④ 02 ② 03 ④ 04 ① 05 ① 06 ③ 07 ②
08 ① 09 ②

01 세계사 학습의 목적

제시된 자료에서 독일과 프랑스는 공동 역사 교과서 출간을 통해 역사의 이해와 화해를 시도하고 있음을 알 수 있다. ㄴ. 공동 역사 교과서의 출간은 역사에 대한 이해와 성찰을 통해 현재의 문제를 해결하려는 노력에 해당한다. ㄹ. 공동 역사 교과서를 통해 다른 나라의 역사를 이해하고 존중하는 자세를 기를 수 있다.

바로 알기 ㄱ은 인류의 진화에 대한 학습을 통해 얻을 수 있는 효과로 자료의 내용과는 거리가 멀다. ㄷ. 세계사를 학습할 때는 국수주의적 태도를 버리고 상대주의적 관점을 갖추어야 한다.

02 인류의 진화와 특징

(가)는 현생 인류이고 신체 형질상의 특징을 갖추었다는 내용을 통해 호모 사피엔스임을 알 수 있다. (나)는 아프리카의 에티오피아에서 발견되었고 최초의 인류라는 내용을 통해 오스트랄로피테쿠스임을 알 수 있다. ② 현생 인류인 호모 사피엔스는 다산과 사냥의 성공, 풍요 등을 기원하면서 동굴 벽화를 남겼다.

바로 알기 ①은 호모 에렉투스, ③, ⑤는 신석기 시대, ④는 호모 네안데르탈렌시스와 관련이 있다.

03 구석기 시대의 특징

제시된 자료는 구석기 시대에 제작된 막집과 라스코 동굴 벽화이다. 구석기 시대 사람들은 주먹도끼, 찍개 등의 뗀석기를 사용하여 짐승과 물고기를 잡았다. 그리하여 먹을 것을 찾아 이동 생활을 하였으며, 사냥의 성공을 기원하는 동굴 벽화를 남겼다.

바로 알기 ①은 인도 문명, ②는 이집트 문명, ③은 신석기 시대, ⑤는 청동기 시대 이후에 해당하는 내용이다.

04 신석기 시대의 생활 모습

제시된 토기는 신석기 시대의 토기로, 밑줄 친 '이 시대'는 신석기 시대이다. ① 신석기 시대에는 뼈바늘과 베틀 등을 활용하여 옷을 만들어 입었다.

바로 알기 ②는 메소포타미아 문명, ③은 중국의 주 왕조, ④는 이집트 문명, ⑤는 청동기 시대와 관련이 있다.

05 이집트 문명의 문화

제시된 내용은 이집트 문명과 관련이 있다. 이집트 문명에서는 내세적 종교관이 형성되어 피라미드를 건립하고 시체를 미라로 만들었다. 나일강의 범람을 예측하는 과정에서 천문학이 발달하여 태양력을 만들었고, 상형 문자를 사용해 파피루스에 기록을 남겼다. 또한 강의 범람 후 경작지를 복원하거나 대형 건축물을 세우는 데 필요한 측량술과 기하학도 발달하였다.

바로 알기 ① 유대교는 헤브라이 왕국에서 창시된 유일신 신앙이다. 이집트 사람들은 태양신을 비롯하여 여러 신을 섬겼다.

06 이집트 문명과 메소포타미아 문명

(가)는 이집트 문명 사람들이 죽은 사람을 위해 만든 「사자의 서」이고, (나)는 메소포타미아에서 수메르인이 세운 왕조의 왕인 길가메시에 대한 서사시이다. 이집트 지역은 오랫동안 통일 왕국을 유지하여 내세를 중시하는 경향이 강하였고, 메소포타미아 지역은 잦은 외침으로 현세의 행복을 중시하는 경향이 강하였다. 이집트 지역에서는 10진법, 메소포타미아 지역에서는 60진법이 사용되었으며, 두 지역 모두 신권 정치가 실시되었다.

바로 알기 ③ 메소포타미아 지역에서 쐐기 문자가 사용되었고, 이집트 지역에서 상형 문자가 사용되었다.

완자 정리 노트 메소포타미아 문명과 이집트 문명

구분	메소포타미아 문명	이집트 문명
성립	티그리스강과 유프라테스강 사이의 지역(개방적 지형 → 잦은 외침을 받음)	나일강 유역(폐쇄적 지형 → 오랫동안 통일 왕국 유지)
정치	신권 정치	파라오의 신권 정치
종교	현세적 다신교	내세적 신앙, 다신교
문화	쐐기 문자 사용, 60진법과 태음력 사용, 점성술 발달	상형 문자 사용, 10진법과 태양력 사용, 기하학과 측량술 발달

07 메소포타미아 문명과 인도 문명

자료 분석

- ㉠ 거대한 반원 모양의 지역은 현재 이름이 없지만 '비옥한 초승달 지대'라 불러도 좋을 것이다. …… 서아시아의 역사는 '비옥한 초승달 지대'를 차지하기 위한 오랜 투쟁으로 묘사될 수 있다.
- 영국인 마셜에 의해 발굴된 ㉡ 이 지역의 유적은 파키스탄에 위치하며 기본적으로 벽돌로 세워진 계획도시였다. 하수도 시설을 두었고 인장, 손도끼, 각종 장신구, 동물 조각 등이 출토되었다.

(티그리스강과 유프라테스강 사이의 지역은 비옥하며 초승달 모양으로 생겼어.)

(오늘날 파키스탄에 위치한 모헨조다로와 하라파는 벽돌로 세워진 계획도시야.)

㉠은 메소포타미아 지역, ㉡은 인더스강 유역이다. ② 인더스강 유역에서 발생한 인도 문명은 메소포타미아 등 주변 지역과 긴밀히 교역하며 발전해 나갔다. 인도 상인들은 메소포타미아 지역에 곡식, 도자기, 세공품을 팔고 금속이나 보석류 등을 사 왔다.

바로 알기 ① 봉건제는 중국 주 대의 통치 체제이다. ③은 아리아인의 인도 문명, ④는 메소포타미아 문명, ⑤는 고대 바빌로니아 왕국과 관련된 내용이다.

08 브라만교의 성립과 발전

아리아인의 세력 확장 과정에서 종교가 탄생한 점, 주요 신이 자연 현상과 관련된 점 등을 통해 제시된 보고서가 브라만교와 관련된 것임을 알 수 있다. 아리아인은 인도 지방의 농경 문화에 적응해 가면서 자연 현상을 신성하게 여기고 다양한 신을 숭배하였다. 이 과정에서 『베다』를 경전으로 하는 브라만교가 성립되었다.

바로 알기 ②, ⑤ 헤브라이에서는 유일신 신앙인 유대교가 성립하였는데, 이는 크리스트교와 이슬람교에 영향을 주었다. ③ 메소포타미아 지역에서 지구라트를 세웠다. ④ 파라오는 이집트의 왕이다.

09 상과 주 왕조의 발전

(가)는 상, (나)는 주 왕조이다. ㄱ. 상에서는 주로 청동으로 무기와 제기를 만들고 석기와 나무로 농기구를 만들었다. ㄷ. 주 왕실은 하늘이 천하를 지배할 인물에게 권력을 맡긴다는 천명사상을 토대로 군주에게 절대적인 권력을 부여하였다. 이와 함께 덕으로 백성을 감화하여 다스린다는 덕치주의를 내세웠다.

바로 알기 ㄴ. 주 왕조에서 봉건제가 시행되었다. ㄹ. 이집트에서 왕을 태양신 '라'의 아들이자 살아 있는 신으로 여겼다.

Ⅱ. 동아시아 지역의 역사

01 춘추 전국 시대의 발전과 통일 제국의 등장

STEP 1 핵심 개념 확인하기 034쪽

1 춘추 전국 시대 2 (1) ㉣ (2) ㉠ (3) ㉢ (4) ㉡ 3 ㄴ, ㄷ, ㄹ
4 (1) ○ (2) × (3) ○ (4) × 5 ㉠ 장건, ㉡ 비단길

STEP 2 내신 만점 공략하기 034~037쪽

01 ③ 02 ③ 03 ① 04 ③ 05 ⑤ 06 ⑤ 07 ④
08 ② 09 ④ 10 ① 11 ③ 12 ④ 13 ⑤ 14 ⑤
15 ② 16 ①

01 춘추 전국 시대의 전개

지도는 춘추 전국 시대의 세력 범위를 나타낸 것이다. ③ 춘추 전국 시대에는 제후국이 부국강병을 위해 능력 있는 인재를 등용하면서 제자백가가 등장하였다. 제자백가들은 현실 문제를 해결할 다양한 정치사상을 제시하였다.

바로 알기 ①은 한, ②, ④, ⑤는 진 대에 있었던 일이다.

02 춘추 전국 시대의 사회와 경제

도전, 포전 등 여러 화폐가 유통된 (가) 시기는 춘추 전국 시대이다. 춘추 전국 시대에는 철제 농기구가 보급되고 우경이 시작되어 농업 생산력이 증가하였다. 또한 철제 무기의 도입으로 전쟁이 기병과 보병 중심으로 전개되어 일반 백성의 전쟁 참여가 늘어났다. 그 결과 백성의 사회적 지위가 향상되었다. 한편, 제후국들이 부국강병을 추구하며 국적과 신분에 상관없이 유능한 인재를 등용하면서 지식과 학문을 갖춘 사(士) 계층이 성장하였다.

바로 알기 ③ 호족은 한 대에 등장하였다.

03 춘추 전국 시대의 특징

주가 수도를 호경에서 낙읍으로 옮긴 이후부터 진이 중국을 통일하기 전까지의 시대를 춘추 전국 시대라고 한다. ① 춘추 전국 시대에는 유력한 제후가 주변 도시 국가를 통합하면서 도시 국가가 영토 국가로 발전하였다.

바로 알기 ② 황건적의 난은 후한 말에 일어났다. ③ 진 시황제는 사상 통일을 위하여 분서갱유를 단행하였다. ④ 한 대에 등장한 호족은 향거리 선제를 통해 중앙 관료로 진출하였다. ⑤ 갑골문을 이용한 신권 정치는 상 대에 실시되었다.

04 도가의 특징

'무위', '노자' 등을 통해 이 자료에 나타난 사상이 도가임을 알 수 있다. 도가는 인위적인 도덕이나 제도를 배격하고 무위자연을 주장하였다. 이후 도가는 중국인의 자연관과 회화, 시 등에 영향을 주었다.

바로 알기 ①, ② 유가의 공자는 인·예 중심의 도덕 정치를 주장하였고, 맹자와 순자가 이를 계승하였다. ④ 묵가는 신분보다 개인의 능력을 중시하였다. ⑤ 법가는 법·형벌에 의한 통치를 주장하여 제후들에게 환영받았다.

05 제자백가의 특징

ㄷ. 법가는 강력한 군주에 의한 법치주의를 내세웠으며, 법과 형벌로 사회 질서를 유지할 것을 주장하였다. ㄹ. 묵가는 검소한 생활을 중시하였다.

바로 알기 ㄱ. 차별 없는 사랑을 강조한 학파는 묵가이다. ㄴ. 가족 윤리를 바르게 하여 사회 문제를 바로잡으려 한 학파는 유가이다.

06 진의 통일 배경

진은 법가 사상가인 상앙이 실시한 변법의 성공으로 부국강병을 이룩하여 전국 시대의 7웅 중 최강국으로 발돋움하였다. 이후 진은 여섯 제후국을 차례로 무너뜨리고 중국을 최초로 통일하였다.

바로 알기 ①은 한 고조, ②, ④는 한 무제의 정책으로 진의 통일과는 관련이 없다. ③ 진의 시황제는 중국 통일 이후 중앙 집권을 강화하기 위해 전국적으로 도로망을 건설하였다.

07 진 시황제의 업적

자료분석

책을 모두 불태웠다고 하여 '분서'라고 해.

일반 백성들이 가지고 있는 서적 가운데 의학, 점복, 농업, 임업에 관계되는 것을 제외하고 모두 불태웠다. …… 국가의 명령을 거역하고, 황제를 비판하거나 국법을 어긴 460여 명을 수도 셴양에 산 채로 묻어 죽였다. – 「사기」

선비를 묻었다는 의미에서 '갱유'라고 하지.

밑줄 친 '황제'는 진 시황제이다. 시황제는 사상 통일을 위해 법가 이외의 사상이나 학문을 탄압하는 분서갱유를 단행하였다. 또한 지역 간 교류를 활발히 하고 경제적인 통일을 이루기 위해 화폐, 도량형, 문자를 통일하였다.

바로 알기 ① 진 시황제는 군현제를 실시하였다. ②는 신 왕망, ③, ⑤는 한 무제의 업적이다.

08 진의 특징

병마용 갱은 진 대에 건설된 진 시황릉에 딸린 유적이다. ② 진은 백성을 법가 사상에 따라 가혹하게 통치하였고 농민을 강제 동원한 대규모 토목 공사를 진행하여 백성의 반발을 초래하였다. 결국 시황제 사후 진승·오광의 난을 계기로 각지에서 농민 반란이 일어나 진이 멸망하였다.

| 바로 알기 | ① 주는 견융족의 침입을 받아 호경에서 낙읍으로 천도하였다. ③ 오수전은 한 대에 유통되었다. 진 대에 유통된 화폐는 반량전이다. ④ 비단길은 한 무제 시기 장건의 서역 원정을 계기로 개척되었다. ⑤ 한 대의 역사가 사마천이 최초로 기전체 방식의 역사서인 『사기』를 편찬하였다.

09 군국제와 군현제의 특징

(가)는 군국제, (나)는 군현제를 나타낸 것이다. ㄴ. 군국제는 봉건제와 군현제가 절충된 형태로, 도읍과 가까운 지역은 군현을 두어 황제가 직접 다스리고, 먼 지역은 황족이나 공신들을 제후로 봉하여 다스리게 한 제도이다. ㄹ. 군현제는 전국을 몇 개의 군과 현으로 나누고 중앙에서 관리를 파견하여 다스리게 한 제도로 강력한 황제 지배 체제의 확립에 기여하였다.

| 바로 알기 | ㄱ. 군국제는 한 고조가 실시한 제도이다. ㄷ은 봉건제에 대한 설명이다.

10 진 시황제와 한 무제의 공통점

진 시황제와 한 무제는 대내적으로는 군현제를 실시하는 등 중앙 집권 정책을 펴 황제 지배 체제를 확립하였다. 대외적으로는 북쪽의 유목 민족인 흉노를 공격하였다.

| 바로 알기 | ②는 한 무제에만 해당하는 내용이다. ③은 춘추 전국 시대 제후국에 대한 설명이다. ④, ⑤는 진 시황제에만 해당하는 내용이다.

완자 정리 노트 진 시황제와 한 무제의 업적

구분	진 시황제	한 무제
중앙 집권 정책	• 군현제 실시 • 전국에 도로망 건설 • 화폐·도량형·문자 통일	• 군현제 실시 • 유교를 통치 이념으로 채택
대외 정책	• 흉노 토벌 • 광둥 지방과 베트남 북부까지 영토 확장	• 흉노 제압 • 남월과 고조선을 정복하고 군현 설치

11 전한의 특징

첫 번째 글은 전한의 건국, 두 번째 글은 전한 멸망 후 신의 성립에 대한 내용이다. 따라서 두 사건 사이의 시기는 전한에 해당한다. ③ 전한의 무제는 흉노를 정벌하기 위한 동맹군을 얻기 위해 장건을 대월지에 파견하였다.

| 바로 알기 | ① 철제 무기는 춘추 전국 시대에 도입되었다. ② 후한은 장각이 주도하여 일으킨 황건적의 난을 계기로 멸망하였다. ④ 화폐가 반량전으로 통일된 것은 진 시황제 시기의 일이다. ⑤ 진 시황제는 정복 활동을 통해 광둥 지방과 베트남 북부까지 영토를 확장하였다.

12 한 무제의 정책

제시된 자료는 동중서가 상하 질서의 예법은 유가를 통해서 지킬 수 있다는 취지로 올린 건의문이다. 한 무제는 동중서의 의견을 받아들여 유교를 통치 이념으로 채택하였다. 이후 무제는 수도에 교육 기관인 태학을 설립하고 오경박사를 두어 유교를 보급하였다.

| 바로 알기 | ①은 진 시황제가 추진한 정책이다. ②는 한 무제의 대외 정책에 해당하지만 동중서의 건의문과는 관련이 없다. ③ 상앙이 주도한 변법은 중국 통일 이전에 진에서 실시되었다. ⑤는 한 고조가 실시한 군국제에 대한 설명이다.

13 호족의 특징

밑줄 친 '세력'은 호족이다. 한 대에는 토지의 사유화가 진전되어 대토지와 노비를 소유한 호족이 성장하였다. 호족은 지방관의 추천에 따라 관리를 등용하는 향거리선제를 통해 중앙 관료로 진출하여 중앙 정치를 주도하였다.

| 바로 알기 | ① 황건적의 난은 후한 말기에 장각이 태평도라는 종교를 세워 일으킨 농민 반란이다. ② 토지 국유화와 노비 매매 금지 등을 추진한 왕망의 개혁은 호족들의 반발로 실패하였다. ③은 주 대의 봉건제와 관련 있는 내용이다. ④ 진 대에 농민들은 만리장성, 아방궁 건설 등 대규모 토목 공사에 강제로 동원되었다.

14 한 대의 사회 모습

제시된 내용에 해당하는 책은 한 대의 역사가 사마천의 『사기』이다. 『사기』는 제왕의 전기인 본기, 제후국의 역사를 다룬 세가, 연표 형식의 표, 사회와 문화를 다룬 지, 영웅과 충신 등 다양한 인물의 전기를 기록한 열전으로 구성되었다. 사마천의 기전체 서술은 이후 중국 정사 서술의 모범이 되었다. ⑤ 한 대에는 정부가 호족을 견제하기 위해 토지 소유를 제한하는 법령을 공포하고 중농 억상책을 시행하였으나, 호족의 성장을 막을 수는 없었다.

| 바로 알기 | ① 도전, 포전은 춘추 전국 시대에 사용된 화폐이다. 한 대에는 국가에서 오수전을 주조하여 전국적으로 유통시켰다. ②, ④는 춘추 전국 시대, ③은 주 대의 사회 모습이다.

15 한 문화의 발달

지도의 (가) 영역을 차지한 왕조는 한이다. 유교를 통치 이념으로 채택한 한 무제는 수도에 태학을 설치하고 오경박사를 두어 유교를 보급하였다. 한 대에는 유교 경전을 해석하고 주석을 다는 훈고학이 유학의 주류를 형성하였다. 한편, 신선 사상이 유행하여 후한 말에는 태평도, 오두미도 등 민간 신앙으로 발전하였으며, 비단길을 통해 서역으로부터 불교가 전래되었다.

| 바로 알기 | ② 진 시황제는 사상 통일을 위해 법가 이외의 사상이나 학문을 탄압하는 분서갱유를 단행하였다.

16 장건의 활동

지도의 (나)는 장건이다. 한 무제는 흉노를 공격하는 과정에서 동맹군을 얻기 위해 장건을 대월지에 파견하였다. 장건의 동맹 시도는 실패하였지만 그가 다녀온 경로를 통해 비단길이 개척되었다.

| 바로 알기 | ② 제지술을 개량한 인물은 채윤이다. ③ 전국 시대를 통일한 인물은 진 시황제이다. ④ 철제 농기구는 춘추 전국 시대에 처음 도입되었다. ⑤ 장건은 대월지와의 동맹을 시도하였으나 실패하였다.

서술형 문제

037쪽

01 주제: 묵가의 특징

(1) 묵가

(2) 예시 답안 묵가는 차별 없는 사랑(겸애)을 강조하였고 평화를 주장하였다. 또한 신분보다 개인의 능력을 중시하였으며 검소한 생활을 강조하였다.

채점 기준

상	묵가의 특징(차별 없는 사랑 강조, 평화 추구, 신분보다 개인의 능력 중시, 검소한 생활 강조) 중 두 가지를 서술한 경우
하	묵가의 특징을 한 가지만 서술한 경우

02 주제: 진 시황제의 통일 정책

예시 답안 진 시황제는 제국 내에서 통일된 기준을 적용하여 지역 간 교류를 활발히 하고 경제적 통일을 이루기 위해 화폐, 도량형, 문자 등을 통일하였다.

채점 기준

상	지역 간 교류를 활발히 하고 경제적 통일을 이루기 위해서라고 서술한 경우
하	경제적 통일을 이루기 위해서라고만 서술한 경우

03 주제: 한 무제의 경제 정책

(1) 한 무제

(2) 예시 답안 한의 무제는 흉노 정벌을 비롯한 잦은 대외 원정으로 국가 재정이 어려워지자 통제 경제 정책을 실시하였다.

채점 기준

상	잦은 대외 원정으로 국가 재정이 부족해진 상황을 배경으로 실시하였다고 서술한 경우
하	국가 재정 부족 문제를 배경으로 실시하였다고만 서술한 경우

STEP 3 1등급 정복하기

038～039쪽

1 ③ 2 ④ 3 ② 4 ③

1 춘추 전국 시대의 사회 변화

춘추 전국 시대에는 철제 보습 등 철제 농기구가 보급되고 우경이 시작되어 농업 생산력이 크게 증가하였고, 이와 더불어 상공업이 발달하여 다양한 화폐가 유통되었다. 또한 철제 무기가 사용되면서 대규모 정복 전쟁이 자주 일어나 제후국 간의 전쟁이 치열해지자 각 나라의 지배자들은 군주권을 강화하고 부국강병을 이루기 위해 변법을 실시하였다. 이에 따라 각 제후국에서는 국적과 신분에 상관없이 능력 있는 인재를 관료로 등용하였다.

바로 알기 ① 중국을 통일한 진의 왕은 스스로 황제라 칭하고 중앙 집권 정책을 실시하여 황제 지배 체제를 수립하였다. ② 한의 무제가 유교를 통치 이념으로 채택하였다. ④는 왕망이 세운 신에 해당하는 내용이다. ⑤ 한 대에 토지의 사유화가 진전되어 대토지를 가진 호족이 등장하였다.

2 제자백가의 사상

(가)는 법가, (나)는 유가에 대한 설명이다. ㄴ. 동중서는 유가 사상을 정치 이념으로 발전시켜 한 무제에게 유교를 통치 이념으로 삼을 것을 건의하였다. ㄹ. 진 시황제는 법가 사상을 통치 이념으로 채택하였고, 한 무제는 동중서의 건의를 받아들여 유교를 통치 이념으로 삼았다.

바로 알기 ㄱ. 인위적 제도에 대한 배격을 주장한 것은 도가이다. ㄷ. 진 시황제는 분서갱유를 단행하여 법가 이외의 사상과 학문을 탄압하였다.

3 진의 특징

화폐를 반량전으로 통일한 점, 만리장성 축조를 시작한 점 등을 통해 제시된 자료가 진에 대한 신문 기사임을 알 수 있다. ② 진의 시황제는 중국 통일 이후 강력한 통일 정책을 추진하여 각 제후국에서 사용하던 다양한 문자를 전서체로 통일하였다.

바로 알기 ①, ③, ④는 한 대 이후, ⑤는 주 대에 볼 수 있었던 모습이다.

4 한 무제의 정책

자료 분석

> 돈과 곡식을 담당하는 관리는 소금과 철을 담당하는 관리의 말을 빌려 "산과 바다는 천지의 보고로서 모두 황실 재정을 담당하는 관청에 속하는 것이 마땅합니다. …… 사적으로 동전을 주조하거나 소금을 만들거나 하는 자는 벌로 왼발에 쇠로 된 족쇄를 채우고 기물을 몰수하는 것이 좋겠습니다."라고 황제에게 아뢰어 청하였다.
> └ 한 무제는 사적인 화폐 주조를 금지하였고, 소금을 국가에서 전매하였어.
> – 『사기』

밑줄 친 '황제'는 한 무제이다. 한 무제는 잦은 대외 원정으로 재정이 어려워지자 소금과 철의 전매제를 시행하여 재정을 확충하였고, 균수법과 평준법을 실시하여 물가를 조절하였다. 또한 국가에서 오수전을 주조하여 전국에 유통하였다.

바로 알기 ①은 한 고조, ②는 신 왕망과 관련된 탐구 활동이다. ④는 상, ⑤는 주와 관련된 탐구 활동이다.

완자 정리 노트 한 무제의 통제 경제 정책

전매제	국가가 소금, 철 등을 전매하여 수입 증대 도모
균수법	특정 물자가 풍부한 지역에서 그 물자를 세금으로 걷어 부족한 지역에 판매
평준법	각지에서 특정한 물자가 쌀 때 사들여 비쌀 때 방출
억상책	상인에게 무거운 세금 부과
화폐 관리	국가에서 오수전 주조, 개인의 화폐 주조 금지

02 위진 남북조 시대와 수·당 제국의 발전

STEP 1 핵심 개념 확인하기 044쪽

1 (1) 도교 (2) 청담 사상　2 (1) 과거제 (2) 안사의 난 (3) 수
3 ㉠ 균전제, ㉡ 조용조　4 (1) ㄴ (2) ㄱ (3) ㄷ　5 율령 체제

STEP 2 내신 만점 공략하기 044~047쪽

01 ②　02 ②　03 ①　04 ③　05 ①　06 ①　07 ④
08 ①　09 ③　10 ④　11 ⑤　12 ⑤　13 ②　14 ⑤
15 ④　16 ③

01 위진 남북조 시대의 전개

도표는 위진 남북조 시대의 왕조 변화를 나타낸 것으로, (가)는 5호 16국, (나)는 북위, (다)는 동진이다. ② 5호 16국은 만리장성 이남으로 이주한 흉노, 선비, 갈, 저, 강의 다섯 유목 민족이 번갈아 세운 16개의 나라들을 일컫는다.

바로 알기 ① 호한 융합 정책은 북위의 효문제가 실시하였다. ③은 동진, ④는 당에 대한 설명이다. ⑤ 대운하는 수 양제 때 완성되었다.

02 효문제의 정책

밑줄 친 '황제'가 북위의 황제인 점, 선비족의 복장과 언어를 금지한 점, 한족의 성을 사용하게 한 점 등을 통해 북위 효문제임을 알 수 있다. 효문제는 수도를 북쪽의 평성에서 한족의 기반이었던 뤄양으로 옮기고 한화 정책을 실시하였다. 그는 선비족에게 한족의 성을 사용하도록 하고 한족과의 결혼을 장려하였으며 선비족의 복장과 언어를 금지하였다. 한편 효문제는 자영농 육성을 위하여 균전제를 실시하여 농민들에게 토지를 분배하였다.

바로 알기 ①은 한 고조, ③은 한 무제, ④는 신 왕망에 대한 설명이다. ⑤ 대규모 군사를 동원한 고구려 원정은 수·당 대에 추진되었다.

03 9품중정제의 영향

제시된 글은 위진 남북조 시대에 실시된 관리 등용 제도인 9품중정제에 대한 설명이다. 추천으로 관리를 선발하는 9품중정제의 실시로 호족들이 중앙으로 진출하여 고위 관직을 독점하였다. 이들 유력 호족이 문벌 귀족으로 성장하여 문벌 귀족 사회가 형성되었다.

바로 알기 ② 당 대 공영달이 훈고학을 집대성하여 편찬한 『오경정의』가 과거 시험의 수험서로 쓰이자 유교 경전의 해석이 획일화되었다. ③ 진의 시황제는 사상을 통일하고 황제에 반대하는 세력을 억누르기 위해 법가 이외의 학문과 사상을 탄압하였다. ④ 한 대에 대토지를 소유한 호족이 등장하여 지역 사회를 지배하였다. ⑤ 춘추 전국 시대의 제후들이 부국강병을 위해 능력 있는 인재를 등용하면서 제자백가가 등장하였다.

04 위진 남북조 시대의 특징

죽림칠현은 위진 남북조 시대에 세속을 떠나 자연과 더불어 살며 인물과 철학을 논한 대표적인 인물들이다. ③ 위진 남북조 시대에는 혼란스러운 정치 상황을 반영하듯 노장사상과 청담 사상이 유행하였다.

바로 알기 ①은 진, ②, ④, ⑤는 당 대에 있었던 사실이다.

05 남북조 시대의 문화

남북조 시대에 남조에서는 노장사상과 청담 사상이 유행하였고, 귀족의 취향을 반영한 작품이 나왔다. 문학에서는 도연명의 「귀거래사」가 유명하였고, 회화에서는 고개지의 「여사잠도」가 유명하였다. 북조에서는 불교가 융성하여 윈강 석굴 사원, 룽먼 석굴 사원 등이 만들어졌다.

바로 알기 ②는 북조의 문화, ③, ④는 당의 문화, ⑤는 남조의 문화와 관련이 있다.

완자 정리 노트 남북조 시대의 문화

남조	귀족 중심의 화려하고 자유분방한 문화 발달, 노장사상과 청담 사상의 유행, 현실 도피적 경향, 도연명의 한시 「귀거래사」·고개지의 그림 「여사잠도」 유명
북조	유목 민족의 소박하고 강건한 문화 발달, 국가 주도의 불교 지원으로 불교 융성, 윈강·룽먼 석굴 사원 조성

06 수 문제의 정책

밑줄 친 '그'는 수 문제이다. 북주의 외척이었던 양견(문제)은 수를 건국하고 분열되어 있던 중국을 다시 통일하였다(589). ① 수 문제는 추천제인 9품중정제를 폐지하고 과거제를 도입하여 시험을 통해 관리를 선발하게 하였다.

바로 알기 ②는 한 무제, ③은 북위 효문제, ④는 당 현종, ⑤는 수 양제에 대한 설명이다.

07 수의 대운하 건설

자료 분석

수 양제는 대운하 건설을 위하여 당시 약 100만 명의 인원을 동원하였어.

대업 원년(605)에 황허 남쪽의 여러 군에서 남녀 백만여 명을 징발하여 통제거를 건설하게 하였다. …… 대업 4년(608)에 다시 황허 북쪽의 여러 군에서 남녀 백만여 명의 백성을 징발하여 영제거를 건설하게 하였다. － 「수서」

수 양제 때 건설된 운하야.

제시된 글은 수의 대운하 건설을 나타내고 있다. 수 양제는 화북과 강남을 잇는 대운하를 완성하였다. 대운하는 화북과 강남의 물자 교류를 원활히 하는 데 공헌하였으며, 중앙 집권 통치를 강화하는 데 도움을 주었다. 그러나 수는 대운하 건설 당시 약 100만 명의 인원을 동원하는 등 무리하게 공사를 진행하였고, 이는 수가 멸망하는 원인이 되었다.

| 바로 알기 | ① 북위에서는 효문제의 한화 정책에 반발하여 선비족이 반란을 일으켰다. ② 당 중기에 일어난 안사의 난을 계기로 절도사들이 세력을 강화하였다. ③ 동진 건국 이후 강남이 개발되어 창장강 유역에 벼농사가 보급되었다. ⑤ 남북조 시대에 북조에서는 한족의 문물을 수용하였고, 남조에서도 북방 민족의 풍습이 유행하여 한족 문화와 유목 민족의 문화가 융합되었다.

08 당의 특징

태종, 고종, 현종은 당의 황제이다. 당은 율령 체제를 바탕으로 중앙에 3성 6부를 두고, 지방에 주, 현을 편성하였다. 또한 균전제를 실시하여 농민에게 토지를 나누어 주었으며, 조용조와 부병제의 의무를 부과하여 국가 재정을 확보하고 군사력을 키웠다. 경제적으로는 화북 지방에서도 2년 3작이 가능해져 농업 생산력이 크게 늘었다. 한편, 당에서는 국제적인 문화가 발달하여 수도 장안에는 조로아스터교, 이슬람교 등 여러 종교의 사원들이 세워졌다.

| 바로 알기 | ① 위진 남북조 시대에 추천으로 관리를 선발하는 9품중정제가 실시되자 호족이 고위 관직을 독점하였다. 그리하여 호족이 문벌 귀족으로 성장하여 당 대에는 귀족이 고위 관직을 독점하고 특권을 누렸다.

09 안사의 난의 영향

제시된 설명에 해당하는 사건은 당 대에 일어난 안사의 난이다. 안사의 난은 안녹산과 그의 부하 사사명이 일으킨 반란이다. 현종 때부터 서서히 붕괴되던 당의 율령 체제는 안사의 난을 계기로 급격히 무너졌고, 중앙 정부의 힘이 약화된 틈을 타 절도사들이 지방에서 독자적인 세력을 확대하였다.

| 바로 알기 | ① 진승·오광의 난은 진 대에 일어난 사건이다. ②는 한 무제가 시행한 통제 경제 정책의 내용이다. ④ 안사의 난 전후 균전제가 흔들리면서 양세법과 모병제가 도입되었다. ⑤는 한 고조의 정책이다.

10 양세법의 시행

(가)는 양세법이다. 당 중기에 일어난 안사의 난 전후로 중앙 정부의 통치력이 약화되고, 귀족의 장원 소유가 늘어나 균전제가 무너졌다. 이에 따라 균전제를 기반으로 부과하던 조용조를 운영하기가 어려워져 재정난이 심화되자 당 정부는 양세법을 실시하였다. 양세법은 각종 세금을 호세와 지세로 정리하여 여름과 가을에 내도록 한 조세 제도로, 호구별로 자산 소유 정도에 따라 차등을 두어 세금을 거두었다.

| 바로 알기 | ㄱ, ㄷ. 당 전기에는 균전제를 시행하여 농민에게 토지를 나누어 주고 그 대가로 조용조의 세금을 징수하였다.

11 당 문화의 성격

「예빈도」는 당을 방문한 외국 사신들을 그린 그림으로, 북방 유목민, 비잔티움 제국의 사신 등이 그려져 있다. 대진 경교 유행 중국비에는 당 대에 외래 종교인 경교가 전파되어 유행하게 된 정황이 기록되어 있다. 이 자료들을 통해 당 대에 개방적이고 국제적인 성격의 문화가 발달하였음을 알 수 있다.

| 바로 알기 | ① 불교는 후한 대에 중국에 전래되었다. ②는 일본의 헤이안 시대, ③은 한반도와 일본의 고대 국가와 관련된 내용이다. ④ 동아시아 문화권은 당의 제도와 문화가 동아시아 각국에 전파된 결과 형성된 것으로 제시된 자료와는 관련이 없다.

12 당 대의 문화

당에서는 지배층인 귀족이 향유하는 문화가 발전하였다. 문학에서는 귀족의 취향에 맞는 시가 발달하였는데, 이백과 두보 등이 유명하였다. 글씨에서는 구양순과 안진경이 명필로 이름을 떨쳤다. 공예는 화려하고 이국적인 특색을 지닌 당삼채가 유행하였다.

| 바로 알기 | ①, ②는 한 대의 문화, ③, ④는 위진 남북조 시대의 문화에 대한 설명이다.

13 당 대의 사회 모습

(가) 왕조는 당이다. 당의 수도 장안에는 불교, 도교, 조로아스터교, 경교 등의 사원이 있었다. 여러 나라의 사신, 유학생, 유학승 등이 장안에 방문하였고, 유학생들은 외국인을 대상으로 한 과거 시험인 빈공과에 응시하기도 하였다. 한편 당 대에는 상업이 발달하여 일종의 약속 어음인 비전이 사용되었다. 그리고 대외 무역이 활발하게 이루어져 정부는 주요 무역항에 시박사를 두어 무역 활동을 감시하고 세금을 거두었다.

| 바로 알기 | ② 중정관이 지방 인재를 중앙에 추천하는 방식의 관리 등용 제도는 9품중정제로, 위진 남북조 시대에 실시되었다. 당 대에는 과거와 음서를 통해 관리를 등용하였다.

14 야마토 정권의 특징

일본에서는 4세기경 야마토 정권이 수립되었다. 6세기 말 야마토 정권의 실권을 잡은 쇼토쿠 태자는 중국과 한반도의 선진 문화를 받아들여 중앙 집권 체제를 강화하고 불교를 진흥하였다. 이때 아스카 지방을 중심으로 불교문화가 발전하였는데, 이를 아스카 문화라고 한다.

| 바로 알기 | ① 역사서인 『일본서기』는 나라 시대에 편찬되었다. ②, ③ 헤이안 시대에는 당의 문화를 일본 고유의 풍토와 관습에 조화시키려는 국풍 문화가 발달하였다. 그리하여 관복에 일본 고유의 특색이 반영되었고, 한자를 변형한 가나 문자가 만들어졌다. ④ 나라 시대의 수도였던 헤이조쿄는 당의 장안성을 모방하여 건설되었다.

15 헤이안 시대의 특징

가나 문자로 쓰인 『겐지 이야기』는 헤이안 시대(794 ~ 1185)에 저술된 작품이다. 헤이안 시대에는 견당사가 폐지되면서 당의 문화를 일본의 풍토와 관습에 조화시키려는 국풍 문화가 발달하였다. 그리하여 한자를 변형한 일본의 고유 문자인 가나 문자가 만들어졌으며, 주택, 관복 등에 일본적인 특색이 나타났다. ④ 헤이안 시대에는 율령 체제가 동요하여 귀족과 호족들이 장원을 확대해 나갔고, 자신의 토지를 지키기 위해 무사를 고용하였다.

| 바로 알기 | ① 헤이조쿄는 나라 시대의 수도이다. ② '일본' 국호는 7세기 말에 처음으로 사용되었다. ③ 고전 시가를 정리한 『만엽집』은 나라 시대에 편찬되었다. ⑤ 야마토 정권 시기에 다이카 개신이 단행되어 국왕 중심의 중앙 집권 체제가 정비되었다.

16 동아시아 문화권의 형성

동아시아 각국은 중국과 빈번하게 교류하여 중국의 제도와 문화를 받아들였다. 그리하여 동아시아 지역에서는 율령 체제, 유교, 불교, 한자를 공통의 문화 요소로 공유하는 동아시아 문화권이 형성되었다. 동아시아 국가들은 중국의 제도와 문화를 받아들이면서도 각국의 실정에 맞게 개편하여 운용하였다.

| 바로 알기 | ③ 청담 사상은 남북조 시대에 남조의 지식인들 사이에서 유행한 사상으로, 동아시아 문화권의 공통 요소가 아니다.

서술형 문제 047쪽

01 주제: 9품중정제의 실시

예시 답안 9품중정제, 추천을 통해 관리를 등용하는 9품중정제가 실시되자 호족 등 유력 가문의 자제가 중앙 관료로 진출하여 고위 관직을 독점하였다.

채점 기준

상	9품중정제의 명칭을 쓰고, 문제점을 모두 서술한 경우
중	9품중정제의 문제점만 서술한 경우
하	9품중정제의 명칭만 쓴 경우

02 주제: 당 대의 통치 체제

예시 답안 (가)는 부병제, (나)는 조용조이다. 당은 부병제를 실시하여 농민이 일정 기간 군인으로 복무하도록 하였으며, 조용조를 실시하여 농민에게 각종 세금을 부과하고 노동력을 징발하였다.

채점 기준

상	부병제, 조용조의 명칭을 쓰고, 운영 방식을 모두 서술한 경우
중	부병제, 조용조의 명칭을 쓰고, 운영 방식 중 한 가지만 서술한 경우
하	부병제, 조용조의 명칭만 쓴 경우

03 주제: 헤이안 시대의 문화

(1) 헤이안 시대

(2) 예시 답안 헤이안 시대에는 당의 문화를 일본의 풍토와 관습에 조화시키려는 국풍 문화가 발달하여 문화에 일본 고유의 특색이 반영되었다.

채점 기준

상	당의 문화를 일본 고유의 풍토와 관습에 조화시키려는 국풍 문화가 발달하였다고 서술한 경우
하	당의 문화를 일본 고유의 풍토와 관습에 조화시키려 했다고 서술한 경우

STEP 3 1등급 정복하기 048~049쪽

1 ② 2 ① 3 ② 4 ⑤

1 위진 남북조 시대의 사회 모습

자료는 위진 남북조 시대에 북위에서 조성된 윈강 석굴 사원에 대한 내용이다. ② 북위에서는 효문제가 한화 정책을 실시하여 한족의 성을 사용하도록 하였고, 선비족의 복장과 언어를 금지하였다.

| 바로 알기 | ① 대운하는 수 대에 처음으로 건설되었다. ③ 당 대에 조로아스터교 사원이 건립되었다. ④ 군사를 모집하여 급료를 지급하는 방식으로 운영된 모병제는 당 중기 이후에 실시되었다. ⑤ 당 대에 공영달이 편찬한 『오경정의』는 과거 시험의 수험서로 쓰였다.

2 양세법의 도입 배경

자료 분석

> 양염은 폐단을 걱정하여 황제에게 아뢰어 법을 만들어 조세 제도를 하나로 통일하였다. …… 빈부에 따라 징수액에 차이를 둔다. 자기 땅에 거주하지 않고 행상을 하는 자는 자신이 머무르고 있는 주현의 세금으로 판매액의 30분의 1을 내게 한다. 거주자의 세금은 여름, 가을에 징수한다. – 『신당서』

당 정부는 양세법을 실시하여 토지 및 자산 소유 정도에 따라 차등을 두어 세금을 거두었어.

세금을 여름과 가을에 내도록 하였어.

제시된 자료는 양세법에 대한 내용이다. 안사의 난을 계기로 당 정부의 권위가 크게 떨어졌고 귀족의 장원 소유가 늘어나면서 균전제가 무너졌다. 이러한 상황에서 대다수 농민이 소작농으로 전락하자 정부는 재정난을 해결하기 위해 양세법을 시행하였다.

| 바로 알기 | ②는 당 대의 농업 발달에 대한 내용으로, 양세법의 시행과는 관련이 없다. ③ 당 초기에 율령 체제에 따라 행정 조직이 정비되었다. ④ 화북과 강남을 연결하는 대운하는 수 대에 완성되었다. ⑤ 양세법은 균전제의 붕괴를 배경으로 실시되었다.

3 당 대의 문화 발전

녹색, 황색, 백색 등 세 가지 색의 유약을 사용하여 만든 도자기는 당 대에 만들어진 당삼채이다. 당삼채에는 주로 낙타, 서역 상인, 서역 악기 등이 표현되어 있다. ㄱ. 당 대에는 경교, 조로아스터교, 이슬람교 등 다양한 외래 종교가 들어왔고, 장안에는 이 종교들의 사원이 세워졌다. ㄷ. 당 대에는 현장과 의정 등의 승려들이 인도를 순례하고 불교 경전을 들여와 불교가 더욱 발전하였다.

| 바로 알기 | ㄴ, ㄹ은 위진 남북조 시대의 문화에 대한 설명이다.

4 나라 시대의 특징

당의 장안성을 본뜬 도시를 건설하여 수도로 삼은 점과 불교 사원인 도다이사를 세운 점 등을 통해 (가) 시대가 나라 시대임을 알 수 있다. ⑤ 나라 시대에는 역사책인 『고사기』와 『일본서기』, 고전 시가를 정리한 『만엽집』 등이 편찬되었다.

| 바로 알기 | ①, ③은 헤이안 시대, ②, ④는 야마토 정권에 대한 설명이다.

03 동아시아 세계의 발전

STEP 1 핵심 개념 확인하기 054쪽

1 (1) 아구다 (2) 왕안석 (3) 마르코 폴로 (4) 미나모토노 요리토모
2 (1) ㄹ (2) ㄷ (3) ㄱ (4) ㄴ 3 (1) 교초 (2) 대도 (3) 색목인 4 봉건제

STEP 2 내신 만점 공략하기 054~057쪽

01 ④ 02 ③ 03 ② 04 ③ 05 ② 06 ④ 07 ②
08 ① 09 ⑤ 10 ③ 11 ④ 12 ④ 13 ⑤ 14 ③
15 ④

01 송 태조의 정책

자료는 송 태조가 도입한 전시에 대한 것이다. 태조는 문치주의를 채택하여 절도사의 권한을 중앙으로 회수하고 중앙군인 금군을 강화하여 황제에 직속시켰다. 또한 과거제에 황제가 주관하는 전시를 도입하고 재상권을 축소하는 등 황제 독재 체제를 구축하였다.

바로 알기 ㄱ. 송 태조는 재상권을 축소하였다. ㄷ은 당 현종에 대한 설명이다.

02 왕안석의 개혁

국가 재정 수입을 확대하고 군사력을 강화하는 개혁을 추진한 점, 청묘법, 보갑법 등의 개혁안을 제시한 점을 통해 인터뷰의 주인공이 왕안석임을 알 수 있다. 송은 문치주의 정책을 채택하여 국방력이 약화되었고, 오랫동안 북방 민족과 전쟁을 벌이면서 막대한 비용을 소모하여 재정이 어려워졌다. 이에 왕안석은 재정 수입을 증대하고 군사력을 강화하여 부국강병을 이루고자 신법을 추진하였다. 그러나 지주와 대상인, 보수파 관료 등이 신법에 반대하였고, 신법당과 구법당 간의 당쟁이 일어나 신법은 실패하였다.

바로 알기 ③은 한 무제의 정책과 관련이 있다. 한 무제는 흉노 정벌을 비롯한 잦은 대외 원정으로 재정이 악화되자 통제 경제 정책을 실시하였다.

완자 정리 노트 왕안석의 신법

청묘법	농민에게 저렴한 이자로 돈을 빌려주는 제도
시역법	소상인에게 저렴한 이자로 자금을 빌려주는 제도
모역법	농민에게 요역 대신 돈을 내게 하고, 그 돈으로 정부가 실업자를 고용하여 노역을 대신하게 하는 제도
균수법	정부가 물품을 구입하고 다른 지역에 유통시켜 물가를 안정시키고 재정 확대를 꾀한 제도
보갑법	직업 군인 제도를 고쳐 병농 일치의 민병을 양성하는 제도
보마법	재산에 따라 백성에게 말을 사육하게 하고 전쟁 때 이를 징발하는 제도

03 남송의 성립

제시된 글은 금이 송에 침입하여 송의 수도 카이펑을 함락한 정강의 변에 대한 내용이다. ② 금의 침입으로 송은 화북 지역을 상실하였고, 임안(항저우)으로 천도하여 남송을 건국하였다.

바로 알기 ①은 위진 남북조 시대에 있었던 사실이다. ③ 송 건국 이전에 5대 10국 시대가 전개되었다. ④ 정강의 변은 왕안석이 신법을 실시한 이후의 일이다. ⑤ 아구다가 여진족을 통일하고 금을 건국하였다.

04 송 대 사대부의 특징

밑줄 친 '학자 관료층'은 사대부이다. 송 대에 지배층으로 성장한 사대부는 세습 특권에 의존하던 귀족과 달리 유교적 소양을 바탕으로 하여 관료로 등용되었다. 또한 이들은 지주층으로서 전호(소작농)을 지배하였다.

바로 알기 ①은 문벌 귀족에 대한 설명이다. ② 송 대에는 상인들이 동업 조합인 행을 결성하였고, 수공업자들이 동업 조합인 작을 결성하였다. ④ 사대부 계층은 경전 해석에 몰두하던 훈고학에서 벗어나 성리학을 사상적 기반으로 삼았다. ⑤는 절도사에 대한 설명이다.

05 송 대의 경제 발전

송 대에는 농업 기술의 발달로 농업 생산력이 크게 향상되어 강남의 생산력이 화북의 생산력을 앞지르게 되었다. 또한 가뭄에 강하고 단기간에 성장 가능한 참파 벼가 도입되어 1년에 2회 수확이 가능하였다. 상업도 발달하여 동전 주조량이 증가하였고, 나침반의 발명으로 원거리 해상 무역이 가능해졌다.

바로 알기 ② 교초는 원 대에 통용된 지폐이다. 송 대에는 교자, 회자 등의 지폐가 유통되었다.

완자 정리 노트 송 대의 경제 발전

농업	참파 벼 도입, 시비법·모내기법 확산, 창장강 하류 지역이 최대 곡창 지대로 성장, 강남 경제의 성장(화북의 경제력 능가)
상공업	석탄 사용 보편화, 동업 조합(행·작) 결성, 동전 주조량 증가, 교자·회자 등 지폐 유통
국제 교역	나침반 발명으로 해상 무역 발전, 주요 항구에 시박사를 설치하여 무역 관리

06 송 대의 사회 모습

제시된 그림은 북송의 화가 장택단이 그린 「청명상하도」로, 북송 대의 수도였던 카이펑의 발전된 모습을 보여 준다. ④ 송 대에는 상공업의 발달과 도시 성장을 배경으로 서민 문화가 발달하였다. 도시 곳곳에는 서민을 위한 오락 시설이었던 와자가 형성되었고, 와자의 극장에서는 송 대의 연극인 잡극이 공연되었다.

바로 알기 ① 몽골 제국은 제국 전역에 역참을 설치하여 통행증을 가진 사람이 말과 마차, 식량 및 숙소 등을 이용할 수 있도록 하였다. ② 라마교는 원 대에 황실과 귀족 사이에서 유행하였다. ③ 마르코 폴로는 원 대에 중국을 방문하였다. ⑤ 백련교도가 중심이 되어 일으킨 홍건적의 난은 원이 멸망하는 계기가 되었다.

07 송 대의 문화

송 대 북방 민족의 잦은 침입은 지식인들의 민족의식을 자극하여 역사서가 활발하게 편찬되는 계기가 되었다. 특히 사마광이 편찬한 『자치통감』은 연대순으로 역사를 기록하는 편년체 사서의 모범이 되었다.

| 바로 알기 | ① 훈고학은 진 시황제의 분서갱유로 없어진 유교 경전을 복원하는 과정에서 등장하였다. ③, ④는 위진 남북조 시대, ⑤는 당 대의 문화와 관련이 있다.

08 요의 발전

자료는 요에 대해 정리한 것이다. 야율아보기가 거란족을 통일하고 건국한 요는 발해를 멸망시키고 연운 16주를 차지하여 세력을 확장하였다. 요는 정복지를 효과적으로 다스리기 위해 이중 지배 체제를 채택하여 유목민은 거란 고유의 부족제인 북면관제로 다스리고 농경민은 남면관제로 다스렸다. 또한 부족의 고유문화를 지키기 위해 고유 문자인 거란 문자를 만들어 사용하였고, 『대장경』을 편찬하였다.

| 바로 알기 | ② 원은 공문서에 파스파 문자를 사용하였다. ③ 금의 침입으로 화북 지역을 상실한 송은 임안(항저우)으로 천도하여 남송을 건국하였다. ④ 쿠빌라이는 원을 건국한 후 남송과 대리를 멸망시키고 유목 민족 최초로 중국 전역을 지배하였다. ⑤는 금에 대한 설명이다. 요는 송과 연합한 금의 침입을 받아 멸망하였다.

09 금과 남송의 특징

지도의 (가)는 금, (나)는 남송이다. 금은 정강의 변을 일으켜 송의 수도 카이펑을 함락하고 송의 황제를 포로로 끌고 갔다. 금에 화북 지방을 빼앗긴 송은 임안(항저우)으로 천도하여 남송을 건국하였고, 금은 수도를 중도(베이징)로 옮기고 화북 지방을 지배하였다. ⑤ 금은 남송과 연합한 몽골의 공격을 받아 멸망하였고, 남송도 몽골의 침입으로 멸망하였다.

| 바로 알기 | ①은 요에 대한 설명이다. ②는 북위의 효문제에 대한 설명이다. 효문제는 선비족의 복장과 언어를 금지하고, 한족의 성을 사용하도록 하는 등 한화 정책을 실시하였다. ③은 금에 대한 설명이다. ④ 금은 유목민을 부족 고유의 군사 제도인 맹안 모극제로 다스리고, 정복지의 농경민은 주현제로 지배하는 이중 지배 체제를 실시하였다.

10 칭기즈 칸의 업적

제시된 인물은 테무친이다. 테무친은 분열되었던 몽골 부족을 통일하고 칭기즈 칸으로 추대되었다. 그는 사회·군사 조직인 천호제를 조직하고 이를 기반으로 정복 전쟁을 벌여 서하와 금을 공격하고 중앙아시아를 정복하였다.

| 바로 알기 | ① 송 태조 조광윤이 5대 10국을 통일하기 시작하여 송의 2대 황제인 태종 때 중국이 재통일되었다. ②, ④는 쿠빌라이에 대한 설명이다. 쿠빌라이는 수도를 대도로 옮기고 원을 건국하였고, 남송과 대리를 멸망시켜 유목 민족 최초로 중국 전역을 지배하였다. ⑤는 수 양제에 대한 설명이다.

11 원의 특징

자료분석

원은 광대한 제국을 원활하게 통치하기 위해 제국 전체에 일정한 거리마다 역참을 설치하였어.

> 여행자에게 이곳은 가장 안전하고 좋은 고장이다. …… 전국의 모든 역참에는 숙소가 있는데, 관리자가 서기와 함께 와서 투숙객의 이름을 등록하고 확인 도장을 찍은 다음 숙소 문을 잠근다. 관리자는 기병과 보병을 데리고 늘 머물러 있다. 전국의 모든 역참이 이렇게 하고 있다.
> – 이븐 바투타, 『여행기』

모로코 출신의 여행가인 이븐 바투타는 원 말에 중국을 방문하였어.

제시된 글은 이븐 바투타가 쓴 『여행기』의 일부로, 밑줄 친 '이곳'에 해당하는 왕조는 원이다. ① 원은 일본에 두 차례 침공하였으나 모두 실패하였다. ② 원은 민족 차별 정책을 실시하여 몽골 제일주의에 따라 중국을 통치하였다. ③ 원은 백련교도 중심의 홍건적의 난이 발발하여 쇠퇴하였다. 이후 명을 세운 주원장에 의해 북쪽으로 밀려났다. ⑤ 원은 대도에서 항저우까지 수로를 연결하여 대운하를 정비하였다.

| 바로 알기 | ④ 과거제에 전시가 도입된 것은 송 대의 일이다.

12 원 대 인구 구성

도표의 (가)는 색목인이다. 색목인은 중앙아시아, 서아시아, 유럽, 티베트 등지에서 온 외국 사람들을 의미한다. 원 대에 몽골인과 함께 지배층을 형성한 색목인은 상업과 회계에 밝아 재정 업무를 주로 담당하였다.

| 바로 알기 | ①은 남인, ②는 한인에 대한 설명이다. ③ 사대부는 대의명분과 화이론을 중시하는 성리학을 사상적 기반으로 삼았다. ⑤는 당 대 귀족에 대한 설명이다.

13 동서 문화의 교류

몽골 제국은 유라시아 지역을 거의 통합하여 동서 교통로를 안정적으로 확보하였고, 제국 곳곳에 역참을 설치하여 중앙과 지방 각지를 연결하였다. 이를 바탕으로 동서 문화 교류가 활발해지면서 인도, 서아시아, 유럽 등 각 지역의 상인과 학자들이 오가며 활동하였다. ⑤ 원의 학자 곽수경은 이슬람의 역법을 참고하여 수시력을 제작하였다.

| 바로 알기 | ① 윈강·룽먼 석굴은 위진 남북조 시대에 조성되었다. ②, ③, ④는 당 대의 동서 문화 교류와 관련된 사례이다.

14 몽골 제국의 문화

지도의 (가) 영역을 차지한 왕조는 원이다. 원 대에는 황실과 귀족을 중심으로 티베트 불교인 라마교가 유행하였다. 또한 서민 문화가 발달하여 『두아원』, 『서상기』, 『비파기』 등의 원곡이 유행하였다.

| 바로 알기 | ㄱ. 송 대에는 유학 연구가 심화되어 인간 심성과 우주의 원리를 탐구하는 성리학이 등장하였고, 주희가 이를 집대성하였다. ㄹ. 화약 무기, 활판 인쇄술, 나침반은 송 대에 발명되었고, 원 대에 이슬람 세계를 거쳐 유럽으로 전파되었다.

15 가마쿠라 막부의 특징

미나모토노 요리토모가 수립한 막부라는 점, 원의 침입을 받은 점, 정토종이 유행한 점, 송과의 사무역이 이루어진 점을 통해 발표 주제가 가마쿠라 막부에 대한 내용임을 알 수 있다. 가마쿠라 막부에서는 쇼군이 막부의 최고 지배자로서 군림하고 쇼군과 무사가 주군과 가신의 관계를 맺는 일본 특유의 봉건제가 시행되었다. 쇼군은 무사의 토지 지배권을 보장하고 무사에게 충성을 약속받았다.

바로 알기 ① 다이카 개신은 야마토 정권 시기에 단행되었다. ② 헤이안 시대에는 당의 문화를 일본 고유의 풍토와 관습에 조화시키려는 국풍 문화가 발달하였다. 그리하여 한자를 변형한 일본의 고유 문자인 가나 문자가 형성되었다. ③ 아스카 문화는 야마토 정권 시기에 발달하였다. ⑤ 나라 시대에 건설된 헤이조쿄는 당의 장안성을 모방하여 건설하였다는 특징이 있다.

서술형 문제

057쪽

01 주제: 송 대 사회의 특징

예시 답안 송 대에 열전 등재자와 재상 중 과거 출신자가 늘어나고 서민 출신의 과거 합격자가 크게 증가한 것으로 보아 송 대에는 가문보다 실력이 중시되었음을 알 수 있다.

채점 기준

상	그래프를 분석한 내용을 서술하고, 송 대에 가문보다 실력이 중시되었다는 점을 추론해 낸 경우
하	그래프를 분석한 내용만 서술한 경우

02 주제: 요, 금의 중국 지배

예시 답안 요, 금은 유목민은 부족제로 다스리고 정복지의 농경민은 주현제로 지배하는 이중 지배 체제를 실시하였다. 그리고 부족 고유의 문화를 보존하기 위해 고유 문자를 만들어 사용하였다.

채점 기준

상	이중 지배 체제 실시와 고유 문자 사용을 모두 서술한 경우
하	이중 지배 체제 실시와 고유 문자 사용 중 한 가지만 서술한 경우

03 주제: 몽골의 일본 침입

예시 답안 원이 일본을 침입하였을 때 태풍이 불어와 몽골군이 큰 피해를 입고 일본 원정에 실패하자 일본은 신의 가호를 받는 나라라는 신국 사상이 퍼졌다. 한편, 원 격퇴 과정에서 경제적인 피해를 입은 무사들이 막부에 반발하였고, 이 과정에서 봉건 질서가 동요하여 가마쿠라 막부가 쇠퇴하였다.

채점 기준

상	원의 일본 침입이 일본 사회에 미친 사상적, 정치적 영향을 모두 서술한 경우
하	원의 일본 침입이 일본 사회에 미친 사상적, 정치적 영향 중 한 가지만 서술한 경우

STEP 3 1등급 정복하기

058～059쪽

1 ② 2 ① 3 ① 4 ⑤

1 송 대의 과거제

송 태조는 과거 시험에 황제가 직접 주관하는 전시를 도입하여 과거 시험에 부정이 개입되는 것을 방지하고, 관료 지망생들로부터 황제에 대한 충성도를 높였다. 송 대에 전시가 도입된 결과 유학적 소양을 갖춘 학자들이 관료로 진출하여 학자 관료층인 사대부가 지배층을 형성하였다.

바로 알기 ① 전시의 도입으로 황제의 인사권은 강화된 반면 재상의 인사권은 축소되었다. ③ 송 대 과거제의 변화로 세습적 특권에 의존하던 문벌 귀족과 달리 유학적 소양을 갖춘 관료의 수가 증가하였다. ④ 공영달이 편찬한 『오경정의』는 당 대부터 과거 시험의 수험서 역할을 하였다. ⑤ 지방의 인재를 추천하는 중정관은 9품중정제가 시행된 위진 남북조 시대에 활동하였다.

2 송 대의 사회 모습

송 대에 도입된 참파 벼는 가뭄에 강하고 성장기가 짧아 한 해에 두 번 수확할 수 있었어.
자료 분석
이보게, 관리들이 보급하고 있는 참파 벼 종자에 대해 들었나? 가뭄에 매우 강한 종자라는군.
듣던 중 반가운 소식이구먼. 강남 지방의 쌀 생산량이 더욱 늘어나겠어.
송 대에는 창장강 하류 지역(강남 지방)이 최대 곡창 지대로 성장하였지.

제시된 대화는 참파 벼의 도입, 강남의 생산력 향상 등 송 대의 농업 발전에 대한 것이다. 송 대에는 활판 인쇄술이 발달하여 다양한 서적이 출판되었다. 그리고 사대부의 유학 연구가 심화되어 인간 심성과 우주 만물의 원리를 탐구하는 성리학이 발달하였다. 경제적으로는 지주 전호제가 확산되어 전호(소작농)의 수가 증가하였다. 문화적으로는 서민 문화가 발달하여 잡극, 구어체로 된 통속 문학, 구어체 노래 가사인 사(詞) 등이 유행하였다.

바로 알기 ① 목화 재배가 전국으로 확대된 것은 원 대의 일이다.

3 요, 금의 통치

(가)는 요, (나)는 금의 이중 지배 체제를 나타낸 것이다. 요는 유목민을 부족제인 북면관제로, 농경민을 주현제인 남면관제로 통치하였다. 금은 유목민을 부족제인 맹안 모극제로, 농경민을 주현제로 통치하였다. ① 요는 송과 전연의 맹약을 체결하여 송의 평화를 보장하는 대가로 송으로부터 세폐를 제공받았다.

| 바로 알기 | ② 금은 부족 고유의 문화를 보존하기 위하여 고유 문자인 여진 문자를 만들어 사용하였다. ③ 원은 몽골 제일주의를 채택하여 민족 차별 정책을 실시하였다. 상업과 회계에 밝은 색목인은 우대하여 주로 재정과 행정 업무를 담당하도록 하였다. 그러나 화북 지방의 한인과 남송 출신의 한족인 남인은 차별하였다. ④는 송, ⑤는 북위 효문제에 대한 설명이다.

4 동서 교류의 발달

원 대에는 역참제의 실시와 여러 민족의 종교와 문화에 관용적인 정책으로 동서 문화 교류가 활발하였다. ㄷ. 베네치아 상인 마르코 폴로는 원의 수도에서 머무른 후 귀국하여 『동방견문록』을 저술하였다. ㄹ. 원 대의 동서 교류 과정에서 중국의 화약 무기, 나침반, 인쇄술 등이 이슬람 세계를 통해 서양으로 전파되었다.

| 바로 알기 | ㄱ. 장건이 서역에 파견된 것은 한 무제 시기의 일이다. ㄴ. 채윤이 개량한 제지술은 8세기에 비단길을 통해 이슬람 세계로 전파되었다.

완자 정리 노트 동서 문화의 교류

인적 교류	• 카르피니: 교황의 사절단으로 몽골 제국 방문 • 마르코 폴로: 베네치아 상인, 『동방견문록』 저술 • 이븐 바투타: 모로코 출신 여행가, 『여행기』 저술 • 랍반 사우마: 훌라구 울루스의 사절단, 유럽 각지 순방
문화 교류	이슬람의 천문학·수학·대포 제작 기술 등이 중국에 전래됨, 곽수경이 이슬람의 역법을 참고하여 수시력 제작, 중국의 화약 무기·나침반·인쇄술이 이슬람 세계를 통해 서양에 전파됨

04 동아시아 세계의 변동

STEP 1 핵심 개념 확인하기 066쪽

1 (1) 영락제 (2) 강희제 (3) 건륭제　2 ㉠ 일조편법, ㉡ 지정은제
3 (1) 조닌 (2) 신사(층)　4 (1) ㄷ (2) ㄹ (3) ㄴ (4) ㄱ　5 산킨코타이

STEP 2 내신 만점 공략하기 066~069쪽

01 ④　02 ⑤　03 ③　04 ③　05 ②　06 ③　07 ④
08 ②　09 ④　10 ②　11 ⑤　12 ⑤　13 ④　14 ②
15 ④　16 ④

01 홍무제의 정책

제시된 자료에서 한족 왕조를 재건한 점, 원 말에 일어난 홍건적의 난을 수습하겠다는 점을 통해 명을 건국한 홍무제와 관련된 내용임을 알 수 있다. 홍무제는 유교 부흥을 위해 육유를 반포하고 과거제와 학교 제도를 정비하였다. 또한 성리학을 명의 통치 이념으로 채택하였다. 한편, 조세 대장 겸 호적 대장인 부역황책과 토지 대장인 어린도책을 제작하여 세금과 요역 부과 기준을 마련하였고, 관리의 수탈을 방지하기 위하여 농민이 조세 징수와 치안 유지를 담당하는 이갑제를 실시하였다.

| 바로 알기 | ④는 영락제의 정책이다. 영락제는 재상제 폐지를 보완하기 위해 황제를 보좌하는 내각 대학사를 설치하였다.

02 영락제의 정책

밑줄 친 '황제'는 영락제이다. 영락제는 자금성을 건설하고 베이징으로 천도하였으며, 화북과 강남을 연결하는 대운하를 정비하였다. 대외적으로는 몽골을 공격하고 베트남을 점령하였으며, 명의 국력을 과시하고 조공 질서를 확대하기 위해 환관 정화에게 대규모 항해를 추진하게 하였다.

| 바로 알기 | ①은 청의 옹정제, ②는 송의 신종, ③은 명의 홍무제, ④는 청의 강희제에 대한 설명이다.

03 장거정의 개혁

명은 중기 이후 몽골족과 왜구의 침략(북로남왜)을 막기 위한 노력을 전개하는 과정에서 재정이 악화되었다. 그리하여 장거정은 재정 문제 해결을 위해 전국적인 토지 조사를 실시하고 일조편법을 전국으로 확대 시행하는 등의 개혁을 실시하였다.

| 바로 알기 | ①은 당의 멸망 원인이다. ②는 원 말기에 재정 문제가 심화된 배경이다. ④는 장거정의 개혁 이후의 일이다. ⑤는 송 대 왕안석이 신법을 실시한 배경이다.

04 청의 한족 통치

제시된 자료는 변발을 명령하는 내용을 통해 청과 관련된 것임을 알 수 있다. 소수의 만주족이 세운 청은 다수의 한족을 효과적으로 다스리기 위해 강경책과 회유책을 병행하였다. 이에 따라 변발과 호복을 강요하고 문자의 옥을 통해 사상을 통제하는 한편, 유교 문화를 존중하고 과거제를 실시하였다. 또한 중요 관직에 만주족과 한족을 함께 임명한 만한 병용제를 실시하여 한족의 협조를 얻어 냈다.

바로 알기 ①은 원에 대한 설명이다. ② 칭기즈 칸이 천호제를 조직하였다. ④는 명, ⑤는 진에 대한 설명이다.

05 강희제의 업적

제시된 내용은 청 대 강희제의 업적이다. 강희제는 오삼계를 비롯한 한족 무장 세 명이 번 폐지에 대항하여 일으킨 삼번의 난을 진압하였고, 타이완의 반청 세력을 제압하여 나라를 안정시켰다. 또한 시베리아에 진출한 러시아와 네르친스크 조약을 체결하여 러시아와 청의 국경을 확정하였다.

바로 알기 ①, ⑤는 옹정제, ③은 홍타이지(태종), ④는 건륭제에 대한 탐구 활동이다.

06 신사층의 등장

밑줄 친 '이들'은 신사층이다. 신사층은 학위 소지자들로 명·청 시대에 향촌 사회를 지배하였다. 신사층은 요역을 면제받았고, 가벼운 형벌을 면하는 특권을 누렸다. 이들은 향촌에서 지방의 행정 질서를 유지하기 위한 활동을 전개하는 한편, 대토지를 소유하고 고리대를 경영하는 등 개인의 이익을 추구하였다.

바로 알기 ① 직용의 변은 직물 노동자들이 생존권 보장을 요구하며 일으킨 운동이다. ②는 문벌 귀족에 대한 설명이다. ④ 명·청 시대의 대상인 집단은 동업 조합인 공소, 동향 조직인 회관 등을 세워 이익을 도모하였다. ⑤는 한 대 호족에 대한 설명이다.

07 명·청 시대의 산업 발달

자료 분석

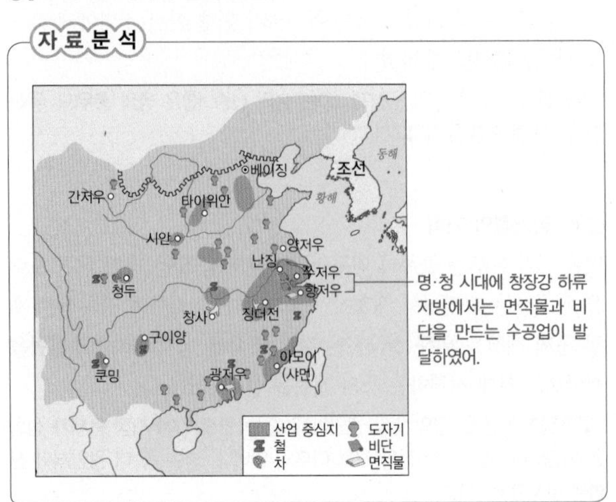

지도는 명·청 시대의 산업 발달을 나타낸 것이다. 명·청 시대에는 각지에서 목화와 차, 담배, 사탕수수 등의 상품 작물이 재배되었다. 이에 전국적으로 상품을 유통하는 산시 상인, 신안 상인 등 대상인 집단이 성장하였다. 또한 아메리카 대륙의 작물인 옥수수, 고구마, 감자 등이 도입되어 농업 생산량이 증대되었다.

바로 알기 ④는 송 대의 상공업자들에 대한 설명이다. 명·청 시대의 상인들은 동업 조합인 공소를 설립하였다.

08 청 대 인구 증가의 배경

자료 분석

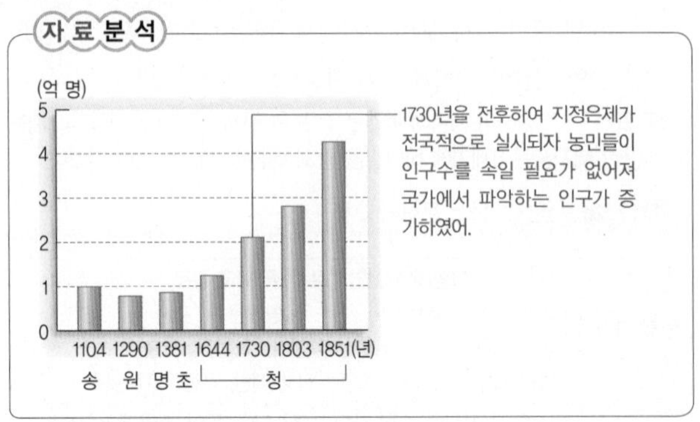

제시된 그래프를 통해 청 대에 인구가 급격하게 증가하였음을 알 수 있다. 청 대에 인구가 크게 증가한 이유는 농업 기술의 발전, 외래 작물의 도입 등으로 식량 생산이 늘어났고, 인두세를 토지세에 합쳐서 징수하는 지정은제가 시행되었기 때문이다.

바로 알기 ①, ④는 명 대에 시행된 일조편법과 관련이 있다. 장거정은 여러 항목의 세금을 인두세와 토지세로 통합하여 은으로 징수하는 일조편법을 전국으로 확대 시행하였다. ③ 균전제는 당 대에 붕괴되었다. ⑤ 양세법은 당 대 균전제의 붕괴로 조용조의 운영이 어려워지자 실시되었다.

09 청 대의 대외 교류

지도의 영역을 차지한 왕조는 청이다. 청 초기에는 해금 정책을 실시하였으나 타이완의 반청 세력을 진압한 이후 몇 개의 항구를 개항하여 해외 무역을 허용하였다. 그러나 18세기 후반 서양 상인들에게 해금을 강화하여 광저우 한 곳만 개항하고 공행을 설치하여 무역을 관리하였다. 한편, 18세기 이후 선교사들 사이에서 전례 문제가 발생하자 청은 크리스트교 포교를 전면 금지하여 서양과의 문화 교류가 중단되었다.

바로 알기 ㄱ. 명은 일본의 무로마치 막부와 감합 무역을 실시하였다. ㄷ. 명의 영락제는 국력을 과시하고 조공 체제를 확대하기 위해 정화에게 항해를 명령하였다. 정화의 항해 결과 명은 여러 나라와 새롭게 조공·책봉 관계를 맺게 되어 조공 체제가 확대되었다.

10 마테오 리치의 활동

제시된 지도는 마테오 리치가 제작한 「곤여만국전도」이다. 명 대에 중국에 들어온 예수회 선교사 마테오 리치는 「곤여만국전도」를 제작하여 중국인을 포함한 동아시아인의 세계관을 넓혀 주었다. 또한 마테오 리치는 『천주실의』를 저술하였고, 크리스트교로 개종한 명의 학자 서광계와 『기하원본』을 번역하여 유클리드의 기하학을 중국에 소개하였다.

| 바로 알기 | ① 『해체신서』는 에도 막부의 학자들이 번역하였다. ③은 원 대의 곽수경, ④는 명 대의 왕수인, ⑤는 원 대에 중국을 여행한 마르코 폴로에 대한 설명이다.

11 청 대 고증학의 발전

제시된 내용에 해당하는 학문은 고증학이다. 청 정부가 문자의 옥을 단행하며 한족의 사상을 통제하자 정치나 현실 문제와 거리를 두고 문헌에 근거하여 실증적으로 학문을 연구하는 고증학이 발전하였다. 청이 한족 지식인을 회유하기 위해 『고금도서집성』, 『사고전서』 간행 등 대규모 편찬 사업을 추진하면서 고증학 발전은 더욱 촉진되었다.

| 바로 알기 | ①은 양명학, ②, ③은 성리학에 대한 설명이다. ④는 공양학에 대한 설명이다. 공양학은 청 후기에 등장한 사상으로, 형식화된 고증학을 비판하면서 현실적인 개혁을 지향하였다.

완자 정리 노트 명·청 대의 학문

명	양명학	형식화된 성리학 비판, 심즉리와 지행합일 강조, 인간 평등 주장
	실학	실용과 국가의 경영에 관심을 기울일 것을 주장
청	고증학	문헌에 근거하여 실증적으로 학문 연구
	공양학	시대 변화에 따른 현실 인식 및 개혁 강조

12 청 대의 사회 모습

밑줄 친 '이 왕조'는 청이다. 청은 만주족과 몽골족 외에 다수의 한족과 다양한 소수 민족을 포함하는 다민족 제국을 건설하였다. ①, ② 청 대에는 서민 문화가 발전하여 경극이 대중오락으로 성행하였고, 『홍루몽』을 비롯한 구어체 소설이 유행하였다. ③ 팔기군은 누르하치가 조직한 군사·행정 조직으로, 처음에는 만주족으로만 구성되었으나 이후에는 몽골족과 한족도 팔기에 편성되었다. ④ 청은 한족 지식인의 반청 사상을 억압하기 위해 문자의 옥을 단행하고 반만주족 논조의 서적을 금서로 지정하였다.

| 바로 알기 | ⑤ 육유는 명의 홍무제가 유교를 부흥하기 위해 반포한 여섯 조항의 유교 지침이다.

13 서민 문화의 발달

명·청 시대에는 도시의 번영과 상공업 발전을 배경으로 서민의 지위가 향상되어 서민이 향유하는 문화가 발달하였다. 연극·경극이 유행하였으며, 구어체 소설인 『수호지』, 『서유기』, 『홍루몽』 등이 널리 읽혔다.

| 바로 알기 | ①, ②는 송 대 서민 문화, ③은 당 대 귀족 문화의 사례이다. ⑤ 송 대의 사대부 사마광이 편찬한 『자치통감』은 연대순으로 역사를 기록하는 편년체 사서의 모범이 되었다.

완자 정리 노트 서민 문화의 발달

송	와자 등 서민 오락 시설 발달, 잡극 유행, 구어체 문학 발달, 구어체 노래 가사인 사(詞) 유행
원	『서상기』·『비파기』·『두아원』 등 원곡(희곡) 유행, 구어체 소설 발달
명	연극 유행, 『삼국지연의』·『수호전』·『서유기』·『금병매』 등 구어체 소설 유행
청	연극 유행, 경극 발전, 『홍루몽』을 비롯한 구어체 소설 유행

14 무로마치 막부의 특징

첫 번째 기사 제목은 무로마치 막부의 개창, 두 번째 기사 제목은 무로마치 막부의 쇠퇴와 관련이 있다. 그러므로 (가)에는 무로마치 막부와 관련된 기사 제목이 들어가야 한다. ② 무로마치 막부는 명과 감합 무역을 실시하여 경제적 안정을 이루었다.

| 바로 알기 | ① 가마쿠라 막부는 두 차례 원의 침입을 막아 냈지만, 장기간의 항전 과정에서 무사가 몰락하고 봉건 질서가 동요하여 쇠퇴하였다. ③ 야마토 정권의 실권을 잡은 쇼토쿠 태자는 중앙 집권을 강화하고 불교를 진흥하였다. ④ 무로마치 막부가 쇼군의 후계자 다툼으로 쇠퇴하면서 약 100년간 다이묘들의 패권 쟁탈전이 전개되었다(전국 시대). 전국 시대를 통일한 도요토미 히데요시는 조선을 침략하여 임진왜란을 일으켰으나 실패하였다. ⑤ 에도 막부는 다이묘를 통제하기 위해 산킨코타이를 실시하였다.

15 에도 막부의 발전

제시된 자료는 일본의 전통 연극인 가부키에 대한 것으로, 가부키는 에도 막부 시기에 발달하였다. ① 에도 막부에서는 쇼군이 중앙과 지방의 직할지를 통치하고 다이묘에게 영지(번)를 하사하여 다스리게 하는 막번 체제가 성립되었다. ②, ③ 에도 막부 시대에는 산업이 발달하여 상공업자인 조닌 계층이 중산층으로 성장하였다. 이들은 가부나카마라는 동업 조합을 결성하였다. ⑤ 에도 막부에서는 1630년대 이후 쇄국 정책을 펼치면서도 나가사키 항을 통해 네덜란드인들과 교역하였다. 이 과정에서 서양의 학문과 기술이 유입되었는데, 이를 난학이라고 한다.

| 바로 알기 | ④ 가나 문자는 한자를 변형하여 만든 일본의 고유 문자로, 국풍 문화가 발달한 헤이안 시대에 제작되었다.

16 에도 막부의 사회 모습

도쿠가와 이에야스가 개창한 막부는 에도 막부이다. 에도 막부는 서양 상인들과 함께 선교사들이 들어와 크리스트교를 전파하자 통치의 기초를 다지기 위하여 크리스트교를 금지하고 사무역을 통제하였다. 다만 나가사키를 개방하여 네덜란드 상인과 중국 상인과의 교역은 허용하였다. ④ 데지마는 에도 막부가 나가사키에 건설한 인공 섬으로, 상인들은 이곳에서 네덜란드인들과 교역하였다.

| 바로 알기 | ①은 야마토 정권, ②, ③은 나라 시대와 관련이 있다. ⑤ 임진왜란은 전국 시대를 통일한 도요토미 히데요시가 일으켰다. 도요토미 히데요시 사후 도쿠가와 이에야스가 에도 막부를 개창하였다.

서술형 문제

069쪽

01 주제: 정화의 항해

예시 답안 영락제, 영락제는 명의 국력을 과시하고 조공 체제를 확대하기 위해 정화의 항해를 추진하였다.

채점 기준

상	영락제를 쓰고, 명의 국력 과시와 조공 체제 확대를 모두 서술한 경우
중	영락제를 쓰고, 명의 국력 과시와 조공 체제 확대 중 한 가지만 서술한 경우
하	영락제만 쓴 경우

02 주제: 지정은제의 시행

예시 답안 지정은제, 강희제가 1712년 이후 늘어나는 성년 남성에 대해 인두세를 거두지 않겠다고 선언함에 따라 인두세를 토지세에 병합하여 은으로 징수하는 지정은제가 실시되었다.

채점 기준

상	지정은제의 명칭과 그 내용을 서술한 경우
하	지정은제의 명칭만 쓴 경우

03 주제: 산킨코타이의 실시

예시 답안 에도 막부는 다이묘를 통제하기 위해 산킨코타이를 실시하였다. 산킨코타이 실시에 따라 다이묘가 왕래하여 에도를 중심으로 한 교통망이 발달하였고, 중앙과 지방 간의 문물 교류가 활성화되어 상업이 발달하였다.

채점 기준

상	산킨코타이의 실시 목적과 에도 막부의 경제에 미친 영향을 모두 서술한 경우
하	산킨코타이의 실시 목적과 에도 막부의 경제에 미친 영향 중 한 가지만 서술한 경우

STEP 3 1등급 정복하기

070~071쪽

1 ⑤ 2 ④ 3 ③ 4 ③

1 명의 쇠퇴

베이징의 자금성은 명의 영락제 때 건설되었다. 명은 중기 이후 북쪽의 몽골족과 남쪽의 왜구가 수시로 침략하자 군사비 지출이 늘어났고, 외부 위협을 막기 위한 만리장성 보수로 막대한 재정을 지출하였다. 장거정이 토지 조사를 실시하고 일조편법을 전국으로 확대하는 등 재정 개혁에 성공하였으나, 그의 사후 다시 재정난이 발생하였다. 이후 임진왜란 출병과 여진족과의 전쟁 등으로 재정 지출은 더욱 증가하였다.

바로 알기 ①, ② 원 후기에는 지배층의 사치로 재정이 악화되었고, 이를 해결하기 위해 교초를 남발하여 물가가 폭등하자 백성의 불만이 쌓여 갔다. 이러한 가운데 백련교도가 중심이 된 홍건적의 난이 일어나 원의 국력이 쇠퇴하였다. ③ 진은 농민을 동원하여 만리장성, 아방궁, 진 시황릉 건설 등 대규모 토목 공사를 진행하였다. ④ 송은 요, 서하 등 북방 민족과의 평화를 유지하기 위해 세폐를 제공하였다.

2 청의 발전

제시된 자료는 청이 한족을 회유하기 위해 시행한 만한 병용제에 대한 내용이다. 만한 병용제의 실시로 청의 주요 관직에는 만주족과 한족이 함께 임명되었다. 또한 청은 한족 지식인을 회유하기 위해 『고금도서집성』, 『사고전서』 간행 등 대규모 편찬 사업을 추진하였다.

바로 알기 ①, ②, ③은 명, ⑤는 요에 대한 탐구 활동이다.

3 명·청 시대의 경제

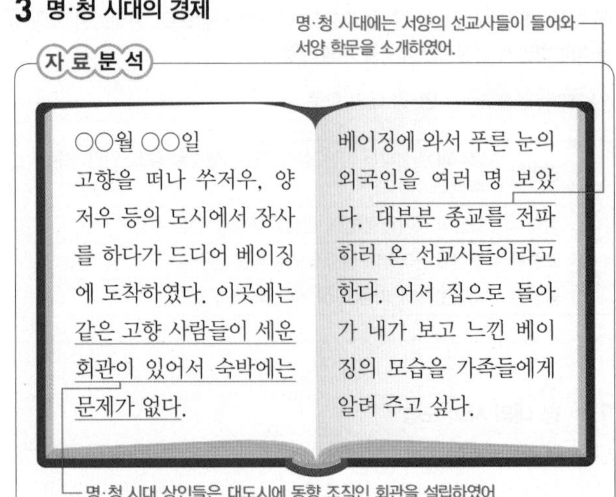

명·청 시대에는 서양의 선교사들이 들어와 서양 학문을 소개하였어.
자료분석
○○월 ○○일
고향을 떠나 쑤저우, 양저우 등의 도시에서 장사를 하다가 드디어 베이징에 도착하였다. 이곳에는 같은 고향 사람들이 세운 회관이 있어서 숙박에는 문제가 없다. 베이징에 와서 푸른 눈의 외국인을 여러 명 보았다. 대부분 종교를 전파하러 온 선교사들이라고 한다. 어서 집으로 돌아가 내가 보고 느낀 베이징의 모습을 가족들에게 알려 주고 싶다.
명·청 시대 상인들은 대도시에 동향 조직인 회관을 설립하였어.

제시된 가상 일기의 내용은 명·청 시대와 관련이 있다. ③ 명·청 시대에는 아메리카 대륙의 작물인 감자, 옥수수 등이 도입되어 농업 생산력이 증가하였다.

바로 알기 ①은 당, ②, ④, ⑤는 송 대의 경제에 대한 설명이다.

4 에도 막부의 발전

제시된 그림은 산킨코타이를 나타낸 것이다. 산킨코타이는 에도 막부가 다이묘를 통제하기 위해 실시한 제도로, 이에 따라 다이묘들은 격년 주기로 자신의 영지와 에도에 번갈아 머물러야 했다. 이 과정에서 비용이 많이 들었기 때문에 산킨코타이는 다이묘들에게 경제적인 부담이 되었다. ㄴ. 에도 막부에서는 상공업의 발달로 조닌층이 성장하여 가부키, 우키요에 등 조닌층이 주로 향유한 조닌 문화가 발전하였다. ㄷ. 에도 막부에서는 쇼군이 중앙과 지방의 직할지를 다스리고, 다이묘가 쇼군에게서 하사받은 영지(번)를 다스리는 중앙 집권적 봉건 체제인 막번 체제가 성립되었다.

바로 알기 ㄱ, ㄹ은 무로마치 막부에 대한 설명이다.

대단원 실력 굳히기 074~077쪽

01 ④	02 ②	03 ④	04 ①	05 ②	06 ④	07 ⑤
08 ①	09 ⑤	10 ④	11 ⑤	12 ②	13 ⑤	14 ⑤
15 ④	16 ①	17 ①	18 ②	19 ②	20 ①	21 ⑤

01 춘추 전국 시대의 사회

제시된 내용은 춘추 전국 시대의 정치적·경제적 특징을 정리한 것이다. 그러므로 (가)에는 춘추 전국 시대의 사회적 특징이 들어가야 한다. 춘추 전국 시대의 제후들은 국적이나 신분과 관계없이 유능한 인재를 관료로 등용하여 부국강병을 위한 변법을 실시하였다.

바로 알기 ①은 한, ②는 위진 남북조 시대, ③, ⑤는 명·청 시대의 사회적 특징에 해당한다.

02 법가의 특징

자료는 법가를 집대성한 한비자의 글이다. 상앙과 한비자 등의 법가 사상가들은 엄격한 법과 형벌에 따라 나라를 다스릴 것을 주장하였다. 진은 법가 사상가인 상앙을 등용하여 개혁을 추진하였고, 통일 이후에도 법가 사상을 통치 이념으로 삼았다.

바로 알기 ① 도가는 무위자연을 주장하여 정신적인 자유와 자연과의 조화를 강조하였다. ③ 묵가는 차별 없는 사랑을 의미하는 겸애를 주장하였다. ④ 동중서는 한 무제에게 유교를 통치 이념으로 삼을 것을 건의하였다. ⑤ 죽림칠현은 도가의 영향을 받았다.

03 진 시황제의 업적

밑줄 친 '왕'은 황제 칭호를 처음 사용한 내용을 통해 진의 시황제임을 알 수 있다. 중국을 통일한 진의 왕은 왕의 칭호를 '황제'로 바꾸고 자신을 스스로 시황제라 칭하였다. ④ 진 시황제는 중국 통일 이후 지역 간 교류를 활발하게 하고 경제적 통일을 이루기 위해 도량형을 통일하였다.

바로 알기 ① 과거제는 수 문제가 처음으로 시행하였다. ② 한 고조는 군현제와 봉건제를 절충한 군국제를 실시하였다. ③ 대운하는 수 양제가 완성하였다. ⑤ 한 무제는 잦은 대외 원정으로 재정이 악화되자 균수법과 평준법을 시행하여 물가를 안정시켰다.

04 진의 특징

유네스코 세계 유산인 만리장성은 북방 민족의 침입을 막기 위해 세운 방어용 성벽으로 명 대에 완성되었다. 만리장성은 진 대에 흉노의 침입을 막기 위해 처음으로 건설되기 시작하였으므로 (가) 왕조는 진이다. 진의 시황제는 지역 간의 유통을 활성화하기 위해 화폐·문자·도량형을 통일하였다. 그중 화폐는 반량전으로 통일하여 전국에 유통시켰다.

바로 알기 ② 수 대에 3성 6부 중심의 중앙 관제가 정비되었다. ③ 위진 남북조 시대에 진(晉)은 북방 민족인 5호의 침입을 계기로 강남으로 이주하여 동진을 건국하였다. ④ 한 대 사마천이 『사기』를 서술하여 기전체 방식의 역사서가 처음으로 등장하였다. ⑤ 불교는 후한 초에 전래되었다.

05 한의 특징

자료 분석

> 흉노는 우리나라의 신하로서 따르지 않고, 때때로 변경을 황폐하게 하고 있습니다. …… 돌아가신 선제는 변경의 백성이 오랫동안 흉노의 침략에 고통스러워하는 것을 불쌍히 여겨, …… 방위력의 증강에 전력했습니다. 그러나 그 결과 재정이 어려워져 소금, 철, 술의 전매 및 수출입 금지법을 시행하게 되었습니다. －『염철론』
>
> (선제: 한의 무제를 가리켜.)
> (무제는 잦은 대외 원정으로 재정이 악화되자 소금, 철 등을 전매하는 등 통제 경제 정책을 실시하였어.)

제시된 자료는 소금과 철의 전매에 대한 것으로, 이 정책을 시행한 왕조는 한이다. ② 한의 무제는 제후 세력을 제압하고 군현제를 전국적으로 실시하여 중앙 집권 체제를 확립하였다.

바로 알기 ① 중국을 최초로 통일한 왕조는 진(秦)이다. ③, ⑤는 송, ④는 당에 대한 설명이다.

06 위진 남북조 시대의 사회 모습

도연명의 「귀거래사」는 위진 남북조 시대에 저술된 작품으로, 당시 지식인들의 현실 도피적인 경향이 나타나 있다. ④ 위진 남북조 시대에는 중정관의 추천으로 관리를 선발하는 9품중정제가 실시되었다. 이 제도를 통해 호족들이 중앙에 진출하였고, 고위 관직을 독점하여 문벌 귀족으로 성장하였다.

바로 알기 ① 예수회 선교사는 명 말기부터 중국에 들어와 선교 활동을 전개하고 천문학, 지리학 등 서양 학문을 소개하였다. ② 원 대에 곽수경이 이슬람 역법을 참고하여 수시력을 만들었다. ③ 『자치통감』은 송 대 사마광이 편찬한 편년체 역사서이다. ⑤ 송 태조가 과거 시험의 마지막 단계에서 황제가 주관하는 전시를 처음으로 도입하였다.

07 위진 남북조 시대의 특징

후한 멸망 이후 위·촉·오의 삼국 시대로 분열된 시기부터 양견이 세운 수에 의해 중국이 재통일될 때까지를 위진 남북조 시대라고 한다. ① 위진 남북조 시대에는 태평도·오두미도에 전통적인 민간 신앙과 도가 사상이 결합하여 도교가 종교로 발전하였다. ② 관리 선발 제도인 9품중정제의 실시로 호족이 고위 관직을 세습하고 문벌 귀족으로 성장하였다. ③ 위진 남북조 시대에는 속세에서 벗어나 인물과 철학을 논하는 죽림칠현이 등장하였다. ④ 남북조 시대에 북위의 효문제가 한화 정책을 실시하였다.

바로 알기 ⑤ 절도사 안녹산이 일으킨 안사의 난은 당 대에 일어났다.

08 수의 멸망 원인

지도의 영제거, 통제거 등은 수 대에 건설된 운하이다. 수의 양제는 강남 지방과 화북 지방을 연결하는 대운하를 완성하였다. ① 수는 대운하 건설 등 대규모 토목 공사를 추진하였고, 무리하게 추진한 고구려 원정에 실패하였다. 이로 인해 각지에서 반란이 일어나 수는 멸망하였다.

| 바로 알기 | ② 청 대에 일어난 백련교의 난을 진압하는 과정에서 청의 재정이 소모되었고, 팔기군이 쇠퇴하여 국력이 약화되었다. ③ 진은 가혹한 통치와 대규모 토목 공사로 농민들의 반발을 사 진승·오광의 난을 비롯한 반란이 각지에서 일어나 멸망하였다. ④ 남송은 쿠빌라이가 이끄는 몽골군의 침입을 받아 멸망하였다. ⑤ 명은 이자성이 이끄는 농민군이 베이징을 점령하여 멸망하였다.

09 당의 특징

가상 일기의 내용 중 공영달이 훈고학을 집대성하여 『오경정의』를 편찬하였다는 내용을 통해 밑줄 친 '이 나라'가 당이라는 것을 알 수 있다. ⑤ 당 대에는 안사의 난 전후에 균전제가 붕괴되어 자산에 따라 세금을 부과하는 양세법이 실시되었다.

| 바로 알기 | ① 중국 최초의 정복 왕조는 거란족이 세운 요이다. ② 명은 몽골족과 왜구(북로남왜)의 침략을 받았다. ③ 명을 건국한 홍무제는 조세 겸 호적 대장인 부역황책과 토지 대장인 어린도책을 정비하여 조세와 요역을 징수하였다. ④ 한 무제는 개인의 사적인 화폐 주조를 금지하고, 국가에서 오수전을 주조하여 발행하였다.

10 당의 문화

장안을 수도로 삼은 점, 당 대 장안을 방문한 사신들을 그린 예빈도와 국제적인 문화가 발달한 점, 경교·조로아스터교 등이 전래되어 사원이 건립된 점 등을 통해 (가) 왕조가 당이라는 것을 알 수 있다. 당 대에는 귀족의 취향을 반영한 시가 발달하여 이백과 두보 등의 시인이 활동하였다. 승려 현장은 인도를 순례하여 불교 경전을 들여왔고, 순례 중에 보고 들은 것을 구술하여 『대당서역기』를 남겼다.

| 바로 알기 | ㄱ. 윈강 석굴 사원은 위진 남북조 시대에 조성되었다. ㄷ. 구어체 소설 『서유기』는 명 대에 간행되었다.

11 헤이안 시대의 문화

헤이안 시대에는 견당사 파견이 중지되었고, 중국의 문화를 일본의 풍토와 관습에 조화시키려는 국풍 문화가 발달하였다. 그리하여 한자를 변형한 일본의 고유 문자인 가나가 만들어졌으며, 주택, 관복 등에 일본적인 특색이 나타났다.

| 바로 알기 | ① 에도 막부 시기에는 도시 상공업자인 조닌이 주로 향유하는 가부키, 우키요에 등의 조닌 문화가 발달하였다. ② 야마토 정권은 중국에 견수사·견당사를 파견하여 문물을 수용하였고, 당으로부터 받아들인 율령을 기반으로 중앙 집권 체제를 정비하는 다이카 개신을 단행하였다. ③ 나라 시대에는 견당사·견신라사를 통해 선진 문물을 수용하였다. ④ 당의 제도와 문화가 동아시아 각국에 전파되어 율령 체제, 유교, 불교, 한자 등을 공유하는 동아시아 문화권이 형성되었다.

12 송의 발전

인간 심성과 우주의 원리를 탐구하는 성리학의 등장, 와자, 잡극 공연 등을 통해 제시된 신문이 송을 다루고 있음을 알 수 있다. 송 대에는 각종 학교의 증가, 전시의 시행 등으로 유교적 소양을 바탕으로 한 학자 관료층인 사대부가 성장하였다.

| 바로 알기 | ① 9품중정제는 위진 남북조 시대에 시행된 관리 등용 제도로, 수 문제가 폐지하였다. ③ 명 중기에 환관의 득세로 정치가 혼란해지고 국가 재정이 악화되자 이를 해결하기 위해 장거정이 개혁을 추진하였다. ④는 명에 대한 설명이다. ⑤ 명·청 시대에 상인들이 동향 조직인 회관과 동업 조합인 공소를 설립하였다.

13 요, 금의 특징

(가)는 요, (나)는 금이다. 정복 왕조인 요와 금은 정복지를 효과적으로 다스리기 위해 유목민과 농경민에게 각기 다른 행정 제도를 적용하는 이중 지배 체제를 실시하였다. 요는 유목민을 북면관제로, 농경민을 남면관제로 다스렸다. 금은 유목민을 맹안 모극제로, 농경민을 주현제로 다스렸다.

| 바로 알기 | ①은 원에 대한 설명이다. ② 요는 북송과 연합한 금의 공격을 받아 멸망하였다. ③은 요, ④는 청에 대한 설명이다.

완자 정리 노트 요, 금의 발전

구분	요	금
건국	야율아보기가 거란족을 통일하고 건국	아구다가 여진족을 통일하고 건국
통치	• 이중 지배 체제 채택(북면관제·남면관제) • 고유 문자 제작(거란 문자)	• 이중 지배 체제 채택(맹안 모극제·주현제) • 고유 문자 제작(여진 문자)
멸망	송과 연합한 금의 공격을 받아 멸망	남송과 연합한 몽골의 공격을 받아 멸망

14 원의 특징

베네치아 상인인 마르코 폴로는 원 대에 중국을 방문하여 칸의 환대 속에서 중국 각지를 여행하였다. 이후 그는 이탈리아로 돌아가 동방을 여행한 체험담을 기록한 『동방견문록』을 저술하였다. ① 원은 제국 전역에 역참을 설치하여 동서를 연결하는 육상 교역이 활발하게 이루어졌다. ② 황실과 귀족이 라마교를 믿으면서 원 대에 라마교가 융성하였다. ③ 원에서는 서민 문화가 발달하여 『서상기』, 『비파기』 등 도시민들이 즐기는 원곡이 유행하였다. ④ 원은 몽골 제일주의를 채택하여 몽골인들이 정책 결정권을 가졌고, 고위 관직을 독점하였다.

| 바로 알기 | ⑤ 황건적의 난을 계기로 멸망한 왕조는 한이다. 원은 백련교도가 중심이 되어 일으킨 홍건적의 난을 계기로 쇠퇴하였다.

15 이갑제의 실시

제시된 글은 명의 홍무제가 실시한 이갑제에 대한 설명이다. ④ 홍무제는 관리의 수탈을 줄이기 위해 농민이 직접 조세 징수와 치안 유지를 담당하게 하는 이갑제를 실시하였다.

| 바로 알기 | ①, ③ 균전제는 위진 남북조 시대부터 당 대까지 실시된 제도로 안사의 난을 전후하여 붕괴되었다. ② 이갑제는 명을 세운 홍무제가 도입한 제도로, 장거정의 개혁 이전에 실시되었다. ⑤ 남북을 연결하는 대운하는 수 대에 완성된 것으로, 이갑제의 실시와는 관련이 없다.

16 영락제의 정책

정화의 원정을 추진한 황제는 명의 영락제이다. 영락제는 정화의 원정을 통해 국력을 주변 국가에 과시하고, 여러 나라를 명 중심의 조공 체제로 포섭하여 조공 질서를 확대하고자 하였다. ① 영락제는 재상제 폐지를 보완하기 위해 내각 대학사를 설치하였다.

바로 알기 ②는 송의 태조, ③은 당의 현종, ④는 청의 옹정제, ⑤는 명의 홍무제에 대한 설명이다.

17 청의 한족 통치

청은 다수의 한족을 효과적으로 지배하기 위하여 강경책과 회유책을 적절하게 사용하였다. 청은 강경책으로 한족에게 변발과 호복을 강요하였고, 문자의 옥으로 반청 사상을 억압하였다. 한편, 유교 문화 존중, 과거제와 만한 병용제 실시, 대규모 편찬 사업 추진 등의 회유책을 병행하였다.

바로 알기 ①은 요에 대한 설명이다. 요는 이중 지배 체제를 실시하여 유목민은 북면관제, 농경민은 남면관제로 다스렸다.

18 일조편법의 시행

자료 분석

> 여러 항목의 세금을 토지세와 인두세로 통합하였어.
>
> 각 현(縣)의 토지세와 요역을 모두 합치고, 각 호의 토지와 성년 남자의 수에 따라 토지세와 요역을 할당하여 관청에 납부하도록 한다. …… 각종 잡다한 부담은 모두 합쳐 한 가지 조목(一條)으로 하여, 토지의 넓이에 따라 은으로 징수하여 관청에 바치도록 한다.
>
> 16세기 이후 중국에 은이 대량으로 유입되어 은으로 세금을 내는 방식이 확대되었지.
>
> -『명사』, 식화지

제시된 자료는 일조편법의 시행에 대한 것이다. 명 말기에는 잡다한 세금을 토지세와 인두세로 통합하여 은으로 납부하도록 한 일조편법이 시행되었다.

바로 알기 ① 백련교의 난은 청 말기에 일어난 반란으로 청의 국력이 약화되는 계기가 되었다. ③ 18세기 중엽 청은 서양 상인들에게 광저우의 항구만 개방하고, 공행을 통해서만 무역할 수 있도록 하였다. ④ 원 말기에는 지배층의 사치 등으로 인한 재정 적자를 해결하기 위해 지폐인 교초를 남발하여 물가가 상승하였다. ⑤ 당 중기 이후 장원이 늘어나 균전제가 무너지기 시작하였고, 안사의 난 전후로 균전제가 붕괴되었다.

19 청의 크리스트교 금지

청 대 선교사들 사이에서 중국의 전통인 조상에 대한 제사를 인정하는 문제를 두고 전례 문제가 발생하자 청은 선교사들의 포교 및 체류를 금지하였다. 이에 대부분의 선교사가 추방되면서 서양과의 문화 교류가 상당 기간 중지되었다.

바로 알기 ① 삼번의 난은 청 전기에 일어난 반란으로, 강희제가 진압하였다. ③ 명 대에 활동한 예수회 선교사 마테오 리치가 『천주실의』를 저술하여 크리스트교를 전파하였다. ④ 명 대 홍무제는 성리학을 통치 이념으로 삼고 관학으로 정립하였다. ⑤ 청의 강희제는 러시아와 네르친스크 조약을 맺어 국경을 확정하였다.

20 에도 막부의 특징

나가사키의 인공 섬인 데지마를 통해 교류한 점, 난학이 발달한 점을 통해 (가) 막부가 에도 막부임을 알 수 있다. 에도 막부 시대에 쇼군은 중앙과 지방의 직할지를 지배하였고, 지방의 다이묘들은 번이라고 불리는 영지에 대한 지배권을 인정받았다. 막부와 번으로 구성된 이 시기 일본의 지배 체제를 막번 체제라고 한다.

바로 알기 ② 야마토 정권 시기에는 아스카 지방을 중심으로 불교문화가 융성하였다. 이를 아스카 문화라고 한다. ③, ④ 가마쿠라 막부는 일본 최초의 무가 정권으로, 일본 특유의 봉건제를 수립하였다. 그러나 가마쿠라 막부는 13세기 후반 원이 두 차례 일본에 침략한 일을 계기로 쇠퇴하였다. ⑤ 에도 막부는 도쿠가와 이에야스가 개창하였다. 아시카가 다카우지는 무로마치 막부를 열었다.

21 에도 막부의 대외 교류

에도 막부는 초기에 일본인의 활발한 해외 진출을 배경으로 교역의 공신력을 높이고, 통제를 강화하기 위해 해외로 나가는 상인들에게 무역 허가증인 슈인장을 주어 무역을 진흥시켰다. 그러나 이후 에도 막부는 통치의 기초를 다지기 위해 크리스트교를 금지하고 사무역을 통제하는 쇄국 정책을 채택하였다. 다만, 예외적으로 나가사키를 개방하여 네덜란드 상인과 중국 상인과의 교역은 허용하였다. 이때 나가사키의 네덜란드인들을 통해 배운 서양의 의학, 천문학, 조선술과 같은 학문을 난학이라고 한다.

바로 알기 ㄱ. 헤이안 시대에는 야마토 정권 시기부터 파견하던 견당사 파견을 중지하고 국풍 문화를 발전시켰다. ㄴ. 무로마치 막부는 조공 무역인 감합 무역을 통해 명과 교류하여 경제적인 안정을 이루었다.

Ⅲ. 서아시아·인도 지역의 역사

01 고대 서아시아 제국과 이슬람 세계의 형성

STEP 1 핵심 개념 확인하기 084쪽

1 (1) ㄹ (2) ㄱ (3) ㄷ (4) ㄴ　2 (1) 이슬람교 (2) 조로아스터교
3 (1) ㉠ (2) ㉢ (3) ㉡　4 쿠란　5 (1) ○ (2) ○ (3) ×

STEP 2 내신 만점 공략하기 084~087쪽

01 ①　02 ②　03 ③　04 ④　05 ⑤　06 ③　07 ④
08 ①　09 ③　10 ④　11 ②　12 ①　13 ②　14 ④
15 ①

01 아시리아의 발전

제시된 대화에서 '철제 무기로 무장한 기병', '기원전 7세기경 서아시아 대부분을 통일', '피지배 민족에 대한 강압적인 통치' 등을 통해 (가) 왕조가 아시리아임을 알 수 있다. ① 아시리아는 정복지에 총독을 파견하여 중앙 집권을 강화하였다.

| 바로 알기 | ②는 바빌로니아 왕국, ③은 파르티아, ④는 이슬람 공동체, ⑤는 아케메네스 왕조 페르시아에 대한 설명이다.

02 아케메네스 왕조 페르시아의 발전

다리우스 1세는 왕의 명령을 빨리 전달하고 세금과 공물을 효율적으로 거두기 위해 '왕의 길'이라 불리는 도로와 역참제를 정비하였어.

자료 분석

아케메네스 왕조 페르시아는 다리우스 1세 때 이집트와 지중해 연안에서 인더스강에 이르는 대제국을 건설하여 전성기를 맞이하였어.

② 조로아스터교는 아케메네스 왕조 페르시아에서 다리우스 1세의 후원을 받아 널리 퍼졌다.

| 바로 알기 | ① 아케메네스 왕조 페르시아는 알렉산드로스에게 멸망하였다. ③ 아바스 왕조가 탈라스 전투에서 당의 군대를 물리쳤다. ④ 아케메네스 왕조 페르시아는 피지배 민족에게 관용 정책을 펼쳤다. ⑤ 사산 왕조 페르시아는 비잔티움 제국과의 지속된 전쟁으로 쇠퇴하였다.

03 아케메네스 왕조 페르시아의 정책

제시된 글의 '다리우스 1세', '페르세폴리스'는 모두 아케메네스 왕조 페르시아와 관련이 있다. 아케메네스 왕조 페르시아는 관용 정책을 펼치면서 국제적 문화를 이룩하였다. 전성기를 이룬 다리우스 1세는 '왕의 길'이라는 도로를 조성하고 '왕의 눈', '왕의 귀'라고 불리는 감찰관을 속주에 보내 총독을 감시하게 하였다. 그러나 그리스와의 전쟁에서 패배하고 총독의 반란이 일어나 쇠퇴하다가 기원전 4세기에 알렉산드로스의 침공을 받아 멸망하였다.

| 바로 알기 | ③ 아케메네스 왕조 페르시아는 그리스·페르시아 전쟁에서 패배하여 국력이 약화되었다.

04 사산 왕조 페르시아의 발전

제시된 글은 사산 왕조 페르시아에 대한 설명이다. 사산 왕조 페르시아는 지리적 이점으로 중계 무역이 발달하였으며, 이들의 공예 기술이 동아시아 지역까지 전파되었다. ④ 사산 왕조 페르시아는 비잔티움 제국과의 계속된 전쟁으로 쇠퇴하였다.

| 바로 알기 | ①은 아바스 왕조, ②는 아케메네스 왕조 페르시아, ③은 무함마드 시대, ⑤는 우마이야 왕조와 관련이 있다.

05 조로아스터교의 특징

빛과 선의 신 아후라 마즈다를 믿은 종교는 조로아스터교이다. ㄷ, ㄹ. 조로아스터교는 아케메네스 왕조 페르시아에서 다리우스 1세의 후원을 받아 널리 퍼졌으며, 이후 유대교와 크리스트교 등에 영향을 주었다.

| 바로 알기 | ㄱ, ㄴ은 브라만교와 관련된 설명이다.

06 아라비아 사회의 변화

비잔티움 제국과 사산 왕조 페르시아의 대립이 격화되자, 종래의 교통로를 이용하기 어려워진 아라비아 상인들은 새로운 교역로 개척하였어.

자료 분석

아라비아해와 홍해를 지나는 교역로가 주목받으면서 아라비아반도의 메카, 메디나 등의 도시가 번성하였지.

6~7세기경에 지도와 같이 교역로가 변화하면서 아라비아반도의 메카, 메디나 등이 번성하였다. 그러나 일부 귀족만 부를 독점하여 일반 민중은 빈곤한 생활에서 벗어나기 어려웠다.

| 바로 알기 | ① 파르티아는 3세기 초에 멸망하였다. ② 새로운 교역로가 개척되어 메카와 메디나가 번성하였다. ④ 마니교는 3세기 초 사산 왕조 페르시아에서 등장하였다. ⑤ 비잔티움 제국과 사산 왕조 페르시아의 대립은 새로운 교역로를 개척하는 배경이 되었다.

07 이슬람교의 성립과 발전

카바 신전은 이슬람교의 제1 성지이다. 따라서 밑줄 친 '이 종교'는 이슬람교이다. 무함마드가 정립한 이슬람교는 유일신 알라를 숭배하여 우상 숭배를 배격하고 신 앞의 인간 평등을 강조하여 민중의 지지를 얻었다. 이슬람교도는 『쿠란』에 나오는 다섯 가지 의무인 5행의 실천을 중시하였다.

바로 알기 ④ 이슬람교는 유대교와 크리스트교의 영향을 받았다.

08 정통 칼리프 시대의 특징

(가) 시대는 정통 칼리프 시대이다. 무함마드가 죽은 후 이슬람 공동체는 새로운 지도자로 칼리프를 선출하여 정치와 종교권을 맡겼는데, 이 시기를 정통 칼리프 시대라고 한다.

바로 알기 ② 아케메네스 왕조 페르시아에서 '왕의 길'을 건설하였다. ③은 정통 칼리프 시대 이전, ④는 아바스 왕조 시기, ⑤는 우마이야 왕조 시기에 있었던 일이다.

09 우마이야 왕조의 통치 방식

(나)는 우마이야 왕조이다. 제4대 칼리프인 알리가 살해된 이후 우마이야 가문에서 칼리프 자리를 세습하는 우마이야 왕조가 세워졌다. 우마이야 왕조는 수도인 다마스쿠스를 중심으로 하여 서쪽으로 이베리아반도까지 진출하였다. 그러나 아랍인을 우대하여 비아랍인의 반발을 초래하였고, 결국 아바스 가문이 시아파의 도움으로 우마이야 왕조를 멸망시켰다.

바로 알기 ① 시아파는 파티마 왕조를 건국하였다. ② 우마이야 왕조는 아바스 가문에 멸망하였다. ④, ⑤ 아케메네스 왕조 페르시아의 전성기를 이룬 다리우스 1세는 페르세폴리스를 수도로 건설하였다.

완자 정리 노트 우마이야 왕조와 아바스 왕조의 통치 방식

구분	우마이야 왕조	아바스 왕조
통치 방식	아랍인 우월주의 표방(시리아의 아랍인 중용)	모든 이슬람교도의 평등 표방(군인과 관료에 비아랍인 등용, 세금 제도에서 차별 철폐)
영향	비아랍인의 불만 초래 → 불만 세력이 아바스 왕조의 건립 지원	민족과 인종을 초월한 범이슬람 제국으로 발전, 여러 지역의 요소가 융합된 폭넓은 이슬람 문화 발전

10 우마이야 왕조의 수립

정통 칼리프 시대에 알리가 살해되자, 칼리프에 오른 무아위야는 우마이야 가문에서 칼리프 자리를 세습하도록 하여 우마이야 왕조를 세웠다(661). 우마이야 왕조는 다마스쿠스에 도읍을 정하고 인더스강에서 이베리아반도까지 영토를 확장하며 발전하였다. 그러나 아랍인 우대 정책으로 비아랍인의 불만을 초래하였고, 결국 아바스 가문이 우마이야 왕조를 멸망시키고 아바스 왕조를 세웠다. 따라서 제시된 글의 사건이 일어난 시기는 (라)이다.

11 아바스 왕조의 정책

제시된 글의 '탈라스 전투의 승리', '수도 바그다드' 등의 내용을 통해 발표 주제가 아바스 왕조와 관련이 있음을 알 수 있다. ② 아바스 왕조는 아랍인의 특권을 폐지하고 비아랍인 이슬람교도에게 세제상의 차별을 철폐하는 등 모든 이슬람교도의 평등을 내세웠다.

바로 알기 ① 헤지라는 아바스 왕조가 수립되기 이전인 622년에 단행되었다. ③ 우마이야 왕조 때 이슬람교가 시아파와 수니파로 분리되었다. ④ 페르세폴리스는 아케메네스 왕조 페르시아에서 건설하였다. ⑤ 정통 칼리프 시대에 이슬람 세력이 사산 왕조 페르시아를 정복하였다.

12 아바스 왕조의 발전

밑줄 친 '이 왕조'는 아바스 가문이 수립한 아바스 왕조이다. 아바스 왕조는 아바스 가문이 시아파와 비아랍인 불만 세력의 지원을 받아 건국하였으며, 13세기 중엽 몽골에 멸망하였다. ① 아바스 왕조는 새로운 수도로 바그다드를 건설하고 오늘날 이라크 지역을 중심으로 이슬람 제국을 건설하였다.

바로 알기 ② 그리스와 아케메네스 왕조 페르시아가 그리스·페르시아 전쟁을 벌였다. ③ 우마이야 왕조에서 우마이야 가문이 칼리프를 세습하였다. ④ 조로아스터교는 기원전 6세기경 조로아스터가 창시하였다. ⑤ 메디나에서 교세를 확장한 무함마드가 7세기 초에 아라비아반도의 대부분을 통일하였다.

13 이슬람 사회의 특징

제시된 글은 『쿠란』에 쓰인 글로 이슬람교에서 유일신을 믿었음을 보여 준다. 이슬람교도는 5행에 따라 일정한 시간마다 행하는 예배 의식과 성지 순례의 실천 등을 중시하였다. 5행은 『쿠란』에 명시된 것으로, 이슬람교도는 『쿠란』과 무함마드의 어록인 『하디스』에 따라 생활하였다. 이를 통해 신앙과 일상생활이 밀접하게 관련되어 있음을 파악할 수 있다.

바로 알기 ①은 조로아스터교와 관련이 있다. ③은 메소포타미아 문명에 대한 설명이다. ④ 이슬람교에서 사람과 동물을 그리거나 조각하는 것을 우상 숭배로 여겨 금지하였기 때문에 이슬람교도는 무함마드의 초상화를 그리지 않았다. ⑤ 이슬람교에서 상업 행위를 긍정적으로 여겼기 때문에 국가는 상인들의 활동을 지원하였다.

14 이슬람 문화의 발달

제시된 내용은 이슬람 세계의 문화 발달과 관련이 있다. 이슬람 사회에서는 동서 문화를 융합한 다채로운 문화가 발전하였고, 아랍어와 이슬람교를 중심으로 하는 이슬람 문화권이 형성되었다. 또한 이슬람교의 경전인 『쿠란』을 연구하는 과정에서 신학이 발달하였고, 여러 지역의 설화를 모은 『아라비안나이트』가 유행하였다. 이슬람 사원인 모스크는 둥근 지붕과 뾰족한 탑이 특징적이었으며, 사원의 벽면은 『쿠란』 구절과 아라베스크 등으로 장식되었다.

바로 알기 ④ 사산 왕조 페르시아에서는 동방에서 전해진 불교와 서방에서 전해진 크리스트교 등 외래 종교가 조로아스터교와 융합되어 마니교가 성립되었다.

15 이슬람 세계의 자연 과학 발달

제시된 글은 이슬람 세계의 문화 발달이 유럽 세계에 기여하였다는 내용을 담고 있다. 이러한 머리말이 담긴 보고서에는 이슬람 문화의 발전 모습과 이러한 문화가 유럽 세계에 전해진 내용이 들어갈 수 있다. 이슬람 사회에서는 페르시아와 인도의 영향을 받아 자연 과학이 크게 발달하였다. 수학에서는 인도 숫자 영(0)을 도입하여 아라비아 숫자를 완성하였으며, 천문학에서는 지구 구형설을 설명하고 태양력을 만들었다. 화학에서는 알칼리와 산의 구별법, 승화 작용 등을 발견하였다. 그리고 의학에서는 예방 의학과 외과 분야가 발달하였다.

바로 알기 ① 화약, 나침반, 제지법은 중국에서 발명되었다. 이슬람 세계는 이러한 중국의 문화를 유럽에 소개하여 유럽 세계의 문화 발달에 공헌하였다.

서술형 문제

087쪽

01 주제: 아시리아와 아케메네스 왕조 페르시아의 통치 방식

예시 답안 아시리아는 피지배 민족을 강압적으로 다스려 이에 대한 반란이 일어나 멸망하였다. 반면, 아케메네스 왕조 페르시아는 피지배 민족에게 관용 정책을 펼침으로써 국내 정치를 안정시켜 약 200년간 통일과 번영을 누렸다.

채점 기준

상	아시리아와 아케메네스 왕조 페르시아의 정책을 언급하고 그 영향을 비교하여 서술한 경우
중	아시리아와 아케메네스 왕조의 정책이 미친 영향만 서술한 경우
하	아시리아와 아케메네스 왕조 페르시아의 정책만 비교한 경우

02 주제: 페르시아 문화의 특징

예시 답안 페르시아는 여러 민족의 기술과 문화를 흡수하여 국제적인 문화를 발전시켰다. 이러한 국제성이 강한 페르시아 문화는 동서 세계에도 영향을 주었는데, 유럽과 이슬람 세계 그리고 중국과 우리나라를 비롯한 동아시아까지 전파되었다.

채점 기준

상	국제적 문화가 발달하였고, 여러 지역으로 문화가 전파되었음을 모두 서술한 경우
하	국제적 문화 발달, 문화 전파 내용 중 일부만 서술한 경우

03 주제: 이슬람 사회의 특징

예시 답안 이슬람 사회는 이슬람교의 경전인 『쿠란』의 가르침이 일상을 지배하는 종교 중심의 사회였다.

채점 기준

상	『쿠란』이 일상생활을 지배하는 종교 중심의 사회임을 서술한 경우
하	『쿠란』의 일상생활 지배, 종교 중심의 사회 중 한 가지만 서술한 경우

STEP 3 1등급 정복하기

088~089쪽

1 ④ 2 ② 3 ③ 4 ⑤

1 아케메네스 왕조 페르시아의 발전

첫 번째 글은 다리우스 1세 때 건립된 '왕의 길'에 대한 것이고, 두 번째 글은 아케메네스 왕조 페르시아의 전성기를 이끈 다리우스 1세의 전승 기념문이다. ㄴ. 다리우스 1세는 속주에 총독을 파견하고, '왕의 귀', '왕의 눈'으로 불리는 감찰관을 보내 총독을 감독하게 하였다. ㄹ. 아케메네스 왕조 페르시아의 왕들은 피정복민의 전통과 신앙을 존중하는 관용 정책을 펼쳤다.

바로 알기 ㄱ. 중국의 명과 일본의 무로마치 막부가 감합 무역을 하였다. ㄷ. 622년 무함마드는 메카의 보수적인 귀족층의 박해를 피해 이슬람교도와 함께 메디나로 피신하였다.

2 사산 왕조 페르시아의 발전

3세기 초 페르시아의 부흥을 꾀하며 성립하였고, 공예 기술과 중계 무역이 발달한 왕조는 사산 왕조 페르시아이다. ② 사산 왕조 페르시아는 조로아스터교를 국교로 삼았다.

바로 알기 ①, ⑤는 아케메네스 왕조 페르시아, ③은 아바스 왕조, ④는 후우마이야 왕조에 대한 설명이다.

3 정통 칼리프 시대의 특징

왼쪽 글은 무함마드 시대의 헤지라, 오른쪽 글은 우마이야 왕조의 성립과 관련이 있다. 따라서 두 사건 사이의 시기는 정통 칼리프 시대(632 ~ 661)에 해당한다. 이 시기에 이슬람 세력은 시리아와 이집트를 정복하고 사산 왕조 페르시아를 멸망시켜 대제국을 건설하였다.

바로 알기 ①은 우마이야 왕조가 성립된 이후의 일이다. ② 파티마 왕조는 10세기 초에 건국되었다. ④, ⑤ 아바스 왕조는 모든 이슬람교도의 평등을 내세워 범이슬람 제국으로 발전하였다.

4 아바스 왕조의 발전

자료 분석

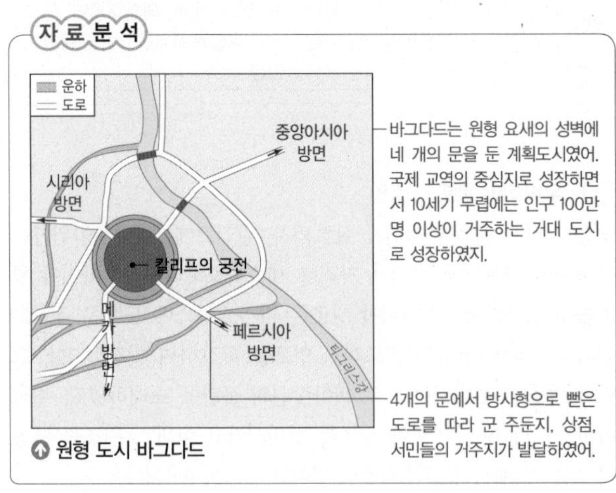

운하
도로
중앙아시아 방면
시리아 방면
칼리프의 궁전
메카 방면
페르시아 방면
티그리스강
바그다드는 원형 요새의 성벽에 네 개의 문을 둔 계획도시였어. 국제 교역의 중심지로 성장하면서 10세기 무렵에는 인구 100만 명 이상이 거주하는 거대 도시로 성장하였지.
4개의 문에서 방사형으로 뻗은 도로를 따라 군 주둔지, 상점, 서민들의 거주지가 발달하였어.

⊙ 원형 도시 바그다드

제시된 자료는 아바스 왕조의 수도였던 바그다드와 관련이 있다. 따라서 밑줄 친 '이 왕조'는 아바스 왕조이다. 아바스 왕조는 모든 이슬람교도의 평등을 내세우며 아랍인과 비아랍인 이슬람교도의 조화로운 융합을 꾀하였다. 그 결과 아랍, 시리아, 페르시아적인 요소들이 융합된 다채로운 문화가 발전하였다. 또한 아바스 왕조는 탈라스 전투에서 승리하고 동서 교역로를 장악하여 경제적으로도 번영하였다. 그러나 이민족의 잦은 침입으로 쇠퇴하다가 13세기 몽골 세력의 침략을 받아 멸망하였다.

바로 알기 ⑤ 우마이야 왕조 때 이슬람교가 시아파와 수니파로 분리되었다.

02 이슬람 세계의 팽창

STEP 1 핵심 개념 확인하기 094쪽

1 (1) ㉠ (2) ㉢ (3) ㉡ 2 (1) 아바스 1세 (2) 셀주크 튀르크
3 메흐메트 2세 4 (1) ㄴ (2) ㄷ (3) ㄱ 5 (1) × (2) × (3) ○

STEP 2 내신 만점 공략하기 094~096쪽

01 ③ 02 ② 03 ⑤ 04 ③ 05 ⑤ 06 ④ 07 ①
08 ① 09 ④ 10 ⑤

01 셀주크 튀르크의 발전

제시된 내용은 모두 10세기 중반에 성립된 셀주크 튀르크와 관련이 있다. 따라서 (가)에는 셀주크 튀르크와 관련된 주제가 들어가야 한다. 셀주크 튀르크는 예루살렘을 비롯한 소아시아 지역으로 세력을 확대하여 비잔티움 제국과 대립하였는데, 이를 계기로 십자군 전쟁이 일어났다. 결국 셀주크 튀르크는 장기간 계속된 십자군 전쟁과 왕위를 둘러싼 내분으로 쇠퇴하였다.

바로 알기 ①은 오스만 제국, ②는 7세기경 이슬람 사회, ④는 정통 칼리프 시대, ⑤는 아바스 왕조와 관련이 있는 주제이다.

02 티무르 왕조의 발전

제시된 사진은 사마르칸트에 있는 티무르의 무덤이다. 14세기 말 티무르는 티무르 왕조를 수립하고 사마르칸트에 도읍을 정하였다. 따라서 밑줄 친 '이 왕조'는 티무르 왕조임을 알 수 있다. ② 티무르 왕조는 칭기즈 칸의 후예를 자처한 티무르가 몽골 제국의 재건을 내세우며 건국하였다.

바로 알기 ① 아바스 왕조는 몽골군에게 멸망하였다. ③ 사산 왕조 페르시아에서 조로아스터교를 국교로 삼았다. ④ 오스만 제국의 메흐메트 2세가 콘스탄티노폴리스를 점령하였다. ⑤ 셀주크 튀르크가 유럽 세계와 십자군 전쟁을 벌였다.

03 티무르의 업적

제시된 내용은 티무르와 관련이 있다. 티무르는 몽골 제국의 부활을 내세우며 티무르 왕조를 세웠고 바그다드를 함락하였으며, 앙카라 전투에서 오스만 제국을 제압하였다. 그러나 그는 명을 정복하러 가는 도중에 병으로 사망하였다. ⑤ 티무르는 사마르칸트를 수도로 삼고 이곳에 여러 학자들을 데려와 이슬람 세계의 문화 중심지로 만들었다.

바로 알기 ①은 셀주크 튀르크, ②는 사파비 왕조의 이스마일 1세, ③은 오스만 제국의 메흐메트 2세, ④는 오스만 제국의 술레이만 1세와 관련이 있는 내용이다.

04 사파비 왕조의 발전

자료분석

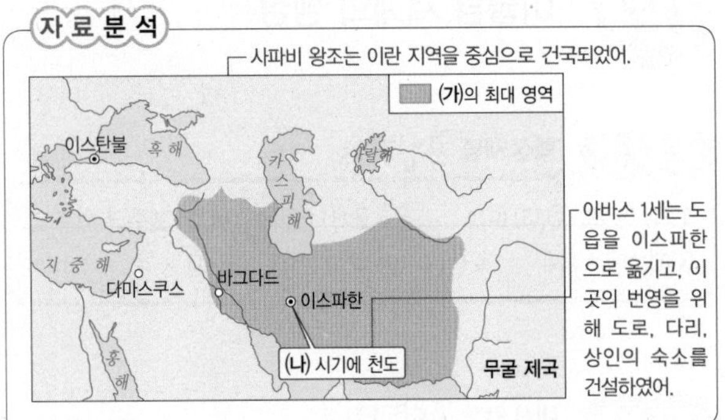
사파비 왕조는 이란 지역을 중심으로 건국되었어.
(가)의 최대 영역
이스탄불
흑해
카스피해
아랄해
지중해
다마스쿠스
바그다드
이스파한
홍해
(나) 시기에 천도
무굴 제국
아바스 1세는 도읍을 이스파한으로 옮기고, 이곳의 번영을 위해 도로, 다리, 상인의 숙소를 건설하였어.

(가)는 사파비 왕조이다. 이스마일 1세는 16세기 초 사파비 왕조를 세우고 페르시아인의 민족의식 부흥에 힘썼으며, 시아파 이슬람교를 국교로 채택하였다. 이후 사파비 왕조는 아바스 1세 때 군사력을 강화하여 전성기를 누렸다. 그러나 17세기 말부터 왕실 내부의 갈등, 부족들의 반란, 아프간족의 침입 등으로 쇠퇴하다가 18세기에 멸망하였다.

바로 알기 ③ 티무르 왕조가 앙카라 전투에서 오스만 제국을 제압하고 대제국을 건설하였다.

05 아바스 1세의 업적

사파비 왕조의 아바스 1세는 수도를 이스파한으로 옮겼다. 따라서 지도의 (나)는 아바스 1세이다. ⑤ 아바스 1세는 많은 수익을 남기는 비단 산업을 국영 산업으로 전환하는 등 중상주의 정책을 펼쳐 경제 부흥을 꾀하였다.

바로 알기 ① 헤지라는 622년에 단행되었다. ② 오스만 제국의 셀림 1세가 이집트의 맘루크 왕조를 정복하였다. ③ 아바스 왕조가 탈라스 전투에서 당군을 물리쳤다. ④ '왕의 눈'은 아케메네스 왕조 페르시아의 다리우스 1세가 파견한 감찰관이다.

06 오스만 제국의 발전

제시된 세계사 신문은 오스만 제국의 메흐메트 2세가 콘스탄티노폴리스를 함락한 사실을 보여 준다. 오스만 제국에서는 데브시르메 제도로 예니체리나 관료를 충당하였으며(ㄴ), 티마르제를 실시하여 정복지와 지방을 다스렸다(ㄹ).

바로 알기 ㄱ은 정통 칼리프 시대에 대한 설명이다. ㄷ. 오스만 제국은 정복지의 다양한 종교, 전통을 인정하는 관용 정책을 실시하였다.

07 술레이만 1세의 업적

제시된 글은 '헝가리와 빈 공격', '법전 편찬', '지중해 교역의 이익 독점' 등의 내용을 통해 술레이만 1세의 업적에 대한 것임을 알 수 있다. ① 술레이만 1세는 헝가리와 합스부르크를 공략하고 유럽의 연합 함대를 격파하여 지중해 해상권을 장악하였다.

바로 알기 ②는 셀림 1세의 통치 시기, ③은 티무르 왕조, ④는 셀주크 튀르크, ⑤는 무함마드 시대 때 볼 수 있었던 모습이다.

08 오스만 제국의 발전

지도는 오스만 제국의 초기 영토와 최대 영역을 나타낸 것이다. 오스만 제국은 셀림 1세 때 아시아, 아프리카, 유럽에 걸친 대제국을 건설하였고, 그 과정에서 술탄이 칼리프의 칭호까지 이어받았다. 오스만 제국은 넓은 영토를 다스리기 위해 티마르제를 실시하여 군사력을 강화하였다. 한편, 동서 교역의 요충지에 위치한 오스만 제국에서는 무역이 발달하여 상업 도시가 형성되었다.

바로 알기 ① 우마이야 왕조는 아바스 왕조에 멸망하였다.

09 오스만 제국의 통치 방식

오스만 제국은 광대한 영토를 다스리기 위해 티마르제와 데브시르메 제도를 시행하여 군사력을 강화하였다. 또한 지즈야만 내면 종교 공동체인 밀레트의 자치를 허용하는 등의 관용 정책을 펼쳤다. 그 결과 오스만 제국에서는 다양한 민족과 종교가 공존하였다.

바로 알기 ①, ② 오스만 제국에서는 이교도에게 이슬람교를 강제하지 않고, 지즈야만 내면 종교별로 밀레트를 만들어 자치를 누리도록 하였다. ③ 오스만 제국은 피정복민에게 관용 정책을 펼쳤다. ⑤ 오스만 제국은 출신과 종교에 관계없이 능력에 따른 기회를 제공하여 인재를 등용하였다.

완자 정리 노트 오스만 제국의 통치 제도

티마르제	술탄의 직할지를 제외한 영토를 관료나 군사들에게 분배한 일종의 군사적 봉건제
밀레트 제도	지즈야만 납부하면 밀레트의 조직과 자치 허용
데브시르메 제도	정복지의 크리스트교 청소년을 징집하여 이슬람교로 개종시킨 후 예니체리와 관료로 충당

10 오스만 제국의 문화

오스만 제국은 동서 교역의 교차로에 위치하여 동서 교역이 활발하였으며 대제국을 건설하고 피지배 민족에게 관용 정책을 펼쳤다. 이를 바탕으로 오스만 제국의 문화는 이슬람 문화에 튀르크, 페르시아, 비잔티움 제국의 문화가 융합되어 발전하였다. 오스만 제국에서는 페르시아의 영향을 받아 세밀화와 궁정 문학이 유행하였다. 또한 이슬람 세계에서 발달한 아라베스크와 모스크 건축이 유행하였는데, 술탄 아흐메트 사원이 대표적인 모스크이다.

바로 알기 ⑤ 이슬람의 학자인 이븐시나는 오스만 제국이 수립되기 이전인 11세기경에 『의학전범』을 저술하였다.

서술형 문제

096쪽

01 주제: 오스만 제국의 통치 방식

(1) 예시 답안 밀레트 제도, 밀레트 제도는 정복지 주민들이 지즈야(인두세)만 납부하면 그들의 종교와 관습을 존중하고, 종교 공동체를 형성하여 자치를 누릴 수 있도록 한 제도이다.

채점 기준

상	밀레트 제도를 쓰고, 그 운영 방식을 서술한 경우
중	밀레트 제도의 운영 방식만 서술한 경우
하	밀레트 제도만 쓴 경우

(2) 예시 답안 오스만 제국은 밀레트에게 폭넓은 자율권을 부여하였고, 출신이나 종교와 관계없이 능력에 따라 기회를 제공하여 인재를 등용하였다.

채점 기준

상	밀레트의 자치 허용, 능력에 따른 기회 제공의 내용을 모두 서술한 경우
하	밀레트의 자치 허용, 능력에 따른 기회 제공 중 한 가지만 서술한 경우

02 주제: 예니체리와 데브시르메 제도

(1) 예니체리

(2) 예시 답안 예니체리는 데브시르메 제도로 선발되었다. 데브시르메 제도는 정복지의 크리스트교 청소년을 징집하여 이슬람교로 개종시킨 후 술탄의 친위 부대인 예니체리나 관료로 육성한 제도이다.

채점 기준

상	데브시르메 제도를 언급하고, 그 내용을 서술한 경우
하	데브시르메 제도로 선발되었다고만 서술한 경우

STEP 3 1등급 정복하기

097쪽

1 ⑤　2 ④

1 셀주크 튀르크의 발전

자료분석

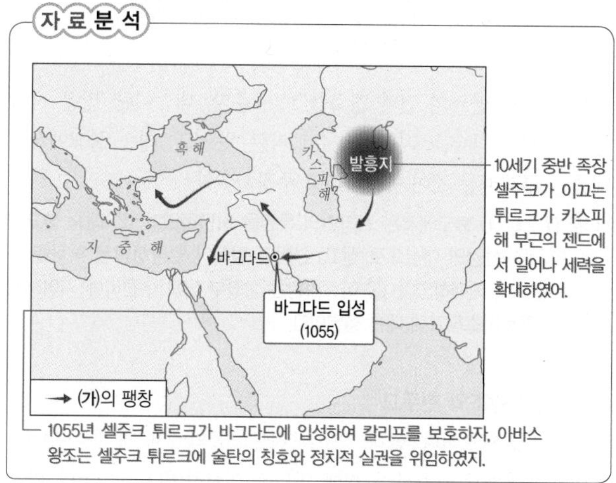

1055년 셀주크 튀르크가 바그다드에 입성하여 칼리프를 보호하자, 아바스 왕조는 셀주크 튀르크에 술탄의 칭호와 정치적 실권을 위임하였지.

(가) 민족은 셀주크 튀르크이다. 셀주크 튀르크는 아바스 왕조의 칼리프로부터 술탄이라는 칭호를 받았다.

| 바로 알기 | ①은 오스만 제국, ②, ③은 정통 칼리프 시대, ④는 아바스 왕조에 대한 설명이다.

2 오스만 제국의 발전

선생님이 설명하는 군대는 예니체리이다. 오스만 제국에서는 정복지의 크리스트교 청소년을 데브시르메 제도로 징발하여 술탄의 친위 부대인 예니체리 군단에 편성하였다. 따라서 오스만 제국에 대해 옳은 답변을 한 학생을 골라야 한다. 오스만 제국에서는 셀림 1세 때 술탄이 칼리프 칭호까지 계승하였으며(을), 비잔티움 양식의 영향을 받은 술탄 아흐메트 사원이 건축되었다(정).

| 바로 알기 | 갑은 아바스 왕조, 병은 우마이야 왕조와 관련이 있다.

03 인도의 역사와 다양한 종교·문화의 출현

STEP 1 핵심 개념 확인하기 104쪽

1 카니슈카왕 2 (1) 마우리아 왕조 (2) 동아시아 (3) 간다라 양식
3 (1) ㄷ (2) ㄴ (3) ㄱ 4 (1) ㉠ (2) ㉡ 5 (1) ○ (2) × (3) × (4) ○

STEP 2 내신 만점 공략하기 104~108쪽

01 ②	02 ①	03 ④	04 ⑤	05 ③	06 ④	07 ①
08 ⑤	09 ①	10 ⑤	11 ②	12 ③	13 ②	14 ①
15 ②	16 ②	17 ③	18 ③	19 ④		

01 자이나교와 불교

(가)는 자이나교, (나)는 불교에 대한 설명이다. 기원전 6세기경에 성립된 자이나교와 불교는 윤회 사상을 바탕으로 하면서도 브라만교의 지나친 권위주의와 신분 차별에 반대하였다. 그렇기 때문에 두 종교는 크샤트리아와 바이샤 세력의 환영을 받았다.

바로 알기 ②는 힌두교에 대한 설명이다. 불교는 카스트제의 신분 차별에 반대하여 대중의 환영을 받았다.

02 마우리아 왕조의 발전

지도는 마우리아 왕조의 영역이고, 산치 대탑은 마우리아 왕조의 아소카왕 때 세워졌다. 따라서 밑줄 친 '이 왕조'는 마우리아 왕조이다. ㄱ. 찬드라굽타 마우리아가 마우리아 왕조를 세우고 북인도를 최초로 통일하였다. ㄴ. 마우리아 왕조에서는 개인의 해탈을 강조한 상좌부 불교가 발달하였다.

바로 알기 ㄷ은 쿠샨 왕조, ㄹ은 무굴 제국에 대한 설명이다.

03 아소카왕의 업적

마우리아 왕조의 제3대 왕인 아소카왕은 불교에 귀의하여 불교의 보호와 포교에 노력하였다. ④ 아소카왕은 남부를 제외한 인도 대부분 지역을 통일하였으며, 각 지역에 도로를 건설하고 감찰관을 파견하여 중앙 집권 체제를 강화하였다.

바로 알기 ①은 무굴 제국, ②는 티무르 왕조, ③은 사파비 왕조, ⑤는 쿠샨 왕조와 관련이 있다.

04 간다라 양식의 발달

제시된 자료의 에로스상은 쿠샨 왕조의 수도에서 발굴된 지중해 연안 지역의 청동상이다. 쿠샨 왕조는 비단길의 중심을 차지하여 중국, 인도, 서아시아를 연결하는 중계 무역으로 번영하였다. 그리하여 쿠샨 왕조의 수도는 동서 무역의 교차지가 되었고 이곳에서 로마, 중국 등 각지에서 온 유물이 출토되었다. 자료의 두 번째 불상은 쿠샨 왕조에서 제작된 간다라 불상이다. 쿠샨 왕조의 간다라 지방에서는 알렉산드로스의 침략 이후 전해진 헬레니즘 문화와 인도 문화가 융합되어 간다라 양식이 발달하였다.

바로 알기 ①은 무굴 제국, ②는 굽타 왕조, ③은 아케메네스 왕조와 사산 왕조 페르시아, ④는 이슬람 세계의 문화 발달과 관련이 있다.

05 카니슈카왕의 업적

지도는 쿠샨 왕조의 최대 영역을 나타낸 것이다. 쿠샨 왕조는 카니슈카왕 때 간다라 지방을 포함한 최대 영역을 차지하였다. ③ 카니슈카왕은 불경을 모으고 사원과 탑의 축조에 힘쓰는 등 불교를 지원하였다.

바로 알기 ①은 무굴 제국의 샤자한, ②는 오스만 제국의 셀림 1세, ④는 마우리아 왕조의 아소카왕, ⑤는 무굴 제국의 아크바르 황제 시기에 있었던 일이다.

06 대승 불교의 발전

자료분석

중국에서는 후한 초에 비단길을 통해 불교가 전래되었지.

기원전 6세기경 부다가야에서 불교가 성립되었어.

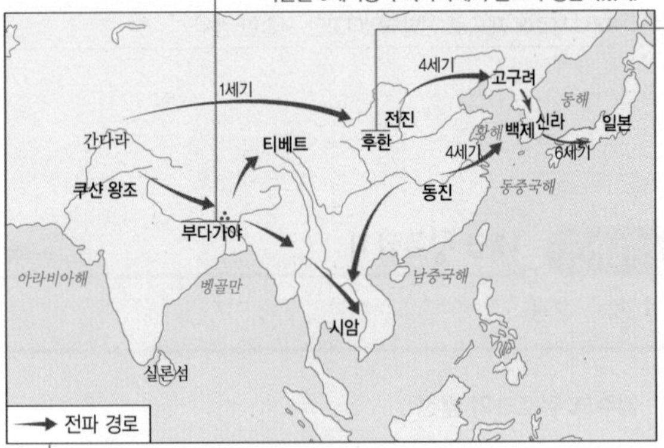

대승 불교는 쿠샨 왕조에서 발흥하여 중앙아시아를 거쳐 동아시아로 전파되었어.

지도는 대승 불교의 전파 경로를 보여 준다. 대승이란 '많은 사람을 구제하여 태우고 가는 큰 수레'라는 뜻으로, 대승 불교에서는 대중을 구제하는 것이 중요하다고 주장하였다.

바로 알기 ① 불교에서는 브라만의 특권을 비판하였다. ② 대승 불교에서는 부처를 신앙의 대상으로 삼고, 간다라 양식이 발달하면서 부처를 불상으로 만들어 예배하였다. ③ 아소카왕은 상좌부 불교의 전파에 기여하였다. ⑤는 조로아스터교에 대한 설명이다.

07 굽타 왕조와 힌두교

(가)는 굽타 왕조이다. 굽타 왕조는 찬드라굽타 2세 때 벵골만에서 아라비아해까지 차지하여 최대 영토를 확보하였다. ① 굽타 왕조 시기에는 힌두교가 성립되었는데, 왕들은 권위를 높이기 위해 자신을 비슈누에 비유하면서 힌두교를 후원하였다.

바로 알기 ②는 오스만 제국, ③은 셀주크 튀르크, ④, ⑤는 쿠샨 왕조와 관련이 있다.

08 힌두교의 특징

시바 신과 비슈누 신은 모두 힌두교에서 섬기는 신들이다. 힌두교에서는 다양한 신을 숭배하였는데, 그중 우주 창조의 신 브라흐마, 유지의 신 비슈누, 파괴의 신 시바를 중시하였다. ㄷ, ㄹ. 힌두교는 브라만교를 중심으로 민간 신앙과 불교가 융합되어 종교 형태를 갖추었으며, 힌두교에서는 카스트에 따른 의무 수행을 중시하였다.

바로 알기 ㄱ, ㄴ은 이슬람교에 대한 설명이다.

09 힌두교가 인도 사회에 미친 영향

제시된 자료를 통해 힌두교에서 오늘날 지위를 과거 행위의 결과로 보고, 업을 해결하기 위해 자신의 의무를 다해야 한다고 주장하였음을 알 수 있다. ① 힌두교에서 카스트에 따른 의무 수행을 중시하면서 카스트제가 인도 사회에 정착되었다.

바로 알기 ② 힌두교는 왕의 권위를 높여 주었다. ③ 헬레니즘 문화가 인도 지역에 전파되면서 간다라 양식이 발달하였다. ④ 이슬람 왕조가 인도를 지배하면서 이슬람 문화가 인도에 유입되었다. ⑤ 시크교도는 무굴 제국 시기 이슬람 세력의 지배에 반대하여 반란을 일으켰다.

10 인도 고전 문화의 발달

굽타 왕조 시기에는 인도 고유의 색채가 강조된 문화가 발달하였다. 당시 문학에서는 브라만 계급의 언어인 산스크리트어로 쓰인 산스크리트 문학이 발달하여 『마하바라타』, 『라마야나』 등이 오늘날의 형태로 완성되었다.

바로 알기 ①, ② 무굴 제국에서 타지마할이 건축되고 무굴 회화가 발달하였다. ③ 이슬람 사회에서는 모스크 벽면을 아라베스크로 장식하였다. ④ 쿠샨 왕조에 헬레니즘 문화가 들어와 간다라 양식이 유행하였다.

완자 정리 노트 인도 여러 왕조의 문화 발달

왕조	문화 발달
마우리아 왕조	상좌부 불교 발달(산치 대탑 건립)
쿠샨 왕조	대승 불교 발달, 간다라 양식 등장(간다라 불상 제작)
굽타 왕조	힌두교 성립, 인도 고전 문화 발달(산스크리트 문학, 굽타 양식 유행), 자연 과학 발달(→ 이슬람 세계로 전파)
무굴 제국	인도·이슬람 문화 발달(타지마할 건축, 시크교 성립, 우르두어 사용, 무굴 회화 발달)

11 굽타 왕조의 문화

제시된 정치, 경제, 사회의 내용은 모두 굽타 왕조와 관련이 있다. ① 굽타 왕조의 미술에서는 굽타 양식이 출현하였는데, 엘로라 석굴 사원의 불상과 벽화가 대표적이다. ③ 굽타 양식은 중앙아시아와 중국을 거쳐 한국에도 전파되었다. ④, ⑤ 굽타 왕조에서는 월식의 원리와 자전을 확인하는 등 천문학이 발달하였고, 10진법을 사용하고 원주율을 계산하는 등 수학도 발달하였다. 이러한 지식은 이슬람 세계에 전해져 자연 과학의 발달에 기여하였다.

바로 알기 ② 쿠샨 왕조 시기에 그리스 신상의 영향을 받아 부처를 불상으로 만들기 시작하였다.

12 굽타 왕조의 발전

제시된 사진은 아잔타 제1 석굴에 그려진 연화수 보살상으로, 굽타 양식의 대표적인 작품이다. 따라서 밑줄 친 '이 왕조'는 굽타 왕조이다. ③ 굽타 왕조에서는 숫자 '영(0)'의 개념이 도입되었다.

바로 알기 ① 지즈야는 이슬람 세력의 통치를 받는 비이슬람교도에게 부과된 인두세로, 이슬람 사회와 무굴 제국 등에서 징수하였다. ②, ④는 무굴 제국, ⑤는 아바스 왕조에서 볼 수 있었던 모습이다.

13 델리 술탄 왕조의 통치 방식

아이바크가 델리를 수도로 이슬람 왕조를 수립한 이후 약 300년간 이슬람 계통의 다섯 왕조가 이어졌는데, 이 시기를 델리 술탄 시대라고 한다. ② 델리 술탄 왕조에서는 지즈야를 부담하면 힌두교를 인정해 주었고, 이슬람교로 개종하면 세금을 감면해 주었다.

바로 알기 ①, ③은 우마이야 왕조, ④는 정통 칼리프 시대, ⑤는 굽타 왕조 시대에 있었던 일이다.

14 아크바르 황제의 업적

제시된 내용은 무굴 제국의 아크바르 황제와 관련이 있다. ① 아크바르 황제는 비이슬람교도에 대한 지즈야를 폐지하였다.

바로 알기 ②는 쿠샨 왕조의 카니슈카왕, ③은 아케메네스 왕조 페르시아의 다리우스 1세, ④는 오스만 제국의 술레이만 1세, ⑤는 아우랑제브 황제의 업적이다.

15 아우랑제브 황제 시기의 무굴 제국

(가)는 아우랑제브 황제이다. 무굴 제국의 아우랑제브 황제는 이슬람 제일주의를 지향하여 지즈야를 부활하고 힌두교 사원을 파괴하였으며, 이교도를 탄압하였다.

바로 알기 ① 타지마할은 샤자한 때 건축되었다. ③ 불교와 자이나교는 기원전 6세기경에 성립되었다. ④ 굽타 왕조 시기에 『샤쿤탈라』가 완성되었다. ⑤ 아크바르 황제가 비이슬람교도에 대한 인두세를 폐지하였다.

16 무굴 제국의 발전

지도는 무굴 제국의 영토를 나타낸 것이다. 바부르는 델리 술탄 왕조를 무너뜨리고 무굴 제국을 세웠다. 무굴 제국에서는 상공업이 발달하여 델리, 아그라 등의 대도시가 등장하였으며, 대외 무역도 활발하여 면직물, 견직물 등을 수출하였다. 문화는 인도 문화와 이슬람 문화가 융합되어 발달하였다.

바로 알기 ② 에프탈은 5세기 중반에서 7세기 중반까지 투르키스탄과 아프가니스탄을 통일한 민족으로, 굽타 왕조의 쇠퇴에 영향을 주었다.

17 인도·이슬람 문화의 발전

제시된 내용은 모두 무굴 제국 시기의 일이다. ③ 무굴 제국에서는 인도의 힌두 문화와 이슬람 문화가 융합된 문화가 발달하였다.

바로 알기 ① 이슬람 세계에서 아랍어와 이슬람교를 공통 요소로 하는 이슬람 문화권이 형성되었다. ② 굽타 왕조에서는 인도 고유의 색채가 강조된 문화가 발달하였다. ④는 굽타 양식, ⑤는 간다라 양식과 관련이 있다.

18 시크교의 발전

황금 사원은 16세기 초 하급 카스트 출신의 나나크가 창시한 시크교의 성지이다. 따라서 밑줄 친 '이 종교'는 시크교이다. ㄴ, ㄷ. 시크교는 힌두교와 이슬람교가 융합되어 성립되었다. 이슬람교의 영향을 받은 시크교에서는 카스트제의 신분 차별에 반대하고 인간 평등을 주장하였다.

바로 알기 ㄱ. 시크교에서는 이슬람교의 영향을 받아 유일신을 믿고 우상 숭배를 금지하였다. ㄹ. 간다라 양식은 대승 불교와 함께 동아시아로 전파되었다.

19 무굴 제국의 문화

제시된 대화의 (가)에는 무굴 제국이 인도 지역을 지배하면서 이슬람 문화가 유입되어 발달한 인도·이슬람 문화의 내용이 들어가야 한다. 무굴 제국에서는 힌두어, 페르시아어, 아랍어가 합쳐진 우르두어가 일상어로 사용되었고, 이슬람교와 힌두교를 절충한 시크교가 등장하였다. 또한 인도·이슬람 양식의 건축물인 타지마할, 아그라성 등이 건축되었으며, 페르시아의 세밀화와 인도 양식이 융합된 무굴 회화가 발달하였다.

바로 알기 ④ 페니키아인이 사용한 표음 문자가 그리스에 전해져 알파벳의 기원이 되었다.

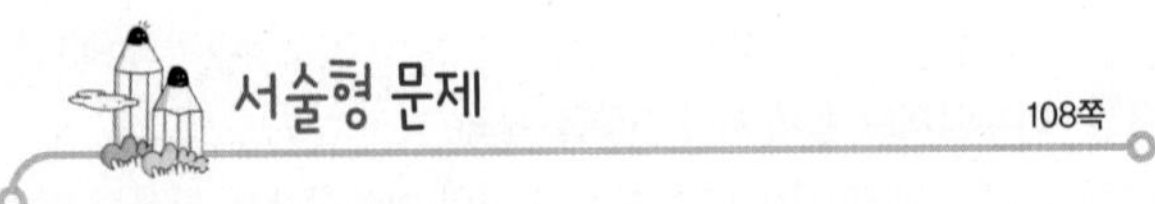

서술형 문제 108쪽

01 주제: 간다라 양식의 발전

예시 답안 간다라 지방에서는 알렉산드로스의 북인도 침입으로 헬레니즘 문화의 영향을 받아 간다라 양식이 발달하였다. 그 결과 그리스인이 신을 인간의 모습으로 조각하는 것처럼 인도인들은 부처를 불상으로 만들었다.

채점 기준

상	알렉산드로스의 북인도 침입으로 헬레니즘 문화가 유입되어 간다라 양식이 발달하였다고 서술한 경우
중	간다라 양식이 발달하면서 부처를 불상으로 만들기 시작하였다고 서술한 경우
하	헬레니즘 문화의 영향을 받았다고만 서술한 경우

02 주제: 힌두교의 특징

(1) 힌두교

(2) 예시 답안 힌두교에서는 개인이 속한 카스트에 따른 의무 수행을 중시하였다. 그리하여 힌두교가 확산되면서 카스트제가 인도 사회에 정착되어 갔다.

채점 기준

상	힌두교에서 카스트에 따른 의무 수행을 중시하여 인도 사회에 카스트제가 정착되어 갔음을 서술한 경우
하	인도 사회에 카스트제가 정착되어 갔다고만 서술한 경우

03 주제: 아크바르 황제의 종교 정책

예시 답안 아크바르 황제는 이슬람교도와 힌두교도의 통합을 꾀하는 관용 정책을 펼쳤다. 그리하여 힌두교도에게 관직을 개방하였고 강제로 이슬람교로 개종한 힌두교도가 다시 힌두교로 개종할 수 있는 법령을 반포하였으며, 비이슬람교도에 대한 지즈야를 폐지하였다. 또한 토착 힌두교도와 결혼하는 혼인 동맹으로 힌두교 세력을 통합하고자 하였다.

채점 기준

상	아크바르 황제가 이슬람교도와 힌두교도의 통합을 꾀하는 관용 정책을 펼쳤음을 세 가지 사례를 들어 서술한 경우
중	아크바르 황제의 관용 정책을 두 가지 사례를 들어 서술한 경우
하	아크바르 황제의 관용 정책을 한 가지 사례만 들어 서술한 경우

STEP 3 1등급 정복하기 109~111쪽

1 ② 2 ① 3 ④ 4 ① 5 ④ 6 ⑤

1 아소카왕의 정책

제시된 자료는 아소카왕과 관련이 있다. 마우리아 왕조의 아소카왕은 불교에 귀의한 뒤 불교의 보호와 포교에 힘썼다. 그는 곳곳에 자비와 평등, 평화 정신 등 불교의 가르침을 새긴 돌기둥을 세웠고, 산치 대탑과 같은 스투파를 건립하였다. 또한 동남아시아에 사절과 승려 등을 파견하여 불교를 포교하고자 하였다. 당시에는 개인의 해탈을 강조하는 상좌부 불교가 발전하였다. 한편, 아소카왕은 각지에 도로를 건설하고 전국에 감찰관을 파견하는 등 중앙 집권 체제를 강화하기 위한 정책을 추진하였다.

바로 알기 ② 델리 술탄 왕조는 무굴 제국에 멸망하였다.

2 상좌부 불교와 대승 불교

(가)는 마우리아 왕조에서 동남아시아 지역으로 전파된 상좌부 불교, (나)는 쿠샨 왕조에서 중앙아시아와 동아시아 지역으로 전파된 대승 불교이다. ① 상좌부 불교에서는 개인의 해탈을 강조하였다.

바로 알기 ② 간다라 양식은 대승 불교와 함께 동아시아 지역으로 전파되었다. ③ 대승 불교는 카니슈카왕 때 발전하였다. ④는 시크교, ⑤는 힌두교에 대한 설명이다.

완자 정리 노트 **인도에서 성립된 종교**

불교	기원전 6세기경 성립 → 마우리아 왕조 때 상좌부 불교, 쿠샨 왕조 때 대승 불교 발달
힌두교	굽타 왕조 시기에 성립, 카스트에 따른 의무 중시, 왕의 권위를 높이는 데 기여
시크교	16세기경 나나크가 창시, 이슬람교와 힌두교 절충(우상 숭배와 카스트제의 신분 차별에 반대)

3 쿠샨 왕조와 굽타 왕조

(가)는 쿠샨 왕조, (나)는 굽타 왕조이다. ①, ② 쿠샨 왕조는 카니슈카왕 때 전성기를 이룩하였으며 그의 후원에 힘입어 대승 불교가 발전하였다. ③ 굽타 왕조 시기에는 힌두교가 성립하여 왕실의 보호를 받으며 성장하였다. ⑤ 마우리아 왕조가 북인도를 최초로 통일한 이후 쿠샨 왕조와 굽타 왕조가 각각 분열되었던 북인도를 재통일하였다.

바로 알기 ④는 무굴 제국의 아크바르 황제와 관련이 있다.

4 무굴 제국의 문화

제시된 자료는 무굴 제국의 아크바르 황제가 비이슬람교도에 대한 차별을 철폐한 정책과 관련이 있다. ① 무굴 제국에서는 인도 양식과 이슬람 양식이 융합된 타지마할이 건축되었다.

바로 알기 ②는 쿠샨 왕조, ③, ④, ⑤는 굽타 왕조와 관련이 있다.

5 힌두 문화와 이슬람 문화의 융합

사실적이고 색채가 화려하며 가는 붓으로 세밀하게 표현한 무굴 회화의 특징이 잘 드러나 있어.

자료 분석

- 제목: ○○ 제국에서 탄생한 문화 (인도·이슬람 문화를 가리켜.)
- 기획 의도: 이슬람 세력이 인도 지역에 들어오면서 두 지역의 문화가 서로 어우러져 발전한 양상을 살펴본다.
- 고증 자료 (이슬람 건축 양식인 돔에 인도 양식인 연꽃무늬 장식이 있어.)

타지마할

샤자한과 뭄타즈 마할의 세밀화

제시된 자료는 무굴 제국에서 발전한 인도·이슬람 문화와 관련이 있다. 따라서 이 다큐멘터리에는 힌두교와 이슬람교가 융합되어 창시된 시크교 관련 내용이 들어갈 수 있다.

바로 알기 ① 『아베스타』는 조로아스터교의 경전이다. ②는 쿠샨 왕조, ③, ⑤는 굽타 왕조의 문화와 관련이 있다.

6 인도사의 전개

제시된 인도사 강의 계획서의 1주 차는 마우리아 왕조, 2주 차는 쿠샨 왕조, 3주 차는 굽타 왕조, 4주 차는 무굴 제국과 관련이 있다. ㄷ. 굽타 왕조에서는 힌두교가 성립되었고 인도 고유의 색채가 강조된 고전 문화가 발달하였다. ㄹ. 무굴 제국의 아크바르 황제는 비이슬람교도에 대한 차별을 폐지하였고, 아우랑제브 황제는 이슬람 제일주의를 내세워 통치하였다.

바로 알기 ㄱ. 시크교는 무굴 제국에서 성립되었다. ㄴ. 아이바크는 델리 술탄 왕조를 개창하였다.

대단원 실력 굳히기

114~117쪽

01 ③	02 ①	03 ①	04 ②	05 ③	06 ④	07 ⑤
08 ③	09 ⑤	10 ②	11 ①	12 ④	13 ③	14 ②
15 ⑤	16 ②	17 ①	18 ④	19 ③	20 ①	21 ③

01 아시리아의 통치 방식

기원전 7세기경 철제 무기와 우수한 기마병을 이용해 서아시아 지역을 대부분 통일한 나라는 아시리아이다. (가) 아시리아는 군용 도로와 교역로를 정비하고 정복지에 총독을 파견하는 등 중앙 집권적인 통치를 실시하였다. 그러나 피정복민을 강제 이주시키고 무거운 세금을 매기는 등 강압적으로 통치하자, 각지에서 반란이 일어나 쇠퇴하다가 기원전 4세기에 멸망하였다.

바로 알기 ① 마니교는 3세기 초에 성립된 사산 왕조 페르시아에서 등장하였다. ②는 정통 칼리프 시대, ④는 셀주크 튀르크, ⑤는 파르티아와 관련이 있다.

02 다리우스 1세의 업적

제시된 내용은 아케메네스 왕조 페르시아의 다리우스 1세와 관련이 있다. 다리우스 1세는 최대 영토를 확보한 후 속주에 총독을 파견하고 감찰관을 보내 총독을 감독하도록 하였다. 그리고 '왕의 길'이라 불린 도로를 건설하고 역참제를 정비하여 중앙 집권 체제를 강화하였다.

바로 알기 ② 쿠샨 왕조의 카니슈카왕은 대승 불교를 포교하는 데 힘썼다. ③ 오스만 제국의 메흐메트 2세가 비잔티움 제국을 정복하였다. ④ 아바스 왕조가 새로운 수도로 바그다드를 건설하였다. ⑤는 정통 칼리프 시대에 있었던 일이다.

03 사산 왕조 페르시아의 발전

'이란 계통의 농경민이 건국', '페르시아의 부흥을 표방', '유리 공예품이 동아시아에 전파'의 내용을 통해 제시된 글이 사산 왕조 페르시아에 대한 것임을 알 수 있다. 사산 왕조 페르시아에서는 건축과 공예, 염색 기술 등이 발달하였는데, 당시 금·은 세공품, 유리 공예품 등은 유럽과 이슬람 세계 및 동아시아까지 전파되었다. ① 사산 왕조 페르시아는 조로아스터교를 국교로 삼았다.

바로 알기 ②는 사파비 왕조, ③은 아바스 왕조, ④는 아케메네스 왕조 페르시아, ⑤는 파르티아에 대한 설명이다.

04 이슬람교의 특징

제시된 바위의 돔은 이슬람교의 사원으로, 아라베스크와 『쿠란』 구절 등으로 벽면이 장식되었다. 따라서 밑줄 친 '이 종교'는 이슬람교이다. ② 이슬람교도는 『쿠란』의 가르침을 중심으로 생활하여 메카를 향한 예배, 라마단 기간의 단식, 돼지고기를 금지하는 식생활 등을 실천한다.

바로 알기 ①은 조로아스터교, ③은 불교, ④는 마니교, ⑤는 힌두교에 대한 설명이다.

05 우마이야 왕조의 발전

첫 번째 글은 우마이야 왕조의 시작을 나타내고, 두 번째 글은 아바스 가문이 아바스 왕조를 세운 모습을 보여 준다. 두 사건 사이에는 우마이야 왕조가 존속하였다. 우마이야 왕조에서는 아랍인을 우대하고 아랍인 외의 이슬람교도를 차별하여 비아랍인의 불만을 초래하였다.

바로 알기 ①, ⑤는 무함마드 시대, ②, ④는 정통 칼리프 시대에 있었던 일이다.

06 아바스 왕조의 통치 방식

제시된 자료의 '탈라스 전투 승리', '바그다드 건설' 등의 내용을 통해 아바스 왕조에 대한 보고서임을 알 수 있다. ④ 아바스 왕조는 아랍인의 특권을 폐지하고 비아랍인 이슬람교도에 대한 세제상의 차별을 철폐하는 등 모든 이슬람교도의 평등을 내세워 인종을 초월한 범이슬람 제국으로 발전하였다.

바로 알기 ① 밀레트는 오스만 제국에서 결성된 종교 공동체이다. ② 아케메네스 왕조와 사산 왕조 페르시아에서 조로아스터교를 장려하였다. ③ 우마이야 가문이 칼리프를 세습하자 이슬람교도는 우마이야 왕조의 정통성을 두고 시아파와 수니파로 나뉘어 대립하였다. ⑤ 예니체리는 오스만 제국에서 결성된 술탄의 친위 부대이다.

07 이슬람 사회의 특징

제시된 내용은 모두 이슬람 세계에서 발달한 문화와 관련이 있다. ㄷ. 이슬람 사회에서 사람들은 『쿠란』의 가르침을 중심으로 생활하였다. ㄹ. 이슬람교에서는 상업 행위를 긍정적으로 여겼으며, 나라에서도 자유로운 상업 활동을 보장하였다. 이에 힘입어 이슬람 세계에서는 상업이 크게 발전하였다.

바로 알기 ㄱ. 무굴 제국에서 우르두어가 일상적으로 사용되었다. ㄴ. 힌두교에서 카스트에 따른 의무를 중시하였다.

08 셀주크 튀르크의 발전

제시된 글은 셀주크 튀르크에 대한 설명이다. 셀주크 튀르크는 예루살렘을 비롯한 소아시아 지역에 진출하여 비잔티움 제국을 위협하였다. 이로 인해 십자군 전쟁이 일어났다.

바로 알기 ①, ②는 오스만 제국, ④는 정통 칼리프 시대, ⑤는 우마이야 왕조에 대한 설명이다.

09 오스만 제국의 발전

제시된 글의 예니체리는 오스만 제국에서 운영한 국왕의 친위 부대이다. 오스만 제국에서 티마르를 받은 기병과 예니체리 군단은 오스만 제국의 팽창에 크게 기여하였다. 오스만 제국은 셀림 1세 때 술탄이 칼리프의 칭호도 계승하여 이슬람 세계의 최고 지배자로 군림하였다. 술레이만 1세 때는 지중해 해상권을 장악하고 지중해 교역의 이익을 독점하여 크게 번영하였다.

바로 알기 ⑤ 오스만 제국은 이베리아반도를 차지하지 않았다.

10 술레이만 1세의 활동

인터뷰에서 '유럽의 연합 함대 격파', '지중해 해상권 장악' 등의 내용을 통해 (가)가 오스만 제국의 술레이만 1세임을 알 수 있다. 술레이만 1세는 헝가리를 정복하고 오스트리아의 빈을 포위 공격하여 세력을 확대하였다.

바로 알기 ①은 사파비 왕조의 이스마일 1세, ③은 아케메네스 왕조 페르시아의 다리우스 1세, ④는 티무르 왕조의 티무르에 대한 설명이다. ⑤ 오스만 제국의 메흐메트 2세는 비잔티움 제국을 정복하고 콘스탄티노폴리스를 이스탄불로 고쳐 수도로 삼았다.

완자 정리 노트 오스만 제국 왕의 주요 업적

메흐메트 2세	비잔티움 제국 정복, 콘스탄티노폴리스를 이스탄불로 고쳐 수도로 삼음
셀림 1세	맘루크 왕조 정복, 아시아·아프리카·유럽의 세 대륙에 걸친 대제국 건설, 술탄이 칼리프의 칭호 계승
술레이만 1세	헝가리 정복, 오스트리아의 빈 포위 공격, 유럽의 연합 함대 격파 → 육로 교역을 통한 동서 무역 장악, 지중해 해상권 장악

11 오스만 제국의 종교 정책

자료 분석

> 나 술탄 메흐메트 칸은 이 칙령을 소유한 보스니아 프란체스코회 신자들을 받아들이고, 보호할 것임을 전 세계에 알리노라. …… 또한 명령하노니, 누구도 이들과 이들의 교회를 건드려서는 아니 된다. 그들은 나의 제국 안에서 평화롭게 살아갈지어다. …… 성스러운 신의 이름으로 나의 검을 들어 이 칙령을 선포하노라. 나의 모든 백성은 이 칙령에 복종해야 한다. – 술탄 메흐메트의 칙령

프란체스코회는 13세기 초 프란체스코가 세운 탁발 수도회로, 오스만 제국의 술탄이 프란체스코회를 탄압하지 않고 인정하였음을 알 수 있어.

오스만 제국의 메흐메트 2세가 보스니아를 정복한 후에 발표한 칙령이야.

제시된 자료는 술탄이 제국 내에 있는 다양한 종교를 인정한다는 내용이다. 이를 통해 오스만 제국의 통치자들은 다양한 민족의 문화를 인정하는 관용 정책을 펼쳤음을 알 수 있다.

바로 알기 ② 오스만 제국에서는 지즈야를 내면 밀레트의 자치를 허용하였다. ③ 헤지라는 무함마드 시대에 단행되었다. ④ 마라타 동맹은 무굴 제국 시기에 마라타족이 힌두교도를 모아 결성하였다. ⑤ 상좌부 불교는 마우리아 왕조에서 발달하였다.

12 오스만 제국의 문화

제시된 자료는 오스만 제국에서 건축된 술탄 아흐메트 사원(블루 모스크)에 대한 것이다. 오스만 제국의 문화는 이슬람 문화를 바탕으로 튀르크, 페르시아, 비잔티움 제국의 문화가 융합되어 발전하였다. 그리하여 오스만 제국에서는 페르시아의 영향을 받은 세밀화가 유행하였다.

바로 알기 ①, ②는 굽타 왕조, ③은 사산 왕조 페르시아, ⑤는 무굴 제국의 문화와 관련이 있다.

13 아소카왕의 업적

제시된 자료는 마우리아 왕조의 아소카왕이 건립한 산치 대탑에 대한 것이다. 따라서 (가)는 아소카왕이다. ③ 아소카왕은 불교의 보호와 포교에 노력하여 불교의 가르침을 새긴 돌기둥과 스투파를 건립하였는데, 당시에는 상좌부 불교가 발전하였다.

| 바로 알기 | ① 타지마할은 무굴 제국에서 건축되었다. ② 『마누 법전』은 굽타 왕조에서 정리되었다. ④ 십자군 전쟁은 셀주크 튀르크와 크리스트교 세계 간에 일어났다. ⑤ 무굴 제국이 델리 술탄 왕조를 정복하였다.

14 간다라 양식의 발달

밑줄 친 '미술 양식'은 간다라 양식이다. 쿠샨 왕조 시기 알렉산드로스의 인도 원정 이후 간다라 지방에서 간다라 양식이 발달하였다. 간다라 양식은 중앙아시아를 거쳐 동아시아로 전파되어 불상 제작에 영향을 주었다.

| 바로 알기 | ① 아라베스크는 이슬람 사회에서 발달한 기하학적 무늬이다. ③ 간다라 양식은 대승 불교와 함께 확산되었다. ④ 간다라 양식은 쿠샨 왕조에서 발달하였다. ⑤ 아잔타 석굴 사원의 벽화는 굽타 양식으로 제작되었다.

15 힌두교의 발달

제시된 글은 힌두교에 해당하는 내용이다. ⑤ 힌두교에서는 비슈누가 왕의 모습으로 나타났다고 주장하여 왕의 권위를 높여 주었기 때문에 굽타 왕조의 왕실은 힌두교를 적극적으로 보호하였다.

| 바로 알기 | ① 힌두교에서는 카스트에 따른 의무를 중시하였다. ②는 조로아스터교, ③은 시크교, ④는 이슬람교에 대한 설명이다.

16 굽타 왕조의 문화

제시된 글은 찬드라굽타 1세가 건국한 굽타 왕조에 대한 설명이다. 굽타 왕조에서는 인도 고유의 색채가 강조된 문화가 발달하였다. 당시에는 힌두교가 융성하였고, 숫자 '0'의 개념이 최초로 도입되었으며 10진법이 사용되었다. 문학에서는 산스크리트 문학이 발달하여 『마하바라다』, 『라마야나』 등이 오늘날과 같은 형태로 정리되었고, 칼리다사가 『샤쿤탈라』를 완성하였다.

| 바로 알기 | ② 우르두어는 힌두어, 페르시아어, 아랍어가 합쳐진 언어로, 무굴 제국에서 일상어로 널리 사용되었다.

17 델리 술탄 왕조의 통치

제시된 글은 델리 술탄 왕조 시대에 대한 설명이다. 델리 술탄 왕조에서는 인도인에게 이슬람교를 강요하지 않았으며, 힌두교도는 지즈야만 부담하면 자신의 종교를 믿을 수 있었다.

| 바로 알기 | ② 페르세폴리스는 아케메네스 왕조 페르시아에서 조성되었다. ③ 무함마드는 622년 귀족들의 박해를 피해 메카에서 메디나로 피신하였다. ④ 티무르 왕조는 1402년 앙카라 전투에서 오스만 제국을 물리쳤다. ⑤ 우마이야 왕조에서 칼리프를 세습하자 이슬람교는 수니파와 시아파로 분리되었는데, 시아파는 알리와 그의 후손만을 정통으로 보고 다른 칼리프의 존재를 인정하지 않았다.

18 아크바르 황제의 종교 정책

제시된 자료에는 아크바르 황제가 다양한 종교와 사상을 받아들이겠다는 통치 방식이 드러나 있다. 아크바르 황제는 힌두교도에게 관직을 개방하고 지즈야를 면제해 주는 등 관용 정책을 펼쳐 이슬람교도와 힌두교도의 통합을 꾀하였다.

| 바로 알기 | ① 아크바르 황제는 지즈야를 폐지하였고, 이후 아우랑제브 황제가 지즈야를 부활시켰다. ②는 쿠샨 왕조의 카니슈카왕, ③, ⑤는 오스만 제국의 정책과 관련이 있다.

19 아우랑제브 황제의 통치

샤자한의 아들이었고, 무굴 제국의 최대 영토를 확보하였다는 내용을 통해 밑줄 친 '그'가 아우랑제브 황제임을 알 수 있다. ③ 아우랑제브 황제는 이슬람 제일주의를 지향하여 지즈야를 부활하고 힌두교 사원을 파괴하는 등 이교도를 탄압하였다.

| 바로 알기 | ① 티무르 왕조가 사마르칸트를 수도로 삼았다. ②는 무굴 제국의 아크바르 황제, ④는 사파비 왕조의 이스마일 1세, ⑤는 셀주크 튀르크의 지배자에 대한 설명이다.

20 무굴 제국의 문화

제시된 자료의 '우르두어', '타지마할', '세밀화와 인도 양식의 융합' 등의 내용을 통해 (가)가 무굴 제국임을 알 수 있다. ① 무굴 제국에서는 16세기경 나나크가 힌두교와 이슬람교를 절충하여 시크교를 창시하였다.

| 바로 알기 | ②는 이슬람 세계, ③, ④는 굽타 왕조의 문화와 관련이 있는 주제이다. ⑤ 쿠샨 왕조에서 그리스 신상의 영향을 받아 간다라 불상을 제작하였다.

21 무굴 제국의 발전

(가)는 무굴 제국이다. 무굴 제국에서는 상공업이 발달하여 시장이 설치되고 무역항이 발달하였다. 당시에는 중국, 동남아시아, 아라비아, 지중해를 잇는 인도양 무역을 주도하였으며, 주로 면직물과 견직물, 향신료 등을 수출하였다. 그러나 무굴 제국은 서양 세력의 침투로 점차 경제가 침체되었다. 한편, 문화적으로는 이슬람 문화와 인도 문화가 융합되어 발달하였다.

| 바로 알기 | ③ 마우리아 왕조의 아소카왕이 동남아시아에 사절과 승려 등을 파견하여 상좌부 불교의 포교에 힘썼다.

Ⅳ. 유럽·아메리카 지역의 역사

01 고대 지중해 세계

STEP 1 핵심 개념 확인하기 126쪽

1 ㉠ 아크로폴리스, ㉡ 아고라　2 (1) × (2) ○　3 (1) 아테네 (2) 스파르타　4 알렉산드로스　5 (1) ㄷ (2) ㄱ (3) ㄴ　6 (1) ㉠ (2) ㉡ (3) ㉢

STEP 2 내신 만점 공략하기 126~129쪽

01 ④　02 ①　03 ⑤　04 ③　05 ④　06 ③　07 ⑤
08 ③　09 ①　10 ④　11 ③　12 ④　13 ③　14 ③

01 폴리스의 특징

밑줄 친 '도시 국가'는 폴리스이다. 폴리스들은 정치적 통일은 이루지 못하였으나 공통된 언어와 종교를 바탕으로 동족 의식을 지녔고, 4년마다 올림피아 제전을 열어 민족의 결속을 다졌다.

바로 알기 ㄱ. 폴리스들은 산이 많고 평야가 적은 자연환경으로 인해 정치적 통일을 이루지 못하였다. ㄷ은 로마에 대한 설명이다. 로마의 평민은 자신들의 군사적 역할이 커지자 정치적 권리를 요구하였다. 이에 귀족이 평민의 요구를 점진적으로 받아들여 호민관직과 평민회를 설치하고 12표법을 제정하는 등 평민의 정치적 권리가 점차 향상되었다.

02 아테네 민주 정치의 발전

제시된 노트 필기 내용은 아테네 민주 정치의 발전을 보여 준다. 아테네에서는 귀족정이 실시되는 가운데 상공업 발달로 부유해진 평민들이 중장 보병 밀집대의 주력으로 전쟁에 참여하였다. 이에 따라 평민들이 지위를 높이고 정치적 발언권을 강화하면서 민주 정치가 발달하기 시작하였다.

바로 알기 ② 솔론은 재산에 따라 정치적 권리를 차등 분배하는 금권정을 실시하였다. ③ 공무 수당을 지급하여 가난한 시민도 정치에 참여하게 한 것은 페리클레스 때이다. ④ 500인 평의회를 구성한 것은 클레이스테네스의 개혁 내용이다. ⑤ 아테네는 시민 모두가 국정에 참여하는 직접 민주 정치였고 여자, 거류 외국인, 노예에게는 참정권을 부여하지 않았다.

완자 정리 노트 아테네 민주 정치의 발전 과정

솔론		클레이스테네스		페리클레스
재산 정도에 따라 네 신분으로 나누어 참정권 부여(금권정)	➡	부족제를 거주지 중심으로 개편, 500인 평의회 구성, 도편 추방제 마련	➡	민회의 권한 강화, 공무 수당제와 공직 추첨제 실시

03 스파르타의 통치 체제

학습 목표는 그리스의 스파르타에 대한 것이다. 스파르타는 소수의 도리스인들이 다수의 원주민을 정복하고 세운 폴리스이다. 따라서 소수의 지배층이 다수의 피지배층을 다스려야 하였기 때문에 강력한 군국주의 체제가 발전하였다. 스파르타의 모든 성인 남자 시민은 혹독한 군사 훈련을 받고 통제된 집단생활을 하였다.

바로 알기 ①, ②, ④는 아테네, ③은 로마 제국을 주제로 한 탐구 활동이다.

04 펠로폰네소스 전쟁

제시된 글은 아테네를 중심으로 한 델로스 동맹과 스파르타를 중심으로 한 펠로폰네소스 동맹 사이에 일어난 펠로폰네소스 전쟁에 대한 설명이다. ③ 펠로폰네소스 전쟁은 델로스 동맹이 아테네의 이익을 우선하는 동맹으로 변질하자 이에 불만을 가진 폴리스들이 스파르타를 중심으로 펠로폰네소스 동맹을 맺고, 아테네에 맞서 일으킨 전쟁이다.

바로 알기 ① 펠로폰네소스 전쟁에서 스파르타 중심의 펠로폰네소스 동맹이 승리하였다. ②, ⑤는 그리스·페르시아 전쟁에 대한 설명이다. ④ 펠로폰네소스 전쟁 후 그리스 세계는 내분을 겪다가 마케도니아에 정복되었다.

05 그리스의 문화

제시된 글은 그리스 문화의 발달을 보여 준다. 그리스에서는 조화와 균형의 이상적인 미를 추구하였고, 인간 중심의 합리적인 문화가 발달하였다. ④ 철학 분야에서는 소피스트가 등장하여 진리의 상대성과 주관성을 강조하였다.

바로 알기 ①, ②는 로마 문화, ③, ⑤는 헬레니즘 문화에 대한 설명이다.

06 알렉산드로스 제국의 발전

지도는 알렉산드로스 제국의 영토를 보여 준다. 알렉산드로스는 기원전 334년에 동방 원정을 시작하여 아케메네스 왕조 페르시아를 정복하고 인더스강 유역까지 진출하였다. 그리하여 유럽, 아시아, 아프리카의 세 대륙에 걸친 대제국을 건설하였다. 알렉산드로스 제국은 피정복민의 종교와 관습을 존중해 주었다. 또한 그리스어를 공용어로 사용하였고, 정복지 곳곳에 알렉산드리아라는 도시를 건설하여 그리스인을 이주시켰으며 그리스인과 페르시아인의 결혼을 장려하는 등 동서 융합 정책을 펼쳤다. 알렉산드로스가 죽은 후 제국은 시리아, 이집트, 마케도니아 등으로 분열되었다가 로마 제국에 정복되었다.

바로 알기 ③은 아케메네스 왕조 페르시아에 대한 설명이다. 아케메네스 왕조 페르시아의 다리우스 1세는 '왕의 길'이라는 도로망을 건설하였다.

07 헬레니즘 문화의 특징

제시된 탐구 활동 보고서의 탐구 자료는 헬레니즘 문화의 특징을 보여 준다. ㄷ. 헬레니즘 시대에는 인간의 육체와 감정을 사실적으로 표현한 관능적인 작품들이 많이 등장하였다. ㄹ. 헬레니즘 문화는 그리스의 폴리스적 성격에서 벗어나 넓고 개방된 세계에서 발전한 문화로서 세계 시민주의적인 성격을 띠었다.

| 바로 알기 | ㄱ은 로마 문화에 대한 내용이다. ㄴ. 헬레니즘 시대에는 폴리스 중심의 기존 질서가 무너지면서 공동체에 대한 인식이 약화되고 개인의 행복을 중시하는 개인주의가 발달하였다.

완자 정리 노트 헬레니즘 문화

특징	개인주의적, 개방적, 세계 시민주의적
예술	인간의 육체와 감정을 사실적으로 표현(「라오콘 군상」, 「니케상」, 「밀로의 비너스상」 등)
철학	스토아학파와 에피쿠로스학파 등장

08 로마의 평민권 신장 과정

제시된 글에서 (가)에 들어갈 내용은 로마 공화정 시대 평민권의 신장에 해당한다. 로마 공화정은 귀족으로 구성된 원로원과 집정관, 다양한 민회로 이루어진 정치 체제였다. 공화정 초기에는 정치적 실권이 귀족에게 있었는데 상공업 발달로 부유해진 평민이 중장 보병으로 전쟁에 참여하며 군사적 역할이 커지자 정치적 권리를 요구하며 귀족과 신분 투쟁을 벌였다. 이에 평민의 권리가 점진적으로 신장되었다.

| 바로 알기 | ① 5현제 시대는 로마 제정 시대에 전개되었다. ② 법률과 같은 실용적인 분야가 발달한 것은 로마와 관련이 있다. ④ 아테네의 민주 정치는 솔론, 클레이스테네스, 페리클레스 등의 개혁을 통해 발전하였다. ⑤ 알렉산드로스 제국의 알렉산드로스는 동방의 전제 군주정 도입, 알렉산드리아 건설 등을 통해 동서 융합을 꾀하였다.

완자 정리 노트 로마 평민권의 신장 과정

호민관직 설치(기원전 494), 평민회 조직(기원전 471)
평민 중에 선출된 호민관이 원로원 의결 사항에 대한 거부권을 가짐

↓

12표법 제정(기원전 450)
로마 최초의 성문법으로, 평민의 권리가 보호됨

↓

리키니우스·섹스티우스법 제정(기원전 367)
집정관 2명 중 1명을 평민에서 선출

↓

호르텐시우스법 제정(기원전 287)
원로원의 승인 없이 평민회의 의결이 효력을 가짐

09 포에니 전쟁 이후의 사회 변화

제시된 자료는 티베리우스 그라쿠스의 연설 내용이다. 포에니 전쟁에서 카르타고에 승리한 로마는 지중해의 패권을 장악하여 대외 팽창을 이루었다. 하지만 3차에 걸친 전쟁은 로마 사회에 큰 변화를 가져왔다. 유력자들은 오랜 전쟁으로 방치된 농지를 독차지하여 노예 노동을 이용한 대농장(라티푼디움)을 경영하였다. 그러나 중소 자영농은 로마를 위해 싸웠음에도 불구하고 토지를 잃고 몰락하여 빈민이 되었다. 티베리우스 그라쿠스는 포에니 전쟁 이후의 이와 같은 상황을 지적하며 개혁을 시도하였으나 실패하였다.

| 바로 알기 | ②, ③, ④, ⑤는 모두 로마의 제정 시대에 있었던 일이다. 포에니 전쟁 이후 그라쿠스 형제의 개혁 시도는 로마의 공화정 시대에 일어났다.

10 옥타비아누스의 업적

밑줄 친 '그'는 옥타비아누스이다. 옥타비아누스는 카이사르의 양자로서 3두 정치를 종식시켰다. 제2차 3두 정치의 일원이었던 옥타비아누스는 악티움 해전에서 이집트의 클레오파트라와 연합한 안토니우스의 군대를 격파하여 로마의 지배권을 장악하였고, 원로원은 그에게 '아우구스투스'라는 칭호를 부여하였다. 그는 군 지휘권과 주요 관직을 독점하여 사실상 황제로 군림하였고 제정 시대를 열었다.

| 바로 알기 | ㄱ은 테오도시우스 황제, ㄷ은 티베리우스 그라쿠스에 대한 설명이다.

11 로마의 발전과 쇠퇴

첫 번째 글은 로마 제정 말기의 군인 황제 시대, 두 번째 글은 서로마 제국의 멸망을 나타낸다. 군인 황제 시대에 로마에서는 약 50년간 26명의 황제가 빈번하게 교체되었고 이민족의 잦은 침략으로 혼란이 지속되었다. 그러자 3세기 말 디오클레티아누스 황제는 제국의 위기를 타개하기 위해 제국을 4분할하여 통치하게 하는 체제를 마련하고 황제권을 강화하고자 하였다. 이러한 개혁 노력에도 불구하고 테오도시우스 황제 사후 로마 제국은 동서로 분리되었고, 서로마 제국은 얼마 안 가 멸망하였다.

| 바로 알기 | ①, ④, ⑤는 로마 공화정 시기에 대한 설명이다. ②는 군인 황제 시대 이전의 일이다. 로마는 로마의 평화 시대라고 불렸던 5현제 시대에 200여 년간 평화와 안정을 누렸고, 제국의 영토도 최대에 이르렀다.

12 로마의 문화

로마는 대제국을 통치하기 위해 건축, 법률, 토목 등의 실용적인 분야의 문화가 발달하였다. ④ 수도교는 로마인들이 도시에 물을 공급하기 위해 건설한 것으로, 수로가 협곡이나 계곡을 통과하였기 때문에 아치형으로 교량을 세웠다.

| 바로 알기 | ①은 이집트 문명의 스핑크스와 피라미드이다. ②는 인도의 마우리아 왕조 때 조성된 산치 대탑이다. ③은 무굴 제국의 타지마할로 인도(힌두) 문화와 이슬람 문화의 융합을 보여 준다. ⑤는 그리스의 파르테논 신전이다.

13 콘스탄티누스 대제의 업적

제시된 자료에서 설명하는 인물은 로마 제국의 콘스탄티누스 대제에 해당한다. 콘스탄티누스 대제는 크리스트교의 세력이 확장되자 크리스트교도에 대한 계속적인 박해로는 정치적 안정이 불가능하다고

생각하였다. 그리하여 크리스트교가 분열된 로마 제국에 통일성을 가져다 줄 것이라고 기대하여 밀라노 칙령으로 크리스트교를 공인하였다.

| 바로 알기 | ①, ④는 옥타비아누스, ②는 디오클레티아누스 황제, ⑤는 카이사르에 대한 설명이다.

14 크리스트교의 확산

제시된 자료는 콘스탄티누스 대제가 발표한 밀라노 칙령의 일부이다. 크리스트교는 유대교의 선민사상과 형식적인 율법주의를 배격하였고, 황제 숭배를 거부하여 로마 정부의 박해를 받았다. 그러나 교세가 점차 확산되자 콘스탄티누스 대제는 크리스트교를 공인하였고, 니케아 공의회를 소집하여 아타나시우스파의 삼위일체설을 정통 교리로 인정하였다. 이후 테오도시우스 황제 때 크리스트교가 국교로 선포되었다. 크리스트교는 점차 세계적인 종교로 성장하여 유럽 문화의 중요한 바탕이 되었다.

| 바로 알기 | ③은 기원전 6세기경 인도 지역에서 등장한 자이나교와 불교에 대한 설명이다. 두 종교는 브라만교가 인도 사회를 지배하던 상황에서 나타났으며, 윤회 사상을 바탕으로 하면서도 브라만교의 지나친 권위주의와 신분 차별에 반대하고 카스트제를 극복하고자 하였다.

서술형 문제

129쪽

01 주제: 아테네 민주 정치의 발전

예시 답안 도편 추방제, 아테네는 독재자의 출현을 막기 위해 도편 추방제를 마련하였다.

채점 기준

상	도편 추방제를 쓰고, 실시한 이유를 서술한 경우
하	도편 추방제만 쓴 경우

02 주제: 스파르타의 사회 체제

예시 답안 스파르타는 소수의 지배층이 다수의 피지배층을 다스리기 위해 강력한 군국주의 체제가 발전하였다. 따라서 스파르타는 모든 남자 시민에게 엄격한 군사 훈련을 실시하였다.

채점 기준

상	인구 구성의 특징으로 인한 강력한 군국주의 체제 발전, 엄격한 군사 훈련 실시를 모두 서술한 경우
하	강력한 군국주의 체제 발전, 엄격한 군사 훈련 실시 중 한 가지만 서술한 경우

03 주제: 그라쿠스 형제의 개혁

(1) 그라쿠스 형제(티베리우스 그라쿠스, 가이우스 그라쿠스)

(2) 예시 답안 그라쿠스 형제는 농지법을 실시하여 유력자의 대토지 소유를 제한하고 농민들에게 토지를 재분배하고자 하였다. 또한 곡물법을 실시하여 빈민들에게 곡물을 싼 가격으로 분배하고자 하였다.

채점 기준

상	농지법과 곡물법의 내용을 모두 서술한 경우
하	농지법과 곡물법의 내용 중 한 가지만 서술한 경우

STEP 3 1등급 정복하기

130~131쪽

1 ⑤ 2 ④ 3 ⑤ 4 ③

1 아테네의 민주 정치

자료분석

우리의 정치 제도를 데모스(시민)의 지배라고 한다. 왜냐하면 소수 특권층이 아니라 다수 시민이 통치하기 때문이다. 시민 중 누구라도 국가에 봉사할 능력을 갖추었다면 가난하다고 해서 정치적으로 소외되지 않는다. 우리가 스파르타보다 자유로우면서도 더 강한 이유가 바로 여기에 있다. - 투키디데스, 『역사』

- 아테네를 가리켜.
- 다수의 시민이 지배한다는 것을 알 수 있어.
- 가난해도 정치에 참여할 수 있다는 뜻이야. 이를 위해 페리클레스는 공무 수당제를 실시하였어.

제시된 자료는 아테네 페리클레스의 연설 내용이다. 페리클레스는 그리스·페르시아 전쟁 이후 강력한 해상 제국이 된 아테네를 이끌었다. 그는 기원전 5세기에 공무 수당제, 공직 추첨제 등을 실시하여 아테네 민주 정치의 전성기를 이끌었다.

| 바로 알기 | ① 로마 공화정 말기에 3명의 지도자가 동맹하여 정권을 장악한 3두 정치가 나타났다. ② 로마 공화정 시기에 평민의 이익을 옹호하는 호민관이 선출되었다. ③ 오스만 제국은 이슬람교를 강제하지 않고 인두세만 내면 다른 종교의 신앙을 인정하여 종교별로 밀레트를 만들어 자치를 누릴 수 있게 하였다. ④ 로마 공화정 시기에 호르텐시우스법이 제정되어 평민회의 의결이 법적 효력을 갖게 되었다.

2 알렉산드로스의 업적

밑줄 친 '나'는 알렉산드로스이다. 알렉산드로스는 기원전 334년 동방 원정에 나서 페르시아 제국과 이집트를 정복하고 인더스강 유역까지 진출하였다. 이로써 지중해에서 인도에 이르는 동서 교역로가 열렸고 유럽, 아시아, 아프리카에 걸친 대제국이 건설되었다. 그는 각지에 알렉산드리아라는 도시를 건설하여 그리스인을 이주시키고, 그리스인과 페르시아인의 결혼을 장려하는 등 동서 융합 정책을 펼쳤다. 그리하여 그리스 문화와 오리엔트 문화가 융합되어 헬레니즘 문화가 형성되었다.

| 바로 알기 | ① 12표법은 로마 공화정 시기에 평민권이 신장되는 과정에서 제정되었다. ② 『유스티니아누스 법전』은 비잔티움 제국의 유스티니아누스 황제 때 편찬되었다. ③ 로마에서는 법률, 건축, 토목과 같은 실용적인 문화가 발달하였다. ⑤ 옥타비아누스가 로마의 권력을 장악하고 원로원으로부터 '아우구스투스'의 칭호를 받았다.

3 그라쿠스 형제의 개혁

첫 번째 글은 티베리우스 그라쿠스, 두 번째 글은 가이우스 그라쿠스의 활동에 해당한다. 그라쿠스 형제는 포에니 전쟁 이후 라티푼디움 경영으로 자영농이 몰락하자 이를 해결하기 위해 개혁을 실시하였다. 이들은 토지를 재분배하여 사회 혼란을 극복하고자 하였으나 귀족층의 반대로 실패하였다.

바로 알기 ㄱ. 콜로누스를 이용한 농장 경영(콜로나투스)은 그라쿠스 형제의 개혁 실패 이후 로마 제정 시대에 나타났다. ㄴ. 그라쿠스 형제의 개혁은 귀족층의 반대로 실패하였다.

4 로마 제국의 중흥을 위한 노력

(가)에는 로마 제정 말기 제국의 중흥을 위한 황제들의 노력에 대한 내용이 들어가야 한다. 로마는 3세기에 군대가 황제를 옹립하면서 내분이 심화되었다. 이러한 위기를 수습하고자 디오클레티아누스 황제는 전제 군주제를 도입하고 제국을 4분할하여 황제 2명과 부황제 2명이 통치하도록 하였다. 4세기 초 콘스탄티누스 대제는 밀라노 칙령으로 크리스트교를 공인하고 콘스탄티노폴리스로 수도를 옮겼다. 4세기 말 테오도시우스 황제는 크리스트교를 국교로 삼았다. 하지만 이러한 노력에도 불구하고 테오도시우스 황제 사후 로마는 동서 로마로 분리되었다.

바로 알기 ③은 로마의 제정 시대를 연 옥타비아누스에 대한 설명이다. 로마에서는 제정 시작 이후 5현제와 같은 유능한 황제들이 등장하여 정치적 안정과 제국의 영토가 최대에 이르는 번영을 누리게 되었다. 그리하여 옥타비아누스부터 5현제까지의 약 200년간을 로마의 평화 시대라고 한다.

02 서유럽 봉건 사회의 형성과 비잔티움 제국

STEP 1 핵심 개념 확인하기 138쪽

1 (1) ㄴ (2) ㄷ (3) ㄱ 2 (1) 농노 (2) 봉신 3 (1) ○ (2) × 4 (1) 황제 (2) 둔전병제 5 유스티니아누스 황제 6 (1) ㉠ (2) ㉡ (3) ㉢

STEP 2 내신 만점 공략하기 138~141쪽

01 ③ 02 ⑤ 03 ④ 04 ③ 05 ③ 06 ② 07 ⑤ 08 ④ 09 ① 10 ③ 11 ② 12 ③ 13 ①

01 게르만족의 이동

지도와 같이 이동한 민족은 게르만족이다. 게르만족은 발트해 연안에서 농경과 목축, 수렵 생활을 하였다. 그러다 인구가 증가하고 농사의 비중이 커지자 남쪽으로 이동하여 일부가 로마에 들어와 용병이나 소작인이 되었다. 그리고 4세기 후반 훈족이 서쪽으로 이동하여 유럽 동부를 공격하자, 게르만족의 일파인 서고트족이 로마 영토로 이동하기 시작하였다. 이를 계기로 수많은 게르만족이 부족별로 이동하여 서로마 제국에 정착하거나 나라를 세웠다. 게르만족 출신 용병 대장 오도아케르는 서로마 제국을 멸망시켰다.

바로 알기 ③은 노르만족에 대한 설명이다. 노르만족은 원래 스칸디나비아반도에 거주하며 바이킹이라 불렸다.

02 피핀의 업적

카롤루스 왕조를 개창하였다는 내용을 통해 수행 평가 보고서에서 조사한 인물은 프랑크 왕국의 피핀임을 알 수 있다. ⑤ 궁재 카롤루스 마르텔의 아들 피핀은 메로베우스 왕조를 무너뜨리고 카롤루스 왕조를 열었고, 왕조 개창에 도움을 준 교황에게 이탈리아 중부 지역을 기증하였다.

바로 알기 ①은 비잔티움 제국의 황제 레오 3세, ②는 노르만 왕조를 개창한 윌리엄, ③은 카롤루스 대제, ④는 카롤루스 마르텔의 업적이다.

03 카롤루스 대제의 서로마 황제 대관식

자료 분석

교황은 당시 비잔티움 제국 황제의 간섭으로부터 벗어나기 위해 새로운 보호 세력이 필요하였어.

로마 주민들이 교황 레오(3세)를 폭행하자, 교황은 프랑크 왕국의 왕에게로 도망가서 도움을 청하였다. 왕은 추락한 교회의 위상을 바로 세우기 위해 로마에 왔다가, 결국 그곳에서 겨울을 났다. 이때 왕은 교황으로부터 황제와 아우구스투스 칭호를 받았다.

카롤루스 대제는 800년에 교황 레오 3세로부터 서로마 황제의 관을 받아 권력의 정당성을 확보하였어.

밑줄 친 '왕'은 프랑크 왕국의 카롤루스 대제이다. 그는 정복 전쟁으로 영토를 확장하고 크리스트교를 전파하였다. 그러자 비잔티움 제국 황제의 간섭으로부터 벗어나려 한 로마 가톨릭의 교황은 카롤루스 대제를 서로마 황제로 대관하였다. ④ 카롤루스 대제는 궁정 학교를 세우고 고전을 연구하는 등 카롤루스 르네상스를 일으켰다.

바로 알기 ①은 프랑크 왕국의 클로비스, ②는 로마의 옥타비아누스에 대한 설명이다. ③은 비잔티움 제국에 대한 설명이다. ⑤는 비잔티움 제국의 유스티니아누스 황제에 대한 설명이다.

04 노르만족의 이동

제시된 지도와 함께 원래 스칸디나비아반도에 거주하였다는 점, 9세기부터 남쪽으로 내려왔다는 점을 통해 (가) 민족은 노르만족임을 알 수 있다. 노르만족은 스칸디나비아반도에 거주하였는데 농사에 불리한 자연환경 때문에 주로 해안 지역을 약탈하며 살았다. 9세기부터는 기름진 땅을 찾아 남쪽으로 내려와 유럽 각지에 진출하였다. 그리하여 노르망디 공국, 노르만 왕조, 시칠리아 왕국, 노브고로드 공국 등을 세웠다. ③ 9세기 후반 서유럽은 노르만족의 침입, 이슬람 세력의 확산 등으로 극심한 혼란에 빠졌고, 이러한 상황은 서유럽에 봉건제가 형성되는 배경이 되었다.

바로 알기 ① 알렉산드로스 제국의 알렉산드로스는 정복지 곳곳에 자신의 이름을 딴 도시인 알렉산드리아를 건설하였다. ② 비잔티움 제국은 1453년 오스만 제국에 멸망하였다. ④ 비잔티움 제국은 유스티니아누스 황제 사후 외침이 거듭되자, 이에 대비하기 위해 군관구제와 둔전병제를 실시하여 국방력을 강화시키고 자영농을 육성하였다. ⑤는 게르만족에 대한 설명이다.

05 중세 서유럽의 주종제

밑줄 친 '나'는 봉신으로 제시문은 주군과 봉신 간의 계약 내용을 보여 준다. 중세 서유럽에서는 기사들이 봉신이 되어 자신보다 세력이 큰 왕이나 제후를 주군으로 삼아 주종 관계를 맺었으며 이 과정에서 봉건제가 성립되었다. 주종 관계에서 봉신은 주군에게 군사적 봉사와 충성을 맹세하였다(ㄴ). 한편, 봉신은 장원의 영주가 되어 주군의 간섭 없이 재판과 세금 징수를 하는 등 독자적으로 장원을 지배하였다(ㄷ).

바로 알기 ㄱ. 주군은 봉신에게 봉토를 수여하고 봉신을 보호할 의무가 있었다. ㄹ은 농노에 대한 설명이다.

완자 정리 노트 주종 관계

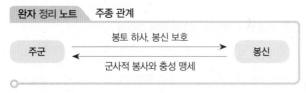

주군 → 봉토 하사, 봉신 보호 → 봉신

봉신 → 군사적 봉사와 충성 맹세 → 주군

06 농노의 생활

자료에 나타난 신분은 중세 장원의 농노이다. 제시된 그림과 함께 장원 내 영주의 땅을 경작한다는 점을 통해 농노에 대한 것임을 알 수 있다. 장원 내의 농민은 대개 농노였는데 농노는 영주의 허락 없이는 장원을 떠날 수 없었다. 또한 지대로 영주의 직영지를 경작하여야 했고, 공납으로 생산물의 일부를 바쳤다. 농노는 장원 내의 방앗간, 제빵소 등의 시설을 이용하고 사용료를 영주에게 지불하였으며 인두세, 사망세, 혼인세 등 각종 세금을 영주에게 바쳤다. 그리고 영주의 법정에서 재판을 받아야 하였다.

바로 알기 ② 중세 농노는 고대 노예와 달리 결혼을 하여 가정을 꾸릴 수 있었고, 토지와 집 등 약간의 재산을 소유할 수 있었다.

완자 정리 노트 장원제

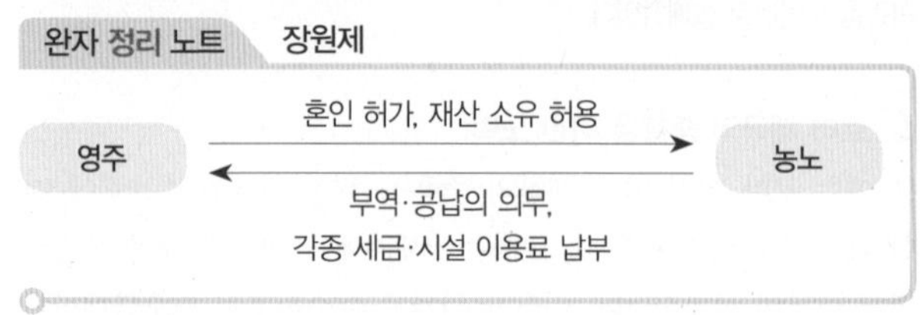

07 동서 교회의 분열

신문 기사는 비잔티움 제국 황제 레오 3세의 성상 파괴령에 대해 로마 교회가 거부한 사실을 보여 준다. 726년 비잔티움 제국의 황제가 성상 파괴령을 내렸는데, 게르만족에게 포교하기 위해 성상이 필요하였던 로마 교회가 이를 거부하여 동서 교회의 대립이 격화되었다. 이후 크리스트교는 로마 교황을 중심으로 한 로마 가톨릭교회와 비잔티움 제국의 황제를 수장으로 하는 그리스 정교회로 분열되었다.

바로 알기 ① 교황 그레고리우스 7세가 세속 군주의 성직자 서임을 금지하였는데 신성 로마 제국 황제 하인리히 4세가 이를 무시하자 교황이 황제를 파문하였다. ②는 로마 제국 말기인 392년 테오도시우스 황제 때의 일이다. ③ 테오도시우스 황제 사후 395년에 로마가 동로마와 서로마로 분열되었다. ④는 보름스 협약의 결과이다.

08 카노사의 굴욕 사건

그림은 하인리히 4세가 카노사성의 백작 부인과 클뤼니 수도원장에게 교황과의 화해를 주선해 달라고 간청하는 모습으로, 카노사의 굴욕 사건(1077)을 나타낸다. ④ 교황 그레고리우스 7세는 세속 군주의 성직자 서임을 금지하였는데 이를 신성 로마 제국의 황제 하인리히 4세가 무시하자 교황이 황제를 파문하였다. 결국 황제가 교황에게 용서를 빌며 굴복하였다.

바로 알기 ①은 프랑크 왕국과 관련이 있다. 프랑크 왕국의 카롤루스 대제는 교황으로부터 서로마 황제의 관을 받았다. ②는 카노사의 굴욕 사건 이후의 일이다. ③은 동서 교회가 분열된 계기에 해당한다. ⑤는 카노사의 굴욕 사건 이전인 10세기 초의 사실로 카노사의 굴욕 사건의 배경과 직접적인 관련이 없다.

09 중세 시대의 철학

제시된 글은 스콜라 철학에 대한 설명이다. 중세 시대에는 신학을 중심으로 학문이 발전하였기 때문에 철학은 보조 학문의 역할을 하였다. 중세 초기에 교부 철학이 발달하였고, 십자군 전쟁 이후에는 아리스토텔레스의 철학이 유입되며 스콜라 철학이 발달하였다. ㄱ. 스콜라 철학은 중세 유럽에서 이루어진 신학 중심의 철학을 일컫는다. ㄴ. 대표적인 학자인 토마스 아퀴나스는 신학과 이성의 조화를 꾀하며 『신학대전』을 통해 스콜라 철학을 집대성하였다.

| 바로 알기 | ㄷ은 헬레니즘 시대의 에피쿠로스학파, ㄹ은 교부 철학에 대한 설명이다.

10 중세 시대의 대학

제시된 글에서 밑줄 친 '이곳'은 중세의 대학이다. 중세 초기에 성직자들은 교회나 수도원을 중심으로 신학, 법학, 수사학, 논리학 등을 연구하였다. 대학은 12세기경 파리, 볼로냐 등 여러 도시에 세워져 중세의 학문 발전에 기여하였다. 처음에는 교수나 학생의 조합에서 시작된 대학은 교육 과정으로 7개의 교양 교과와 법학, 신학, 의학 등의 전공 교과로 이루어졌으며, 점차 학문 연구의 중심지로 발전하였다.

| 바로 알기 | ③ 중세 시대의 대학은 교회나 영주의 간섭에서 벗어나 자치권을 갖고 운영되었다.

11 고딕 양식의 특징

제시된 사진은 중세 고딕 양식의 대표적인 건축물인 샤르트르 대성당이다. 12세기부터는 유행한 고딕 양식은 높은 첨탑과 내부의 스테인드글라스가 특징이다. 고딕 양식의 건축물은 로마네스크 양식보다 벽이 두껍지 않고 창문이 커서 내부가 밝은 편이다.

| 바로 알기 | ①, ③, ⑤는 11세기 서유럽에서 유행한 로마네스크 양식, ④는 비잔티움 양식에 대한 설명이다.

완자 정리 노트 중세 유럽의 건축 양식

로마네스크 양식	• 특징: 11세기 서유럽에서 유행, 돔과 원형의 아치, 돌로 만든 천장을 지탱하기 위한 두꺼운 벽, 작은 창, 어두운 내부, 내부의 벽화 • 대표적 건축물: 피사 대성당, 피렌체 대성당
고딕 양식	• 특징: 12세기 서유럽에서 유행, 높은 첨탑, 스테인드글라스, 상대적으로 두껍지 않은 벽, 큰 창, 밝은 내부 • 대표적 건축물: 샤르트르 대성당, 쾰른 대성당
비잔티움 양식	• 특징: 비잔티움 제국에서 유행, 외부의 웅장한 돔과 내부의 모자이크 벽화 • 대표적 건축물: 성 소피아 대성당

12 유스티니아누스 황제의 업적

지도는 비잔티움 제국의 영역을 나타내고 (가)는 유스티니아누스 황제이다. 유스티니아누스 황제는 6세기 비잔티움 제국의 전성기를 이끌었다. 그는 옛 로마 제국 영토의 상당 부분을 회복하였고, 로마법을 정리하여 『유스티니아누스 법전』을 편찬하였다.

| 바로 알기 | ①은 로마 제국의 콘스탄티누스 대제, ②는 비잔티움 제국의 황제 레오 3세, ④는 노르만 왕조의 윌리엄에 대한 설명이다. ⑤는 프랑크 왕국 카롤루스 대제의 업적이다.

13 비잔티움 문화의 특징

사진은 비잔티움 문화의 대표적인 건축물인 성 소피아 대성당이다. '성스러운 지혜'를 의미하는 이 성당은 웅장한 돔과 내부의 모자이크 벽화를 특징으로 한다. ㄱ. 비잔티움 문화를 발전시킨 비잔티움 제국은 그리스어를 공용어로 사용하였다. ㄴ. 비잔티움 문화는 러시아를 비롯한 슬라브족에 영향을 주었는데, 유럽 동북부 지역에 살던 슬라브족은 비잔티움 문화의 영향을 받으면서 슬라브 문화권을 형성하였다.

| 바로 알기 | ㄷ은 중세 서유럽 문화에 대한 설명이다. ㄹ. 아라베스크는 이슬람 문화의 특징이다.

서술형 문제 141쪽

01 주제: 교황과 황제의 갈등

(1) 카노사의 굴욕

(2) 예시 답안 보름스 협약 이후 교황이 성직자 서임권을 차지하게 되었고, 이후 교황권이 성장하여 13세기에는 교황권이 절정을 이루었다.

채점 기준

상	교황이 성직자 서임권을 차지하고 교황권이 성장하여 절정을 이루었음을 서술한 경우
하	교황권이 성장하였다고만 서술한 경우

02 주제: 비잔티움 제국의 정치적 특징

예시 답안 서유럽에서는 정치와 종교가 분리된 것과 비교하여 비잔티움 제국에서는 황제가 교회의 수장을 겸하여 교회를 지배하는 황제 교황주의가 발전하였다.

채점 기준

상	서유럽은 정치와 종교가 분리된 것과 달리 비잔티움 제국에서는 황제가 교회를 지배하는 황제 교황주의가 발전하였다고 서술한 경우
중	서유럽과 달리 비잔티움 제국은 황제 교황주의가 발전하였다고 서술한 경우
하	비잔티움 제국의 황제가 교회를 지배하였다고만 서술한 경우

STEP 3 1등급 정복하기 142~143쪽

1 ⑤ 2 ④ 3 ⑤ 4 ②

1 프랑크 왕국의 변천 과정

왼쪽 글은 카롤루스 마르텔이 투르·푸아티에 전투에서 이슬람 세력을 격퇴한 내용이다. 오른쪽 글은 카롤루스 대제 사후 내분으로 프랑크 왕국이 분열되는 내용이다. ㄷ. 카롤루스 마르텔 이후 그의 아들 피핀은 카롤루스 왕조를 열었고, 왕조 개창에 도움을 준 교황에게 랑고바르드족(롬바르드족)으로부터 빼앗은 이탈리아 중부 지역(라벤나 지역)을 기증하였다. ㄹ. 피핀의 아들인 카롤루스 대제는 영토를 확장하고 크리스트교를 전파하였으며 교황으로부터 서로마 황제로 대관하여 프랑크 왕국과 로마 가톨릭교회 사이의 유대를 다졌다.

바로 알기 ㄱ은 프랑크 왕국의 분열 이후의 일이다. 비잔티움 제국의 황제 레오 3세가 성상 파괴령을 반포(726)하자 로마 가톨릭교회가 이를 거부하여 동서 교회의 대립이 격화되었다. 이후 크리스트교는 1054년 로마 가톨릭교회와 그리스 정교로 분열되었다. ㄴ. 메로베우스 왕조를 개창한 클로비스가 로마 가톨릭교로 개종한 것은 투르·푸아티에 전투 이전의 일이다.

완자 정리 노트 프랑크 왕국의 변천

클로비스	5세기 말 메로베우스 왕조 개창, 로마 가톨릭교로 개종
카롤루스 마르텔	투르·푸아티에 전투에서 이슬람 세력 격퇴(크리스트교 세계 보호)
피핀	카롤루스 왕조 개창, 이탈리아 중부 지역을 교황에게 기증(→ 교황령의 시초)
카롤루스 대제	옛 서로마 제국 영토 대부분 차지, 크리스트교 전파, 서로마 황제로 대관, 카롤루스 르네상스(→ 로마 문화, 크리스트교, 게르만 문화가 융합된 중세 서유럽 문화의 기틀 마련)

2 성직자 서임권 투쟁

제시된 자료는 교황이 세속 군주의 성직자 서임을 금지시키는 내용이다. 11세기부터 교황은 교회를 세속 권력에서 벗어나게 하려고 노력하였다. 그리하여 교황 그레고리우스 7세는 세속 군주의 성직자 서임을 금지하였는데, 이를 신성 로마 제국의 황제 하인리히 4세가 무시하자 교황은 황제를 파문하였다. 교황을 폐위하려던 황제는 제후와 주교의 지지마저 잃자 카노사로 교황을 찾아가 용서를 빌며 굴복하였는데 이를 카노사의 굴욕 사건이라고 한다. 이후 보름스 협약으로 교황이 서임권을 차지하였고 교황의 영향력이 점차 강화되어 13세기에는 교황권이 절정에 이르렀다.

바로 알기 ④ 교회가 동서로 분열(1054)된 것은 제시된 훈령이 발표되기 이전의 일이다. 교회는 726년 비잔티움 제국의 황제 레오 3세가 예수와 성모, 성자의 상을 만드는 것을 금지시키는 성상 파괴령을 발표하자 이를 계기로 대립하다가 동서로 분열되었다.

3 비잔티움 제국의 의의

제시된 자료의 '로마 제국의 전통을 계승하여 약 1000년을 존속', '제국의 수도가 유럽과 아시아를 잇는 교역로에 위치', '동서 교통의 요충지이자 상공업과 무역의 중심지' 등의 내용을 통해 (가) 제국이 비잔티움 제국임을 알 수 있다. 비잔티움 제국에서는 황제가 교회를 지배하는 황제 교황주의가 발전하였고, 상공업이 발달하여 수도 콘스탄티노폴리스가 크게 번영하였다. 또한 그리스 정교를 믿고 그리스어를 공용어로 사용하였으며 비잔티움 문화가 발전하여 슬라브 문화권 형성에 영향을 주었다. ⑤ 비잔티움 제국은 이슬람 세력에 맞서 크리스트교 세계를 지키는 방파제 역할을 하면서 서유럽 세계와 경쟁하였다.

바로 알기 ①은 키예프 공국, ②, ④는 프랑크 왕국에 대한 설명이다. ③ 비잔티움 제국은 오스만 제국의 공격으로 1453년 수도 콘스탄티노폴리스가 함락되어 멸망하였다.

4 중세 서유럽 문화와 비잔티움 문화의 특징

자료 분석

(가) 높은 첨탑과 스테인드글라스가 특징이야.
(나) 모자이크화로 벽면을 장식하였어.

샤르트르 대성당으로 중세 서유럽 고딕 양식의 대표적인 건축물이야.
성 소피아 대성당으로 비잔티움 양식의 대표적인 건축물이야.

(가)는 중세 서유럽에서 유행한 고딕 양식, (나)는 비잔티움 제국에서 유행한 비잔티움 양식을 보여 준다. ㄱ. 중세 서유럽에서는 봉건 기사의 모험과 사랑을 다룬 기사 문학이 유행하여 『롤랑의 노래』, 『니벨룽겐의 노래』 등의 작품이 나왔다. ㄷ. 비잔티움 제국에서는 그리스어를 공용어로 사용하고, 그리스 고전의 수집과 연구가 이루어져 고대 그리스의 사상과 학문이 보존되었다. 이러한 성과가 서유럽 세계에 전파되어 르네상스를 자극하였다.

바로 알기 ㄴ은 비잔티움 문화에 대한 탐구 활동이다. ㄹ은 서유럽의 스콜라 철학과 관련된 탐구 활동이다.

03 중세 유럽 세계의 성장과 변화

STEP 1 핵심 개념 확인하기 148쪽

1 (1) × (2) ○ 2 (1) ㄷ (2) ㄱ (3) ㄴ 3 ㉠ 이탈리아, ㉡ 알프스 이북 4 (1) 수장법 (2) 예정설 5 (1) ㉡ (2) ㉠ (3) ㉢

STEP 2 내신 만점 공략하기 148~150쪽

01 ⑤ 02 ④ 03 ③ 04 ③ 05 ④ 06 ② 07 ④ 08 ③ 09 ④ 10 ④

01 십자군 전쟁의 결과

지도는 십자군 전쟁을 보여 준다. ㄷ. 십자군 전쟁의 결과 서유럽에서는 전쟁을 이끈 교황의 권위가 떨어지고, 전쟁에 참여하였던 제후와 기사 계층이 몰락하였다. ㄹ. 십자군 전쟁을 통해 이슬람 문화와 비잔티움 문화가 서유럽에 유입되어 서유럽 문화가 자극을 받게 되었다.

바로 알기 ㄱ. 서유럽 사회는 십자군 전쟁 과정에서 동방과의 교역이 활발해져 상공업이 발달하고 이탈리아 도시들이 번영하였다. ㄴ. 십자군 전쟁은 십자군이 성지를 회복하지 못하고 끝이 났다.

완자 정리 노트 십자군 전쟁의 영향

정치	교황권 약화, 제후 및 기사 계층 몰락, 왕권 강화
경제	지중해 교역과 동방 교역 활발 → 이탈리아 도시 번영
문화	비잔티움 문화와 이슬람 문화 유입 → 서유럽 문화의 발전 자극

02 한자 동맹의 특징

북부 유럽의 도시 동맹으로 '조합', '동료'라는 의미가 들어 있다는 것을 통해 (가) 조직은 한자 동맹임을 알 수 있다. 북유럽에서 함부르크, 뤼베크, 브레멘 등 북부 독일의 도시들은 한자 동맹을 맺고 발트해와 북해 연안의 무역을 독점하였다. 이들은 자체적으로 법률, 군대를 소유하며 발전하였으나 신항로 개척으로 무역의 중심지가 이동하면서 쇠퇴하였다.

바로 알기 ④는 수공업자 길드에 대한 설명이다. 수공업자 길드는 장인들만 가입할 수 있었으며, 영업시간, 장소, 가격, 제품의 양과 질 등의 기준과 규칙을 엄격히 정하여 시행하였다.

03 아비뇽 유수

제시된 글은 아비뇽 유수(1309~1377)에 대한 설명이다. 교황과 황제의 대립은 보름스 협약(1122)으로 교황이 성직자 서임권을 차지하면서 끝이 났다. 그러나 십자군 전쟁 이후 교황권이 약화되자 교황청이 아비뇽으로 옮겨져 약 70년 동안 프랑스 왕의 통제를 받게 되었다(아비뇽 유수). 이후 교황청은 다시 로마로 돌아왔지만 아비뇽에서도 교황이 선출되어 서로 정통성을 내세우며 대립하였다(교회의 대분열). 따라서 아비뇽 유수가 일어났던 시기는 보름스 협약 이후, 교회의 대분열 이전이므로 (다)에 해당한다.

완자 정리 노트 교황권의 쇠퇴 과정

십자군 전쟁 실패(→ 교황권 쇠퇴)
↓
아비뇽 유수(교황이 굴복하여 교황청을 아비뇽으로 옮김)
↓
교회의 대분열 발생(로마와 아비뇽에서 각각 교황 선출)
↓
위클리프와 후스가 교회의 세속화 비판
↓
로마 가톨릭교회의 콘스탄츠 공의회 소집
(위클리프를 이단으로 규정, 로마 교황의 정통성 인정)

04 위클리프의 교회 비판

제시된 자료는 위클리프가 교회를 비판하는 내용이다. 아비뇽 유수(1309~1377) 이후 교황청은 다시 로마로 돌아왔으나 로마와 아비뇽에서 각각 교황이 선출되어 서로 정통성을 내세우며 대립하는 교회의 대분열이 나타났다. 이로 인해 교회의 권위가 실추되자 위클리프와 후스가 교회의 세속화와 성직자의 타락을 비판하며 교회 개혁을 주장하였다.

바로 알기 ① 11세기 성직자 서임권을 둘러싸고 교황과 황제가 대립하면서 카노사의 굴욕 사건이 일어났다. ②는 루터의 종교 개혁이 일어난 배경에 해당한다. ④는 11세기 비잔티움 제국 황제 레오 3세의 성상 파괴령이 원인이 되었다. ⑤ 위클리프의 교회 비판에 맞서 로마 가톨릭교회가 콘스탄츠 공의회를 소집하여 로마 교황의 정통성을 인정하였다.

05 영국의 「대헌장」

자료 분석

제12조 짐의 왕국에서는 전체의 자문에 따르지 않고는 일체의 군역 면제세 혹은 부조금은 부과되지 않을 것이다. (왕권을 제한하는 내용이야.)

제39조 자유인은 …… 국법에 따르지 않고는 체포되지도, 재산을 빼앗기지도 않으며, …… 짐도 그 사람을 소송하거나 처벌하지 않을 것이다. (피지배자의 생명과 재산을 옹호하는 내용을 담고 있어.)

– 「대헌장」

13세기 영국의 존왕이 프랑스와의 전쟁으로 어려워진 재정을 개선하고자 무거운 세금을 부과하다가 귀족들의 반발을 샀다. 이에 왕은 「대헌장」을 승인하였는데 여기에는 왕권을 제한하고, 귀족의 권리를 강화하는 내용이 담겨 있다. 또한 「대헌장」은 피지배자의 생명과 재산을 옹호하는 내용을 담고 있어 입헌 정치의 기초가 되었다고 평가받는다.

| 바로 알기 | ①은 아우크스부르크 화의, 베스트팔렌 조약과 관련된 내용이다. ② 「대헌장」은 국왕의 권리를 제한하였다. ③ 엘리자베스 1세의 통일법 반포로 영국 국교회가 확립되었다. ⑤는 독일에서 작성된 「황금문서」와 관련된 내용이다. 독일에서는 13세기에 황제가 없는 대공위 시대를 거쳐, 14세기 「황금문서」가 만들어져 유력한 7명의 제후가 황제를 선출하였다. 이에 따라 대제후가 정치적 실권을 장악하였다.

06 백년 전쟁의 전개

제시된 자료의 '초기에는 영국이 우세', '잔 다르크의 활약에 힘입어 전세 역전' 등의 내용을 통해 밑줄 친 '전쟁'은 백년 전쟁임을 알 수 있다. 영국과 프랑스가 모직물 공업의 중심지인 플랑드르 지방을 두고 대립하는 가운데 영국 왕이 프랑스의 왕위 계승을 주장하면서 백년 전쟁이 일어났다. 100년이 넘는 기간 동안 전개된 전쟁은 양국에서 중앙 집권 국가의 발전을 촉진하는 계기가 되었다.

| 바로 알기 | ② 베스트팔렌 조약은 30년 전쟁의 결과로 체결되었다. 베스트팔렌 조약으로 칼뱅파가 공인받았다.

07 이탈리아와 알프스 이북의 르네상스

(가) 『데카메론』을 쓴 보카치오는 이탈리아 르네상스의 대표적인 인문주의자이고, (나) 『우신예찬』을 쓴 에라스뮈스는 알프스 이북 르네상스의 대표적인 인문주의자이다. 이탈리아의 르네상스는 인간과 자연을 있는 그대로 묘사하였고, 알프스 이북의 르네상스는 봉건 세력과 교회의 영향력이 강하게 남아 있어 현실 사회와 교회의 부패를 비판하는 경향이 강하였다. ④ 르네상스 시기 알프스 이북에서는 세르반테스의 『돈키호테』, 셰익스피어의 『햄릿』 등 라틴어 대신 자국어로 쓴 국민 문학이 발달하였다.

| 바로 알기 | ①, ②는 알프스 이북의 르네상스, ③은 이탈리아의 르네상스에 대한 설명이다. ⑤ 르네상스 시대의 인문주의자들은 신 중심의 중세적 세계관을 극복하여 현세의 삶에 충실하고자 하였다.

완자 정리 노트 이탈리아의 르네상스와 알프스 이북의 르네상스

구분	이탈리아의 르네상스	알프스 이북의 르네상스
시기	14~16세기	16세기 이후
특징	인간과 자연을 있는 그대로 바라보고 그 아름다움을 묘사	현실 사회와 교회 비판 등 사회 개혁적 성격을 띰
대표 작품	• 페트라르카의 서정시 • 보카치오의 『데카메론』	• 에라스뮈스의 『우신예찬』 • 토머스 모어의 『유토피아』

08 알프스 이북 르네상스의 특징

(가)에는 현실 사회와 교회를 비판하는 개혁적인 성향이 강하였던 알프스 이북의 르네상스 작품이 들어가야 한다. 알프스 이북의 세르반테스는 『돈키호테』를 저술하여 몰락한 기사 계급의 현실을 풍자하였다.

| 바로 알기 | ①, ②, ④, ⑤는 이탈리아의 르네상스를 보여 주는 작품들이다. 이탈리아의 르네상스는 인간을 개성적인 존재로 파악하였으며, 인간과 자연을 사실적으로 표현하였다.

09 르네상스 시대 과학의 발달

르네상스 시대의 인간과 자연에 대한 관심은 자연 과학의 발전으로 이어졌다. 화약이 전쟁에 사용되면서 봉건 기사의 몰락이 촉진되었고, 나침반을 개량하여 원거리 항해에 이용하면서 유럽 세계가 팽창하였다. 구텐베르크가 고안한 활판 인쇄술은 새로운 지식과 사상의 전파를 촉진하여 르네상스와 종교 개혁 확산에 영향을 주었다.

| 바로 알기 | ④ 게르만족의 이동으로 중세 유럽 사회가 형성되었다.

10 루터의 종교 개혁

제시된 자료는 루터가 발표한 「95개조 반박문」의 일부이다. 교황 레오 10세가 성 베드로 성당의 증축 비용을 마련하고자 면벌부를 판매하자 루터는 「95개조 반박문」을 발표하여 교황을 비판하였다. 루터를 지지하는 제후들은 로마 가톨릭교회를 지지하는 황제에게 대항하였다. 마침내 아우크스부르크 화의에서 루터파 교회가 공인을 받았다.

| 바로 알기 | ㄱ. 수장법은 영국의 헨리 8세가 국왕이 영국 교회의 수장임을 선포하고 영국 교회를 교황의 지배에서 독립시킨 것이다. ㄷ은 칼뱅의 종교 개혁에 대한 설명이다.

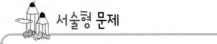

150쪽

01 주제: 길드의 결성 목적과 활동

예시 답안 중세 서유럽의 상인과 수공업자들은 공동의 이익과 안전을 도모하기 위해 길드를 만들어 생산과 교역을 통제하고 도시 행정을 주도하였다.

채점 기준

상	공동의 이익과 안전 도모라는 결성 목적과 도시 행정 주도라는 활동을 모두 서술한 경우
하	길드의 결성 목적과 활동 중 한 가지만 서술한 경우

02 주제: 이탈리아 르네상스의 발생 배경

예시 답안 이탈리아는 고대 로마 제국의 중심지로서 고전 문화유산이 많이 남아 있었고, 지중해 무역의 중심지로 경제가 번영하여 부유해진 이탈리아 상인들이 문예 활동을 후원하였다. 또한 비잔티움 제국이 멸망하면서 많은 학자들이 이탈리아로 유입되어 그리스·로마의 고전 문화 연구가 활발하게 이루어졌다.

채점 기준

상	고전 문화의 전통 보존, 비잔티움 제국 학자들의 유입, 지중해 무역을 통한 경제 번영을 모두 서술한 경우
중	고전 문화의 전통 보존, 비잔티움 제국 학자들의 유입, 지중해 무역을 통한 경제 번영 중 두 가지를 서술한 경우
하	고전 문화의 전통 보존, 비잔티움 제국 학자들의 유입, 지중해 무역을 통한 경제 번영 중 한 가지만 서술한 경우

03 **주제:** 종교 개혁의 전개

(1) 예시 답안 칼뱅의 주장은 근면한 직업 생활을 강조하면서 부의 축적을 정당화하였기 때문이다.

채점 기준

상	근면한 직업 생활 강조, 부의 축적 정당화를 모두 서술한 경우
하	신흥 상공업자들의 칼뱅 지지 이유를 한 가지만 서술한 경우

(2) 예시 답안 로마 가톨릭교회는 종교 개혁이 일어나자 트리엔트 공의회를 개최하고, 예수회 창설 및 선교 활동 등을 전개하였다.

채점 기준

상	트리엔트 공의회 개최, 예수회 창설과 선교 활동을 모두 서술한 경우
하	로마 가톨릭교회의 노력 중 한 가지만 서술한 경우

STEP 3 1등급 정복하기

151쪽

1 ⑤ 2 ③

1 봉건 사회의 동요

그래프는 영국 농민의 임금 변화와 곡물 가격 변화를 나타낸 것이다. (가) 시기에는 상업과 도시의 발달로 화폐의 유통이 활발해지면서 영주들은 농노에게 부역 대신 현물이나 화폐로 지대를 내게 하였다. 이에 따라 농민들은 부역에서 벗어나기 시작하였다. 또한 14세기 중엽에 흑사병이 유행하여 유럽 인구가 급격히 줄어들고 노동력이 부족해지자 영주들이 농민에 대한 처우를 개선하였다. 그러나 일부 지역의 영주들은 줄어든 수입을 보충하기 위해 직영지를 확대하고 농민에 대한 속박을 강화하려 하였다. 이에 맞서 프랑스에서 자크리의 난, 영국에서 와트 타일러의 난과 같은 농민 봉기가 일어났다.

바로 알기 ㄱ. 14세기 중엽 흑사병이 유행하면서 인구가 감소하고 노동력이 부족해졌다. 이에 영주들이 농민에 대한 처우를 개선하여 농민들의 경제적 지위가 상승하였다. ㄴ. 14세기에 농민들은 지대를 대부분 현물이나 화폐로 납부하였다.

2 베스트팔렌 조약

자료 분석

전쟁에 참가한 신성 로마 제국과 여러 국가들은 다음 사항에 합의한다. └ 독일에서 일어난 30년 전쟁은 유럽 각국이 이해관계에 따라 참전하여 국제 전쟁으로 확대되었어.

- 신성 로마 제국 내의 국가들에서 '통치자가 종교를 선택한다.'라는 원칙을 재확인한다. └ 아우크스부르크 화의의 결정이 재확인되었음을 의미해.
- 신성 로마 제국 내의 국가들은 자국의 안전을 위해 외국과 동맹을 맺을 수 있다. └ 신성 로마 제국 제후들의 정치적 독립이 인정되어 신성 로마 제국이 유명무실해졌어.
- 프랑스는 알자스를, 스웨덴은 서부 포메른을 차지한다.

제시된 자료는 베스트팔렌 조약의 내용이다. 종교 개혁의 확산으로 신교와 구교의 대립이 종교 전쟁으로 이어졌고, 30년 전쟁이 일어났다. 30년 전쟁의 결과 베스트팔렌 조약이 체결되었고 이 조약으로 칼뱅파도 공인을 받았으며 스위스와 네덜란드의 독립이 정식으로 승인되었다.

바로 알기 ① 베스트팔렌 조약은 30년 전쟁의 결과이다. ② 로마 가톨릭교회가 콘스탄츠 공의회를 소집하여 로마 교황의 정통성을 인정한 것은 교회의 대분열을 수습하기 위한 것이었다. ④는 아우크스부르크 화의와 관련이 있다. 아우크스부르크 화의로 루터파가 공인되었고, 이로써 교황의 지배를 벗어난 새로운 교회가 처음으로 인정받았다. ⑤ 프랑스에서는 위그노 전쟁이 일어났고, 그 결과 낭트 칙령이 발표되어 신교도에게 특정 지역에서 예배의 자유가 허용되었다.

04 유럽 세계의 변화

STEP 1 핵심 개념 확인하기 156쪽

1 (1) ㉢ (2) ㉡ (3) ㉠ 2 (1) 아스테카 문명 (2) 대서양 (3) 포르투갈
3 가격 혁명 4 (1) × (2) ○ (3) ○ 5 (1) ㄷ (2) ㄱ (3) ㄴ (4) ㄹ

STEP 2 내신 만점 공략하기 156~158쪽

01 ⑤ 02 ③ 03 ④ 04 ④ 05 ② 06 ③ 07 ②
08 ① 09 ③ 10 ③

01 신항로 개척의 배경

신항로 개척은 유럽인들의 동방에 대한 호기심 증가 및 동방과의 직접 무역 욕구 확대, 과학 기술의 발달을 배경으로 이루어졌다. 신항로 개척은 대서양 연안에 위치한 포르투갈과 에스파냐가 앞장섰다.

바로 알기 ⑤는 신항로 개척의 결과에 해당한다. 신항로의 개척으로 지중해에서 대서양으로 경제의 중심지가 이동하였다.

02 잉카 문명

안데스산맥에서 농업, 역법, 직물업을 발전시킨 고대 문명은 잉카 문명이다. 고대 아메리카 대륙에서는 아스테카 문명, 잉카 문명 등이 번영하였으나 신항로 개척 이후 에스파냐에 의해 파괴되었다.

바로 알기 ① 마야 문명은 멕시코만 연안에서 발전하였다. ② 인도 문명은 기원전 2500년경 인더스강 주변에서 발달하였다. ④ 아스테카 문명은 멕시코고원에서 발전하였다. ⑤ 메소포타미아 문명은 기원전 3500년경 수메르인이 메소포타미아 지방에서 일으킨 문명이다.

03 신항로 개척 이후 아메리카의 변화

잉카 문명이 발달한 아메리카 대륙에서는 신항로 개척 이후 백인과 아메리카 원주민의 혼혈인 메스티소가 생겨나 점차 증가하였다. 그리고 유럽으로부터 천연두와 홍역 등 전염병이 들어와 아메리카 원주민의 수가 크게 감소하였다.

바로 알기 ㄱ. 신항로 개척 이후 유럽에서는 아메리카 대륙으로부터 대량의 금과 은이 들어와 물가가 크게 오르는 가격 혁명이 일어났다. ㄷ. 신항로 개척 이후 아메리카의 고대 문명이 파괴되었다.

04 신항로 개척 이후의 국제 무역 질서

그림은 15~16세기의 신항로 개척 이후 대서양 중심의 삼각 무역 체제를 보여 준다. 유럽인은 아메리카 원주민의 수가 감소하여 노동력이 부족해지자, 아프리카 원주민을 노예로 동원하였다. 이러한 노예 무역으로 아프리카에서는 남녀 성 비율이 불균형해졌다.

바로 알기 ① 신항로 개척 이후 아메리카에서 많은 양의 금, 은이 들어와 유럽의 물가가 크게 오르는 가격 혁명이 일어났다. ② 유럽에서 흑사병이 유행한 것은 14세기의 일이다. ③, ⑤ 이슬람과 이탈리아 상인이 지중해를 통한 향신료 무역을 독점하자 포르투갈, 에스파냐의 주도로 신항로 개척이 이루어졌다. 이후 무역의 중심지가 지중해에서 대서양으로 이동하였다.

05 아메리카 은의 유통과 세계적 교역망의 형성

지도는 신항로 개척 이후 아메리카 은의 유통을 보여 준다. 신항로 개척 이후 유럽인들은 원주민들의 노동력을 착취하여 멕시코와 페루의 은광에서 막대한 양의 은을 채굴하였다. 유럽은 이렇게 약탈한 은을 주고 중국과 인도의 상품을 구매하였다. 그 결과 대량의 아시아 상품이 유럽으로 향하였고, 유럽의 은이 아시아로 흘러들어 왔다. 또한 아메리카에 정착한 유럽인을 위해 유럽의 생필품이 아메리카로 유입되었다. 결과적으로 은을 매개로 한 세계적 교역망이 형성되었다. 한편, 신대륙으로부터 많은 양의 은이 들어오자 유럽에서는 물가가 크게 오르는 가격 혁명이 일어났고, 중국에서는 은을 화폐로 사용하게 되었다.

바로 알기 ② 한자 동맹은 13세기경 북부 유럽에서 결성되었던 도시 동맹을 말한다. 이들은 당시 발트해와 북해 연안의 무역을 독점하였다.

06 왕권신수설

자료는 '왕의 모든 권력은 신으로부터 나온다.'라는 내용을 통해 왕권신수설에 대한 것임을 알 수 있다. 왕권신수설은 16세기부터 등장한 절대 왕정의 사상적 기반이 되었고 국왕의 절대적인 권력에 정당성을 부여하였다.

바로 알기 ① 왕권신수설은 중앙 집권 체제를 강화에 기여하였다. ② 18세기 유럽 각국에서 등장한 계몽사상은 인간의 이성을 통해 얻은 지식으로 사회를 개혁할 수 있다고 믿은 사상으로 왕권신수설과 거리가 멀다. ④ 왕권신수설은 국왕의 권력이 신으로부터 온 것이라고 보았다. ⑤ 주군과 봉신의 쌍무적 계약 관계는 중세의 주종제와 관련된 내용이다.

07 중상주의 경제 정책

자료 분석

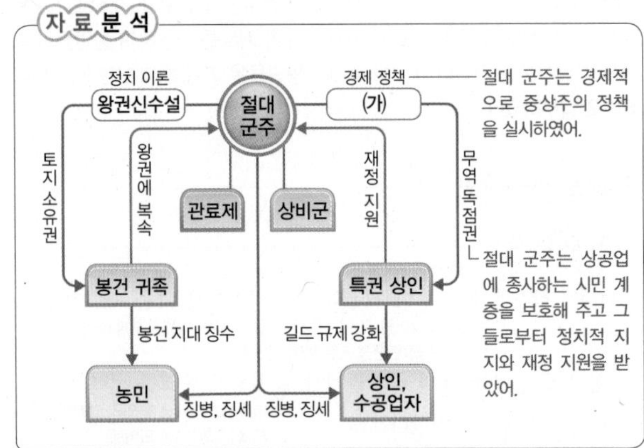

제시된 자료는 절대 왕정의 구조를 나타낸 것으로 (가)는 중상주의이다. 절대 왕정은 중상주의 정책을 통해 국내 산업을 보호·육성하여 수출을 장려하고, 관세 장벽을 높여 수입을 억제하였다(ㄱ).

또한 절대 왕정은 상품의 수출 시장인 해외 식민지 건설에 적극적으로 나섰다(ㄷ).

| 바로 알기 | ㄴ. 서유럽에서 농노의 경제적 지위가 향상된 것은 중세 말 화폐 경제의 발달과 14세기 흑사병의 유행 등이 계기가 되었다. ㄹ. 중상주의 정책은 국가가 상공업 활동에 개입한 경제 정책이다.

08 영국의 엘리자베스 1세

무적함대를 전멸시켰다는 내용을 통해 제시된 글은 영국의 엘리자베스 1세에 대한 것임을 알 수 있다. 엘리자베스 1세는 에스파냐의 무적함대를 격파하고, 영국 국교회를 확립하였다.

| 바로 알기 | ②는 프랑스의 앙리 4세, ③은 에스파냐의 펠리페 2세, ④는 프랑스의 루이 14세, ⑤는 동유럽의 절대 군주들에 대한 설명이다.

09 프랑스의 루이 14세

제시된 대화에 나타난 인물은 프랑스의 루이 14세이다. ③ 루이 14세는 낭트 칙령 폐지로 위그노를 탄압하였는데 이로 인해 위그노 상공업자들이 해외로 망명하여 프랑스의 국내 산업이 침체되었다.

| 바로 알기 | ①, ⑤는 프로이센의 프리드리히 2세, ②는 러시아의 표트르 대제, ④는 에스파냐의 펠리페 2세에 대한 설명이다.

10 러시아의 표트르 대제

제시된 글에서 (가)는 표트르 대제임을 알 수 있다. 표트르 대제는 러시아의 대표적인 계몽 전제 군주로서, 서유럽 문물 수용이 쉬운 곳에 위치한 상트페테르부르크를 수도로 삼았다.

| 바로 알기 | ㄱ. 러시아 등 동유럽에서는 도시화와 상공업 발달이 지체되면서 시민 계급의 성장이 늦어지고 일부 국가에서는 농노제가 유지되었다. ㄹ은 러시아의 예카테리나 2세에 대한 탐구 활동이다.

서술형 문제 158쪽

01 주제: 가격 혁명의 발생

예시 답안 신항로 개척 이후 아메리카에서 많은 양의 금과 은이 유럽으로 들어오면서 유럽의 물가가 급등하는 가격 혁명이 일어났다.

채점 기준

상	신항로 개척 이후 아메리카에서 많은 양의 금과 은이 유럽으로 유입된 것과 유럽의 물가가 급등한 것을 연결하여 서술한 경우
중	신항로 개척 이후 유럽의 물가가 급등하였다고만 서술한 경우
하	신항로 개척으로 금과 은이 유입되었다고만 서술한 경우

02 주제: 중상주의 경제 정책의 목적

(1) 중상주의 경제 정책

(2) 예시 답안 절대 왕정은 관료제와 상비군을 바탕으로 유지되었는데 이를 운영하기 위해서는 막대한 비용이 필요하였기 때문에 중상주의 경제 정책을 실시하였다.

채점 기준

상	절대 왕정의 기반인 관료제와 상비군을 유지하기 위해 중상주의 경제 정책을 실시하였다고 서술한 경우
하	국가의 부를 증대시키기 위해서라고만 서술한 경우

03 주제: 동유럽 절대 왕정의 특징

예시 답안 동유럽은 서유럽에 비해 상공업과 도시 발달이 늦어 시민 계급이 성장하지 못하였고, 봉건 귀족 계급은 농노제를 유지하면서 강력한 세력을 유지하였다. 이에 계몽사상의 영향을 받은 계몽 전제 군주가 위로부터의 개혁을 추진하였다.

채점 기준

상	상공업과 도시 발달이 늦고 봉건 귀족이 강력한 세력을 유지하여 계몽 전제 군주가 개혁을 추진하였다고 서술한 경우
하	계몽 전제 군주가 나타났다고만 서술한 경우

STEP 3 1등급 정복하기 159쪽

1 ① 2 ③

1 신항로 개척의 영향

지도는 신항로 개척을 보여 주는 것으로 (가)는 콜럼버스, (나)는 바스쿠 다 가마, (다)는 마젤란에 해당한다. ① 콜럼버스는 인도 항로를 개척하려다가 서인도 제도에 도착하였다.

| 바로 알기 | ②는 마젤란, ③은 바르톨로메우 디아스에 대한 설명이다. ④는 바르톨로메우 디아스와 바스쿠 다 가마에 해당한다. 마젤란은 에스파냐의 후원을 받았다. ⑤는 바스쿠 다 가마에 대한 설명이다.

완자 정리 노트 신항로의 개척

지원 국가	인물	활동
포르투갈	바스쿠 다 가마	인도 항로 개척(1498)
에스파냐	콜럼버스	서인도 제도 도착(1492)
	마젤란	최초로 세계 일주 성공(1519~1522)

2 절대 왕정의 구조

제시된 자료는 절대 왕정의 정치적 기반이었던 왕권신수설을 보여 준다. 절대 왕정은 중세 봉건 국가에서 근대 국민 국가로 옮겨 가는 과도기적 정치 형태로 왕권신수설과 중상주의 경제 정책을 기반으로 하였다. 절대 왕정의 절대 군주는 상공업에 종사하는 시민 계층을 보호해 주고 그들로부터 정치적 지지와 재정 지원을 받았다.

| 바로 알기 | ㄱ. 절대 군주는 강력한 국가 통치를 위해 관료제와 상비군을 두어 운영하였다. ㄹ. 절대 왕정은 국가의 부를 증대하기 위해 국가가 경제 활동을 통제하고 국내 산업을 보호·육성하는 중상주의 경제 정책을 실시하였다.

05 근대 의식의 발전과 시민 혁명

STEP 1 핵심 개념 확인하기 166쪽

1 (1) ㄱ (2) ㄹ (3) ㄴ (4) ㄷ 2 (1) 크롬웰 (2) 권리 청원 3 (1) × (2) ○ 4 로베스피에르 5 (1) ㉠ (2) ㉡ (3) ㉢

STEP 2 내신 만점 공략하기 166~169쪽

01 ⑤ 02 ① 03 ② 04 ① 05 ⑤ 06 ④ 07 ④ 08 ③ 09 ④ 10 ④ 11 ⑤ 12 ③ 13 ① 14 ⑤ 15 ②

01 과학 혁명

17세기경 자연 과학이 발전하고 망원경, 현미경 등 과학 기구가 발명되면서 과학 분야에서 주목할 만한 업적이 나타났는데, 이를 과학 혁명이라고 한다. 따라서 (가)는 과학 혁명이다. ㄷ. 갈릴레이는 망원경을 만들어 천체를 관측하여 지동설을 증명하였고, 낙하 실험을 통해 새로운 운동 법칙을 발견하였다. ㄹ. 케플러는 행성이 태양을 중심으로 타원 궤도를 그리며 회전한다고 주장하였다.

바로 알기 ㄱ. 15세기 콜럼버스는 인도 항로를 개척하려다가 서인도 제도에 도착하였다. ㄴ. 구텐베르크는 15세기경에 활판 인쇄술을 고안하여 새로운 지식과 사상의 보급을 촉진하였다.

02 뉴턴의 만유인력의 법칙

만유인력의 법칙을 발견하였다는 내용을 통해 밑줄 친 '그'는 뉴턴임을 알 수 있다. 뉴턴은 만유인력의 법칙을 발견하고 이를 보편적인 수학 공식으로 설명하였다. 또한 모든 자연 현상을 필연적인 인과 법칙으로 설명함으로써 기계론적 우주관을 확립하였다.

바로 알기 ②는 하비, ③은 18세기 계몽사상의 확산에 기여한 디드로, 달랑베르 등, ④는 갈릴레이에 대한 설명이다. ⑤ 데카르트는 17세기에 과학 혁명의 영향을 받아 연역법과 같은 근대적 연구 방법론을 제시하였다.

03 로크의 사회 계약설

자료 분석

인간은 자연권인 생명, 자유, 재산의 권리를 …… 잘 보장되도록 정부를 세우는 데 합의(계약)하는 것이다. …… 정부가 기본권인 생명, 자유, 재산의 권리를 보장하지 않는다면 …… 혁명으로 타도할 수 있다. └ 로크는 시민의 혁명권을 인정하였어. - 『시민 정부론』

제시된 자료는 로크의 사회 계약설이다. 로크는 사회 계약으로 수립된 정부가 생명, 자유, 재산 등 자연권을 지켜 주지 못할 때 정부에 저항하고 정부를 교체할 수 있다는 혁명권을 인정하였다. 이는 미국의 독립 혁명 등 시민 혁명에 영향을 주었다.

바로 알기 ①, ⑤는 홉스의 사회 계약설과 관련이 있다. ③ 사회 계약설은 직접 민주주의의 도입과는 관련이 없다. ④는 계몽사상가인 몽테스키외와 관련된 내용이다.

04 계몽사상의 확산

『백과전서』가 편찬되고 살롱을 통해 당대 최고 지식인들이 모여 토론하였다는 조사 내용을 통해 탐구 주제는 계몽사상과 관련이 있음을 알 수 있다. ① 디드로와 달랑베르는 『백과전서』의 편찬을 주도하여 계몽사상이 확산하는 데에 큰 영향을 주었다. 또한 사람들 간의 사교가 이루어지는 장을 의미하는 살롱도 계몽사상의 확산에 기여하였다.

바로 알기 ② 영국에서는 명예혁명을 거쳐 메리와 윌리엄이 공동 왕으로 추대되고 이후 권리 장전을 승인하여 입헌 군주제의 토대가 마련되었다. ③ 종교 개혁은 16~17세기에 유럽에서 로마 가톨릭교회에 반대하여 일어난 운동이다. 계몽사상은 18세기 이후에 확산되었다. ④ 절대 왕정은 왕권신수설을 사상적 토대로 삼았다. ⑤ 중상주의 정책은 절대 왕정의 경제적 기반이었다.

05 권리 청원의 발표 배경

의회의 동의 없이 과세할 수 없다는 내용 등을 통해 제시된 문서는 권리 청원임을 알 수 있다. 영국 농촌에서는 지주층인 젠트리가 나타나 16, 17세기에 도시의 시민과 함께 의회에 진출하였다. 이러한 상황에서 스튜어트 왕조의 제임스 1세가 즉위하여 국교회를 고수하였고, 그의 아들 찰스 1세도 의회 동의 없이 과세하고 청교도를 박해하며 전제 정치를 펼쳤다. 이에 왕과 의회의 갈등이 커지자 의회가 권리 청원을 제출하였다.

바로 알기 ⑤는 1688년에 일어난 명예혁명에 해당한다.

완자 정리 노트 영국 혁명의 전개

구분	청교도 혁명	명예혁명
배경	제임스 1세와 찰스 1세의 전제 정치	찰스 2세와 제임스 2세의 전제 정치
전개	찰스 1세의 의회 소집 → 의회의 과세 요구 거부 → 내란 발생	제임스 2세 폐위, 메리와 윌리엄을 공동 왕으로 추대
결과	의회파 승리 → 찰스 1세 처형, 공화정 수립	권리 장전 승인 → 입헌 군주제 정착

06 청교도 혁명 이후의 상황

연표에서 (가)는 청교도 혁명이 시작된 시기와 왕정복고로 찰스 2세가 즉위한 시기 사이에 해당한다. ④ 청교도 혁명이 전개되면서 찰스 1세가 처형되고 1649년에 공화정이 수립되었다. 이후 크롬웰은 금욕적인 독재 정치를 펼치는 한편, 항해법을 제정하여 대외 무역을 확대하였다. 그러나 그의 엄격한 독재 정치는 국민의 불만을 초래하였고, 크롬웰 사후 왕정이 복고되어 찰스 2세가 즉위하였다.

| 바로 알기 | ①은 1689년의 일이다. ②는 튜더 왕조의 엘리자베스 1세 때의 일이다. ③은 왕정복고로 찰스 2세가 즉위한 이후의 일이다. ⑤는 1707년 앤 여왕 때의 일이다.

07 권리 청원과 권리 장전

1628년에 찰스 1세가 의회의 동의 없이 과세한 것으로 인해 제출되었다는 내용을 통해 (가)는 권리 청원임을 알 수 있다. 또한 공동 왕으로 추대된 메리와 윌리엄이 1689년에 승인하였다는 내용을 통해 (나)는 권리 장전임을 알 수 있다. ④ 메리와 윌리엄에 의해 권리 장전이 승인된 이후 영국에서는 의회가 중심이 된 입헌 군주제의 토대가 마련되었다.

| 바로 알기 | ① 권리 청원은 미국의 독립 선언 발표(1776)보다 먼저 승인되었다. ② 권리 청원은 청교도 혁명(1642~1649) 이전에 제출되었다. ③ 앤 여왕 사후 하노버 공 조지 1세가 즉위하면서 내각 책임제가 시작되었다. ⑤ 의회는 권리 장전을 승인받아 의회가 왕권보다 우위에 있음을 확실히 하였다.

08 보스턴 차 사건의 배경

제시된 사건은 1773년 영국 식민지였던 북아메리카의 보스턴 항구에서 일어난 보스턴 차 사건이다. ③ 영국은 18세기에 7년 전쟁으로 재정이 어려워지자 식민지에 대해 중상주의 정책을 강화하여 인지세, 차세 등을 부과하였다. 이에 식민지인들이 반발하였고 이는 보스턴 차 사건으로 이어졌다.

| 바로 알기 | ①은 1789년 프랑스 혁명 과정에서 일어난 일이다. ②는 영국에서 크롬웰 사후 찰스 2세가 왕이 되어 친가톨릭적 전제 정치를 실시하였을 때의 일이다. ④는 1776년의 일이다. ⑤ 영국에서는 청교도 혁명 이후 크롬웰이 항해법을 제정하여 네덜란드를 위협하였다.

09 미국 혁명과 독립 선언문

'모든 사람은 타인에게 양도할 수 없는 확실한 권리를 부여받았다(천부 인권)', '인민의 안전과 행복을 잘 이룩할 수 있는 새 정부를 조직하는 것이 인민의 권리(저항권)' 등의 내용을 통해 자료는 미국의 독립 선언문임을 알 수 있다. 식민지 대표들은 제2차 대륙 회의에서 독립 선언문을 발표하였다. 여기에는 로크와 루소의 사상으로부터 영향을 받아 천부 인권, 국민 주권 등 근대 민주주의의 원리가 담겨 있다. 이러한 미국 혁명은 프랑스 혁명에 영향을 주었다.

| 바로 알기 | ④ 식민지 대표들은 제2차 대륙 회의에서 워싱턴을 총사령관으로 임명하고 독립 선언문을 발표하였다. 워싱턴이 초대 대통령으로 임명된 시기는 미국의 독립 승인 이후인 1789년에 해당한다.

10 미국 헌법의 제정

제시된 자료는 미국이 독립 이후 세계 최초로 제정한 성문 헌법의 내용이다. 이 헌법은 연방주의에 기초하였고, 계몽사상가 몽테스키외가 주장한 삼권 분립의 원리를 규정하였다.

| 바로 알기 | ㄱ. 미국 헌법은 상원과 하원의 양원제 의회로 구성하였다. ㄷ. 미국 헌법은 국가 권력을 입법부, 행정부, 사법부로 나누어 서로 견제하게 함으로써 독재를 막고자 하였다.

11 프랑스 혁명의 배경

제시된 그림은 프랑스 구제도의 모순을 풍자한 것이다. 프랑스 혁명은 구제도의 모순, 계몽사상과 미국 혁명의 영향을 받은 시민 계급의 성장, 국가 재정 악화 등을 배경으로 일어났다. ⑤ 프랑스 혁명 때 제3 신분은 국민 의회를 구성하고 테니스코트의 서약을 통해 헌법이 제정될 때까지 해산하지 않겠다고 선언하였다.

| 바로 알기 | ①은 영국의 청교도 혁명, ②, ④는 미국의 독립 혁명 과정에서 있었던 일이다. ③ 인신 보호법 제정은 영국에서 왕정복고 이후 찰스 2세 때 의회의 주도로 추진되었다.

12 인간과 시민의 권리선언

인간의 자유와 평등, 국민 주권, 재산권 보호 등을 내세운 점을 통해 이 선언문은 프랑스 혁명 때 발표된 '인간과 시민의 권리선언'임을 알 수 있다. '인간과 시민의 권리선언'은 국민 의회에서 발표하였으며 국민 주권과 재산권의 불가침성 등을 내세웠고, 인간의 자연권 보전을 위해 국가가 성립되었다고 보았다.

| 바로 알기 | ③은 미국 독립 선언문에 대한 설명이다. 아메리카의 식민지 대표들은 필라델피아에서 제2차 대륙 회의를 개최하여 미국 독립 선언문을 발표하였다.

13 로베스피에르의 활동

자료의 '국민 공회를 주도', '테르미도르의 반동으로 실각한 후 처형'이라는 내용을 통해 제시된 인물은 로베스피에르임을 알 수 있다. ① 로베스피에르는 자코뱅파의 지도자로 공안 위원회와 혁명 재판소를 통해 공포 정치를 실시하였다.

| 바로 알기 | ②, ④, ⑤는 나폴레옹과 관련된 탐구 주제이다. ③ 국민 공회는 공화정을 선포하였다. 입헌 군주제에 기초한 헌법을 발표한 것은 국민 의회이다.

14 국민 의회와 총재 정부 사이 시기의 사실

첫 번째 글은 국민 의회 구성, 두 번째 글은 총재 정부 수립에 대한 것이다. 국민 의회 뒤에 세워진 입법 의회는 오스트리아, 프로이센에 선전 포고를 하여 1792년 혁명전쟁을 시작하였다. 이후 구성된 국민 공회는 혁명 재판소와 공안 위원회를 통해 반혁명 혐의자를 처형하는 공포 정치를 실시하였다. 그러나 공포 정치에 대한 반발이 일어나 로베스피에르가 테르미도르의 반동으로 실각하여 처형되고 총재 정부가 구성되었다.

| 바로 알기 | ㄱ. 트라팔가르 해전에서 영국 해군에 패배한 것은 나폴레옹 집권기인 제1 제정 시기의 사실이다. ㄴ. 나폴레옹이 국민 투표로 황제에 즉위하여 제1 제정이 구성되었다.

15 나폴레옹 시대

영국의 여러 섬을 대륙으로부터 봉쇄할 것을 선언하고, 영국 여러 섬과의 모든 무역 활동을 금지한다는 내용을 통해 제시된 글이 나폴레옹의 대륙 봉쇄령을 나타낸다는 것을 알 수 있다. ② 나폴레옹은 쿠데타를 일으켜 총재 정부를 무너뜨리고 통령 정부를 구성하였으며, 1804년 국민 투표로 황제에 즉위하였다. 황제가 된 나폴레옹은 영국을 굴복시키기 위해 대륙 봉쇄령을 발표하였지만 큰 효과를 보지는 못하였다.

바로 알기 ① 국민 공회 시기에 제1 공화정이 실시되었다. ③은 영국의 하노버 왕조와 관련이 있다. ④는 영국의 크롬웰이 집권한 시기와 관련이 있다. ⑤는 미국의 연방 헌법 제정과 관련된 내용이다.

완자 정리 노트 나폴레옹의 활동

구분	통령 정부	제1 제정
성립	총재 정부 때 쿠데타로 집권	국민 투표를 통해 황제로 즉위
활동	• 오스트리아와 러시아군 격파 • 국민 교육 제도 시행, 프랑스 은행 설립 • 『나폴레옹 법전』 편찬	• 유럽 대륙 대부분 제패(신성 로마 제국을 해체시킴) • 대륙 봉쇄령 발표, 러시아 원정 실패, 워털루 전투 패배

서술형 문제

169쪽

01 주제: 우주관의 변화

예시 답안 자료에 나타난 우주관은 지동설이다. 지동설은 이전에 태양이 지구의 주위를 돈다고 보는 중세의 우주관과 달리 지구가 태양 주위를 돈다고 보는 근대적 우주관이다.

채점 기준

상	지동설을 쓰고, 우주관의 변화 내용을 서술한 경우
하	지동설만 쓴 경우

02 주제: 권리 장전의 정치적 의미

(1) 권리 장전

(2) 예시 답안 권리 장전의 승인은 의회의 권한이 커지고 왕권이 제한될 수 있다는 정치적 변화를 의미한다. 이는 영국에서 의회 중심의 입헌 군주제가 정착되는 기반이 되었다.

채점 기준

상	의회의 권한 강화, 의회 중심의 입헌 군주제 마련이라는 정치적 의미를 서술한 경우
하	입헌 군주제 마련에 기반이 되었다고만 서술한 경우

03 주제: 나폴레옹 전쟁의 의의

예시 답안 나폴레옹은 정복 전쟁 과정에서 유럽 각국에 프랑스 혁명의 이념인 자유주의를 확산시켰다.

채점 기준

상	프랑스 혁명의 이념인 자유주의를 확산시켰다고 서술한 경우
하	프랑스 혁명의 이념 전파라고만 서술한 경우

STEP 3 1등급 정복하기

170~171쪽

1 ① 2 ② 3 ② 4 ④

1 루소와 홉스의 사상

자료 분석

(가) 인간은 자연 상태에서 자유롭고 평등하지만 오직 본능에 따르기 때문에 개인의 자유와 재산을 보장할 수 없으므로 사회 계약을 맺는다. …… 계약을 통해 구성된 국가의 주권은 전체로서 인민에게 있으며, 전체 인민이 통치자라야 한다. 주권은 공공의 선을 지향하는 초개인적 의사인 일반 의지의 작용이다.

사회 계약설임을 알 수 있어.

일반 의지는 루소가 자유와 평등을 지향하는 인민들의 초개인적인 의지를 설명하는 말이야.

(나) 정치권력이 존재하지 않는 자연 상태에서 인간은 …… 서로 싸우는 전쟁 상태에 있다. …… 이를 벗어나기 위해 강력한 정부가 요구되므로 인간은 개인행동의 자유를 지배자의 손에 맡기기 위한 일종의 합의나 계약을 하게 된다. 그러나 이 경우 지배자에게 무제한의 절대적 권력을 줘야 한다. 그렇지 않으면 …… 사회는 또다시 '만인의 만인에 대한 투쟁'인 자연 상태로 돌아가기 때문이다.

홉스의 주장 역시 사회 계약설의 하나로 볼 수 있어.

홉스가 자연 상태를 설명한 부분이야. 이에 절대 권력이 필요하다고 본 거지.

사회 계약과 함께 국가의 주권이 인민에게 있고, 주권이 일반 의지의 작용이라고 한 점 등을 통해 (가)는 루소의 주장임을 알 수 있다. 또한 자연 상태에서 인간이 서로 싸우는 전쟁 상태에 있다는 점, 자연 상태를 '만인의 만인에 대한 투쟁'이라고 한 점 등을 통해 (나)는 홉스의 주장임을 알 수 있다. ① 루소의 주장은 프랑스 혁명 등 시민 혁명에 영향을 주었다.

바로 알기 ②는 왕권신수설에 대한 탐구 활동이다. ③, ④ 홉스는 절대 군주제를 옹호하였다. 영국의 청교도 혁명은 제임스 1세와 찰스 1세의 전제 정치에 대한 반발로 일어났다. ⑤는 계몽사상과 관련된 탐구 활동이다.

2 청교도 혁명의 전개

찰스 1세 시기에 있었던 일이라는 점, 스코틀랜드와의 전쟁 비용 마련을 위해 의회를 소집했다는 점 등을 통해 제시된 자료는 영국에서 청교도 혁명이 일어난 배경에 해당하는 내용임을 알 수 있다. ② 찰스 1세는 스코틀랜드와의 전쟁 비용을 마련하기 위해 의회를 소집하였다. 그러나 의회가 왕의 과세 요구를 거부하고 서로 충돌하면서 내란이 발생하였는데, 이를 청교도 혁명이라고 한다.

바로 알기 ①은 스튜어트 왕조가 단절되고 독일의 하노버 공이 즉위하면서 일어난 일이다. ③은 튜더 왕조 시기의 일이다. ④는 찰스 1세의 의회 소집 이전의 일이다. ⑤는 찰스 2세가 즉위한 이후의 일이다.

3 미국 혁명과 프랑스 혁명의 선언문

(가)는 미국의 독립 선언문, (나)는 프랑스의 국민 의회가 발표한 '인간과 시민의 권리선언'이다. 미국의 독립 선언문은 식민지 대표들이

제2차 대륙 회의를 열어 총사령관으로 조지 워싱턴을 임명한 후 발표하였다. 프랑스의 인권 선언에는 루소 등 계몽사상가의 주장이 반영되었다. 미국의 독립 선언문과 프랑스의 인권 선언에서는 루소의 사상에서 영향을 받아 근대 민주주의의 원리인 국민 주권을 주장하였다.

바로 알기 ② 미국의 독립 선언문에는 삼권 분립의 원리가 나타나 있지 않다. 미국은 독립 이후 1787년에 헌법을 제정하였는데, 여기에서 삼권 분립의 원리를 규정하였다.

4 나폴레옹의 대륙 봉쇄령

지도의 트라팔가르 해전, 워털루 전투, 모스크바 원정 등의 내용을 통해 (가)는 나폴레옹임을 알 수 있다. ④ 나폴레옹은 영국을 고립시키기 위해 유럽 대륙과 영국 사이의 무역을 금지하는 대륙 봉쇄령을 내렸다. 그러나 러시아가 이를 어기자 나폴레옹은 러시아 원정에 나섰다.

바로 알기 ① 나폴레옹은 통령 정부 수립 후 제1 통령이 되었고, 이후 국민 투표로 황제에 즉위하였다. ②는 영국의 크롬웰, ③은 프랑스의 로베스피에르에 대한 설명이다. ⑤는 프랑스의 입법 의회와 관련된 내용이다.

06 국민 국가의 형성과 산업 혁명

STEP 1 핵심 개념 확인하기 176쪽

1 ㉠ 메테르니히, ㉡ 빈 체제 2 (1) 심사법 (2) 2월 혁명 3 (1) ㉣ (2) ㉠ (3) ㉢ (4) ㉡ 4 (1) ○ (2) ○ 5 (1) ㄴ (2) ㄱ (3) ㄷ (4) ㄹ

STEP 2 내신 만점 공략하기 176~179쪽

01 ② 02 ② 03 ③ 04 ③ 05 ④ 06 ③ 07 ②
08 ③ 09 ③ 10 ⑤ 11 ④ 12 ① 13 ⑤ 14 ①
15 ④ 16 ④

01 빈 체제의 성격

각국의 영토와 지배권을 프랑스 혁명 이전으로 되돌려야 한다는 내용을 통해 제시된 자료와 관련된 국제 질서가 빈 체제임을 알 수 있다. ② 나폴레옹 몰락 후 유럽 각국은 오스트리아의 재상 메테르니히의 주도로 빈 회의를 개최하였다. 여기에서 복고주의와 정통주의를 표방하는 빈 체제가 성립하였다.

바로 알기 ①, ⑤ 빈 체제에서는 독립운동, 통일 운동과 같은 민족주의 운동을 탄압하였다. ③은 로베스피에르의 공포 정치에 대한 설명이다. ④ 대프랑스 동맹은 영국을 중심으로 한 유럽 국가들이 프랑스 혁명의 파급을 막고 나폴레옹의 대륙 지배에 대항하기 위해 체결한 군사 동맹이다.

02 빈 체제에 대한 유럽 각국의 저항

제시된 탐구 내용을 통해 (가)에 들어갈 탐구 주제는 19세기 초 빈 체제에 대한 유럽 각국의 저항임을 알 수 있다. 빈 체제가 수립된 이후 독일에서는 학생 조합이, 이탈리아에서는 카르보나리당이 저항 운동을 일으켰다.

바로 알기 ① 브나로드 운동은 19세기 후반 러시아에서 일어난 계몽 운동이다. ③은 14세기 후반의 중세 봉건 사회, ④는 17~18세기 영국과 프랑스 등에서 일어난 시민 혁명, ⑤는 빈 체제 수립 전 프랑스와 대프랑스 동맹 간의 전쟁과 관련된 내용이다.

03 샤를 10세의 전제 정치와 7월 혁명

자료 분석

언론을 탄압하는 내용이야.

정기 간행물의 발행 자유를 정지한다. …… 하원은 해산한다. …… 향후 의회에서 하원 의원의 수를 줄인다. 하원의 헌법 수정 권한을 철회한다. – 샤를 10세의 7월 칙령, 1830

7월 칙령으로 샤를 10세가 의회를 해산하고 언론을 통제하자 자유주의자와 파리 시민들이 7월 혁명을 일으켰어.

제시된 칙령은 샤를 10세의 전제 정치를 나타낸다. ③ 샤를 10세의 전제 정치에 맞서 자유주의자와 파리 시민들이 봉기하여 7월 혁명을

일으켰다. 그 결과 샤를 10세가 추방되고 루이 필리프가 새 왕으로 추대되어 입헌 군주제가 수립되었다.

바로 알기 ①은 제2 제정 붕괴 후의 일이다. ②는 2월 혁명의 영향이다. ④, ⑤는 프랑스 혁명 당시에 있었던 일이다.

04 2월 혁명의 영향

연표의 (가)는 프랑스의 2월 혁명에서 제2 제정 수립까지의 시기에 해당한다. ③ 1848년 파리에서 중하층 시민 계급과 노동자들이 2월 혁명을 일으켜 루이 필리프를 몰아냈고, 그 결과 제2 공화정이 수립되었다. 2월 혁명의 영향으로 오스트리아에서는 같은 해에 3월 혁명이 일어나 메테르니히가 권력을 상실하였고, 유럽 각국에서 자유주의와 민족주의 운동이 일어나 빈 체제가 붕괴되었다. 2월 혁명 이후 나폴레옹의 조카 루이 나폴레옹이 황제로 즉위하여 제2 제정이 수립되었다.

바로 알기 ①은 나폴레옹 시대, ②는 1651년 크롬웰이 집권한 시기의 상황이다. ④는 7월 혁명 이후, ⑤는 빈 체제 성립 후인 1829년에 있었던 일이다.

05 차티스트 운동의 배경

21세 이상 모든 남자의 선거권 인정을 요구한 점과 1838년의 인민헌장인 점 등을 통해 제시된 자료는 영국의 차티스트 운동과 관련이 있음을 알 수 있다. ④ 영국에서는 1832년 제1차 선거법 개정으로 부패 선거구가 없어졌으나 노동자들은 여전히 선거권을 받지 못하였다. 이에 노동자들은 인민헌장을 내걸고 차티스트 운동을 벌였다.

바로 알기 ①은 1828년에 일어난 영국의 자유주의 개혁, ②는 1642년에 시작된 영국의 청교도 혁명, ③은 1848년에 일어난 프랑스의 자유주의 운동과 관련된 내용이다. ⑤ 영국에서는 산업화에 따른 인구 이동으로 부패 선거구가 많아졌으나, 1832년 제1차 선거법 개정으로 부패 선거구가 폐지되었다.

06 이탈리아의 통일 과정

가리발디, 카보우르 등이 통일 운동을 전개한 국가는 이탈리아이다. ㄴ. 이탈리아 왕국은 베네치아와 로마 교황령을 병합하여 통일을 완성하였다. ㄷ. 사르데냐 왕국의 재상 카보우르는 프랑스를 끌어들여 오스트리아를 물리치고 이탈리아 중북부 지역을 통합하였다.

바로 알기 ㄱ, ㄹ은 독일의 통일 과정과 관련이 있다. 독일에서는 프로이센의 주도로 관세 동맹을 체결하였고, 재상 비스마르크가 철혈 정책을 추진하였다. 이후 프로이센 왕 빌헬름 1세가 황제로 즉위하면서 독일 제국이 성립되었다.

완자 정리 노트 이탈리아의 통일 과정에서 활약한 인물

마치니	청년 이탈리아당을 이끌고 통일 운동 전개 → 실패
카보우르	오스트리아 격파 → 이탈리아 중북부 통합
가리발디	시칠리아와 나폴리 점령 → 사르데냐 왕국에 헌납

07 비스마르크의 업적

자료 분석

— 비스마르크는 군비 확장에 총력을 기울였어.

독일이 현재의 과제를 수행하기 위해 눈여겨보아야 할 것은 프로이센의 자유주의가 아니라 군비입니다. …… 연설과 과반수의 찬성으로 당면한 문제가 해결되지는 않습니다. …… 오로지 철과 피에 의해서만 문제가 해결될 수 있습니다.

— 비스마르크의 철혈 정책을 보여 주는 부분이야.

제시된 자료와 같이 주장한 인물은 비스마르크이다. 프로이센의 재상 비스마르크는 철혈 정책을 내세워 군비를 확장하였다. 이후 프로이센은 오스트리아, 프랑스와의 전쟁에서 차례로 승리를 거둔 후 빌헬름 1세가 황제로 즉위하고 독일 제국을 선포하였다.

바로 알기 ①은 미국의 먼로 대통령, ③은 이탈리아의 가리발디, ④는 이탈리아의 마치니, ⑤는 독일의 빌헬름 1세에 대한 설명이다.

08 미국 남북 전쟁의 배경

제시된 자료는 링컨의 노예 해방령이다. 노예제 확대에 반대한 링컨이 대통령에 당선되면서 1861년에 남북 전쟁이 일어났다. 전쟁이 한창인 가운데 링컨은 노예 해방령을 발표하였다. ③ 1840년대 이후 미국 남부에서는 대농장이 발달하였고 영국과의 자유 무역을 추구하였다. 북부에서는 상공업이 발달하였고 보호 무역을 주장하였다. 이러한 남부와 북부의 차이는 노예제를 둘러싼 대립으로 격화되었고, 이를 배경으로 남북 전쟁이 일어났다.

바로 알기 ①은 독일의 통일 과정, ②, ⑤는 미국의 독립 혁명, ④는 1823년 미국의 먼로 선언과 관련된 탐구 활동이다.

09 남북 전쟁 이후 미국의 상황

미국은 남북 전쟁 이후 빠른 속도로 국민적 단합을 이루었고, 1869년에는 대륙 횡단 철도가 부설되어 영토 통합이 진척되었다. 또한 이민자가 대거 유입되어 노동력이 풍부해지고 시장이 확대되었다. 이를 바탕으로 미국은 19세기 말 세계 최대의 공업국으로 성장하였다.

바로 알기 ③은 미국 혁명의 결과이다. 미국 독립 혁명 때 식민지군은 요크타운 전투에서 영국군을 물리쳤고, 이후 북아메리카 13개 주가 파리 조약을 통해 독립을 인정받았다.

10 러시아의 알렉산드르 2세

제시된 자료는 러시아 황제인 알렉산드르 2세가 발표한 농노 해방령을 보여 준다. ⑤ 알렉산드르 2세는 니콜라이 1세 때의 크림 전쟁 패배 등으로 인한 러시아의 위기 상황에서 개혁을 필요성을 절감하였다. 그리하여 농노 해방, 지방 의회 설립, 국민 개병제 시행 등 내정 개혁을 단행하였다. 그러나 이는 별다른 성과를 거두지 못하였고, 이후 알렉산드르 2세는 무정부주의자에게 암살당하였다.

바로 알기 ①, ③은 니콜라이 1세, ②, ④는 17세기 말의 표트르 대제에 대한 설명이다.

11 산업 혁명의 배경

제시된 글은 산업 혁명에 대한 것으로, 영국에서 산업 혁명이 일어난 배경을 묻는 문제이다. 영국은 모직물 공업의 발달로 자본이 축적되었고, 시민 혁명 이후 정치적 안정을 이루어 경제 발전에 전념할 수 있었다. 또한 영국은 2차 인클로저 운동으로 자유로운 노동력을 확보하였고, 산업 발달에 필요한 석탄과 철 등의 지하자원이 풍부하였다. 이러한 배경으로 영국에서 가장 먼저 산업 혁명이 시작되었다.

| 바로 알기 | ④ 항해법은 17세기 크롬웰이 제정한 것으로 당시 중계 무역으로 많은 이익을 얻고 있던 네덜란드의 반발을 샀으며, 영국과 네덜란드 간에 전쟁이 일어나는 배경이 되었다.

12 산업 혁명의 전개

제임스 와트가 개량한 증기 기관이 새로운 동력원으로 사용된 것은 산업 혁명 시기에 해당한다. ㄱ. 산업 혁명으로 유럽은 농업 사회에서 산업 사회로 바뀌었고, 자본주의 경제 체제가 확립되었다. ㄴ. 산업 혁명 이후 도시가 성장하고 도시 인구가 급격히 증가하는 도시화가 나타났다.

| 바로 알기 | ㄷ. 중상주의는 16세기 말부터 18세기에 걸쳐 유럽에서 지배적이었던 경제 정책이다. 18세기 후반 산업 혁명이 일어나면서부터는 애덤 스미스의 자유방임 사상이 자본주의의 발달을 뒷받침하였다. ㄹ. 산업 혁명 이후 자본가와 노동자 계급이 대두하였고, 자본가가 사회 지배층으로 부상하였다.

13 산업 혁명으로 인한 노동 문제

제시된 자료는 산업 혁명 시기 노동자의 어려웠던 삶을 보여 준다. 이 시기에 노동자들은 열악한 작업 환경에서 저임금을 받으며 장시간 노동에 시달렸으며, 엄격한 노동 규율 아래 자본가의 통제를 받았다. 공장주들은 임금이 성인 남성보다 적었던 여성과 아동도 고용하였다. 산업 혁명 이후 빈부 격차가 커지고 노동자의 어려운 삶이 계속되자, 자본주의 체제의 문제점을 비판하는 사회주의 사상이 등장하였다.

| 바로 알기 | ⑤ 산업화가 진행되면서 노동 문제가 발생하자 영국 정부는 공장법을 제정하여 장시간 노동을 제한하고 여성과 아동 노동자를 보호하였다.

14 19세기 다양한 노동 운동

(가)에는 19세기에 전개된 노동 운동의 사례가 들어가야 한다. ① 19세기 초 영국에서는 비참한 삶을 살게 된 노동자들이 자신이 처한 현실적인 고통이 기계 탓이라고 여겨 기계 파괴 운동(러다이트 운동)을 전개하였다.

| 바로 알기 | ② 2차 인클로저 운동은 18세기 대지주들이 토지를 매입, 합병하면서 진행되었다. ③ 테니스코트의 서약은 18세기 말 프랑스 혁명 과정에서 제3 신분인 시민이 결의하였다. ④ 중세 말 영주가 농민을 억압하자 프랑스의 자크리의 난, 영국의 와트 타일러의 난 등 농민 봉기가 일어났다. ⑤ 길드는 중세 상공업자들이 조직한 동업 조합이다.

15 사회주의 사상

(가)에는 생시몽, 오언 등 초기 사회주의자들의 주장과 활동이, (나)에는 마르크스, 엥겔스 등 '과학적' 사회주의를 표방한 이들의 주장과 활동이 들어가야 한다. ④ 마르크스와 엥겔스는 자본가와 노동자 사이의 계급 투쟁을 통해 공산주의 사회가 도래할 것이라고 주장하였다.

| 바로 알기 | ① 『공산당 선언』은 마르크스와 엥겔스가 저술하였다. ② 자유방임 사상은 리카도와 맬서스를 거쳐 고전 경제학으로 발전하였다. ③은 초기 사회주의자인 오언에 대한 내용이다. ⑤ 사회주의 사상으로 인해 각국에서의 노동 운동이 활발해졌다.

완자 정리 노트 사회주의 사상

초기 사회주의	생시몽(프랑스)·오언(영국) 등 주도, 자본가와 노동자의 타협과 협동을 통한 이상 사회 건설 주장
'과학적' 사회주의	마르크스·엥겔스 등 주도, 노동자가 지배하는 이상 사회 건설 주장, 자본가와 노동자 간의 계급 투쟁 강조

16 19세기의 문화

제시된 자료에서 설명하는 예술 작품은 사실주의의 경향이 잘 드러난 작품으로 19세기 후반에 등장하였다. 당시 화가들은 산업 사회의 현실을 반영한 작품을 통해 당시의 사회 문제를 성찰하고자 하였다. 이 시기 예술 분야에서는 인상파가 나타났고, 국민 음악이 발달하였으며 자연 과학 분야에서는 다윈, 뢴트겐, 퀴리 부부, 에디슨 등이 활약하였다.

| 바로 알기 | ④ 바흐와 헨델은 17~18세기에 활약하였다.

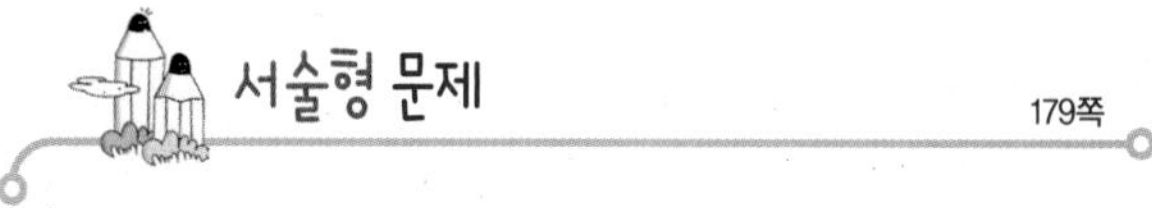

01 주제: 7월 혁명과 2월 혁명의 결과

(1) ㉠ 7월 혁명, ㉡ 2월 혁명

(2) 예시 답안 7월 혁명의 결과 루이 필리프를 왕으로 추대하여 입헌 군주제가 수립되었다. 2월 혁명의 결과 루이 필리프가 물러나고 공화정이 수립되었다.

채점 기준

상	7월 혁명, 2월 혁명의 결과를 정치 체제 중심으로 모두 서술한 경우
하	7월 혁명, 2월 혁명의 결과 중 한 가지만 서술한 경우

02 주제: 남북 전쟁의 배경

예시 답안 미국의 남부는 흑인 노예를 고용하고 면화를 재배하는 대농장이 발달하여 노예제에 찬성하면서 자유 무역을 주장하였다. 반면, 북부는 자유로운 임금 노동자를 이용한 상공업이 발달하여 노예제에 반대하고 보호 무역을 주장하였다. 이러한 남부와 북부의 대립이 격화되어 남북 전쟁이 일어났다.

채점 기준

상	남부와 북부의 경제적 차이와 노예제에 대한 입장 차이를 모두 서술한 경우
중	남부와 북부의 경제적 차이와 노예제에 대한 입장 차이를 한 가지만 서술한 경우
하	남부와 북부의 경제적 차이나 노예제에 대한 입장 차이 중 한 가지만 서술한 경우

03 주제: 산업 혁명의 영향

예시 답안 산업 혁명으로 공장제 기계 공업이 발달하면서 상품을 대량으로 생산하여 생산력이 비약적으로 증가하였다. 또한 교통이 발달하여 상품과 사람들을 빠르게 멀리까지 운송할 수 있었다. 그러나 산업 혁명으로 노동자들은 비위생적이고 위험한 노동 환경에서 저임금에 장시간 노동을 하는 노동 문제가 발생하였다. 또한 인구가 늘고 사람들이 도시에 몰려들어 주택이 부족해지고, 교통이 혼잡해지는 등의 도시 문제가 발생하였다.

채점 기준

상	생산력 향상, 교통 발달 등 긍정적 영향과 노동 문제와 도시 문제 발생 등 부정적 영향을 두 가지씩 모두 서술한 경우
중	긍정적 영향과 부정적 영향을 한 가지씩 서술한 경우
하	긍정적 영향과 부정적 영향 중 한 가지만 서술한 경우

STEP 3 1등급 정복하기

180~181쪽

1 ③　2 ③　3 ⑤　4 ①

1 7월 혁명의 영향

제시된 그림이 들라크루아의 「민중을 이끄는 자유의 여신」인 점, 샤를 10세를 추방시키려 한 점 등을 통해 자료에 나타난 시민 혁명은 프랑스의 7월 혁명임을 알 수 있다. ③ 7월 혁명의 소식은 유럽 각국의 자유주의와 민족주의 운동을 자극하였다. 그리하여 벨기에가 네덜란드로부터 독립하였고, 이탈리아에서는 독립운동을 위해 마치니가 주도하는 청년 이탈리아당이 결성되기도 하였다.

바로 알기 ① 2월 혁명의 영향으로 오스트리아에서 3월 혁명이 일어나 메테르니히가 실각하였다. ②는 2월 혁명의 결과이다. ④ 브나로드 운동은 19세기 후반 러시아의 지식인들이 농민을 대상으로 사회 개혁을 이루고자 일으킨 운동으로 7월 혁명과는 관련이 없다. ⑤ 2월 혁명 이후 나폴레옹의 조카 루이 나폴레옹이 대통령에 당선되었다.

2 이탈리아와 독일의 통일 운동

지도에서 (가)는 독일, (나)는 이탈리아에 해당한다. ③ 사르데냐 왕국의 재상 카보우르는 산업을 장려하고 군대를 양성하는 등 내정 개혁에 힘썼다. 이후 프랑스를 끌어들여 오스트리아를 물리치고 이탈리아 북부와 중부 지역을 통합하였다.

바로 알기 ① 독일은 통일 과정에서 오스트리아와 전쟁을 벌였다. ②는 이탈리아, ④, ⑤는 독일의 통일 운동에 대한 설명이다.

3 산업 혁명의 전개

지도의 (가)는 영국, (나)는 프랑스, (다)는 독일, (라)는 러시아에 해당한다. ㄷ. 독일은 19세기 후반부터 국가 주도로 중화학 공업 분야에서 급속한 산업화를 이루었다. ㄹ. 러시아는 19세기 말부터 대규모 차관을 도입하고 시베리아 횡단 철도를 부설하는 등 산업화를 꾀하였다.

바로 알기 ㄱ은 미국, ㄴ은 영국의 산업화에 대한 설명이다.

4 산업 혁명 이후 발생한 사회 문제와 해결을 위한 움직임

제시된 자료에는 노동 문제가 드러나 있다. 산업 혁명 초기 노동자들은 비위생적인 노동 환경에서 저임금과 장시간의 노동에 시달렸다. 공장주들은 임금이 적은 여성과 아동도 고용하였다. 이에 노동자들은 기계 파괴 운동을 벌이거나 노동조합을 결성하였으며, 참정권을 얻기 위해 정치권에 압력을 가하고 자신들의 이익을 대변하는 정당을 지지하기도 하였다. 이러한 가운데 일부 지식인은 산업 사회의 문제를 해결하기 위한 대안으로 사회주의를 제시하였다.

바로 알기 ① 곡물법은 영국에서 외국산 밀의 수입을 제한한 법률로 지주의 이익을 보호하기 위한 것이었다.

대단원 실력 굳히기

184~187쪽

01 ②	02 ④	03 ④	04 ③	05 ⑤	06 ④	07 ③
08 ②	09 ⑤	10 ④	11 ②	12 ③	13 ①	14 ②
15 ①	16 ②	17 ①	18 ⑤	19 ③	20 ③	21 ④

01 아테네의 민주 정치

(가)는 그리스의 아테네에 해당한다. 아테네에서는 평민들이 지위를 높이고 정치 참여를 요구하면서 민주 정치가 발달하였다. ② 아테네에서는 기원전 5세기 중엽 페리클레스 때 공무 수당이 지급되고, 특수직을 제외한 모든 관직과 배심원을 추첨으로 선출하였다.

바로 알기 ① 아테네는 시민 모두가 국정에 참여하는 직접 민주 정치가 발달하였다. ③ 아테네에서는 여자, 거류 외국인, 노예에게 참정권이 부여되지 않았다. ④, ⑤는 스파르타에 대한 설명이다.

02 알렉산드로스의 활동

제시된 그림과 '페르시아 왕좌에 앉아 신하를 만나는 모습', '마케도니아의 왕', '동방 원정' 등의 내용을 통해 밑줄 친 '이 왕'은 알렉산드로스 제국의 알렉산드로스임을 알 수 있다. 알렉산드로스는 정복지 곳곳에 자신의 이름을 딴 알렉산드리아라는 도시를 건설하였다. 그는 그리스인과 페르시아인의 결혼을 장려하였고, 피정복민의 종교와 관습을 존중하는 등 동서 융합을 꾀하였다.

바로 알기 ①은 비잔티움 제국의 유스티니아누스 황제, ②는 프랑크 왕국의 카롤루스 대제, ③은 로마의 콘스탄티누스 대제, ⑤는 로마의 옥타비아누스에 대한 설명이다.

03 로마의 제정 시대

로마는 제정이 시작되고 5현제라 불리는 다섯 명의 황제가 잇달아 통치하면서 제국의 영토가 최대에 이르렀다. 제정 시대를 연 옥타비아누스 시기부터 5현제의 치세가 끝날 때까지의 약 200년 동안을 로마의 평화 시대라고 한다.

바로 알기 ①은 그리스의 스파르타와 관련이 있다. ②, ③ 호르텐시우스법 제정과 로마의 이탈리아반도 통일은 로마 공화정 시기의 일이다. ⑤ 로마 공화정 시기인 기원전 2세기 후반 그라쿠스 형제는 포에니 전쟁 이후의 사회 혼란을 극복하고자 개혁을 시도하였으나 실패하였다.

04 로마의 문화

제시된 사진은 로마의 수도교이다. 로마에서는 광대한 제국의 통치에 필요한 법률, 건축, 토목과 같은 실용적인 문화가 발달하였다. 로마는 정복지를 도로로 연결하여 사람과 물자의 이동을 쉽게 하였으며, 도시에 개선문과 수도교 등 거대한 건축물을 세우는 과정에서 토목과 건축 기술이 발전하였다.

바로 알기 ①은 중세 서유럽 문화, ②는 그리스 문화, ④, ⑤는 헬레니즘 문화에 대한 설명이다.

05 프랑크 왕국의 카롤루스 마르텔

자료 분석

교황 그레고리우스 2세가 프랑크 왕국의 궁재 카롤루스 마르텔에게 보낸 편지 내용이야.

> 친애하는 프랑크 왕국의 궁재에게
> 우리는 더 이상 롬바르드족의 탄압을 견딜 수가 없습니다. ……
> 교회와 우리에게 즉각적인 도움을 주신다면 만인이 당신의 신앙과 사랑 그리고 의지를 칭송할 것입니다.
> 739년, 교황 그레고리우스 2세로부터

카롤루스 마르텔은 롬바르드족의 침입에 시달리던 교황청을 도와줌으로써 로마 교회와 우호적인 관계를 맺었어.

제시된 자료는 롬바르드족(랑고바르드족)이 침입하자 교황이 카롤루스 마르텔에게 도움을 요청하며 보낸 편지 내용이다. ⑤ 카롤루스 마르텔은 이베리아반도를 넘어 침입해 온 이슬람군을 투르·푸아티에 전투에서 물리쳤다(732).

바로 알기 ①, ④는 카롤루스 대제, ②는 피핀, ③은 클로비스에 대한 설명이다.

06 서유럽의 봉건제

그림은 중세 서유럽 봉건 사회의 구조를 나타낸 것으로 (가)는 주종제, (나)는 장원제이다. 봉건제는 지배 계층이었던 기사 상호 간의 주종제와 영주와 농노 간의 장원제를 기반으로 성립되었다. 주종 관계를 맺은 봉신은 영주로서 장원을 소유하고 농노를 예속시켜 장원의 토지를 경작하게 하였다. 봉신은 자신의 봉토 안에서 주군의 간섭 없이 재판권과 징세권을 행사할 수 있었다.

바로 알기 ① 로마 제정 말기에 나타난 콜로나투스는 농노제의 기원이 되었다. ②, ③ 주군과 봉신 간의 주종 관계는 어느 한쪽이 의무를 이행하지 않으면 원칙적으로 파기되는 쌍무적 계약 관계였다. ⑤ 봉건제는 중세 서유럽에서 시행된 제도이다.

07 카노사의 굴욕 사건

제시된 글은 카노사의 굴욕 사건(1077)을 나타낸 것으로 밑줄 친 '교황'은 그레고리우스 7세이다. ③ 교황 그레고리우스 7세는 교회를 세속 권력에서 벗어나게 하고자 세속 군주의 성직자 서임을 금지시켰다. 그런데 이를 신성 로마 제국의 황제 하인리히 4세가 무시하자 교황이 황제를 파문하였다.

바로 알기 ① 카노사의 굴욕 사건 이후 교황과 황제의 대립은 계속되었다. 이러한 대립은 1122년에 신성 로마 제국의 황제 하인리히 5세와 교황 칼릭스투스 2세 간의 보름스 협약으로 교황이 서임권을 차지하면서 끝이 났다. ②는 교황 우르바누스 2세, ④는 교황 보니파키우스 8세, ⑤는 교황 인노켄티우스 3세에 대한 설명이다.

08 비잔티움 제국의 발전

제시된 글은 '서로마 제국이 멸망한 후로도 약 1000년을 더 존속하였다'라는 내용을 통해 비잔티움 제국에 대한 설명임을 알 수 있다. 비잔티움 제국에서는 황제가 교회의 수장 역할까지 하는 황제 교황주의가 발달하였다. 또한 수도 콘스탄티노폴리스가 상공업과 무역의 중심지로서 번영을 누렸다. 유스티니아누스 황제 때에는 전성기를 맞아 『유스티니아누스 법전』이 편찬되었고, 비잔티움 양식의 성 소피아 대성당이 건립되었다. 비잔티움 제국은 유스티니아누스 황제 사후 군사력 강화와 자영농 육성을 위해 군관구제와 둔전병제를 실시하였다.

바로 알기 ② 샤르트르 대성당은 중세 서유럽에서 유행한 고딕 양식의 대표적인 건축물이다.

09 십자군 전쟁의 영향

제시된 자료는 11세기 후반 셀주크 튀르크의 위협을 받은 비잔티움 제국 황제가 로마 교황에게 도움을 요청하자 교황 우르바누스 2세가 클레르몽 공의회를 개최하여 발표한 연설문이다. 이후 약 170여 년간 십자군 전쟁이 전개되었다. ⑤ 십자군 전쟁은 성지를 회복하지 못하고 끝났으나, 전쟁 과정에서 동방 무역이 활발해져 이탈리아의 베네치아, 피렌체 등의 상공업 도시가 더욱 발달하였다.

바로 알기 ① 비잔티움 제국은 1453년 오스만 제국에 멸망하였다. ② 종교 개혁이 일어나자 16세기에 로마 가톨릭교회에서는 로욜라가 예수회를 창설하여 선교 활동을 전개하였다. ③ 십자군 전쟁 이전에 서유럽에서는 봉건제가 형성되었고, 지방 분권적인 봉건 국가가 등장하기 시작하였다.

④ 15～16세기 신항로의 개척으로 무역의 중심지가 지중해에서 대서양으로 이동하였다.

10 흑사병의 유행과 유럽 사회의 변화

제시된 자료는 14세기 중엽 유럽 전역에 흑사병이 유행하고 있는 상황을 보여 준다. 이 시기에는 흑사병이 유행하면서 유럽의 인구가 3분의 1 이상 줄었다. ④ 영주들은 인구 감소로 노동력이 부족해지자 농민의 처우를 개선하였고, 점차 농노에서 해방되는 사람이 늘어나 장원이 해체되어 갔다.

바로 알기 ① 14세기에는 아비뇽 유수, 교회의 대분열 등으로 교회의 권위가 실추되어 교황권이 약화되었다. ② 노예 무역은 신항로 개척 이후에 나타났다. ③ 콜로나투스는 로마의 제정 시기에 유행하였다. ⑤ 흑사병 유행 이후 장원은 해체되어 갔고 봉건 사회가 동요하였다.

11 알프스 이북의 르네상스

제시된 글은 16세기 이후 알프스 이북에서 발달한 르네상스의 특징을 나타낸다. 알프스 이북의 르네상스는 현실 사회와 교회를 비판하는 개혁적 성향이 강하였는데, 이러한 특징을 보여 주는 작품으로 에라스뮈스의『우신예찬』, 토머스 모어의『유토피아』등이 있다.

바로 알기 ①은 17세기 전후로 일어난 과학 혁명, ③은 이탈리아의 르네상스, ④는 17세기 이후에 등장한 사회 계약설, ⑤는 중세 서유럽에서 유행한 스콜라 철학과 관련된 내용이다.

12 종교 전쟁의 발생

(가) 독일에서 일어난 30년 전쟁은 신성 로마 제국의 황제가 신교도를 탄압하자, 신교를 믿는 제후국들이 반란을 일으키면서 시작되었다. 30년 전쟁은 국제 전쟁으로 확대되었으며, 오랜 싸움 끝에 베스트팔렌 조약이 맺어져 제후가 종교를 선택하는 것이 허용되었다. (나) 프랑스에서는 위그노에 대한 탄압이 원인이 되어 위그노 전쟁이 일어났으며, 낭트 칙령으로 위그노(신교도)에게 제한된 지역에서 예배의 자유를 허용하였다.

바로 알기 ㄱ은 위그노 전쟁, ㄹ은 30년 전쟁에 대한 설명이다.

13 신항로의 개척

유럽인들은 프레스터 존의 전설, 마르코 폴로의『동방견문록』등을 접하며 동방에 대한 호기심을 갖게 되었다. 이후 에스파냐와 포르투갈의 후원으로 콜럼버스, 마젤란 등이 신항로를 개척하였다. 신항로의 개척으로 아메리카의 고대 문명이 파괴되었고, 유럽인이 아프리카 원주민을 노예로 동원(노예 무역)하면서 아프리카에서는 인구 감소와 남녀 성 비율의 불균형이 나타났다. 한편, 유럽에서는 아메리카에서 대량의 금·은이 들어오면서 물가가 크게 오르는 가격 혁명이 일어났다.

바로 알기 ①은 신항로 개척이 가져온 변화에 해당한다. 신항로 개척 이후 유럽인들은 아메리카에서 은을 약탈하여 세계 시장에서 사용할 결제 수단을 갖추고 아시아로 진출하였다. 이로써 세계 교역망이 하나로 합쳐졌고 아메리카의 은이 교역망 통합의 매개체가 되었다.

14 절대 왕정 시대

제시된 글은 '16～18세기 유럽', '국왕이 절대적인 권력 행사', '왕권신수설', '관료제와 상비군' 등의 내용을 통해 절대 왕정에 대한 것임을 알 수 있다. ② 절대 왕정 시대 영국의 엘리자베스 1세는 에스파냐의 무적함대를 격파하였다.

바로 알기 ①은 알렉산드로스 제국, ③은 비잔티움 제국, ④는 중세 서유럽의 프랑스, ⑤는 로마 제국에서 있었던 일로, 모두 절대 왕정이 성립되기 이전에 전개되었다.

15 홉스의 사회 계약설

제시된 주장은 홉스의 사회 계약설이다. 홉스는 사회 유지를 위한 강력한 정부 수립을 주장하여 당시의 절대 군주제를 옹호하였다.

바로 알기 ②, ③은 루소, ④는 로크에 대한 설명이다. ⑤는 계몽사상가인 몽테스키외의 주장과 관련이 있다.

16 계몽사상의 확산

18세기 이후 유럽 사람들 사이에서 공론의 장을 통해 확산되었다는 점, 인간의 이성을 통해 얻은 지식으로 사회를 개혁할 수 있다고 믿는 사상이라는 점 등을 통해 밑줄 친 '이 사상'은 계몽사상임을 알 수 있다. 계몽사상은 18세기 이후 디드로와 달랑베르의 주도로 출판된『백과전서』가 보급되고 살롱이 늘어나면서 널리 확산되었다.

바로 알기 ① 구텐베르크가 고안한 활판 인쇄술은 새로운 사상과 지식의 전파를 촉진하여 르네상스와 종교 개혁의 확산에 기여하였다. ③은 마르크스 등이 주장한 사회주의에 대한 설명이다. ④는 왕권신수설과 관련이 있다. ⑤는 홉스, 로크 등이 주장한 사회 계약설에 대한 설명이다.

17 미국 독립 혁명의 배경

제시된 문서는 미국의 독립 혁명 당시에 발표된 독립 선언문이다. 영국이 중상주의 정책을 강화하면서 식민지에 각종 세금을 부과하자 식민지인들은 '대표 없는 곳에 과세할 수 없다.'라고 주장하며 저항하였다. 이후 보스턴 차 사건이 발단이 되어 혁명이 일어났다. 그리고 제2차 대륙 회의에서 워싱턴을 총사령관으로 임명하고 독립 선언문을 발표하였다. 이때 발표한 독립 선언문은 계몽사상과 로크가 주장한 저항권 이론의 영향을 받았다.

바로 알기 ㄷ. 구제도의 모순은 프랑스 혁명의 원인이다. ㄹ은 영국의 명예혁명과 관련이 있다.

완자 정리 노트 미국 혁명의 전개 과정

발단	보스턴 차 사건 발생(1773)
전개	• 제1차 대륙 회의(1774): 영국에 항의 • 렉싱턴 전투: 영국군과 식민지 민병대의 충돌 • 제2차 대륙 회의(1775～1776): 총사령관에 워싱턴 임명, 독립 선언문 발표
결과	• 식민지군의 요크타운 전투 승리 → 파리 조약 체결 • 헌법 제정, 초대 대통령에 워싱턴 선출, 민주 공화국 수립

18 프랑스 혁명의 전개

왼쪽은 입법 의회를 대신하여 들어선 국민 공회가 자코뱅파의 주도로 루이 16세를 처형하는 내용이다. 오른쪽은 나폴레옹이 황제로 즉위하는 내용이다. 루이 16세 처형 후 자코뱅파의 지도자 로베스피에르가 공안 위원회와 혁명 재판소를 통해 반혁명 혐의자를 처형하는 등 공포 정치를 주도하였다. 그러나 공포 정치에 대한 반발이 일어났고, 결국 테르미도르의 반동으로 로베스피에르가 실각하여 처형되었다. 새로 구성된 총재 정부 시기에도 국내외가 혼란하자, 나폴레옹이 쿠데타를 일으켜 총재 정부를 무너뜨리고 통령 정부를 구성하였다. 이후 나폴레옹은 국민 투표에서 압도적인 지지를 얻어 황제에 즉위하였다.

바로 알기 ①은 나폴레옹의 황제 즉위 이후에 일어난 일이다. ②, ③, ④는 루이 16세 처형 이전에 일어난 일이다.

19 프랑스의 자유주의 혁명

(가)는 7월 혁명, (나)는 2월 혁명으로 두 사건은 모두 프랑스의 자유주의 혁명에 해당한다. 7월 혁명은 샤를 10세의 보수적인 전제 정치가 원인이 되어 일어났다. 7월 혁명의 결과 샤를 10세가 추방되고 루이 필리프가 왕으로 추대되어 입헌 군주제가 수립되었다. 7월 혁명은 다른 나라로 확산되어 벨기에의 독립에도 영향을 주었다. 2월 혁명은 중소 시민들과 노동자들이 7월 왕정 퇴진과 선거권 확대를 요구하며 일으킨 혁명이다. 2월 혁명의 결과 루이 필리프가 퇴위하고 제2 공화정이 수립되었다. 2월 혁명의 영향으로 오스트리아에서는 3월 혁명이 발생하였고, 이로 인해 메테르니히가 추방되고 빈 체제가 붕괴하였다.

바로 알기 ㄱ은 2월 혁명, ㄹ은 7월 혁명에 대한 설명이다.

20 국민 국가의 형성

근대 국민 국가의 형성 과정에서 있었던 사실에 대해 묻는 문제이다. 프로이센은 독일 통일의 주도권을 장악하고 재상 비스마르크의 철혈 정책을 바탕으로 독일 제국을 수립하였다. 미국은 남부와 북부의 대립이 심화되는 상황에서 노예 해방을 찬성하는 링컨이 대통령이 되면서 남부 7개 주가 연방을 탈퇴하였고, 남북 전쟁이 일어났다. 수행 평가에서 첫 번째, 세 번째, 다섯 번째 문제가 맞아서 학생이 얻은 점수는 6점이다.

바로 알기 영국에서는 곡물법과 항해법을 폐지하여 자유 무역 체제가 확립되었다. 러시아에서는 알렉산드르 2세가 농노 해방령 발표를 비롯한 내정 개혁을 단행하였으나 큰 효과를 거두지는 못하였다. 이탈리아에서는 가리발디가 이끄는 의용대가 시칠리아와 나폴리를 점령하여 이를 사르데냐 왕국에 바쳤다.

21 산업 혁명 시기의 사회 모습

제시된 기계는 1780년대 제임스 와트가 개량한 증기 기관이다. 이 기계가 발명된 18세기 후반 유럽에서는 기계의 발명과 기술 혁신으로 생산력이 급증하는 산업 혁명이 일어났다. 산업 혁명으로 농업 중심의 사회가 산업 중심의 사회로 바뀌었고, 자본주의 경제 체제가 확립되었다. 한편, 이 시기에 노동 문제와 도시 문제 등 사회 문제가 발생하자, 노동자들은 기계 파괴 운동을 벌였다. 일부 지식인은 산업 사회의 문제를 해결하기 위한 대안으로 사회주의를 제시하였다.

바로 알기 ④ 가격 혁명과 상업 혁명은 신항로 개척 이후 유럽에서 일어났다.

V. 제국주의와 두 차례 세계 대전

01 제국주의 열강의 침략과 동아시아의 민족 운동

STEP 1 핵심 개념 확인하기 196쪽

1 사회 진화론 2 (1) ㉢ (2) ㉠ (3) ㉡ 3 난징 조약 4 (1) ㄴ (2) ㄱ (3) ㄷ 5 (1) ○ (2) ○ (3) ×

STEP 2 내신 만점 공략하기 196~200쪽

01 ⑤ 02 ④ 03 ④ 04 ⑤ 05 ⑤ 06 ① 07 ①
08 ③ 09 ② 10 ③ 11 ① 12 ④ 13 ① 14 ⑤
15 ② 16 ④ 17 ① 18 ② 19 ④ 20 ⑤ 21 ⑤
22 ④

01 제국주의의 등장 배경

제시된 내용은 제국주의와 관련이 있다. 19세기 후반에 이르러 유럽에서는 소수의 거대 기업이 시장을 지배하는 독점 자본주의가 나타났다. 그러자 영국을 비롯한 서구 열강은 값싼 원료와 상품 시장을 확보하고 잉여 자본을 투자하기 위해 약소국을 침략하여 식민지로 삼는 제국주의 정책을 실시하였다.

바로 알기 ① 르네상스는 그리스·로마 문화의 부활을 통해 인간 중심의 새로운 문화를 창출하려는 문화 운동이다. ② 사회주의는 자본가와 노동자의 협동으로 빈부 격차가 없는 공동체를 건설할 수 있다는 주장이다. ③ 자유주의는 개인의 자유를 보장하고 존중하는 사상 및 운동이다. ④ 제국주의는 유럽에서 절대 왕정이 붕괴된 이후에 등장하였다.

02 제국주의 열강의 팽창 정책

그림은 제국주의 풍자화로, 제국주의 국가가 선교사를 이용하여 원주민에게 접근한 뒤 군대의 폭력을 동원하여 값싼 노동력을 제공하도록 강요하였음을 상징적으로 보여 준다. 제국주의 열강들은 값싼 원료 공급지와 공업 제품의 판매 시장, 잉여 자본을 투자할 곳을 확보하는 한편, 실업과 같은 국내 문제를 해결하기 위해 대외 팽창 정책을 추진하였다.

바로 알기 ④ 제국주의 열강의 지배로 식민지의 문화가 파괴되었다.

03 사회 진화론의 이해

제시된 글에서 설명하는 이론은 사회 진화론이다. 사회 진화론은 19세기 후반 스펜서가 다윈의 진화론을 사회 발전에 적용하여 설명한 이론으로, 인간 사회에서도 우월한 사회나 국가가 열등한 사회나 국가를 지배하는 것은 당연하다는 이론이다. 이는 백인종이 유색 인종보다 문화적·생물학적으로 우월하다는 믿음에 기초하였다. ④ 사회 진화론은 제국주의 정책을 합리화하는 데 이용되었다.

바로 알기 ①은 계몽사상에 대한 설명이다. ② 프랑스 혁명은 18세기 후반에 프랑스에서 전개된 시민 혁명이다. ③ 빈 체제는 19세기 초 나폴레옹의 몰락 이후 유럽 질서를 수습하면서 등장하였다. ⑤ 사회주의의 확산과 사회 진화론은 관련이 없다.

04 인종주의의 특징

자료분석

서구 열강은 우월한 백인 민족이 열등한 식민지인을 문명화하는 것을 의무이자 책무라고 주장하였어.

백인의 책무를 다하라 / …… 기아로 허기진 입들을 먹이기 위해 / …… 그리고 네가 너의 목적을 달성할 때쯤 / 너를 원하는 다른 미개인들을 위해 / 다른 원주민들과 이교들에게로 시선을 돌려라.

식민지인을 열등한 민족으로 생각하였어.

– 러디어드 키플링, 「백인의 짐」

키플링의 「백인의 짐」에는 유럽인의 인종주의적 인식이 드러나 있다. ⑤ 유럽인들은 우월한 백인 민족이 열등한 식민지인을 문명화하고 지배하는 것이 당연하다는 논리를 펼치며 제국주의를 정당화하였다.

바로 알기 ① 제국주의 열강은 값싼 노동력을 확보하기 위해 아프리카로부터 많은 노예를 끌어왔다. ② 인종주의는 제국주의를 옹호하는 사상적 기반이었다. ③ 종교 개혁은 성직자의 타락과 교회의 부패를 비판하면서 시작된 것으로 제국주의와 관련이 없다. ④ 왕권신수설은 왕의 권력이 신에게서 내려왔다는 주장으로 절대 왕정 시기에 확산된 사상이다.

05 열강의 아시아·태평양 분할

(가)는 네덜란드이다. 네덜란드는 17세기에 동인도 회사를 앞세워 인도네시아에 진출한 뒤 포르투갈을 몰아내고 향신료 무역을 독점하였다. 이후 자와섬에 차, 사탕수수 등을 재배하는 농장을 건설하여 막대한 이익을 얻었다.

바로 알기 ①은 미국, ②, ③은 영국, ④는 프랑스에 대한 설명이다.

06 프랑스의 식민 지배

제시된 글의 '베트남 지배권 확보', '모로코를 둘러싸고 독일과 대립' 등을 통해 발표 주제가 프랑스에 대한 것임을 알 수 있다. 플라시 전투에서 영국에 패한 프랑스는 청과의 전쟁에서 승리하여 베트남의 지배권을 장악하였다. 이후 베트남과 캄보디아, 라오스를 합쳐 프랑스령 인도차이나 연방을 수립하였다(1887). ① 프랑스는 아프리카를 동서로 연결하는 횡단 정책을 추진하였고, 모로코의 지배권을 두고 독일과 대립하였다.

바로 알기 ②는 미국, ③은 독일, ④, ⑤는 영국에 대한 발표 주제이다.

07 미국의 대외 팽창

밑줄 친 '이 국가'는 미국이다. 미국은 에스파냐와 전쟁을 벌여 필리핀을 식민지로 삼았고, 괌과 하와이 등을 차지하여 태평양으로 세력을 확장하였다.

바로 알기 ② 제1차 아편 전쟁은 영국이 일으켰다. ③ 플라시 전투는 영국과 프랑스가 인도 지배를 놓고 인도에서 벌인 전쟁이다. ④ 파쇼다 사건은 영국과 프랑스가 아프리카에서 충돌한 사건이다. ⑤ 강화도 조약은 일본과 조선이 체결하였다.

08 제국주의 열강의 충돌

벨기에의 콩고 사유지 선언을 계기로 제국주의 열강이 베를린 회의를 열었다. 이를 통해 열강의 아프리카 분할이 공식화되면서 식민지 획득 경쟁이 더욱 치열해졌다. 결국 1898년에는 아프리카 종단 정책을 추진하던 영국과 아프리카 횡단 정책을 추진하던 프랑스가 파쇼다에서 충돌한 파쇼다 사건이 일어났다.

바로 알기 ① 러일 전쟁은 러시아가 만주와 한반도에서 영향력을 확대한 것을 계기로 일본과 러시아가 벌인 전쟁이다. ② 아편 전쟁은 제국주의 열강인 영국이 청을 침략한 전쟁이다. ④ 의화단 운동은 중국에서 전개된 반크리스트교·반제국주의 운동이다. ⑤ 보스턴 차 사건은 아메리카 지역의 식민지인들이 보스턴 항구에서 영국 동인도 회사 선박에 실린 차 상자를 바다에 던진 사건으로, 미국 혁명과 관련이 있다.

09 영국의 아프리카 침략

영국은 아프리카를 남북으로 연결하는 종단 정책을 추진하였고, 수에즈 운하를 빌미로 이집트의 내정에 간섭하다가 이집트를 보호국으로 삼았다.

바로 알기 ① 에티오피아는 독립을 유지하였다. ③은 독일, ④, ⑤는 프랑스에 대한 설명이다.

완자 정리 노트 제국주의 열강의 아프리카 분할

배경	19세기 리빙스턴과 스탠리 등 탐험가들의 활동으로 아프리카의 막대한 지하자원과 시장 잠재력 확인
전개	• 영국: 아프리카 종단 정책 실시 • 프랑스: 아프리카 횡단 정책 실시 • 벨기에: 콩고강 유역 차지 • 독일: 서남아프리카, 동아프리카, 카메룬, 토고 등 진출
결과	20세기 초 라이베리아, 에티오피아를 제외한 전 지역이 제국주의 열강에 분할·점령됨

10 삼각 무역의 배경

도표는 영국, 청, 인도 사이에서 이루어진 삼각 무역을 나타낸 것이다. 차를 비롯한 중국 물품에 대한 수요가 늘어나면서 영국의 무역 적자가 심화되자 영국은 인도산 아편을 중국에 밀수출하여 무역 적자를 메우는 삼각 무역을 실시하였다. 이로 인해 청에서 많은 양의 은이 영국으로 유출되고 아편 중독자가 늘어나자 청 정부는 아편 무역을 금지하였다. 청과의 무역 확대를 꾀하던 영국은 이를 빌미로 제1차 아편 전쟁을 일으켰다.

바로 알기 ① 애로호 사건은 제2차 아편 전쟁의 배경이다. ② 공행 무역은 제1차 아편 전쟁의 결과 폐지되었다. ④ 제1차 아편 전쟁 이후에도 청과의 무역이 개선되지 않자 영국은 애로호 사건을 빌미로 프랑스와 함께 베이징을 점령하였다. ⑤는 제1차 아편 전쟁으로 체결된 난징 조약의 내용이다.

11 제1차 아편 전쟁의 결과

밑줄 친 '이 전쟁'은 제1차 아편 전쟁이다. 청과의 무역 확대를 꾀하던 영국은 청 정부의 아편 몰수를 빌미로 전쟁을 일으켰다. ① 제1차 아편 전쟁에서 패한 청은 영국과 불평등 조약인 난징 조약을 체결(1842)하여 영국에 홍콩을 할양하고 상하이 등 5개 항구를 개방하였다.

바로 알기 ②, ③은 제2차 아편 전쟁에 대한 설명이다. ④ 의화단 운동은 1899년에 일어났다. ⑤ 중화민국은 신해혁명의 결과로 1912년에 수립되었다.

12 제2차 아편 전쟁의 결과

애로호 사건을 계기로 일어난 전쟁은 제2차 아편 전쟁이다. 난징 조약 체결 이후에도 청과의 무역이 개선되지 않자, 영국은 애로호 사건을 계기로 프랑스와 연합하여 톈진과 베이징을 점령하였다. 그 결과 청은 서양 열강과 톈진 조약을 체결하여 외국 공사의 베이징 주재 및 크리스트교 포교의 자유를 허용하고 베이징 조약을 맺어 톈진 항구를 개항하였다.

바로 알기 ①, ②, ③은 제1차 아편 전쟁으로 체결된 난징 조약의 내용이다. ⑤는 의화단 운동으로 체결된 신축조약의 내용이다.

13 태평천국 운동의 전개

제시된 자료는 태평천국군이 주장한 천조 전무 제도이다. 태평천국 운동 세력은 '만주족을 몰아내고 한족의 국가를 세우자(멸만흥한).'라고 주장하며 한때 난징을 점령하였다. 또한 천조 전무 제도를 통한 토지 균등 분배, 신분제 철폐 등을 내세워 농민의 지지를 받았다.

바로 알기 ②는 양무운동, ③은 변법자강 운동, ④는 신해혁명, ⑤는 의화단 운동에 대한 설명이다.

14 양무운동의 특징

자료 분석

중국의 체제를 유지하고자 하였어.

오로지 서양의 몇몇 국가들만 독자적으로 부강한 것은 서로 비슷하고 실행하기도 쉬운 장점이 크게 두드러진 결과가 아니겠는가? 만약 중국의 유교적 가치를 근본으로 삼고, 외국의 부강해진 기술을 가지고 이를 보강한다면 가장 좋은 방법이 아니겠는가?

서양의 기술만을 받아들이자고 주장하였어.

자료의 '유교적 가치를 근본으로 삼고', '기술을 가지고 이를 보강'을 통해 제시된 자료가 양무운동을 추진한 세력이 주장한 내용임을 알 수 있다. 태평천국 운동을 진압하는 과정에서 서양 기술의 우수성을 깨달은 증국번, 이홍장 등은 중국의 전통적인 체제를 유지하면서 서양의 과학 기술만을 받아들여 부국강병을 이루려는 양무운동을 전개하였다. ⑤ 양무운동 세력은 군수 공장을 건설하고, 각종 공장과 산업 시설을 세웠다.

바로 알기 ①은 재정난을 타개하기 위해 청 정부가 추진한 정책이다. ②는 변법자강 운동, ③, ④는 태평천국 운동과 관련이 있다.

15 양무운동의 한계

자료의 '증국번, 이홍장 등이 추진', '근대적 무기 생산' 등을 통해 밑줄 친 '근대화 운동'이 양무운동임을 알 수 있다. 양무운동은 중앙 정부의 체계적인 계획 없이 각 지방에서 개별적으로 추진되었고, 기업 운영에 대한 관리의 간섭이 심한 데다 중체서용론을 바탕으로 제도 개혁을 거의 하지 않아 성과가 크지 않았다.

바로 알기 ①은 태평천국 운동, ③은 의화단 운동에 대한 설명이다. ④ 양무운동은 지방 관료가 제각기 추진하여 일관성이 부족하였다. ⑤는 변법자강 운동에 대한 설명이다. 양무운동 추진 세력은 중국의 전통적인 체제를 유지하면서 서양의 기술만을 받아들이려 하였다.

16 변법자강 운동의 특징

밑줄 친 '개혁'은 변법자강 운동(무술개혁)이다. 청일 전쟁 이후 열강의 중국 분할이 본격적으로 시작되자 캉유웨이, 량치차오 등은 일본의 메이지 유신을 모방하여 제도 개혁을 해야 한다고 주장하였다. 이들은 광서제의 신임을 얻어 입헌 군주제 확립, 상공업 육성, 근대 교육 실시, 신식 군대 양성 등의 개혁을 추진하였다.

바로 알기 ① 변법자강 운동 세력은 입헌 군주제 수립을 추진하였다. ②, ⑤는 태평천국 운동, ③은 양무운동에 대한 설명이다.

완자 정리 노트 양무운동과 변법자강 운동

구분	양무운동	변법자강 운동
주도	이홍장, 증국번 등	캉유웨이, 량치차오 등
특징	중체서용 표방	메이지 유신 모방
내용	군수 산업 육성, 근대적 공장 설립, 서양식 군대 창설, 신식 학교 설립, 외국에 유학생 파견	입헌 군주제 도입, 신식 군대 양성, 상공업 육성, 과거제 개혁, 신교육 실시 등
결과	청일 전쟁의 패배로 한계 인식	서태후를 비롯한 보수파의 반발로 100일 만에 실패

17 의화단 운동의 내용

외국인과 교회를 공격하고 외국 공관을 습격했다는 것으로 미루어 볼 때 제시된 글이 의화단 운동과 관련이 있음을 알 수 있다. 열강의 이권 침탈로 경제적 어려움을 겪던 산둥성의 농민들은 백련교 계통의 비밀 결사인 의화단을 조직한 후 '청을 도와 서양 세력을 멸하자(부청멸양).'라는 구호를 내걸고 반크리스트교·반제국주의 운동을 전개하였다. 청은 의화단을 이용하여 열강에 대항하고자 하였으나 의화단은 8개국 연합군에 진압되었다.

바로 알기 ㄷ은 신해혁명, ㄹ은 태평천국 운동에 대한 설명이다.

18 쑨원의 활동

사진은 쑨원이며, 제시된 글은 쑨원이 주장한 삼민주의의 내용을 담고 있다. 의화단 운동 이후 청을 타도하고 새로운 정부를 수립하려는 움직임이 확산되자 쑨원은 도쿄에서 중국 동맹회를 결성하고 청 정부 타도를 위한 혁명 운동을 전개하였다. 쑨원은 민족, 민권, 민생의 삼민주의를 내세웠는데, 이는 신해혁명이 일어나고 중화민국이 수립되는 데 이념적 바탕이 되었다.

바로 알기 ① 광서신정은 청 정부가 단행한 개혁이다. ③ 변법자강 운동은 캉유웨이, 량치차오 등이 전개하였다. ④ 천조 전무 제도는 태평천국 운동 세력이 발표하였다. ⑤ 민간 철도 국유화는 청 정부가 추진하였다.

19 신해혁명의 결과

제시된 글은 신해혁명(1911)에 대한 설명이다. 청 정부가 민간 철도를 국유화한 후 이를 담보로 외국 차관을 도입하려 하자 이에 맞서 철도 국유화 반대 운동이 일어난 가운데 혁명파가 우창에서 봉기하였다. 여기에 농민, 군인, 입헌파 등이 참여하면서 절반 이상의 성이 독립을 선언하였고, 이듬해 혁명파는 쑨원을 임시 대총통으로 선출하고 중화민국을 수립하였다.

바로 알기 ①, ②, ③, ⑤는 모두 신해혁명이 일어나기 전에 전개되었다.

20 중국 근대화 운동의 전개

첫 번째 사건은 변법자강 운동으로 1898년에 일어났고 두 번째 사건은 중화민국의 수립으로 1912년에 전개되었다. 그 사이에 중국에서 있었던 일은 의화단 운동이다. 1899년에 열강의 이권 침탈로 경제적 어려움을 겪던 산둥성에서는 의화단이 봉기하였다. ⑤ 의화단 운동 세력은 부청멸양을 구호를 내걸고 철도와 교회, 전신 시설 등을 파괴하였다.

바로 알기 ① 난징 조약은 1842년에 체결되었다. ② 홍수전은 상제회를 조직한 뒤 1851년에 태평천국 운동을 일으켰다. ③ 제1차 아편 전쟁은 1840년부터 1842년까지 전개되었다. ④ 변법자강 운동이 전개되기 이전에 이홍장의 개혁이 추진되었다.

21 일본 제국 헌법의 성격

제시된 자료는 메이지 정부가 제정한 일본 제국 헌법(메이지 헌법)이다. 메이지 유신 이후 민간에서는 의회 개설, 헌법 제정 등을 주장하는 자유 민권 운동이 일어났다. 메이지 정부는 이를 탄압하는 한편, 천황의 권한을 강조한 일본 제국 헌법을 공포하고 의회를 설립하여 입헌 군주국의 모습을 갖추었다. 이 헌법은 천황에게 군통수권을 비롯한 광범위한 권한을 부여함으로써 천왕의 절대 권력을 명문화하였으나, 국민의 권리 보장에 한계를 보였다.

바로 알기 ⑤ 메이지 정부는 자유 민권 운동을 탄압하고 일본 제국 헌법을 공포하였다.

22 일본의 제국주의 팽창

자료분석

1. 청은 조선이 완전무결한 독립 자주국임을 확인한다.
2. 청은 랴오둥반도, 타이완 및 그 부속 도서를 일본에 넘겨준다.
3. 청은 일본에 배상금 2억 냥을 이자와 함께 완전히 지급한다.

러시아가 프랑스와 독일을 끌어들여 일본에 압력을 가하자 결국 일본은 랴오둥반도를 청에 반환하였어.

청이 일본에 랴오둥반도와 타이완을 넘겨준다는 점을 통해 제시된 자료가 청일 전쟁의 결과 체결된 시모노세키 조약(1895)이라는 것을 알 수 있다. 청일 전쟁에서 승리한 일본은 시모노세키 조약을 체결하여 청으로부터 랴오둥반도와 타이완을 할양받았다. 그러나 이후 러시아 주도로 삼국 간섭이 일어나 다시 청에 랴오둥반도를 반환하였다. 한편, 청일 전쟁 이후 열강의 중국 분할이 본격적으로 시작되자 캉유웨이, 량치차오 등은 일본의 메이지 유신을 모방한 변법자강 운동을 전개하였다.

바로 알기 ㄱ은 1868년에 일어난 일이다. ㄷ은 제2차 아편 전쟁의 결과 체결된 톈진 조약의 내용이다.

서술형 문제 200쪽

01 주제: 제국주의의 등장

예시 답안 제국주의 열강은 독점 자본주의가 발달함에 따라 산업 발전 과정에서 필요한 값싼 원료 공급지, 상품 판매 시장, 잉여 자본 투자처 확보를 위해 제국주의 정책을 실시하였다.

채점 기준

상	독점 자본주의가 발달함에 따라 원료 공급지, 상품 판매 시장, 잉여 자본의 투자처 확보를 위해 실시되었다고 서술한 경우
하	구체적 사례 없이 독점 자본주의의 발달만 배경으로 서술한 경우

02 주제: 중국의 근대화 운동

예시 답안 첫 번째 글은 양무운동 세력의 입장으로, 서양의 과학 기술과 문명을 적극 수용하고자 하였으나 중국 문화의 우수성을 주장하며 제도 개혁은 거의 하지 않았다. 두 번째 글은 변법자강 운동 세력의 주장으로, 입헌 군주제를 도입하고 과거제를 개혁하는 등 서양의 과학 기술뿐만 아니라 정치 제도의 개혁을 추구하였다.

채점 기준

상	양무운동과 변법자강 운동의 근대화 방안을 서양 기술의 수용, 입헌 군주제 도입과 같이 구체적 사례를 제시하여 비교한 경우
하	양무운동과 변법자강 운동의 성격만을 비교하여 서술한 경우

03 주제: 쑨원의 삼민주의

(1) 삼민주의

(2) 예시 답안 쑨원은 민족, 민권, 민생의 삼민주의를 내세웠는데, 이는 신해혁명이 일어나고 중화민국이 수립되는 데 이념적 바탕이 되었다.

채점 기준

상	민족, 민권, 민생의 삼민주의를 언급하고, 신해혁명의 이념적 바탕이 되었다고 서술한 경우
하	삼민주의와 신해혁명의 이념적 바탕이 되었다는 내용 중 한 가지만 서술한 경우

STEP 3 1등급 정복하기 201~203쪽

1 ④ 2 ① 3 ⑤ 4 ④ 5 ① 6 ⑤

1 서구 열강의 대외 팽창

제시된 그림은 미국 잡지 『저지』에 실린 「백인의 짐」을 표현한 것으로 제국주의와 관련이 있다. 19세기 후반 급속한 산업화로 실업, 빈부 격차 등 여러 문제가 나타나자 서구 열강들은 이를 해결하기 위해 적극적인 대외 팽창 정책을 추진하였다. 제국주의는 사회 진화론의 영향을 받아 식민지를 문명화한다는 명분을 내세우며 전개되었고, 이러한 명분은 백인종은 우월하고 다른 인종은 미개하다는 인종적 우월감으로 이어졌다.

바로 알기 ④ 산업 혁명은 18세기 중엽 영국에서 시작되었다.

2 열강의 아프리카 분할

(가)는 영국, (나)는 프랑스이다. ① 영국은 아프리카를 남북으로 연결하는 종단 정책을 추진하였고, 프랑스는 아프리카를 동서로 연결하는 횡단 정책을 추진하여 영국과 대립하였다.

바로 알기 ②는 네덜란드, ③은 독일, ④는 미국, ⑤는 독일과 프랑스에 대한 설명이다.

3 중국의 개항

(가)는 제1차 아편 전쟁으로 체결된 난징 조약, (나)는 제2차 아편 전쟁으로 체결된 톈진 조약이다. 영국은 청 정부의 아편 몰수를 빌미로 제1차 아편 전쟁을 일으켰고 전쟁에서 패한 청은 영국과 난징 조약을 체결하였다. 그러나 이후에도 청과의 무역이 개선되지 않자, 영국은 애로호 사건을 계기로 프랑스와 연합하여 톈진과 베이징을 점령하였다. 그 결과 청은 서양 열강과 톈진 조약, 베이징 조약을 체결하였다(ㄷ). 아편 전쟁 패배와 연이어 체결된 조약으로 청 정부의 권위는 크게 떨어졌다(ㄹ).

바로 알기 ㄱ. 의화단 운동이 진압된 후에 체결된 조약은 신축조약이다. ㄴ. 주룽반도는 베이징 조약으로 영국에 할양되었다.

4 청의 근대화 운동

제시된 자료는 서양의 제도와 기술을 모두 받아들여야 한다고 주장한 정관잉의 『성세위언』으로 변법자강 운동과 관련이 있다. 이러한 개혁론을 주장한 캉유웨이와 량치차오 등은 광서제의 신임을 얻어 입헌 군주제 확립, 상공업 육성, 근대 교육 실시, 신식 군대 양성 등 근대적 개혁을 추진하였다.

바로 알기 ①, ②는 태평천국 운동, ③은 양무운동 ⑤는 의화단 운동과 관련이 있다.

5 일본의 근대화 운동

(가) 정부는 메이지 정부이다. 1868년에 수립된 일본의 메이지 정부는 대대적인 개혁을 추진하였다. 이에 따라 미국과 유럽 등지에

유학생과 사절단을 파견하고 의무 교육 제도와 같은 서양식 교육 제도를 실시하였다. ① 메이지 정부는 신분제를 폐지하였다.

바로 알기 ② 메이지 정부는 봉건제를 폐지하고 중앙 집권 제도를 수립하였다. ③, ④, ⑤는 에도 막부에 대한 설명이다.

6 동아시아의 근대화 운동

1868년에 일본에서는 사쓰마 번과 조슈 번이 주도하여 막부를 타도하고 천황 중심의 정권을 세웠다. 이후 러시아가 만주와 한반도에서 영향력을 확대하자 일본은 1904년에 러일 전쟁을 일으켰고, 그 결과 포츠머스 강화 조약이 체결되었다. 메이지 정부의 수립과 러일 전쟁 사이에 일어난 일은 청일 전쟁(1894 ~ 1895)이다.

바로 알기 ①은 1910년, ②는 1851년, ③은 1842년, ④는 1854년에 일어난 일이다.

02 인도와 동남아시아, 서아시아와 아프리카의 민족 운동

STEP 1 핵심 개념 확인하기 208쪽

1 (1) 브라흐마 사마지 운동 (2) 세포이의 항쟁 2 (1) ㄱ (2) ㄷ (3) ㄴ
3 청년 튀르크당 4 (1) ○ (2) × (3) ○ 5 (1) ㉢ (2) ㉡ (3) ㉠

STEP 2 내신 만점 공략하기 208~210쪽

01 ④ 02 ⑤ 03 ③ 04 ④ 05 ④ 06 ① 07 ①
08 ⑤ 09 ③ 10 ④ 11 ⑤

01 세포이의 항쟁

밑줄 친 '항쟁'은 인도에서 일어난 세포이의 항쟁(1857 ~ 1859)이다. 동인도 회사에 고용된 인도인 용병인 세포이들은 동인도 회사가 지급한 탄약통에 소기름과 돼지기름이 칠해져 있다는 소문이 돌자 이를 종교 탄압으로 받아들여 봉기하였다. ④ 세포이의 항쟁을 계기로 영국은 무굴 제국의 황제를 폐위시켰다.

바로 알기 ①은 브라흐마 사마지 운동에 대한 설명이다. ② 인도 국민 회의는 세포이의 항쟁이 일어난 후인 1885년에 결성되었다. ③, ⑤는 인도 국민 회의의 활동에 대한 설명이다.

02 인도 통치 개선법

제시된 자료는 인도 통치 개선법(1858)이다. 세포이의 항쟁을 계기로 영국은 인도를 직접 지배하기 위해 인도 통치 개선법을 제정하고 무굴 제국의 황제를 폐위시켰다. 1877년에는 영국 왕이 인도 황제를 겸하는 인도 제국을 세웠다.

바로 알기 ① 시크교는 16세기에 창시되었다. ② 세포이의 항쟁은 1857년에 시작되었다. ③ 플라시 전투는 1757년에 일어났다. ④ 무굴 제국의 황제는 인도 통치 개선법이 제정되고 폐위되었다.

03 벵골 분할령의 발표

지도는 벵골 분할령을 보여 준다. 영국이 벵골 지역을 종교에 따라 동서로 나누는 벵골 분할령(1905)을 발표하여 인도인의 분열을 꾀하자 인도 국민 의회는 반영 운동에 앞장섰다. ③ 틸라크를 중심으로 한 인도 국민 회의는 콜카타 대회를 열어 영국 상품 배척, 스와라지(자치), 스와데시(국산품 애용), 국민 교육 실시의 4대 강령을 채택하였다.

바로 알기 ① 인도 국민 회의는 1885년에 결성되었다. ② 인도 통치 개선법은 1858년에 제정되었다. ④는 브라흐마 사마지 운동에 대한 설명이다. 브라흐마 사마지 운동은 벵골 분할령이 발표되기 이전에 전개되었다. ⑤ 마라타 동맹은 벵골 분할령이 발표되기 이전에 결성되어 반영 운동을 전개하였으나 실패하였다.

04 브라흐마 사마지 운동의 특징

(가) 단체는 람 모한 로이가 만든 브라흐마 사마지이다. 이들은 초기에 힌두교의 순수한 교리로 돌아가자는 종교 운동을 전개하였으나 점차 사회 개혁 운동에 앞장섰다. 이에 따라 힌두교의 우상 숭배나 카스트제를 반대하고 사티, 일부다처제와 같은 악습 타파를 주장하였다. 또한 인권 존중, 여성의 권리 신장, 교육 확대 등을 강조하였다.

바로 알기 ① 세포이의 항쟁은 동인도 회사에 고용된 인도인 용병들이 일으켰다. ② 이슬람 동맹은 인도네시아에서 설립된 독립운동 단체이다. ③은 인도 국민 회의에 대한 설명이다. ⑤는 필리핀의 호세 리살에 대한 설명이다.

05 동남아시아의 민족 운동

(가)는 태국, (나)는 필리핀이다. 라마 5세는 태국이 영국 식민지와 프랑스 식민지 사이의 완충 지대에 있다는 지정학적 이점을 이용하여 독립을 보장받았다. ④ 필리핀에서는 호세 리살이 에스파냐인과 필리핀인의 동등한 대우를 요구하며 필리핀 연맹을 조직하고 독립운동을 벌였다.

바로 알기 ①은 필리핀, ②, ⑤는 인도네시아, ③은 베트남에서 전개된 민족 운동에 대한 설명이다.

06 베트남의 민족 운동

자료 분석

베트남의 초기 민족 운동을 이끈 판보이쩌우이다.

사회자: 사진 속 인물은 베트남의 초기 민족 운동을 이끌었던 인물로 신해혁명에 자극을 받아 베트남 광복회를 조직하기도 하였습니다. 이 인물의 다른 업적은 무엇일까요?

중국에서 신해혁명이 성공하자 베트남 광복회를 조직하여 민주 공화국 건설을 꾀하였어.

판보이쩌우는 베트남 유신회를 조직하고 일본에 유학생을 파견하는 동유 운동을 전개하였다. 중국으로 망명한 뒤에는 중국 신해혁명의 영향을 받아 베트남 광복회를 조직하여 독립운동을 지속하였다.

바로 알기 ②, ③은 인도네시아에서 전개된 민족 운동에 대한 설명이다. ④는 판쩌우찐에 대한 설명이다. ⑤ 판보이쩌우는 프랑스의 식민 지배에 저항하였다.

07 탄지마트의 내용

밑줄 친 '개혁'은 탄지마트이다. 오스만 제국의 개혁 세력은 대내외적인 위기를 극복하고 부국강병을 이루기 위해 '은혜 개혁'이라고 불린 탄지마트를 단행하였다. 이 개혁으로 중앙 집권적인 행정 체계를 마련하고 전국적인 도로망, 철도, 운하 등을 건설하였으며, 세금 제도와 교육 제도, 사법 제도를 서구식으로 바꾸는 등의 변화를 시도하였다. 또한 군제 개혁을 추진하여 징병제를 실시하고 신식 군대를 창설하였다.

바로 알기 ① 탄지마트에서는 술탄제를 폐지하지 않았다.

08 오스만 제국의 근대화

오스만 제국은 1839년부터 '탄지마트(은혜 개혁)'라고 불린 근대 개혁을 추진하였다. ⑤ 탄지마트의 성과가 미흡하자 미드하트 파샤를 비롯한 관료들은 입헌 군주제 실시, 의회 설립 등의 내용을 담은 헌법을 공포하였다(1876).

바로 알기 ①은 베트남, ②, ③은 인도, ④는 태국에서 일어난 근대화 운동과 관련이 있다.

09 이란의 담배 불매 운동

이란의 카자르 왕조가 영국 상인에게 담배 제조 및 독점 판매권을 주자 개혁 세력과 이슬람 성직자들은 담배 불매 운동을 벌였다. 그 결과 카자르 왕조는 영국으로부터 이권을 회수하였으나, 막대한 배상금을 지급함으로써 경제적으로 영국에 종속되었다.

바로 알기 ①은 아랍, ②, ⑤는 오스만 제국, ④는 아프리카의 탄자니아에서 전개된 민족 운동에 대한 설명이다.

10 이집트의 근대화 운동

밑줄 친 '이 나라'는 이집트이다. 19세기 초에 오스만 제국은 무함마드 알리를 이집트의 총독으로 임명하였다. 무함마드 알리는 군대와 행정 기구, 교육 제도를 유럽식으로 바꾸고, 산업 육성에 힘쓰는 등 적극적으로 이집트의 근대화를 추진하였다. ④ 이집트에서는 아라비 파샤를 중심으로 한 군부가 외세 배격 운동을 일으켰다.

바로 알기 ①은 수단, ②는 인도, ③은 오스만 제국, ⑤는 인도네시아에서 전개된 민족 운동에 대한 설명이다.

완자 정리 노트 이집트의 근대화 운동과 민족 운동

무함마드 알리의 근대화 정책	이집트 총독으로 임명된 뒤 근대화 정책 추진(서구식 군대 창설, 산업 육성, 교육 및 행정 기구 개편 등)
아라비 파샤의 민족 운동	'이집트인을 위한 이집트 건설'을 주장하며 반영 운동 전개 → 영국에 진압

11 아프리카의 민족 운동

19세기 말 수단은 이집트의 일부로 편입된 후 이집트와 영국의 이중 지배를 받았다. 이때 무함마드 아흐마드는 스스로를 '마흐디(구세주)'라고 부르며 외세를 배격하고 순수한 이슬람 신앙을 회복하자는 마흐디 운동을 전개하였다. 마흐디의 군대는 이집트 군대를 물리쳤으나 영국군의 군사력에 밀려 패배하였다.

바로 알기 ①, ④는 에티오피아, ②는 줄루 왕국, ③은 나미비아에서 전개된 민족 운동과 관련이 있다.

서술형 문제

210쪽

01 주제: 인도 국민 회의의 활동

예시 답안 인도 국민 회의는 초기에 영국의 식민 통치에 협조하면서 인도인의 권익을 확보하는 활동을 하였으나 벵골 분할령이 발표된 이후 반영 운동에 앞장서기 시작하였다. 이에 따라 인도 국민 회의는 영국 상품 배척, 스와라지(자치), 스와데시(국산품 애용), 국민 교육 실시 등 4대 강령을 채택하고 민족 운동을 전개하였다.

채점 기준

상	영국에 협조적이었던 인도 국민 회의가 벵골 분할령을 계기로 민족 운동에 앞장섰음을 서술하고, 4대 강령의 내용을 모두 서술한 경우
중	영국에 협조적이었던 인도 국민 회의가 벵골 분할령을 계기로 민족 운동에 앞장섰다고만 서술한 경우
하	인도 국민 회의가 민족 운동을 전개하였다고만 서술한 경우

02 주제: 오스만 제국의 개혁

예시 답안 오스만 제국의 청년 장교, 학생, 지식인들은 청년 튀르크당을 결성하고 무장봉기하여 헌법을 부활시켰다. 이들은 근대적 산업을 육성하고 언론의 자유를 보장하는 등의 근대화 정책을 실시하였다.

채점 기준

상	청년 튀르크당이 추진한 근대화 정책의 내용을 쓰고 헌법을 부활시켰다고 서술한 경우
하	청년 튀르크당이 헌법을 부활시켰다고만 서술한 경우

03 주제: 와하브 운동의 전개

(1) 와하브 운동

(2) 예시 답안 와하브 운동은 아랍 민족주의 형성에 기여하였으며, 20세기 전반 사우디아라비아 왕국이 건설되는 계기를 마련하였다.

채점 기준

상	아랍 민족주의의 형성과 사우디아라비아 왕국 건설의 계기가 되었다고 서술한 경우
하	아랍 민족주의의 형성과 사우디아라비아 왕국 건설 중 한 가지만 서술한 경우

STEP 3 1등급 정복하기

211쪽

1 ④ 2 ③

1 인도의 민족 운동

제시된 글의 '벵골 분할', '스와데시' 등을 통해 자료가 인도 국민 회의와 관련이 있음을 알 수 있다. 영국이 벵골 분할령(1905)을 발표하자 틸라크를 중심으로 한 인도 국민 회의는 콜카타 대회를 열어 영국 상품 배척, 스와라지, 스와데시, 국민 교육 실시의 4대 강령을 채택하였다.

바로 알기 ① 동유 운동은 베트남에서 전개되었다. ② 아랍 지역에서 일어난 와하브 운동으로 와하브 왕국이 건설되었다. ③ 무굴 제국의 황제는 벵골 분할령이 발표되기 이전에 폐위되었다. ⑤ 브라흐마 사마지 운동은 람 모한 로이를 중심으로 전개된 종교·사회 개혁 운동이다.

2 이집트의 민족 운동

그래프는 수에즈 운하의 개통으로 항해로가 단축된 것을 보여 준다. 이집트가 수에즈 운하 건설로 막대한 외채에 허덕이자 영국이 수에즈 운하의 경영권을 차지하였고 이후 이집트는 영국의 보호국으로 전락하였다. ③ 아라비 파샤를 중심으로 한 군부는 열강의 내정 간섭에 반대하여 군부 혁명을 일으켰으나, 영국군에 진압되었다.

바로 알기 ①은 아랍에서 일어난 와하브 운동에 대한 설명이다. ②는 아프리카의 에티오피아에서 전개된 근대화 개혁에 대한 설명이다. ④는 이란의 담배 불매 운동에 대한 설명이다. ⑤는 오스만 제국에서 일어난 청년 튀르크당의 혁명에 대한 설명이다.

03 제1차 세계 대전과 세계정세의 변화

STEP 1 핵심 개념 확인하기 216쪽

1 ㉠ 3국 동맹, ㉡ 3국 협상 2 (1) ○ (2) × (3) ○ 3 소비에트
4 (1) ㄷ (2) ㄱ (3) ㄴ 5 (1) ㉡ (2) ㉢ (3) ㉠

STEP 2 내신 만점 공략하기 216~219쪽

01 ④ 02 ⑤ 03 ③ 04 ② 05 ⑤ 06 ② 07 ①
08 ③ 09 ③ 10 ① 11 ④ 12 ⑤ 13 ③ 14 ⑤

01 제1차 세계 대전의 배경

자료 분석

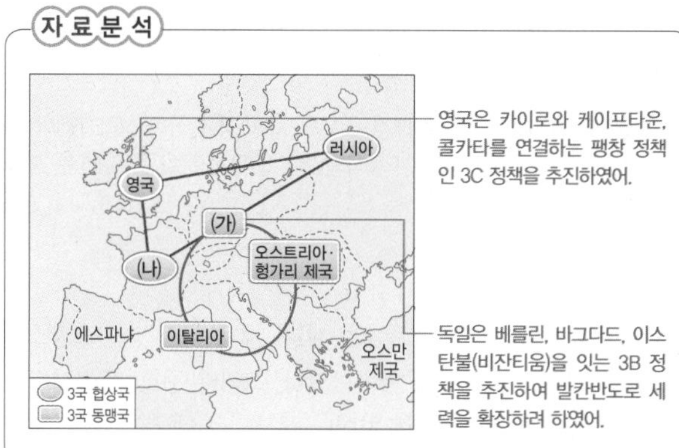

지도의 (가)는 독일, (나)는 프랑스이다. 19세기 후반 독일은 프랑스를 고립시키기 위해 이탈리아, 오스트리아·헝가리 제국과 3국 동맹을 맺었다. 이에 맞서 영국과 프랑스는 러시아를 끌어들여 3국 협상을 맺고 독일의 팽창을 견제하였다. ㄴ. 오스만 제국이 쇠퇴하고 발칸반도의 여러 민족이 독립하자 독일과 오스트리아·헝가리 제국은 범게르만주의를 내세우며 발칸반도에서 세력을 확대하였다. ㄹ. 국제적으로 긴장이 고조되는 가운데 프랑스와 독일은 모로코에서 두 차례 충돌하였다.

바로 알기 ㄱ. 3C 정책은 영국이 추진하였다. ㄷ. 오스트리아·헝가리 제국이 1908년에 보스니아와 헤르체고비나를 병합하였다.

02 제1차 세계 대전의 발발

제시된 글은 1914년에 일어난 사라예보 사건에 대한 설명이다. ⑤ 사라예보 사건을 계기로 오스트리아·헝가리 제국이 세르비아에 선전 포고를 하면서 제1차 세계 대전이 발발하였다.

바로 알기 ① 3국 동맹은 1882년에 결성되었다. ② 사라예보 사건이 계기가 되어 일어난 전쟁은 제1차 세계 대전이다. ③ 발칸 전쟁은 1912년과 1913년 두 차례에 걸쳐 일어났다. ④ 그리스는 19세기에 오스만 제국이 쇠퇴하자 독립하였다.

03 제1차 세계 대전의 전개와 결과

자료 분석

동맹국에는 3국 동맹 측인 독일, 오스트리아·헝가리 제국, 오스만 제국 등이 가담하였고, 협상국에는 3국 협상 측인 영국, 프랑스, 러시아 등이 참여하였어.

지도는 제1차 세계 대전을 보여 준다. 제1차 세계 대전은 모든 인력과 물자가 총동원되는 총력전으로 전개되었고, 참호전의 영향으로 신무기들이 투입되어 큰 물적·인적 손실을 낳았다. 그 결과 유럽 각국의 세력이 약화된 반면, 미국이 강대국으로 부상하였다. 제1차 세계 대전이 종결된 후에는 세계 각국의 협력 강화와 평화 유지를 위해 국제 연맹이 창설되었다.

바로 알기 ③ 플라시 전투는 18세기 중엽 영국과 프랑스가 인도 지배를 놓고 벌인 전쟁이다.

04 제1차 세계 대전의 전개

제1차 세계 대전 당시 독일은 중립국 선박까지 공격하는 무제한 잠수함 작전을 전개하였다. 이를 계기로 미국이 협상국으로 참전하자 협상국은 전쟁에서 우위를 차지하였다. 이후 킬 군항에서 독일 해군들이 일으킨 반란을 계기로 독일 정부가 무조건 항복을 선언함으로써 제1차 세계 대전이 종결되었다.

바로 알기 ①, ③, ④, ⑤는 독일이 무제한 잠수한 작전을 전개하기 이전의 일이다.

05 피의 일요일 사건의 결과

자료의 '상트페테르부르크', '일요일에 있었던 시위', '정부군의 발포' 등의 내용을 통해 밑줄 친 '시위'가 러시아의 피의 일요일 사건(1905)과 관련이 있음을 알 수 있다. 피의 일요일 사건은 러일 전쟁으로 생활이 어려워진 노동자, 농민들이 상트페테르부르크에서 개혁을 요구하는 시위를 벌이자, 정부군이 시위대를 향해 발포하여 많은 사상자를 낸 사건이다. 이를 무마하기 위해 차르 니콜라이 2세는 헌법 제정, 두마(국회) 설치 등을 약속하였다.

바로 알기 ① 브나로드 운동은 19세기에 전개되었다. ② 피의 일요일 사건은 러일 전쟁으로 생활이 어려워진 노동자들이 정부에 개혁을 요구하면서 시작되었다. ③ 신경제 정책(NEP)은 피의 일요일 사건 이후에 추진되었다. ④ 피의 일요일 사건은 볼셰비키와 관련이 없다.

06 11월 혁명의 전개

제시된 글은 11월 혁명(1917. 11.)에 대한 설명이다. ② 3월 혁명 이후 임시 정부가 개혁을 미루고 전쟁을 지속하자 레닌이 이끄는 볼셰비키가 임시 정부를 무너뜨리고 소비에트 정부를 수립하였다.

바로 알기 ①은 1861년, ③은 1905년, ④는 1907년, ⑤는 1917년 3월에 일어난 일이다.

완자 정리 노트 러시아 혁명의 전개

배경	차르의 전제 정치 지속, 제1차 세계 대전 중 계속된 패배, 피의 일요일 사건 발생
전개	3월 혁명(노동자들과 병사들이 소비에트 조직, 혁명 발생 → 제정 붕괴, 임시 정부 수립) → 11월 혁명(레닌이 이끄는 볼셰비키가 봉기 → 임시 정부 타도, 소비에트 정부 수립)

07 레닌의 정책

(가) 인물은 레닌이다. 11월 혁명 이후 레닌이 주도한 볼셰비키는 일당 독재를 추진하고 브레스트리토프스크 조약을 체결하여 독일과의 전쟁을 끝냈다. 레닌은 이후 신경제 정책(NEP)을 추진하였고, 1922년에는 반혁명 세력을 진압하고 소비에트 사회주의 공화국 연방(소련)을 수립하였다. 또한 그는 국제 공산당 조직인 코민테른을 창설하여 사회주의의 확산에 영향을 주었다.

바로 알기 ① 피의 일요일 사건은 니콜라이 2세가 집권한 당시 정부군이 개혁을 요구하는 시위대에 발포하여 많은 사상자를 낸 사건으로 레닌과 관련이 없다.

08 윌슨의 민족 자결주의

제시된 자료는 제1차 세계 대전이 끝나고 열린 파리 강화 회의에서 윌슨 대통령이 제시한 평화 원칙 14개조 중 민족 자결주의에 관한 부분이다. ③ 민족 자결주의는 모든 민족이 스스로 국가를 구성하고 자신의 정부를 선택할 수 있다는 내용으로, 아시아와 아프리카의 민족 운동에 영향을 주었다.

바로 알기 ① 3국 협상은 제1차 세계 대전이 일어나기 이전에 결성되었다. ② 빈 체제는 1814년에 개최된 빈 회의에서 성립된 체제이다. ④, ⑤는 독일이 연합국과 체결한 베르사유 조약에 대한 설명이다.

09 국제 연맹의 창설

'제1차 세계 대전 종결 이후 설립', '전후 평화 유지', '각국의 독립과 영토 보전 협의' 등을 통해 제시된 글이 국제 연맹에 대해 정리한 것임을 알 수 있다. 국제 연맹은 파리 강화 회의 이후 세계 각국의 협력 강화와 평화 유지를 위해 창설되었다(1920). ③ 국제 연맹은 미국이 불참하고 창설 초반에 독일과 소련이 배제되었다는 한계가 있었다.

바로 알기 ①은 제1차 세계 대전이 일어나기 직전의 상황이다. ② 국제 연맹은 분쟁을 제재할 무력 수단을 갖추지 못하였다. ④ 미국은 국제 연맹에 불참하였다. ⑤는 베르사유 조약에 대한 설명이다.

10 국제 평화를 위한 노력

제1차 세계 대전이 종결된 이후 세계 각국은 평화를 유지하기 위해 노력하였다. 유럽 각국은 1925년에 로카르노 조약을 체결하여 독일의 국제 연맹 가입과 국제 분쟁의 평화적 해결에 합의하였고, 1928년에는 전쟁을 국가 정책 수단으로 삼지 말자는 켈로그·브리앙 조약을 체결하였다. 또한 도스안과 영안을 결의하여 독일의 배상금 부담을 경감해 주었고, 1930년에는 런던 회의가 열려 해군의 군비 축소가 논의되었다.

바로 알기 ① 3국 동맹은 1882년 독일이 프랑스를 고립시키기 위해 오스트리아·헝가리 제국, 이탈리아와 결성한 것으로 제국주의 열강의 대립과 관련이 있다.

11 5·4 운동의 전개

제시된 자료는 중국에서 5·4 운동이 일어난 당시에 발표된 선언문이다. 5·4 운동은 제1차 세계 대전이 종결된 후 열린 파리 강화 회의에서 산둥반도 이권을 포함한 일본의 21개조 요구가 연합국의 승인을 받자, 베이징 학생들이 중심이 되어 일으킨 반일본·반군벌 민족 운동이다.

바로 알기 ① 시안 사건을 배경으로 제2차 국공 합작이 성립되었다. ② 신문화 운동은 5·4 운동 이전에 시작되었다. ③은 신문화 운동, ⑤는 중국 공산당에 대한 설명이다.

12 베트남의 독립운동

(가) 지역은 베트남이다. 베트남은 제1차 세계 대전 당시 프랑스에 협력하는 조건으로 독립을 약속받았다. 그러나 종전 후 프랑스가 약속을 어기자 호찌민은 인도차이나 공산당을 이끌고 독립운동을 주도하였다.

바로 알기 ①은 러시아, ②는 인도, ③은 이란, ④는 중국에서 전개된 민족 운동에 대한 설명이다.

완자 정리 노트 아시아의 민족 운동

인도	• 간디의 비폭력·불복종 운동 전개 • 네루의 인도 독립 동맹 결성, 무력 투쟁 전개
베트남	호찌민의 반프랑스 독립운동 전개
인도네시아	수카르노의 인도네시아 국민당 결성
오스만 제국	무스타파 케말의 튀르키예 공화국 수립
이란	리자 샤의 민족 운동 전개

13 인도의 독립운동

인도는 제1차 세계 대전 중 자치권의 확대를 약속받고 영국 정부에 협력하였지만, 영국은 롤럿법을 제정하는 등 인도인에 대한 탄압을 강화하였다. 이에 간디는 롤럿법의 폐지와 자치를 요구하며 비폭력·불복종 운동을 전개하였고, 네루는 인도 독립 동맹을 결성한 뒤 무력 투쟁을 전개하였다. 결국 영국 정부는 신인도 통치법을 제정하여 군사와 외교를 제외한 인도인의 자치를 인정하였다.

| 바로 알기 | ㄱ. 세포이의 항쟁은 1857년에 동인도 회사에 고용된 인도인 용병인 세포이들이 일으킨 항쟁이다. ㄹ. 브라흐마 사마지 운동은 19세기 전반에 힌두교 지도자들이 추진한 종교·사회 개혁 운동이다.

14 오스만 제국의 민족 운동

제1차 세계 대전에서 패한 오스만 제국은 많은 영토를 잃고 유럽 열강의 간섭을 받았다. 이러한 상황에서 무스타파 케말은 튀르키예 공화국을 수립한 뒤 근대화 정책을 추진하였다.

| 바로 알기 | ①은 인도네시아, ②는 인도, ③은 이란, ④는 중국에서 전개된 민족 운동에 대한 설명이다.

서술형 문제

219쪽

01 주제: 레닌의 신경제 정책(NEP)

(1) 신경제 정책(NEP)

(2) 예시 답안 러시아가 반혁명 세력과의 내전으로 경제난에 처하자, 레닌은 시장 경제 요소를 일부 도입한 신경제 정책(NEP)을 실시하였다.

채점 기준

상	러시아가 반혁명 세력과의 내전으로 경제난에 처한 상황을 언급하고, 시장 경제 요소를 도입하였음을 서술한 경우
하	러시아 혁명 이후의 내전으로 경제난에 처하였다고만 서술한 경우

02 주제: 팔레스타인 분쟁

예시 답안 제1차 세계 대전이 끝난 후 밸푸어 선언에 따라 유대인들이 유대인 국가 건설을 주장하며 팔레스타인 이주 운동을 벌였다. 그러나 이는 아랍 민족의 독립과 아랍 국가 건설을 약속한 후사인·맥마흔 협정과 모순된 일로 아랍 국가들의 반발을 샀다. 이후 팔레스타인 지역에서 아랍인과 유대인 간에 충돌이 심화되었다.

채점 기준

상	밸푸어 선언과 후사인·맥마흔 협정의 모순된 내용을 언급하고 그 영향으로 아랍인과 유대인 간에 갈등이 심화되었다고 서술한 경우
하	유대인과 아랍인의 갈등이 심화되었다고만 서술한 경우

03 주제: 인도의 민족 운동

예시 답안 영국이 롤럿법을 제정하고 선거권을 제한하는 등 식민 지배를 강화하자, 인도인들은 간디, 네루 등을 중심으로 민족 운동을 전개하였다. 결국 영국은 신인도 통치법을 제정하여 군사와 외교를 제외한 인도인의 자치를 인정하였다.

채점 기준

상	영국이 신인도 통치법을 제정하여 군사와 외교를 제외한 자치를 허용하였음을 서술한 경우
하	영국이 신인도 통치법을 제정하였다고만 서술한 경우

STEP 3 1등급 정복하기

220~221쪽

1 ⑤ 2 ⑤ 3 ② 4 ②

1 세계 대전의 양상

제시된 글의 '사라예보 사건으로 촉발', '마른 전투' 등의 내용을 통해 밑줄 친 '전쟁'이 제1차 세계 대전이라는 것을 알 수 있다. 참호전으로 제1차 세계 대전이 장기화되자 참전국들은 자국의 인력과 물자를 총동원하였고 이에 따라 여성들은 군수 공장에서 무기를 생산하였다. 또한 과학 기술의 발달에 힘입어 전투기와 탱크 등 신무기가 등장하면서 많은 인적 피해가 발생하였다. 한편, 미국은 독일의 무제한 잠수함 작전을 계기로 제1차 세계 대전에 참전하였다.

| 바로 알기 | ⑤ 이산들와나 전투는 19세기 중반 영국이 아프리카의 줄루 왕국을 참략하면서 일어난 전투이다.

2 러시아 혁명의 전개

(가)는 러시아에서 전개된 3월 혁명(1917. 3.), (나)는 11월 혁명(1917. 11.)에 대한 설명이다. 3월 혁명의 결과 러시아에서 임시 정부가 수립되었고, 11월 혁명의 결과 레닌이 이끄는 볼셰비키가 임시 정부를 무너뜨리고 소비에트 정부를 세웠다. ⑤ 11월 혁명 이후 레닌은 의회를 해산하고 공산당 일당 독재를 선언하였다.

| 바로 알기 | ① 피의 일요일 사건은 러시아 혁명 이전에 일어났다. ②, ③은 11월 혁명 이후에 일어난 일이다. ④는 피의 일요일 사건의 결과이다.

3 베르사유 체제의 성립

제시된 자료는 제1차 세계 대전 후 연합국과 독일이 체결한 베르사유 조약(1919)이다. 전후 독일은 승전국의 이익을 보장하고 패전국인 독일을 응징하는 내용의 베르사유 조약을 체결하였다. 이 조약에 따라 독일은 해외의 모든 식민지를 상실하였으며 군비를 대폭 축소하고 막대한 전쟁 배상금을 물어야 하였다.

| 바로 알기 | ㄴ. 로카르노 조약은 1925년에 체결되었다. ㄹ은 켈로그·브리앙 조약에 대한 설명이다.

4 중국의 민족 운동

(가) 인물은 장제스이다. 쑨원이 사망한 후 실권을 장악한 장제스는 국민 혁명을 완수하기 위해 군벌을 타도해 나갔다. 그러나 그 과정에서 장제스가 공산당을 배척하여 국공 합작이 와해되었다. 이후 시안 사건을 계기로 제2차 국공 합작을 성사시켜 항일 투쟁의 통일 전선을 형성하였다.

| 바로 알기 | ①은 위안스카이, ③은 홍수전, ④는 쑨원에 대한 설명이다. ⑤는 천두슈, 후스 등 신문화 운동을 추진한 세력에 대한 설명이다.

04 대공황과 제2차 세계 대전

STEP 1 핵심 개념 확인하기 224쪽

1 블록 경제 2 (1) ㄴ (2) ㄱ (3) ㄷ 3 (1) ○ (2) ○ (3) ×
4 ㉠ 독소 불가침 조약, ㉡ 스탈린그라드 5 국제 연합(UN)

STEP 2 내신 만점 공략하기 224~226쪽

01 ④ 02 ③ 03 ④ 04 ① 05 ① 06 ② 07 ②
08 ① 09 ③ 10 ②

01 대공황의 시작

루스벨트는 미국이 대공황으로 경제 위기를 겪고 있을 때 대통령에 취임하였어. 이후 대공황을 극복하기 위해 뉴딜 정책을 추진하였지.

자료 분석

물가는 믿을 수 없을 정도로 떨어졌습니다. 세금은 올랐습니다. …… 기업은 말라 죽은 잎사귀처럼 여기저기로 흩어지고 있습니다. 농민은 작물을 재배해도 시장을 찾을 수가 없습니다. 몇 만의 가정에서 여러 해에 걸쳐 저축한 돈이 사라졌습니다.

미국의 많은 기업과 공장이 파산하였어.

– 미국 루스벨트 대통령 취임 연설문

제시된 자료는 미국에서 시작된 대공황의 상황을 보여 준다. 1929년 뉴욕 증권 거래소의 주가 대폭락을 시작으로 대공황이 발생하였다. 이에 따라 시장이 마비되고 소비가 위축되자 기업과 공장, 은행이 무더기로 파산하였으며 실업자가 대거 발생하였다. 미국의 경제 위기는 전 세계로 확산되어 국제 무역이 급감하였다.

바로 알기 ④ 대공황은 소비가 생산을 따라가지 못하여 재고가 쌓이자 발생하였다.

02 뉴딜 정책의 추진

미국은 대공황을 극복하기 위해 정부가 적극적으로 경제 활동에 개입하는 뉴딜 정책을 추진하였다. 이에 따라 생산량을 조절하고 대규모 공공사업을 시행하여 일자리를 창출하였으며, 사회 보장 제도와 노동자의 권리 보장을 위한 제도를 시행하였다.

바로 알기 ①, ②는 독일, 이탈리아, 일본과 관련된 내용이다. ④ 대공황이 발생하자 미국 정부는 자유방임주의를 일부 포기하였다. ⑤ 게슈타포와 친위대는 독일의 히틀러가 창설하였다.

03 블록 경제의 형성 배경

대공황으로 인한 미국의 경제 위기는 미국 경제에 의존하고 있던 유럽을 비롯한 세계 여러 나라로 확산되었다. 이에 따라 영국은 대공황을 극복하기 위해 본국과 식민지를 하나의 경제권으로 묶는 블록 경제를 형성하였다.

바로 알기 ①, ② 대공황이 발생한 당시 파시즘과 군국주의의 영향을 받은 국가는 독일, 이탈리아, 일본이다. ③ 국제 연합(UN)은 제2차 세계 대전이 종결된 후 창설되었다. ⑤ 제2차 세계 대전은 영국이 블록 경제를 형성한 이후 발발하였다.

완자 정리 노트 대공황을 극복하기 위한 각국의 대응

국가	대응
미국	정부가 시장 경제에 적극 개입하는 뉴딜 정책 실시
영국, 프랑스	자국과 식민지를 하나의 경제권으로 묶는 블록 경제 형성
독일, 이탈리아, 일본	대외 침략 추진, 전체주의 등장

04 전체주의의 등장

첫 번째 글은 독일, 두 번째 글은 이탈리아에 대한 설명이다. 이탈리아와 독일은 대공황을 극복할 수 있는 자본이 충분하지 않았기 때문에 다른 나라를 침략함으로써 위기를 극복하려 하였다. 이에 따라 전체주의를 내세워 국민들에게 집단과 국가를 강조하고 국제 연맹에서 탈퇴한 뒤 침략적 팽창주의 정책을 추진하였다.

바로 알기 ㄷ. 미국의 루스벨트 대통령은 대규모 공공사업을 추진하여 대공황에서 벗어나고자 하였다. ㄹ. 스탈린은 경제 개발 5개년 계획을 추진하였다.

05 히틀러와 나치스

제시된 내용은 히틀러에 대한 것이다. 대공황이 발생하자 독일은 심각한 경제 위기에 빠졌다. 이러한 상황에서 나치스가 부상하고 히틀러가 총통에 취임하였다. 히틀러는 비밀경찰과 친위대를 창설하여 국민의 생활을 통제하는 한편, 베르사유 체제를 무효로 하고 재무장에 나서 라인란트를 무력으로 점령하였다.

바로 알기 ②, ③은 이탈리아의 무솔리니에 대한 설명이다. ④ 제2차 세계 대전 당시 독일의 공격으로 프랑스가 함락되자 프랑스의 드골은 영국에 망명 정부를 수립하였다. ⑤는 러시아의 레닌에 대한 설명이다.

06 제2차 세계 대전의 전개

왼쪽 사진은 제2차 세계 대전 초기 독일군이 폴란드를 공격(1939)하는 모습이고, 오른쪽 사진은 연합군이 노르망디 상륙 작전(1944)을 전개하는 모습이다. ② 1941년에 독일은 소련과의 불가침 조약을 깨고 소련 영토로 진격하였다.

바로 알기 ①은 1931년, ③은 1938년, ④, ⑤는 1945년에 일어난 일이다.

07 제2차 세계 대전과 홀로코스트

밑줄 친 '이 전쟁'은 제2차 세계 대전이다. 제2차 세계 대전 중에 독일은 폴란드의 아우슈비츠 수용소와 같은 강제 수용소를 유럽 각지에 만들고 그곳에 공산주의자, 유대인 등을 가두어 학살하였다. 제2차 세계 대전 당시 독일이 파리를 함락하자 프랑스에서 레지스탕스 운동이 일어났고, 일본의 진주만 기습 공격으로 태평양 전쟁이

발발하였다. 독일군은 1941년에 독소 불가침 조약을 파기하고 소련을 침공하였으며, 제2차 세계 대전이 종결된 후 도쿄에서 국제 전범 재판이 열렸다.

| 바로 알기 | ② 국제 연맹은 제1차 세계 대전의 결과 창설되었다.

08 태평양 전쟁의 발발

자료 분석

미국이 제2차 세계 대전에 참전하는 계기가 되었어.

> ○○에게
> 나는 진주만을 떠나는 배 안에 있어. 12월 7일 오전에 일본군이 진주만을 공격하고 있다는 이야기를 처음 들었을 때만 해도 훈련이라고 생각했어. 그런데 하늘을 뒤덮은 일본군 전투기를 보고는 실제 상황이라고 믿을 수밖에 없었지. 자세한 이야기는 만나서 들려줄게.

제1차 세계 대전부터 사용되었어.

제시된 내용은 일본의 진주만 공습과 관련이 있다. 제2차 세계 대전 당시 일본은 중국과의 전쟁이 장기화되자 자원을 확보하기 위해 동남아시아를 침략하였다. 미국이 이를 저지하기 위해 석유 등 전쟁 물자의 일본 수출을 금지하자 일본은 하와이의 진주만을 기습 공격하였다(1941). 이로써 태평양 전쟁이 발발하여 전선이 전 세계로 확대되었다.

| 바로 알기 | ② 3국 방공 협정은 1937년에 체결되었다. ③ 만주 사변은 1931년에 일어났다. ④ 윌슨의 평화 원칙 14개조는 제1차 세계 대전이 종결된 후 발표되었다. ⑤는 제1차 세계 대전이 전개되는 과정에서 일어났다.

09 전후 처리 과정

제시된 회담은 제2차 세계 대전의 전후 처리 문제를 협의하고 새로운 질서를 수립하기 위해 연합국 대표들이 개최한 회담이다. 제2차 세계 대전 중 연합국 대표들은 세계 각국의 연대를 강조한 대서양 헌장을 발표하여 전후 국제 평화 질서의 실마리를 제공하였다. 그리고 카이로 회담, 얄타 회담, 포츠담 회담 등을 통해 전후 처리 문제를 협의하였다.

| 바로 알기 | ①은 카이로 회담에 대한 설명이다. ② 카이로 회담에는 미국, 영국, 중국이 참가하였고, 얄타 회담에는 미국, 영국, 소련이 참가하였다. 포츠담 회담에는 미국, 영국, 중국, 소련이 참가하였다. ④는 뉘른베르크 재판, ⑤는 파리 강화 회의에 대한 설명이다.

10 국제 연합의 창설

제시된 자료는 국제 연합(UN) 헌장이다. 제2차 세계 대전 중 루스벨트와 처칠은 대서양 헌장을 발표하여 국제 협력에 기초한 새로운 질서를 모색하였고, 그 결과 1945년 샌프란시스코 회의를 통해 국제 연합(UN)이 창설되었다. ② 국제 연합(UN)은 회원국이 모두 참여하는 총회를 중심으로 각종 이사회와 산하 기구를 두었는데, 그중에서 안전 보장 이사회의 역할이 강조되었다.

| 바로 알기 | ① 미국은 국제 연합(UN)에 참여하였다. ③ 국제 연합(UN)은 샌프란시스코 회의에 따라 출범하였다. ④ 사회주의 국가인 소련은 국제 연합(UN)에서 가장 중심이 되는 안전 보장 이사회의 5개 상임 이사국 중 하나였다. ⑤ 제2차 세계 대전의 전범자들은 독일 뉘른베르크 재판과 일본 도쿄 재판을 통해 처벌받았다.

완자 정리 노트 국제 연맹과 국제 연합

구분	국제 연맹	국제 연합
목적	국제 평화 유지	
성립 시기	제1차 세계 대전 이후	제2차 세계 대전 이후
참가국	미국, 소련 등 강대국 불참	미국, 영국, 소련, 중국 등 주요 강대국 참여
특징	경제적 제재 가능, 무력 제재 수단 부재	안전 보장 이사회 구성, 무력 제재 가능(유엔군 창설)

서술형 문제

226쪽

01 주제: 대공황과 각국의 대응

예시 답안 1920년대 후반 미국에서 시작된 경제 위기가 전 세계로 확산되자 영국, 프랑스 등은 자국과 식민지를 하나의 경제권으로 만들고 그 안에서만 교류하는 블록 경제를 형성하여 대공황에서 벗어나려 하였다.

채점 기준

상	미국의 경제 위기와 대공황을 언급하고, 본국과 식민지를 하나의 경제권으로 만들었다고 서술한 경우
하	미국의 경제 위기와 대공황만 언급한 경우

02 주제: 전체주의의 등장

(1) (가) 무솔리니, (나) 히틀러

(2) **예시 답안** 국민 개인의 생명과 권리보다 국가의 이익을 우선시하였고 이를 바탕으로 대외 침략을 추진하였다.

채점 기준

상	개인보다 국가의 이익을 우선시하였다는 내용과 대외 침략을 추진하였다는 내용을 모두 서술한 경우
하	개인보다 국가의 이익을 우선시하였다는 내용만 서술한 경우

03 주제: 국제 연합(UN)의 특징

예시 답안 국제 연합(UN)은 안전 보장 이사회의 결의가 총회보다 우선하고, 미국, 소련 등의 5개 상임 이사국에 거부권을 주는 등 강대국의 이해에 좌우되는 한계를 보였다.

채점 기준

상	국제 연합(UN)이 강대국의 이해에 좌우됨을 사례를 들어 서술한 경우
하	국제 연합(UN)이 강대국의 이해에 좌우된다는 것만 서술한 경우

STEP 3 1등급 정복하기 227쪽

1 ④ 2 ④

1 경제 위기 극복을 위한 노력

그래프의 (가) 시기에는 실업률이 급증하고 상품 가격이 하락하고 있다. 이는 미국 주식 시장의 주가 폭락으로 시작된 대공황의 상황을 보여 준다. 대공황을 극복하기 위해 미국의 루스벨트 대통령은 대규모 공공사업을 시행하였고, 영국과 프랑스는 본국과 식민지 사이에 블록 경제를 형성하였다. 독일은 국제 연맹을 탈퇴하고 재무장에 나섰다.

바로 알기 ④ 대공황 당시 스탈린은 신경제 정책(NEP)을 폐기하고 사회주의 경제 체제를 구축하였다.

2 전체주의의 등장

제시된 자료는 이탈리아의 무솔리니가 발표한 파시즘 독트린이다. 대공황이 발생하자 무솔리니는 국가 지상주의와 군국주의를 내세우며 에티오피아를 침공하였다. 이후 국제 연맹을 탈퇴하고 재무장한 독일, 이탈리아, 일본은 3국 방공 협정(1937)을 맺고 제2차 세계 대전을 전개하였다.

바로 알기 ①은 레닌, ②는 히틀러, ③은 루스벨트, ⑤는 스탈린에 대한 설명이다.

대단원 실력 굳히기 230~233쪽

01 ③	02 ⑤	03 ③	04 ①	05 ①	06 ②	07 ②
08 ④	09 ⑤	10 ①	11 ②	12 ③	13 ⑤	14 ③
15 ④	16 ⑤	17 ①	18 ④	19 ④	20 ③	21 ④

01 제국주의의 등장

서구 열강들은 우월한 군사력과 경제력을 바탕으로 식민지를 적극 확보하는 제국주의 팽창 정책을 실시하였다. 동남아시아 지역에서는 영국, 프랑스, 네덜란드 등이 식민지를 건설하여 많은 경제적 이익을 확보하였으며, 태평양 지역에서는 영국, 독일, 미국 등이 세력을 확장해 나갔다.

바로 알기 ③은 제2차 세계 대전 중에 일어난 일이다.

02 제국주의 열강의 침략

지도의 (가)는 영국이다. 영국은 아시아 지역에서 인도에 대한 지배권을 행사하였다. 아프리카 지역에서는 카이로에서 케이프타운을 잇는 아프리카 종단 정책을 추진하였으며, 이집트를 보호국으로 삼고 수에즈 운하를 차지하였다.

바로 알기 ㄱ은 프랑스, ㄴ은 독일에 대한 설명이다.

03 아편 전쟁과 중국의 문호 개방

제시된 글의 첫 번째 사건은 제1차 아편 전쟁이고, 두 번째 사건은 애로호 사건이다. 영국의 아편 무역으로 은이 영국으로 유출되고 아편 중독자가 늘어나자 청 정부는 아편을 몰수하였고 영국은 이를 빌미로 제1차 아편 전쟁을 일으켰다(1840~1842). 전쟁에서 패한 청은 영국과 난징 조약을 체결하여 영국에 홍콩을 할양하고 상하이 등 5개 항구를 개방하였다. 그러나 난징 조약 체결 이후에도 청과의 무역이 개선되지 않자, 영국은 애로호 사건을 계기로 제2차 아편 전쟁을 일으켰다(1856~1860).

바로 알기 ①은 1901년, ②는 1912년, ④는 1911년, ⑤는 1864년 일어난 일이다.

04 변법자강 운동의 전개

밑줄 친 '근대화 운동'은 변법자강 운동이다. 청일 전쟁 이후 열강의 중국 분할이 본격적으로 시작되자 캉유웨이, 량치차오 등은 일본의 메이지 유신을 모방하여 제도 개혁을 해야 한다고 주장하였다. 이들은 광서제의 신임을 얻어 입헌 군주제 확립, 상공업 육성, 근대 교육 실시, 신식 군대 양성 등 개혁을 추진하였는데, 이를 변법자강 운동이라고 한다. ① 변법자강 운동에 대한 반발로 무술정변이 일어났다.

바로 알기 ② 난징 조약은 영국의 침략으로 시작된 제1차 아편 전쟁의 결과로 체결되었다. ③ 중체서용론은 중국의 체제를 유지하면서 서양의 기술만을 받아들자는 주장으로 태평천국 운동과 관련이 있다. ④ 천조 전무 제도는 태평천국 운동 세력이 발표하였다. ⑤ 의화단 운동은 열강의 이권 침탈로 어려움을 겪던 산둥성에서 의화단이 전개한 반크리스트교·반제국주의 운동이다.

05 의화단 운동의 결과

자료분석

- 청은 베이징에서 산하이관까지 철도를 따라 열강의 군대 주둔을 허용한다. (중국은 신축조약을 통해 열강에 막대한 배상금을 지불하고 외국 군대의 베이징 주둔을 허락하였어.)
- 청은 제국주의에 반대하는 모든 조직과 활동을 단속한다. (외국인에 대한 반대 운동을 진압하여야 했어.)

제시된 자료는 의화단 운동의 결과로 체결된 신축조약(베이징 의정서, 1901)의 내용이다. 열강의 이권 침탈로 경제적 어려움을 겪던 산둥성에서는 백련교 계통의 비밀 결사인 의화단이 '청을 도와 서양 세력을 멸하자(부청멸양).'라는 구호를 내걸고 봉기하였다. 그러나 의화단은 8개국 연합군에 진압되었고 청은 열강과 신축조약을 맺었다.

바로 알기 ②, ⑤는 태평천국 운동과 관련이 있다. ③은 양무운동, ④는 변법자강 운동에 대한 설명이다.

06 메이지 정부의 개혁

제시된 자료는 메이지 정부가 발표한 일본 제국 헌법(1889)이다. 1868년에 들어선 메이지 정부는 대대적인 개혁을 추진하였다. 봉건제를 폐지하고 천황 중심의 중앙 집권 체제를 수립하였으며, 신분제를 폐지하고 토지와 조세 제도를 개혁하였다. 또한 미국과 유럽 등지에 유학생과 사절단을 파견하였다.

바로 알기 ② 미일 화친 조약은 에도 막부가 체결하였다.

07 러일 전쟁의 발발

밑줄 친 '전쟁'은 러일 전쟁이다. ② 1904년에 일어난 러일 전쟁은 미국의 중재로 일본과 러시아 사이에 포츠머스 강화 조약이 체결되면서 1905년에 마무리되었다.

바로 알기 ①, ⑤는 청일 전쟁과 관련이 있다. ③은 1858년, ④는 1868년에 있었던 일이다.

08 인도의 반영 운동

제시된 자료는 1905년 영국이 발표한 벵골 분할령에 대한 것이다. 영국이 벵골 지역을 종교에 따라 동서로 나누는 벵골 분할령을 발표하자 틸라크를 중심으로 한 인도 국민 회의는 콜카타 대회를 열어 영국 상품 배척, 스와라지(자치), 스와데시(국산품 애용), 국민 교육 실시의 4대 강령을 채택하였다.

바로 알기 ① 소금 행진은 1930년에 간디가 전개하였다. ② 세포이의 항쟁은 1857년에 일어났다. ③ 브라흐마 사마지 운동은 힌두교의 순수한 교리로 돌아가자는 종교 운동에서 시작된 인도의 종교·사회 개혁 운동으로 19세기 초에 전개되었다. ⑤ 인도 독립 동맹은 1928년에 결성되었다.

09 브라흐마 사마지 운동의 전개

힌두교의 우상 숭배를 배격하고, 사티와 같은 악습에 반대한다는 점을 통해 제시된 성명서가 브라흐마 사마지 운동과 관련된 것임을 알 수 있다. 브라흐마 사마지는 '브라만의 모임'이라는 뜻으로, 19세기 초 인도의 람 모한 로이가 만들었다. 이들은 초기에 힌두교의 순수한 교리로 돌아가자는 종교 운동을 전개하였으나 점차 사회 개혁 운동(브라흐마 사마지 운동)에 앞장섰다. 이에 따라 카스트제 반대, 여성의 권리 신장 등을 주장하며 인도의 사회 개혁을 위해 노력하였다.

바로 알기 ①, ②는 베트남 ③은 인도네시아에서 전개되었다. ④ 콜카타 대회는 영국이 벵골 분할령을 발표하자 인도 국민 회의가 반영 운동을 전개하면서 개최하였다.

10 동남아시아의 민족 운동

판쩌우찐이 통킹 의숙 설립에 참여하였다는 점을 통해 (가) 국가가 베트남임을 알 수 있다. 베트남에서는 판쩌우찐이 통킹 의숙 설립에 참여하여 문맹 퇴치와 근대 사상 보급에 앞장섰다. ① 제1차 세계 대전이 종결된 후 베트남에서는 호찌민이 인도차이나 공산당을 이끌고 반프랑스 운동을 주도하였다.

바로 알기 ②는 인도, ③은 태국, ④는 인도네시아, ⑤는 아랍 지역에서 전개된 민족 운동에 대한 설명이다.

11 오스만 제국의 쇠퇴와 개혁

오스만 제국은 1839년부터 '탄지마트(은혜 개혁)'라고 불리는 근대 개혁을 추진하였다. 탄지마트의 성과가 미흡하자 미드하트 파샤를 비롯한 관료들은 입헌 군주제 실시, 의회 설립 등의 내용을 담은 헌법을 공포하였다(1876). 이후 보수 세력이 헌법을 폐지하여 개혁이 중단되었으나, 청년 장교들이 청년 튀르크당을 결성하고 무장봉기하여 헌법을 부활시켰다(1908).

바로 알기 ①, ⑤는 이란, ③은 베트남, ④는 이집트에서 전개된 민족 운동에 대한 설명이다.

12 와하브 운동의 전개

지도는 와하브 운동의 세력권을 보여 준다. 18세기 이후 아랍 지역으로 진출한 열강이 지역의 종교적·부족적 대립을 이용하여 영향력을 확대하자 이븐 압둘 와하브는 초기 이슬람교 정신으로 돌아가자는 와하브 운동을 일으켰다. 이는 아랍인의 민족의식을 일깨워 오스만 제국에 반대하는 민족 운동으로 발전하였다.

바로 알기 ① 무함마드 알리는 이집트에서 근대화 정책을 추진하였다. ②는 중국의 신해혁명에 대한 설명이다. ④ 롤럿법은 영국이 제1차 세계 대전 이후 인도 내의 치안 대책으로 마련한 법안이다. ⑤ 이란에서 개혁 세력과 성직자들이 담배 불매 운동을 전개한 결과 영국으로부터 담배 이권을 회수할 수 있었다.

13 제1차 세계 대전의 전개

제시된 전시회에서 볼 수 있는 사진은 독일의 무제한 잠수함 작전으로 침몰하는 상선의 모습이다. 제1차 세계 대전 당시 영국은 해상을 봉쇄하여 독일로 들어가는 물자를 통제하였다. 그러자 독일은 협상국을 오가는 중립국 선박까지 공격하는 무제한 잠수함 작전을 전개하였다.

바로 알기 ①, ②, ③, ④는 제2차 세계 대전과 관련이 있다.

완자 정리 노트 제1차 세계 대전과 제2차 세계 대전

구분	제1차 세계 대전	제2차 세계 대전
배경	제국주의 열강의 대립	대공황의 시작과 전체주의의 대두
시기	1914~1918년	1939~1945년
계기	사라예보 사건	독일의 폴란드 침공
미국의 참전 배경	독일의 무제한 잠수함 작전	일본의 진주만 기습 공격
주요 승전국	영국, 프랑스, 러시아, 미국	영국, 프랑스, 미국
주요 패전국	독일, 오스트리아, 오스만 제국	독일, 이탈리아, 일본
전후 처리	베르사유 조약 체결, 국제 연맹 창설	국제 연합 창설, 뉘른베르크와 도쿄 전범 재판 개최

14 러시아 혁명과 소비에트 정부

(가)는 소비에트이다. 레닌이 이끄는 볼셰비키는 11월 혁명을 전개하여 임시 정부를 무너뜨리고 소비에트 정부를 세웠다. 이들은 혁명 이후 토지와 산업을 국유화하는 사회 개혁을 추진하였다.

바로 알기 ①, ⑤는 러시아 혁명 이전의 일이다. ②, ④는 레닌의 뒤를 이어 집권한 스탈린에 대한 설명이다.

15 베르사유 조약의 체결

밑줄 친 '강화 조약'은 베르사유 조약이다. ④ 제1차 세계 대전이후 연합국과 독일이 맺은 베르사유 조약으로 독일은 모든 식민지를 상실하고 막대한 배상금을 지불하게 되었다.

바로 알기 ① 모로코 사건은 독일과 프랑스가 아프리카 분할 과정에서 충돌한 것으로, 제1차 세계 대전이 일어나기 전에 벌어졌다. ②, ⑤는 제2차 세계 대전이 종결된 이후의 일이다. ③ 파리 강화 회의는 베르사유 조약이 체결되기 전에 개최되었다.

16 제1차 국공 합작의 전개

중국에서는 5·4 운동 이후 쑨원이 중국 국민당을 결성하였고 천두슈 등이 중국 공산당을 결성하였다. 쑨원은 1924년 반군벌, 반제국주의를 내걸고 중국 공산당과 힘을 합쳐 국민 혁명을 추진하였는데 이를 제1차 국공 합작이라고 한다.

바로 알기 ① 대장정은 중국 국민당의 장제스가 공산당을 토벌하는 과정에서 단행되었다. ②, ③, ④는 5·4 운동이 일어나기 이전에 중국에서 전개된 근대화 운동과 관련이 있다.

17 간디의 민족 운동

제시된 자료에서 설명하는 인물은 간디이다. 영국이 롤럿법을 제정하여 식민 지배를 강화하자 간디는 비폭력·불복종을 내세우며 영국 상품 불매, 납세 거부, 공직 거부 등의 활동을 이끌었다. 이 과정에서 간디가 주도한 소금 행진은 전 인도인의 관심을 불러일으켰다(1930).

바로 알기 ②는 중국의 천두슈와 후스, ③은 인도의 세포이, ④는 인도의 네루, ⑤는 중국의 쑨원이 전개한 활동이다.

18 후사인·맥마흔 협정과 밸푸어 선언

제1차 세계 대전 중 영국은 밸푸어 선언(1917)을 통해 팔레스타인에 유대인 국가를 건설하는 것을 지지하겠다고 약속하였다. 그러나 이는 아랍 민족의 독립과 아랍 국가의 건설을 약속한 후사인·맥마흔 협정과 모순된 일로, 아랍 국가들의 반발을 샀다. 이후 밸푸어 선언에 따라 유대인이 팔레스타인에 이스라엘을 건국하면서 유대인과 아랍인 사이에 분쟁이 일어났다.

바로 알기 ① 발칸 전쟁은 제1차 세계 대전이 일어나기 전에 전개되었다. ② 사회 진화론은 우월한 나라나 민족이 열등한 나라나 민족을 지배하는 것은 당연하다는 이론으로 밸푸어 선언과 관련이 없다. ③ 제2차 세계 대전은 1939년부터 1945년까지 전개되었다. ⑤ 대서양 헌장은 제2차 세계 대전 중에 발표되었다.

19 전체주의의 등장

제시된 글은 무솔리니의 『파시즘 독트린』으로, 전체주의 사상이 드러나 있다. 대공황의 영향으로 경제 상황이 어려워지자 개인의 희생을 바탕으로 국가의 이익을 추구하는 전체주의가 등장하였다. 전체주의의 영향으로 이탈리아에서는 무솔리니가 파시스트당을 조직하고 로마로 진군하여 정권을 장악하였다.

바로 알기 ① 사회주의는 파시즘이 확산되기 이전에 등장하였다. ② 사라예보 사건은 제1차 세계 대전이 발발하는 계기가 된 사건이다. ③ 민족 자결주의는 모든 민족은 스스로 국가를 구성하고 자신의 정부를 선택할 수 있다는 원칙으로 파시즘과 관련이 없다. ⑤ 평화 원칙 14개조는 미국의 대통령 윌슨이 민족 자결주의와 비밀 외교 금지 등을 제안한 평화 원칙이다.

20 제2차 세계 대전의 전개

밑줄 친 '전쟁'은 제2차 세계 대전이다. 전체주의의 영향을 받은 독일의 폴란드 침공으로 시작된 제2차 세계 대전은 일본의 진주만 공격과 그에 따른 미국의 참전으로 아시아·태평양 지역까지 확산되었다. 이후 독일이 스탈린그라드 전투에서 패하고, 연합군의 노르망디 상륙 작전이 성공을 거두면서 전쟁은 연합군에게 유리한 양상으로 전개되었다. 한편, 제2차 세계 대전은 원자 폭탄과 같은 신무기가 사용되면서 많은 인적·물적 피해를 초래하였다.

바로 알기 ③은 제1차 세계 대전에 대한 설명이다.

21 제2차 세계 대전의 전후 처리

제시된 자료는 모두 제2차 세계 대전의 범죄인을 처벌하기 위해 열린 국제 전범 재판이다. 제2차 세계 대전이 끝난 후 연합국의 주도로 뉘른베르크와 도쿄에서 국제 전범 재판이 열렸다. 이 재판에서는 전쟁 중 자행된 비인도적 행위에 대한 처벌이 이루어졌다.

바로 알기 ① 팔레스타인 분쟁은 팔레스타인을 둘러싸고 벌어진 유대인과 아랍인의 갈등이다. ②, ③, ⑤는 제1차 세계 대전과 관련이 있다.

Ⅵ. 현대 세계의 변화

01 냉전과 탈냉전

STEP 1 핵심 개념 확인하기 242쪽

1 냉전 2 ㄱ, ㄷ, ㄹ 3 (1) × (2) ○ (3) × 4 (1) 덩샤오핑 (2) 닉슨 (3) 고르바초프 5 유럽 연합(EU)

STEP 2 내신 만점 공략하기 242~245쪽

01 ② 02 ⑤ 03 ① 04 ② 05 ⑤ 06 ④ 07 ①
08 ③ 09 ④ 10 ④ 11 ② 12 ⑤ 13 ① 14 ⑤
15 ① 16 ①

01 트루먼 독트린의 발표

제시된 자료는 1947년에 발표된 트루먼 대통령의 의회 연설문이다. 제2차 세계 대전 이후 동유럽 지역에서 공산 정권이 수립되고 서유럽 지역에서 공산당이 성장하여 소련의 국제적 영향력이 확대되자, 미국은 유럽에 대규모 군사·경제 원조를 지원하겠다는 트루먼 독트린을 발표하였다.

바로 알기 ①, ⑤는 트루먼 독트린이 발표된 이후에 일어난 일로 냉전 체제의 완화와 관련이 있다. ③ 1920년대 대공황의 여파로 파시즘이 확산되었다. ④ 1955년에 열린 아시아·아프리카 회의에서 제3 세계의 기틀이 형성되었다.

02 마셜 계획의 결과

자료 분석

(유럽 경제의) 재건 과업에 동참할 의지가 있다면 어떠한 국가도 미국 정부에게 충분한 협조를 받을 것이라 확신합니다.
– 미국 국무 장관 조지 마셜, 1947

- 미국은 유럽의 경제를 부흥시키기 위해 마셜 계획을 추진하였어.
- 마셜 계획으로 서유럽 국가들은 미국의 경제 원조를 받았지.

밑줄 친 '협조'는 미국이 추진한 마셜 계획이다. 마셜 계획에 따른 미국의 원조는 소련의 반대로 서유럽 국가에 한정되었다. 이 원조를 받은 서유럽 국가들은 제2차 세계 대전 이전 수준으로 경제를 회복하였다.

바로 알기 ① 1918년 제1차 세계 대전이 끝난 후 형성된 새로운 국제 질서를 베르사유 체제라고 한다. ②는 1960년대 이후 미국과 소련을 중심으로 전개된 냉전 체제의 변화와 관련이 있다. 국제 사회가 미소 중심의 양극 체제에서 다극화 체제로 변화하면서 냉전 체제가 완화되었다. ③은 마셜 계획과 관련이 없다. ④ 마셜 계획은 소련이 자국의 영향권에 있던 국가의 참여를 막아 지원 대상이 서유럽 국가로 한정되었다.

03 냉전 체제의 형성

(가)에 들어갈 진영은 공산주의 진영이다. 제2차 세계 대전 이후의 세계는 미국을 중심으로 한 자본주의 진영과 소련을 중심으로 한 공산주의 진영 간 냉전의 양상으로 전개되었다. ① 자본주의 진영에 대응하여 공산주의 진영은 유럽 각국 공산당의 정보 교환을 강화하기 위해 코민포름(공산당 정보국)을 조직하였다.

바로 알기 ②, ⑤는 자본주의 진영의 활동이다. ③ 얄타 회담은 제2차 세계 대전 중 연합국 대표들이 개최하였다. ④ 제1차 비동맹 회의는 아시아·아프리카의 대표들이 모여 제3 세계의 협력을 다짐한 회의이다.

완자 정리 노트 냉전 체제의 형성

구분	자본주의 진영	공산주의 진영
주도	미국	소련
경제 협력	마셜 계획	코메콘(COMECON, 동유럽 경제 상호 원조 회의)
군사 협력	북대서양 조약 기구(NATO)	바르샤바 조약 기구(WTO)

04 냉전 체제의 전개

냉전이 전개되면서 세계 곳곳에서 자본주의 진영과 공산주의 진영 간의 대립이 나타났다. 독일에서는 베를린 봉쇄가 단행되어 독일이 동서로 분단되었고, 베트남에서는 남베트남 정권과 북베트남 정권의 충돌로 인해 베트남 전쟁이 발발하기도 하였다. 한편, 소련이 쿠바에 미사일 기지를 건설하려 하자 미국이 쿠바 해상을 봉쇄하면서 세계가 핵전쟁의 위기에 처하기도 하였다.

바로 알기 ① 제3 세계는 자본주의 진영과 공산주의 진영 어느 쪽에도 속하지 않고 독자 노선을 추구하였다. ③은 냉전 체제의 완화와 관련이 있다. ④ 자유 무역 체제는 신자유주의와 관련이 있다. ⑤ 브레턴우즈 체제는 탈냉전 시대 국제 무역의 자유화와 관련이 있다.

05 마오쩌둥의 대약진 운동

자료 분석

장면 #15. 일을 마친 사람들이 한 곳에 모여 있다.
- 농민1: 인민공사를 조직하고 이 운동을 시작한지 꽤 시간이 지났는데 별다른 성과가 없는 것 같지?
- 농민2: 맞아. 게다가 자연재해도 계속되고 있잖아.
- 농민1: 나는 집단 농장에서 일하기 시작한 이후로 일에 의욕도 생기지 않아.

- 농촌 행정 조직의 기초 단위를 뜻해.
- 공산주의 경제 체제의 한계였어.

자료의 '인민공사'를 통해 밑줄 친 '이 운동'이 대약진 운동임을 알 수 있다. 중국의 마오쩌둥은 인민공사를 중심으로 공산주의 경제 건설을 도모하려는 대약진 운동을 전개하였다. 그러나 이 운동은 과도한 목표 설정과 기술 부족 등으로 실패하였다.

| 바로 알기 | ①은 덩샤오핑의 개혁·개방 정책에 대한 설명이다. ② 닉슨 독트린은 미국이 아시아에서 벌어지는 내란에 개입하지 않겠다는 내용의 선언으로 대약진 운동과 관련이 없다. ③은 문화 대혁명에 대한 설명이다. ④ 대약진 운동의 실패로 마오쩌둥의 입지가 약화되었다.

06 중국의 문화 대혁명

마오쩌둥이 홍위병을 앞세워 반대파를 숙청하였다는 점을 통해 제시된 글이 문화 대혁명(1966 ~ 1976)에 대한 것임을 알 수 있다. 마오쩌둥은 대약진 운동이 과도한 목표 설정과 기술 부족 등으로 실패하면서 정치적 위기에 빠지자 공산주의 혁명을 완수한다는 명분 아래 홍위병을 앞세워 반대파를 숙청하였다. 그 결과 중국의 전통적인 가치와 문화가 파괴되었다.

| 바로 알기 | ① 5·4 운동은 베이징 학생들을 중심으로 전개된 반군벌·반일본 시위이다. ② 문화 대혁명은 정치적으로 입지가 약해진 마오쩌둥이 반대파를 숙청한 사건이다. ③ 중화 인민 공화국은 1949년에 수립되었다. ⑤ 제2차 국공 합작은 1937년에 이루어졌다.

07 제3 세계의 형성

'평화 10원칙'을 채택한 국제회의는 '반둥 회의'이다. 제2차 세계 대전 이후 아시아와 아프리카 신생국들은 자본주의 진영과 공산주의 진영 어느 쪽에도 속하지 않고 독자적으로 발전하고자 하였다. 이들은 반둥 회의를 개최하여 반식민주의, 반제국주의를 주장하며 '평화 10원칙'을 채택하였다. 이러한 노력으로 비동맹 노선을 표방하는 제3 세계가 형성되었으며 미국과 소련 중심의 냉전 양상에도 변화가 나타났다.

| 바로 알기 | ① 제3 세계는 미국과 소련 중 어느 쪽의 노선도 따르지 않고 독자적인 비동맹 외교 노선을 추구하였다.

08 냉전 체제의 완화

닉슨 독트린 이후 국제 사회는 긴장 완화(데탕트) 분위기가 형성되었다. 미국이 베트남 전쟁에서 철수하였고, 닉슨 대통령은 중국과 소련을 방문하여 두 나라와 관계 개선에 나섰다. 유럽에서는 프랑스가 북대서양 조약 기구(NATO)를 탈퇴하고 독자적인 노선을 걸었다. 소련과 서독은 불가침 협정을 맺었고, 동독과 서독이 국제 연합(UN)에 동시 가입하였다.

| 바로 알기 | ③ 워싱턴 회의는 1921년에 개최되었다.

09 고르바초프의 개혁 정책

(가) 인물은 고르바초프이다. 1970년대 이후 생산 의욕과 효율성 저하 등 계획 경제의 한계가 드러나 소련의 사회와 경제가 침체되었다. 이러한 상황에서 집권한 고르바초프는 페레스트로이카(개혁)와 글라스노스트(개방)를 내세우며 정치 민주화와 시장 경제 도입을 추진하였다. 그는 시장 경제 제도를 받아들여 기업의 활동을 활성화하였고, 동유럽 국가들에 대한 불간섭을 선언하여 동유럽의 자유화를 촉진하였다.

| 바로 알기 | ①은 1948년, ②는 1991년 소련이 해체된 이후의 일이다. ③은 1955년, ⑤는 1949년에 일어난 일로 냉전 체제의 형성과 관련이 있다.

완자 정리 노트 소련의 개혁과 해체

브레즈네프	공산당 관료 체제, 통제 경제 체제 강화 → 경제 성장 둔화
고르바초프의 개혁	• 페레스트로이카(개혁)·글라스노스트(개방) 표방 • 정치의 민주화와 시장 경제 체제 도입 • 동유럽 국가에 대한 불간섭 선언 • 군비 감축 선언, 아프가니스탄에서 소련군 철수
소련 해체	고르바초프 정책에 대한 공산당의 반발 → 공산당 몰락, 옐친이 독립 국가 연합(CIS) 결성을 결의, 소련 해체(1991)

10 데탕트 분위기의 형성

자료 분석

냉전 체제가 완화되던 시기에 독일의 총리가 되었어.

세계사 신문 1970. ○○. ○○

브란트 총리, 유대인 추모비 앞에서 무릎 꿇다

오늘 서독의 브란트 총리가 폴란드 방문 도중 제2차 세계 대전 당시에 희생된 유대인을 기리는 추모비 앞에서 무릎을 꿇었다. 그의 행동은 유대인들에게 보내는 진심 어린 사죄인 동시에 최근 브란트 총리가 추진하고 있는 정책의 연장선으로 해석되고 있다.

공산주의 진영과의 화해를 모색하는 동방 정책을 의미해.

1960년대 들어 자본주의 진영과 공산주의 진영에서 미국과 소련의 영향력이 약화되었고, 화해와 평화를 지향하는 국제 분위기가 나타나면서 냉전 체제는 점차 완화되었다. 1969년 미국의 닉슨 대통령은 닉슨 독트린을 발표하여 아시아에서 벌어지는 내란이나 침략에 개입하지 않겠다고 선언하고 중국을 방문하였다. 그리고 서독의 브란트 총리는 동독을 국가로 인정하고 동독에 경제적 지원을 제공하는 동방 정책을 추진하였다.

| 바로 알기 | ① 6·25 전쟁은 1950년부터 1953년까지 전개되었다. ② 뉘른베르크 재판은 1945년에 열렸다. ③ 베를린 봉쇄는 1948년에 발표되었다. ⑤ 국제 연합(UN)은 1945년에 출범하였다.

11 소련의 해체

지도는 1990년대 초 소련의 해체를 보여 준다. 러시아는 소련 해체 후 자본주의 시장 경제 체제로 전환하였다. 소련의 개방에 따라 동유럽 국가들도 공산주의 체제를 버리고 자본주의 시장 경제를 받아들이기 시작하였다. 한편, 유고슬라비아 연방에서는 티토가 사망하면서 각 공화국의 분리 독립 움직임이 일어났고, 이를 둘러싸고 내전이 발생하였다. 그 결과 유고슬라비아 연방이 1992년에 해체되었다.

| 바로 알기 | ㄴ. 트루먼 독트린은 1947년에 발표되었다. ㄹ. 1990년대 초 소련의 해체·개방의 영향으로 많은 동유럽 국가들이 민주주의와 시장 경제 체제를 수용하였다.

12 중국의 변화

중화 인민 공화국은 1949년에 수립되었고, 톈안먼 사건은 1989년에 일어났다. 1970년대 말 마오쩌둥이 사망한 후 권력을 장악한 덩샤오핑은 문화 대혁명의 과오를 인정하고 흑묘백묘론에 기초한 실용주의 노선을 내세웠다. 이에 따라 각 지역에 경제특구를 설치하는 등 사회주의 체제와 자본주의 요소를 결합한 개혁·개방 정책을 실시하였다.

| 바로 알기 | ①은 1911년, ②는 1924년, ③은 1997년에 있었던 일이다. ④ 베이징 하계 올림픽은 2008년에 개최되었다.

13 세계 각지의 분쟁

냉전이 종식된 이후에도 세계 곳곳에서는 카슈미르 분쟁, 르완다 대학살, 유고슬라비아 내전, 팔레스타인 분쟁 등 종족, 종교, 인종, 영토 등을 원인으로 분쟁이 일어났다.

| 바로 알기 | ① 쿠바 미사일 위기는 냉전이 심화되던 시기인 1962년에 일어났다. 미국과 소련이 쿠바 해상에서 대치하면서 세계는 핵전쟁의 위기에 처하였으나, 소련의 흐루쇼프가 쿠바 내 미사일 배치를 포기하여 사건은 일단락되었다.

14 브레턴우즈 체제의 성립

1944년 열린 브레턴우즈 회의의 결과 미국의 달러를 주거래 통화로 정하고 달러를 기준으로 각국의 환율을 고정하기로 합의하였다. 그리고 국제 통화 기금(IMF)과 국제 부흥 개발 은행(IBRD)을 설립하여 국제 무역을 지원하기로 하였다.

| 바로 알기 | ① 코민포름은 소련이 공산당의 정보 교환을 위해 조직하였다. ② 뉴딜 정책은 미국의 루스벨트 대통령이 대공황을 극복하기 위해 추진한 정책이다. ③ 마셜 계획은 미국이 서유럽에 경제 원조를 제공한다는 내용의 정책으로, 냉전 체제가 형성되는 과정에서 추진되었다. ④ 유럽 연합(EU)은 유럽의 각국이 정치적·경제적·사회적 통합을 추구한 결과로 출범하였다.

15 유럽 연합(EU)의 출범

(가) 단체는 유럽 연합(EU)이다. 유럽에서는 1950년대부터 통합을 추진한 결과 유럽 연합(EU)이 출범하였다. 그러나 유럽 연합(EU)은 2000년대 후반 미국에서 비롯된 금융 위기, 그리스와 에스파냐 등 남유럽 국가들의 재정 악화, 시리아 사태에 따른 난민 문제로 어려움을 겪었다. 그 결과 2016년 영국이 유럽 연합(EU) 탈퇴 여부를 결정짓는 국민 투표를 진행하였고, 탈퇴 찬성이 51.9%, 반대가 48.1%로 영국의 유럽 연합(EU) 탈퇴가 결정되었다.

| 바로 알기 | ②, ⑤는 국제 연합(UN)에 대한 설명이다. ③은 브레턴우즈 회의에 대한 설명이다. ④ 코메콘(동유럽 경제 상호 원조 회의)은 소련과 동유럽 국가들이 자본주의 진영에 맞서기 위해 조직되었다.

완자 정리 노트 유럽 연합(EU)의 성립과 변화 과정

1951년	유럽 석탄 철강 공동체(ECSC) 결성
1957년	유럽 경제 공동체(EEC), 유럽 원자력 공동체(EURATOM) 설립 조약 체결
1967년	유럽 석탄 철강 공동체(ECSC), 유럽 경제 공동체(EEC), 유럽 원자력 공동체(EURATOM)가 유럽 공동체(EC)로 통합
1993년	유럽 공동체(EC)가 유럽 연합(EU)으로 발전
2016년	영국의 유럽 연합(EU) 탈퇴 결정

16 지역 단위의 협력 노력

국제 무역의 자유화가 확대되면서 국가 간 무역 경쟁이 치열해지자 각국은 그들이 속한 지역 차원의 상호 협력을 강화하여 지역 공동의 이익을 추구하기 시작하였다. 북아메리카에서는 북미 자유 무역 협정(NAFTA), 미주 자유 무역 지대(FTAA)가 결성되었고, 아시아에서는 동남아시아 국가 연합(ASEAN), 아시아·태평양 경제 협력체(APEC)가 결성되었다.

| 바로 알기 | ① 북대서양 조약 기구(NATO)는 자본주의 진영이 집단 방위 체제를 구축하기 위해 결성하였다.

서술형 문제

245쪽

01 주제: 제3 세계의 형성

(1) 제3 세계

(2) 예시 답안 제3 세계는 자본주의 진영과 공산주의 진영 중 어느 편에도 가담하지 않는 비동맹 노선을 표방하여 미국과 소련 중심의 냉전 체제가 완화되는 데 영향을 주었다.

채점 기준

상	비동맹 노선을 표방하여 냉전 체제의 완화에 영향을 주었다고 서술한 경우
하	냉전 체제의 완화에 영향을 주었다고만 서술한 경우

02 주제: 냉전 체제의 완화

예시 답안 덩샤오핑과 고르바초프는 공산주의 경제 체제의 한계를 인식하고, 자본주의적 시장 경제를 도입하여 경제 성장을 모색하고자 하였다.

채점 기준

상	사회주의 경제 체제의 한계를 인식하였음을 언급하고 자본주의 시장 경제 도입을 통한 경제 성장을 모색하였다고 서술한 경우
하	자본주의 시장 경제를 도입하였다고만 서술한 경우

STEP 3 1등급 정복하기

246~247쪽

1 ① 2 ⑤ 3 ① 4 ①

1 트루먼 독트린과 닉슨 독트린

(가)는 닉슨 독트린, (나)는 트루먼 독트린이다. 1947년에 미국 대통령 트루먼은 공산주의 확대 저지를 위해 자유와 독립 유지에 노력하며, 공산주의 침략을 받는 지역에 정치적·군사적 원조를 제공한다는 트루먼 독트린을 발표하였다. 그리고 이듬해 이를 구체화한 마셜 계획을 발표하였다. 한편, 1969년에는 미국의 닉슨 대통령이 아시아에서 벌어지는 내란이나 침략에 개입하지 않겠다는 닉슨 독트린을 발표하였다. 이후 미국은 1979년 중국과 국교를 수립하였다.

| 바로 알기 | ㄷ. 동유럽 공산주의권은 냉전 체제가 완화되면서 붕괴되었다. ㄹ. 트루먼 독트린은 냉전 체제의 형성과 관련이 있다.

2 독일의 통일

1961년 독일에 베를린 장벽이 설치되었다. 이후 동독에서 민주화와 통일을 요구하는 대규모 시위가 일어나 많은 주민들이 서독으로 탈출하였고, 결국 1989년 베를린 장벽이 붕괴되었다. 이듬해 동독에서 실시된 자유 총선거에서 통일을 주장하는 독일 연합이 압승을 거두었다. 이후 서독과 동독은 통일을 위한 논의를 진행하여 동독이 서독에 흡수되는 형태로 독일이 통일되었다. ⑤ 동독과 서독은 1973년에 국제 연합(UN)에 동시 가입하였다.

| 바로 알기 | ①은 1919년에 일어난 일이다. ② 독일은 1914년부터 1918년까지 벌어진 제1차 세계 대전에서 무제한 잠수함 작전을 전개하였다. ③, ④ 미국, 영국, 프랑스가 서베를린 지역을 통합하자, 소련이 1948년에 베를린을 봉쇄하였다.

3 마오쩌둥의 정책

가상 회고록의 '홍위병', '전통 유물 파괴' 등을 통해 밑줄 친 '그'가 문화 대혁명을 전개한 마오쩌둥임을 알 수 있다. 그는 토지 개혁과 산업 국유화를 추진하고 경제 성장을 위해 대약진 운동을 전개하였으나, 과도한 목표 설정과 기술 부족 등으로 실패하였다. 이로 인해 정치적 위기에 빠진 마오쩌둥은 공산주의 혁명을 완수한다는 명분 아래 문화 대혁명을 추진하였다.

| 바로 알기 | ②, ④는 덩샤오핑, ③은 위안스카이, ⑤는 쑨원에 대한 설명이다.

4 마스트리흐트 조약과 유럽 연합

마스트리흐트 조약은 유럽의 정치 통합과 경제 및 통화 통합을 위한 유럽 통합 조약으로 유럽 연합(EU)과 관련이 있다. 유럽 석탄 철강 공동체(ECSC), 유럽 경제 공동체(EEC), 유럽 원자력 공동체(EURATOM)는 1967년 유럽 공동체(EC)로 통합되었고, 유럽 공동체(EC)는 1993년 마스트리흐트 조약의 발효로 유럽 연합(EU)으로 발전하였다.

| 바로 알기 | ② 마셜 계획은 1947년에 발표되었다. ③ 미국은 1973년에 베트남 전쟁에서 철수하였다. ④ 북미 자유 무역 협정(NAFTA)은 아메리카 지역의 경제 공동체이다. ⑤ 유럽 석탄 철강 공동체(ECSC)는 마스트리흐트 조약이 체결되기 전인 1951년에 결성되었다.

02 오늘날의 세계

STEP 1 핵심 개념 확인하기 250쪽

1 신자유주의 정책 2 (1) 종교 갈등 (2) 양자 역학 (3) 리우 선언
3 대중 사회 4 (1) × (2) ○ (3) ○ 5 (1) 국제 연합(UN)
(2) 세계 무역 기구(WTO)

STEP 2 내신 만점 공략하기 250~252쪽

01 ① 02 ④ 03 ④ 04 ③ 05 ③ 06 ① 07 ③
08 ④ 09 ① 10 ⑤

01 신자유주의의 확산

1970년대 들어 두 차례의 석유 파동과 달러 가치가 하락하는 등 경제 불황이 나타났다. 그러자 뉴딜 정책 이후 정부의 적극적 시장 개입을 추구하는 케인스주의 경제학이 힘을 잃고 정부의 규제 완화와 자유로운 시장 활동을 내세운 신자유주의가 점차 확산되었다. 이에 따라 각국 정부는 기업 경쟁력을 높이기 위해 각종 정부 규제를 철폐하였고, 국제 무역에서도 관세를 인하하여 무역 장벽을 없애고자 하였다.

바로 알기 ②는 냉전 시기에 소련과 중국 등 주로 공산주의 국가에서 나타난 모습이다. ③, ④는 1944년에 열린 브레턴우즈 회의를 통해 결정된 내용이다. ⑤ '관세 및 무역에 관한 일반 협정(GATT)'은 석유 파동 이전인 1947년에 체결되었다.

02 정보 통신 기술의 발달

제시된 사례는 정보 통신 기술의 발달로 인터넷이 보급되고 휴대 전화가 상용화된 사회를 보여 준다. 이러한 정보화 사회에서는 실시간 정보 검색과 의사소통이 가능하다. 그러나 정보 보유의 불평등, 사생활 침해, 악성 댓글로 인한 인권 침해 등의 부작용이 나타날 수 있다.

바로 알기 ④ 정보 통신 기술이 발달하면서 세계 각 지역의 상호 의존성이 강화되었다.

03 세계화의 전개

세계 무역 기구(WTO)가 설립되고 신자유주의가 확산되면서 세계화가 급속하게 전개되었다. 그리하여 다국적 기업이 활발하게 활동하였고 인력과 물자, 정보의 이동이 자유로워졌다. 이러한 상황에서 개인, 기업, 국가 간 경쟁이 치열해지자, 경쟁력을 갖춘 국가와 그렇지 않은 국가 간에 빈부 격차가 커졌다.

바로 알기 ④ 1960년대 후반 소련의 서기장에 취임한 브레즈네프가 중앙 집중식 계획 경제 정책을 실시하여 통제 경제 체제를 강화하였다.

04 세계화의 빛과 그림자

제시된 글은 세계화의 긍정적 측면과 부정적 측면을 이야기하고 있다. 따라서 이 글의 주제는 '세계화의 빛과 그림자'로 보는 것이 적절하다.

바로 알기 ① 닉슨 독트린, 마셜 계획, 코민포름 등이 냉전 체제의 형성과 관련이 있다. ② 다문화주의는 소수자가 차별받지 않도록 갖추어야 하는 자세이다. ④ 과학 기술의 발달로 인간의 생활이 편리해졌으나 인류를 위협하는 사고 발생과 같은 부작용도 생겨났다. ⑤ 유럽 연합(EU)은 유럽 각국이 정치적·경제적 분야에서 협력하기 위해 만든 공동체이다.

완자 정리 노트 세계화의 빛과 그림자

세계화의 긍정적 측면	세계화의 부정적 측면
• 여러 지역의 문화 공유 • 소비자의 상품 선택의 폭 증대 • '세계 시민'으로서의 지위 획득 • 선진국의 자본과 개발 도상국의 노동력 교류	• 빈부 격차 심화 • 문화 획일화, 가치관 충돌 발생 • 상호 의존도 증가로 국내 경제가 국외 경제 상황으로부터 큰 영향을 받음

05 세계화의 문제점

자료분석

1999년 미국 시애틀에서 열린 반세계화 시위에 대한 자료야. 이 시위는 세계 무역 기구 제3차 각료 회의를 무산시켰어.

세계사 신문 1999. 11. ○○.

오늘 오전 세계 무역 기구(WTO) 제3차 각료 회의장 앞에서 시위가 시작되었다. 이들은 회의장을 둘러싸고 대표단의 출입을 봉쇄한 뒤 'WTO 체제 반대' 등을 외쳤다.

세계화로 국가 간 경쟁이 더욱 치열해지자 경쟁력을 갖추지 못한 쪽은 경제적으로 더욱 어려워졌기 때문에 반세계화 운동을 벌인 거야.

③ 세계 무역 기구(WTO)를 통해 경제적 세계화가 빠르게 진행되면서 국가 간, 개인 간의 빈부 격차가 더욱 커지는 문제가 발생하였다. 이에 반세계화 운동이 지구촌 곳곳에서 일어났다.

바로 알기 ① 동유럽의 민주화, ② 지구 온난화, ④ 팔레스타인 분쟁, ⑤ 생명 윤리 논란은 반세계화 운동과 관련이 없다.

06 종교를 둘러싼 갈등

크리스트교 세계와 이슬람 세계의 갈등이 9·11 테러에 영향을 주었고, 이슬람교의 수니파와 시아파 간의 갈등이 시리아 내전에 영향을 주었다. 또한 카슈미르 분쟁은 힌두교와 이슬람교의 갈등에서 비롯되었다. 따라서 제시된 세 사건은 종교 갈등으로 인한 다툼을 주제로 한 보고서 작성의 사례로 적당하다.

| 바로 알기 | ② 국제 연합(UN)은 제2차 세계 대전 이후 세계 평화의 필요성에 대한 공감대를 토대로 출범하였다. ③, ④ 제시된 사건들은 냉전 체제가 해체된 이후에 발생하였으며, 제3 세계와는 관련이 없다. ⑤ 카스피해, 남중국해의 난사 군도 등에서 자원 확보를 위한 분쟁이 일어나고 있다.

07 다문화 사회의 형성

제시된 글은 한국에 거주하는 외국인이 증가하였음을 보여 준다. 이렇게 국제 이주가 증가하면서 인종과 문화의 상호 교류가 활발해졌다. 이러한 다문화 사회에서는 다양한 인종과 문화를 포용하는 다문화주의가 중요한 가치로 강조된다(ㄴ). 나아가 종교, 인종 등으로 차별받지 않고 소수자들의 권리를 보장할 수 있는 제도적 장치를 마련하는 것도 중요하다(ㄷ).

| 바로 알기 | ㄱ. 국수주의는 자기 나라의 역사와 전통만을 뛰어나게 생각하는 태도이다. ㄹ. 다른 나라의 문화를 우월하게 보면 사대주의에 빠질 수 있다. 세계화 시대에는 다른 나라의 문화를 상대적인 관점으로 바라보는 균형 잡힌 시각을 갖는 것이 바람직하다.

08 환경 문제 해결을 위한 국제 사회의 노력

제시된 내용은 환경 오염을 극복하기 위한 방안과 관련이 있다. 급속한 산업화가 초래한 지구 온난화, 오존층 파괴 등의 문제는 개별적 차원에서 해결할 수 없다. 그리하여 세계 각국은 리우 선언, 교토 의정서, 파리 기후 협약 등을 통해 환경을 해치지 않으면서도 지속적으로 발전할 수 있는 길을 모색하고 있다. 리우 선언에서는 '지속 가능한 발전'이라는 개념을 채택하였고, 교토 의정서와 파리 기후 협약을 통해서는 각국의 온실가스 감축량을 정하여 지구 온난화를 막아보려는 노력을 전개해 나가고 있다.

| 바로 알기 | ① 배타적 민족주의란 자기 민족의 이익만 추구하는 태도로, 국제 사회의 협력과는 거리가 멀다. ② 자유 무역 체제의 확대, ③ 영토를 둘러싼 국제 분쟁, ⑤ 대중 사회 형성은 모두 현대 사회의 모습이지만 제시된 사례와는 관련이 없다.

09 온실가스 감축을 위한 노력

제시된 자료는 지구 온난화로 북극의 해빙이 작아져 살기 어려워진 북극곰의 모습을 보여 준다. ① 국제 사회는 지구 온난화의 원인인 온실가스 배출량의 감축을 위한 교토 의정서를 발표하였다.

| 바로 알기 | ②는 냉전 체제의 완화, ③은 지역별 경제 공동체 결성, ④는 브레턴우즈 체제의 형성, ⑤는 제3 세계의 형성과 관련이 있다.

10 비정부 기구의 활동

국경 없는 의사회, 그린피스는 모두 비정부 기구(NGO)이다. ⑤ 오늘날에는 국제기구뿐만 아니라 민간이 운영하는 비정부 기구들도 각국의 빈곤, 환경, 질병 등의 문제를 해결하기 위해 여러 활동을 전개하고 있다.

| 바로 알기 | ① 국제 연합(UN)은 대표적인 국제기구로, 평화 유지군 파견과 같은 활동을 하고 있다. ② 대중 사회의 성장, ③ 세계 무역 기구(WTO), ④ 양자 역학은 제시된 비정부 기구의 활동과는 관련이 없다.

서술형 문제

252쪽

01 주제: 신자유주의의 대두

예시 답안 1970년대 두 차례의 석유 파동과 달러 가치 하락으로 경제 불황이 나타나자 대처주의, 레이거노믹스와 같이 정부의 규제 완화와 자유로운 시장 활동을 내세운 신자유주의가 대두되었다.

채점 기준

상	석유 파동과 달러 가치 하락에 따른 경제 불황으로 신자유주의가 대두되었다고 서술한 경우
하	석유 파동과 달러 가치의 하락으로 경제 불황이 나타나 개혁 정책을 펼쳤다고만 서술한 경우

02 주제: 남북문제의 배경

예시 답안 남북문제, 신자유주의와 세계화의 확산으로 무역 장벽이 낮아지면서 선진국에 비해 자본력, 기술력, 정보력 등이 부족한 개발 도상국들은 자국의 산업을 보호하기 어려워졌다. 그리하여 남반구의 개발 도상국과 북반구의 선진국 사이에 경제적 격차가 점차 심화되었다.

채점 기준

상	남북문제를 쓰고 그 배경을 신자유주의와 세계화의 확산, 선진국과 개발 도상국 간의 경쟁력 차이를 포함하여 서술한 경우
중	남북문제의 배경만 서술한 경우
하	남북문제만 쓴 경우

03 주제: 지구 온난화 해결을 위한 노력

(1) 지구 온난화

(2) 예시 답안 세계 각국은 지구 온난화의 주요 원인인 온실가스의 배출량 감소를 위해 여러 협약을 맺었다. 또한 환경친화적 에너지를 찾아 개발과 환경 보존이 함께 이루어지도록 힘쓰고 있다.

채점 기준

상	온실가스 배출량을 줄이기 위한 여러 협약을 맺고 환경친화적 에너지를 찾고 있는 사실을 서술한 경우
하	온실가스 배출량 감소를 위한 협약과 환경친화적 에너지 개발 중 한 가지만 서술한 경우

STEP 3 1등급 정복하기

253쪽

1 ① 2 ⑤

1 세계 무역 기구의 활동

'관세 및 무역에 관한 일반 협정(GATT)'을 대신하였으며, 무역 장벽을 낮추고 국제 무역에서 차별 대우를 없애려는 목적을 갖고 있다는 점 등을 통해 (가)가 세계 무역 기구(WTO)임을 파악할 수 있다.

자유 무역 체제를 강화하기 위하여 1995년 출범한 세계 무역 기구(WTO)는 무역 분쟁을 조정하고 관세 인하를 요구할 수 있는 권한을 가졌다. 이러한 세계 무역 기구에 많은 국가들이 참여하여 경제적 세계화가 급속도로 진행되고 있다.

바로 알기 ② 신자유주의는 정부의 시장 개입을 줄이고 자유 무역을 확대하자는 경제 기조이다. 따라서 세계 무역 기구(WTO)도 신자유주의의 흐름 위에서 만들어졌다고 볼 수 있다. ③ 세계 무역 기구(WTO)에 대해 선진국의 권익만 보호한다는 비판이 제기되기도 한다. ④는 북미 자유 무역 협정(NAFTA), 동남아시아 국가 연합(ASEAN) 등에 대한 설명이다. ⑤ 국제 연합(UN)은 분쟁 지역에 평화 유지군을 파견하였다.

2 남북문제의 원인

지도에서 1인당 국민 총생산이 대체로 북반구에 위치한 북아메리카·유럽 지역은 높은 것에 비해 아프리카와 남아메리카·아시아 일부 지역은 낮은 것을 확인할 수 있다. 이렇게 북반구와 남반구 국가 간의 빈부 격차가 나타나는 것을 '남북문제'라고 한다. ⑤ 남북문제의 요인 중 하나는 남반구와 북반구 국가의 산업 구조 차이이다. 남반구의 많은 국가들은 1차 산업 중심이어서 북반구에 위치한 공업 중심의 국가들보다 소득 수준이 낮다. 이러한 상황에서 자유 무역 체제가 확대되자 개발 도상국들은 자국 산업을 제대로 보호하지 못하게 되었고, 결국 빈부 격차가 점차 심화되었다.

바로 알기 ① 소비 주체로 대중이 형성되면서 대중 사회가 출현하게 되었다. ② 크리스트교와 이슬람교 세력의 대립으로 9·11 테러 등이 일어났다. ③ 양자 역학의 발달로 대량 살상 무기인 핵무기가 개발되었다. ④ 리우 선언은 국제 사회의 환경 보호 노력에 해당한다.

대단원 실력 굳히기

256~258쪽

01 ⑤ 02 ② 03 ② 04 ④ 05 ④ 06 ③ 07 ⑤
08 ④ 09 ② 10 ① 11 ④ 12 ⑤ 13 ② 14 ①
15 ④

01 마셜 계획의 추진

밑줄 친 '원조 계획'은 마셜 계획이다. 제2차 세계 대전이 끝난 후 동유럽 각국에 공산주의 정부가 들어서고 그리스와 튀르키예 등지에서도 공산주의 세력이 강력하게 부상하였다. 이러한 상황에 불안감을 느낀 미국은 공산주의 세력의 확산을 막기 위해 트루먼 독트린을 발표하고 마셜 계획을 추진하여 유럽에 대대적인 경제 원조를 제공하였다.

바로 알기 ① 마스트리흐트 조약에서 유럽 연합(EU)의 결성이 결정되었다. ② 닉슨 독트린 발표, ③ 고르바초프의 개혁 실시, ④ 북대서양 조약 기구(NATO) 결성은 모두 마셜 계획이 시작된 이후의 일이다.

02 냉전 체제의 형성

마셜 계획은 미국이 공산주의 확산을 막으려고 추진한 서유럽 경제 원조 정책이고, 코메콘은 공산주의 세력의 경제 협력 기구이다. 북대서양 조약 기구와 바르샤바 조약 기구는 각각 자본주의와 공산주의 세력의 군사 방위 체제이다. 따라서 제시된 사례들은 모두 냉전 체제의 형성과 관련이 있다.

바로 알기 ① 제국주의는 19세기 후반에 유럽 열강이 전개한 대외 팽창 정책이다. ③ 냉전 체제가 완화되면서 국제 질서가 다극화 체제로 변화하였다. ④ 반세계화 운동은 세계화에 따른 빈부 격차 등에 반대하여 일어났다. ⑤ 세계화의 가속화로 새로운 지역화, 블록화의 흐름이 나타나 지역별 경제 공동체가 등장하였다.

03 냉전 체제의 격화

제시된 보고서는 냉전 속 열전의 모습을 보여 준다. 냉전 체제가 격화되면서 세계 곳곳에서 열전이 전개되었다. 한반도에서는 6·25 전쟁이 일어났고, 미국과 소련 사이에서 쿠바 미사일 위기 사건이 발생하였다. 베트남에서는 소련의 지원을 받은 북베트남과 미국의 지원을 받은 남베트남 사이에 베트남 전쟁이 일어났다.

바로 알기 ① 9·11 테러, ③ 유고슬라비아 내전은 냉전 체제가 붕괴된 이후에 일어났다. ④ 닉슨 독트린 발표로 냉전 완화 분위기가 조성되었다. ⑤ 옐친이 소련을 해체하고 독립 국가 연합(CIS)을 출범시킴으로써 냉전 체제가 종식되었다.

04 문화 대혁명의 배경

제시된 자료는 '마오쩌둥의 어록이 담긴 수첩', '홍위병'의 내용을 통해 문화 대혁명(1966~1976)과 관련이 있음을 알 수 있다. ④ 마오쩌둥이 추진한 대약진 운동이 실패로 끝나자 류사오치, 덩샤오핑 등 실용주의 세력이 등장하였다. 이에 마오쩌둥은 수백만 명의 학생을 중심으로 조직된 홍위병을 앞세워 공산주의 혁명을 완수한다는 명분 아래 전통적인 가치와 문화를 일소하고 반대파를 숙청하였다. 이를 문화 대혁명이라고 한다.

바로 알기 ① 난징 조약은 제1차 아편 전쟁의 결과 1842년에 체결되었다. ② 톈안먼 사건은 1989년 덩샤오핑이 집권한 시기에 일어났다. ③ 장제스가 제1차 국공 합작을 파기하고 공산당을 공격하자 마오쩌둥은 공산당을 이끌고 대장정을 시작하였다. ⑤ 덩샤오핑의 집권 이후 중국은 개혁과 개방 정책을 통해 급격한 경제 성장을 이루었다. 그러나 그 과정에서 관리들의 부정부패와 빈부 격차가 심각한 문제로 떠올랐다.

완자 정리 노트 제2차 세계 대전 이후 중국의 주요 사건

사건	시기	주요 내용
대약진 운동	1950년대	토지 개혁과 산업 국유화 추진 → 실패
문화 대혁명	1966~1976	마오쩌둥이 공산주의 혁명 완수를 명분으로 홍위병을 앞세워 반대파 숙청
톈안먼 사건	1989	관료의 부정부패, 빈부 격차 심화 → 톈안먼 광장에서 정치 민주화 요구 시위 전개 → 중국 공산당이 무력으로 진압

05 '평화 10원칙'의 채택

1955년 아시아와 아프리카 29개국 대표가 참석한 회의는 반둥 회의이다. 반둥 회의를 통해 아시아, 아프리카의 많은 신생 독립국들은 미국과 소련의 어느 진영에도 가담하지 않는 비동맹 중립주의 노선을 표방하며 제3 세계를 형성하였다. 반둥 회의에서는 '평화 10원칙'이 채택되었다. 그 주요 내용은 기본적 인권과 국제 연합 헌장 존중, 주권과 영토 보전 존중, 강대국에 유리한 집단 방위 체제 배제, 무력 침공 부정, 아시아·아프리카 국가 간의 상호 이익과 협력 촉진 등이다.

바로 알기 ④는 1995년에 출범한 세계 무역 기구(WTO)의 설립 목적으로 반둥 회의와는 관련이 없다.

06 닉슨 독트린의 발표

제시된 자료는 닉슨 독트린의 내용이다. 1969년 미국의 닉슨 대통령은 아시아에서 벌어지는 내란이나 침략에 개입하지 않겠다고 선언하는 닉슨 독트린을 발표하였다. 이로써 국제 질서는 냉전의 대결 구도에서 벗어나 긴장 완화의 분위기가 조성되었다. ③ 닉슨 독트린을 발표한 이후 닉슨 대통령은 중국과 소련을 두 차례 방문하여 두 나라와 관계 개선에 나섰고, 베트남 전쟁에 참전한 미군을 철수시켰다.

바로 알기 ①은 루스벨트, ②는 트루먼, ④는 윌슨의 활동으로 모두 닉슨 독트린 발표 이전의 일이다. ⑤는 1945년의 일이다.

07 소련의 개혁·개방 정책이 미친 영향

제시된 자료는 1990년 고르바초프가 대통령에 취임하면서 발표한 연설로, 그가 추진한 페레스트로이카(개혁)와 글라스노스트(개방) 정책과 관련이 있다. ⑤ 동유럽 국가들은 고르바초프가 추진한 개혁·개방 정책의 영향을 받아 공산주의 체제를 포기하고 민주주의 정치와 자본주의 시장 경제를 받아들이기 시작하였다.

바로 알기 ① 제3 세계는 1955년 반둥 회의에서 '평화 10원칙'을 채택하면서 공식화되었다. ② 고르바초프의 개혁 정책은 냉전 체제의 완화에 영향을 주었다. ③ 독일은 1949년에 분단되었다. ④ 소련(소비에트 사회주의 공화국 연방)은 1922년에 성립되었다.

08 독일 통일 무렵의 국제 정세

동독의 주가 독일 연방 공화국에 편입되고, 독일 수도를 베를린으로 정한 통일 조약이야.

자료 분석

제1조 동독의 브란덴부르크, …… 튜링겐 주들은 기본법 제23조에 의거하여 독일 연방 공화국 편입 발효와 동시에 …… 독일 연방 공화국의 주가 된다.

동독이 서독에 흡수되는 형태로 독일의 통일이 이루어졌어.

제2조 독일의 수도는 베를린이다.

소련의 개혁과 개방을 계기로 서독으로 탈출하는 동독 주민의 수가 늘고 통일과 민주화의 요구가 거세졌다. 1989년에는 베를린 장벽이 무너졌고, 동독에서 자유 총선거가 실시되어 서독과 통합을 약속한 정당이 승리하였다. 곧이어 통일 논의가 급격히 진전되어 1990년 동독의 다섯 개 주가 독일 연방 공화국(서독)에 가입하는 방식으로 통일이 이루어졌다. ④ 소련에서는 1985년 고르바초프가 공산당 서기장에 선출된 뒤 페레스트로이카(개혁)를 추진하여 소련 국내에서의 개혁과 개방 정책을 시작하였다. 그리고 1990년 3월에는 소련 최초의 대통령에 선출되었다.

바로 알기 ① 중국에서는 1919년 일본의 '21개조 요구' 취소를 요구하는 5·4 운동이 일어났다. ② 1929년에 발생한 대공황을 극복하기 위해 미국에서는 1933년부터 뉴딜 정책을 시행하였다. ③ 6·25 전쟁은 1950년에 발발하여 1953년에 휴전 협정이 조인되었다. ⑤ 이탈리아의 파시스트당은 1920년대 초부터 1940년대 초까지 집권하였다.

09 동유럽의 민주화 운동

제시된 내용들은 동유럽 국가들에서 공산주의가 붕괴되고 민주화가 성장하는 중에 일어난 일들이다. 1980년대 동유럽 공산주의 국가들은 소련의 개혁·개방 정책으로부터 영향을 받아 개혁의 요구가 분출되었다. 헝가리에서는 다당제를 도입하고 시장 경제를 기반으로 하는 헝가리 공화국을 수립하였다. 폴란드에서는 바웬사가 이끄는 자유 노조가 총선거에서 승리하면서 비공산주의 정권이 수립되었고, 루마니아에서는 민주화 운동을 억압한 독재자 차우셰스쿠가 처형되었다. 체코슬로바키아에서는 하벨이 이끄는 '시민 광장'을 중심으로 민주화 운동이 전개되어 하벨이 대통령에 당선되고 공산당 정권이 무너졌다.

바로 알기 ① 제3 세계는 1955년에 열린 반둥 회의를 계기로 공식화되었다. ③ 종교 갈등으로 카슈미르 분쟁, 시리아 내전 등이 일어났다. ④ 신자유주의는 1970년대 경제 불황을 배경으로 나타난 사상으로 자유 시장과 규제 완화를 강조하였다. ⑤ 동유럽 공산주의 국가들이 붕괴되면서 냉전 체제가 붕괴되었다.

10 덩샤오핑의 활동

자료 분석

왜 시장을 말하면 자본주의고 계획을 말하면 사회주의가 되는가? 계획과 시장은 모두 하나의 방법에 불과하다. 단지 경제 발전에 유익하다면 어느 것이든 이용할 수 있는 것이다.

자본주의든 공산주의든 중국의 경제를 살리는 일이라면 그것이 제일이라는 의미야. 덩샤오핑은 이렇게 실사구시를 내세워 개혁과 개방 정책을 추진하였어.

제시된 자료는 덩샤오핑의 주장이다. 덩샤오핑은 시장 경제를 도입하고 외국 자본을 끌어들여 중국의 경제 성장을 추진하였다. 이에 따라 동부 연안의 여러 도시에 경제특구가 설치되어 화교와 외국 기업이 중국에 빠르게 진출하였다.

바로 알기 ② 1898년 캉유웨이와 량치차오 등이 근대화를 꾀하며 무술개혁(변법자강 운동)을 단행하였다. ③ 신해혁명을 일으킨 세력이 쑨원을 임시 대총통으로 추대하여 중화민국을 세웠다. ④ 대약진 운동의 실패로 정치적 위기에 빠진 마오쩌둥이 문화 대혁명을 일으켰다. ⑤ 천두슈, 후스 등의 지식인들이 유교적 전통문화를 비판하고 서구의 민주주의와 과학의 수용을 주장하며 신문화 운동을 전개하였다.

11 톈안먼 사건의 배경

제시된 내용은 톈안먼 사건에 대한 것이다. 중국에서는 덩샤오핑이 집권한 이후 적극적인 개혁과 개방 정책이 시행되어 경제가 급격하게 성장하였다. 그러나 경제 성장 과정에서 공산당원과 관료의 부정부패와 빈부 격차가 심화되는 문제가 나타나자 정치 민주화를 요구하는 목소리가 높아졌다. 결국 1989년 군중이 톈안먼 광장에서 민주화를 요구하는 시위를 벌였는데, 중국 정부가 이를 무력으로 진압하여 수천여 명의 인명 피해가 발생하였다. 이를 톈안먼 사건이라고 한다.

바로 알기 ① 중국은 1842년에 난징 조약을 체결하여 서양에 문호를 개방하였다. ② 국공 내전에서 승리한 공산당은 1949년 중화 인민 공화국을 수립하였다. ③ 홍콩은 1997년, 마카오는 1999년에 중국으로 반환되었다. ⑤ 문화 대혁명은 1966~1976년에 일어났으며, 이후 집권한 덩샤오핑은 문화 대혁명의 잘못을 인정하고 개혁과 개방 정책을 실시하였다.

12 팔레스타인 분쟁의 배경

제시된 글은 팔레스타인 분쟁에 대한 것이다. 오늘날까지 계속되고 있는 팔레스타인 분쟁은 제1차 세계 대전 중에 영국이 아랍인들과 유대인들에게 각각 다른 약속을 한 것이 발단이 되었다. 영국은 오스만 제국의 지배를 받던 아랍인의 협조를 얻기 위해 전쟁 이후 아랍 민족의 국가 건설을 약속한 후사인·맥마흔 협정을 체결하였다. 그러나 2년 후에 영국의 외무 장관 밸푸어는 유대인 금융 자산가인 로스차일드에게 전쟁 자금을 얻기 위해 팔레스타인에 유대인 국가를 건설하겠다는 밸푸어 선언을 하였다. 그 결과 1948년에 많은 유대인들이 팔레스타인으로 이주하여 이스라엘을 건국하였고, 이곳에 살던 아랍인들을 쫓아내면서 팔레스타인 분쟁이 시작되었다.

바로 알기 ① 제1차 세계 대전이 끝난 후 수립된 국제 질서를 베르사유 체제라고 한다. ② 냉전의 영향으로 분단된 대표적인 국가로는 독일, 베트남, 한국 등이 있다. ③ 시리아에서는 이슬람교의 수니파와 시아파의 갈등으로 내전이 일어났다. ④ 뉴딜 정책은 1929년에 발생한 대공황을 극복하기 위해 추진되었다.

13 유럽 연합 결성의 영향

제시된 글에서 '마스트리흐트 조약의 발효', '영국의 탈퇴' 내용을 통해 밑줄 친 '이 기구'가 유럽 연합(EU)임을 알 수 있다. 제2차 세계 대전 이후 국제 무역의 자유화가 확대되면서 지역화·블록화의 흐름이 나타났다. 유럽에서도 1950년대부터 정치적·경제적 통합을 모색하였고 마침내 1993년 유럽 연합(EU)이 출범하였다. ② 유럽 연합을 비롯한 지역 단위의 협력체들은 국제 사회가 다원화되는 데 영향을 주었다.

바로 알기 ① 제3 세계 국가들이 반둥 회의에서 '평화 10원칙'을 채택하였다. ③ 1944년 브레턴우즈에서 열린 국제 통화 금융 회의의 결정으로 국제 통화 기금(IMF)이 설립되었다. ④ 아시아·태평양 경제 협력체(APEC)는 아시아와 태평양 연안 국가들의 원활한 정책 대화와 협력 증진을 위해 결성되었다. ⑤는 바르샤바 조약 기구(WTO)에 해당하는 설명이다.

14 대중 사회의 특징

1960년대 이후 텔레비전, 라디오, 영화, 컴퓨터 등의 대중 매체가 발달하면서 정치·경제·사회·문화 등 모든 면에서 대중의 영향력이 크게 증대되었다. 이에 따라 대중 사회가 형성되고 대중문화가 발달하기 시작하였다. 대중 매체에 의해 대량으로 생산된 문화가 전 세계로 확산되면서 전 세계인들은 같은 내용을 보고 공감대를 형성하는 등 세계 각 지역의 상호 의존성이 증가하게 되었다. 또한 인공위성은 전 세계의 동시적인 문화 변동을 가능하게 하였다. 이러한 가운데 미국식 문화가 전 세계에 확산됨으로써 문화의 획일화 현상이 나타나기도 하였다.

바로 알기 ① 대중 사회의 형성은 민주주의의 성장과 확산에 기여하였다.

15 남북문제의 발생

제시된 자료는 북반구 국가들과 남반구 국가들 간의 경제적 격차 문제를 보여 준다. 따라서 (가)에 들어갈 국제 문제는 남북문제이다. ④ 21세기에 세계화가 촉진되고 신자유주의가 확산되면서 국가 간 빈부 격차가 심화되었다.

바로 알기 ① 전체주의는 개인의 모든 활동은 민족·국가와 같은 전체의 존립과 발전을 위해서만 존재한다는 이념으로, 제2차 세계 대전에 영향을 주었다. ② 신자유주의는 냉전 체제가 붕괴되는 시기에 대두되었다. ③ 다른 종교에 대한 배타적 태도가 종교 갈등을 일으켰으며, 이러한 갈등으로 지역 간 분쟁이나 테러가 발생하였다. ⑤ 대중의 사회 참여가 증가하면서 대중 사회가 형성되었다.

논술형 문제 풀이

주제 01 이집트 문명과 메소포타미아 문명

논술 SOLUTION

(가)에는 영혼 불멸과 사후 세계를 믿는 이집트인들의 내세관이 나타나 있다.

(나)에는 현세의 안정과 행복을 지향하는 메소포타미아인들의 종교관이 담겨 있다.

● POINT ● 이집트인들이 영혼 불멸과 사후 세계를 믿게 된 배경과 메소포타미아인들이 현세를 중시하게 된 배경을 지형적·정치적 상황에서 찾아본다. 이를 통해 다른 지역의 문화를 바라보는 바람직한 태도를 도출하여 논술한다.

1. 예시 답안 이집트는 사방이 사막과 바다로 둘러싸인 폐쇄적인 지형으로, 고대 이집트 왕조는 이민족의 침입을 거의 받지 않고 오랫동안 통일 왕국을 유지하였다. 이러한 안정 속에서 이집트인들은 현실 문제보다는 사후 세계에 관심을 두게 되었고, 인간의 생사가 반복된다는 영혼 불멸 사상을 믿게 되었다. 반면, 메소포타미아 지역은 지형이 개방적이어서 이민족의 침입을 많이 받았고, 다양한 민족이 세력 경쟁을 벌여 정치적으로 불안정하였다. 그리하여 메소포타미아 지역에서는 내세보다 현실 문제를 중시하는 종교관이 형성되었다.

2. 예시 답안 다른 사회와 문화를 한 가지 관점으로만 바라본다면 각 문화가 지닌 고유한 가치와 의미를 제대로 이해하기 어렵다. 그렇기 때문에 어떤 문화를 바라볼 때는 그 사회의 맥락과 환경을 고려하는 문화 상대주의적 태도가 필요하다.

주제 02 중국 관리 등용 제도의 변천

논술 SOLUTION

(가)는 위진 남북조 시대에 시행된 9품중정제에 대한 내용이다.

(나)는 당·송 대의 과거제에 대한 내용이다. 당 대의 과거제는 주관적 판단이 개입되어 귀족에게 유리하였고, 송 대의 과거제는 전시의 시행으로 황제의 영향력이 커졌다.

● POINT ● 9품중정제와 과거제의 차이를 파악하고, 당 대와 송 대에 시행된 과거제의 특징을 비교하여 제도의 변화가 황제권에 영향을 주었음을 추론하여 논술한다.

1. 예시 답안 (가)는 9품중정제로, 중정관이 자기 지역의 인물을 9등급으로 평가하여 중앙에 추천하면 국가가 이를 바탕으로 인재를 등용하는 제도였다. 9품중정제가 실시된 위진 남북조 시대에는 유력 호족이 높은 관직을 독점하였고, 이들은 문벌 귀족으로 성장하였다. (나)는 과거제로, 시험을 통해 관리를 선발한 제도이다. 과거제의 실시로 점차 가문보다 실력이 중시되는 사회 기풍이 형성되었다.

2. 예시 답안 당 대의 과거 합격자는 이부에서 치르는 면접시험을 거쳐 최종 선발되었다. 면접시험은 주관적인 판단이 개입될 가능성이 컸기 때문에 귀족에게 유리하였다. 송 대에는 과거 시험의 마지막 단계에 황제가 주관하는 전시를 시행하여 황제가 과거 합격자의 성적을 최종적으로 결정하였다. 이 성적은 이후 승진에 절대적인 영향을 미쳤다. 그리하여 송 대의 관료 제도는 능력 위주로 운영되었고, 합격한 관료가 황제에게 충성심을 갖게 되어 황제권이 강화되었다.

주제 03 중국 조세 제도의 변화

논술 SOLUTION

(가)는 당 대에 균전제의 붕괴로 조용조의 운영이 어려워지자 양세법의 시행을 건의하는 내용이다.

(나)는 명 대에 대량의 은이 유입된 결과 시행된 조세 제도인 일조편법에 대한 내용이다.

(다)는 강희제가 늘어나는 인구에 대해 인두세를 거두지 않겠다고 선언한 내용으로, 이를 계기로 지정은제가 실시되었다.

● POINT ● 양세법, 일조편법, 지정은제가 시행된 배경을 이해하고, 지정은제의 시행이 청 대의 인구 변화에 미친 영향을 논술한다.

1. 예시 답안 당 중기 이후 귀족의 장원 소유가 늘어나면서 균전제가 붕괴되기 시작하였고, 안사의 난이 일어나 중앙 정부의 통치력이 약화되어 균전제가 붕괴되었다. 균전제를 기반으로 한 세금 제도인 조용조의 운영이 어려워지자 당 정부는 자산에 따라 세금을 징수하는 양세법을 시행하였다.

2. 예시 답안 16세기 이후 유럽 상인들이 중국으로 들어오자 중국의 교역망이 확대되었다. 당시 유럽 상인들은 중국산 차와 도자기 등을 사고 물품의 판매 대금으로 은을 지급하여 일본과 아메리카의 은이 중국에 대량으로 유입되었다. 은을 기반으로 한 경제는 농촌에까지 침투하여 은으로 세금을 내는 방식이 확대되었다. 이에 명 대에는 일조편법이, 청 대에는 지정은제가 시행되었다.

3. 예시 답안 강희제가 늘어나는 인구에 대해 인두세를 거두지 않겠다고 선언한 결과 청 대에는 인두세를 토지세에 합쳐 은으로 한꺼번에 징수하는 지정은제가 시행되었다. 인두세가 폐지되자 농민들이 인구수를 숨기던 관행이 사라져 국가에서 파악하는 인구수가 증가하였다.

주제 04 원과 청의 중국 지배

논술 SOLUTION

[원의 중국 통치] 첫 번째 글과 도표는 원이 민족 차별 정책을 실시하였음을 보여 주고, 두 번째 글은 원 대 한족 지식인의 지위가 매우 낮았음을 보여 준다.

[청의 중국 통치] 첫 번째 자료는 청 정부가 한족에게 변발을 강요하는 내용이고, 두 번째 자료는 만한 병용제에 대한 내용이다.

● POINT ● 원은 몽골 제일주의를 기반으로 한족을 차별하였고, 청은 강경책과 회유책을 사용하여 한족을 지배하였음을 파악한다. 이를 통해 청이 원보다 오랜 기간 중국을 지배할 수 있었던 배경을 추론한다.

예시 답안 넓은 영토를 차지하여 다양한 민족을 다스리게 된 원은 몽골 제일주의를 채택하였다. 이에 소수의 몽골인이 국가 기관의 주요 관직을 독점하고 정치와 군사를 담당하는 최상층을 차지하였다. 그리고 민족 차별 정책을 실시하여 주로 재정·행정 업무를 담당한 색목인은 우대한 반면 한인과 남인은 차별하였다. 특히 남인은 고위 관직에 올라갈 수 없었고 세금 부담도 가장 컸다. 과거제를 실시할 때에도 각 민족에 따라 할당량이 정해져 한인과 남인에게 매우 불리하였다. 이러한 정책으로 몽골의 고유한 전통은 유지되었으나 민족 간의 갈등은 점차 심화되었다. 반면에 소수의 만주족이 건국한 청은 다수의 한족을 효율적으로 지배하기 위하여 강압책과 회유책을 적절히 활용하였다. 청 정부는 한족에게 만주족의 전통인 변발을 강요하면서도 주요 관직에 만주족과 한족을 함께 임명하는 만한 병용제를 실시하여 지배층이었던 한인 신사층의 협조를 얻었다. 이를 통해 청은 오랜 기간 중국을 지배할 수 있었다.

주제 05 오스만 제국과 무굴 제국의 통치

논술 SOLUTION

(가)는 오스만 제국의 술탄이 비이슬람교도에게 개종을 강제하지 않고, 그들의 권리를 보호할 것임을 선포하는 내용이다.

(나)는 아크바르 황제가 자신의 신앙을 강요하는 것이 바람직하지 못하였음을 깨달은 사실을 보여 준다.

● POINT ● 오스만 제국의 술탄과 무굴 제국의 아크바르 황제가 이교도에 대하여 관용적인 정책을 실시하였음을 파악하고, 이것이 오스만 제국과 무굴 제국의 사회와 문화에 어떤 영향을 주었을지 논술한다.

1. 예시 답안 오스만 제국의 통치자들은 비이슬람교도에게 개종을 강제하지 않았다. 그리고 비이슬람교도가 지즈야(인두세)만 납부하면 종교·정치 공동체인 밀레트를 만들 수 있도록 하였다. 오스만 제국은 각 밀레트에 종교적 자유와 함께 교육·언어·관습·재판 등에 폭넓은 자율권을 부여하였다.

2. 예시 답안 아크바르 황제는 강제로 이슬람교로 개종한 힌두교도가 다시 힌두교로 개종할 수 있는 법령을 반포하였다. 또한 비이슬람교도에게 부과하였던 세금인 지즈야(인두세)를 폐지하였고, 힌두교도에게 관직을 개방하였다.

3. 예시 답안 오스만 제국의 지도자들은 다양한 민족과 종교에 대해 관용적인 정책을 실시하였다. 무굴 제국의 아크바르 황제는 힌두교도와 이슬람교도의 융합을 꾀하였다. 이처럼 오스만 제국과 무굴 제국은 이교도에 대해 관대한 정책을 실시하여 안정된 국가를 유지하였고, 이는 두 제국에서 다양한 종교와 문화가 융합되어 발전하는 데 영향을 주었다.

주제 06 굽타 왕조와 힌두교

논술 SOLUTION

(가)는 힌두교가 화신 관념을 이용하여 여러 신을 비슈누에 통합하였고, 굽타 왕조의 왕들도 자신들을 비슈누에 비유하여 왕의 권위를 높이려 하였음을 보여 준다.

(나)에는 힌두교도가 자신에게 주어진 카스트에 따라 의무를 수행해야 하는 이유가 나타나 있다.

●POINT● 힌두교가 굽타 왕조 시기에 민족 종교로 발전할 수 있었던 배경을 파악하고, 힌두교에서 카스트에 따른 의무 수행을 강조한 점이 인도의 사회 질서에 영향을 주었음을 고려하여 서술한다.

예시 답안 힌두교는 브라만교를 바탕으로 불교 및 다양한 민간 사상을 융합한 종교로, 화신 관념을 이용하여 다른 종교의 신들까지도 힌두교 안으로 포섭하였다. 화신은 힌두교의 신인 비슈누가 다른 인물이나 동물 등 다양한 모습으로 세상에 나타난다는 것으로, 여러 부족과 다양한 카스트가 숭배하는 신을 비슈누에 통합하는 근거가 되었다. 힌두교는 이러한 포용성을 지녀 인도의 민족 종교로 발전하였다. 그리고 굽타 왕조의 왕들이 권위를 높이기 위해 자신을 비슈누에 비유하면서 힌두교를 보호하여 굽타 왕조 시기에 힌두교가 더욱 발전하였다. 한편 힌두교에서는 과거의 업을 해결하기 위하여 자신에게 주어진 의무를 다해야 한다고 주장하여 힌두교의 확산과 함께 카스트에 따른 의무 수행이 강조되었다. 이에 따라 직업 세습에 따른 카스트제가 인도 사회에 정착하였고, 이는 힌두교도의 일상생활에 영향을 주었다.

주제 07 그라쿠스 형제의 개혁

논술 SOLUTION

(가)는 포에니 전쟁 이후 로마 사회에 나타난 문제점을 보여 준다.

↓

(나)의 첫 번째 자료는 티베리우스 그라쿠스의 개혁 내용이고, 두 번째 자료는 그라쿠스 형제의 개혁에 반대하는 귀족의 의견이다.

●POINT● 포에니 전쟁 이후 자영농의 몰락을 해결하기 위해 그라쿠스 형제가 개혁을 실시하였음을 파악하고, 이에 대한 귀족들의 반응에 주목하여 개혁의 실패 이유를 논술한다.

1. 예시 답안 로마는 카르타고와 벌인 포에니 전쟁에서 승리하였지만 전쟁 이후 로마에서는 점차 사회 혼란이 가중되었다. 귀족을 비롯한 유력자들은 오랜 전쟁으로 방치된 농지를 독차지하고 노예를 사서 농지를 경작하는 대농장(라티푼디움) 경영을 확대하였다. 반면 로마의 많은 자영농은 토지를 잃고 몰락하여 도시의 빈민이 되었다. 이러한 상황에서 호민관에 당선된 티베리우스 그라쿠스는 심화되는 빈부 격차와 사회 문제를 해결하기 위해 개혁을 추진하였다. 그는 농지법을 제정하여 귀족의 토지 소유를 제한하고, 가난한 농민에게 농지를 재분배하여 자영농을 육성하고자 하였다. 이후에 호민관이 된 동생 가이우스 그라쿠스는 형의 농지법을 지속하였고, 곡물법을 제정하여 가난한 사람에게 곡물을 저렴하게 분배하는 정책을 시행하였다.

2. 예시 답안 원로원을 중심으로 한 귀족들은 자신들의 특권을 줄이려고 하지 않았다. 그래서 귀족들은 토지 소유의 상한선을 정하여 대토지 소유를 제한하려는 그라쿠스 형제의 개혁에 반대하였다. 결국 그라쿠스 형제는 개혁에 반대한 귀족들에게 희생되었고, 개혁은 지속되지 못하였다.

주제 08 유럽의 절대 왕정

논술 SOLUTION

(가)의 두 자료에는 국가가 왕을 중심으로 존재한다는 생각이 드러나 있다.

(나)에는 국왕을 백성의 주인이 아니라 국가 제일의 공복(심부름꾼)으로 여기는 생각이 담겨 있다.

(다)는 동유럽 국가에서는 농노제가 유지되었으며, 지주의 권력이 막강하였음을 보여 준다.

●POINT● 절대 왕정 시기에 서유럽과 동유럽의 절대 군주의 모습이 어떻게 달랐는지 파악하고, 봉건 질서의 유지로 인하여 동유럽의 절대 왕정이 한계를 가지고 있었음을 고려하여 논술한다.

1. 예시 답안 서유럽의 절대 군주는 왕의 권력은 신으로부터 주어진 것이라는 왕권신수설을 이용하여 절대 왕정을 정당화하였다. 이에 서유럽에서는 국가가 왕을 중심으로 존재한다는 생각이 퍼져 왕권이 매우 강력하였다. 한편 동유럽에서는 도시와 상공업의 발달이 부진하여 절대 왕정을 지지할 시민 세력이 충분히 성장하지 못하였다. 이러한 상황을 배경으로 동유럽의 절대 왕정은 서유럽보다 1세기 정도 늦게 성립하였고, 계몽사상의 영향을 받은 군주가 직접 개혁에 나서는 계몽 전제 정치가 나타났다.

2. 예시 답안 동유럽은 서유럽에 비해 도시와 상공업의 발달이 늦어 봉건 귀족 계급이 농노제를 그대로 유지하고 있었다. 동유럽에서 농노는 지주의 개인 재산이었으며 지주는 농노의 주인이었다. 이렇듯 동유럽에서는 봉건 질서가 유지되어 귀족들의 세력이 막강하였기 때문에 동유럽의 절대 군주들이 개혁을 시도하여도 보수적인 귀족 세력의 반발에 부딪혀 큰 성과를 거두지 못하였다.

주제 09 시민 혁명의 전개

논술 SOLUTION

(가)는 미국 혁명 과정에서 발표된 미국 독립 선언문이다.

(나)는 프랑스 혁명 초기에 구성된 국민 의회에서 발표한 인간과 시민의 권리선언이다.

● POINT ● 미국과 프랑스에서 시민 혁명이 일어난 배경을 파악하고, 두 문서에 공통적으로 반영된 근대 민주주의의 기본 원리를 도출하여 서술한다.

1. 예시 답안 독립 선언문은 미국 혁명 과정에서 발표되었고, 인간과 시민의 권리선언은 프랑스 혁명 과정에서 발표되었다. 미국 혁명은 자치를 누리고 있던 식민지에 대하여 영국이 중상주의 정책을 강화하자 식민지인들이 이에 반발하여 일어났다. 프랑스 혁명은 제3 신분이 세금과 봉건적인 의무를 부담하면서도 정치적 권리를 갖지 못한 구제도의 모순, 계몽사상과 미국 혁명의 영향을 받은 시민 계급의 성장, 국가 재정 악화 등을 배경으로 일어났다.

2. 예시 답안 미국의 독립 선언과 프랑스의 인간과 시민의 권리선언은 모두 자유와 평등을 인간의 기본적인 권리로 규정하였다. 또한 압제에 대한 저항을 인정하였으며 주권 재민을 주장하였다.

주제 10 제국주의의 등장

논술 SOLUTION

(가)는 국내 사회 문제를 해결하기 위해 적극적인 대외 팽창 정책을 추진해야 한다고 주장하고 있다.

(나)는 우월한 인종인 제국주의 열강들이 식민지를 지배하는 것이 의무라는 주장을 내세우고 있다.

(다)는 벨기에가 콩고를 식민지로 삼고 착취하는 모습을 보여 준다.

● POINT ● 제국주의 열강들이 국내 문제를 해결하고 서양의 우월 의식을 앞세워 대외 팽창을 전개하였음을 파악한다. 이러한 주장에 담긴 모순을 지적하여 제국주의를 논리적으로 비판하는 글을 작성한다.

1. 예시 답안 19세기 후반 독점 자본주의가 발달하면서 서구 열강들은 공업 발전에 필요한 값싼 원료 공급지, 상품 판매 시장, 자본의 투자처 등을 확보하고자 하였다. 또한 자본주의의 발전 과정에서 국내의 사회 갈등이 심해지자 국민의 관심을 타국과의 식민지 경쟁에서 승리하는 일로 돌려 사회를 통합하고자 하였다. 이를 위해 서구 열강은 서양인이 미개한 비서양인을 문명화시켜야 한다는 사명감을 내세우며 약소국을 식민지로 삼는 제국주의 정책을 추진하였다.

2. 예시 답안 제국주의 열강들은 백인은 우월하고 흑인과 같은 유색 인종은 열등하다고 취급하였다. 따라서 우월한 자신들이 식민지를 지배하는 것은 식민지인에게 베푸는 은혜이자, 자신들의 신성한 의무라고 미화하였다. 그러나 제국주의 열강의 식민 지배는 식민지인들의 발전을 목표로 한 것이 아니라 자신들의 원료 공급지와 상품 판매 시장을 확보하기 위한 것에 불과하였다. 이는 문명화가 아니라 일방적인 침략과 약탈일 뿐이다. 그들이 정말 식민지인들을 위한 정책을 펼쳤다면 그들은 먼저 서로 문화가 다름을 인정하고 이해하는 태도를 갖추었어야 했다.

주제 11 동아시아의 근대화 운동

논술 SOLUTION

(가)는 이홍장의 상소문으로 중체서용에 입각하여 서양 문물을 받아들일 것을 건의하고 있다.

(나)는 후쿠자와 유키치의 글로 서양 문명의 정신부터 받아들여 정치 체제의 변화를 가져올 것을 주장하고 있다.

● POINT ● 두 주장 모두 서양 문물의 우수성을 인정하고 있으나 그 수용 범위에서 차이를 보였음을 파악한다. 이러한 근대화 운동이 각각 다른 결과를 가져왔음을 고려하여 논술한다.

1. 예시 답안 (가), (나)는 모두 서양 문물의 우수성을 인정하고 이를 수용하여 부국강병을 이루고자 하였다는 점에서 공통점이 있다. 그러나 (가)를 주장한 이홍장은 전통적인 중국의 제도를 유지한 채 서양의 기술만을 이용하려 하였고, (나)를 주장한 후쿠자와 유키치는 문명화를 이루기 위해 서양의 정치, 법, 풍속까지 적극적으로 받아들여야 한다고 주장하여 차이를 보였다.

2. 예시 답안 (가)의 주장은 전통적인 중국의 제도를 유지한 채 서양의 기술만 받아들이려는 중체서용의 이념을 뒷받침하여 양무운동으로 이어졌다. 이에 따라 총리아문 설치, 군수 공장 설립, 서양식 군대

창설, 유학생 파견 등을 추진하였다. 그러나 양무운동은 보수파의 반대, 일관적이지 못한 정책, 청일 전쟁의 패배로 한계가 드러나 실패하였다. (나)의 주장은 일본에서 메이지 유신으로 구현되었다. 메이지 정부는 봉건제와 신분제를 폐지하였고 징병제 실시하였으며, 의회를 세우고 헌법을 제정하는 등의 개혁을 추진하였다. 이러한 메이지 유신은 일본의 근대화에 기여하였으나 천황에게 절대적인 권한을 부여하고 국민의 권리 규정이 취약하여 결국 군국주의로 이어졌다.

주제 12 냉전의 형성과 변화

논술 SOLUTION

(가)는 1947년 미국 대통령 트루먼이 공산주의 침략을 받는 지역에 원조를 제공하겠다고 발표한 트루먼 독트린이다.

(나)는 1969년 미국의 닉슨 대통령이 괌에서 발표한 이른바 닉슨 독트린으로, 베트남 전쟁과 같은 미국의 군사적 개입을 피하고 아시아 각국의 방어를 간접적으로만 지원하겠다는 내용이 담겨 있다.

● POINT ● 트루먼과 닉슨 대통령이 각 자료를 발표할 당시의 국제 정세를 바탕으로 이들이 중시한 가치에 주목하여 서술한다. 이를 토대로 각 발표가 국제 정세에 어떤 영향을 주었는지 냉전 체제와 관련하여 논술해 본다.

1. 예시 답안 제2차 세계 대전 이후 동유럽의 대부분 지역에서 공산 정권이 수립되고 서유럽 지역에서 공산당이 성장하여 소련의 국제적 영향력이 확대되었다. 이러한 가운데 그리스에서 정부군과 공산주의자들 사이에 내전이 발생하자, 미국 대통령 트루먼은 공산주의 세력의 확대를 저지하기 위해 트루먼 독트린을 발표하였다. 한편, 1960년대 후반에는 베트남 전쟁이 미국에 불리하게 전개되는 가운데 미국 내에서 반전 운동이 확산되었다. 이러한 상황에서 닉슨 대통령은 미국의 군사적 개입을 줄이겠다는 닉슨 독트린을 발표하였다.

2. 예시 답안 트루먼 독트린은 공산주의 침략을 받는 지역에 정치적·군사적·경제적 원조를 제공함으로써 공산주의 세력의 확대를 막겠다는 선언이었다. 이는 미국이 공산주의 세력의 확대에 적극적으로 대응하였음을 보여 준다. 반면, 닉슨 독트린은 미국의 안보에 직접적으로 위협이 되지 않는 한 군사적 대립에 참여하지 않는다는 입장이었다. 이는 트루먼 독트린과 구별되는 것으로, 미국이 이념 대립보다 실리를 중요하게 생각하였음을 엿볼 수 있다.

3. 예시 답안 트루먼 독트린을 발표한 이후 미국은 마셜 계획을 실행하는 한편, 북대서양 조약 기구(NATO)를 결성하여 자본주의 진영의 집단 방위 체제를 구축하였다. 이에 맞서 공산주의 진영은 코민포름을 결성하고 코메콘(COMECON, 동유럽 경제 상호 원조 회의)과 군사 동맹인 바르샤바 조약 기구(WTO)를 조직하였다. 이러한 과정 속에서 미국을 중심으로 한 자본주의 진영과 소련을 중심으로 한 공산주의 진영 간에 냉전이 심화되어 세계 곳곳에서 갈등이 발생하였다. 한편, 1960년대 들어서 국제 질서가 다극화되기 시작하였다. 특히 닉슨 독트린 발표 이후 미국이 베트남 전쟁에서 미군을 철수시키고 공산주의 진영의 국가들과 관계를 개선함에 따라 국제적으로 긴장 완화(데탕트) 분위기가 조성되었다.

주제 13 공산주의 체제의 변화

논술 SOLUTION

(가)는 마오쩌둥의 사망 이후 권력을 잡은 덩샤오핑이 경제 발전을 위해 실용주의 노선을 채택하였음을 보여 준다.

(나)의 첫 번째 글은 모든 분야에서 페레스트로이카 정책을 내세워 근본적인 개혁을 실시할 것을 주장하고 있다. 두 번째 글은 동유럽 국가들에 대한 불간섭을 선언한 내용이다.

● POINT ● 소련과 중국이 공산주의 체제의 변화를 꾀하였던 배경을 공산주의의 한계와 연결하여 서술한다. 그리고 소련의 개혁 정책이 소련과 동유럽 국가들에 미친 영향을 중심으로 국제 사회의 변동에 대해 논술한다.

1. 예시 답안 중국은 대약진 운동과 인민공사 설치라는 공산주의적 정책을 추진하였다. 그러나 집단화에 대한 농민들의 저항과 근로 의욕 감소, 생산력 저하와 같은 문제에 직면하게 되었다. 이 운동의 실패로 정치적 위협을 느낀 마오쩌둥은 문화 대혁명을 일으켜 권력을 강화하였으나, 마오쩌둥 사후 정권을 잡은 덩샤오핑은 문화 대혁명의 잘못을 인식하고 적극적인 개혁·개방 정책을 추진하였다. 소련은 제2차 세계 대전 후 중공업 육성 정책을 펼쳐 공업 강국으로 성장하였다. 그러나 통제 경제 체제가 강화되어 경제 성장이 둔화되었고, 브레즈네프가 모든 권력을 공산당 관료 체제에 집중시킴으로써 소련 공산주의 경제 체제는 정체되고 말았다. 이러한 상황에서 등장한 고르바초프는 개혁(페레스트로이카)과 개방(글라스노스트)을 내세우며 정치 민주화와 시장 경제의 도입으로 위기를 극복하고자 하였다.

2. 예시 답안 고르바초프의 개혁·개방 정책은 소련 체제를 와해시키는 흐름으로 이어졌다. 고르바초프 정책의 영향으로 소련 내 각 공화국이 독립을 선포하기 시작하였고, 결국 고르바초프를 대신하여 권력을 장악한 옐친이 독립 국가 연합(CIS)을 출범시켜 소련을 공식 해체하였다. 이후 대통령에 당선된 옐친은 공산주의 경제 체제를 포기하고 자본주의 시장 경제 체제로 전환하였다. 고르바초프의 동유럽 국가들에 대한 불간섭 선언과 개혁·개방 정책은 동유럽 국가들이 공산주의 체제를 버리고 민주주의 정치와 자본주의 시장 경제를 받아들이는 데도 영향을 주었다. 이렇게 소련이 해체되고 동유럽 공산주의권이 붕괴되면서 냉전 체제가 종식되었다.

Memo

visang

발행일 2018년 12월 1일
펴낸날 2021년 11월 1일
펴낸곳 (주)비상교육
펴낸이 양태회
신고번호 제2002-000048호
출판사업총괄 최대찬
개발총괄 채진희
개발책임 송경화
디자인책임 김재훈
영업책임 이지웅
마케팅책임 이은진
품질책임 석진안
대표전화 1544-0554
주소 경기도 과천시 과천대로2길 54

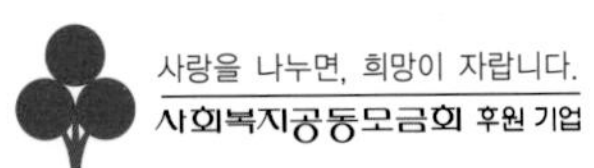

• 끝까지 최선을 다하는 비상

발간 이후에 발견되는 오류는 비상교재 누리집을 통해 알려 드려요.
본 교재의 정답친해는 비상교재 누리집을 통해 내려받으실 수 있어요.
파본은 구입하신 곳에서 교환해 드려요.

http://book.visang.com/

• 믿음직한 비상

교육기업대상 5년 연속 수상 초중고 교과서 부문 1위

2022 국가브랜드대상 9년 연속 수상 교과서 부문 1위 중·고등 교재 부문 1위

한국산업의 브랜드파워 1위 중고등교재 부문1위

발행일 2018년 12월 1일 **펴낸날** 2021년 11월 1일
펴낸곳 (주)비상교육 **펴낸이** 양태회 **신고번호** 제2002-000048호
출판사업총괄 최대찬 **개발총괄** 채진희
개발책임 송경화 **디자인책임** 김재훈
영업책임 이지웅 **마케팅책임** 이은진 **품질책임** 석진안
대표전화 1544-0554
주소 경기도 과천시 과천대로2길 54

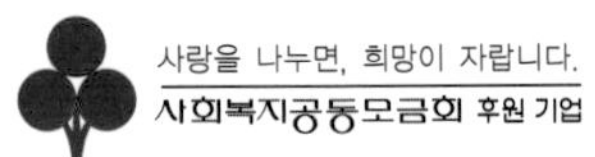

ISBN 979-11-6227-550-4
정가 16,500원
품질혁신코드 VS01QI24